D12986Z8

LEGISLACION PARA LA DEFENSA POLITICA EN LAS REPUBLICAS AMERICANAS

TOMO I

TOMO I

Inter-American emergency advisory committee for political defense

COMITE CONSULTIVO DE EMERGENCIA PARA LA DEFENSA POLITICA

LEGISLACION PARA LA DEFENSA POLITICA EN LAS REPUBLICAS AMERICANAS

TOMO I

INTRODUCCION GENERAL. — CONTRALOR DE
EXTRANJEROS. — PREVENCION DEL ABUSO DE
LA NACIONALIDAD. — ENTRADA Y SALIDA DE
PERSONAS, TRANSITO CLANDESTINO Y EXPUL-
SION DE EXTRANJEROS.

RELEASED BY
CATHOLIC UNIVERSITY
OF AMERICA LIBRARIES

CATHOLIC UNIVERSITY
OF AMERICA
LIBRARY
WASHINGTON D.C.

MONTEVIDEO
1947

389896

JX
1995
.I61
1947
v.1

PREFACIO

18 June '8 y9c

más amplia y eficaz del estado de derecho y de la democracia política.

El hecho de realizar esta publicación, persiguiendo
los propósitos puntualizados, no significa que los miembros del Comité comparten todas las opiniones sobre
cuestiones jurídicas y políticas que se expresan en los
diversos estudios que se han realizado bajo su patrocinio.

JUAN JOSE CARBAJAL VICTORICA,
Presidente del Comité

PREFACIO

El Comité Consultivo de Emergencia para la Defensa Política, resolvió en su sesión de fecha 5 de noviembre de 1943 publicar en esta obra los estudios de
Derecho Comparado que realizaría, con motivo de la
acción desarrollada en salvaguardia del estado de derecho y de la democracia política en el Continente, y de
la integridad y solidaridad de todas las Naciones Americanas frente al peligro de la agresión o de las actividades subversivas de las potencias del Eje.

Dos propósitos fundamentales determinaron esa
decisión. Dar publicidad a los estudios serios y profun-
dos de Derecho Comparado americano sobre defensa
política, como expresiva ilustración de la forma como
buscó el Comité fuentes de inequívoca importancia
orientadora para fundar las recomendaciones adoptadas. Pero también el designio que puede ser de más
vasta trascendencia, de ofrecer abundante materia para
el estudioso, desbordante de enseñanzas de teoría y de
experiencia para la opinión pública de las Naciones
Americanas, que indican al hombre de estado y al jurista la base de conocimiento que orientó una obra de
defensa americana y un cuadro enjundioso de regímenes normativos, de exámenes jurídicos y de reflexiones
políticas, que puede contribuir a imponer una tutela

más amplia y eficaz del estado de derecho y de la democracia política.

El hecho de realizar esta publicación, persiguiendo los propósitos puntualizados, no significa que los miembros del Comité compartan todas las opiniones sobre cuestiones jurídicas y políticas que se expresan en los meritorios estudios que se han realizado bajo su patrocinio.

JUAN JOSE CARBAJAL VICTORICA,
Presidente del Comité.

NOTA PRELIMINAR

NOTA PRELIMINAR

Esta obra comprende cuatro grandes partes precedidas de un estudio general sobre las medidas de defensa política. En ellas se tienen en cuenta el plan trazado por la Resolución XVII de la III Reunión de Consulta, sobre actividades subversivas, así como las resoluciones específicas dictadas por el Comité.

La primera parte trata los temas relacionados con el "Contralor de Extranjeros"; la segunda, los problemas referentes al "Abuso de la Nacionalidad"; la tercera, se ocupa de la "Entrada y Salida de Personas, Tránsito Clandestino y Expulsión de Extranjeros"; y la cuarta, bajo el rótulo común de "Actos de Agresión Política", comprende estudios especiales acerca de "Contralor de los Medios de Comunicación y Formación de la Opinión Pública"; "Contralor de las Asociaciones"; "Protección de Zonas, Servicios e Instalaciones Vitales contra el Sabotaje"; y "Represión de Actos que atenten contra la seguridad de otros Estados".

La dirección general del trabajo de Derecho Comparado, en una primera etapa de ejecución, estuvo a cargo del Profesor Karl Loewenstein, quien, además, realizó el estudio preliminar sobre las medidas de defensa política antes citado, y dirigió el plan general de la obra. En esa etapa se dió fin a las tres primeras partes de la obra a cargo, respectivamente, la relativa al "Contralor de Extranjeros" del Ayudante del Consultor Técnico de este organismo, Sr. Alejandro Rovira, la relativa al "Abuso de la Nacionalidad" del Prosecretario del mismo, Dr. Eduardo Jiménez de Aréchaga (h.), y la relativa a "Entrada y Salida de Personas, Tránsito Clandestino y Expulsión de Extranjeros" del también Ayudante del Consultor Técnico, Sr. Luis Seguí González.

La cuarta parte quedó sometida a la dirección general del Prosecretario del Comité, antes nombrado, en virtud de haberse tenido que ausentar el Profesor Loewenstein; y, en razón de la natural extensión y diversidad de temas comprendidos en la misma, su preparación y redacción estuvo a cargo de los mismos funcionarios del Comité: el estudio sobre "Contralor de los medios de comunicación y formación de la opinión pública", fué realizado por el Sr. Alejandro Rovira; los trabajos sobre "Contralor de las asociaciones" y "Represión de actos contra la seguridad de otros Estados", por el Dr. Eduardo Jiménez de Aréchaga (h.); y el examen de las medidas de "Protección contra el sabotaje", por el Sr. Luis Seguí González.

INTRODUCCION GENERAL

INTRODUCCION GENERAL

CAPITULO I

Bases, Fuentes y Método del Estudio.

I. Bases y Fuentes

1. El Comité Consultivo de Emergencia para la Defensa Política.

La Tercera Reunión de Consulta de los Ministros de Relaciones Exteriores de las veintiuna Repúblicas Americanas, realizada en Río de Janeiro adoptó, el 28 de enero de 1942, como ya es sabido, la Resolución XVII sobre "Actividades Subversivas" en cuyo parágrafo (3) se recomendó "a los Estados Americanos que adopten, con sujeción a su Constitución y leyes, normas reglamentarias que se acomoden, en lo posible, al anexo que, a título informativo se agrega a esta Resolución". Al mismo tiempo, el parágrafo (5) de dicha resolución creaba, con intervención del Consejo Directivo de la Unión Panamericana y a fin de "estudiar y coordinar las medidas que se recomiendan en esta resolución", un Comité compuesto de siete miembros que sería conocido como el Comité Consultivo de Emergencia para la Defensa Política, nombre que ha llevado hasta ahora, el que tendría su sede en Montevideo. Desde el mes de abril de 1942, el Comité se ha reunido ininterrumpidamente en la capital del Uruguay actuando como centro de coordinación de la defensa de las Repúblicas americanas contra la agresión política iniciada y desarrollala por el Eje en el Hemisferio Occidental. La resolución XVII conjuntamente con el Memorándum anexo a la misma, constituyen el estatuto orgánico del Comité o, según lo califican con precisión los Informes Anuales de dicho organismo, las "directivas políticas" que definen las funciones que ha de desarrollar para combatir las actividades subversivas llevadas a cabo por los Estados miembros del Pacto Tripartito y los Estados a ellos subordinados, o por sus nacionales u otras personas que actúen en interés del Eje. El Memorándum que acompaña la Resolución XVII encaró la defensa del ideal panamericano de Estados democrático-constitucionales con arreglo a cuatro clases principales de medidas: contralor de extranjeros peligrosos; prevención del abuso de la naturalización; tránsito a través de las fronteras nacionales; y por último, la más amplia de todas, actos de agresión política en general.

Durante sus tres años de funcionamiento, hasta la fecha, el Comité ha adoptado veinticinco resoluciones destinadas a combatir la agresión política del Eje en este Continente, cumpliendo así con el programa para la defensa del Estado democrático-constitucional trazado en la Resolución XVII y el Memorándum anexo a la misma (1).

Solamente la historia podrá decir exactamente hasta qué punto y en qué medida el Comité ha cumplido su misión de frustrar o contribuir a frustrar los designios del Eje de convertir al Continente Americano en parte del **Lebenraum** para su exceso de población y en una sección del **Befehlsraum,** de conformidad con sus planes de dominación mundial. No obstante, si se tiene en cuenta el hecho incontrovertible de que, durante todo el transcurso de la segunda guerra mundial, se ha logrado contener la agresión política interna del Eje y no se ha producido una sola conmoción dentro de ninguna de las Repúblicas americanas que favoreciera abiertamente los intereses del mismo, puede muy bien llegarse a la conclusión de que el Comité, en su conjunto, ha contribuído con su labor, a la victoria de las Naciones Unidas sobre las fuerzas del misticismo mecanizado que los siniestros dirigentes del Eje levantaron contra el orden democrático-constitucional del mundo.

2. La técnica de derecho comparado empleada por el Comité.

Los métodos empleados por el Comité para cumplir su misión de evitar la agresión política interna, facilitando así el esfuerzo bélico de todos aquellos Estados del Hemisferio Occidental que se adhirieron a las fuerzas de las Naciones Unidas,

---

(1) Estas resoluciones figuran en el primer Informe Anual, edición castellana, Montevideo, 1943, p. 67 y sigts., y en el segundo Informe Anual, Montevideo, 1944, p. 95 y sigts.

son de orden político-diplomático y jurídico. Los objetivos diplomáticos y políticos fueron logrados por medios jurídicos. La Resolución XVII y el Memorándum anexo a la misma constituyen, sustancialmente, documentos de carácter político-diplomático; pero, como era natural e inevitable en el caso de directivas políticas dirigidas a veintiún Estados soberanos, el contenido político diplomático tenía que manifestarse en forma jurídica. Asimismo, las propias resoluciones del Comité, destinadas a servir de base para la adopción de leyes y reglamentos por las Repúblicas Americanas, se elaboraron conforme a la técnica legislativa y constituyen documentos de carácter jurídico. La técnica empleada para la formulación de las resoluciones se basa, fundamentalmente, en los métodos del derecho comparado. Sólo mediante una comparación inteligente de los diversos sistemas legislativos en vigor en los distintos Estados, podía el Comité elaborar con justeza las medidas adecuadas de defensa que cada uno de ellos debiera adoptar a fin de contrarrestar las variadas tácticas de agresión del Eje, dirigidas contra todas y cada una de las Repúblicas Americanas. En cada una de las resoluciones del Comité, que recomendaron medidas específicas para la defensa política, fué menester tener en cuenta las particularidades jurídicas y socio-políticas de veintiún Estados diferentes. Además, las Resoluciones del Comité debían considerar, en interés de la solidaridad de las Repúblicas Americanas, la repercusión que las medidas adoptadas por un Estado individual pudieran tener respecto a la defensa de los otros Estados.

Por la propia naturaleza de sus funciones, pues, el Comité, al proponer y redactar sus resoluciones, utilizaba y estaba obligado a hacerlo, los procedimientos y las técnicas del derecho comparado. En realidad, casi todas las resoluciones del Comité llegaron a su forma definitiva solamente después que las directivas previstas en cada una de ellas, así como la concreción de dichas directivas en una resolución, fueron sometidas a un procedimiento de comparación jurídica con los aspectos relevantes que prevalecían o afectaban a cada Estado individual. Es difícil, por lo tanto, que otro organismo internacional de una naturaleza político-diplomática similar haya aplicado hasta tal extremo el método comparativo de análisis político y jurídico. Sus funciones fueron más allá de las de un grupo de expertos en el campo internacional, como es el caso, por ejemplo, de las diversas Uniones Administrativas que actúan en todo el mundo civilizado.

Un estudio cuidadoso revela que, de las veinticinco resoluciones adoptadas por el Comité durante los tres años de su existencia, por lo menos catorce de ellas se basan en el método del análisis comparativo de la situación legal de diversos Estados (2) y constituyen, en sí mismas, recomendaciones minuciosas de orden codificatorio (3), que se han elaborado, en su alcance general así como en los detalles de su aplicación, mediante el método comparativo.

3. La Resolución III del Comité.

Y tenía que ser así, por cuanto en el preámbulo de la Resolución XVII, parágrafo (3), se había declarado enfáticamente que "las Repúblicas Americanas están resueltas a mantener su integridad y solidaridad ante la emergencia creada por actos de agresión de parte de Estados no americanos, y a prestarse la más decidida cooperación para dictar y llevar a ejecución medidas extraordinarias de defensa continental". La finalidad de la Conferencia de Río de Janeiro, así como la de las resoluciones allí adoptadas, fué la de salvaguardar la solidaridad continental y defender los intereses de todos y cada uno de los Estados americanos contra la agresión política del Eje, mediante la recomendación de medidas conjuntas de protección. Dicha finalidad sólo podía alcanzarse una vez logrado el más amplio conocimiento posible por parte del Comité, como punto focal de la defensa del Continente contra la agresión política del Eje, de todas las medidas que sobre cada una de las materias relacionadas con el objetivo común estuvieran en vigor en cada Estado y de las que cada uno adoptara subsiguientemente para su defensa y, por ende, para la defensa interamericana. Desde el primer momento, por lo tanto, el método de comparación legislativa constituyó el instrumento de trabajo del Comité. De faltarle tan completa información le hubiera sido

---

(2) Resoluciones Nos. II, IV, VI, VII, VIII, X, XI, XII, XIII, XV; XVI, XIX, XX, XXI.
(3) Sobre el carácter "codificatorio" de las resoluciones del Comité, véase infra.

imposible dar cumplimiento a las directivas políticas contenidas en la Resolución XVII y el Memorándum anexo a la misma. Hubiera operado en el vacío. Por consiguiente, una de las
primeras preocupaciones del Comité fué la de solicitar a los
gobiernos de las Repúblicas Americanas en su Resolución III
(aprobada el 7 de mayo de 1942 y enviada a los gobiernos el
11 de mayo de 1942 (4) "que canjeen... ejemplares de sus leyes y reglamentos especiales que hayan adoptado con el fin
de proteger a sus respectivos países contra las actividades
subversivas llevadas a cabo por personas y organizaciones en
interés de los miembros del Pacto Tripartito o de Estados a
ellos subordinados". Dado que tal intercambio debía realizarse por intermedio del Comité, éste podía disponer de ese material y estudiarlo debidamente. Aunque la Resolución III se refería únicamente a las actividades subversivas emprendidas en
interés de las potencias del Eje y no a todo lo relativo a la defensa de los Estados democrático-constitucionales en general,
incluso a aquellos casos en que el peligro no fuera producido por
las actividades del Eje, el material enviado se refería también
a los problemas generales de la defensa del Estado y esa parte del mismo se utilizó en cuanto fué procedente, para la elaboración de las resoluciones.

4. El Proyecto del Comité en un "Estudio Comparado del derecho sobre la defensa política".

Pero el interés del Comité en el derecho comparado no
se limitó al aspecto práctico derivado de la naturaleza intrínseca
de su trabajo. En medio de su preocupación por la labor apremiante de defender al continente contra la campaña de agresión política del Eje, los miembros del Comité comprendieron
claramente que la naturaleza de sus funciones les brindaba una
oportunidad sin precedentes y les imponía la obligación casi
ineludible, aunque no hubiera sido expresamente impuesta por
sus Estatutos, de hacer accesible a las ciencias políticas en general y a la ciencia jurídica comparativa el vasto material legislativo y reglamentario que pasaba diariamente por sus ma-

_____
(4) Véase el texto de esta Resolución en el primer Informe Anual,
     p. 279.

nos y era clasificado sistemáticamente en sus archivos. Tal comprensión de los valores culturales —y en los Estados que viven en un régimen de derecho las ciencias jurídicas y políticas son consideradas como una de las más preciadas manifestaciones de la cultura humana—, se encuentra raramente en cuerpos u organizaciones internacionales similares. Por regla general, tales organismos internacionales, satisfechos de cumplir o de haber cumplido su cometido básico, dejan los aspectos teóricos y científicos de su obra a aquellas personas u organismos privados a quienes posteriormente pueda llegar a interesar, y declinan toda tarea que no se relacione inmediatamente con su trabajo. No corresponde aquí analizar los motivos que indujeron al Comité a aportar al mundo científico, un estudio del derecho comparado de la defensa política de los Estados democrático-constitucionales contra la agresión totalitaria. Baste decir que entre los miembros del Comité y entre los funcionarios de los Gobiernos de las Repúblicas Americanas que, en las oficinas de enlace y en los Comités de Defensa Política, contribuyeron activamente al éxito de la defensa continental, se encuentran muchos reputados expertos en derecho internacional y comparado, que creyeron muy acertadamente que, tal como se expresa en el informe del Subcomité de Organización del 5 de noviembre de 1943, el material que obraba en poder del Comité constituía "una fuente sumamente valiosa de información sobre los sistemas legales y constitucionales de las Repúblicas Americanas en el campo de la prevención y represión de actividades dirigidas contra el Estado y sus instituciones y que sería de lamentar que no se aprovechara esta oportunidad para realizar una obra de análisis científico y de derecho comparado". La resolución del Comité de extender sus labores a la tarea de compilar y analizar el derecho comparado que tuviera relación con su trabajo data, por lo tanto, del 5 de noviembre de 1943, habiéndose aprobado luego, el 19 de mayo de 1944, el plan general para la realización de la obra. En virtud de que estos dos documentos constituyen la exposición más cabal de los móviles y propósitos del Comité en este campo, son reproducidos en el Apéndice I (5).

A mediados del año 1944, la Secretaría General del Comi-

_____

(5) Véase infra, p.

té y su personal de expertos y técnicos en materia legal, con la incorporación posterior de nuevos miembros a medida que la obra así lo exigía, comenzaron a trabajar en el proyecto de derecho comparado. Desde setiembre de 1944 a abril de 1945, se unió a este grupo, como Director General del Estudio, el Dr. Karl Loewenstein, Profesor de Ciencias Políticas y de Jurisprudencia del Amherst College, Amherst, Mass., Estados Unidos de América, quien había colaborado ya desde Wáshington, en su calidad de Ayudante Especial del Fiscal General, en la elaboración técnica del plan de la obra. La intensa labor desarrollada por este grupo durante casi un año dió por resultado los dos temas sobre "Legislación americana para la defensa política", que el Comité somete a las ciencias políticas de derecho comparado, como una contribución duradera, que es un fruto de sus actividades como centro de la defensa continental contra la agresión política del Eje.

5. Fuentes del Estudio.

Ha de ofrecer interés al lector, conocer cierta información acerca de las fuentes utilizadas en el presente estudio y el procedimiento de recopilación seguido, a fin de apreciar el alcance de la publicación y saber si existen vacíos en la misma. Resulta necesario señalar, además, las limitaciones de ésta, en lo tocante a su alcance y propósitos. Tales datos han de resultar de utilidad para todos aquellos que la usen o consulten en el desempeño de sus tareas legislativas y administrativas, como también para quienes se interesen en los asuntos de que trata, desde un punto de vista teórico, como un ejemplo de ciencia jurídica comparativa.

La fuente más importante de información está constituída por el material enviado al Comité por los gobiernos de las Repúblicas Americanas. De conformidad con la Resolución III, ya citada, los gobiernos han trasmitido al Comité gran parte de sus disposiciones vigentes, para el contralor de actividades subversivas. Además, en la mayoría de los casos, en respuesta a cada una de las resoluciones del Comité sobre temas determinados de defensa política, los diversos Estados suministraron ejemplares de las disposiciones adoptadas como consecuencia de dichas resoluciones. Muchos de ellos enviaron, asimismo, información referente a ciertos aspectos de la defensa política, no comprendidos en las resoluciones de este organismo. Las visitas de consulta proporcionaron una nueva y muy valiosa oportunidad para proveerse de importantes disposiciones legislativas. Casi todos los países visitados facilitaron a las delegaciones del Comité una vasta documentación sobre el régimen vigente en materia de defensa política —que ha resultado tanto más útil cuanto ya estaba clasificado u ordenado en forma sistemática—, aunque relacionada, por lo común, exclusivamente con las resoluciones del Comité y no con otros aspectos de la defensa política. Por otra parte, el personal técnico del Comité hizo todo lo que estaba a su alcance para complementar las informaciones y documentos obtenidos en fuentes oficiales, mediante la investigación constante y minuciosa de los diarios y boletines oficiales de leyes, manuales y digestos legislativos, recopilaciones de leyes y disposiciones administrativas, revistas de derecho de los diversos Estados, y la prensa. A pesar de todo, debe señalarse el hecho de que la documentación legislativa recogida por el Comité y clasificada en sus archivos, es más completa con respecto a algunas Repúblicas que con respecto a otras. En efecto, algunas de ellas han suministrado su material legislativo y reglamentario con regularidad y en forma completa, en tanto que otras lo han hecho con menos regularidad. La documentación es menos completa, particularmente en el caso de aquellos países donde no se realizaron visitas de consulta. Como es natural, dichos vacíos podían haberse eliminado con más facilidad mediante la colaboración de los funcionarios nacionales, que tienen un conocimiento acabado de sus propias leyes, que con los estudios e investigaciones realizados directamente por los funcionarios del Comité. Pese a todo, puede afirmarse que se ha logrado obtener una información satisfactoria y bastante completa sobre las disposiciones legales y administrativas relacionadas con las materias tratadas en las resoluciones del Comité, particularmente las que entraron en vigor después que éste comenzó sus labores.

Merced a la contribución de todas estas diversas fuentes, logró acumularse en los archivos del Comité un material legislativo de grandes proporciones que presentaba, a pesar de haber sido adoptado con idénticos propósitos, variantes de importancia en función de las costumbres y prácticas de cada Estado. Sería difícil calcular el número exacto de leyes, decretos ejecutivos y reglamentarios y demás disposiciones incluídas en la obra, pero si se multiplica el número de las resoluciones del Comité por el de repúblicas americanas y se tiene en cuenta que cada una de ellas debe haber dictado más de una disposición al respecto, la cifra alcanzada llegará fácilmente a mil. Además, si se considera que los diversos temas tratados en cada una de las resoluciones del Comité reclamaban la adopción de minuciosas reglamentaciones especiales, que en algunos casos, como en materia de la nacionalidad, de contralor de extranjeros y de entrada y salida, podrían llegar a constituir verdaderos esfuerzos de codificación de la materia y si se atiende también a que fué menester separar y clasificar las disposiciones respectivas antes de poder incluirlas en la obra de derecho comparado, no sería exagerado calcular el total de disposiciones utilizadas en el estudio en un número de cinco cifras.

Una seria dificultad —que sólo hubiera sido posible allanar con mayor tiempo y personal— derivó de la circunstancia de que, con anterioridad al establecimiento del Comité, existían en casi todos los Estados leyes o disposiciones de distinta índole, que abarcaban la mayor parte de los temas tratados en sus resoluciones. En casi ninguno de los aspectos de la defensa política constituyeron las recomendaciones del Comité una innovación total en el campo legislativo. Esto es muy natural, ya que los temas tratados por las mismas han sido siempre objetivos legítimos de la legislación nacional. Además, la Conferencia de Río de Janeiro fué la tercera de las Asambleas americanas que llamó la atención de las repúblicas del Continente, sobre el peligro proveniente de la infiltración en el Hemisferio Occidental, de doctrinas extranjeras diametralmente opuestas al ideal democrático panamericano. La Resolución XI de la Conferencia de Ministros de Relaciones Exteriores de Panamá (1939) recomendó "a los gobiernos en ella representados que dicten las disposiciones necesarias para extirpar en las Américas la propaganda de las doctrinas que tienden a poner en peligro el común ideal democrático americano".

Este fué solamente el primer paso. Más tarde, las Reso-

luciones VI y VII de la Conferencia de La Habana (1940)
trataron sobre el particular mucho más detalladamente. La
primera de dichas Resoluciones, sobre "Actividades dirigidas
del exterior contra las instituciones nacionales", resolvió que
"cada uno de los gobiernos de las Repúblicas Americanas...
adoptará en su territorio las medidas necesarias, de acuerdo
con sus poderes constitucionales, para prevenir y suprimir
cualquier clase de actividades dirigidas, ayudadas o instigadas por gobiernos, grupos o individuos extranjeros, que tiendan a subvertir las instituciones nacionales o a fomentar desórdenes en su vida política interna, o a modificar por la presión, la propaganda, la amenaza, o de cualquier otra manera,
el libre y soberano derecho de sus pueblos a regirse por los
sistemas democráticos que en ellos prevalecen". La Resolución
VII sobre "Propagación de doctrinas tendientes a poner en peligro el común ideal democrático interamericano o a comprometer la seguridad y neutralidad de las Repúblicas Americanas" no solamente reiteró (Nº 1) la recomendación de la Conferencia de Panamá de dictar disposiciones adecuadas, sino
que formuló un amplio programa legislativo sobre la difusión
de doctrinas subversivas (Nº 2, 3 y 4), donde se incluyó especialmente la represión de actividades ilegales de los nacionales y extranjeros en interés de un estado extranjero; la
prohibición de toda actividad política realizada por extranjeros; el contralor de la entrada de extranjeros; el contralor de
las asociaciones no americanas y el establecimiento de leyes
penales adecuadas para reprimir tales infracciones. En cumplimiento de estas resoluciones adoptadas en 1939 y 1940, así
como también en interés de su propia seguridad, los Estados
americanos dictaron las medidas legislativas correspondientes.
Por consiguiente, la preocupación por la defensa del estado
contra los planes de subversión totalitaria se anticipó en varios años a las resoluciones del Comité, y durante esos años
las Repúblicas Americanas pusieron en vigor numerosas disposiciones legislativas o administrativas.

Con frecuencia, la documentación oficial que los distintos
gobiernos enviaron al Comité, incluía leyes y reglamentos
adoptados con anterioridad a sus resoluciones, pero ésto no
sucedía todas las veces, y cuando, a pesar de sus esfuerzos, el
personal del Comité se veía imposibilitado de obtener el ma-

terial correspondiente, se producían necesariamente ciertos vacíos difíciles de subsanar. Solamente en contadas ocasiones influyeron las resoluciones del Comité en el establecimiento, por los países, de una reglamentación enteramente nueva sobre cada materia, que pudiera motivar una codificación o consolidación de los múltiples y dispersos preceptos legislativos pertinentes. En casi todos los países y durante muchos años se habían venido dictando disposiciones varias sobre temas tales como pasaportes, contralor de extranjeros, nacionalidad, los que se habían ido complementando de tiempo en tiempo de acuerdo a las nuevas situaciones y circunstancias. Algunas de las disposiciones legislativas y reglamentarias citadas en el presente estudio son muy antiguas. Una disposición de los Estados Unidos mencionada en el mismo data del siglo XVIII, y no son raras las referencias a leyes de distintos países dictadas, en otros Estados, en la segunda mitad del siglo XIX. Puede decirse, en términos generales, que en casi todos los países están todavía en vigor leyes y reglamentos adoptados con mucha anterioridad a la actual emergencia. Esta circunstancia, que es consecuencia natural de la avanzada cultura jurídica del Hemisferio Occidental, daba a la labor del Comité unas proporciones extraordinarias en cuanto a la obtención de un material completo sobre los temas tratados en sus resoluciones. y aún más sobre otros aspectos de la defensa del Estado contra la subversión interna, tales como la traición, sedición, rebelión, insurrección, difamación por medio de la prensa, y otras formas de agresión política no incluídas directamente en dichas resoluciones. Tales vacíos hubieran podido llenarse únicamente mediante una investigación sistemática y total de los repertorios de legislación de cada una de las veintiuna Repúblicas Americanas tarea que lógicamente hubiera demandado un período considerable de tiempo, muy superior a aquel de que podrá disponer el Comité para realizar esta tarea.

Existe, asimismo, otro posible vacío de relativa importancia en la documentación legislativa de la obra. Seis Estados americanos, Argentina, Brasil, Colombia, México, los Estados Unidos de América y Venezuela tienen una estructura de gobierno federal. La distribución interna de facultades dentro de un Estado federal hace posible teórica y prácticamente que, sin perjuicio de la competencia del gobierno central, corresponda a los estados miembros la atribución de dictar normas en materia de defensa política, ya sea en sustitución de la legislación federal, ya como complemento de ésta. Dado que los miembros de la comunidad americana son solamente las entidades nacionales, cualquiera sea su organización interna o la distribución de facultades constitucionales que exista en ellos, se explica que el Comité sólo tuviera conocimiento de las medidas para la defensa política adoptadas por las autoridades nacionales y no de las implantadas por los gobiernos estadoales. Sin el apoyo activo y la dirección permanente de los gobiernos federales respectivos, el Comité no hubiera podido procurarse estas medidas locales de defensa política, por medio de sus búsquedas e investigaciones. A título de generalización, puede decirse que en Colombia, México y Venezuela la legislación estadoal para la defensa política no parece tener gran importancia, ya que la constitución federal otorga al gobierno central plenas facultades al respecto. En el Brasil, en cambio, los gobiernos estadoales adoptaron, al poner en ejecución los reglamentos legislativos federales a veces sobrepasando a éstos, una cantidad considerable de normas sobre defensa política. En Argentina, asimismo, la legislación de las provincias que se ha puesto en vigor además o en lugar de los preceptos del gobierno federal, desempeña un papel importante. Se hace referencia en la obra a algunas de esas disposiciones, aunque no de manera detallada y sistemática. Este problema surgió también en los Estados Unidos, pero los distintos Estados de la Unión decidieron, en su oportunidad, aceptar la legislación federal como la exclusiva fuente de medidas de defensa.

A esta altura cabe decir que precisamente debido a la insuficiencia, en ciertos aspectos, del material disponible, se decidió limitar el alcance de la obra. Se había tenido la intención, en un principio, de reunir la legislación completa sobre la defensa del Estado que en la actualidad rige en cada una de las veintiuna Repúblicas Americanas. Pero el peso de las circunstancias obligó al Comité a tratar únicamente los temas incluídos en las resoluciones, que adoptó y trasmitió a los Gobiernos, en conformidad con la Resolución XVII y el memorándum anexo a la misma. Teniendo en cuenta la tarea realizada y los resultados obtenidos, puede afirmarse hoy que el plan originario no podría haberse llevado a cabo sin solicitar la colaboración activa y permanente de todos los gobiernos, y es evidente que esto hubiera estado más allá del programa de acción del Comité.

De acuerdo con las observaciones precedentes, es necesario requerir de los lectores, que conocen a fondo la legislación de su propio país, o la relacionada con su especialización en el campo de la defensa política, una cierta indulgencia por los errores y omisiones que, forzosamente, han debido producirse en una obra que tiene la pretensión de abarcar la vasta legislación de veintún Estados soberanos, provistos de una moderna estructura de defensa política. Se denuncia la existencia de tales deficiencias congénitas del material, con el propósito de evitar críticas justificadas respecto a la insuficiencia de la documentación y aún sobre la posible inclusión de algunas disposiciones que hubieran sido derogadas o sustituídas. Como toda obra de derecho comparado, la presente es sólo un intento de llegar a un ideal de perfección, muy raras veces alcanzado.

No obstante, se tiene la convicción de que las deficiencias de documentación que puedan existir no han de afectar seriamente el valor de la obra, en su conjunto. Se cree que el material disponible, incluído en el trabajo, es suficiente, en la gran mayoría de los casos, para formarse una idea adecuada de la estructura de defensa política de las Américas. Por lo tanto, la omisión, al tratar de alguna medida, de un país determinado, no implica necesariamente, ni en todos los casos que el mismo no posea una reglamentación apropiada sobre la materia en cuestión. De esto debe tenerse buena cuenta al leer la nómina de Estados que han adoptado determinada medida en las notas del texto. Cuando ha sido posible, se han enumerado las disposiciones pertinentes de los veintiún estados. Este último procedimiento fué utilizado para exponer el régimen de suspensión de garantías constitucionales (6), y de las facultades de emergencia de los gobiernos de los diversos estados (7). Ambos casos exigían la pre-

---

(6) Véase infra,
(7) Véase infra,

sentación de un cuadro completo, ya que aquellos lectores que deseen referencias precisas sobre la base constitucional de la legislación de emergencia de un estado determinado no hubieran aceptado de buena gana una mera exposición parcial de la materia. Pero en otros casos, el material se presenta a título de ejemplo, con carácter ilustrativo, de manera que no se hizo imprescindible la enumeración completa de todos los países, aún cuando el Comité contara con los datos respectivos.

En conclusión, puede decirse que, sobretodo respecto a las materias de orden administrativo más bien que legislativo, el material presentado con respecto a uno o varios países es típico a todos ellos, incluso a aquellos cuyas disposiciones no se mencionan expresamente.

6. La uniformidad inherente a la legislación para la defensa del estado.

Esta última consideración nos conduce a otro aspecto de importancia metodológica. La Resolución XVII de la Conferencia de Río de Janeiro y el memorándum anexo a la misma constituyen directivas políticas uniformes dirigidas a todas las Repúblicas Americanas. Mucho antes de que el ataque a Pearl Harbor indujera a la mayoría de los Estados de la comunidad americana a declarar la guerra al Eje, aquellos habían tenido que hacer frente a una técnica enteramente nueva y sin precedentes de infiltración ideológica y agresión política bajo la apariencia de relaciones internacionales pacíficas e inofensivas. Los planes estratégicos del Eje para la dominación mundial y las tácticas empleadas con este fin han sido descritos en el primer Informe Anual (8) y no es necesario repetirlos aquí. Es verdad que los agentes del Eje, especializados en materia de agresión política, idearon variaciones, en apariencia interminables, de sus tácticas de agresión a los Estados del Hemisferio Occidental y que las técnicas de penetración e infiltración variaron en función de circunstancias de tiempo y lugar. No obstante, considerados en conjunto, estos métodos diversos pueden reducirse a denominadores comunes relativamente sencillos y uniformes, co-

(8) Véase primer Informe Anual, p. 3 y sigts., 6 y sigts.

mo lo hizo la Resolución XVII y el memorándum anexo a la misma con un discernimiento digno de admiración. En el fondo, en sus planes para la subversión, desde adentro, del orden democrático-constitucional de las diversas Repúblicas Americanas, el Eje se valía de tácticas similares, cortadas sobre el mismo molde. A pesar de las diferencias nacionales, los métodos de agresión política fueron más o menos los mismos, ya que se pretendía obtener con ellos idénticos resultados, es decir, convertir a las Repúblicas Americanas en estados satélites o en colonias del Eje, según la situación social de cada país. Las veintiuna Repúblicas Americanas, no pudieron menos que hacer frente a esta táctica uniforme de agresión, mediante la adopción por todas ellas de medidas de prevención y de represión que eran también semejantes, puesto que así lo requería la solidaridad continental y el propio interés de los estados americanos. Además, las medidas de defensa política adoptadas fueron, prácticamente, más o menos uniformes en su alcance y contenido. Un propósito común de defensa, requería ser llevado a cabo con medios muy parecidos entre sí.

Las afirmaciones precedentes no contradicen la opinión general respecto a las diabólicas artimañas del Eje, si se comprende bien lo que quiere decirse con el término "uniformidad". Por uniformidad no se entiende una igualdad perfecta de medidas de defensa, lo que no hubiera sido posible obtener dada la diferencia de la situación socio-política de cada país y la diversidad de técnicas constitucionales y legislativas propias de cada Estado independiente. Sería más acertado decir que los métodos similares de agresión utilizados por el Eje en contra de los veintiún estados americanos, provocaron la adopción de medidas de defensa también similares. No obstante, dicha similitud no alcanzó el grado de una absoluta identidad. Puede decirse sin exageración, que las directivas de defensa política de la Resolución XVII y las resoluciones del Comité que las llevaron a efecto, constituyen el eslabón técnico entre los tipos de agresión política y las medidas correspondientes que para combatirlos necesitaban los estados individuales.

Una obra sobre el derecho comparado en materia de defensa política tiene forzosamente que reflejar esta situación. La oportunidad singular que la labor del Comité ofreció para llevar a cabo tal proyecto, consiste en que los esfuerzos legislativos y el dinamismo político de veintiún estados muy diferentes en otros aspectos se habían encauzado hacia un objetivo común, no solamente en su finalidad política, sino también en sus métodos de realización. La acción individual de cada estado no hubiera conseguido contrarrestar la amenaza dirigida contra su integridad y su existencia, y mucho menos contra la integridad y existencia de las repúblicas hermanas, dado que el Hemisferio Occidental figuraba en los planes de agresión política del Eje, como un solo teatro de operaciones en el que éste podía movilizar fácilmente sus puntos de lanza de infiltración y sus tácticas de penetración, de un país a otro, de acuerdo a sus conveniencias estratégicas. Aunque las tácticas de agresión del Eje variaban considerablemente debido a la situación nacional y aún a las condiciones locales, el peligro que amenazaba a todas las Repúblicas Americanas era el mismo en cuanto a su oportunidad y alcance, y por consiguiente, la reacción defensiva que se delineó en la Resolución XVII y en las resoluciones del Comité fué forzosamente uniforme, si bien no alcanzó un grado de absoluta igualdad.

II — Algunas observaciones metodológicas.

1. El Método pragmático.

Esta uniformidad de la agresión totalitaria y de la defensa democrática no podía menos que reflejarse en el método empleado en una obra de derecho comparado sobre la legislación para la defensa política de los Estados americanos. Aquí radica una de las diferencias entre este trabajo y otras grandes obras de derecho comparado emprendidas en el pasado. La obra monumental del American Law Institute constituye una minuciosa codificación del derecho privado de los cuarenta y ocho estados de la Unión. El estudio global emprendido en la primera década del presente siglo por la ciencia jurídica del Imperio Alemán (en aquel entonces todavía respetable), sobre el derecho penal que regía en aquella época en el mundo civilizado, tenía por primordial objeto preparar un nuevo código penal alemán. Desde ningún punto de vista puede compararse la presente obra de derecho comparado sobre defensa política, con aquellas dos empresas científicas. Dedicadas al análisis comparativo de diferentes sistemas legislativos que se habían desarrollado a través de varias generaciones, y hasta de siglos de evolución jurídica exclusivamente individual, representan una labor infinitamente más difícil. El material que tuvo que analizar y codificar al American Law Institute estaba muy lejos de ser uniforme. Las características similares de los diversos regímenes penales son solamente aquellas que residen en el objetivo común, esto es, la represión de delitos que, debido a la semejanza de los seres humanos, se manifiestan por actos u omisiones similares. Comparada con tales antecedentes y paralelos en el campo del derecho comparado, la obra emprendida por el Comité resulta mucho menos ambiciosa en cuanto a la época abarcada —ya que trata principalmente de legislaciones dictadas durante la última década— y en cuanto a su alcance, por cuanto se ocupa únicamente de la defensa política de los estados del Continente contra la agresión del Eje, objetivo limitado a pesar del vasto material legislativo acumulado al respecto.

Finalmente, cumple manifestar que la obra no adhiere a ninguna escuela determinada en materia de derecho comparado. No sigue ninguna doctrina particular respecto al método a emplearse, ni se propone tampoco demostrar tesis o teorías que se deriven del análisis comparativo del material. Esto no quiere decir, por supuesto, que la legislación analizada en la obra no refleje un sistema positivo de valores. Es evidente que las normas jurídicas de protección de los estados democrático-constitucionales responden a una filosofía política definida en la que la libertad y dignidad humanas constituyen los ideales supremos. Empero, los valores políticos que trascienden de la legislación de que trata la obra, no han influído el método utilizado. Una obra dedicada a la defensa política de los estados democrático-constitucionales no puede naturalmente adoptar una actitud completamente neutral respecto a los valores políticos arraigados en el derecho positivo, pero el presente estudio no formula conclusiones de orden político, más allá de su profesión de fe, implícita y expresa a la vez, en el valor de los principios fundamentales del orden democrático. El método empleado no ha sido adoptado de acuerdo a un plan predeterminado, sino que más bien él ha surgido de las propias necesidades orgánicas de la obra. Es fundamentalmente empírico y ha sido aplicado exclusivamente con el propósito pragmático de brindar a las ciencias políticas y jurídicas un cuadro inteligible y lo más completo posible de la estructura de defensa de los Estados americanos contra sus agresores.

2. Los tipos de agresión y de defensa como determinantes metodológicos.

El método empleado fué impuesto por una serie de hechos definidos. En primer término, las directivas políticas de las resoluciones del Comité, contenidas en la Resolución XVII y el memorándum anexo a la misma, fijaron a los distintos Estados americanos fines políticos uniformes. En segundo lugar, la propia naturaleza de las medidas adoptadas se presta más a una consideración de los elementos idénticos o similares que al contraste de sus diversidades. Este carácter de uniformidad varía, naturalmente, de acuerdo a la materia. Sin embargo, ciertas situaciones de hecho, tales como la entrada o salida del país de un extranjero, o la trasmisión de informaciones por telecomunicación son, desde el punto de vista técnico, de tal modo idénticas en todos los países que difícilmente podrían presentarse diferencias perceptibles en los contralores adoptados en cada uno de ellos. Un espía que pretenda trasmitir informacions vitales en favor del Eje obrará de manera similar, ya sea que opere en territorio argentino, colombiano o mejicano, y por ende, las medidas que se adopten para contrarrestar sus actividades serán forzosamente las mismas en cada uno de los Estados. La difusión de propaganda totalitaria, por más que se ajuste a las condiciones locales, tiene que usar las mismas técnicas y procedimientos tales como la difusión de rumores, noticias falsas y alarmantes, la tergiversación de la verdad, la propagación de falsedades y sospechas respecto a la causa de las Naciones Unidas y sus líderes, la creación de disenciones entre las grandes potencias aliadas, el planteamiento de dudas sobre el valor y eficacia de las instituciones democráticas, y demás medios tendientes a fomentar la división de los pueblos, ya sea que esas técnicas se usen en Estados Unidos, Panamá o Uruguay. Pero por otro lado, hay campos de defensa política donde las normas en vigor en los regímenes nacionales presentan diferencias considerables en cuanto al modo de aplicación del plan general de defensa política. Un ejemplo de ello lo brindan las disposiciones para prevenir el abuso de la nacionalidad con propósitos subversivos o para reglamentar la acción de los partidos políticos. Sin embargo, cabe destacar que, por regla general, tales diferencias residen principalmente en la minuciosidad y eficacia de las medidas defensivas de cada estado. Es aquí que se hace más notable el aspecto comparativo del estudio, ya que las directivas políticas comunes de la Resolución XVII y las resoluciones del Comité representan solamente normas mínimas de defensa. No obstante, se apreciará en toda la obra, que los rasgos uniformes y generales priman sobre las divergencias nacionales.

Si se tiene en cuenta esta característica intrínseca del material, resulta evidente que la obra puede llamarse comparativa únicamente en el sentido de que ha organizado sistemáticamente las medidas de defensa de veintiún Estados soberanos que, individual y colectivamente, persiguen con idénticos propósitos un mismo objeto. Si el derecho comparado como técnica jurídica tiene por objeto cotejar los rasgos comunes de los distintos regímenes y destacar las particularidades de un régimen en especial, esta obra apenas satisfará tal requisito teórico porque, en definitiva, demuestra que la legislación para la defensa del Estado democrático-constitucional se caracteriza principalmente por su uniformidad básica, cosa que se explica, por cuanto cierta parte de la legislación para la defensa de los estados democrático-constitucionales incluída en el estudio, ha surgido de las resoluciones del Comité, las que, a su vez, tuvieron su origen en las directivas políticas comunes de la Resolución XVII. Por consiguiente, no sería extraño que algunos lectores rehusaran dar a la obra el carácter de un verdadero trabajo de derecho comparado, calificándolo más bien como una simple compilación de material legislativo análogo. Dicha objeción podría refutarse señalando que, si bien es verdad que la organización del material en categorías lógicas y clasificaciones no constituye en sí misma una aplicación del método comparativo, no puede negarse que una tarea tan compleja como la compilación sistemática y racional de la legislación de veintiún estados diferentes no puede menos de adquirir las características de una obra de derecho comparado. Cualquier estudio de derecho comparado ha de valerse, hasta cierto punto, del método de compilación, pero una simple compilación, entendiendo por esto una yuxtaposición de cientos o miles de disposiciones análogas, sería sumamente monótona y carecería de valor didáctico o político.

3. La situación especial de los Estados Unidos.

No obstante, por lo menos uno de los aspectos de la obra constituye una verdadera aplicación del método de derecho comparado, con lo que ha de conformar aún a los críticos más exigentes. La comunidad de naciones americanas está dividida en dos grupos numéricamente opuestos: los veinte estados latino-americanos —entre los cuales el Brasil ocupa un lugar aparte por no pertenecer a la tradición hispana— por un lado, y los Estados Unidos de América por el otro. El orden jurídico y los procedimientos legislativos estadounidenses están basados en el "Common law"; los de las otras Repúblicas Americanas, en el derecho romano, adaptado a las circunstancias actuales. Es bien conocido que los procedimientos jurídicos de ambos regímenes difieren considerablemente. El "common law" ha evolucionado lenta y casi imperceptiblemente a base de decisiones judiciales, fundadas en la opinión pública del momento histórico. Los países anglo-sajones aún se resisten a sustituir ese derecho hecho por los jueces, por leyes dictadas por los Parlamentos. En la América Latina, por el contrario, bajo el régimen del derecho romano, el pensamiento jurídico se inclina a comprender las nuevas condiciones sociales que surgen, bajo nuevas disposiciones legales en lugar de comprender aquellas en la legislación ya vigente. Bajo este régimen, el juez se convierte en un agente ejecutivo del legislador. Es por esta y otras razones, entre ellas la imposibilidad constitucional de suspender o restringir los derechos individuales y las garantías constitucionales aún en épocas de guerra (9), que el volumen de la legislación para la defensa del Estado, es relativamente menor en los Estados Unidos que en la mayoría de los países latino-americanos. Sin embargo, la existencia de un propósito político idéntico, es decir, la extirpación de este

(9)   Véase infra,

hemisferio de la influencia del Eje, no excluye la aplicación de diversos métodos en pro de dicho objetivo común. En sus resultados finales, estos dos métodos jurídicos son mucho más semejantes de lo que pudiera parecer a primera vista. El ideal democrático panamericano está bien defendido en los Estados Unidos como en cualquier otro estado del continente. Esta conclusión, que es uno de los resultados más importantes del estudio, sólo podría haberse logrado con la aplicación del método comparativo. En las diversas secciones del estudio ha sido menester, con frecuencia, contrastar los procedimientos empleados en los Estados Unidos con los de las repúblicas latinoamericanas. Este contraste de métodos y no de resultados, constituye quizás uno de los más interesantes aspectos de la obra. Rara vez se ha podido presentar en una comparación semejante, los métodos del "Common law" y del derecho romano para el logro de un objetivo común. La necesidad imperiosa de hacer frente, con la misma eficacia, a idénticas tácticas de agresión política, hizo posible la aplicación provechosa de distintos procedimientos jurídicos, que condujeron a resultados uniformes.

4.   La estructuración del estudio.

Los comentarios precedentes no son meramente académicos. Sirven para explicar el método jurídico utilizado en la elaboración de las medidas de defensa. El objeto principal de la obra, y también su principal dificultad, consistió en la distribución por materias de una documentación más o menos homogénea. Tal como se ha dicho ya, el Memorándum anexo a la Resolución XVII delinea claramente el contralor de las actividades subversivas en cuatro secciones, a saber: a) Contralor de los extranjeros peligrosos b) Prevención del abuso de la naturalización; c) Tránsito a través de las fronteras nacionales; d) Actos de agresión política. Las resoluciones del Comité siguieron estas clasificaciones generales, pero en ningún caso recomendaron la adopción de todas las medidas que pudieran estar comprendidas en cada uno de esos grupos. Se limitaron a recomendar normas mínimas para el mejoramiento de la situación en general, que habrían de servir como punto de referencia a los estados para la implantación de sus medidas de defensa. En la práctica, casi todas las medidas adoptadas por los estados, de conformidad con las resoluciones del Comité, constituyeron un desarrollo de los detallados reglamentos o leyes que ya estaban en vigor con anterioridad sobre cada materia. Por este motivo no fué posible en el estudio, considerar todas las resoluciones, una por una, y ordenar de ese modo el material legislativo pertinente de las veintiuna Repúblicas Americanas. Este procedimiento hubiera proporcionado un cuadro inadecuado y fragmentario, sobre la situación existente en cada uno de los campos de la defensa política. Por consiguiente, la obra abarca una esfera más amplia que las resoluciones del Comité.

Por considerarlo el método más conveniente, se ha adoptado la clasificación del Memorándum anexo a la Resolución XVII, agregando una quinta sección sobre el alcance extraterritorial de la legislación de defensa (10) y siguiendo el procedimiento de reunir todo el material legislativo que corresponda sustancialmente a una resolución del Comité, estudiándolo conjuntamente con las normas mínimas recomendadas por las Resoluciones. He aquí porque dichas resoluciones son utilizadas con frecuencia como simples puntos de partida o como objeto de referencia incidentales y rara vez constituyen el tema central de la exposición. Además, fué necesario a veces clasificar lógicamente el material, tratar conjuntamente varias de las resoluciones, o distribuir el contenido de una resolución en capítulos diferentes.

De este modo, al tratar cada uno de los temas de la defensa política, el estudio se ha trazado su propio plan estructural organizando el material perteneciente a veintiún estados diferentes, de manera de reflejar la lógica interna y el dinamismo de cada asunto. Esto solamente fué posible estableciendo distintas categorías básicas de situaciones reales dentro de las cuales se incorporaron luego las disposiciones de los diversos Estados. El hecho de que fuera necesario fijar tales categorías generales, destacó más la semejanza y homogeneidad de las medidas adoptadas. La aplicación de este método llevó a distribuir el material de la obra en forma tal que el texto contuviera las medidas sustanciales de defensa política que rigen en la mayoría de las Repúblicas Americanas o por lo me-

(10) Véase infra,

nos en varias de ellas, en tanto que, las variantes especiales existentes en algunos países, se han relegado a las notas, salvo aquellos casos especiales que merecían una exposición más detallada en el propio texto. Según se podrá ver en el propio estudio, estos casos especiales no son de ningún modo inimportantes, como puede ilustrarlo el siguiente ejemplo: Un agente nazi puede resultar más peligroso en un país donde la minoría alemana es relativamente pequeña que en uno en que ésta es más numerosa y ocupa una zona geográfica definida. El nacional que favorezca activamente la ideología totalitaria puede provocar más daño en un Estado cuyo pueblo tenga menor educación política que en otro donde el ambiente democrático haya conseguido inmunizar a la mayoría de la población contra la infiltración totalitaria.

Hubiera sido técnicamente deseable la elaboración de lo que podría llamarse fórmulas modelo de legislación de defensa, correspondientes a cada una de las medidas destinadas a combatir las actividades subversivas del Eje, es decir, aquellas que acuerden la máxima protección posible contra las tácticas de agresión política del Eje.

Según se expresó anteriormente, las resoluciones del Comité, que llevaron a efecto la Resolución XVII y el Memorándum anexo a la misma, sientan únicamente las normas mínimas imprescindibles en interés de la defensa colectiva. De haberse establecido tales fórmulas, el lector hubiera podido apreciar por sí mismo hasta qué grado las disposiciones de cada Estado, sobre tal o cual materia, han cumplido o no desde el punto de vista de su minuciosidad y eficacia, con las máximas exigencias de la defensa política. Pero es evidente que dicho procedimiento hubiera llevado consigo consideraciones de orden político que, decididamente, excedían a los propósitos de la obra.

5. Semejanza con la organización federal.

Cumple destacar otra circunstancia de importancia desde el punto de vista metódico, y es que la igualdad de propósitos que unió a las veintiuna Repúblicas Americanas al firmar la Resolución XVII no significa que éstas hubieran quedado obligadas a adoptar reglamentos legislativos uniformes. El Comité no se propuso en ningún momento seguir el procedimiento legislativo que en los Estados Unidos se llama de "Uniform State Acts". Dicho procedimiento consiste en la elaboración de un anteproyecto de legislación sobre un asunto determinado, con la intervención de un organismo de carácter público o privado, que es subsiguientemente puesto en vigor en el territorio de cada Estado miembro, por las legislaturas estadoales, sin adaptarlo mayormente a las condiciones locales. El Comité no podía valerse de ese procedimiento ya que, en primer lugar, no podría lograrse una legislación uniforme que fuera igualmente apropiada para todos los países en vista de las diferencias socio-políticas entre los Estados americanos y, en segundo lugar, porque cada Estado, en virtud de su soberanía podía insistir, con pleno derecho, en ser tratado como un caso individual. De ahí que las resoluciones del Comité se limitaron a recomendar principios mínimos para ser traducidos y adoptados en cada Estado, en normas legales o reglamentarias, tomando en consideración las exigencias y particularidades locales. Sobre este particular, el lector familiarizado con los procedimientos legislativos de los Estados federales, encontrará una semejanza inesperada y, para algunos, satisfactoria. En los Estados federales, el gobierno central suele recomendar o prescribir a los diversos Estados de la unión federal. la adopción de un plan de acción determinado mediante la formulación de principios legislativos generales que cada Estado debe poner en vigor de acuerdo a las condiciones locales, y ajustándose asimismo, a las directivas generales del régimen recomendado. No corresponde en esta introducción recalcar dicha semejanza; no obstante, difícilmente podrá pasarse por alto el hecho de que las funciones del Comité que lo llevan de acuerdo al principio representativo (11), de actuar en nombre y por cuenta de las veintiuna Repúblicas Americanas, se asemeja en su parte esencial, aunque no en su forma, a las del organismo central que formula las directivas legislativas de un Estado federal.

6. La uniformidad de propósitos y la individualidad de cada Estado.

Sobre este particular debe señalarse aquí otro importan-

---

(11) Véase primer Informe Anual, edición castellana, p. 19 y sigts.; segundo Informe Anual, p. 47 y sigts.

te resultado de la obra. Desde el punto de vista de su técnica legislativa, las veintiuna Repúblicas Americanas presentan caracteres distintos y bien definidos. A pesar de la uniformidad del fin político perseguido —la defensa de los estados democrático-constitucionales— y pese a la adopción de medidas similares en cumplimiento de las resoluciones del Comité, surgen del materia estudiado diversas características y particularidades nacionales respecto a los procedimientos de legislación. Tales diferencias permitirán al lector inteligente llegar a formarse un juicio valorativo acerca de los distintos procedimientos legislativos, juicio del que el presente estudio se ha abstenido cuidadosamente de considerar. Debido a la circunstancia ya señalada, de que fué menester llevar a cabo idénticos propósitos en una manera semejante, es posible apreciar con más precisión, quizás, que hasta el presente, los rasgos positivos y negativos de la técnica de legislación prevaleciente en cada estado. Al Comité le corresponde solamente señalar la existencia de tales diferencias. Por otro lado, como lógica consecuencia del método comparativo, el estudio pone de manifiesto la circunstancia de que ciertos estados de este hemisferio, particularmente algunos de los más pequeños, son verdaderos innovadores y promotores de progreso en el campo del derecho político, abriendo caminos no sólo para ellos, sino también para la comunidad de naciones americanas. La definición y represión de los delitos de quintacolumnismo y disolución social en la legislación de Cuba (12), aportan una importante contribución a las ciencias políticas de nuestra época, e igual cosa sucede con las leyes del Uruguay y de Chile, que amplían la órbita de la represión penal de los actos de agresión política, a fin de castigar aquellos que se cometan dentro del territorio nacional y sean dirigidos contra otro estado americano (13).

7. El derecho comparado y la codificación.

El presente trabajo puede considerarse, desde cierto punto de vista, como algo aproximado a una codificación de las legislaciones de defensa de las Repúblicas Americanas contra

(12) Acuerdo-ley Nº 3 de enero 5 de 1942, art. 12.
(13) Véase infra,

la agresión del Eje. Una codificación propiamente dicha es la reunión en una sola ley y de acuerdo a un orden sistemático, de todas las disposiciones diferentes y dispersas que existan sobre una misma materia jurídica. En tal sentido, ninguna de las Repúblicas Americanas ha llegado a codificar su propia legislación sobre la defensa del estado. Por el contrario, existe en todas las repúblicas, sin excepción, un laberinto casi impenetrable de medidas de defensa aisladas y dispersas que carecen enteramente de correlación recíproca, lo que es debido al desarrollo espontáneo e improvisado de tal régimen jurídico, conforme a las exigencias y variantes de la situación de emergencia. Algunos estados, poco después de surgida la situación de emergencia, intentaron remediar esta situación dictando leyes de Orden Público o de Seguridad del Estado que, a primera vista, parecían suplir adecuadamente la falta de una codificación. Sin anticiparse a la exposición que se hace más adelante sobre la materia (14) puede decirse que, aun en caso de haber sido mucho más comprensivas de lo que realmente son, tales leyes, dictadas en varios Estados, no alcanzan a llenar los objetivos de una verdadera codificación. Las mejores de éstas no son más que un complemento del código penal vigente, que resultaba completamente inadecuado para hacer frente a las nuevas e ingeniosas tácticas de infiltración política empleadas por el Eje. Además, tienen todas, forzosamente, una naturaleza excesivamente casuística y, aunque incluyen muchas innovaciones relativas a la defensa de los estados democrático-constitucionales, solamente han podido aplicarse además o conjuntamente con un cuantioso número de otras leyes y reglamentos.

No obstante, este estudio, en su contenido aunque no en su forma, puede muy bien sustituir a una codificación de esta especie. Al considerar a las veintiuna Repúblicas Americanas como una sola entidad orgánica en la lucha contra la agresión política del Eje, por primera vez se ha encarado el estudio de la defensa del estado en forma de una clasificación completa, por materia, de las medidas adoptadas por las veintiuna Repúblicas Americanas. Aunque, por las razones expuestas anteriormente, es posible que el material adolezca de ciertas

---

(14) Véase infra.

deficiencias, las medidas en sí, que en su totalidad se refieren a la defensa del estado, se han presentado con una amplitud inigualada. En este sentido, material y no formal y desde el punto de vista científico, puede considerarse que este estudio equivale en el fondo a una codificación.

III — Observaciones finales

Al finalizar esta sección, deben formularse brevemente algunas observaciones generales.

1. Los Informes Anuales.

Es evidente que el propósito de esta obra difiere del de los dos Informes Anuales del Comité publicados anteriormente. No ha sido su objeto recapitular la acción del Comité, entre otras razones porque gran parte del material legislativo analizado fué puesto en vigor por los diversos Estados mucho antes de que aquél iniciara sus labores. No obstante, en muchos de sus aspectos, este estudio y los Informes Anuales se complementan entre sí como lo evidencian las numerosas referencias a éstos en el texto de la obra. Al lector cuidadoso le convendría, por lo tanto, tener a su alcance los dos Informes Anuales y consultarlos frecuentemente.

2. La documentación del segundo tema.

Existe el propósito de publicar un volúmen por separado que contenga una selección de los textos legislativos relacionados con la defensa del Estado, que se ha juzgado constituían el ejemplo más típico sobre cada materia. Se decidió incluir dicha legislación en vista de que, en general, las notas del estudio se limitan a citar o mencionar las leyes y decretos pertinentes sin transcribirlas textualmente en muchos casos, y es de suponer que el lector desee enterarse de cómo los legisladores nacionales han resuelto un problema determinado de defensa. Además, las disposiciones encaran el tema particular mucho más detalladamente de lo que, por falta de espacio, hubiera sido posible hacer en el texto o las notas. Para hacer la selección de las leyes y reglamentos a publicarse, se tuvo cuidado de incluir los que tratan el tema más ampliamente y son más representativos, ya sea por constituir un ejemplo típico de las normas prevalecientes en muchos Estados o por los rasgos esenciales que le distinguen de los demás. No se dará preferencia ni se demostrará parcialidad por ningún régimen particular. El material se está seleccionando de manera de dar a los Estados más pequeños el lugar que les corresponda por los progresos obtenidos en un campo determinado. En caso de que un Estado grande y otro pequeño posean leyes igualmente pertinentes sobre el mismo tema, el último será preferido al primero. Con respecto a cada tema, se incluye una ley, de modo de permitir una apreciación general de la defensa política en su conjunto. Si a Brasil corresponde el primer lugar en el número de leyes, se debe a que este país posee, posiblemente, la estructura de defensa política más completa entre los Estados latinoamericanos. En las llamadas leyes de orden público, se incluyen las de Argentina, Paraguay, Brasil, Chile y Venezuela, así como las leyes de Uruguay y Chile sobre represión de actos dirigidos contra la seguridad de otros Estados, (15).

3. Los Apéndices.

El presente estudio contiene una serie de apéndices, que el lector habrá de considerar útiles, si no indispensables.

El Apéndice I incluye las resoluciones del Sub Comité de Organización sobre la realización del estudio del derecho comparado.

En el Apéndice II figura una lista de los Estados que han roto relaciones con los Estados miembros del Pacto Tripartito o sus satélites, y han declarado la guerra a los mismos, indicando las fechas respectivas.

En el Apéndice III figura una lista de las fechas en que entraron en vigor las Constituciones que regían en las veintiuna Repúblicas Americanas cuando esta obra estaba en preparación. El Comité tiene conocimiento de que, en la actualidad, la Constitución de algunos Estados está en suspenso, o en proceso de reforma. En estos casos, se ha incluído

(15) Véase infra,

en la lista la última Constitución vigente, que es aquella a la que se hace referencia en la obra.

CAPITULO II

El contenido del estudio

I. Observaciones generales

Si como ya se ha dicho, el presente estudio carece de propósitos políticos en el sentido de que no desea demostrar una
teoría determinada, fuera de su creencia implícita en la superioridad de la forma democrática de gobierno, está aún más,
todavía, desprovista de ambiciones dogmáticas. Sólo se propone presentar en forma fiel y más completa posible el material
legislativo sobre defensa política. Ni el estudio en sí mismo,
ni esta introducción general, intentan aportar una contribución
doctrinaria a las ciencias jurídicas y políticas. Las conclusiones dogmáticas como, por ejemplo, si las medidas estudiadas
se han apartado o representan innovaciones con relación a los
principios tradicionales del derecho, en cualquiera de sus ramas,
o si el material legislativo refleja una transformación del concepto del Estado moderno, se dejan libradas a aquellos a quienes está dirigida la obra, sean legisladores y administradores
de post-guerra, especialistas en las ciencias sociales, filósofos,
políticos, juristas, o quienquiera se interese en el desarrollo
del derecho como una prominente manifestación de la cultura
humana. Quizás el estudio no se hubiera emprendido, si no
hubiera albergado la convicción de que el material analizado
podría llegar a ser utilizado en ese sentido, sin perjuicio de
sus otros usos posibles. A pesar de lo antedicho, se estima que,
por vía de prefacio, podrán indicarse ciertas observaciones de
índole más general, según ellas se fueron suscitando al conjunto de especialistas encargado del estudio, a medida que lle-
vaba a cabo el trabajo.

1. El derecho "político"

Se observará de inmediato que las medidas para la defensa de los Estados democráticos-constitucionales pertenecen, en su totalidad, a cuatro de las diversas ramas en que

se acostumbra dividir el derecho, a saber, el derecho consti-tucional, el administrativo, el penal y el internacional. Por consiguiente, la gran mayoría de las disposiciones encuadran dentro del campo del derecho público, según la clásica divi-sión del derecho en público y privado. Aún cuando se trate en ciertos casos de situaciones que pertenezcan al derecho privado como, por ejemplo, la confiscación de la propiedad particular, si ésta se utiliza con fines subversivos (v. gr. ins-trumentos de prensa y la radio), es evidente que el carácter de tales medidas de defensa está condicionado por el interés público. Pero no es menos evidente que las fronteras preci-sas entre los cuatro campos del derecho, resulta la mayor parte de las veces muy difícil de fijar. Una característica esencial de la legislación para la defensa del Estado radica en la fusión de estas cuatro divisiones del derecho. Quizás pudiera decirse que ha surgido una nueva rama del derecho que, debido a su naturaleza, distribuye de un modo diferente la substancia contenida en las divisiones establecidas, a la que podría llamarse, por falta de un término más apropiado, el derecho "político". Pero en esta época de revolución mun-dial, de la que la guerra actual no es más que una manifes-tación exterior, difícilmente podrá encontrarse una sola ac-tividad realizada por los miembros de la sociedad que pueda considerarse políticamente neutral, en el sentido de que no afecte a la colectividad y al Estado, como elemento de la or-ganización de la sociedad. En la legislación de defensa, el término "político" tiene diversas aplicaciones. Los regímenes nacionales dan por sentado, su significación sin tomarse el trabajo de definir su alcance o su naturaleza.

Una definición práctica del término "político" podría ser la siguiente: es toda actitud o actividad que se refiere o afec-ta a la existencia, la forma de organización y los fines del Estado. Una indicación del carácter "total" o "totalitario" de nuestra época — al que están expuestos también aquellos pueblos que no tienen una organización política totalitaria — la da el hecho de que, en determinadas circunstancias, casi ninguna actitud o actividad humana carezca de inferencias políticas.

Debido a la agresión totalitaria contra los Estados de-mocrático-constitucionales, muchas actitudes y acciones que en tiempos normales hubieran estado exentas de connotacio.. nes políticas se han convertido en actividades "políticas", en el sentido que se explica precedentemente, es decir, que van dirigidas contra, o son capaces de afectar, la existencia, la organización y las finalidades del Estado. Una actitud o actividad objetivamente neutral podrá calificarse de "política" si llega a reflejar o expresar una intención política. El elemento subjetivo prima sobre los efectos objetivos que se puedan atribuir al acto o actitud. Quizás la característica más sobresaliente y original del ataque totalitario y de la reacción democrática contra él, ha sido la de introducir el término "político" dentro de la órbita social y de la vida dia.. ria del pueblo de manera que, trascendiendo los límites de las actividades políticas de grupos y partidos, ha penetrado en toda la gama de las actividades humanas. Aquellos a quienes perturba esta situación, pueden esperar que desapa.. rezca una vez terminada la época de emergencia. Por ejemplo, un match de lucha romana entre deportistas de diversas nacionalidades — algo que ocurre muy frecuentemente en los círculos deportivos — puede adquirir un carácter po.. lítico si los adversarios representan diferentes teorías políti.. cas, y puede ser subversivo si se pretende demostrar que el representante del Eje es superior al de las democracias. Esta ampliación del sentido y la naturaleza de lo "político" ha afectado visiblemente el sentido y la naturaleza de su manifestación más importante en el campo de la defensa contra la agresión política totalitaria, el delito político, (16).

2. La legislación "emocional"

Aquellos que hallen el término "derecho político" dema.. siado impreciso y tautológico, ya que, en resumen, todo de.. recho es "político", quizás encuentren más precisa la carac.. terización de las medidas para la defensa del Estado contra la agresión totalitaria, como legislación "emocional", esto es, legislación destinada a controlar o neutralizar las emociones políticas. La adhesión a las doctrinas o ideologías totalitarias es fundamentalmente emotiva. Muchos de sus partidarios consideran las doctrinas extremistas, cualquiera sea su denomi-

(16) Véase infra,

nación —anarquismo, terrorismo, comunismo, fascismo, nacional socialismo— como verdaderas religiones políticas. Estos movimientos, en sus principios, constituyeron siempre minorías, y esta situación psicológica lleva, por un fenómeno muy parecido al que suscita la exaltación religiosa, al fanatismo y al "activismo". Por otro lado, la ideología democrática, por cuanto se ajusta a las cualidades innatas de la naturaleza humana y es el resultado de la evolución histórica, puede prescindir de tales motivaciones emotivas, una vez que la mayoría del pueblo cree en ella y actúa de acuerdo a sus principios. Aunque a muchos parezca lamentable es, sin embargo, un hecho indiscutible que, en la fase actual del desarrollo intelectual y espiritual de la fe democrática, ésta se funda más bien en la razón y en la racionalización que en el sentimiento. Como ya se sabe, esta situación se refleja en la indulgencia con que los estados democrático-constitucionales trataron a sus enemigos implacables, los totalitarios, ofreciéndoles los medios de articular y organizar su hostilidad política respecto a la democracia, bajo la protección de declaraciones de derechos. Por mucho tiempo, esta discrepancia en sus fuerzas dinámicas colocó a los estados democrático-constitucionales en una situación desventajosa, hasta que por fin se suspendieron las garantías constitucionales de todos aquellos que hacían uso de ellos con el propósito de hacerlas desaparecer y, junto con ellas, a la democracia misma. Por consiguiente, el objeto principal de la legislación de los estados democrático-constitucionales destinada a combatir la agresión totalitaria, fué la de prevenir y reprimir la manifestación del emocionalismo político. Esta situación no siempre se puede apreciar fácilmente, en vista del refinamiento de racionalización con que los totalitarios realizaron su campaña de agresión. No obstante, dado que la parte esencial de la legislación para la defensa política está dirigida en contra del emocionalismo político, puede sugerirse que se califique a las medidas para la defensa del estado con el nombre de legislación "emocional".

II — La legislación de emergencia y el derecho constitucional.

Al derecho constitucional propiamente dicho pertenece una parte considerable del material tratado en la obra, tanto en sentido negativo como positivo. En la Resolución XVII y el Memorándum anexo a la misma se hacen referencias a las constituciones de los estados respectivos, aunque de una manera un tanto equívoca. El párrafo (3) de la Resolución recomendó a las Repúblicas Americanas la adopción de normas reglamentarias que se acomodaran al Memorándum anexo **"con sujeción a su Constitución y leyes"**. El propio Memorándum recomendó la adopción de medidas regulatorias **"que no estén en pugna con sus respectivas normas constitucionales"**. De esta manera, mientras que la Resolución en sí misma no excluía la posibilidad de enmendar la Constitución a fin de dar efecto a las medidas de defensa, lo que constituyó un acatamiento del principio de soberanía interna de todas las Repúblicas Americanas, el Memorándum anexo no lo exigía específicamente. (18). De hecho, ninguna de las Repúblicas Americanas tuvo necesidad, ni halló conveniente, enmendar su Constitución en interés de la defensa política, pero la gran mayoría de ellas suspendieron los derechos fundamentales y las garantías constitucionales, intocables en épocas normales, por presentar obstáculos a la elaboración rápida y eficiente aplicación de la legislación de emergencia. Esto facilitó la adopción de medidas legislativas de emergencia con respecto a nacionales y extranjeros (19) por un lado y, por otro, permitió delegar en el Ejecutivo, más facultades de emergencia que las concedidas generalmente. Estos dos problemas de derecho constitucional, relacionados con el sistema de defensa política, se consideran de tal importancia para la comprensión adecuada de los procedimientos utilizados en el campo de la defensa política, que se tratan minuciosamente en las secciones subsiguientes de esta introducción general (20).

Pero, estas fases del derecho constitucional, no son las

---

(18)　El párrafo (1) de la Resolución VI de la Conferencia de La Habana sobre "Actividades dirigidas desde el exterior contra las instituciones nacionales", contiene la misma reserva de carácter político.

(19)　Sobre la situación constitucional del extranjero en el derecho americano, véase infra, Sección A, Introducción II.

(20)　Sobre la suspensión o restricción de las garantías constitucionales, véase infra, Cap. III; sobre las facultades del Poder Ejecutivo para dictar reglamentos de emergencia, véase infra, Cap. III.

únicas comprendidas en el estudio. Las constituciones en sí mismas contienen un número considerable de normas relacionadas con la defensa política, tales como disposiciones sobre nacionalidad de los extranjeros; sobre la situación de los extranjeros; la exclusión del amparo de las garantías constitucionales, de ciertas actividades e ideologías políticas. Se podrá observar que algunas de las constituciones que fueron adoptadas recientemente, es decir, cuando ya era evidente el peligro que representaba el extremismo internacional, no dejaron de tener en cuenta las exigencias de la defensa política, y en sus disposiciones se prevén actividades incompatibles con el ideal democrático-constitucional. (21). Mientras que las constituciones antiguas, más liberales, facilitaron sin quererlo la realización de actividades subversivas debido a la protección deparada por sus garantías constitucionales y derechos fundamentales, algunas de las más recientes, más conscientes, de la situación de peligro, se acercan al tipo moderno de constitución que requiere una democracia militante.

III — La legislación de emergencia y el derecho administrativo.

Una parte considerable del material de la obra se puede clasificar como derecho administrativo, utilizado para los fines de la defensa política. Con frecuencia, las disposiciones analizadas constituyen reglamentos administrativos y a veces instrucciones o circulares dirigidas a las autoridades. Son muchos los ejemplos de este tipo de disposiciones: el otorgamiento de visaciones y permisos de entrada por diplomáticos en el extranjero y por funcionarios locales; el establecimiento de zonas de seguridad; la seguridad portuaria; la protección de las instalaciones de defensa; la internación de extranjeros peligrosos; la evacuación de las personas peligrosas de ciertas zonas determinadas; las investigaciones reali-

---

(21) Véase, por ejemplo, la Constitución de Venezuela, Art. 32, inc. 6: "Se consideran contrarias a la independencia, la forma política y la paz social de la nación las doctrinas comunista y anarquista"; Constitución del Uruguay, Art. 70: "La ciudadanía se suspende... por formar parte de organizaciones sociales y políticas que, por medio de la violencia, tienden a destruir las bases fundamentales de la nacionalidad".

zadas con respecto a la naturalización y a la revocación de la misma; el establecimiento de registros para extranjeros; el contralor de la información marítima; el régimen de la censura; el intercambio de informaciones sobre personas peligrosas y muchas otras. En tales casos, la legislación defensiva ordenó a las autoridades el establecimiento de un sistema general de contralores políticos, como el marco dentro del cual debían ajustarse los deberes correspondientes y suplementarios del individuo. De igual importancia son también las normas administrativas dirigidas inmediatamente a los particulares indicándoles como deben cumplir con las obligaciones impuestas por leyes o disposiciones generales de fuerza equivalente. Que el individuo que infrinja dichas normas, esté sujeto a sanciones penales, no alcanza a disimular el hecho de que pertenecen por su naturaleza al derecho administrativo. Tales normas son, por ejemplo, las obligaciones impuestas a los extranjeros de inscribirse y notificar a las autoridades cualquier cambio de domicilio o de ocupación; de entregar a las autoridades sus aparatos receptores de radio y cámaras fotográficas; de cumplir con los reglamentos de entrada y salida, etc. A veces, es difícil distinguir entre el derecho administrativo que va acompañado de sanciones específicas y el derecho penal. En realidad, el concepto omnipotente de la "peligrosidad" (22) que, según se podrá apreciar en esta obra, puede aplicarse tanto a personas como a actos, es de carácter administrativo. Tanto el derecho penal como el administrativo, son, al mismo tiempo, preventivos y represivos y, por regla general, si las medidas preventivas de orden administrativo son eficaces, la aplicación de represiones penales es innecesaria. Muchas de las medidas de defensa política están destinadas más bien a anticipar y a evitar las actividades subversivas, que a castigarlas una vez cometidas. En el campo político, el ataque no constituye siempre la mejor defensa; ésta puede lograr mejor sus fines mediante métodos preventivos, reforzando los puntos débiles en la estructura del Estado y de la sociedad, a través de los cuales la agresión política pretenda infiltrarse. En épocas de emergencia, ciertas normas que rigen las actividades de los individuos y las medidas tomadas por las autori-

---

(22)   Véase infra, en este capítulo, IV (2).

dades en relación con tales actividades, contribuyen a salvaguardar la seguridad interna y externa del estado más eficazmente que la represión penal de actos subversivos.

Finalmente, el carácter administrativo de una gran cantidad de las medidas de defensa es reflejado por el hecho de que,
en tiempos normales, no es preciso reglamentar muchas actividades humanas que en épocas de emergencia constituyen, legítimamente, objeto de reglamentación y preocupación por parte de
las autoridades administrativas del Estado.

En épocas normales al Estado no le interesa si en las reuniones de una asociación se emplea una lengua que no sea la
nacional, siempre que dicha asociación no funcione ilícitamente; ni tampoco si se publica un periódico en idioma extranjero,
siempre que el contenido del mismo no constituya una violación
a la ley. La novísima extensión del concepto "político" se ha
exteriorizado, en la actual emergencia, por un acrecentamiento
inusitado de medidas administrativas que prescriben diversas
normas para tipos de conducta que, en épocas que se caracte-
rizaban por tendencias políticas menos pronunciadas, carecían
de contralor administrativo. He aquí otra diferencia entre el
derecho administrativo y el derecho penal. El derecho penal no
prescribe la conducta del individuo, por cuanto está fundado en
el concepto de que la conducta del hombre es fundamentalmente normal y se limita a castigar sus infracciones. La creciente
intervención administrativa del Estado en la conducta política
de sus súbditos, tanto nacionales como extranjeros, es una reacción característica de los Estados democráticos a la agresión
política totalitaria.

IV   El derecho penal

A pesar de las consideraciones precedentes, la mayor parte
de la legislación para la defensa del Estado pertenece al campo
del derecho penal. En el medio democrático, el derecho penal puede ser definido, a grandes rasgos, como la totalidad de normas
preventivas y represivas dictadas y aplicadas por el Estado contra actos que desaprueba la mayoría del pueblo, para fines de
contralor social. Las doctrinas y finalidades totalitarias son desaprobadas por la mayoría del pueblo, en todo el hemisferio Occidental. El Estado, al prevenir los actos subversivos realizados
en interés de las potencias totalitarias mediante reglamentos

administrativos y castigar a los que cometen tales actos por medio de sanciones penales, actúa en bien de la mayoría y en el interés público.

Es precisamente en los dominios del derecho penal que la legislación de defensa ha de provocar numerosas discusiones de orden técnico y hasta es posible que conduzca a una reconsideración de algunos conceptos tradicionales del derecho penal en general. Por el momento, sólo corresponde señalar algunos problemas de interés teórico.

1. Las "Cláusulas Generales".

En condiciones normales, el derecho penal sigue de preferencia la técnica de detallar y definir, todo lo clara y afirmativamente posible, ciertos actos —es decir, no simples actitudes o intenciones—, desaprobados desde el punto de vista social o político y castigarlos como delitos. Cada uno de estos tipos delictivos (23) es delineado por los preceptos legales, destacándose así de otras situaciones de hecho que, por no estar previstas de igual modo por la ley, tienen carácter lícito. Si uno o varios de los elementos de hecho que, según la opinión del legislador, configuran el tipo delictivo, no se han realizado al cometerse el acto, el juez está en la obligación de absolver al acusado. Solamente es posible sancionar un acto delictivo cuando se han llenado todos los elementos constitutivos del delito. Este procedimiento tradicional, fruto de la filosofía del liberalismo, está destinado a proteger al acusado y atribuye la carga de probar la culpabilidad del mismo a las autoridades del Estado. Sin embargo, debido a la situación de emergencia, fué necesario que muchas de las disposiciones de defensa hicieran primar el orden y la seguridad pública sobre la celosa protección del individuo. Por consiguiente, el legislador no ha vacilado en prescindir, en ciertos casos, de ese requisito de la particularización rigurosa de la conducta desaprobada y recurre a la técnica de definir los actos delictivos en términos más generales, menos pormenorizados, dejando la interpretación y aplicación de los mismos a las autoridades administrativas encargadas de su ejecución y, even-

---

(23) La teoría del derecho penal de la Alemania pre-nazista, que no ha sido sobrepasada en cuanto a intensidad metodológica, penetración y lógica, los llamaba "Tatbestands - Elemente.

tualmente, a los tribunales de justicia, cuando se acuerda recurso judicial. De este modo, la legislación de defensa se vale
frecuentemente de cláusulas generales que determinan de un
modo genérico los actos condenables desde el punto de vista político, prescindiendo de la particularización y enumeración de
todos los elementos constitutivos.

La legislación para la defensa del Estado contiene numerosas cláusulas generales de esta índole que permiten, a la vez
la ejecución de medidas preventivas de seguridad, de orden administrativo, y la aplicación de sanciones penales a los actos desaprobados por razones políticas. Estas pueden ser de carácter
subjetivo. u objetivo. El concepto de la "peligrosidad" política es,
quizás, la más importante de las generalizaciones de carácter
subjetivo. Una persona puede ser "peligrosa" desde el punto de
vista político por razones objetivas, es decir, por su conducta pasada, pero lo es principalmente por razones subjetivas, es decir,
por lo que pueda hacer en el futuro.

Por otro lado, algunos ejemplos de generalizaciones de carácter objetivo son las actividades "anti-nacionales", el "orden
social, económico o político imperante" en un Estado individual;
las "bases de la nacionalidad", a menos que estén definidas en
términos precisos, como es el caso de la Constitución del Uruguay (24). Asimismo, se dan con frecuencia ciertas generalizaciones en relación con los principios objetivos, que es menester salvaguardar contra la acción delictiva, tales como el "orden
público" y "la seguridad pública", y hasta se emplean a menudo
los términos generales de unidad, existencia, integridad del Estado refiriéndose a dichos principios (25).

2. El concepto de "peligrosidad".

¿Qué es, precisamente, lo que se entiende por el término
"peligroso" cuando se aplica a los extranjeros y aún a los na-

---

(24) Véase Art. 70, inc. 7, segunda frase: "Se consideran tales
sc. las bases fundamentales de la Nación) a los efectos de
esta disposición, las contenidas en las Secciones I y II de la
presente Constitución".

(25) Este material está disperso entre varias secciones de la obra.
Véase, por ejemplo, Sección sobre "Entrada y Salida", A (2)
(a) (2-4) y Sección sobre "Abuso de la Nacionalidad", I A
(1)   (b) y II A (2) (a) (2).

cionales, (26). Este término aparece en el Memorándum anexo
a la Resolución XVII, en el párrafo (A). Vuelve a aparecer en
las resoluciones del Comité que dieron efecto a las directivas políticas contenidas en dicho párrafo y en las legislaciones nacionales correspondientes. En el párrafo (4) de la Resolución
XX del Comité (sobre Detención y Expulsión de los nacionales
peligrosos del Eje), se define este término de una manera absolutamente pragmática, y se enumeran en el mismo, por vía de
ejemplo, ciertas formas de conducta que deben considerarse como un indicio convincente de tal tendencia (27). La Resolución
XV (sobre Abuso de la Nacionalidad). en el párrafo A, 1, b, 3,
letras (a) _ (e), emplea un sistema similar, enumerando las circunstancias que determinan los motivos de duda sobre la lealtad
de una persona que solicita la carta de naturalización (28) lo

---

(26)   Aparentemente, Cuba es el único Estado que ha encarado es-
       tos problemas mediante la legislación. El Acuerdo-Ley Nº 3
       del 5 de enero de 1942, Capítulo III, bajo el título: "Del sos-
       pechoso, como tipo peligroso", da una definición aproximada,
       para sus efectos prácticos, sobre qué constituye una persona
       sospechosa y, por ende peligrosa, ya sea ésta nacional o ex-
       tranjera. Art. 8: "Las personas sobre las cuales recaigan
       sospechas de que cooperan con los enemigos de la República
       o con los perturbadores del orden, en cualquier forma que
       esta cooperación puede prestarse".
(27)   Resolución XX, par. (4): "(a) Afiliación u otro apoyo activo
       a cualquier organización o grupo que actúe en interés de un
       Estado miembro del Pacto Tripartito o de un Estado a él su-
       bordinado; (b) Conducta que dé motivo suficiente para creer
       que la persona ha participado o probablemente participará
       en la trasmisión o la obtención ilegal de información vital pa-
       ra la defensa del Hemisferio o de cualquier República ame-
       ricana; (c) Conducta que dé motivo suficiente para creer que
       la persona ha incurrido o probablemente incurrirá en actos
       de destrucción o sabotaje de servicios o materiales vitales a
       la defensa y seguridad del Hemisferio o de cualquier Repú-
       blica americana, en favor de cualquier Estado miembro del
       Pacto Tripartito o Estado a él subordinado; (d) Conducta que
       dé motivo suficiente para creer que la persona ha diseminado
       propaganda totalitaria o ha incitado a otros a actuar en in-
       terés de un Estado miembro del Pacto Tripartito o Estado a
       él subordinado; (e) Adhesión a la ideología política totali-
       taria o decidida simpatía con la misma; (f) Cualquier otra
       conducta que indique intención de perjudicar la defensa y se-
       guridad de cualquier República americana en interés de un
       Estado miembro del Pacto Tripartito".
(28)   Resolución XV, par. A, 1, b: "(3) Será motivo de duda si
       se estima que el solicitante está comprometido, ha promovido
       o ha tenido alguna participación en las siguientes activida-
       des, entre otras: (a) Diseminación de propaganda totalitaria;

mismo que las causas determinantes de la pérdida de la nacionalidad(29). Estos tipos de conducta peligrosa han sido, sin duda, de utilidad práctica para las autoridades administrativas encargadas de la ejecución de la ley, pero el método de definición resulta inadecuado desde el punto de vista teórico. Un análisis doctrinario de este problema revela que el concepto de "peligrosidad" tuvo su origen en la progresista escuela italiana de antropología criminal, y ha sido transferido al campo político, de lo que se podría inferir que, así como la sociedad necesita protegerse del individuo que constituye un peligro social, cuando ésta se organiza en forma de Estado, necesita protegerse de aquellos súbditos que constituyan un peligro político.

Pero si esta adaptación al ambiente político de un concepto arraigado en el ambiente social y psicológico se justifica por los resultados prácticos alcanzados, las ciencias penales podrían muy bien llegar a la conclusión de que las condiciones subjetivas que determina la "peligrosidad" son esencialmente diferentes en el medio social que en el político. Mientras que las personas que constituyen sujetos "peligrosos" desde el punto de vista social no se consideran, en la mayoría de los casos, enteramente responsables de la situación delictiva en que están comprometidos, ya que su conducta puede haber sido determinada por factores hereditarios, deficiencias mentales, influencias de ambiente o de educación, la persona "peligrosa" desde el punto de vista político es considerada como enteramente responsable de sus ac-

---

(b) Ser o haber sido miembro o director de organizaciones que actúen en interés de los Estados miembros del Pacto Tripartito o de Estados a ellos subordinados, o tener o haber tenido alguna participación en las mismas; (c) Actuar o haber actuado directa o indirectamente y de cualquier manera al servicio o en interés de Estados miembros del Pacto Tripartito o de Estados a ellos subordinados; (d) Haber estado comprometido o existir la posibilidad de que se comprometa que pongan en peligro la seguridad de cualquier República americana o la defensa común del Hemisferio, tales como espionaje, sabotaje, fomento u organización de insurrecciones o rebeliones en cualquier República americana o de invasiones contra algunas de ellas; (e) Habérsele negado la naturalización por cualquiera República Americana, siempre que medie una consulta entre las Repúblicas respectivas".

(29)   Resolución XV, par. B, 2: "(a) Si presta juramento o afirmación de fidelidad a un Estado extranjero; (b) Si presta servicios a las fuerzas armadas de un Estado miembro del Pacto Tripartito o de un Estado a él subordinado; (c) Si acepta cual-

ciones, hasta el punto que en las legislaciones de defensa constituye el principal agente contra el cual se dirigen las medidas.
Un individuo es peligroso desde el punto de vista político, no
por casualidad o debido a una cadena de circunstancias involun-
tarias, sino por un acto de su propia voluntad.

Al Estado corresponde determinar e interpretar las normas de "peligrosidad" política, y atribuye a ciertos individuos,
por sus antecedentes o su conducta y reacciones probables, el
carácter de "peligrosidad". Esta consiste en sus tendencias pro-
totalitarias, ya sean manifiestas o meramente supuestas. Al legislador que aspira a defender al Estado democrático-constitucional no le interesa saber porque es o se ha convertido una persona en partidaria de las ideas totalitarias. La antropología criminal por el contrario, determina la peligrosidad de una persona valiéndose exclusivamente de los móviles y circunstancias
que la han convertido en un peligro social.

Lo anteriormente expuesto no quiere decir, de ninguna manera, que en sus efectos prácticos ese concepto conduzca a la
arbitrariedad. Una persona que ha sido calificada de peligrosa
por el Estado, no es castigada por este motivo, pues las medidas
preventivas de orden administrativo a las que está sujeto, no
constituyen un castigo. Por el contrario, la adopción de medidas de seguridad solamente contra aquellos extranjeros que se
consideran, justificadamente, peligrosos para la seguridad interna o externa, resulta mucho menos severa que la aplicación
de tales medidas preventivas contra todos los extranjeros enemigos, procedimiento utilizado en épocas anteriores. El objeto
de las observaciones precedentes es el de llamar la atención de
que, por razones lógicas y evidentes, las medidas legislativas
se valieron de generalizaciones y cláusulas amplias que no son

---

quier puesto o empleo, o recibe remuneración del gobierno de
un Estado miembro del Pacto Tripartito, o de un Estado a él
subordinado; (d) Si vota en las elecciones de un Estado miembro del Pacto Tripartito o de un Estado a él subordinado;
(e) Si actúa como miembro o participa en una organización
que esté contraloreada o que actúe en el interés de un Estado miembro del Pacto Tripartito o de un Estado a él subordinado; (f) Si toma parte o intenta tomar parte en cualquiera otra actividad que establezca la fidelidad hacia un
Estado miembro del Pacto Tripartito o de un Estado a él subordinado, tal como espionaje, sabotaje, sedición o conspiración en interés de dicho Estado".

compatibles con la tipificación precisa que el derecho penal clásico exige con respecto a los actos delictivos.

3. El concepto de la propaganda.

Esas mismas cláusulas generales se encuentran también en las medidas legislativas de defensa, cuando tratan de los métodos utilizados para la realización de los actos subversivos. Las legislaciones de defensa de casi todos los Estados Americanos tratan del concepto de la propaganda ilícita o subversiva. En épocas anteriores de tensión nacional o internacional (30), la propaganda no constituía, aparentemente, uno de los objetos de la represión penal. El término se emplea, sin más explicación, en el párrafo (4) de la Resolución XVII y en el Memorándum anexo a la misma, en el párrafo (d) (2), como también en las resoluciones del Comité y en las legislaciones nacionales de defensa.

En la práctica, las legislaciones nacionales emplean este término de dos maneras distintas: en primer lugar, para indicar ciertos procedimientos o actividades por medio de las cuales puede ejercerse la propaganda y, en segundo lugar, para aludir al contenido o a los fines para los que se utilizan dichos procedimientos, y en relación a los cuales tales actividades resultan ilícitas o subversivas.

Es evidente que la naturaleza de la propaganda no podrá definirse únicamente por los métodos o instrumentos utilizados por la misma, ya sea la palabra, la prensa, la radio, el cinematógrafo, las manifestaciones públicas, los símbolos, tales como uniformes, banderas, y distintivos, o los gestos individuales con un significado especial. Por consiguiente, a fin de concretar qué es lo que se entiende por propaganda política censurable, el legislador ha asociado tales manifestaciones, medios y procedimientos externos con ciertas doctrinas o partidos que, desde el punto de vista político, se consideran condenables. Una vez más se ha recurrido a las generalizaciones, sin determinar o definir

---

(30) Una definición exacta de lo que se entiende por propaganda es sumamente difícil. Webster dice así: "Cualquier grupo, esfuerzo o movimiento organizado y colectivo para la difusión de una doctrina particular o de un sistema de doctrinas o principios". Es menester agregar asimismo la siguiente definición de lo que se entiende por doctrina: "En su sentido general, se aplica a cualquier hipótesis o principio práctico, especialmente cuando se predica o se inculca en otros".

precisamente el sentido de la palabra, ya que, de ordinario, cuando las medidas legislativas se refieren a las doctrinas políticas prohibidas, lo hacen en términos o cláusulas generales, (31) tales como: doctrinas incompatibles con el orden establecido o las instituciones o la forma de gobierno del Estado; "doctrinas contrarias a las instituciones políticas y la paz social de la Nación"; "ideas contrarias a la forma del Gobierno de la República, a la Constitución y el ordenamiento jurídico-social"; "doctrinas y teorías contrarias al sistema constitucional"; "doctrinas incompatibles con la unidad o individualidad de la Nación"; "propaganda disociadora"; "ideas disociadoras contrarias al orden público". Es un tanto más precisa la fórmula que prohibe las "ideas o sistemas de acción de partidos extranjeros que estén en desacuerdo con los principios constitucionales en que descansan las instituciones del país".

Otras veces, las doctrinas prohibidas se han indicado con mayor precisión como, por ejemplo, en el caso de las que preconizan cambios en el orden social o político del Estado por medio de la fuerza o la violencia. Pero aunque esta cláusula resulte plenamente adecuada para definir al anarquismo internacional, fundado, sin lugar a dudas, en los procedimientos del terror y la violencia, o al comunismo de los tiempos en que se ajustaba a los dogmas de Trostky, no puede aplicarse eficazmente al totalitarismo del Eje que pretende, por lo menos en apariencia, repudiar los procedimientos violentos y espera poder derrotar a los Estados democrático-constitucionales mediante métodos persuasivos, tales como la influencia de sus organizaciones y su propaganda. Tampoco dicha mención de la fuerza y la violencia resulta adecuada para combatir al comunismo internacional que, en la actualidad, repudia oficialmente el uso de tales métodos (32). De ahí que las actividades políticas sujetas a represión penal por parte del Estado, son determinadas por métodos indirectos en casi todas las legislaciones nacionales, esto es, contrastándolas con el orden político-social o las instituciones sociales y políticas existentes. No obstante, algunos Estados concretan más precisamente los principios que es menester salva-

---

(31) Véanse mayores detalles, infra, Sección D. I.
(32) Sobre el problema importante de las tácticas del Eje que no utilizan la fuerza y la violencia, véase infra.

guardar, refiriéndose a la forma de gobierno democrático-cons-titucional.

En un número relativamente considerable de casos, se se-ñalan expresamente algunas doctrinas que son consideradas dignas de sanción pero, salvo contadas excepciones, éstas se refieren a las doctrinas del extremismo izquierdista (anar-quismo, terrorismo, comunismo) y sólo en algunos casos ais-lados han incluído los legisladores expresamente al nazismo, fascismo y todas las formas de gobierno que representan una dictadura. Si bien es verdad que la enumeración de ciertas doctrinas conocidas constituye una indicación bien precisa, las referencias al orden político-social imperante o a la forma de gobierno establecidos, desde el punto de vista legal, sólo pue-den precisarse indirectamente, esto es, contrastando una doc-trina determinada con la Constitución del Estado. Estas cláu-sulas generales tal vez llegan a su auge en el término "quin-tacolumnismo", introducido en la legislación de Cuba para designar un nuevo tipo delictivo. (33). Estas y otras cláusulas generales empleadas en las legislaciones de defensa, en lugar de una enumeración detallada de los elemen-tos delictivos, resultan de gran utilidad, debido justamente a su imprecisión y elasticidad, que hacen posible aplicar sancio-nes penales a todos los actos que el Estado juzgue perjudicia-les para el orden público y la seguridad interna. Una de las diferencias fundamentales entre los procedimientos utilizados para la defensa política en la América Latina y en los Esta-dos Unidos está constituída por esta circunstancia. Bajo el régimen estadounidense es necesario establecer que un acto que se considera subversivo constituye, en realidad, un peligro apremiante y directo para el orden y seguridad públicos, exi-gencia que se conoce como la doctrina del "peligro preciso y actual". La libertad de opinión política puede restringirse úni-camente cuando aquella afecta directamente al orden público.

---

(33) Cuba: Acuerdo-Ley Nº 3 de enero 5 de 1942, art. 12: "Defi-nición del quintacolumnismo. Se entiende por quintacolumn-nismo toda actividad, gestión, propaganda, acto o hecho por virtud del cual se exteriorice convivencia, cooperación, in-teligencia o simpatía en cualquier forma que las mismas se desarrollen, actúen o manifiesten, con los países totalitarios o con sus aliados, colaboradores o protegidos, o con cualquier nación que se encuentre en guerra o en estado de guerra o en estado de guerra con la República".

Una acción determinada sólo puede calificarse como subversiva y quedar desamparada de las garantías constitucionales que protegen la expresión libre de opinión, siempre y cuando represente, de hecho, una amenaza a la seguridad pública.

4. El concepto "político" y el "delito político".

El término político es, quizás, el más general y, a la vez, el menos preciso de todos los utilizados en las legislaciones de defensa. Como ya se dijo (34) las medidas legislativas para la defensa de los estado democrático-constitucionales provocadas por la agresión política del Eje, constituyen el derecho político, por excelencia. Aparte de las medidas preventivas de orden administrativo para el contralor de los actos subversivos, toda la legislación de defensa gira alrededor del "delito político".

No se tiene la intención de agregar otra más a las numerosas definiciones sobre delito político que, durante más de un siglo, han preocupado a las ciencias del derecho público y penal. (35) La siguiente definición, extraída del análisis pragmático de la legislación de emergencia, no pretende más que explicar "grosso modo" su alcance y naturaleza: "Un delito político es una actitud o un acto que tiene la intención de perturbar la existencia o integridad del Estado y la forma de su organización, mediante procedimientos directos o indirectos que no están previstos en la Constitución y las leyes del Estado". Del material que se ha incluído en esta obra surge un hecho revelador: debido al carácter totalitario de la agresión política del Eje, los estados democrático-constitucionales se han visto precisados a adoptar medidas preventivas de tal intensidad, que el concepto del delito político, en su naturaleza y alcance, ha cambiado casi por completo. Ciertos actos y hasta actitudes, que en tiempos normales hubieran carecido enteramente de importancia política, se han convertido en delitos políticos, y ciertas formas de conducta que en épocas anteriores no entraban, bajo ningún punto de vista, dentro de la órbita política, pueden ahora servir para los fines totali-

----

(34) Véase supra, p. 30.
(35) Una exposición reciente de este tema figura en: Eusebio Gómez, Tratado de Derecho Penal, 5º Tomo, Buenos Aires, 1941, p. 301 y sigts.

tarios de subversión y para fomentar las divisiones o disensiones políticas. Ya no existen líneas divisorias claras entre
los delitos comunes y los delitos políticos, y aun entre actitudes o actos particulares y los que puedan tener una connotación política. Pero no es la actitud o el acto en sí lo que da
a los mismos el carácter "político", es la intención subjetiva
de la persona que manifiesta la actitud o que comete el acto,
por un lado, y el efecto objetivo de los mismos sobre otros individuos y el público en general, por otro, que da a estas formas de conducta, inofensivas en cualquier otro sentido, el
carácter político y, si dicha intención es desaprobada por el
Estado, los convierte en un delito político. El uso de ropas o
de vestimentas determinadas; el empleo de ciertos símbolos o
gestos: las muestras de hilaridad durante la exhibición de una
película cinematográfica; la composición de un programa radial;
el tamaño de los títulos de un periódico; la selección y disposición de las noticias; en una palabra, lo que, en tiempos normales constituye simplemente una manifestación de costumbres particulares o sociales, adquiere caracteres políticos si se
considera que es el resultado de las tendencias pro - totalitarias y anti-democráticas a las que la legislación de defensa
atribuye el carácter de acto ilícito o subversivo. El elemento
subjetivo, es decir, el carácter o los antecedentes de la persona que manifiesta la actitud o que comete el acto, constituye
otro factor determinante. Una persona cuyos ideales democráticos son bien conocidos, pero cuyos sentimientos políticos
están en contra del gobierno o partido que ocupa el poder, puede criticar severamente al orden político existente sin cometer un delito político; en cambio, una manifestación similar
proveniente de una persona de conocidas simpatías totalitarias podría calificarse como un acto reprensible y sancionable
desde el punto de vista político. Por lo tanto, es la coincidencia de los elementos subjetivos y objetivos lo que, debido a las
condiciones actuales de guerra política contra el Eje, atribuye
a un acto el carácter de delito político.

He aquí por qué, de acuerdo a esta ampliación inusitada
del concepto político, se consideran sancionables numerosos actos y actitudes que, con anterioridad a la emergencia, estaban
exentos de toda connotación política o, al menos, no eran cen-
surados por el Estado. Esto replica, asimismo, los procedi-

mientos casuísticos e improvisados que se han empleado en las medidas legislativas de defensa que por un lado tenía que utilizar múltiples generalizaciones como base de referencia para los actos delictivos y, por el otro, que enumerar y particularizar los mismos minuciosamente. A pesar de los esfuerzos, por parte de algunos Estados, de codificar en una Ley de Orden Público los tipos de conducta y los actos pertinentes, ésto no ha podido remediar la naturaleza excesivamente casuística de las legislaciones de defensa en general. Precisamente uno de los más árduos esfuerzos de la labor realizada en esta obra, fué tratar de poner cierta hilación en la naturaleza casuística de las legislaciones de defensa, mediante la ordenación del material en categorías determinadas y en clasificaciones lógicas.

5. La represión penal dirigida contra la propaganda y la organización subversiva.

Tal vez sorprenda a los criminólogos y a los penalistas que entre las medidas de defensa que entraron en vigor como consecuencia de la conferencia de Río de Janeiro, son relativamente pocas las que tienen por objeto proteger la forma de gobierno democrático-constitucional contra actos manifiestos de violencia. Los métodos de fuerza pueden ser utilizados contra la seguridad externa o internacional del estado, o contra la seguridad interna y el orden público. Según la sistematización tradicional del derecho penal tales actos como la sedición, rebelión e insurrección contra las autoridades, representan amenazas a la seguridad interna del estado. Las directivas políticas de la Resolución XVII, así como las resoluciones del Comité se abstienen de recomendar nuevas medidas para el castigo de actos de violencia o de fuerza contra el orden constitucional existente o de desobediencia a las autoridades instituídas por la ley. Es verdad que estos actos de subversión manifiesta están incluídos en la mayoría de las leyes de orden público, habiendo entrado en vigor mucho antes de la conferencia de Río de Janeiro. No obstante, las resoluciones del Comité no recomendaron la intensificación de las medidas destinadas a controlar actos de subversión realizados por la fuerza o la violencia (36). Esta omisión no es desde ningún punto de vista, accidental. Al formular la Resolución XVII, cuyo notable discernimiento, así como su percepción excepcional de las tácticas de agresión política del Eje han sido puestos en evidencia por los hechos subsiguientes, se tenía la convicción de que los códigos penales de los diversos Estados y las medidas dictadas más tarde otorgaban al gobierno las facultades necesarias para hacer frente a tales situaciones mediante la policía y el ejército como los poderes encargados de mantener el orden en tiempos normales.

La mayor parte de las medidas de emergencia recomendadas por el Comité tratan de los métodos "pacíficos" de infiltración y de subversión tales como la propaganda y las organizaciones que, hasta el presente, debido al ambiente liberal de los Estados democráticos, no habían sido controlados por el Estado. Al concentrar su atención en el contralor eficaz de la propaganda y las organizaciones subversivas, las legislaciones de defensa apuntan al corazón de las tácticas de agresión del Eje.

El primer Informe Anual del Comité (37) se refiere acertadamente a tres "tipos o técnicas de penetración" que constituyen los medios utilizados por el Eje en su campaña de agresión, es decir, primeramente el espía o saboteador tradicional; en segundo lugar, la organización bajo el dominio del Estado de todas las relaciones que las entidades y personas situadas en los Estados del Eje mantuvieran en las Repúblicas Americanas, lo que incluía, muy especialmente, la infiltración totalitaria en las minorías extranjeras; y en tercer lugar, la inclusión de conceptos totalitarios dentro de la vida social, económica, política y cultural de los pueblos americanos.

Estas dos últimas tácticas de subversión política en interés de los ideales totalitarios constituían procedimientos que de acuerdo a los regímenes nacionales anteriores a la emergencia debían ser considerados como legales siempre que se abstuvieran de preconizar el uso, o usaran la fuerza y la

---

(36) La inclusión de medidas contra los saboteadores constituye una excepción. Véase el Memorándum anexo a la Resolución XVII, párrafo (D) (4).

(37) Véase p. 3 y sigts.

violencia. Cuando, se puso coto a la agresión totalitaria, aún no había llegado, de acuerdo a los planes estratégicos del Eje, la hora en que la fuerza y la violencia podían utilizarse eficazmente para conquistar a algún Estado americano· La experiencia europea ha demostrado que, antes del ataque militar exterior, sincronizado tal vez con una rebelión interior bien organizada, era menester preparar el camino mediante una acción política destinada a socavar, desde adentro, la resistencia democrática y a fomentar un ambiente favorable al golpe de fuerza totalitario. Esto último podía realizarse sin recurrir a la fuerza o a la violencia, valiéndose principalmente de los métodos "legales" de la propaganda y las organizaciones subversivas. Los planes estratégicos del Eje para la conquista del nuevo mundo habían llegado hasta este punto de realización cuando las Repúblicas Americanas comprendieron cabalmente el peligro que las amenazaba. A última hora, descartaron su fe, ya pasada de moda, en el poder de la palabra y, para combatir esa amenaza con sus propios métodos, adoptaron procedimientos militantes. He aquí porqué la mayor parte de las legislaciones de defensa de los diversos Estados tratan de medidas destinadas a contrarrestar la propaganda y las organizaciones subversivas totalitarias.

Tanto la propaganda como las organizaciones son ilícitas o subversivas, no en sí mismas, sino cuando están encaminadas hacia finalidades ilícitas o subversivas. Adquieren importancia política por razón de los objetivos que persiguen o de las personas que las dirigen. Por consiguiente, tanto en las medidas de defensa puestas en vigor antes de la Conferencia de Río de Janeiro, como en las que se adoptaron de acuerdo a la Resolución XVII, se establece que la propaganda y las organizaciones totalitarias son subversivas e ilícitas. Desde el punto de vista sociológico, los Estados modernos gobernados por el pueblo, no solamente permiten, sino que hasta incitan a las masas a participar en la formación del pensamiento político de la sociedad que integra el Estado. La movilización de las masas con propósitos políticos, o cualesquiera otros· es posible únicamente a través de los medios de la propaganda y la organización, los que están fundados en la exhortación y la acción conjunta de las masas. La organización de nuestra sociedad hace indispensables ambos procedimientos, y ellos se complementan mutuamente y están relacionados entre sí y por consiguiente logran su máxima eficacia empleados conjuntamente. La propaganda política no conseguirá los objetivos que se propone si no conduce a la institución de un organismo dedicado a la realización de los mismos, y por otro lado, la organización de las masas no conducirá a nada si ésta no se mantiene animada y alerta mediante la propaganda. La organización es la cristalización de la propaganda; la propaganda da vida a la organización.

Los procedimientos que distinguen a la agresión política de la agresión militar, así como los caracteres fundamentales de la reacción defensiva que aquella ha provocado en los Estados democrático-constitucionales solamente quedarán bien entendidos si se comprende claramente que la propaganda y la organización son elementos relacionados y complementarios y que ellos constituyen los impulsores políticos de los Estados modernos gobernados por el pueblo. El éxito totalitario halla su explicación en la hábil concertación de ambos elementos, utilizados eficazmente. Durante mucho tiempo, los Estados democrático-constitucionales no se percataron, o no comprendieron la gravedad del peligro que representaba para ellos esta diabólica combinación. Valiéndose de los propios instrumentos democráticos, que contaba con el apoyo de la mayoría, el plan totalitario de ataque consistía en la creación, a través de la propaganda popular, de la organización de las masas con el propósito de que, cuando éstas tuvieran fuerzas suficientes, se apoderaran, por medios "legales" del gobierno establecido. El plan estratégico totalitario para la conquista de los pueblos difiere de los utilizados en épocas anteriores de conmoción interna o internacional, en que no emplea los procedimientos revolucionarios de la violencia manifiesta y el golpe de Estado hasta tanto no se haya preparado el camino y asegurado el éxito mediante la organización y la propaganda subversiva. En la inmensa mayoría de los casos, las medidas normales para la seguridad del Estado hubieran bastado para sofocar cualquier rebelión que intentara derrocar al gobierno por la fuerza, siempre que los miembros de la policía y de las fuerzas armadas se mantuvieran fieles al gobierno constitucional establecido. Por consiguiente, los estrategas del Eje obraron sabiamente al no pretender implantar la ideo-

logía totalitaria en el Hemisferio Occidental mediante métodos violentos. Estos se reservaron para más tarde, razón por
la cual aquellas medidas de defensa que le protegen al gobierno de atentados por la fuerza, son en la práctica, relativamente poco importantes.

a. Técnica de la propaganda.

En esencia, la propaganda es todo esfuerzo consciente
para encaminar y dirigir la opinión pública. Es probablemente, tan antigua como el Estado organizado, pero como término
político, aplicado a la formación de la opinión pública es, relativamente moderno (38). El hecho de que ciertas formas
de la misma se hayan convertido en un delito político es una
consecuencia importante de la actual revolución mundial. Por
propaganda política se entiende, en general, la realización,
por todos los medios posibles, del máximo esfuerzo, para convencer a otros miembros de la sociedad política del valor, la
utilidad y la veracidad de ciertas actitudes y doctrinas políticas. Es imprescindible que otras personas reconozcan fácilmente los rasgos característicos de la actitud o acción respectiva, objeto de la propaganda. A raíz del ataque totalitario
contra los estados democrático-consitucionales, la propaganda
constituye en nuestros tiempos un vocablo tan ilimitado y elás-
tico como lo es el término "político". En la práctica totalitaria, todos los pormenores de la vida diaria, ya sea el uso de
una corbata de color determinado, una expresión facial, el silencio o las palabras, la pasividad o la actividad, pueden constituir elementos de propaganda política o ser utilizados para
sus fines.

En nuestra sociedad actual la propapanda política se vale
principalmente de los órganos modernos para la formación, dirección y comunicación de opiniones. En el ambiente demo-

---

(38) En las medidas legislativas contra el anarquismo del final del
siglo XIX y principios del siglo XX se incluye la "propaganda"
como un acto sancionable. Esta figura en la legislación sovié-
tica desde el año 1917 y en la Ley Italiana Nº 2008 del 25 de
noviembre de 1926 sobre la Defensa del Estado y en el Decreto Real Nº 2062, del 12 de diciembre de 1926, de donde ha
sido adoptada por el Art. 272 del código fascista italiano de
1930 (la prohibición de la propaganda que pretende establecer por la violencia la dictadura de una clase social).

crático, todos ellos, —la prensa, la radio, el cinematógrafo y demás métodos modernos de expresión del pensamiento, son accesibles a todos aquellos que deseen utilizarlos. En la primer etapa de la agresión totalitaria cuando los estados democráticos aun no se habían dado cuenta del peligro que los amenazaba, las potencias del Eje se valieron amplia y profusamente de los mismos. La propaganda totalitaria consistía en propaganda dirigida a las masas para el establecimiento de una organización popular. Por consiguiente, la primer medida defensiva de los estado democráticos constitucionales fué la de clausurar el acceso a los órganos a través de los cuales se forma y dirige la opinión pública, para todos aquellos fines desaprobados por el Estado. Una parte considerable de las medidas legislativas de defensa, tanto de índole administrativa como penal, está destinada a la exclusión de la propaganda totalitaria de las vías utilizadas para la formación y la comunicación de opiniones. Cuando la agresión política adquirió carácter militar fué preciso, naturalmente, intensificar estas medidas de contralor. Entonces, mediante una nueva serie de medidas defensivas completamente ajenas a la propaganda política se impidió que los agentes totalitarios que intentaban perjudicar los esfuerzos bélicos y de defensa nacional de las Repúblicas Americanas utilizaran los medios de comunicación. El contralor de todas las vías de comunicaciones, tales como los viajes, la prensa, la radio, las telecomunicaciones y el correo y la institución de la censura y la vigilancia de las comunicaciones, tenía por objeto evitar el espionaje y la guerra económica' Empero, tales informaciones tienen un carácter completamente opuesto al de la propaganda, ya que su valor principal reside en su absoluta reserva.

b. La técnica de organización

Una vez que la propaganda totalitaria, a raíz de las medidas de defensa adoptadas, perdió su carácter popular, y ya no podía atraer a las masas, los estrategas del Eje recurrieron a las formas de propaganda clandestina y encubierta. Esta fué la segunda etapa del ataque totalitario, en que la organización subversiva, como medio de infiltración política, adquirió una creciente importancia. La organización en sí es más difícil de controlar mediante medidas legislativas que la propaganda, pues ésta última tiene que utilizar los órganos corrientes para la formación y comunicación de opiniones, que pueden controlarse fácilmente. Una asociación que pretenda ser políticamente indiferente o neutral, puede encubrir fácilmente sus fines subversivos bajo la apariencia de propósitos culturales, deportivos o benéficos. El instinto gregario —rasgo innato del hombre como ser sociable— no puede ser suprimido ni tampoco puede, en nuestra sociedad moderna, controlarse totalmente desde fuera.

La técnica de la organización subversiva fué movilizar a todos los partidarios y simpatizantes totalitarios, tanto extranjeros como nacionales, en grupos, asociaciones, partidos y movimientos' En tales agrupaciones se fusionaron todos los elementos de oposición y resistencia a los estados democrático-constitucionales, con el propósito de utilizarlos para la usurpación del poder gubernamental, una vez creadas las condiciones propicias para ello, mediante la propaganda. Huelga decir que estas organizaciones se convirtieron automáticamente en los centros y los medios para la difusión de la propaganda subversiva, distribuyendo cada vez más profusamente, ideología totalitaria en el pueblo. La solidaridad del grupo da lugar a la organización y ésta, a su vez, intensifica la solidaridad del grupo, puesto que un individuo que hasta entonces ha constituído una entidad aislada, se siente alentado por la conciencia de pertenecer a una agrupación. Otra ventaja consiste en que, para fines subversivos, es siempre más fácil manejar a un grupo que a individuos aislados. Una organización de pocos miembros que cuente con una dirección eficaz, puede provocar más daño que un grupo mayor de individuos que actúen desorganizadamente. Además, una vez que a la propaganda subversiva le fué imposible utilizar los medios de expresión del pensamiento ya indicados, ella podía difundirse con relativa facilidad por medio de un grupo organizado.

c. Las organizaciones controladas desde el exterior.

En el párrafo (2) de la Resolución XVII se recomendó a los gobiernos de las Repúblicas Americanas que "amplíen su sistema de vigilancia para evitar que actividades subversivas de individuos o **grupos de individuos** nacionales de países extracontinentales, que provengan o sean dirigidas desde un país extranjero". (39) El Memorándum anexo a la Resolución XVII, párrafo (A) (5), prohibe "que tales nacionales formen parte de **organizaciones que estén controladas por estados miembros del Pacto Tripartito y de los estados a ellos subordinados"**, en, tanto que el párrafo (D) (3) encarece el contralor de personas o de **organizaciones** que actúen en interés de autoridades extranjeras. El Comité, en su Resolución II, se limitó a recomendar la adopción, de contralores administrativos de medidas policiales de identificación aplicables a "todos los nacionales de los Estados del Pacto Tripartito o de Estalos a ellos subordinados y, asimismo, a todos los organismos, partidos políticos, clubes, sociedades en comandita y corporaciones de cualquier naturaleza dirigidos controlados o sostenidos, directa o indirectamente, por dichos nacionales"**. De esta manera el Comité hizo hincapié en el carácter extranjero de las organizaciones y en su dependencia de **nacionales** extranjeros de las mismas; y se abstuvo de formular una resolución dirigida exclusivamente en contra de las organizaciones subversivas, fundándose justificadamente en la premisa que, al quedar inmunizado el Hemisferio Occidental contra la propaganda subversiva, se había salvaguardado asimismo de la organización subversiva. Además, de acuerdo a la Resolución VII de la Conferencia de La Habana, que en 1940 había recomendado la adopción de medidas reglamentarias en contra de las organizaciones de origen extranjero o que estuvieran dirigidas por extranjeros, muchos de los Estados habían dictado medidas contra las organizaciones controladas desde el exterior. (40).

6. Seguridad externa e internacional, y seguridad interna.

Los criminólogos y los penalistas, acostumbrados a la clá-

(39) Véanse asimismo las resoluciones Nos. VI (Nº 1) y VII (Nº 4, a) de la conferencia de La Habana, 1940, a las que se refiere expresamente la Resolución XVII en el párrafo (4), y que tratan este punto más extensamente.

(40) Este aspecto importante de la defensa del Estado es tratado más extensamente en la sección sobre el estado político de los extranjeros; véase infra, Sección A, Introducción.

sica división de los delitos contra la "personalidad del estado", en aquellos que amenazan la seguridad externa o internacional, y aquellos que amenazan la seguridad interna, posiblemente notarán, a simple vista, la existencia de un vacío en las legislaciones para la defensa del estado. Muy pocas de las medidas de emergencia adoptadas con posteridad a la Conferencia de Río de Janeiro, están destinadas a proteger la seguridad del estado contra la agresión externa, aun en épocas de guerra (41). No obstante, como se verá a continuación, el vacío es más aparente que real.

La distinción entre delitos contra la seguridad externa y la seguridad interna del estado, que figuran en los regímenes penales de casi todos los estados modernos, incluso los códigos penales de las Repúblicas latino-americanas, provienen del Código Penal Francés donde la traición (trahison) (artículos 75-85) es tratada separadamente de los crímenes y delitos contra la seguridad interna (artículos 86-113). Por traición se entiende todo acto cometido por un francés en favor de un estado extranjero y en perjuicio de Francia (42). Por otro lado, según el régimen francés, los crímenes y delitos contra la seguridad interna del estado consisten en complots y atentados contra la existencia del estado y el gobierno establecido sin referencia a ninguna potencia extranjera a quien puedan interesarle tales actos. (43). La división de los delitos políticos entre los que amenazan la seguridad externa y los que amenazan la seguridad interna del Estado, prevaleció durante el siglo XIX.

(41) Un ejemplo importante de tales medidas es el Decreto-ley Nº 4.766 del 1º de octubre de 1942, del Brasil, dictado poco después de la declaración de guerra, titulado "define crimes militares en contra a segurança de Estado, e dá outras providencias".

(42) Tales actos incluyen: el porte de armas contra Francia (Art. 75); mantener inteligencia con países extranjeros antes y después de la declaración de guerra, (Art. 76), denominado generalmente "haute Trahison", es, instigar a un Estado extranjero a declararle la guerra a Francia; ayudar a los enemigos de Francia de manera de facilitar la guerra contra la patria, después de declarada la guerra (Arts. 77-79); revelar secretos de Estado (Arts. 80-82) o espionaje, el que ha sido modificado o substituído por la ley del 26 de enero de 1934.

(43) El "attentat" (Art. 87) incluye actos destinados a la derrocación o cambio de gobierno y a la incitación de los ciudadanos a armarse contra el gobierno. El "complot" (Art. 89) es la

En los Estados Unidos, en conformidad con la evolución histórica del "Common Law", la situación es diferente. Un acto de traición solamente puede ser cometido por un ciudadano americano en época de guerra, (44) en tanto que todos los otros actos que puedan poner en peligro la seguridad externa de los Estados Unidos, aun cuando sean cometidos en interés y en nombre de una potencia extranjera, son calificados de "sedición", ya sea por el Código Penal Federal (Federal Criminal Code) o por leyes especiales (45). Por consiguiente en los Estados Unidos no existe una división tan pronunciada entre la seguridad externa y la seguridad interna del Estado, como sucede en el código francés y los regímenes que lo adoptaron como modelo.

El nuevo código de la Italia Fascista (1930), diferenciándose del régimen francés, hace una distinción más precisa entre los delitos que amenazan la seguridad externa del Estado, denominada con exactitud "personalidad internacional" del Estado (artículos 241-275), por un lado, y los que amenazan la "personalidad interna" (artículos 276-293), por el otro. Un hecho significativo es que la primera de estas clasificaciones es mucho más amplia que la que en el Código Zanardelli se denominaba "alto tradimento", ya que incluye una diversidad de actos que afectan la prosperidad el prestigio internacional y la reputación del Estado y sus símbolos, así como comprende una configuración genérica de actos y asociaciones "anti-

---

conspiración de varias personas para cometer tales actos. La **"rebelión"** (Arts. 200 y sigts.) figura en otro lado del Código Penal, y consiste en la aplicación de medidas violentas contra las autoridades públicas cuando éstas desempeñan sus funciones públicas.

(44) Véase Código de los EE. UU., Título 18, Sec. 1 del Código Penal (Ley de 1790, reformada en 1909): "El que debe fidelidad a los Estados Unidos, y se empeña en guerra contra éste o se une a sus enemigos, dándoles ayuda y asilo dentro o fuera de los Estados Unidos, es culpable de traición".

(45) Véase Código de los EE. UU., Título 18, Sec. 9 a 13; Sec. 9: incitar a la deslealtad de las fuerzas armadas; Sec. 10: predicar el derrocamiento del gobierno por la fuerza y la violencia, incluso (a) utilizar cualquier medio de publicidad con dicho propósito, (b) organizar o tratar de organizar asociaciones que enseñen, prediquen o susciten dichas doctrinas de violencia política.

nacionales", y de la propaganda subversiva (46). Aunque los elementos totalitarios arraigados en esta ley, que codificó una gran cantidad de las medidas anteriores para la defensa del nuevo orden fascista, son indudables, las innovaciones en su estructura y plan general no pudieron menos de llamar la atención de los juristas en quienes se había delegado la responsabilidad de proteger a los Estados democrático-constitucionales mediante leyes. Dichas innovaciones han influído, por lo menos en cierto grado, sobre la técnica legislativa empleada por las democracias para defenderse de los ataques totalitarios.

Debe dejarse para un análisis dogmático posterior del material incluído en esta obra el decidir si ciertas desventajas ideológicas de la división tradicional entre delitos contra la seguridad externa y contra la seguridad interna del Estado, no aconsejan substituirla o complementarla, por la siguiente clasificación tripartita: (a) los actos contra la seguridad interna, tales como los que intenten socavar o alterar, por procedimientos ilícitos, la estabilidad del orden político y social existente, tal como se ha fijado en la constitución y las leyes del Estado; (b) los actos contra la seguridad externa del estado, es decir, la protección de la existencia e integridad del estado contra sus enemigos, en épocas de guerra o de preparación para la guerra y (c) los actos contra la seguridad internacional del Estado, o sea aquellos que se relacionan con su seguridad y su prestigio respecto a otros Estados y a la comunidad de las naciones. La circunstancia de que dos países, Uruguay y Chile, hayan dictado leyes especiales que tratan de este tercer aspecto del problema de la seguridad del Estado (47) así como la resolución adoptada en la Conferencia de México ampliando el concepto de la seguridad externa de un Estado americano de manera de incluír los actos cometidos dentro del territorio nacional contra otro Estado americano, son expresivos de una nueva tendencia y pueden llevar a una reconsideración de la división tradicional tripartita de los delitos políticos según el objeto contra el cual se dirigen. Debe reconocerse, que, con frecuencia, la seguridad externa y la seguridad internacional del Estado coinciden. No obstante, no

---

(46) Véase Vicenzo Mancini, Trattato di Diritto Penale Italiano, Vol. V, Torino, 1934, p. 14 y sigts.
(47) Véase infra, Sección D. IV.

puede negarse que la protección de la seguridad interna y externa de otros Estados, ya sean estos naciones aliadas en el verdadero sentido de la palabra, o simplemente naciones amigas, es un concepto enteramente nuevo que no es de ninguna manera equivalente a la propia seguridad interna y externa del Estado donde se comete el acto en contra de una soberanía extranjera.

7. La agresión política y la intervención

Tales especulaciones metódicas, aunque de importancia, exceden los fines de esta introducción general. Pero sí es uno de sus legítimos propósitos llamar la atención al hecho de que, en su aplicación práctica, las medidas legislativas para la defensa de los Estados democrático-constitucionales no hacen la distinción acostumbrada entre medidas destinadas a la protección interna y la protección externa del Estado. Esta circunstancia, más bien que por intención deliberada del legislador ha sido motivada por la utilización por parte de los totalitarios de la agresión interna como un método de guerra política. Aunque el término de "guerra política" es de uso generalizado, no siempre se comprende claramente en todos sus aspectos. La guerra militar, que tiene por objeto destruir las fuerzas armadas del enemigo, y la guerra económica, que pretende destruir su potencia económica, elemento fundamental de la resistencia militar, son tan antiguas como la guerra misma. Además de estos dos tipos ya conocidos de **debellatio**, ha surgido en nuestra época un tercer método de ataque, es decir, la guerra política, destinada a socavar la resistencia moral del enemigo, atacando su unidad, la fe en su propia causa, su armonía interna, en una palabra, su voluntad bélica y su capacidad para movilizar eficazmente todas sus fuerzas. Los estrategas del Eje consideraron que la guerra política era tan, o quizá más importante aún que los dos métodos anteriores. El éxito alcanzado en Europa por la agresión política en la etapa inicial del ataque universal totalitario ha justificado ampliamente la minuciosa preparación que mereció la guerra política, psicológica y moral, iniciada mucho antes de la acción militar. Debe tenerse en cuenta, que la guerra política, tanto como los otros dos métodos, está dirigida en definitiva contra la seguridad externa del Estado enemigo, tiene por objeto eliminarlo como poder soberano e independiente y someterlo dentro del plan totalitario de dominación universal. En este sentido, todas las medidas que están destinadas a proteger la seguridad interna del Estado sirven asimismo para proteger su seguridad externa.

Ni la Resolución XVII ni su Memorándum anexo, ni las resoluciones del Comité que dieron origen a nuevas medidas legislativas, trataron expresamente de la seguridad externa del Estado. Se limitaron a recomendar medidas destinadas a proteger la seguridad interna, tal como está consagrada por el orden democrático-constitucional establecido, contra los sutiles procedimientos totalitarios de subversión. Sin embargo, la agresión política totalitaria preveía que, si la agresión interna tenía éxito y lograba derrocar al gobierno democrático, esto resultaría ulteriormente en beneficio del Eje. En otras épocas los Estados extranjeros se mostraban neutrales y hasta indiferentes respecto a la forma de gobierno o las personas que estuvieran al frente del gobierno de cualquier otro Estado, siempre que cumplieran sus compromisos internacionales y estuvieran en condiciones de poder proteger los legítimos intereses extranjeros dentro del país. En nuestra época, la revolución universal totalitaria ha dejado de lado este respeto tradicional por las soberanías extranjeras. A las potencias del Eje les convenía promover disturbios y revoluciones en otros Estados, ya que éstos fomentaban el totalitarismo en el extranjero. La propaganda totalitaria y su organización subversiva no aspiraban a substituir un gobierno democrático por otro gobierno democrático ni un régimen personalista por otro de igual índole. El totalitarismo, bajo cualquier divisa, trasciende de los límites nacionales. El establecimiento de un gobierno totalitario en cualquier Estado del Hemisferio Occidental representaría para el Eje una ventaja directa e inmediata. Todo régimen totalitario es, forzosamente, un aliado del Eje por compartir su ideología, y constituye un peón más en el tablero totalitario, un satélite y un títere más de su "nuevo orden" mundial. El establecimiento de un régimen totalitario en cualquiera de las Repúblicas Americanas, por medio de la subversión interna, hubiera significado una victoria de primera magnitud para el Eje. Desde este punto de vista, la subversión interna en los Estados extranjeros equivale a una intervención en los asuntos internos de otras naciones soberanas, y, por lo tanto, el plan estratégico de guerra política de las potencias del Eje representa un programa sin precedentes de intervención, realizado en escala gigantesca y con un profundo desacato de las reglas del Derecho Internacional.

En tal sentido, las medidas legislativas destinadas a proteger la seguridad interna de los Estados democrático-constitucionales, defienden automáticamente su seguridad externa, su calidad de Estado soberano, su existencia como Estado independiente y su integridad política. Los actos que amenazan la seguridad interna indudablemente comprometen también la seguridad exterior. En la actualidad la seguridad externa, denominada frecuentemente "integridad" del Estado, depende de la seguridad interna, y sólo puede defenderse eficazmente por medio de las medidas que protegen la estabilidad interna del orden democrático-constitucional. En consecuencia, el término "integridad" del Estado adquiere un significado concreto: es la fusión de la seguridad interna y externa del Estado en un solo elemento. Ningún Estado podrá mantener su integridad e independencia exterior si su orden interno está controlado por un gobierno de tendencias totalitarias, subordinado a los objetivos políticos del Eje.

Esta circunstancia no escapó a las Repúblicas Americanas al formular la Resolución XVII, ni al propio Comité, y ambos recalcaron la importancia del contralor de las actividades subversivas, instigadas, sustentadas o dirigidas desde el exterior (48). Una cantidad considerable de medidas legislativas nacionales, adoptadas con anterioridad (49) a las resoluciones del Comité o en cumplimiento de las mismas, proscribieron y declararon ilícitas la propaganda y las organizaciones establecidas en interés extranjero o controladas desde el exterior, ya

---

(48) Véase la Resolución XVII, párrafo (20: "...para evitar que actividades subversivas de individuos o grupos de individuos nacionales de países extra-continentales, **que provengan o sean dirigidas desde un país extranjero**..."; Véase asimismo el Memorándum anexo, párrafo (A) (5) (c) (1) y (2); (D) (2) y (3); debido a la cantidad numerosa de referencias similares en las resoluciones del Comité, es imposible enumerarlas aquí

(49) Sobre la Resolución VI de la Conferencia de La Habana, véase supra.

fueran éstas dirigidas por nacionales o extranjeros. Tales medidas estaban destinadas a contrarrestar los ataques a la seguridad externa, mediante la debilitación de la seguridad interna (50). Las medidas para la defensa de los Estados democrático-constitucionales, constituyen, de hecho, medidas contra la intervención exterior.

8. Las legislaciones de defensa y el totalitarismo nativo.

No obstante, dado que la mayoría de las medidas de defensa estaban dirigidas contra las actividades subversivas, o sea, la propaganda, las organizaciones u otras actividades emprendidas bajo el contralor extranjero o su inspiración, o que perseguían la ideología o las doctrinas totalitarias, éstas no bastaron para combatir eficazmente el peligro que representaban, para la seguridad exterior, las actividades subversivas realizadas en nombre del patriotismo y que escapaban, por lo tanto, al estigma moral que se atribuía a la franca intervención extranjera. Un partido, grupo o asociación política podía fácilmente ocultar sus verdaderos sentimientos y aspiraciones totalitarias, manifestando que su origen y sus finalidades eran exclusivamente nacionales, y pretendiendo constituir, simplemente, una asociación creada para dar expresión conjunta a una legítima oposición interna al gobierno o partido que ocupa el poder. Las resoluciones del Comité no se ocuparon expresamente de este tipo de subversión totalitaria, que encubría su adhesión a las doctrinas del Eje bajo un lema nacionalista. Tampoco las medidas legislativas adoptadas por propia iniciativa de los gobiernos previeron en todos los casos el peligro del **fascismo criollo**, es decir, de las organizaciones nacionales subversivas que, sin estar controladas o relacionadas en aparien-

(50) Esta situación se expone más detalladamente en las secciones sobre el estado político del extranjero y sobre propaganda, infra, Secciones A y D. I. La Ley chilena Nº 6026 del 11 de febrero de 1937, Art. 1, constituye un ejemplo: "Cometen delitos contra la Seguridad Interior del Estado... que: Nº 6. Mantengan relaciones con personas y asociaciones extranjeras, con objeto de recibir instrucciones o auxilios de cualquier naturaleza que fueren, con el propósito de llevar a cabo algunos de los actos punibles contemplados en el presente artículo". Este artículo se refiere a todos los atentados contra la seguridad interior del Estado.

cia con las doctrinas o grupos extranjeros proscriptos, siguen igualmente el modelo totalitario elaborado por el Eje. Una obra que trata del derecho comparado de la defensa política no puede ignorar este vacío en la Resolución XVII y en la inmensa mayoría de las medidas de defensa nacionales. La experiencia política adquirida durante los últimos años demuestra claramente que el nazismo, para tener éxito, no precisa ya la marca de fábrica "made in Germany". El totalitarismo nativo, aunque ha tenido su inspiración en las doctrinas del Eje, puede fácilmente emanciparse de sus antecedentes orgánicos e ideológicos, y constituirse en un elemento revolucionario que, actuando por su propia cuenta, y cuando las condiciones nacionales lo permitan, sea peligroso para el Estado democrático-constitucional establecido (51).

(51) A esta altura se estima conveniente incluir una breve reseña de las personas a quienes están dirigidas las medidas de defensa, de acuerdo a la Resolución XVII y las resoluciones del Comité. Se hacen las siguientes distinciones: extranjeros, extranjeros naturalizados, los que, por razones legislativas se incluyen a menudo con los extranjeros, y nacionales. Cuando las resoluciones del Comité no hacen una distinción precisa, las medidas recomendadas son aplicables a todas las personas, es decir, las tres categorías mencionadas.
Resolución XVII, (1), (2) y (4) se refieren a todas las personas. Los párrafos (A) (contralor de extranjeros peligrosos) y (B) (1) (naturalización de extranjeros) del Memorándum anexo, se refieren a los extranjeros. Los párrafos (C) (tránsito a través de las fronteras) y (D) (actos de agresión política) incluyen a todas las personas. Aún las resoluciones que tratan especialmente de los extranjeros contienen medidas destinadas, implícita o indirectamente, para el contralor de los nacionales (por ejemplo, las siguientes recomendaciones se refieren a todas las personas: Resolución II, Encuesta para la identificación de extranjeros no peligrosos y descubrimiento de elementos subversivos dentro de los países americanos, par. (1); resolución IV, Protección de barcos e instalaciones portuarias, en su totalidad; Resolución VII, Medidas para prevenir el abastecimiento de submarinos totalitarios cerca de las costas de América, par. (A) y (C); Resolución VIII, Entrada y salida de personas y tránsito clandestino a través de las fronteras nacionales, par. (A) (1-5), (B) (2) (a-d); Resolución XI, Comunicaciones clandestinas de radio, en su totalidad; Resolución XIII, Protección interamericana contra sabotaje, en su totalidad; Resolución XV, Prevención del abuso de nacionalidad, par. (B) (2) (a-f); Resolución XVI, Cédulas de identidad par. (A), (B); Resolución XIX, Censura de comunicaciones internacionales, en su totalidad, con la excepción del par (5) (e); Resolución XXI, Protección de zonas y servicios portuarios, en su tota-

V. El derecho internacional

1. Las legislaciones nacionales de defensa como derecho internacional.

A simple vista, parecen relativamente pocas las disposiciones incluídas en el estudio, relacionadas con el derecho que se llama generalmente "derecho internacional". Solamente uno de sus aspectos importantes requiere consideración especial. Este consiste en la ampliación de la competencia interna de un Estado, de manera de incluir dentro de ella los actos de agresión política cometidos en contra de otra República Americana o de una nación aliada, innovación introducida en el derecho americano por las leyes del Uruguay y Chile, aunque también existen algunas disposiciones similares. vigentes en épocas de guerra, en varios códigos penales. (52). Con esta excepción, todas las medidas legislativas para la defensa del Estado, apa.. rentemente interesan solamente al derecho interno o nacional.

Tal vez una de las conclusiones más significativas de la obra es que esta suposición, resultado del pensamiento tradicional que concibe que el derecho internacional rige exclusivamente entre los Estados, carece de fundamento. En substancia, aunque no en su forma, la totalidad de las medidas legislativas para la defensa de los Estados democrático-constitucionales pertenecen al derecho internacional. La agresión política del Eje no está dirigida contra una o varias de las veintiuna Repúblicas Americanas, sino contra todas ellas. Los estrategas del Eje consideran al Hemisferio Occidental como una sola esfera de acción. No en vano aprendieron los neo-imperialistas de la Alemania Nazi, que aspiraban a dominar el mundo de acuerdo a las enseñanzas geopolíticas, a pensar en términos especiales. A fin de combatir la agresión política, los veintiún estados americanos se consideraron y obraron como una sola entidad. La solidaridad americana, fundada en el ideal democrático panamericano, exigía la acción concerta-

---

lidad). Casi todas las resoluciones que recomiendan la adopción de medidas legislativas se refieren a nacionales y extranjeros, aunque en algunas de ellas las actividades de los nacionales se consideran subversivas únicamente cuando se realizan conjuntamente con los extranjeros o bajo su instigación o dirección.

(52) Véase infra, Sección D. IV.

da, mediante la adopción de medidas homogéneas o similares de defensa política. El establecimiento en un Estado de una defensa política adecuada, refuerza todo el frente panamericano, en tanto que las debilidades en la defensa de un Estado disminuyen la resistencia de todos los demás. Si en un Estado se consigue exterminar el cólera o la fiebre bubónica, los Estados vecinos y otros pueblos no tienen porqué temer la irrupción de la epidemia en su propio territorio. Para aquellas que creen en el totalitarismo, éste constituye una religión política; pero para los pueblos democráticos, constituye una infección política internacional, cuya eliminación de un Estado precave a los otros de contagio. Es, pues, el carácter transnacional de las medidas legislativas de cada Estado individual, lo que imparte a las medidas nacionales, en definitiva, la calidad de derecho internacional.

Muchos internacionalistas dirán que solamente los Estados, como tales, son sujetos al derecho internacional, y a fin de que sus súbditos observen sus normas, es necesario convertirlas en derecho nacional. Esto se lleva a cabo, por voluntad de los gobiernos, ya sea ordenando el cumplimiento interno del tratado o convención internacional, ya mediante la incorporación de los principios del tratado o la convención internacional en una ley nacional, adoptada conforme a los procedimientos legislativos usuales. También se dirá que ni la Resolución XVII ni las resoluciones del Comité que dieron efecto a sus recomendaciones, constituían leyes directamente aplicables a los súbditos de las veintiuna Repúblicas Americanas. El propio Comité, dado su carácter representativo (53) es un organismo netamente internacional, o interamericano. Pero en cada caso fué preciso reglamentar los principios ya suscriptos por el Estado particular mediante leyes o decretos ejecutivos, a fin de que fueran aplicables a sus súbditos y a los habitantes de la nación. Ambos argumentos son irrefutables. No obstante, en sus resultados inmediatos y ulteriores, las medidas legislativas nacionales tenían la calidad de derecho internacional, ya que las disposiciones tomadas por una República aparejaban, necesariamente, un beneficio a las otras veinte, y todas ellas sufrían

---

(53) Véase primer Informe Anual, edición castellana, p. 19 y sigts.; segundo Informe Anual, p. 47 y sigts.

las consecuencias de cualquier insuficiencia legislativa en la defensa contra la agresión totalitaria. Aquí radica la importancia intrínseca de las visitas de consulta realizadas por el Comité y de los memorándums especiales subsiguientes.

Por lo tanto, las legislaciones nacionales, en su substancia, trascienden los límites nacionales y, en sus propósitos y resultados se tornan internacionales, hasta el punto que los Estados americanos, enteramente dedicados al establecimiento de una defensa política multilateral y perfecta, pierden de vista el respeto tradicional de todos los Estados por la integridad de la soberanía interna de los otros. La resolución VII del Comité (Sobre Actividades de espionaje del Eje en la Argentina) (54) constituye un ejemplo elocuente de esta situación. Asimismo, la Resolución XXII del Comité, que recomienda que las Repúblicas Americanas se consulten entre sí antes de reconocer a un gobierno constituído por la fuerza, es que, tal vez, el paso más trascendental dado por el Comité, desde el punto de vista político, refleja el concepto de la solidaridad panamericana frente al Eje, que no permita que un gobierno, controlado por el Eje o que sustente su ideología, represente los intereses de uno de los pueblos de la comunidad de naciones americanas a no ser que éste haya manifestado su preferencia por ese gobierno mediante los procedimientos democráticos, situación que hasta la fecha no tiene precedentes. (55)

---

(54) La Resolución XVIII, letra F, dice así: "Que las actividades de los mencionados grupos de espionaje han sido sumamente perjudiciales para las Repúblicas Americanas, habiéndose ocasionado numerosas pérdidas de vidas y de bienes americanos y de las Naciones Unidas y que, en consecuencia, ese comportamiento constituye una constante amenaza para cada una de las Repúblicas Americanas, al mismo tiempo que tiende a convertir en ineficaces los principios y el espíritu de solidaridad continental y ayuda recíproca convenidos por ellas en la Tercera Reunión de Consulta de los Ministros de Relaciones Exteriores de las Repúblicas Americanas efectuada en Río de Janeiro"

(55) El párrafo (A) del preámbulo de la Resolución XXII, dice: "Que no obstante la falta de éxito en sus propósitos de anular la contribución que hacen los pueblos americanos en el esfuerzo bélico y en la defensa política del Continente, cumpliendo con los acuerdos en vigor, es evidente que el Eje continúa esforzándose por llevar a cabo tales designios, con grave peligro de que elementos totalitarios se apoderen por la fuerza de Gobiernos de Repúblicas Americanas, alejándolas de los principios de unión y solidaridad adoptados fren-

Esta situación es similar, aunque no idéntica a la fusión de la seguridad interna y la seguridad externa del Estado, tratada anteriormente. El plan estratégico totalitario para la subversión de los Estados democrático-constitucionales abarca a todas las naciones. Sus ideologías no están limitadas a un país o nación, sino que constituyen una doctrina con ambiciones universales Su campaña anti-democrática no está dirigida únicamente a las minorías, que mediante la persuación, intimidación o presión pueden subordinarse fácilmente a los designios del Eje; está dirigida asimismo a los propios nacionales de las Repúblicas Americanas. Esos constituyen un peligro, tanto más poderoso cuanto una vez impregnado de las ideologías totalitarias, no se consideran traidores a la patria al tratar de implantar dicho régimen en su propio país, sino que, por el contrario, lo estiman como un deber patriótico. Al fomentar las ideologías totalitarias no desean, en todos los casos, servir los intereses de un Estado extranjero y, en algunos, probablemente nada está más lejos de su pensamiento. No obstante, el hecho de que el establecimiento de cualquer gobierno filo-totalitario en el Hemisferio Occidental representaría, autómatica e ineludiblemente, una ventaja política para el Eje, constituye una grave amenaza al sistema democrático de los Estados Americanos, desde el punto de vista internacional o interamericano. Como ya se ha demostrado, la intervención totalitaria por medios indirectos que es el móvil verdadero de su penetración política, constituye una intervención en gran escala en los asuntos internos e internacionales de todos y cada uno de los Estados americanos. En este sentido, bien pueden las ciencias jurídicas dar el carácter de internacional, en su fondo, a la totalidad de las medidas legislativas nacionales para la defensa de los Estados democrático-constitucionales, por concepto de su naturaleza y resultados, aunque la concepción nominalista del derecho internacional dude de atribuir, a normas que han tenido un orígen nacional, el carácter de reglas internacionales.

---

te al enemigo común y del apoyo a la causa de las Naciones Unidas y Asociadas".

2· El totalitarismo como delito internacional.

Las veintiuna Repúblicas Americanas respondieron al carácter universal de la agresión totalitaria, declarándola fuera de la ley en todas y cada una de ellas. El carácter internacional de la agresión y la subversión totalitarias compelió a las Repúblicas Americanas, sin detenerse en las condiciones nacionales que pudieran influir sobre las actividades del infractor, a calificar el totalitarismo como un delito internacional o, más precisamente, como un delito interamericano. En virtud del carácter internacional de la Resolución XVII y de las resoluciones del Comité, el totalitarismo debe considerarse en la actualidad como un **crimen juris gentium Americani**.

Hasta el presente, los delitos de carácter "universal" dirigidos contra la humanidad civilizada en general, sin reparar en las particularidades nacionales, se limitaban, por regla general, a asuntos extra-políticos, tales como la trata de blancas; el contrabando de literatura pornográfica y de drogas, la destrucción de cables submarinos; la falsificación de monedas y, en épocas antiguas, la piratería. En casi todos estos casos las leyes nacionales al respecto están basadas en una convención internacional o han sido dictadas de acuerdo a la misma.

No obstante, un paralelo en el campo político se encuentra en la represión internacional del anarquismo, el nihilismo, el sindicalismo y el terrorismo. El procedimiento adoptado para combatir en un plano internacional cualquier atentado contra la seguridad de los gobiernos establecidos, difiere del procedimiento utilizado en contra de los delitos internacionales extra-políticos, ya que cada Estado individual se ocupó de reprimir el anarquismo por vía legislativa, sin recurrir a una convención o tratado internacional sobre la materia. Durante la última década del siglo XIX y la primera del siglo XX, muchos Estados civilizados dictaron leyes especiales sancionando la propaganda y las actividades anarquistas (56). Después de

---

(56) Véase, por ejemplo: Gran Bretaña: Leyes del 2 de marzo, 1881 y 9 de abril de 1883; Alemania, 9 de junio de 1884; Austria, 27 de mayo de 1885; Dinamarca, 2 de noviembre de 1886; Francia, 2 de abril de 1892, 12 de diciembre de 1893 y 28 de julio de 1894; Italia, 1º de julio de 1894; Suiza, 12 de abril de 1894; Portugal, 8 de febrero de 1896. En cuanto a la América Latina, cabe mencionar la ley siguiente: junio de 1916.

la primera guerra mundial, la mayoría de los Estados de la Unión Americana adoptaron leyes similares contra el sindicalismo y el anarquismo (57). Aunque, por regla general, estas leyes nacionales sancionaban las actividades anarquistas, únicamente si estaban dirigidas contra el Estado en cuyo territorio se cometían y, por ende, carecían de efectos extra-territoriales, la esfera de acción del anarquismo abarcaba todas las naciones por cuanto representaba un ataque contra todo gobierno establecido, y, por lo tanto, era considerado como un delito contra la humanidad civilizada en general. De ahí que todos los Estados se sentían en el deber de reprimirlo en su interés propio y en el de la comunidad de naciones. A pesar de su carácter intrínsicamente político, en casi todos los tratados sobre el particular, los delitos anarquistas están sujetos a la extradición.

A raíz del asesinato en Marsella, el 9 de octubre de 1934, del Rey Alejandro de Yugoeslavia y del Ministro de Francia, M. Barthou, por un grupo de terroristas húngaros y croatas, instigados y protegidos por elementos fascistas, se trató de proscribir el terrorismo internacional mediante una convención internacional (58). El terrorismo accionado por móviles políticos y unido estrechamente con la organización internacional fascista, había adquirido ramificaciones internacionales tan extensas que los gobiernos no podían aisladamente, enfrentar el peligro de una manera eficaz. Tal como sucedía con la represión del anarquismo, los Estados, por regla general, no castigaban los actos del terrorismo cometidos en el exterior, salvo que fueran dirigidos en contra de sus propios intereses. Por consiguiente la protección del orden internacional (59) exigía la cooperación internacional mediante una convención.

En relación con la rapidez con que las Repúblicas ameri-

---

(57) Véase, por ejemplo, Connecticut, Acts. 1923, Nº 173; Maryland, Annotated Code (1935), Art. 27, 116, 117; Rhode Island, Acts and Resolves 1927, ch. 1043; New York, Cachill's, Consolidated Laws, ch. 41, 1435 (1918); y muchos otros.

(58) Véase Société des Nationnes, 1er. au 16iéme Novembre 1937, Geneve, 1938 (Nº officiel C. 94, M. 47, 1938, V. Série de Publications de la Société des Nations, Questions Juridiques, 1938, V. 3). Véase asimismo Antoine Sottile, Le terrorisme international, Académie de Droit International, Recueil des Cours, vol. 65 (1938 III) p. 91 y sigts.

(59) El Código Penal de Rumania de 1927, constituye una excepción; véase Sottile, 1. c., p. 109.

canas se pusieron de acuerdo en la Conferencia de Río de Janeiro sobre el contralor interamericano del totalitarismo instigado por el Eje y la eficacia de las resoluciones subsiguientes del Comité, la Liga de las Naciones obró lentamente sin obtener resultados mayores. En la Conferencia celebrada en Ginebra del 1º al 16 de noviembre de 1937, estuvieron representados treinta y seis Estados (60). Se adoptaron allí dos convenciones, una de ellas "pour la Prévention et la Repressión du Terrorisme" (suscrita por veinticuatro estados) y la otra "por la création d'une Cour Pénales Internationale" (suscrita por trece estados). Una breve explicación de la primera de estas convenciones, sobre la represión del terrorismo internacional permitirá comparar sus elementos básicos con los utilizados en la represión panamericana del totalitarismo de acuerdo con la Resolución XVII. El artículo encarece a todos los estados hayan éstos suscrito o no la convención, como un principio de derecho internacional, el deber, no sólo de abstenerse de todo acto que pueda favorecer las actividades terroristas, sino también de prevenir que se cometan actos de terrorismo en sus territorios. Los estados, guiados por principios universales, aceptaron la obligación de prevenir y reprimir tales actos sin reparar en la nacionalidad del infractor o el lugar en que el acto se cometiera. La convención entendía que los actos de terrorismo internacional eran aquellos que estaban dirigidos contra un estado o una forma de gobierno por razones políticas, o sea ideológicas. Los móviles subjetivos del infractor no se tenían en cuenta, siempre que este utilizara métodos terroristas. El acto no se calificaba de terrorista, fundándose en el dogma que lo había inspirado, sino en virtud de los procedimientos empleados en su ejecución. Se dió cumplimiento a la difícil tarea de definir el "terrorismo" mediante la declaración de sus fines en el artículo 1º y la enumeración en el artículo 2º de algunos de los actos de tal especie (61). En la formulación de

---

(60) Entre éstos figuraban ocho naciones latino-americanas, pero no los Estados Unidos.
(61) El artículo 1 dice: "Dans la présente Convention, l'expression "actes de terrorisme" s'entend des faits criminels dirigés contre un Etat et don le but ou la nature est de provoquer le terreur chez les personalités déterminées, des groups des personnes ou dans le public". En la enumeración de los actos de terrorismo del Art. 2 figuran, entre otros, cualquier

las medidas legislativas para la defensa del estado se encontraron las mismas dificultades terminológicas que fueron resueltas declarando como "totalitarios" la propaganda y las organizaciones en interés de ciertas doctrinas políticas nombradas específicamente o definidas en términos generales; las actividades controladas desde el exterior o relacionadas con entidades o intereses extranjeros; y los actos realizados por medio de la fuerza o la violencia, entre los que pueden quedar comprendidos algunos que pertenezcan asimismo a las categorías precedentes. La Convención sobre el terrorismo, por lo menos en su forma exterior, es en un aspecto más amplia que las medidas legislativas para la defensa de los estados democrático-constitucionales contra la agresión totalitaria. El artículo 3 castiga los actos de terrorismo, su concertación, la instigación a cometerlos y cualquier ayuda o participación en los mismos cuando éstos se cometen dentro del territorio nacional contra cualquier otro estado, miembro de la Convención (62). Esta ampliación expresa de la competencia nacional ha sido adoptada con respecto a los actos totalitarios cometidos dentro del territorio nacional contra otra República americana, solamente por Uruguay y Chile. No obstante, el hecho de que todos los Estados americanos han adoptado medidas legislativas análogas para la represión de actividades subversivas totalitarias, disminuye las probabilidades de que una persona pueda cometer dentro del territorio nacional un acto subversivo contra otro estado. La seguridad internacional depende de la cantidad y eficacia de las medidas de defensa adoptadas en cada estado de acuerdo a reglas uniformes, sobre todo en relación con el contralor de las comunicaciones y la severa vigilancia de la entrada y salida de personas peligrosas, ya sean nacionales o extranjeras.

---

acto voluntario que cause la muerte o herida, o la pérdida de libertad de los jefes de Estado o de los altos funcionarios del gobierno; la destrucción intencionada de cualquier propiedad destinada a los servicios públicos; cualquier acto voluntario que ponga en peligro la vida de los miembros de la comunidad; la fabricación, porte, etc., de armas y explosivos destinados a la realización de un acto terrorista.

(62) "S'ils sont commils sur son territoire en vue d'actes de terrorisme visés a l'article 2, dirigés contre une autre Haute Partie Contractante en quelque pays que ces actes doivent étre exécutés".

Estos no constituyen los únicos puntos semejantes entre el contralor del totalitarismo y el del terrorismo. Se ha encarecido asimismo a los estados que adopten por vías legislativas ciertas medidas complementarias para la prevención de actos terroristas, relacionadas con la falsificación o alteración de pasaportes y otros documentos de identidad (art. 14); la cooperación internacional de las fuerzas policiales nacionales (art. 16); sobre el intercambio de informaciones secretas (art. 15); la inclusión de los delitos de índole terrorista en los tratados sobre extradición (art. 8); el contralor nacional del porte, posesión y distribución de armas de fuego (art. 13) y otras. Tales medidas adoptadas por vía legislativa, forman parte también de las medidas de defensa interamericana contra la agresión totalitaria, aunque todas ellas no hayan sido recomendadas expresamente en la Resolución XVII o en las resoluciones del Comité.

De lo expuesto surge la conclusión de que el derecho internacional ya no consiste unicamente en una serie de normas que rigen las relaciones entre los estados u organismos públicos de carácter colectivo, sino que el carácter internacional corresponde también a ciertas medidas nacionales que, en virtud de su origen político común. la unidad de fines legislativos, la uniformidad u homogeneidad de ejecución y sus consecuencias inmediatas o ulteriores, están dirigidas hacia un objetivo común, a todos los Estados, en el caso, la salvaguardia del ideal democrático panamericano. En tal sentido puede decirse que las medidas legislativas para la defensa de los estados democrático-constitucionales adoptadas a raíz de la Resolución XVII, y las resoluciones del Comité, están en armonía con los ideales políticos de una época que, sobreviviendo a la más desastrosa de todas las guerras, vislumbra la aurora de una cooperación internacional en pos de la democracia universal.

CAPITULO III

La legislación defensiva y las Constituciones

I — Las medidas legislativas de emergencia y constitucionales.

1. El problema.

El orden constitucional democrático se caracteriza porque los derechos fundamentales de los habitantes están protegidos contra el propio gobierno y la administración así como contra los partidos políticos que en un momento dado ejercen el dominio de la voluntad legislativa. Es este núcleo de derechos y garantías intocables que el gobierno y las cambiantes mayorías parlamentarias está en la obligación de respetar, lo que distingue al orden constitucional democrático de los gobiernos generalmente denominados con cierta imprecisión, dictaduras o gobiernos autoritarios (63). Los enemigos del orden constitucional democrático se aprovecharon, justamente, de este respeto escrupuloso por las garantías constitucionales. Fué debido a la rigidez de las declaraciones de derechos fundamentales de los estados democráticos, y a la indulgencia o falta de sagacidad de los custodios del orden constitucional, que se hizo posible la penetración totalitaria. Más de una democracia europea fué víctima de la agresión totalitaria porque, obsesionada por un liberalismo exagerado o entorpecida por un excesivo legalismo, se esforzó muy poco, o lo hizo demasiado tarde, en

(63) Se estima conveniente definir la diferencia entre las formas de gobierno autoritaria y totalitaria, las que se usan con frecuencia indistintamente. "Autoritario" se refiere a la forma de gobierno, a los procedimientos utilizados por el poder político. "Totalitario", por otro lado, se refiere a un sistema de vida, a factores sociales. Quiere decir que la vida privada del ciudadano o súbdito particular, está supeditada enteramente a las directivas públicas del Estado. El estado totalitario es siempre un estado autoritario; el contralor que los totalitarios ejercen sobre la vida privada puede realizarse únicamente mediante un poder autoritario. Un estado autoritario, empero no es necesariamente totalitario. Véanse estas definiciones en Karl Loewenstein, Brazil under Vargas, New York, 1942, p. 370.

sacrificar parte de las garantías constitucionales a fin de salvaguardar el orden constitucional en su conjunto. Solamente fué posible resistir el ataque totalitario en aquellos Estados donde la opinión pública consintió a tiempo en la restricción provisoria de los derechos fundamentales. No puede negarse, por ejemplo. que la Ley de Orden Público Británica de 1936, con profundas restricciones en los conceptos tradicionales de la libertad individual y política, ha contribuído enormemente a evitar la difusión de las ideas y prácticas Nazi-fascistas en Inglaterra. Una gota de previsión vale más que un mar de arrepentimiento (64). Solamente en aquellos casos en que se consiguió evitar la fusión de los dos instrumentos de subversión estudiados, o sea, la organización y la propaganda —que descansan en el ilimitado goce de las garantías constitucionales— fué posible combatir eficazmente la penetración totalitaria.

Este problema es de la mayor trascendencia política para este hemisferio. ¿Cómo conciliaron los regímenes constitucionales de las Repúblicas Americanas el aparente conflicto de tener que salvar la democracia mediante la restricción de su ejercicio práctico? Del estudio superficial de las medidas legislativas de defensa incluídas en la obra se desprende fácilmente que muchas, o quizás la mayoría de ellas, tratan, en su parte esencial, de los derechos fundamentales y las garantías constitucionales que las Repúblicas Americanas protegen celosamente por ser el fundamento del estado de derecho de base democrática. Más precisamente, la defensa de los estados democráticos gira alrededor del problema de cómo conciliar sus propósitos con las constituciones democráticas. Existen dos aspectos de este problema que, aunque están vinculados, deben considerarse separadamente: 1) ¿Las constituciones, y especialmente las declaraciones de derechos fundamentales que forman parte de las mismas, permiten poner en vigor medidas legislativas de emergencia con el fin de controlar el extremis-

---

(64)   Véase un ensayo completo de la defensa política de las democracias europeas con anterioridad al comienzo de la segunda guerra mundial: Karl Loewenstein, Legislative Control of Political Extremism in European Democracies, Columbia Law Review Vol. 38 (1938), page 591 y sigts. y 725 y sigts., e idem, Controle Legislatif de l'Extrémisme Politique dans les Démocraties Européennes, Paris, 1938.

mo político?; 2) ¿En qué forma se ha dado efecto a las medidas legislativas de emergencia, una vez salvadas las dificultades de orden constitucional? A fin de dar una respuesta adecuada a ambas interrogaciones, es preciso examinar la estructura de las constituciones americanas, lo que, por razones de espacio, se hará muy sucintamente (65).

2. Las garantías constitucionales.

Sin excepción, todas las constituciones americanas (66) contienen enumeraciones de derechos funamentales denominados, "declaraciones de derechos y garantías", que llevan calificativos tales como "civiles", "sociales", "individuales", "constitucionales", "políticos". A veces van acompañados asimismo de los términos "deberes" y "obligaciones". Aunque estas declaraciones difieren en fraseología y estilo, los siguientes derechos fundamentales y garantías constitucionales, afectados directa o indirectamente por las medidas legislativas para la defensa del estado, figuran expresamente en las constituciones americanas: la igualdad ante la ley; la libertad personal, incluyendo las garantías contra la detención arbitraria como el habeas corpus y el amparo; la libertad de pensamiento, que incluye todas las formas de expresión y comunicación de opiniones; la libertad de locomoción dentro del territorio; la libertad de educación y enseñanza; el derecho de ejercer cualquier trabajo o profesión; la inviolabilidad del hogar; la inviolabilidad de la correspondencia postal; la libertad de reunión y asociación' Sin embargo, no todos estos derechos fundamentales y garantías constitucionales están incluídos en las declaraciones de derechos de todos los Estados. Por ejem-

---

(65) Cuando esta obra estaba en preparación, las Constituciones de un número de Repúblicas Americanas habían sido suspendidas por razones internas, o estaban en vía de reforma. Este estudio no ha tenido en cuenta tales situaciones de carácter provisorio. Se consideran en él las Constituciones que estaban vigentes en ese entonces.

(66) Una colección útil de las Constituciones americanas es: Andrés María Lascano y Mazón, Constituciones políticas de América, dos tomos, La Habana, 1942. No obstante, esta colección debe usarse con precaución, ya que contiene numerosos errores, tanto en la impresión de los textos, como en los resúmenes por tópico que contiene, recomendables desde cualquier otro punto de vista.

plo, ni en las primeras diez enmiendas ni en el texto de la Constitución de los Estados Unidos consta el derecho de libre circulación dentro del territorio o la libertad de enseñanza o la libre elección de una profesión. Sin embargo, estos derechos constitucionales son, de hecho, tan respetados en los Estados Unidos como en cualquier otro Estado que los haya incorporado texualmente, ya que las cortes, al interpretar las primeras diez enmiendas, incluyen estos derechos dentro de las libertades individuales, o, la libertad de palabra o de otras claramente enumeradas en la declaración de derechos fundamentales. Por otro lado, no puede pasarse por alto el hecho de que en varias de las Constituciones latino-americanas algunas de las libertades mencionadas no están garantidas expresamente. Haití posee una declaración de derechos fundamentales concisa y lacónica donde no figuran el libre tránsito, la garantía del habeas corpus, la libre elección de una profesión, la inviolabilidad del hogar y de la correspondencia postal, la libertad de reunión y asociaciones. En las declaraciones de derechos fundamentales de otros Estados faltan varios derechos individuales. Por ejemplo, en Paraguay, el de libre tránsito; en México y Nicaragua, la libertad de enseñanza; en Costa Rica y Honduras, la libre elección de una profesión o trabajo. A pesar de estas pequeñas excepciones, puede decirse que todas las Repúblicas Americanas gozan de derechos fundamentales y garantías constitucionales más o menos uniformes los que, en su totalidad forman la base de los Estados democráticos liberales.

Evidentemente sería tedioso e innecesario detallar precisamente en qué consisten las limitaciones a los derechos fundamentales y a las garantías constitucionales exigidas para una defensa eficaz. Cuando se presente la ocasión en el curso del estudio se señalarán las restricciones que se hayan efectuado en relación con cada tema particular. En la práctica, las medidas legislativas de emergencia pueden interferir con el ejercicio de todos los derechos y garantías. Los derechos primariamente afectados son aquellos que constituyen los instrumentos de las formas preferidas de subversión totalitaria, es decir, la propaganda y la organización. Estas dos técnicas afectan casi todos los derechos y garantías establecidos, ya sea la libertad de palabra, la libertad personal, la igualdad ante la ley, la libertad de locomoción, la libertad de reunión y asociación, o el derecho a no ser detenido ilegalmente. Los totalitarios pueden valerse para sus fines subversivos, aún de aquellas garantías que, a simple vista, parecen estar bien alejadas de sus propósitos y, por consiguiente, éstas deben también quedar sujetas a restricciones legislativas. Por ejemplo, la propaganda subversiva se ha aprovechado de la libertad de enseñanza para inculcar sus doctrinas en el espíritu susceptible de la juventud, ya se trata de nacionales o extranjeros. Hasta fué preciso, en algunos Estados, modificar el derecho individual básico, es decir, la inviolabilidad de la vida humana, por cuanto algunos se vieron forzados, contra su propia tradición, a introducir en sus regímenes la pena capital como castigo por delitos políticos, a raíz de la agresión política y la declaración de guerra (67). Asimismo, se ha suspendido el habeas corpus y el recurso de amparo en el caso particular de personas peligrosas; los sistemas de intervención interfieren con la propiedad privada; la censura y las restricciones y contralores postales de prensa y radio, afectan la libertad del pensamiento y la libre comunicación de las ideas; las zonas de seguridad establecidas en las costas o en la vecindad de las instalaciones de defensa, y los diversos contralores sobre la entrada y salida de personas, limitan el derecho de transitar libremente y de residir donde se quiera; la inviolabilidad del domicilio ha sido limitada en virtud de la necesidad del registro y secuestro correspondiente para la supresión de las actividades subversivas; las actividades secretas de los agentes y espías del Eje hicieron necesario restringir o suprimir la inviolabilidad de la correspondencia. Las garantías más profundamente afectadas por las medidas legislativas de defensa son, en primer término, la libre expresión y comunicación de las ideas y, en segundo lugar, la libertad de reunión y de asociación.

Es verdad que el derecho de reunirse libremente para tratar y considerar asuntos políticos ha perdido mucho de su importancia en nuestra época, ya que la prensa y la radio complementan o sustituyen en la actualidad el papel que, en

---

(67) Véase, por ejemplo, Brasil, Decreto Nº 4766 del 1º de octubre de 1942, Arts. 3, 4, 6 y 9.

otros tiempos, tenían las asambleas populares. Empero, por otro lado, la subversión totalitaria ha aumentado la importancia de las asociaciones. Desde el punto de vista técnico, por regla general no es posible asociarse sin la previa reunión de las personas interesadas. De todos modos, como las asociaciones constituyen el eje de la organización subversiva, según lo prueba la gran cantidad de medidas legislativas que tratan de la organización interna de las asociaciones y de sus manifestaciones exteriores, tales como desfiles, demostraciones, y otras actividades de carácter subversivo, el derecho de reunirse y asociarse libremente ha sido limitado seriamente en las legislaciones de defensa.

En resumen, puede decirse que una cantidad considerable de las medidas legislativas de defensa consisten en limitaciones y restricciones del ejercicio de ciertos derechos fundamentales y garantías constitucionales. En la práctica, para la elaboración de las medidas de defensa, fué necesario excluír a ciertos principios tradicionales de la protección acordada por las declaraciones de derechos fundamentales, o bien eximir de la protección deparada por los mismos a ciertas personas o clases de personas. Esta tendencia pone de relieve la capacidad de los Estados liberales democráticos para hacer frente a la guerra y convertirse, a raíz de la emergencia, en democracias "disciplinadas" o "controladas".

3. Las limitaciones constitucionales a los derechos individuales

Cumple señalar que las constituciones latino-americanas no ofrecen tantas dificultades, como podría parecer a primera vista, para la adopción de medidas de defensa, que limiten el goce de los derechos fundamentales o controlen el abuso de los mismos. Es un hecho no tan generalmente señalado como debiera, el de que casi ninguna de las garantías constitucionales está expresada en las declaraciones de derechos en forma absoluta, de manera de proteger a los individuos, no sólo de la arbitrariedad gubernamental o administrativa sino, también, de las propias leyes y de los legisladores' Por regla general, los derechos individuales están establecidos en las Constituciones en forma de principios o fundamentos, pero el ejercicio de los mismos está sujeto a la ley o a las limitaciones exigidas por la seguridad y el orden públicos. En la práctica, esta condición puede insertarse en una cláusula general, como sucede en la Argentina (68) o, disponer que el ejercicio del derecho deberá hacerse en conformidad con una ley que lo reglamente. En ambos casos el derecho es, en sí, objeto de protección; pero el alcance o la esfera del mismo en la práctica estarán fijados por la ley. Esto equivale a que, si bien el derecho en sí mismo solamente puede ser suprimido por una reforma constitucional no exigida, como ya se dijo, ni por la Resolución XVII, ni por las resoluciones del Comité, en la práctica la esfera de aplicación del mismo es reglamentada por el legislador en atención a la seguridad y al orden público. Un ejemplo típico de esta clase es el inciso 15 del Artículo 22 de la Constitución del Brasil, que dice así: "Todo ciudadano tiene el derecho de manifestar su pensamiento, oralmente, por escrito, impreso o por imágenes mediante las condiciones y en los límites prescriptos en la ley". No obstante, la ley sobre publicidad, que fué dictada en conformidad con dicho artículo de la Constitución, autoriza explícitamente ciertas limitaciones de la libertad del pensamiento "con el fin de garantizar la paz, el orden y la seguridad pública" y establece prescripciones "destinadas a la protección del interés público, el bienestar del pueblo y la seguridad del Estado".

Sería fatigoso enumerar los distintos casos en que esta situación, que prevalece en la mayoría de las repúblicas americanas, se repite. Baste citar, como ejemplo, el método que, con el objeto de limitar las garantías constitucionales, se ha utilizado en la Constitución de Chile, documento político relativamente moderno que fué puesto en vigor en la época liberal que sucedió a la primera guerra mundial y que, desde el punto de vista técnico, configura una de las mejores constituciones latino-americanas' Las garantías constitucionales están contenidas en los artículos 10 al 23. La libertad de expresión del pensamiento está formulada de la siguiente manera: Art. 10, la Constitución asegura a todos los habitantes de la República (inciso 3) "la libertad de emitir, sin censura previa,

_____
(68) Constitución Argentina, art. 14: "Todos los habitantes de la nación gozan de los sagrados derechos conforme a las leyes que reglamentan su ejercicio".

sus opiniones, de palabra o por escrito por medio de la prensa o en cualquiera otra forma, **sin perjuicio de reponder de los delitos y abusos que se cometan en el ejercicio de esta libertad en la forma y casos determinados por la ley**". Según el Decreto-Ley Nº 425 del 20 de marzo de 1925 sobre "Abusos de publicidad", la libertad de prensa en Chile está reglamentada. La prensa es libre, pero no debe permitirse que, en nombre de esa libertad, se comprometa el derecho ajeno o se ponga en peligro la existencia del Estado. Este sistema permite calificar la propaganda subversiva como un abuso de la libre expresión de opiniones, y así se hizo por medio de la Ley Nº 6026, del 11 de febrero de 1937, sobre la Seguridad Interna del Estado. Asimismo, el artículo 10, inciso 5, garantiza a todos los habitantes de la República "el derecho de asociarse sin permiso previo y **en conformidad a la ley**".

También en este caso es posible controlar las asociaciones que sustentan ideologías desaprobadas por los estados democráticos mediante leyes o por el Ejecutivo en caso de que el Parlamento le haya delegado las facultades pertinentes. La misma ley Nº 6026 impuso restricciones sobre las asociaciones totalitarias. El artículo 10, inciso 12, garantiza la inviolabilidad del domicilio, agregando la siguiente condición: "La casa de toda persona que habite el territorio chileno sólo puede ser allanada por un motivo especial determinado por la ley" El artículo 13 garantiza la inviolabilidad de la correspondencia; estipulando que "no podrá abrirse ni interceptarse, ni registrarse los papeles efectos públicos, sino en los casos expresamente señalados por la ley. Sin embargo, por otro lado, la Constitución de Chile establece algunas garantías constitucionales en una forma absoluta de manera que cualquier restricción legislativa de las mismas resultaría tan inconstitucional como la arbitrariedad administrativa. Este sistema adoptado por Chile que permite el goce de los derechos fundamentales y las garantías constitucionales únicamente dentro de los límites de la ley que gobierna su ejercicio, prevalece asimismo en toda la América Latina".

4. El problema de la revisión judicial.

En los Estados Unidos de América, por el contrario, las garantías constitucionales contenidas en las primeras diez enmiendas han sido fomuladas en términos tan absolutos que ninguna ley puede regular su ejercicio de modo de restringirlas. Si una ley intentara limitar su pleno goce por medio de la legislación, las Cortes, ejerciendo el derecho de revisión judicial, declararían irrazonable tales restricciones y, por ende, inconstitucionales. Debido a la ausencia del sistema restrictivo que prevalece en la América Latina y en muchas constituciones europeas, los derechos fundamentales están protegidos en los Estados Unidos de un modo mucho más radical que en otros Estados que poseen una declaración de derechos fundamentales semejantes. En vista de la cláusula que permite la reglamentación del ejercicio de tales derechos mediante la ley, el problema de la inconstitucionalidad de las medidas legislativas restrictivas no existe en las prácticas constitucionales latino-americanas. Es evidente que si el propio texto de la constitución ha facultado al legislativo para determinar el ejercicio y los límites del derecho individual, no hay lugar de comparar el contenido de la ley con el texto y significado de la Constitución. Además, el problema está relacionado íntimamente con la tradición democrático-constitucional del estado particular. Del propio texto de las constituciones no se desprende ninguna conclusión definitiva respecto a la importancia de la revisión judicial (69). Este problema no encuadra dentro del plan general de este estudio, pero, de una manera general puede decirse que, bajo condiciones normales, el problema de la revisión judicial es importante en los siguientes estados: Colombia, Chile, México y Uruguay, y hasta cierto

---

(69) El derecho de declarar inconstitucionales las medidas legislativas que están en conflicto con la Constitución, corresponde al Tribunal Supremo o a las Cortes, según las Constituciones de los siguientes Estados: Bolivia, Brasil, Colombia, Cuba, Chile, El Salvador, Guatemala, Haití, Honduras, México, Nicaragua, Panamá, Uruguay, Venezuela. En seis de estos Estados otras Cortes tienen la misma facultad; estos son: Bolivia, Brasil, El Salvador, Guatemala, Honduras, Nicaragua. En tres Estados, o sea, Costa Rica, Ecuador y Perú, el Legislativo es el único Poder autorizado para invalidar las leyes. Cuba es el único Estado que, además de deparar a la Suprema Corte el derecho de invalidar las leyes por ser éstas inconstitucionales, ha establecido un Tribunal Especial de Garantías Constitucionales y Sociales (art. 182). Las Constituciones de cuatro Estados, o sea, Argentina, Estados Unidos de América, Paraguay y República Dominicana, no se ocupan del problema.

punto también en la Argentina, en tanto que en los otros estados con prácticas constitucionales menos desarrolladas, representa un postulado ideal más bien que un hecho real.

II — La suspensión de las garantías constitucionales

1. El problema.

El Comité ignora si en algunas de las Repúblicas americanas se ha impugnado la validez de la legislación de defensa por ser incompatible con las garantías constitucionales contenidas en la declaración de derechos fundamentales. Esto bien puede ser debido a una reserva natural por parte de las personas contra quienes están dirigidas las medidas de defensa, pero es más probable que no se haya suscitado dicho problema ya que existe otro procedimiento mediante el cual fué posible suspender provisoriamente las garantías constitucionales en interés de la defensa política. Bajo ciertas condiciones de conmoción interna o de peligro exterior, la mayoría de las constituciones latino-americanas autorizan la suspensión de algunas de las más importantes garantías, las que, de continuar en vigor, obstacularizarían la adopción y aplicación de medidas adecuadas de defensa política. Es evidente que mediante este procedimiento los poderes Legislativo o Ejecutivo, o ambos a la vez, pueden llevar a efecto ciertas medidas que, por estar en conflicto con la declaración de derechos fundamentales,, no sería posible poner en vigor de otra manera. En la práctica, se obtienen los mismos resultados con la suspensión de ciertas garantías contitucionales que con la limitación de las mismas, mediante la reglamentación de su ejercicio por preceptos legislativos. Debe observarse que el problema de la suspensión de las garantías constitucionales a fin de facilitar la adopción de medidas legislativas de defensa, no debe confundirse con la delegación de facultades a los poderes constituídos para adoptar dichas medidas, aunque en la América Latina ambos procedimientos suelen estar ligados y no es siempre posible considerarlos separadamente. En forma suscinta puede decirse que la eliminación de los obstáculos constitucionales mediante la suspensión de las garantías, constituye la condición indispensable para la adopción de medidas legislativas de defensa·

2. Algunos aspectos generales de la suspensión de garantías.

Se ha estimado conveniente incluir en la obra una exposición de las situaciones y condiciones que autorizan la suspensión o restricción de los derechos fundamentales y las garantías constitucionales en cada país, ya sea en su totalidad, o con respecto a algunos de ellos precisamente enumerados. Empero, es conveniente, en primer lugar, discurrir brevemente sobre algunos aspectos que son comunes a casi todos los estados americanos.

a. El estado de sitio.

Por regla general. la suspensión de las garantías individuales es una medida resultante de o inherente a la declaración del estado de sitio. El estado de sitio, que lleva otras denominaciones en algunos estados, está previsto en las Constituciones de Argentina, Bolivia, Brasil (denominado estado de emergencia, art. 186, Colombia, Cuba (estado de emergencia, art. 281 ff.), Chile (que hace una distinción entre estado de asamblea y estado de sitio), El Salvador, Honduras, Haití, Nicaragua (en este país existe asimismo estado de emergencia económica art. 163, inc. 6), Panamá, Paraguay y República Dominicana. Por regla general corresponde al Poder Legislativo declarar el estado de sitio, y en caso de que éste no se reuna, se confiere este derecho al Poder Ejecutivo, el que puede ejercerlo, según los países, con o sin el consentimiento del Consejo de Ministros o del Consejo de Estado, donde exista dicha entidad. En algunos casos, la declaración del estado de sitio por el Poder Ejecutivo, convoca automáticamente, dentro de breve plazo, al Poder Legislativo a fin de corroborar dicha declaración y las medidas adoptadas en consecuencia de la misma. En varios estados, las condiciones generales del estado de sitio están reglamentadas por anticipado en leyes especiales, sistema que se ajusta más estrechamente al concepto del "estado de derecho" y es preferible a las reglamentaciones ad-hoc dictadas por el Legislativo o el Ejecutivo, o por ambos, una vez declarado el estado de sitio. Entre los estados que cuentan con estas leyes especiales sobre estado de sitio se cuentan: Colombia, Cuba, El Salvador, Haití y Nicaragua

(70). En otros estados (Costa Rica, Ecuador, Guatemala, México, Perú y Venezuela), es posible la suspensión de las garantías constitucionales y los derechos individuales sin la declaración formal del estado de sitio.

En los Estados Unidos no es posible declarar el estado de sitio por razones políticas ni tampoco pueden suspenderse o restringirse las garantías individuales en épocas de emergencia.

b. Las circunstancias que autorizan la suspensión de las garantías.

Aunque las propias circunstancias que determinan la suspensión de las garantías varían según las constituciones de cada país, las causas de las mismas están expresadas en forma más o menos uniforme, o sea, "conmoción interior", "amenaza exterior", "ataque o guerra o intervención", "perturbación interna" "existencia de concierto, plan o conspiración tendientes a poner en peligro la paz pública del Estado, las instituciones o los ciudadanos", "necesidad imperiosa de la defensa del Estado", que incluye epidemias, catástrofes, desastres económicos o situaciones similares. En algunos casos se emplea una cláusula menos precisa y más elástica, como por ejemplo, "cuando lo exija la seguridad del Estado" (71).

---

(70) El Salvador: Ley de Estado de Sitio (Decreto N° 29) del 31 de enero de 1939.
Nicaragua: Ley de Orden Público, del 29 de marzo de 1939.

(71) **Argentina:** "En caso de conmoción interior o de ataque exterior que pongan en peligro el ejercicio de esta Constitución y de las autoridades creadas por ella"... (Constitución, Art. 23).

Bolivia: "En los casos de grave peligro por causa de conmoción interior o guerra exterior". (Constitución, Art. 34).

Brasil: "En caso de amenaza externa o inminencia de perturbaciones internas, o existencias de concierto, plan o conspiración tendientes a perturbar la paz pública o poner en peligro la estructura de las instituciones, la seguridad del Estado o de los ciudadanos"... (Constitución, Art. 166).

Colombia: "En caso de guerra exterior o de conmoción interior". (Constitución, Art. 117).

Costa Rica: "En caso de hallarse la República en in-

c. El plazo de la suspensión.

Las constituciones latino-americanas han adoptado dos procedimientos distintos. En algunos casos el estado de sitio o

	minente peligro, sea por causa de agresión extranjera, sea por causa de conmoción interior...." (Constitución, Art. 73, inc. 7º). . . . . . .
Cuba:	"...en cualquier caso en que se hallen en peligro o sean atacados la seguridad exterior o el orden interior del Estado con motivo de guerra, catástrofe, epidemia, grave trastorno económico u otra causa de análoga índole". (Constitución, Art. 281).
Chile:	"Por reclamarlo la necesidad imperiosa de la defensa del Estado (facultades extraordinarias). (Ley de 31 de diciembre de 1942, art. 8). "Invasión, o amenaza en caso de guerra (estado de asamblea). "Ataque exterior" (estado de sitio). "Conmoción interna" (estado de sitio) "Constitución, Art. 72, inc. 17).
Ecuador:	"En el caso de amenaza inminente de invasión exterior, en el de guerra internacional o en el de conmoción interior a mano armada... (Constitución, Art. 83).
El Salvador:	"La Ley de Estado de Sitio determinará... los casos en que esta suspensión proceda". (Const. Art. 58) 31 enero 1939 o decreto Nº 29, art. 3. El estado de sitio podrá declararse en los casos siguientes: invasión del territorio nacional, perturbación grave de la paz, epidemia u otra calamidad pública en que para mantener el orden sea necesario tomar medidas extraordinarias".
Guatemala:	"En caso de invasión del territorio nacional, de perturbación grave de la paz, de epidemia o de cualquiera otra calamidad general..." (Const. Art. 39).
Haití:	"...cada vez que la seguridad interior o exterior de la República obligue a tomar esa medida excepcional". (Const. 1939, Art. 60) y el Art. 132 de la Const. de 1932 puesta en vigor por decreto de la Asamblea Nacional de 12 de agosto de 1946 dice: "En casos de peligro inminente para la Seguridad exterior o interior.
Honduras:	"...cuando lo exije la Seguridad del Estado en caso de invasión del territorio, de grave perturbación del orden que

la suspensión de las garantías es decretado por un plazo indefinido, es decir, mientras dure la situación de emergencia que
se desea controlar (72). En otros casos, las propias constituciones o la ley que declara la existencia de un estado de emergencia, establece que dicho estado y las medidas adoptadas a

                                   amenace la paz pública, de epidemia o de
otra calamidad". (Art. 83).

México: "En los casos de invasión, perturbación grave de la paz pública o cualquiera otro que ponga la sociedad en grande peligro o conflicto..." (Const. Art. 29).

Nicaragua: "Cuando a juicio del Presidente se hallare amenazada la tranquilidad pública..." (Const. Art. 220).

Panamá: "Si sobreviniere alguna amenaza grave de perturbación interior o conflicto exterior que pueda poner en peligro el ejercicio de esta Constitución y a las autoridades creadas por ella..." (Const. Art. 52).

Perú: "Cuando lo exija la seguridad del Estado (Const., Art. 70). Decreto Supremo 21 de junio de 1941, art. 1º: "Cuando una parte del territorio nacional se encuentra amenazada directa o indirectamente por un ataque intempestivo o expuesta a actos de sabotaje que afecten la seguridad nacional..."

R. Dominicana: "Alteración de la paz pública" (Const. Art. 33, inc. 7).

Uruguay: "...en los casos graves e imprevistos de ataque exterior o conmoción interior". (Const., Art. 158, inc. 18).

Venezuela: "Cuando la República se hallare envuelta en guerra internacional o estallare en su seno la guerra civil o exista peligro de que una u otra ocurran, de epidemia o de cualquiera otra calamidad pública o cuando por cualquier otra circunstancia lo exija la defensa, la paz o la seguridad de la Nación o de sus instituciones o forma de gobierno..." (Const., Art. 36).

(72) **Brasil:** Según duren los motivos, a juicio del Presidente de la República .(Const. Art. 166).

Colombia: Cuando se restablezca la normalidad.

Guatemala: Lo fija el Ejecutivo. Debe levantarse al no pesar las circunstancias. (Const. 39).

Panamá: Cuando la causa cese (Const., Art. 51).

R. Dominicana: Por el término de la duración (Const. Art. 33, inc. 7.

Venezuela: Cesará cuando cesen las causas (Const. Art. 36).

raíz del mismo cesarán dentro de un plazo determinado (73).
No obstante, en estos casos se establece asimismo que las autoridades que declararon el estado de emergencia pueden prorrogarlo por un período determinado, pudiendo renovarse el mismo posteriormente.

Se ha juzgado oportuno incluir después del resumen de las normas constitucionales de cada país, una breve reseña de las autoridades en quienes ha sido conferida la facultad de declarar el estado de sitio o de suspender los derechos fundamentales. Otros puntos de interés comunes a la mayoría de los estados son los siguientes: la suspensión de las garantías no afecta los privilegios y las inmunidades que corresponden a los miembros de los cuerpos legislativos; se responsabiliza al Poder Ejecutivo de cualquier violación de la constitución que no ha sido autorizada por el estado de sitio o la situación de emergencia; el Poder Ejecutivo, que es, generalmente, el jefe supremo de las fuerzas armadas, y está facultado, a dis-

---

(73) **Argentina:** Cuando lo decreta el Presidente de la República por término "limitado" (Const. Art. 67, inc. 26 y Art. 86, inc. 19).

Bolivia: Por 90 días como máximo. Caduca de hecho, salvo estado de guerra interior o civil. Se puede prolongar por 90 días, pero no declarar otro dentro del mismo año, salvo que haya asentimiento del Congreso (Const. Art. 34).

Costa Rica: 60 días o menos.

Cuba: La ley extraordinaria determinará el término, el cual no excederá de 45 días (Art. 283, Constitución). El Congreso puede dar por extinguido el estado de sitio antes de lo previsto (Art. 281, Constitución).

Chile: Cuando lo decreta el Poder Ejecutivo por tiempo determinado. El Congreso decide el término cuando él lo dicta (Const., Art. 72, inc. 17). Ley Nº 7401 de diciembre 31 de 1943, art. 8 (d). Expira después de 6 meses y debe ser renovado.

Ecuador: El fijado por el decreto de concesión.

El Salvador: 90 días. Se prorroga con acuerdo de la Asamblea o del Poder Ejecutivo, con acuerdo de Ministros si no está reunida la Asamblea (Const. Art. 58).

México: Por tiempo limitado (Const. Art. 29).

Perú: 30 días; después es necesario nuevo decreto (Const. Art. 70).

creción o de acuerdo a leyes especiales, para encargar a las autoridades militares del cumplimiento de todas o algunas de las medidas de emergencia.

3. Estudio sobre la suspensión constitucional de las garantías y derechos fundamentales.

En el siguiente estudio acerca de las normas constitucionales de cada estado se podrá apreciar el alcance y los límites de las facultades de emergencia para la suspensión de los derechos fundamentales y de las garantías constitucionales, como también las autoridades facultadas para decretarlas.

a. Argentina.

En caso de conmoción interior o de ataque exterior "que pongan en peligro el ejercicio de esta Constitución y de las autoridades creadas por ella se declarará en estado de sitio", con arreglo al cual quedan suspensas las garantías constitucionales" (Art. 23). La facultad de declarar el estado de sitio ha sido conferida en primer lugar al Congreso (Art. 67, Nº 26); si el Congreso está en receso, al Presidente (Art. 86, Nº 19) en cuyo caso el Congreso tiene la facultad de aprobar o suspender la declaración (Art. 67 Nº 26). La constitución no prevé ninguna excepción del derecho de suspender las garantías constitucionales durante el estado de sitio, con la salvedad de que el Presidente no puede ejercer la autoridad judicial y que la libertad individual (Arts. 14, 18) puede restringirse solamente en el sentido de que el Presidente podrá arrestar y trasladar de un punto a otro del territorio a las personas respectivas, siempre que no prefiriesen salir de él (Art. 23). Por consiguiente, la constitución no presenta obstáculos de orden legal a las medidas legislativas de defensa.

b. Bolivia.

"En los casos de grave peligro por causa de conmoción interior o guerra exterior, el Jefe del Poder Ejecutivo, con dictamen afirmativo del Consejo de Ministros, podrá declarar el Estado de Sitio", debiendo el Congreso autorizar su continuación (Art. 34). Bajo el estado de sitio no se suspenden todas las garantías y derechos constitucionales en general, sino únicamente respecto de aquellas personas que han sido acusadas de tramar contra la tranquilidad de la República (Art. 35, Nº 3). Se autoriza la detención o confinamiento de dichas personas en ciertas localidades determinadas (Nº 4); la institución de la censura y el uso de pasaportes para la entrada y salida (Nº 5). En el caso de una guerra internacional se podrá establecer la censura sobre todos los medios de publicidad (Nº 5). Los derechos y garantías que pueden suspenderse respecto a personas determinadas son los enumerados en los artículos 5 al 33 de la Constitución, y el artículo 6 contiene los clásicos derechos fundamentales. Por consiguiente, es posible allanar cualquiera dificultad constitucional que pueda trabar la imposición de medidas de emergencia.

c. Brasil.

En el Brasil, la expedición de medidas legislativas de emergencia ha sido facilitada por el artículo 180 de la Constitución de 1937; que dispone que "mientras no se reúna el Parlamento Nacional, el Presidente de la República tiene el poder de expedir decretos-leyes sobre todas las materias de competencia legislativa. Además, el artículo 186 declaró un estado de emergencia en todo el país durante el cual el Presidente, de acuerdo al artículo 74, letra (k) y a los artículos 166 al 170 está autorizado para adoptar medidas (Art. 168) consistentes en la detención de personas; su confinamiento en ciertas localidades determinadas; fijación de residencia forzosa; privación del derecho de viajar; censura de la correspondencia y de todas las comunicaciones orales y escritas; suspensión de la libertad de reunión; busca y aprehensión en los domicilios particulares. Todas estas medidas de emergencia están fuera de la competencia de los jueces y tribunales (Art. 170). Por consiguiente, las garantías constitucionales no constituyen en el Brasil un obstáculo para la adopción de medidas de defensa política.

d. Colombia.

En caso de guerra exterior o de conmoción interior, el Presidente con la firma de todos los Ministros puede declarar el estado de sitio (Art. 117). Bajo el estado de sitio no se autoriza expresamente la suspensión general de los derechos fundamentales. No obstante, durante dicho período, el Presidente puede expedir decretos que, sin derogar las leyes en vigor, suspendan aquellas que no sean compatibles con el estado de sitio. Además, la propia Constitución faculta al gobierno, aún en tiempo de paz, y en caso de que el orden púbico se vea amenazado, a aprehender y retener a aquellas personas que se sospecha de tramar contra la paz pública (Art. 24), autorizando de esta manera una restricción de la libertad personal garantizada en el artículo 19. De manera, pues, que las medidas de emergencia tuvieron que tener en cuenta las garantías y libertades constitucionales.

e. Costa Rica.

En caso de inminente peligro por causa de agresión extranjera, o por conmoción interior, la suspensión de ciertos derechos fundamentales puede ser autorizada por (a) el Congreso, por dos tercios de votos presentes (Art. 73, Nº 7) o (b) el Poder Ejecutivo, en caso que el Congreso esté en receso (Art. 102, Nº 3). En este último caso, el decreto de suspensión equivale, **ipso facto**, a la convocatoria del Congreso dentro de las cuarenta y ocho horas el que, por mayoría de votos puede restablecer las garantías. En cualquier caso, la suspensión se refiere expresamente (Art. 73, Nº 7 y Art. 102, Nº 3) a ciertas garantías enumeradas específicamente, o sea, el libre tránsito (Art. 28); inviolabilidad del domicilio (Art. 3º); inviolabilidad de los papeles privados de todos los habitantes (Art. 31); inviolabilidad de la correspondencia (Art. 32); libertad de reunión (Art. 33); libertad de opinión (Art. 36)-(74)-; libre comunicación de pensamiento, especialmente por medio de la imprenta sin previa censura (Art. 37); derecho a no ser detenido arbitrariamente y garantía de Hábeas Corpus (Arts. 40 y 41). No obstante, la Constitución manifiesta expresamente (Art. 73, Nº 7, primer párrafo, última frase) que no podrá suspenderse la inviolabilidad de la vida humana (Art. 45).

---

(74) El Art. 36 dice así: "Ninguno puede ser inquietado ni perseguido por acto alguno que no infrinja la ley, ni por la manifestación de sus opiniones políticas". Parecería que la primera parte de este artículo — la libertad de acción siempre que ésta no infrinja la ley — también puede suspenderse durante una emergencia, lo que daría al gobierno facultades ilimitadas en caso que la suspensión se refiera a todo el artículo y no solamente a la libertad de opiniones políticas.

f. Cuba.

Se autoriza la suspensión de determinadas garantías constitucionales si lo exige la seguridad del Estado, en caso de invasión, guerra., grave alteración del orden u otros motivos que perturben hondamente la tranquilidad pública. La suspensión puede dictarse por una ley especial del Congreso, o por un decreto del Poder Ejecutivo. En este último caso, en el mismo decreto de suspensión se convoca al Congreso dentro de las cuarenta y ocho horas y éste, por mayoría de votos, debe conformar el decreto presidencial (Arts. 41 y 42, letra (j)). Durante el período en que estén suspendidas las garantías, el territorio sujeto a la emergencia será regido por la Ley de Orden Público creada por el Acuerdo-Ley Nº 3 de 5 de enero de 1942. Esta ley no puede suspender otras garantías que las enumeradas en el Art. 41. Además, la Constitución establece que el estado de emergencia será declarado por una ley extraordinaria del Congreso y que, durante el mismo, el Consejo de Ministros podrá ejercer facultades excepcionales, cuyo alcance y aplicación serán determinados en la propia ley (Art. 281 - 284). No obstante, estos preceptos no autorizan expresamente ninguna limitación de los derechos constitucionales. Las garantías que pueden suspenderse de acuerdo a los artículos 41 y 142, letra (j), son las siguientes: las garantías judiciales, el derecho a no ser detenido arbitrariamente y el recurso de Hábeas-Corpus (Arts. 26-29); el libre tránsito y entrada y salida (Art. 30, dos primeros párrafos); la inviolabilidad de la correspondencia y de los papeles privados (Art. 32); la libre expresión de pensamiento y comunicación de ideas (Art. 33); el derecho de dirigir peticiones (Art. 36); libertad de reunión y asociación (Art. 37, primer párrafo).

g. Chile.

La Constitución chilena sustenta el principio de que las garantías constitucionales son intocables. La limitación de las libertades individuales y de la libertad de la imprenta, y la restricción y suspensión del ejercicio del derecho de reunión sólo podrán hacerse por leyes "cuando lo reclamare la necesidad imperiosa de la defensa del Estado, de la conservación del régimen constitucional o de la paz interior" y por períodos que no excedan de seis meses (Art. 44, N° 13) - (75). Además, la Constitución autoriza al Congreso, y cuando éste está en receso, al Presidente de la República (Art. 72, N° 17), a declarar el estado de sitio por un período determinado en caso de conmoción interna o de ataque exterior. En caso que el Congreso se reúna antes de que haya vencido dicho período, la declaración de sitio es considerada como una proposición de ley que puede o no ser aprobada por el Congreso. No obstante, cumple destacar que la declaración de sitio no ocasiona la suspensión de todas o de determinadas garantías constitucionales (Arts. 10 al 23). La facultad conferida al Presidente de trasladar a ciertas personas de un departamento a otro y detenerlas en sus propias casa (Art. 72, N° 17, párrafo 3), sólo afecta las garantías constitucionales de libre tránsito (Art. 10. N° 15) y el derecho a no ser detenido, excepto por orden de los funcionarios autorizados (N° 13). Por consiguiente, Chile es uno de los pocos países latinoamericanos en que no se autoriza la restricción o suspensión de las garantías constitucionales bajo el estado de sitio. Dichas limitaciones emanan exclusivamente del Congreso, por medio de leyes que reglamentan el ejercicio de los derechos, cuando son requeridas por la "defensa imperiosa del Estado". Fué preciso recurrir a tales restricciones por la Ley N° 1401 del 31 de diciembre de 1942, Art. 8.

h. Ecuador.

La situación en el Ecuador es similar a la de Chile, en el sentido de que la Constitución no establece la suspensión general de las garantías individuales y políticas. El Presidente puede proponer al Congreso, o si éste está en receso al Consejo de Estado, que se le acuerde la facultad de adoptar ciertas medidas extraordinarias en caso de amenaza de invasión, guerra internacional o conmoción interior a mano armada,

---

(75) Art. 44 N° 13: "Restringir la libertad personal y la de imprenta o suspender o restringir el ejercicio del derecho de reunión, cuando lo reclamare la necesidad imperiosa de la defensa del Estado, de la conservación del régimen constitucional o de la paz interior, y sólo por períodos que no podrán exceder de 6 meses. Si estas leyes señalaran penas, su aplicación se hará siempre por los Tribunales establecidos. Fuera de los casos prescriptos en este número, ninguna ley podrá dictarse para suspender o restringir las libertades o derechos que la Constitución asegura".

entre las que figuran la detención y confinamiento de personas sospechosas o peligrosas (Art. 83, primer párrafo y Nos. 8 y 9 del mismo artículo). lo que implica la suspensión del derecho a no ser detenido, excepto bajo las condiciones que establezca la ley (Art. 26, Nº 6). Estas medidas equivalen a la restricción de ciertos derechos fundamentales, sin suspenderlos expresamente·

i. El Salvador.

Corresponde a la Asamblea Nacional la facultad de decretar, prorrogar y levantar el estado de sitio (Art. 77, Nº 30). Cuando el Congreso está en receso, se confieren dichas facultades en el Presidente (Art. 106, Nº 16). Los derechos y garantías constitucionales pueden suspenderse únicamente mediante la Ley de Estado de Sitio por un período máximo de noventa días (Art. 58). La Ley de Estado de Sitio fué dictada por la Asamblea Nacional el 31 de enero de 1939. De acuerdo al Art. 5 de la misma, "se suspenden las garantías siguientes: de libre inmigración, tránsito y emigración; los derechos de asociación y de reunión, salvo para objetivos científicos e industriales; la libertad de la prensa y la inviolabilidad de la correspondencia"

j. Estados Unidos de América.

Ni en la Constitución, ni por una ley extraordinaria, se autoriza la limitación o violación de los derechos fundamentales incluídos en la propia Constitución y las enmiendas a la misma. Por el contrario, tanto el Poder Ejecutivo al proponer medidas legislativas de emergencia y el Congreso al adoptarlas, deben cuidarse celosamente de no dictar ninguna disposición que las Cortes, a quienes corresponde dictaminar sobre la constitucionalidad de las mismas, pudieran considerar incompatibles con la declaración de derechos fundamentales.

k. Guatemala.

Este Estado confiere en el Presidente la facultad de restringir ciertas garantías constitucionales determinadas (Arts. 39 y 77, Nº 18); a la Asamblea Nacional corresponde únicamente ser informada sobre la medida adoptada por decreto presidencial (Art. 39, segundo párrafo), pero la Constitución no acuerda expresamente a ésta el derecho de derogar el decreto. Son susceptibles de suspensión las siguientes libertades: de entrada, salida y residencia (Art. 19); de industria y trabajo (Art. 20); reunión y asociación (Art. 25); expresión de pensamiento (Art. 26); garantías, arresto y detención (Art. 30); inviolabilidad de la correspondencia (Art. 37) y del domicilio (Art. 38).

l. Haití.

La Constitución de Haití no establece en su propio texto la suspensión de los derechos civiles y políticos. El Presidente (Art. 60 y 35, letra (h)) tiene la prerrogativa de declarar el estado de sitio cuando lo exija la seguridad interior o exterior, pero los efectos del estado de sitio serán regulados por la ley (Art. 60, párrafo 2).

Después del mes de Enero de 1946 la Constitución de 1935 no está más en vigor en Haití. Ella fué sustituída por la Constitución de 1932. Por el artículo 132 de la Constitución actualmente en vigor el Estado de Sitio no puede ser declarado sino en caso de peligro inminente para la seguridad exterior o interior. El decreto del Presidente de la República que declara el Estado de Sitio debe ser firmado por los Secretarios de Estado que estén presentes en la Capital. El Decreto de Estado de Sitio comporta de pleno derecho la convocación del Cuerpo Legislativo que puede ratificar o rechazar dicha medida. (Art. 132). Los efectos del Estado de Sitio están regulados por una ley especial. (Art. 133).

(Memorandum de la Cancillería Haitiana de 25 de Octubre de 1946).

m. Honduras.

El Congreso (Art. 84, 101, párr. 20) y, si éste está en receso, el Presidente (Arts. 84 y 121, Nº 22) tienen la atribución de suspender ciertas garantías individuales determinadas en casos de peligro para la seguridad interior o exterior (Art. 83). El territorio en que fueran suspendidas las garantías se regirá por la ley de Estado de Sitio. Dicha Ley no puede establecer la suspensión de otras garantías que las que enumera la Constitución (Art. 83) o declarar nuevos delitos o imponer otras penas que las establecidas en las leyes vigentes. Las garantías susceptibles de suspensión son el recurso de Hábeas Corpus (Art. 32); derecho a no ser detenido salvo por autoridad competente (Art. 34), y por no más de seis días (Art. 35); inviolabilidad del domicilio (Arts. 48, 49 y 50); inviolabilidad de la correspondencia (Arts. 51 y 52); libertad de expresión de opiniones (Art. 59); libertad de reunión y asociación (Art. 61, par. 1); libertad de tránsito (Art. 67); inviolabilidad de la propiedad (Art. 73); derecho a exigir remuneración por servicios prestados (Art. 79). El sistema adoptado por Honduras se distingue por dos características, o sean, que la suspensión de las garantías es consecuencia directa del estado de sitio y que ésta merece un capítulo aparte en la Constitución, inmediatamente posterior al que contiene la declaración de los derechos y garantías, en tanto que en muchas de las Constituciones de otras repúblicas latino-americanas, este importante aspecto del régimen de emergencia es tratado como una función más del Legislativo o del Ejecutivo.

n. México.

México ha incluído en su carta fundamental una disposición que autoriza la suspensión de las garantías individuales. El Presidente, de acuerdo con el Consejo de Ministros y con aprobación del Congreso, y si éste está en receso con la aprobación de la Comisión Permanente, puede suspender todas y cada una de las garantías "que fuesen obstáculo para hacer frente, rápida y fácilmente, a la situación", pero deberá ésta ser tal "que ponga a la sociedad en grande peligro o conflicto" (Art. 29). Si dicha situación surge cuando el Congreso se halla reunido, éste concederá las autoridades necesarias para hacer frente a la emergencia. Si el Congreso está en receso, éste debe convocarse sin demora a fin de otorgar las facultades correspondientes. Ni una sola de las garantías constitucionales ha sido exceptuada expresamente de la suspensión.

o. Nicaragua.

La declaración de derechos fundamentales de Nicaragua, que es quizás la más detallada de todas las declaraciones de esta índole, hace una distinción entre las garantías "naciona-les" (Arts. 34-62), "sociales" (Arts. 63-105) e "individua-les" (Arts. 106-137). La Constitución prevé dos situaciones: en época de paz, cuando "a juicio del Presidente de la Repú-blica se hallare amenazada la tranquilidad pública"; podrá li-mitar las garantías individuales establecidas en los Artículos 109 y siguientes en el sentido de que "podrá dictar órdenes de detención contra los que se presumen responsables, interro-garlos y mantenerlos detenidos hasta por quince días", y, si fuere necesario, confinarlos en el interior de la República, por decreto del Consejo de Ministros (Art. 220). Además en caso de grave peligro interior o exterior, el Presidente puede restringir o suspender por decreto el ejercicio de todas las garantías constitucionales excepto la inviolabilidad de la vida humana y algunos derechos de orden procesal o judicial que casi todos los Estados civilizados consideran intocables, aún en épocas de emergencia (Art. 221). El decreto debe es-tablecer la garantía o garantías que se restringen o suspen-den. El Presidente tiene el deber de dar cuenta al Congreso de las disposiciones que adopte. No se reclama la ratificación de dicho decreto por el Poder Ejecutivo.

Por otro lado, el Congreso está facultado para declarar por mayoría de dos tercios de votos del número total de sus miembros un estado de emergencia económica cuando así lo exijan las circunstancias anómalas del país (Art. 163, Nº 6). Esto representa una innovación en el derecho constitucional latino-americano. Dicha declaración suspende todas o algunas de las garantías del artículo 43 (prohibición de leyes retroac-tivas, excepto en materia penal) y del artículo 62 (libertad de contratación, de comercio e industria). Las leyes dictadas durante el estado de emergencia o si el Congreso está en re-ceso, los decretos del Poder Ejecutivo no podrán afectar las garantías constitucionales respectivas durante un período que exceda al de un estado de emergencia, (76).

---

(76) La llamada Ley Marcial o de Orden Público del 29 de marzo de 1939 rige cuando se suspenden las garantías. De acuerdo al Art. 221 esta ley entra en vigor únicamente cuando se haya decretado la restricción o suspensión de las garantías constitucionales (Art. 1). Esta ley autoriza al Presidente de la República para adoptar todas las medidas preventivas y

p. Panamá.

La Asamblea Nacional está facultada para declarar el estado de sitio en caso de guerra exterior o de perturbación interna (Art. 51) y para suspender, mientras dure dicho estado, los siguientes derechos individuales y sociales: derecho a no ser detenido arbitrariamente y recurso de Hábeas Corpus (Arts. 27 y 28); inviolabilidad del domicilio y de la correspondencia (Arts. 36 y 37); libre expresión de opiniones y comunicación del pensamiento (Art. 39); libre tránsito (Art. 40); libertad de reunión (Art. 41); inviolabilidad de la propiedad privada (Art. 47). Cumple destacar que la libertad de asociación no está incluída dentro de las garantías susceptibles de suspensión. Además del estado de sitio se prevé el otorgamiento por el Legislativo de poderes extraordinarios "pro-tempore" al Presidente para fines específicos (Art. 88, Nº 20 y Art. 109, Nº 20). Las facultades otorgadas por esta ley facultativa, pueden ser ejercidas por el Presidente de la República solamente con el consentimiento de la mayoría de una comisión de tres miembros designados por la Asamblea Nacional de entre sus propios miembros para el contralor correspondiente (Art. 88, Nº 20).

q. Paraguay.

La declaración del estado de sitio es atribución exclusiva del Presidente, quien debe notificar a la Cámara de Representantes al respecto (Art. 52). No se establece de modo expreso que el estado de sitio determina la suspensión general de "derechos", "obligaciones y garantías", pero el Presidente puede ordenar el arresto de las personas sospechosas y el confinamiento de las mismas en ciertas localidades del interior de la República, facultad que limita las garantías judiciales y de procedimientos establecidas en el Artículo 26. De acuerdo a la Constitución, el estado de sitio será regido por una Ley para la Defensa del Orden y de la Seguridad de la República (77).

---

de otra índole a fin de mantener el orden público; el Presidente puede delegar dichas facultades en otros (Art. 3).

(77) El Comité no tiene conocimiento de si el Decreto-Ley Nº 7937 (para la defensa del Estado) y el Nº 7938 (que establece el "Tribunal para la defensa del Estado"), ambos fechados 26

r. Perú.

En caso que lo exija la seguridad del Estado, el Poder Ejecutivo está facultado para suspender (Art. 70) las siguientes garantías: derecho a no ser detenido y recurso de Hábeas Corpus (Art. 56); inviolabilidad del domicilio (Art. 61); Libertad de reunión (Art. 62); la libertad de entrada y salida y de tránsito (Art. 67); derecho a permanecer dentro del territorio (Art. 68). Si la suspensión se decreta durante el funcionamiento del Congreso, el Poder Ejecutivo deberá darle inmediatamente cuenta de ello. Una ley especial determinará las facultades del Ejecutivo durante la suspensión de garantías.

Además, cumple señalar que el Congreso puede autorizar al Presidente a dictar, durante su receso, las leyes que fueren necesarias sobre las materias que determinará el Poder Legislativo (Art. 123, Nº 24). Esta ley fué dictada el 24 de julio de 1939 con el Nº 8929.

s. República Dominicana.

En caso de alteración de la paz pública el Congreso tiene la atribución (Art. 33, Nº 7) de declarar el estado de sitio y de suspender, mientras dure el mismo, las siguientes garantías: libre expresión de pensamiento (Art. 6, Nº 5); libertad de reunión y asociación (Art. 6, Nº 6); de tránsito (Art. 6, Nº 10); derecho a no ser arrestado ilegamente (Art. 6, Nº 12, letra (b)); y Hábeas Corpus (ibidem, letras (d) y (e)). Esa declaración constituye también atribución del Presidente cuando el Congreso está en receso (Art. 49, Nº 8). Además, en caso de que "la soberanía nacional se encuentre expuesta a un peligro grave e inminente", el Congreso podrá declarar el estado de emergencia, que suspende todos los derechos individuales, con excepción de la inviolabilidad de la vida humana (Arts. 33, Nº 8 y 6; Nos. 2 al 12 inclusive). Cuando el Congreso está en receso, dicha facultad es conferida al Presidente

---

de julio de 1941 y publicados en la Gaceta Oficial Nº 190 del 29 de julio de 1941, constituyen la ley extraordinaria sobre el estado de sitio prevista en la Constitución. Estos dos decretos-leyes fueron derogados por el Decreto-Ley Nº 16.237 del 30 de diciembre de 1942.

(Art. 33, Nº 8, segunda frase, y Art. 49, Nº 7) pero en tal caso deberá convocar al Congreso para que se reúna, dentro de los próximos diez días a fin de decidir acerca del mantenimiento, o revocación de dicha medida (Art. 33, Nº 8, dos últimas frases). Por consiguiente, en lo que respecta a la suspensión de los derechos individuales, el estado de emergencia es mucho más severo que el estado de sitio.

t   Uruguay.

La Constitución del Uruguay no autoriza la suspensión general de los derechos y garantías individuales, salvo en el caso extraordinario de traición o conspiración contra la patria. Dicha suspensión se hará por el Presidente con la aprobación de la Asamblea General o, si ésta está en receso, de la Comisión Permanente y tendrá el propósito limitado y exclusivo de aprehender a los delincuentes (Art. 30). Además, el Presidente de la República, por el Artículo 157, Nº 18, puede tomar medidas prontas de seguridad en los casos graves imprevistos de ataque exterior o conmoción interior, dando cuenta dentro de las 24 horas a la Asamblea General, estando a lo que ésta resuelva. Esta facultad no permite la suspensión o limitación de todas las garantías constitucionales con la excepción de que se faculta al Poder Ejecutivo para el arresto o traslado de personas de un punto a otro de la República, con lo que se restringen las garantías de los artículos 12, 15 y 16 (garantías judiciales y de procedimiento en caso de detención).

u · Venezuela.

El Presidente, con el Consejo de Ministros, tiene la facultad de restringir o suspender por decreto el ejercicio de los derechos individuales, sin intervención del Poder Legislativo (Arts. 36, y 100, Nº 23), con la excepción de la inviolabilidad de la vida humana, la proscripción de la esclavitud y la no condenación a penas infamantes. El decreto debía contener la determinación de la garantía o garantías que se restringen o suspenden. Se manifiesta expresamente que los nacionales y extranjeros que sean contrarios al restablecimiento o conservación de la paz pueden ser arrestados, confinados o expulsados (Art. 36, párrafo 5)

4. Resumen.

Se ha estimado conveniente clasificar los diversos sistemas adoptados en las constituciones de las veintiuna repúblicas americanas para la suspensión o restricción de los derechos individuales y las garantías constitucionales, en las categorías siguientes. No obstante, cumple destacar que esta clasificación, que está basada exclusivamente en los propios textos de las consituciones sin reparar en los hechos políticos, es de un valor más bien teórico que práctico.

a) Según la facultad general de suspender o limitar las garantías durante una situación de emergencia:

(1) Estados cuyas constituciones no autorizan expresamente la suspensión o limitación: Chile, Ecuador, Estados Unidos de América, Haití, Paraguay y Uruguay. En algunos de estos Estados, sin embargo, la libertad individual está limitada en el sentido que puede arrestarse a los sospechosos sin recurrir a los procedimientos establecidos por ley.

(2) En Brasil, Costa Rica, Cuba, El Salvador, Guatemala, Honduras, Panamá, Perú y la República Dominicana pueden suspenderse ciertas garantías expresamente enumeradas.

(3) En Argentina, Bolivia, Colombia, México, Nicaragua y Venezuela pueden suspenderse todos los derechos individuales, con la excepción de los más fundamentales, tales como la inviolabilidad de la vida humana y la proscripción de la esclavitud.

En la mayoría de los Estados enumerados en (2) y (3) la suspensión o limitación de los derechos individuales depende de la declaración del estado de sitio, o bien se establece el estado de sitio porque éste equivale, según los términos de la Constitución, a la suspensión o limitación de las garantías. Los siguientes Estados establecen el estado de sitio, o un régimen de emergencia similar: Argentina, Bolivia, Brasil, Colombia, Cuba, Chile, El Salvador, Haití, Honduras, Panamá, Paraguay y la República Dominicana. La suspensión de todos o algunos derechos individuales, según el caso, sin declarar expresamente el estado de sitio, es posible en: Costa Rica, Ecuador, Guatemala, México, Nicaragua, Perú y Venezuela.

(b) Otra clasificación según la autoridad gubernamental a quien corresponde el derecho de suspender las garantías individuales o de declarar el estado de sitio, ha de ser de utilidad dejando a un lado las consideraciones de orden político.

(1) El procedimiento general es el siguiente: El Congreso, si está en sesiones, declara el estado de sitio o decreta la suspensión de los derechos individuales, y cuando éste está en receso o no está reunido, el Presidente (Poder Ejecutivo) tiene dicha facultad, generalmente con la aprobación del Consejo de Ministros. Por regla común, en este último caso, el Parlamento es convocado en el acto y tiene el derecho de aprobar o derogar la decisión del Ejecutivo. Este procedimiento rige en Argentina, Bolivia, Costa Rica, Cuba, Chile, Ecuador, El Salvador, Honduras, México, Panamá y la República Dominicana. A este grupo pertenece asimismo Uruguay, con las reservas mencionadas precedentemente.

(2) El segundo procedimiento es el siguiente: El Poder Ejecutivo, bajo su exclusiva responsabilidad y debiendo simplemente informar al Congreso de su decisión, tiene la facultad de declarar el estado de sitio o de limitar los derechos y garantías constitucionales. Esta es la situación en Brasil, Colombia, Guatemala, Haití, Nicaragua, Paraguay, Perú y Venezuela.

III — Las bases legales de la legislación de emergencia de las Repúblicas Americanas.

(1) El problema.

Como ya se ha dicho, la base legal de las legislaciones de defensa de los estados democrático-constitucionales contra la agresión política presenta dos problemas y, a pesar de que con frecuencia están íntimamente ligados, es preciso considerar por separado. En la sección precedente se explicó cómo los obstáculos presentados por los derechos individuales y las garantías constitucionales que, desde el punto de vista teórico estaban en pugna con la mayoría de las medidas de defensa, fueron salvados por las propias Constituciones latino-americanas, que permiten su limitación o suspensión en épocas de emergencia interna o externa. Queda ahora por demostrar en qué forma las repúblicas americanas aplicaron las facultades constitucionales de emergencia.

Este problema se vincula con otro más amplio, a saber: ¿Cómo es posible, en épocas de emergencia, en que el orden constitucional está amenazado interna o externamente, simplificar y acelerar las funciones normales del Estado a fin de ajustarlo eficaz y rápidamente a la situación de emergencia, cuidando al mismo tiempo que el gobierno no infrinja las libertades individuales ni abuse de las facultades que se le confieren? Durante una situación de emergencia que amenaza la propia vida del Estado, el poder político pasa del Legislativo al Ejecutivo. El derecho constitucional reconoce que este conflicto entre la libertad y la autoridad es el punto crítico del Estado constitucional de nuestra época, y seguirá siéndolo en la post-guerra. Más de una democracia europea ha peligrado debido a la delegación o usurpación de facultades de emergencia por el Poder Ejecutivo. Tales facultades se convirtieron en los instrumentos que utilizaron los gobiernos autoritarios y las dictaduras para asumir el poder, cuando no fueron debidamente controlados por la opinión pública ni se vigiló su posible abuso.

Estudiando este aspecto más amplio del problema no tiene su lugar en esta obra, aunque las ciencias políticas puedan quizás extraer ciertas conclusiones del material incluído en ella. Empero, la presentación del material correspondiente sobre los procedimientos empleados en la elaboración de las medidas de defensa, encuadra dentro de las finalidades de esta introducción general. No debe pensarse que la suspensión de las garantías constitucionales y la atribución de poderes de emergencia al Poder Ejecutivo constituyen un mismo problema, simplemente porque ambas son indispensables para la adopción de medidas de emergencia. En el material que se presenta más adelante, por países, se podrá apreciar que, debido a las particularidades nacionales determinadas por el ambiente y tradición políticos, se han desarrollado dos procedimientos distintos en la América Latina, ocupando los Estados Unidos un lugar aparte.

En algunos Estados, las propias Constituciones otorgan al Ejecutivo la facultad, y le imponen el deber, de actuar en defensa del Estado. En otros, el Poder Legislativo confiere al Poder Ejecutivo dichas facultades mediante una ley general. Huelga decir que al destacar estos dos procedimientos, no se pretende inferir de ninguna manera que cualquiera de ellos sea preferible al otro.

No estarían de más algunas palabras sobre la terminología empleada. El orden preciso de una medida legislativa no puede siempre determinarse exactamente guiándose por la denominación que se da a la misma. El término "ley" no siempre se emplea respecto a una medida dictada o aprobada por el Poder Legislativo. Algunos decretos presidenciales se conocen como leyes". Un acuerdo-ley, aunque impropiamente, suele ser una ley expedida por el Parlamento. Un decreto-ley es, por regla general, un reglamento ejecutivo, a pesar del término "ley". Estos términos varían según el país y han sido determinados, generalmente, por la situación política interna.

2. Estudio sobre las facultades de emergencia en las Repúblicas Americanas.

a. Argentina.

Durante los primeros años de la guerra actual, las medidas legislativas de emergencia para la defensa del Estado fueron dictadas por decretos presidenciales, de acuerdo con la facultad otorgada al Ejecutivo por la Constitución (78) de expedir "las instrucciones y reglamentos que sean necesarios para la ejecución de las leyes de la Nación, cuidando de no alterar su espíritu con excepciones reglamentarias". El Vice-presidente de la Nación, Ramón S. Castillo, el 16 de diciembre de 1941, estando el Congreso en receso declaró el estado de sitio, de acuerdo a los artículos 23 y 86, N° 19 de la Constitución (79), por un período no determinado. Una vez reunido el Congreso se presentaron diversas mociones de levantar el estado de sitio, pero no obtuvieron el número de votos necesarios en el Senado. La ley dictada por el Congreso el 29 de setiembre

---

(78) Art. 86 N° 2.
(79) Decreto N° 108.908 del 16 de diciembre de 1941. El preámbulo de dicho decreto dice, entre otras cosas: "Que la suspensión de ciertas garantías de ese orden puede resolverse con carácter preventivo según lo ha consagrado la jurisprudencia y la doctrina... En esta ocasión el Poder Ejecutivo reafirma su decisión de que el estado de sitio no excluya las actividades lícitas aplicadas al trabajo o al ejercicio de otros derechos practicados conforme a las leyes".

de 1942 confirmó dicho estado, que se prolongó por un período indefinido por el decreto presidencial del 4 de diciembre de 1942 y quedó en vigor después de asumir el poder la Junta Militar del General Arturo Rawson el 4 de junio de 1943, y durante el mandato de sus continuadores, los generales Pedro P. Ramírez y Edelmiro J. Farrell. Dado que Argentina no posee una ley especial sobre el estado de sitio, la ejecución del mismo está regida por decretos presidenciales **ad hoc** y por las disposiciones que dicten las autoridades subordinadas y los interventores de las provincias, designados por el Poder Ejecutivo (80).

b. Bolivia.

El Comité no tiene conocimiento de si el estado de sitio que permitió la suspensión de las garantías constitucionales, entró en vigor antes o después del comienzo de la guerra mundial. No obstante, el gobierno está facultado por la propia Constitución (81) a dictar medidas legislativas de emergencia, habiéndose adoptado, en particular, la ley de seguridad pública del 13 de abril de 1942. Por consiguiente, en Bolivia la Constitución confiere directamente al Poder Ejecutivo las facultades respectivas para expedir medidas de emergencia, no siendo necesario que dichas facultades le sean delegadas por el Legislativo.

c. Brasil.

Como ya se ha dicho, en el Brasil no es menester otorgar al gobierno facultades extraordinarias para hacer frente a una emergencia interna, ya que el Presidente de la República ejerce durante tal estado la plenitud de las facultades legislativas. Durante el estado de guerra se suspende la Constitución en las partes indicadas por el Presidente (Art. 171). El decreto

---

(80) Art. 6º de la Const.
(81) Véase, por ejemplo, Art. 6: "Toda persona tiene los siguientes derechos fundamentales **conforme a las leyes que reglamentan su ejercicio**"; Art. 45: "Los derechos de ciudadanía se suspenden por admitir funciones de un gobierno extranjero, sin especial permiso legal"; Art. 92, atribución 22: obliga al Poder Ejecutivo a conservar y defender el orden interno y la seguridad exterior de la República; Arts. 108 y 124, y otros.

Nº 10.358 del 31 de agosto de 1942 (Art. 1º) declaró el estado de guerra en todo el territorio nacional, de acuerdo a los artículos 74, letra k) y 171 de la Constitución. Se declararon en suspenso las siguientes partes de la Constitución: Art. 122 (que contiene la declaración de los derechos fundamentales), Nos. 2, 6, 8, 9, 10, 11, 14 y 16; Nº 13 (con excepción de la prohibición de las leyes retroactivas); Arts. 136, 137, 138 y 156, letras c), e) y h); Art. 175 sobre el período presidencial. La misma ley (art. 2, párrafo único) otorgó al Presidente el derecho exclusivo de tomar las medidas pertinentes durante el estado de emergencia previsto en el artículo 166 de la Constitución. Con anterioridad a esta ley, las medidas legislativas de defensa se habían dictado por decreto-ley, de acuerdo al art. 180 de la Constitución (que depara al Presidente la facultad de dictar decretos sobre todas las materias legislativas), pero con posterioridad a la declaración de guerra éstas se dictaron de acuerdo a los artículos 171 y 180. Por consiguiente, en Brasil la facultad de dictar medidas de emergencia corresponde exclusivamente al Presidente, de acuerdo a la estructura general del Estado Nuevo, bajo la Constitución del 10 de noviembre de 1937.

d. Colombia.

La Constitución de este país no establece una suspensión general de las garantías constitucionales, ni tampoco confiere al Poder Ejecutivo facultades de emergencia especiales. El Congreso dictó el 13 de diciembre de 1942, la Ley Nº 128, la cual, destinada especialmente a encarar los aspectos fiscales y económicos de la situación creada por la ruptura de relaciones con los Estados del Eje, delegó al Presidente (art. 16), amplias facultades "para tomar las medidas que sean indispensables en el orden internacional e interno, para el mantenimiento leal y completo de la política de solidaridad y cooperación interamericana, de acuerdo con los compromisos anteriores de la Nación, y para conjurar el eventual desequilibrio fiscal". Esta ey se funda expresamente en el artículo 69, Nº 9 de la Constitución, que permite "revestir pro tempore, al Presidente de la República de precisas facultades extraordinarias, cuando la necesidad lo exija o las conveniencias públicas lo aconsejen". Los plenos poderes de emergencia otorgados por esta cláusula facultativa se concedieron la primera vez por un período limitado, o sea hasta el 20 de julio de 1942, pero se renovaron cuando venció dicho término. No corresponde aquí un análisis completo de dicha ley, pero cumple señalar que además de facultar al Ejecutivo para hacer frente a los problemas de índole económico y fiscal propios de la emergencia, confiere e impone la tarea de reglamentar las actividades de los extranjeros en el país, regular su entrada, salida y contralor, prevenir toda actividad, de nacionales o extranjeros, que amenace la seguridad pública o que constituya un peligro para el desarrollo de la política internacional del país. De esta manera, el artículo 16 confirió al Presidente la facultad de dictar medidas por medio de decretos ejecutivos, sobre las actividades subversivas. Asimismo, debe destacarse que anteriores leyes del Congreso autorizaron ampliamente al Presidente para reglamentar por decreto ejecutivo, otras materias relacionadas con el objeto del presente estudio (82).

No se ha podido verificar si en Colombia existe una ley extraordinaria que regule el estado de sitio y si se declaró el estado de sitio luego de la ruptura de relaciones con el Eje (8 y 19 de diciembre de 1941). En general, el sistema colombiano es típico de los que acuerdan facultades de emergencia al Ejecutivo por autorización especial del Congreso, ya sea mediante delegación de facultades legislativas sobre temas particulares, ya mediante una ley de orden más general.

e. Costa Rica.

De acuerdo al artículo 73, fracción 7, de la Constitución, el Congreso suspendió por cincuenta días las garantías allí enumeradas, mediante el Acuerdo legislativo Nº 3 de 9 de diciembre de 1941. Esta medida fué prorrogada por períodos de sesenta días el 4 de marzo de 1942, 6 de mayo de 1942, 7 de julio de 1943, etc. Las medidas legislativas de emergencia contra la agresión política fueron dictadas mediante decretos presidenciales de acuerdo al artículo 102, Nº 2 de la Constitución, que confiere al Presidente el deber de "mantener e

---

(82) Ejemplos: Ley Nº 2 de 1936, Art. 6 (reglamenta por decreto la admisión, residencia y expulsión de los extranjeros).

orden y tranquilidad de la República, y repeler todo ataque o agresión exterior". No obstante, el Congreso no delegó todas sus facultades legislativas en el Ejecutivo. Numerosas leyes reglamentaron diversos aspectos de defensa política y otras delegaron nuevos poderes al Presidente por acuerdo legislativo. Costa Rica constituye un ejemplo del sistema en que el Legislativo y el Ejecutivo tienen facultades conjuntas en materia de defensa política.

f. Cuba.

La ley Nº 34 de 19 de diciembre de 1941, de acuerdo a la Constitución (artículos 281, etc., sec.), declaró un estado de emergencia nacional por un período de cuarenta y cinco días, durante el cual correspondió al Consejo de Ministros la ejecución de ciertas funciones que pertenecen de ordinario al Congreso. El decreto presidencial del 31 de diciembre de 1941 estableció que las medidas adoptadas por el Consejo de Ministros y ratificadas por el Presidente, llevarían el nombre de Acuerdos Leyes. El Acuerdo-Ley Nº 3 del 5 de enero de 1942, sustituyó a la Ley de Seguridad y de Orden Público prevista por el artículo 42 de la Constitución y adoptada el 23 de abril de 1870 (83). De acuerdo al sistema cubano, el Legislativo delega en el Ejecutivo la facultad de adoptar medidas de defensa política.

g. Chile.

Chile no ha declarado el estado de sitio que, como ya se ha dicho, no equivale a la suspensión de las garantías constitucionales. No obstante, el Congreso ha hecho uso de la autorización contenida en el artículo 43, Nº 13 de la Constitución, que permite la limitación por ley (legislative act) de la libertad personal de prensa y de reunión. Las medidas legislativas de emergencia se dictan mediante decretos presiden-

---

(83) No ha sido posible verificar si las garantías constitucionales fueron suspendidas. Esta ley derogó el Decreto Presidencial Nº 127 de 19 de enero de 1942 y proclamó que el Acuerdo Ley Nº 3 entraba en vigor en todo el territorio, con excepción del Capítulo VII, el que contiene disposiciones sobre la suspensión de las garantías constitucionales.

ciales fundados en la autorización plena del Congreso. Por ejemplo: (a) La Ley Nº 7200 del 18 de julio de 1942, cuyo artículo 23 autorizó al Presidente para establecer zonas de emergencia dentro de las cuales es posible limitar o suspender las garantías constitucionales (de acuerdo a los artículos 43, Nº 13 y 72, Nº 17 de la Constitución) (84); y (b) la ley Nº 7401 del 31 de diciembre de 1942 sobre la seguridad exterior del Estado, cuyo artículo 8 autorizó al Presidente a tomar ciertas medidas de emergencia determinadas "por reclamarlo la necesidad imperiosa de la defensa del Estado" (85).

---

(84) Art. 23: Se autoriza al Presidente de la República para declarar, previo informe del Consejo Superior de Defensa Nacional, Zonas de Emergencia, partes determinadas del territorio en los casos de peligro de ataque exterior o de invasión, o de actos de Sabotaje contra la seguridad nacional; casos en los cuales se podrán aplicar las disposiciones del Nº 13 del Art. Nº 44 y 17 del Art. 72 de la Constitución contra las personas u organizaciones que realicen actividades de tal naturaleza.
"Esta última facultad regirá por el plazo de seis meses, a contar desde la vigencia de esta ley.
"Por la declaración de Zona de Emergencia se podrán adoptar, además, las medidas necesarias para mantener el secreto sobre obras y noticias de carácter militar.
"Prohíbense, mientras dure el actual conflicto la difusión y publicación de noticias de carácter militar y del movimiento de barcos de nacionalidades extranjeras".

(85) "Art. 8º) Por reclamarlo la necesidad imperiosa de la defensa del Estado, autorízase al Presidente de la República para dictar una o más de las siguientes medidas:
a) Prohibir total o parcialmente en las comunicaciones cablegráficas y radiotelefónicas con el exterior, el uso de claves o cualquier otro sistema cifrado o disimulado, y la transmisión de mensajes en determinados idiomas extranjeros.
b) Prohibir el uso de transmisiones de radio a personas determinadas de nacionalidad extranjera.
c) Cancelar o darles carácter provisional a los permisos de residencia de extranjeros en el país; y;
d) Señalar lugares de permanencia forzosa para determinados extranjeros o localidades o zonas en que les esté prohibido residir.
"Las medidas anteriormente señaladas sólo podrán adoptarse respecto de las personas que, por cualquier medio, tiendan a favorecer a una potencia en guerra con algún país de América o sus aliados o perjudicar a éstos.
"Las facultades indicadas en las letras c) y d) se otorgan conforme al Nº 13 del Art. 44 de la Constitución Política del Estado, sólo por el plazo de seis meses.
"En los casos de las letras c) y d), el afectado podrá reclamar ante la Corte Suprema dentro del plazo y con suje-

Dos de las disposiciones del artículo 8, sobre la fijación de residencia forzosa a los extranjeros y la exclusión de los mismos de ciertas localidades y zonas, son aplicables durante un período de seis meses y han sido renovadas subsiguientemente (86). El procedimiento utilizado por Chile en la elaboración de las medidas legislativas de emergencia depara la facultad principal en el Poder Legislativo, estando las funciones del Poder Ejecutivo subordinadas a éste.

h. Ecuador.

El decreto legislativo del 26 de setiembre de 1941, dictado con anterioridad al ataque a Pearl Harbor, facultó al Presidente para tomar medidas extraordinarias. El Comité carece de información detallada sobre esta ley. Las medidas de defensa subsiguientes fueron adoptadas por decretos ejecutivos expedidos por el propio Presidente o el Consejo de Ministros.

i. El Salvador.

El Decreto Legislativo Nº 90 del 8 de diciembre de 1941, dictado por la Asamblea Nacional, al declarar el estado de guerra entre dicho estado y el Japón, autorizó (art. 2) al Poder Ejecutivo "para que dicte las medidas necesarias para asegurar la independencia y soberanía nacionales". Por Decreto Legislativo Nº 91 del 8 de diciembre de 1941, la Asamblea Nacional declaró el estado de sitio en todo el territorio de la República (art. 1) que equivale a la suspensión de las garantías constitucionales. El estado de sitio está regido por el Decreto Legislativo (de la Asamblea Nacional) Nº 29 del 31 de enero de 1939, dictado con anterioridad a la declaración del mismo. La prórroga del estado de sitio, limitada a un período que no exceda los noventa días, debe decretarse por ley

---

ción al procedimiento señalado en la ley 3.446 de 12 de diciembre de 1918, sin perjuicio de las medidas de seguridad que se adopten. Este Tribunal conocerá del reclamo en pleno o por medio de alguna de sus Salas de fondo.

"Las transgresiones a las medidas decretadas por el Presidente de la República en conformidad a este artículo, serán sancionados con presidio menor en su grado mínimo".

(86) Véase Ley Nº 7.431 del 2 de julio de 1943.

del Congreso o, si éste está en receso, por el Poder Ejecutivo (art. 106, fracción 16 de la Constitución). Las medidas legislativas de emergencia para la defensa del Estado durante un estado de sitio, son dictadas mediante decretos del Poder Ejecutivo. El régimen de este país consiste en la adopción de una ley que acuerda facultades al Poder Ejecutivo.

j. Estados Unidos de América.

Las medidas legislativas de defensa fueron adoptadas en los Estados Unidos mediante leyes extraordinarias del Congreso o mediante órdenes ejecutivas del Presidente expedidas de acuerdo a disposiciones legales. Entre las leyes del Congreso cumple mencionar especialmente las dos leyes extraordinarias de poderes de guerra (Specia War Powers Acts). Estas no son leyes facultativas en el sentido de que autoricen al Ejecutivo a tomar todas las medidas que juzgue convenientes para hacer frente a la emergencia. Un rasgo característico de las medidas legislativas de defensa estadounidense es que, tanto las leyes del Congreso como los decretos presidenciales, deben respetar la declaración de derechos celosamente y las garantías respectivas fijadas en la Constitución.

k. Guatemala.

Como ya se ha dicho, la Constitución de Guatemala faculta al Presidente para restringir ciertas garantías individuales. Los decretos legislativos (dictados por la Asamblea Legislativa) Nos. 2563 del 8 de diciembre de 1941 y 2564 del 11 de diciembre de 1941, que declararon el estado de guerra entre Guatemala y las potencias del Eje, o sea Alemania, Japón e Italia, facultaron al Ejecutivo para expedir decretos de emergencia. El artículo 2 del primero de estos decretos "faculta al Ejecutivo para que tome las medidas y dicte las disposiciones que sean necesarias para el cumplimiento de este decreto y para la defensa de la Nación". El Presidente y su Consejo de Ministros restringieron trece de las garantías constitucionales respecto a los nacionales del Japón, Alemania e Italia, por el decreto Ejecutivo Nº 2648 del 21 de diciembre de 1941. Esta situación ofrece la particularidad de que no fueron afectadas las garantías constitucionales de otros extranjeros ni de los ciudadanos guatemaltecos (87). Por decreto legislativo Nº 2565 del 17 de diciembre de 1941, la Asamblea Legislativa aprobó el decreto gubernativo Nº 2648 ya mencionado. El acuerdo ejecutivo del 21 de diciembre de 1941 determinó la forma en que se realizaría la limitación de las garantías constitucionales. Finalmente, el decreto ejecutivo Nº 2655 del 23 de diciembre de 1941, reglamentó la competencia gubernamental respecto a las medidas legislativas de emergencia a adoptarse. Esta ley se funda expresamente en el artículo 77, Nº 23 de la Constitución y el artículo 2 de los decretos legislativos Nos. 2563 y 2564. La Ley de Emergencia está compuesta de seis capítulos y trata de los contralores impuestos a los nacionales de los Estados con los cuales Guatemala está en guerra; contralores de carácter general; contralores económicos; disposiciones sobre la exportación; nuevos impuestos de guerra; disposiciones generales. Guatemala pertenece al grupo de Estados donde el Legislativo delega facultades de emergencia al Ejecutivo mediante una ley general.

1. Haití.

Fundándose en los artículos 60 y 35, letra (h) de la Constitución, el 8 de diciembre de 1941 el Presidente declaró el estado de sitio mediante una resolución ejecutiva y proclamó la ley marcial en todo el territorio: "La autoridad militar tiene el contralor de todas las autoridades nacionales bajo la alta dirección del Presidente de la República, Jefe Supremo de las fuerzas armadas" (de acuerdo al art. 35, letra (a) de la Constitución). El Decreto-Ley Nº 95 de 13 de enero de 1942, "faculta al Presidente de la República para que mientras dure la guerra pueda expedir decretos, refrendados por el respectivo Secretario de Estado sobre todas las medidas que las circunstancias requieran". El decreto presidencial Nº 116 del 23 de febrero de 1942 "suspendió las garantías constitucionales por todo el tiempo que dure el actual conflicto internacional". Haití representa más cabalmente que ningún otro Es-

---

(87) Cumple señalar que, además de los Arts. 19, 20, 25, 26, 30, 37 y 38, susceptibles de suspensión según los Arts. 39 y 77, fueron asimismo suspendidos los Arts. 18, 27 y 31 al 34 de la Constitución.

tado el sistema que otorga al Ejecutivo la responsabilidad absoluta de expedir medidas de emergencia sin recurrir a la intervención legislativa. Esto sin embargo, se ha modificado en 1946.

m. Honduras.

Se declaró el estado de sitio por decreto legislativo del 9 de diciembre de 1941. No se dispone de ninguna otra información.

n. México.

México declaró la guerra a las potencias del Eje el 25 de mayo de 1942. Por decreto Nº 1 del 1º de junio de 1942, el Presidente declaró que el Congreso de los Estados Unidos de México había aprobado la suspensión de los siguientes artículos de la Constitución: 4; 5 (párrafo I); 6; 7; 9; 10; 11; 14; 16; 19; 20; 21; 22 (párrafo III); 25 (Art. 1) durante el período en que México esté en guerra con una o más de las potencias del Eje (Art. 2). El Poder Ejecutivo está autorizado "para dictar las prevenciones generales que reglamenten los términos de la suspensión de garantías individuales a que se contraen los dos artículos precedentes". Asimismo el Presidente tiene la facultad de dictar disposiciones sobre todas las dependencias de la administración pública y hacer modificaciones en las mismas (arts. 5 y 4). Tiene el deber de informar al Congreso sobre las medidas adoptadas (art. 6). Por consiguiente, el Ejecutivo posee facultades reglamentarias casi ilimitadas sobre todos los asuntos relacionados con la emergencia. De acuerdo a esta ley, el Presidente dictó la "Ley de Prevenciones Generales relativa a la Suspensión de Garantías establecida por Decreto de 1º de julio de 1942", del 11 de junio de 1942. Esta ley que es, realmente, un decreto ejecutivo de 21 artículos, equivale a una ley de orden público que reglamenta detalladamente los límites de la aplicación y el ejercicio de la suspensión de garantías constitucionales durante la emergencia. Las garantías constitucionales están sujetas a las limitaciones que impone la emergencia. Esta medida fué complementada por una ley reglamentaria del artículo 1º de la ley ya mencionada del 11 de junio de 1942, en la cual se determina cuáles serán las autoridades encargadas de aplicar las medidas de defensa y establece, al mismo tiempo, la competencia respectiva en la materia del gobierno federal y de los Estados. En México, la facultad del Ejecutivo de expedir medidas legislativas de emergencia está fundada en autorización emanada del Congreso.

o. Nicaragua.

Mediante el artículo 2 de la Resolución Nº 55 del 10 de diciembre de 1941, el Congreso facultó "al Poder Ejecutivo para que dicte todas aquellas medidas que a su juicio sean necesarias para la propia defensa y cooperación defensiva de todas y cada una de las Repúblicas Americanas". La ley general que reglamenta la situación en caso de ser suspendidas las garantías constitucionales es la Ley Marcial del 29 de marzo de 1933. Entró en vigor automáticamente al suspenderse algunas de las garantías constitucionales por el decreto presidencial del 8 de diciembre de 1941. Algunas otras garantías fueron suspendidas por el decreto presidencial del 22 de diciembre de 1941. También en Nicaragua el Presidente está facultado para dictar las medidas legislativas de emergencia, mediante una ley general del Parlamento, que le acuerda facultades para ello.

p. Panamá.

En este país se suspendieron los derechos acordados por la Constitución y se otorgaron amplias facultades de emergencia al Ejecutivo en una misma ley. La Asamblea Nacional, por ley Nº 104 del 10 de diciembre de 1941, declaró el estado de guerra entre Japón y Panamá y suspendió los derechos individuales enumerados en el artículo 51 de la Constitución respecto a los nacionales del Japón y sus aliados en la guerra actual (art. 2). Dicha suspensión, por consiguiente, se hace respecto a un grupo determinado, al igual que en Guatemala (88). Al mismo tiempo, el artículo 3, letra (b), facultó al Poder Ejecutivo para "adoptar respecto a toda persona, natural o jurídica o entidad política, las medidas de preven-

---

(88) Véase suppra, p. 110.

ción o las de represión que se hagan necesarias para la defensa nacional y la de los países aliados". Se desconoce, no obstante, si tales medidas tendrían validez en el caso de estar en pugna con las garantías constitucionales de los que no son nacionales enemigos.

q. Paraguay.

La Constitución del Paraguay del 10 de julio de 1940 adoptó una forma de gobierno democrática representativa (art. 1). No obstante, este instrumento de gobierno depara al Ejecutivo una posición más preponderante que a los otros poderes constituyentes del Estado, ya que la carta constitucional coloca las disposiciones sobre el Poder Ejecutivo antes que las que tratan del Legislativo. El Presidente puede declarar el estado de sitio (art. 52), sin otras limitaciones que el deber de informar a la Cámara de Representantes sobre el particular. Por el decreto-ley Nº 11.061 del 16 de febrero de 1942, el Presidente limitó el ejercicio de ciertos derechos individuales tales como libertad de reunión, asociación, de la palabra y libre tránsito, respecto a los nacionales del Eje (arts. 1-6). Se establecieron asimismo varias medidas de defensa política con respecto a todas las personas, las que no constituyen una limitación de los derechos individuales. El Decreto Nº 11.061 equivale a una ley de orden público. En el Paraguay, la situación de emergencia está controlada por el Ejecutivo, sin participación del Legislativo.

r. Perú.

En esta República se depararon al Ejecutivo amplias facultades extraordinarias mucho antes de la ruptura de relaciones diplomáticas con el Eje (24 de enero de 1942), especialmente mediante varias leyes extraordinarias, tales como la Nº 7479 del 9 de enero de 1942 (ley de emergencia aún en vigor), Nº 8505 del 19 de febrero de 1937 (sobre seguridad pública) y Nº 8929 del 24 de julio de 1939. Además, la ley Nº 9577 del 12 de marzo de 1942, es una disposición dictada por el Parlamento con referencia a la actual emergencia "para hacer efectivos, por el tiempo que dure la guerra, los acuerdos de la Tercera Reunión de Ministros de Relaciones Exteriores de las Repúblicas Americanas, y dictar las disposiciones necesarias para la defensa continental y para el desarrollo de la riqueza del país".

s. República Dominicana.

El Congreso, ajustándose al artículo 33, Nº 8, de la Constitución, declaró el estado de emergencia por Ley Nº 16 del 23 de junio de 1942, y confirió al Poder Ejecutivo amplias facultades de emergencia mediante una cláusula general que lo autoriza (art. Nº 2) para mantener el orden público y otras finalidades. Las garantías constitucionales del Artículo 6, Nos. 2 al 12 de la Constitución, fueron restringidas "en cuanto colidan con los fines de la presente ley".

t. Uruguay.

En el Uruguay no se otorgaron al Ejecutivo, por medio de una ley general u otros medios, poderes adicionales a los que les corresponden en épocas de normalidad. Las medidas de defensa política fueron adoptadas por leyes puestas en vigor mediante autorizaciones especiales otorgadas al Ejecutivo en leyes generales. Durante la actual emergencia, la Asamblea General no recurrió a la suspensión de la seguridad individual (fundándose en el Artículo 30 de la Constitución). Asimismo, la autorización contenida en el artículo 158, Nº 18, de tomar medidas de seguridad ha sido aplicada en escasas ocasiones. No obstante, el preámbulo del decreto presidencial del 28 de enero de 1942 sobre funcionarios públicos y el contralor de la propaganda totalitaria, hace referencia al Artículo 158, Nº 18. El Uruguay ocupa entre las repúblicas latinoamericanas un lugar aparte. Ni la situación de emergencia indujo a la Asamblea General a otorgar facultades extraordinarias al Ejecutivo para la adopción de medidas de defensa política, ni la Constitución atribuye a éste tales poderes extraordinarios. No hubo otra desviación aparente de los procedimientos legislativos normales. Estados Unidos de América es el único estado americano que pertenece a esta misma categoría.

u. Venezuela.

Por la ley N°   del 18 de junio de 1936 para garantizar el Orden Público y el Ejercicio de los Derechos Individuales se dictaron disposiciones preventivas relativas al derecho de reunión (Capítulo I); asociaciones (Capítulo II); huelgas (Capítulo III); propaganda política ilícita (dirigida principalmente en contra del extremismo izquierdista) (Capítulo IV); el empleo de fuerzas públicas (Capítulo V). Tal vez por este motivo el decreto presidencial del 11 de diciembre de 1941, fundándose en los Artículos 36 y 100, N° 23, de la Constitución, se limitó a restringir los derechos individuales de la inviolabilidad de la propiedad (Art. 32, N° 2) y la libertad del trabajo y de la industria (Art. 32, Nos. 8 y 9). El artículo 7 del Decreto Ejecutivo del 1° de diciembre de 1941 estableció que "en nada afecta lo dispuesto en los decretos vigentes relativos a la restricción del ejercicio de garantías individuales". El decreto N° 16 del 20 de enero de 1942 limitó en todo el territorio algunas otras garantías individuales: Artículo 32, N° 7 (libre tránsito); N° 18 (igualdad ante la ley); y suspensión en ciertas zonas determinadas las siguientes: Art. 32, N° 4 (inviolabilidad del hogar); N° 5 (libertad personal); N° 7 (tránsito); N° 11 (asamblea); N° 17 (derechos judiciales, incluso el Hábeas Corpus) y N° 18 (igualdad ante la ley) (89). En Venezuela, por consiguiente, las medidas legislativas de defensa se fundan en las facultades otorgadas por la propia Constitución al Ejecutivo.

3. Resumen.

Aunque parezca difícil y hasta de poca utilidad, dadas las circunstancias de orden político y los procedimientos legislativos tradicionales de cada Estado, se ha tratado de reducir

---

(89) Se expidieron los siguientes decretos similares: N° 41 del 4 de marzo de 1942; N° 57 del 20 de marzo de 1942; N° 93 del 7 de mayo de 1942; N° 138 del 13 de junio de 1942; N° 140 del 20 de junio de 1942; N° 152 del 3 de julio de 1942; N° 166 del 25 de julio de 1942; N° 235 del 9 de octubre de 1942; N° 24 del 6 de febrero de 1943; N° 142 del 7 de julio de 1943; N° 240 del 5 de noviembre de 1943; N° 241 del 9 de noviembre de 1943 (de acuerdo al cual fué expropiado el Gran Ferrocarril Venezolano por Decreto N° 246 del 13 de noviembre de 1942); N° 132 del 15 de junio de 1944.

los diversos regímenes a denominador común, clasificándolos de acuerdo a las bases legislativas que existen en los mismos, de la siguiente manera:

a) Estados que no confieren facultades extraordinarias al Ejecutivo, ya sea con la aprobación del Legislativo o por autorización constitucional: Estados Unidos de América, Uruguay.

b) Estados donde el Legislativo delega facultades extraordinarias al Ejecutivo, ya sea mediante una ley general o por leyes especiales sobre las diversas materias: Colombia, Cuba, Chile (en este caso, únicamente respecto a materias expresamente determinadas), Ecuador, El Salvador, Guatemala, México, Nicaragua, Panamá, Perú, República Dominicana.

c) Estados donde la propia Constitución faculta al Ejecutivo para tomar las medidas de emergencia pertinentes: Argentina, Bolivia, Brasil, Costa Rica, Haití, Paraguay, Venezuela.

No se posee información pertinente respecto a Honduras (90).

_____

(90) En vista de que se declaró el estado de sitio por Decreto Legislativo del 9 de diciembre de 1941, cabe deducir que este país pertenece al grupo de estados donde se han tomado las medidas de emergencia a raíz de los poderes extraordinarios conferidos al Presidente.

CAPITULO IV.

La defensa del Estado y las leyes de orden público.

I — Observaciones generales.

1. Las constituciones como reglas de normalidad política.

Las constituciones de los regímenes democráticos actuales, tal como han evolucionado a raíz de la experiencia política anglo-sajona y de las premisas teóricas de la Revolución Francesa, han sido ideadas fundamentalmente para regir en épocas de normalidad. Las instituciones democráticas dan por sentado que la gran mayoría de los ciudadanos están de acuerdo respecto a las bases fundamentales del orden político social, participan en la formación de la voluntad del Estado y cooperan en la ejecución de sus propósitos. Dado que la sociedad política ha sido instituída a fin de brindar el mayor beneficio al mayor número, las constituciones democráticas han partido de la base de que las graves desavenencias sobre los principios políticos fundamentales que son motivo determinante de las crisis políticas, tienen un carácter pasajero y extraordinario. Por consiguiente, aunque la mayoría de las constituciones contienen preceptos que preven el modo de afrontar las posibles emergencias, los mismos se consideran de una importancia secundaria. La existencia del Estado moderno democrático-constitucional depende del consentimiento del pueblo, como ha dicho Guglielmo Ferrero, el gran historiador y filósofo político italiano, la democracia política descansa en la premisa de que ni el pueblo teme al gobierno ni el gobierno teme al pueblo (91). El liberalismo constituye el ambiente intelectual y espiritual de la democracia constitucional y éste equivale a la tolerancia de las opiniones de todos los ciudadanos. Las democracias constitucionales se caracterizan, por lo tanto, por la libertad de oposición política, o sea el derecho de expresar ideas contrarias al régimen político-social existente, siempre que éstas se ma-

---

(91) Véase Guglielmo Ferrero, The Principles of Power, New York 1943.

nifiesten en cualquiera de las formas permitidas en la consti
tución y no se recurra a la invocación o a la aplicación de la
fuerza y la violencia para lograr sus fines. Por consiguiente,
en las democracias políticas, son los conceptos del liberalismo
los que determinan asimismo la seguridad interna y el orden
público. Las libertades individuales y las garantías constitu
cionales son privilegio de todas las personas, sin atender a las
ideas políticas de las mismas.

El derecho supremo de los hombres libres, o sea, la liber
tad de opinión y de expresión del pensamiento, es la piedra
angular de los estados liberales y por ende el privilegio más
preciado del orden democrático constitucional. Los códigos pe
nales de la época, fundados también en la filosofía del libera
lismo, se limitaron a considerar los actos delictivos como hechos
anormales de la conducta humana. Prefirieron deliberadamen
te abstenerse de limitar los derechos y la propiedad individua
les antes que proteger los principios superiores del Estado
como entidad colectiva. Aún cuando la sociedad liberal des
aprobaba ciertas opiniones políticas y los actos realizados en
su nombre y sancionaba los mismos en sus códigos penales,
por regla general, dichos delitos políticos eran condenados
por la sociedad únicamente cuando tenían un carácter mani
fiestamente anti-patriótico como por ejemplo haber conspira
do con una potencia extranjera contra la nación. Los regíme
nes penales de casi todos los Estados civilizados establecen
que los delitos políticos no son susceptibles de extradición.
Tanto las constituciones liberales como los regímenes penales
respectivos consideran que la oposición política constituye una
excepción dentro del orden constitucional normal.

2. La necesidad de la defensa política.

Esta presunción de los Estados democrático-constituciona
les fué quizás un tanto prematura o demasiado optimista. No
existe un solo Estado liberal que en un momento dado no se
haya visto obligado a abandonar el régimen de normalidad a
fin de protegerse de sus enemigos políticos mediante medidas
extraordinarias. La unidad de ideas sobre los principios fun
damentales del orden político-social no ha llegado nunca, ni
aproximadamente, a un estado tan absoluto que permite pres-

cindir de todo elemento de defensa. Los conflictos sociales o políticos, propios de un período determinado o que surgieron de las circunstancias particulares existentes en tal o cual Estado, pusieron forzosamente en peligro a los Estados democrático-constitucionales. Las situaciones de emergencia ocurren con frecuencia en la historia. Sus causas son múltiples, pero de una manera general, que hasta podrá parecer demasiado superficial, puede decirse que las medidas de defensa políticas se hacen necesarias cuando el orden democrático-constitucional sucede a un régimen autoritario y debe por lo tanto defenderse de las fuerzas políticas que acaba de vencer, o cuando un régimen constitucional instituído desde años atrás debe enfrentar ideas revolucionarias dirigidas contra sus principios fundamentales. Tales situaciones pueden surgir en un Estado particular como resultado de las condiciones político-sociales existentes en el mismo. No obstante, las más de las veces la oposición al orden democrático-constitucional emana de perturbaciones de trascendencia internacional. Esto sucede principalmente en nuestra época, ya que debido a una mayor aproximación entre los pueblos a consecuencia de los métodos modernos de tránsito y comunicación, los Estados y naciones no constituyen entidades políticas aisladas. Desde el punto de vista político, nuestro mundo es una sola entidad. Las desavenencias sobre los principios políticos, que en otras épocas eran la excepción, son hoy día la regla universal, situación sin precedentes en otras épocas de conflictos político-sociales. En tiempos anormales los métodos usuales establecidos en los códigos penales para la protección del orden democrático-social resultan inadecuados. Es menester restringir y limitar el goce de los derechos individuales y las garantías constitucionales, instituídos asimismo primeramente para épocas normales, a fin de salvaguardar el orden público y la seguridad interna en bien de la mayoría.

Es evidente que en caso de conmoción interna o de conflicto internacional no es posible conciliar las garantías constitucionales con el contralor efectivo de los actos y tipos de conducta que amenacen la propia existencia del Estado que depara dichas garantías. Los Poderes Constituyentes han previsto esta situación extraordinaria en que resultan ineficaces o inútiles los métodos normales para lograr el equilibrio político, característica principalísima de los Estados democrático-constitucionales por lo que en épocas recientes todos los regímenes constitucionales han adoptado, ya sea en sus propias constituciones o en otra forma, disposiciones especiales sobre el estado de emergencia, denominado indistintamente estado de sitio, **Ausnahmesustand**, estado de alarma. Hasta Gran Bretaña, la ciudadela del liberalismo, se vió precisada a adoptar una medida de esta naturaleza, o sea, la Emergency Powers Act de 1920 (92). No obstante, el estado de sitio y otras medidas extremas de esa naturaleza sólo podían aplicarse en último recurso y a fin de evitar el desmoronamiento y la destrucción del Estado. En vista de que paralizaban la vida entera de la nación, sólo podía aplicarse durante breves plazos y cuando peligraba gravemente el régimen normal. Era imposible, por lo tanto, hacer frente a las situaciones internas que exigían contralores eficaces de largo alcance. A fin de establecer contralores preventivos para evitar que surgieran amenazas contra su propia existencia, los Estados democrático-constitucionales adoptaron, para la protección del orden público y de la seguridad interna, medidas precisas que forman en su totalidad la legislación para la defensa del Estado. No corresponde aquí presentar una reseña histórica sobre la evolución e incidencias de las facultades y las medidas legislativas de emergencia para la defensa del orden democrático-constitucional. Sólo cumple destacar que la legislación de emergencia que emana de las facultades generales conferidas en el gobierno, y las medidas legislativas extraordinarias que afectan el ejercicio normal de los derechos individuales y las garantías constitucionales son tan antiguas como los propios Estados democrático-constitucionales y se proyectan desde la suspensión por la Convención Francesa de la constitución liberal del 3 de setiembre de 1791 hasta nuestros días. No existe un sólo Estado constitucional que no haya recurrido a la legislación de emergencia a fin de controlar las perturbaciones internas, sin exceptuar a Gran Bretaña después de 1815 y en la época del Cartismo, ni a los Estados Unidos en el período de la guerra entre los Estados, en que la situación interna hacía indispensable, para salvaguardar la Unión, la legislación de emer-

(92) 10 y 11 Geo. 5, ch. 55.

gencia por conducto del Congreso o la acción presidencial.

Las Cinco Ordenanzas del Gabinete de Polignac en el reinado de Carlos X de Francia, que condujo a la revocación de la Carta de 1814, y la institución de la monarquía liberal burguesa de julio de 1830 son otros ejemplos bien conocidos.

3. Las leyes de orden público actuales.

Las medidas legislativas de emergencia para la defensa de los Estados democrático-constitucionales llegaron a su auge durante ese período de conmoción e inquietud que fué un largo armisticio entre las dos guerras mundiales. Esta situación fué tan general y uniforme que bien puede considerarse como el reflejo exacto de la crisis de las democracias liberales, que es, asimismo, la crisis del sistema económico capitalista liberal.

No es posible aquí detallar sus causas y fundamentos. Aunque anteceden a la primera guerra mundial, fué a raíz del desmoronamiento económico y espiritual provocado por ésta, que la desesperación de los pueblos indigentes y su necesidad de dirección espiritual los tornó hacia las nuevas ideologías del colectivismo izquierdista y del totalitarismo de derecha. Estos dos extremismos políticos eran completamente antagónicos, pero ambos se caracterizaron por su hostilidad hacia el régimen democrático-constitucional.

Los códigos y leyes penales en vigor resultaron enteramente inadecuados para resistir estos dos frentes de ataque que utilizaban nuevos tipos de armas, o sea, la propaganda y la organización subversiva. Esas leyes habían sido adoptadas durante un período de tolerancia liberal y consideraban sagrados los derechos individuales y las garantías constitucionales, sin prever el contralor y castigo de la oposición política, a no ser que ésta se exteriorizara en actos ilícitos. Las leyes penales existentes estaban destinadas a regir en épocas normales y por consiguiente no previeron ciertos actos y actitudes políticas que, sin violarlas abiertamente, perseguían sus fines intrínsecamente subversivos aprovechándose hábilmente de los privilegios que los Estados democrático-liberales brindaban a todos sin distinción. El único recurso de las democracias, en interés de la defensa y salvaguardia propia, fué adoptar una nueva ley penal en la cual las exigencias impuestas por la necesidad de defender primaran sobre los principios abstractos de libertad para todos, incluso para aquellos que hacían uso de ella con el propósito de destruirla. Por consiguiente, se adoptó un nuevo tipo de normas penales destinadas a hacer frente a la emergencia, que complementaron o sustituyeron a los códigos en vigor (93).

Estas medidas legislativas de emergencia adoptaron dos formas distintas: unas estaban dirigidas contra un movimiento, o una serie de ideologías determinadas que se consideraban subversivas, tales como la conocida ley anti-socialista de la era de Bismark en la Alemania Imperial (94) y las leyes nacionales contra el anarquismo, el nihilismo y el sindicalismo revolucionario (95); con más frecuencia éstas se incorporaron a una ley destinada a proteger el orden público y la seguridad en general, que se llamó Ley de Orden Público.

Una de las primeras de éstas, y debido a su trágica ineficacia, uno de los ejemplos más importantes de este tipo de ley desde el punto de vista histórico, fué la Ley Alemana para la Protección de la República, de 1922 (96). La Ley Checoeslovaca para la Protección de la República, de 1923 (97), por el contrario, resistió eficazmente al extremismo político porque fué puesta en vigor por un gobierno militar, atento a sus responsabilidades democráticas, al igual que la Ley sobre "Actos de Agresión contra la República", adoptada por la España Republicana después del derrocamiento de la monarquía (98). Cuando el Nacional Socialismo ocupó el poder en 1933

(93) Sobre la relación entre las Leyes de Orden Público y los códigos penales ordinarios, véase infra, p. 128.
(94) Gesetz gegen die gemeingefaehrlichen Bestrebungen der Sozialdemokratie del 21 de octubre de 1878, derogada recién en 1890.
(95) Véase supra, p. 68.
(96) Gesetz zum Schutze der deutschen en Republik, del 22 de julio de 1922, RGB., parte I, p. 525. Entró en vigor después del asesinato del Ministro de Relaciones Exteriores Walter Rathenau por un grupo de terroristas del nacionalismo de la derecha. Véase Karl Loewenstein, op. cit. supra, en la nota 64, p. 79 y sigts.
(97) Nº 50 del 16 de marzo de 1923.
(98) Del 21 de octubre de 1931 (Gaceta de Madrid del 22 de octubre de 1931). Esta Ley de Orden Público, breve, concisa y de gran significación, ejerció una influencia importante sobre las medidas legislativas de las Repúblicas americanas.

y toda Europa quedó expuesta a la agresión política totalitaria mucho antes que los ejércitos de Hitler cruzaran las fronteras, numerosas democracias europeas adoptaron Leyes de Orden Público (99). Fundándose en los hechos ocurridos en Europa, puede decirse retrospectivamente que las medidas legislativas para la defensa del orden constitucional resultaron plenamente adecuadas para resistir el extremismo político de izquierda y de derecha en aquellos Estados en que fueron adoptadas a tiempo y aplicadas con firmeza por un gobierno democrático que contara con el apoyo de la opinión pública, hasta que las democracias más pequeñas, — Finlandia, Noruega, Dinamarca y los Países Bajos; Checoeslovaquia — se rindieran ante la agresión militar. Suiza y Suecia, son, asimismo, ejemplos de la eficacia de la defensa política mediante legislación (100), en tanto que Francia donde la disensión política creada por desavenencias respecto a los principios fundamentales del orden político-social trabaron la imposición de medidas legislativas contra la agresión totalitaria, constituye un ejemplo de la situación opuesta. También Gran Bretaña halló oportuno apartarse del libre ejercicio de las garantías constitucionales tradicionales, de acuerdo a la Ley de Orden Público de 1936. Esta ley, que contó con el apoyo decidido del pueblo, contribuyó de una manera importante al contralor del extremismo político.

4. Medidas legislativas para la protección de las dictaduras.

Cabe destacar que la legislación para la defensa del Estado no se limitó a los regímenes democráticos. Por razones evidentes, ésta constituye una característica importante propia de las dictaduras, ya sean éstas regímenes autoritarios o claramente totalitarios (101). De acuerdo a su estructura y

---

(99) Este asunto ha sido tratado detalladamente por Karl Loewenstein, op. cit. en la nota 64, supra, p. 76.

(100) En Suiza, una amplia Ley de Orden Federal, la Bundesgetz zum Schutze der oeffentlichen Ordnung, fué rechazada dos veces por la opinión pública (en 1935 y 1937). Las medidas legislativas de los cantones individuales suple. esta falta en cierto modo. Véase Karl Loewenstein, op. cit. en nota 64, p. 43 y sigts.

(101) Sobre las diferencias terminológicas entre estas dos formas de gobierno, véase supra p. 73.

propósitos, la dictadura se funda en la coerción y no en el consentimiento del pueblo. En todo momento se ve enfrentada por el odio violento de una parte considerable del pueblo, y hasta de su mayoría. Aunque a veces es esta una oposición pasiva, está siempre pronta a aplicar la fuerza y la violencia contra un régimen que ha ocupado el poder por medios igualmente ilícitos. Las dictaduras deben forzosamente defenderse de sus enemigos internos y contra ellos está dirigida la parte esencial de sus códigos penales. Se desprende de la legislación de todos los gobiernos de dictadura — Alemania Nacional-Socialista, Italia Fascista, España Falangista, el Gobierno de Vichy, y todos los pequeños satélites del Eje que existían en Europa hasta que fueron depuestos por las victorias aliadas — que sus leyes penales consisten de un sistema minucioso de normas de terror destinadas a proteger al regimen existente contra sus enemigos internos. Por este sólo fin, se han sacrificado todos los principios tradicionales del derecho penal. Si se juzgan las legislaciones para la defensa de los gobiernos de dictadura exclusivamente en atención a su texto, se notarán muchas semejanzas con las de los Estados democrático-constitucionales. Empero, existen entre ambas diferencias considerables. En los Estados democráticos las medidas legislativas de defensa dirigidas contra el totalitarismo son de carácter provisorio, en tanto que en los gobiernos de dictadura la proscripción de sus opositores forma parte integrante y permanene del régimen totalitario de opresión. En tanto que en los gobiernos de dictadura la manifestación de opiniones democráticas proscriptas conducen inevitablemente a la internación de los culpables en los campos de concentración a trabajos forzados por plazos considerables, y aún al fusilamiento, la reacción democrática hacia las opiniones políticas censuradas tiene por único objeto la prevención administrativa y no se funda en odios o propósitos de venganza. Cuando se establecen sanciones por la realización de ciertos actos totalitarios, éstas se ajustan en lo posible a los principios del estado de derecho. La severidad del castigo depende de la amenaza que el acto representa para la seguridad del Estado. Además, las medidas legislativas de defensa de un Estado democrático han sido elaboradas en propia y legítima defensa contra la agresión injustificada de los totalitarios.

II — Las leyes de Orden Público como instrumento defensivo

(1) La naturaleza sistemática o casuística de la legislación de defensa.

No es posible establecer a ciencia cierta hasta qué punto las Repúblicas Americanas, que se vieron precisadas a defenderse del totalitarismo, algo más tarde que aquellos Estados que estaban más próximos a los Nazis y Fascistas, se fundaron en la experiencia europea. En la práctica, se desarrollaron dos procedimientos legislativos. Uno de ellos consistía en la incorporación de las medidas fundamentales para la defensa política en una sola ley para la protección de la seguridad interna y el orden público, o sea la Ley de Orden Público, y el otro en la adopción de diversas medidas de defensa política **ad hoc**, ya sea mediante la ampliación o modificación de reglamentos en vigor, ya mediante reglamentos especiales sobre nuevas materias. A falta de un término más exacto este último procedimiento podía denominarse casuístico por cuanto no se propone ordenar sistemáticamente todas las medidas de defensa política. Más adelante se tratará extensamente de la relación entre la nueva ley penal de emergencia y los códigos penales existentes (102). Esta clasificación general resultará, sin duda. de utilidad práctica, pero debe tenerse en cuenta que los dos procedimientos no se excluyen recíprocamente y ambos conducen a la misma finalidad, o sea la defensa política eficaz de los Estados democrático-constitucionales. Algunos Estados que habían adoptado una Ley de Orden Público con anterioridad a la guerra, dictaron nuevas medidas legislativas de emergencia cuando lo exigieron las circunstancias. Ninguna de estas leyes resultó lo bastante amplia y precisa para hacer frente a la emergencia y fué menester adoptar, además, algunas otras medidas legislativas recomendadas en las resoluciones del Comité. Por otro lado, los Estados que no contaban con una ley de esta naturaleza, realizaron un contralor igualmente eficaz de las actividades subversivas totalitarias mediante la adopción de diferentes medidas sobre los diversos aspectos de la defensa política.

La preferencia de cada Estado por uno u otro de estos dos

---

(102) Véase infra, p. 128.

procedimientos fué determinada por diversas circunstancias, tales como sus prácticas legislativas tradicionales, favorables o no a la adopción de "leyes de circunstancias"; la estructura interna del gobierno; el grado de crisis o de peligro interno en cada Estado. No es posible precisar claramente estas causas en términos generales sin entrar a analizar las condiciones internas de las diversas Repúblicas Americanas. No obstante, cabe mencionar que muchas de las leyes de Orden Público datan desde antes del comienzo de la guerra actual. Chile y Perú dictaron estas leyes en 1937, Bolivia y Brasil en 1938, en tanto que Uruguay, Cuba y Paraguay lo hicieron en 1942, y Argentina adoptó la ley sobre "Delitos contra la Seguridad del Estado" el 15 de enero de 1945.

(2) Las ventajas y desventajas de las Leyes de Orden Público.

Cada uno de esos dos procedimientos señalados tiene sus ventajas y sus desventajas, desde el punto de vista técnico y político, las que varían de país a país. Las ventajas de las Leyes de Orden Público pueden resumirse de la manera siguiente:

Desde el punto de vista técnico las Leyes de Orden Público ofrecen la conveniencia de reunir en forma ordenada todas las innovaciones en materia del contralor de las actividades subversivas. De este modo se encuentran en mejor posición las autoridades encargadas del cumplimiento de las leyes y para las cortes, ya que se les facilita la tarea de clasificar los actos individuales de subversión de acuerdo a los tipos delictivos.

El ejercicio de la justicia penal adquiere así mayor eficiencia que cuando el material está disperso entre diversos reglamentos especiales que no han sido sistemáticamente clasificados. En este sentido, algunas de las Leyes de Orden Público constituyen, en realidad, códigos anti-revolucionarios que complementan y, a veces, compiten con los códigos penales vigentes. La técnica judicial, acostumbrada a utilizar sus códigos, preferirá sin duda, la reunión en una sola ley de las medidas legislativas a la diversificación de leyes y reglamentos aislados que no siempre están en perfecta armonía, ni entre sí, ni con los códigos penales vigentes. Pero quizás, desde el punto de vista psicológico sea mucho más importante. La adopción de una Ley de Orden Público por un Estado particular, y muy especialmente cuando ésta es sometida al Parlamento para su aprobación y es ratificada por la opinión pública, equivale a una advertencia dirigida a los enemigos internos y externos del Estado, a una declaración del reconocimiento de la amenaza totalitaria por el gobierno y de su firme resolución de combatirla mediante contralores legislativos. Muchas veces la adopción severa de una Ley de Orden Público tuvo resultados psicológicos favorables pues advirtió a los posibles realizadores de actos de subversión que la indulgencia de los Estados democrático-constitucionales había llegado a su límite. La Ley de Orden Público es una señal que los enemigos internos y externos del Estado no pueden pasar por alto, y que forzosamente desanima a aquellos que pretenden derrocar el orden político-social mediante actos manifiestos o encubiertos; por la fuerza o la conspiración. Con frecuencia, las Leyes de Orden Público están destinadas a controlar los actos ilícitos de la oposición, así como los cometidos en interés del totalitarismo. Se hace hincapié en esta obra en el hecho de que, dada la estrategia internacional de la agresión política de nuestros tiempos, cualquier atentado contra el orden democrático-constitucional beneficia directamente al totalitarismo. Esto explica asimismo por qué las Leyes de Orden Público contienen disposiciones detalladas contra la subversión mediante la violencia declarada, tales momo la rebelión, la insurrección y otros actos semejantes dirigidos contra la existencia, independencia e integridad del Estado, que no fueron tratados en la Resolución XVII y las resoluciones del Comité. En sus efectos prácticos, la Ley de Orden Público constituye el método más eficaz para hacer frente a una emergencia, a falta del estado de sitio como último recurso, para la salvaguardia del orden político existente.

(3) Las leyes de Orden Público y los Códigos Penales.

Ante las ventajas evidentes de las Leyes de Orden Público, los aspectos negativos de las mismas son de relativamente escasa importancia, pero deben, no obstante, tenerse en cuenta. Para la consideración de estos aspectos es necesario tratar ligeramente sobre la relación entre las Leyes de Orden Público y los Códigos Penales, y cabe señalar al mismo tiempo que dichas observaciones se refieren asimismo al sistema de defensa político consistente en reglamentos aislados.

Como ya se ha dicho, la mayoría de los códigos penales liberales en vigor en las Repúblicas Americanas (103) no previeron la nueva táctica de infiltración y subversión totalitaria que se vale principalmente de la propaganda y las organizaciones, y se abstiene cuidadosamente de no predicar abiertamente la utilización de la fuerza y la violencia. Ciertas tácticas de subversión dirigidas contra el orden político-social de los Estados democrático-constitucionales, hoy bien conocidas, y castigadas, eran consideradas por el derecho penal de tiempos normales como actos perfectamente legales. Por ejemplo, son bien pocos los códigos liberales que prohiben que un hombre que ha sido castigado por el Estado debido a sus opiniones políticas, sea exaltado por el pueblo. No obstante, la propaganda emocional totalitaria puede convertirlo en héroe y mártir de la causa y ensalzar su persona y su delito haciendo de ellos un ideal y un modelo. Por consiguiente, las medidas legislativas de defensa tuvieron que crear nuevos tipos delictivos y establecer

(103) Se da a continuación una lista de los códigos penales en vigor en la actualidad en las Repúblicas Americanas, la que ha de ser de utilidad para todos aquellos que deseen comparar las medidas legislativas de emergencia con el régimen penal permanente de cada país:
Argentina: Ley Nº 11.179 del 29 de octubre de 1921 (es simplemente una reforma del código penal anterior.
Bolivia: Ley del 6 de setiembre de 1834.
Brasil: Decreto-Ley Nº 2848 del 7 de diciembre de 1940.
Colombia: Ley Nº 95 del 24 de abril de 1936.
C. Rica: Ley Nº 368 del 21 de agosto de 1941 (Gaceta del 30 de agosto de 1941, Nº 192.)
Cuba: Código de Defensa Social, Decreto-ley Nº 802 de 1936.
Chile: Ley del 12 de noviembre de 1874.
Ecuador: 20 de agosto de 1923 (publicada en el Diario Oficial Nº 187 del 20 de agosto de 1923).
Guatemala: Decreto Nº 2164 del 7 de enero de 1898 (con varios aditamentos posteriores).
México: Decreto Presidencial del 13 de agosto de 1931 (en vigor desde el 17 de setiembre de 1931).
Perú: Ley Nº 4888 del 28 de julio de 1924.
R. Dominicana: Decreto del 20 de agosto de 1884.

sanciones por actos y formas de conducta, hasta entonces ajenos al derecro penal. En este sentido las Leyes del Orden Público, así como también las medidas de defensa individuales, complementaron los códigos penales en vigor. No obstante, en la práctica no siempre se puede determinar absolutamente si un acto es sancionable de acuerdo al nuevo reglamento o no merece castigo, según los códigos anteriores. Los castigos establecidos en las Leyes de Orden Público son, por regla general, más severos que los que figuran en los códigos penales corrientes. La escuela liberal del derecho penal establece que en caso que un acto haga violación de dos disposiciones penales diferentes, debe aplicarse el castigo menos severo. Las Leyes de Orden Público se apartan frecuentemente de esta prescripción e imponen el castigo más severo o, a veces, establecen que dicho castigo no excluye la aplicación de otros, por infracciones de otras disposiciones. Pero no siempre se define esta situación de modo preciso con lo que se traba el ejercicio de la justicia penal bajo un estado de derecho. Esto ocurre asimismo respecto al problema de la competencia. Algunas de las Leyes de Orden Público obran conjuntamente con los Tribunales Especiales, creados en interés de la seguridad nacional, o cuando tales tribunales ya han sido establecidos corresponde a los mismos intervenir en los actos subversivos. Tales procedimientos especialmente establecidos se apartan de los métodos normales empleados en el ejercicio de la justicia, sobre todo en lo que respecta a las garantías procesales de la persona acusada y el derecho de apelación. Pueden surgir, por lo tanto, contiendas de competencia entre las Leyes de Orden Público y las prácticas judiciales usuales. Estas no pueden resolverse automáticamente en todos los casos, aplicando la regla según la cual la primera ley anterior ha sido derogada por la posterior, o que la disposición especial substituye a la general. Tales situaciones no estimulan la confianza en el derecho y en los procedimientos legales, elementos que los Estados democrático-constitucionales se esfuerzan por defender ante el ataque totalitario.

Otra desventaja incidental de algunas de las Leyes de Orden Público reside en su mala redacción. Tienen todas las características de una medida de emergencia. Dado que deben introducir dentro de los regímenes penales nuevos tipos de conducta delictiva, a modo de ensayo, carecen de una ordenación lógica de materias y de un plan organizado, características propias de los códigos penales, los que han sido elaborados después de largos y esmerados estudios. Aunque las Leyes de Orden Público son en sí mismas codificaciones de todas las materias relacionadas con la subversión política no cabe exigir que, en lo que respecta a la organización sistemática y lógica de los elementos penales, constituyan asimismo verdaderos códigos penales. Todo lo contrario: estas leyes son de un carácter extremadamente casuístico y constituyen con frecuencia simples enumeraciones no metódicas de tipos de conducta sancionables, diferenciándose del sistema de leyes y reglamentos especiales únicamente porque comprenden en una sola ley todas las posibles infracciones respecto a la seguridad interna y externa del Estado. Es muy probable que el legislador y el juez no estén de acuerdo con un procedimiento legislativo que, dado su carácter de emergencia, afecta la integración lógica y sistemática del código penal y altera su ordenación.

No cabe entrar en detalles sobre este aspecto de las Leyes de Orden Público, ya que esta introducción general se propone únicamente señalar algunos de los problemas creados por dichas leyes. No obstante, del estudio del material se desprende que los países que cuentan con un código penal moderno no tuvieron que recurrir a la adopción de una ley de Orden Público, dado que dicho código previó muchos de los tipos delictivos que están generalmente incluídos en esta última (104). Pero ni los códigos penales más progresistas, ni las leyes de Orden Público más detalladas pudieron prever todas las formas de agresión empleadas en la agresión política. Desplegando toda su inventiva, los agentes del Eje trataron de burlar las disposiciones de las leyes de Orden Público del mismo modo que lo habían hecho con las de los códigos penales. Por un lado, las Leyes de Orden Público, tienen la desventaja de "congelar" las formas de reacción contra la agresión totalitaria, pero tie-

---

(104) El caso del Brasil merece mención especial. El nuevo Código Penal de 1940 (Decreto-Ley Nº 2848 del 7 de diciembre de 1940) ni está en conflicto con las medidas legislativas de defensa en vigor, ni las substituye. Este se ocupa únicamente de los delitos comunes, en tanto que los delitos políticos se controlan mediante medidas especiales, tales como la Ley de Orden Público de 1938 y una enorme cantidad de reglamentos sobre la defensa política del Estado.

nen en cambio la ventaja sobre los códigos penales de poder anticipar todas las formas de agresión totalitaria que se conocen en un momento dado. Sin embargo, en el Brasil, la Ley de Orden Público de 1938, fué complementada por otra amplia ley de carácter semejante cuando dicho país declaró la guerra (105).

De las observaciones precedentes se deduce la razón por la cual ninguna República Americana ha incorporado las medidas legislativas de defensa en los códigos penales en vigor, como lo hicieron algunos Estados europeos (106). Desde el punto de vista técnico, este procedimiento hubiera sido preferible, pero existen razones fundadas por las cuales las Repúblicas del Hemisferio Occidental se abstuvieron de utilizarlo. Al adoptarse las medidas legislativas de emergencia éstas se consideraron de carácter provisorio y válidas por un período de tiempo limitado, o sea mientras dure la emergencia. No cabe por ello dentro de un código penal creado para regir la vida normal de la sociedad durante generaciones. En segundo lugar, las medidas legislativas de emergencia, ya sea en la forma de Leyes de Orden Público, o de reglamentos separados, son demasiado nutridas y, además, muchas de ellas son de índole puramente administrativa y no encajan bien por lo tanto en los códigos penales permanentes. En tercer lugar, hubiera sido sumamente difícil y hasta imposible conciliar dichas medidas, con frecuencia contrarias a las garantías constitucionales y los derechos individuales establecidos, con la ordenación sistemática de un código liberal. De haber sido incorporado este material permanente, hubiera afectado seriamente la organización de los principios en que están fundados los tipos delictivos y las sanciones pertinentes.

Uno de los problemas más urgentes y más difíciles de la post-guerra será la tarea de determinar cuáles de las medidas

---

(105) Decreto-Ley Nº 4766 del 1º de octubre de 1943.

(106) Véase, por ejemplo, **The Netherlands**, Ley del 15 de setiembre de 1933 (Staatsblad 1933, p. 467) cuyo artículo 435 (a) incorporó dentro del Código Penal la prohibición de vestimentas o distintivos que denoten la opinión del que los lleve. La ley del 19 de julio de 1934 (Staatsblad 1934, p. 504) incorporó nuevas medidas de defensa política en el Código Penal. Véase Karl Loewenstein, op. cit., supra en nota 64, p 58, nota (4) y p. 77, nota (1).

legislativas para la defensa política deben mantenerse en vigor y como ajustarlas a la ideología y los procedimientos del derecho penal de los diversos códigos, ya sea mediante la incorporación en los mismos de las partes pertinentes, o modificándolas de manera de hacer de ellas instrumentos eficaces para la defensa política. Pero no cabe duda de que surgirán nuevos conceptos sobre los políticos y lo que constituye un delito político, que provocará una nueva orientación del derecho penal en el período de la post-guerra.

(4) Observaciones finales sobre las leyes de orden público.

A fin de delinear más precisamente el lugar que ocupan las leyes de orden público dentro de los regímenes legislativos de defensa, es necesario incluir algunas otras observaciones generales: (a) Las leyes de orden público no deben confundirse con las leyes que autorizan al Ejecutivo a tomar las medidas necesarias de defensa política (107). El Ejecutivo puede, en uso de sus facultades extraordinarias, dictar una ley de orden público (108) o adoptar los reglamentos legislativos ad hoc que exijan las circunstancias; (b) Las leyes de orden público no deben confundirse tampoco con las leyes extraordinarias, ya sean expedidas con anterioridad a la situación de emergencia o durante la misma, que reglamentan el estado de sitio, o como se le llame, o durante el cual el ejercicio de las facultades normales del gobierno está subordinado a las facultades extraordinarias conferidas al Ejecutivo. Estos dos tipos de leyes con frecuencia se identifican erróneamente dado que las leyes extraordinarias que rigen el estado de sitio se denominan a menudo leyes de seguridad pública. Ejemplos de tales leyes figuran en las legislaciones de Nicaragua, Colombia, Bolivia y México (109). Es a veces difícil de definir la diferencia entre

---

(107) Véase supra, p. 121.
(108) Esto ocurre en Paraguay, Decreto Nº 11.061 de febrero 16 de 1942.
(109) **Bolivia:** Decreto Supremo del 13 de abril de 1942, sobre la Seguridad del Estado. Este Reglamento de la vigilancia de los nacionales del Eje.
Colombia: Decreto Nº 2190 del 19 de diciembre de 1941 sobre la "Seguridad Pública". Su título se presta a errores ya que

ambos tipos de leyes. Estas últimas contienen numerosas disposiciones relativas a diferentes aspectos de la defensa política contra el totalitarismo de izquierda y de derecha. La "ley
de seguridad y de orden público" de 1942 (110), de Cuba, es
un ejemplo típico de esta situación, pues constituye una ley
general sobre el estado de sitio y es, además, una ley de orden
público que versa sobre la agresión política totalitaria. Ocurre
lo mismo en Venezuela (111).

III — Naturaleza de las leyes de orden público

Se da a continuación una lista, que no pretende ser completa, de lo que se entiende en este estudio por ley de orden
público, o sea una sola disposición legal que contiene una serie de amplias y detalladas medidas destinadas a defender a
los Estados democrático-constitucionales contra las tácticas de
subversión totalitarias.

(1) Argentina: Decreto Ejecutivo Nº 536 sobre la seguridad del Estado del 15 de enero de 1945.

(2) Bolivia: Decreto Ley del 27 de marzo de 1938, sobre
"Represión de toda tendencia social extremista" (112).

(3) Brasil: Decreto Ley Nº 431 del 18 de mayo de 1938,
que define crímenes contra la personalidad internacional, la
estructura y la seguridad del Estado y contra el orden social.
Esta ley se distingue por el número considerable de elementos

---

trata del Contralor de la radio y da instrucciones generales
a las fuerzas policiales.

México: Ley del 11 de junio de 1492 sobre "Preven-
              ciones generales sobre la suspensión de las
              garantías individuales". Este reglamento
              rige el orden interno cuando se suspenden
              las garantías constitucionales. Equivale, por
              lo tanto, a una ley sobre el estado de si-
              tio. Constituye una Ley de Orden Público
              únicamente en el sentido negativo de que
              elimina las dificultades constitucionales
              para la adopción de nuevas medidas de de-
              fensa política sin crear nuevos tipos de-
              lictivos.

(110) Acuerdo-Ley Nº 3 del 5 de enero de 1942.

(111) Ley del 18 de junio de 1936.

(112) Se incluye dicha ley a pesar de que está dirigida únicamente
      contra el extremismo de izquierda, por cuanto su preámbu-
      lo menciona expresamente las doctrinas y actividades anar-
      quistas, comunistas y bolchevistas.

penales creados en atención a las tácticas de subversión totalitaria. En este sentido es, quizás, la más completa de todas las medidas de la misma índole (113). Luego de la declaración de guerra Brasil adoptó una nueva ley de esta clase, el decreto ley Nº 4.766 del 1º de octubre de 1942, que define crímenes militares y contra la seguridad del Estado, y da otras providencias.

(4) Cuba: Acuerdo Ley Nº 3 del 5 de enero de 1942, titulado "Ley de Seguridad y de Orden Público".

(5) Chile: Ley Nº 6026 del 11 de febrero de 1937 sobre "Seguridad Interior del Estado". Esta Ley de Orden Público ha llamado la atención en toda la América Latina porque, además de encarar resueltamente la defensa contra la agresión totalitaria, proviene de un Estado de reconocidas tradiciones liberales y de respeto por el régimen de derecho. Estas medidas fueron complementadas en 1942 con la Ley de Seguridad Exterior (114).

(6) Paraguay: El decreto Nº 11.061 se asemeja a las leyes de orden público ya que no solamente trata de la situación especial de los nacionales del Eje después de la ruptura de relaciones diplomáticas, y contiene también disposiciones generales sobre la defensa del Estado aplicables a todas las personas.

(7) Perú: La ley Nº 8505 sobre seguridad pública del 19 de febrero de 1937 dictada casi al mismo tiempo que la ley de Chile, es en todo sentido una ley de orden público, aunque está dirigida especialmente contra el extremismo izquierdista.

(8) Uruguay: El Decreto-Ley Nº 10.279 del 19 de noviembre de 1942, en su segunda parte (Artículo 6º) participa también de las características de una ley de orden público al establecer una serie de tipos delictivos generales sancionables durante la situación de emergencia.

(9) Venezuela: La ley de 18 de junio de 1936 "para garantizar el orden público y el ejercicio de los derechos individuales" es un ejemplo no muy claro. Contiene algunas disposi-

---

(113) Véase un comentario y exposición autorizada sobre esta ley, Raúl Machado, Delitos contra a Ordem Política e Social, São Paulo, 1944. (Su autor es Juez del Tribunal de Segurança Nacional).
(114) Nº 7401 del 31 de diciembre de 1942.

ciones generales de emergencia (115); además trata del ejercicio de los derechos individuales (tales como los de reunión y de asociación) cuando se suspenden las garantías constitucionales.

Casi todos los otros Estados latino-americanos que constituyen la mayoría —y sin considerar por el momento a los Estados Unidos— recurrieron en materia de defensa política a la adopción de reglamentos o disposiciones legislativas **ad hoc** y no formularon dentro de una sola ley, una recopilación minuciosa de las medidas de defensa.

El plan general de esta obra no permite una exposición detallada de la naturaleza de las leyes de orden público, ya que está limitado, como se ha dicho, a una consideración de las materias comprendidas en las resoluciones del Comité, que se fundaron en la Resolución XVII de la Conferencia de Río de Janeiro. No obstante, a fin de dar al lector una idea general del alcance de estas recopilaciones minuciosas de las medidas de emergencia, destinadas principalmente al contralor de las actividades subversivas totalitarias, se incluyen aquí, en forma esquemática, los tópicos más importantes en que pueden agruparse tales actos, clasificando dentro de los mismos los preceptos de las nueve disposiciones legislativas enumeradas precedentemente (116).

Este anáisis demostrará que, aunque las leyes de orden público enumeran los delitos políticos, dicha enumeración no equivale a una clasificación sistemática. En realidad, las leyes de orden público son poco menos casuísticas que las normas o reglamentos aislados adoptados por otros Estados en materia de defensa política. No obstante, un resumen sobre la naturaleza de las leyes de orden público, aunque breve, contribuirá a

(115) Sobre huelgas (Art. 29); propaganda política ilícita (Arts. 3 y sigts.).

(116) A fin de evitar las repeticiones innecesarias, al enumerar en las notas siguientes el contenido de las leyes en forma sistemática, se hace referencia a las mismas con el nombre del país respectivo. En Brasil y Chile existen dos leyes de esta naturaleza. Estas se distinguen por los números romanos I y II. En la compilación a publicarse se incluirá el texto completo de algunas de estas leyes. Cumple señalar asimismo que muchas disposiciones de las Leyes de Orden Público figuran en diferentes secciones de la obra, bajo el tópico correspondiente.

la apreciación de la amplitud y habilidad de la agresión política y de las medidas correspondientes adoptadas por parte de los Estados democrático-constitucionales. Este "compte-rendue" permite una comprensión directa de las múltiples variaciones de la agresión política aplicada por los totalitarios.

Existen en estas leyes numerosos tipos delictivos que no se hubieran admitido dentro de ningún código liberal; sin embargo, cada uno de ellos corresponde a una actividad subversiva real, comprendida dentro del vasto repertorio totalitario, que los códigos penales vigentes no reprimían adecuadamente.

A. Medidas para la protección de la seguridad interna del Estado

Por regla general, las leyes de orden público no hacen distinción entre las medidas para la protección de la seguridad interna y las que se relacionan con la seguridad externa del Estado, por estar destinadas a salvaguardar la existencia e integridad del Estado, como una entidad propia. Entre las medidas adoptadas con el propósito de castigar los actos de sedición o de violencia manifiesta contra el gobierno constituído, tes: incitación a la rebelión o revolución contra el gobierno constituído (117); incitación a la rebelión o cualquier forma de violación contra las instituciones (118); todos los actos destinados a provocar la guerra civil (119); o a prometer o entregar recompensas o elementos para facilitar las actividades contra la Constitución (120); la oposición al libre funcionamiento de los poderes públicos (121). Se protegen en particular la vida y la liber-

---

(117) Brasil I: Artículo 3, Nº 14.
   Chile: I: Artículo 1, Nº 2.
   Perú: Artículo 1, Nº 15; Artículo 2, Nº 4; Artículo 3.
   Cuba: Arts. 32-48 (sobre el "estado de guerra interior en caso de sedición o rebelión).
   Véase asimismo Cuba: Arts. 49-51 sobre "Infracciones a la Constitución, a la seguridad y al orden público".
(118) Brasil I: Artículo 3, Nº 1; Artículo 2, Nº 6.
   Chile I: Artículo 1, Nº 3.
   Perú: Artículo 1, Nº 3.
(119) Brasil I: Artículo 2, Nº 7.
(120) Argentina: Artículo 5, 1.
(121) Brasil I: Artículo 3, Nº 7.

tad del Presidente de la República, de los Ministros de Estado y otros funcionarios importantes (122). Se castigan los atentados contra las personas o la propiedad por razones ideológicas (doctrinarias, políticas o religiosas) (123). Una disposición pertinente, de una amplitud y elasticidad notables, prohibe "rebelarse contra la ley, orden o decisión destinada a atender los intereses nacionales" (124), que puede avaluarse al delito de instigación a la desobediencia colectiva de leyes y reglamentos, la instigación al crimen o la apología de crímenes y criminales (125). Otra ley de orden público prohibe "intentar subvertir por medios violentos el orden político y social, con el fin de apoderarse del Estado para el establecimiento de la dictadura de una clase social" (126). En Argentina, cuya organización política es la de un Estado federal, se castiga la promoción de discordias o antagonismo entre los distintos cuerpos, instituciones u organismos del gobierno federal y las provincias (127).

B. Medidas para mantener la lealtad de las fuerzas armadas.

En vista de que puede surgir la necesidad de utilizar las fuerzas policiales y armadas del Estado contra fuerzas subversivas militarizadas, uno de los cometidos importantes de las leyes de orden público es evitar que los miembros de las fuerzas armadas sean víctimas de la propaganda subversiva y que, en caso de una emergencia interna, se mantengan fieles a las autoridades del gobierno constituído. Es evidente que la lealtad de las fuerzas armadas es la piedra angular de la defensa política. Si bien es verdad que el soldado raso se inclinaría más fácilmente al extremismo de la izquierda, no puede negarse que los oficiales desleales son más susceptibles

---

(122) Brasil I: Artículo 3 Nos. 2 y 6; Artículo 2, Nº 9.
  Brasil II: Arts. 34, 35 y 36.
  Perú: Artículo 2, Nos. 1 y 2.
(123) Brasil I: Artículo 3, Nº 16.
  Brasil II: Artículo 27.
  Perú: Artículo 1, Nº 1; Artículo 2, Nº 6; Artículo 2, Nº 9.
  Cuba: Artículo 50, letras B y C.
(124) Brasil II: Artículo 31.
  Brasil I: Artículo 3, Nº 9; arts. 5 y 6.
  Argentina: Artículo 7.
(125) Brasil I: Artículo 3, Nos. 11, 19 y 20.
(126) Brasil I: Artículo 2, Nº 5.
(127) Argentina: Artículo 6.

a las ideas totalitarias. Las ideologías fascistas realzan las cualidades que caracterizan, en general, a los cuerpos de oficiales, o sea la obediencia, la disciplina y el patriotismo. La experiencia ha demostrado que los oficiales profesionales no saben generalmente distinguir entre el patriotismo lícito y el patriotismo ilícito y les atrae la afinidad militar y las tácticas de mando y subordinación que son los rasgos totalitarios preponderantes. Las leyes de orden público no distinguen generalmente entre las diferentes ideologías subversivas y totalitarias. Están dirigidas contra cualquier infiltración subversiva que amenace la integridad de las fuerzas armadas y pretenda socavar su lealtad hacia el gobierno constituído. Entre las medidas de esta clase figura el delito de "inducir a los miembros de las fuerzas armadas a la indisciplina, a la desobediencia de sus superiores o de los poderes de la Nación" (128). En atención a la experiencia obtenida sobre el particular, se ha incluído otra cláusula que prohibe "instigar o promover la comisión de delitos establecidos en la ley entre los componentes de las fuerzas armadas o alumnos de establecimientos de enseñanza oficiales o particulares" (129).

Existen disposiciones especiales relativas a la provocación de animosidad entre los miembros de las fuerzas armadas y las autoridades civiles del Estado, una situación que debilita asimismo la estabilidad interna del Estado (130).

Huelga decir que en una época de conflictos internos el poder militar del Estado, base de la defensa nacional, está protegido ampliamente por las leyes. Entre éstas existen numerosas disposiciones que versan sobre los delitos cometidos por o contra los oficiales del ejército (131), la realización, con detrimento de las fuerzas armadas, de ciertos delitos previstos en otras leyes (132) y la falta de aprovisionamiento o aprovisionamiento defectuoso de las fuerzas armadas (133).

---

(128) Brasil I: Artículo 3, N° 13; Artículo 18.
Chile I: Artículo 1, N° 1.
Perú: Artículo 1, N° 11.
(129) Argentina: Artículo 43, N° 4.
(130) BrasilI: Artículo 3, Nos. 15 y 24.
(131) Brasil II: Artículos 2 al 17.
Perú: Artículo 10.
(132) Argentina: Artículo 28. Se refiere al Art. 173 del Código Penal (acciones fraudulentas en detrimento del Estado).
(133) Argentina: Artículo 27.

Estas están exentas de castigo en caso que hagan uso de las armas para controlar o evitar cualquier atentado o para apre-hender a los culpables (134).

C. Medidas para mantener la lealtad de los funcionarios públicos.

Surge otro importante problema de defensa política cuan-do la acción subversiva influye sobre la lealtad de los funcio-narios y empleados públicos. Cuando un movimiento revolu-cionario consigue penetrar en la administración pública puede llegar a paralizar la propia vida del Estado. Los totalitarios tenían la costumbre de formar "células" de sus partidarios y hasta de sus propios miembros dentro de las oficinas públi-cas, teniendo así acceso a los diversos departamentos adminis-trativos. La experiencia ha demostrado que una democracia está al borde de la ruina cuando los altos funcionarios del go-bierno, en connivencia con las actividades subversivas, no ha-cen cumplir las órdenes de las autoridades políticas; o cuando los empleados del gobierno, en vez de hacer cumplir la ley, in-forman a los opositores sobre las medidas de contralor que van a adoptarse; o cuando los miembros de la magistratura, que secretamente simpatizan con el totalitarismo, demoran o no llevan adelante el proceso y la condena de los violadores de la ley. Ningún Estado digno que se respete a sí mismo podrá tolerar las actividades subversivas por parte de sus emplea-dos públicos. Por lo tanto, las medidas de seguridad contra las actividades subversivas de los funcionarios del gobierno y de las cortes se consideran de máxima importancia. Justifi-cadamente en el caso de los funcionarios públicos, se conside-ra más importante su fidelidad hacia el Estado que su liber-tad de oposición política al gobierno que les depara la subsis-tencia.

Las disposiciones de algunas leyes de orden público diri-gidas contra la deslealtad de los funcionarios públicos ponen de manifiesto el reconocimiento de este peligro por parte de

---

(134) Perú: Artículo 15.
   Venezuela: Arts. 38-39. Véase asimismo Venezuela, Artículo 41, que autoriza el empleo de las fuerzas policiales para controlar los disturbios públicos).

los Estados democrático-constitucionales (135). En particular, se prohibe la participación de dichos funcionarios en las asociaciones subversivas. Merecen sanciones cuando se abstienen de tomar las medidas necesarias para el contralor de los actos delictivos (136). A esta clase de medidas pertenece también la que prohibe la instigación a los funcionarios a cesar colectivamente en su trabajo (137).

D. Medidas para la prevención del porte de armas y municiones con propósitos subversivos.

Las medidas dirigidas contra la fabricación, posesión, porte y empleo de armas, ilícitamente, y con intención de promover una guerra civil, están relacionadas estrechamente con la salvaguardia de la tranquilidad interna y el orden público. Las prohibiciones contra la militarización de los movimientos subversivos, que figuran en los códigos de casi todas las Repúblicas Americanas, tendrían escasos resultados si no estuvieran acompañados con el contralor efectivo de las armas peligrosas que puedan utilizarse en una subversión interna. La prohibición del uso y posesión de armas, municiones, explosivos, etc. está incluída en casi todas las leyes de orden público (138), ampliando los reglamentos vigentes. En tiempos de guerra ésta abarca asimismo el contrabando de armas y otros instrumentos de guerra y el tráfico con los mismos sin la debida autorización (139).

---

(135) Argentina: Artículos 43, Nos. 1 y 2.
Brasil I: Artículo 3, Nos. 21 y 28; arts. 9, 11, 12 y 18.
Chile I: Artículo 1, Nº 10; arts. 6 y 7.
Perú: Artículo 1, Nº 14; artículo 2, Nº 3; arts. 10, 11, 16, 17 y 18.
(136) Brasil I: Artículo 3, Nº 30.
(137) Brasil I: Artículo 3, Nº 3.
(138) Brasil I: Artículo 3, Nos. 18 y 29.
Chile I: Artículo 2, Nº 3; artículo 24.
Paraguay: Artículo 3.
Perú: Artículo 1, Nos. 6, 7 y 16; Arts. 2, Nos. 5, 6 y 7.
Venezuela: Artículo 40.
(139) Brasil II: Artículo 37.
Chile I: Artículo 2, Nº 3.
Chile II: Artículo 1, letra F.
Perú: Artículo 11.

E. **Medidas para la prevención del sabotaje.**

Los actos de sabotaje pueden, aunque no siempre, afectar la seguridad interna. En épocas de guerra están claramente destinados a socavar el esfuerzo bélico de una nación. En las leyes de orden público más recientes esta categoría de delitos políticos ocupa un lugar preponderante y abarca todos los servicios públicos que puedan afectar la seguridad interna o la defensa nacional. Casi todos los códigos penales permanentes contienen amplias disposiciones para el castigo de actos de sabotaje o de destrucción de los servicios públicos. No obstante, la casi totalidad de las leyes de orden público intensifican y fortalecen tales medidas (140).

F. **Medidas para el contralor de la propaganda subversiva.**

Las disposiciones de las leyes de orden público que tratan de la propaganda subversiva en todos sus aspectos y aplicaciones son, tal vez, las más numerosas y precisas, y, al mismo tiempo, las que presentan mayores innovaciones en el campo del derecho penal. Es poco menos que imposible agrupar estas disposiciones lógicamente o apartarlas de una manera bien definida de otros tipos de actividades subversivas que se valen de la propaganda para su realización. No obstante, es posible clasificarlas en una manera general que permite al mismo tiempo apreciar las tácticas del ataque totalitario.

1. **La propaganda en general.**

Las leyes de orden público prohiben en una manera general la propaganda dirigida contra el orden político-social y la organización constitucional del Estado cuando implica el uso o es condenada por la violencia (141). La incitación al

---

(140) Argentina: Arts. 32, 37, 38. Véase asimismo arts. 36, 40, 41.
Brasil I: Artículo 2, Nº 8; artículo 3, Nº 12.
Brasil II: Arts. 38-42 y 49-52.
Chile I: Artículo 2, Nº 2.
Chile II: Artículo 1, letra H.
Paraguay: Artículo 3.
Perú: Artículo 2, Artículo 2, Nº 8.
Uruguay: Artículo 6, letra M.
Venezuela: Artículo 41.
(141) Argentina: Artículo 1.
Brasil I: Artículo 3, Nº 9; arts. 5 y 6.

odio entre las clases sociales o a "la lucha por la violencia" (142) se consideran también como propaganda subversiva. Otras disposiciones tratan de los medios utilizados en la difusión de la propaganda subversiva, ya sea la prensa, la radio u otros órganos (143). Se prohibe la difusión de propaganda subversiva (144), y se establece que el material pertinente puede ser confiscado en la Aduana o en el Correo (145).

2. La subversión por medio de noticias falsas.

Un instrumento importante de la propaganda subversiva ideado por los totalitarios consiste en la invención y propagación de rumores infundados, o la falsificación o tergiversación de las noticias, y la difusión de afirmaciones perniciosas respecto al Estado y sus instituciones las que pretenden perjudicar la reputación del Estado, poner en peligro el orden interno del mismo, o sus relaciones con otros Estados. Tales declaraciones se formulan en reuniones públicas, en la prensa, por medio de las murmuraciones y rumores, y por todos los medios de publicidad. Las leyes de orden público protegen las instituciones y la reputación del Estado en general contra la hábil tergiversación de los hechos, aunque estos no sean sediciosos o infamantes (146).

Chile I: Artículo 1, Nº 4 y artículo 14 (definición de la propaganda) Artículo 13 (Definición de la publicidad de propaganda.
Perú: Artículo 1, Nº 3.
Venezuela: Artículo 13 (La ley venezolana está dirigida solamente contra el comunismo, el anarquismo y el terrorismo).
(142) Brasil I: Artículo 3, Nº 10.
(143) Argentina: Artículo 5, Nº 2.
Brasil I: Artículo 4.
Chile I: Arts. 8, 9, 10, 14.
Venezuela: Artículo 36.
(144) BrasilI: Artículo 5.
Chile I: Artículo 5.
Paraguay: Artículo 10.
(145) Chile I: Artículo 5.
Perú: Artículo 11.
(146) Argentina: Artículo 8.
Brasil I: Artículo 3, Nº 26.
Brasil II: Arts. 29 y 30.
Chile I: Artículo 1, Nº 9.
Chile II: Artículo 1, letra G.
Perú: Artículo 1, Nº 2.

3. Medidas para la protección del prestigio de las instituciones democráticas.

Un aspecto importante de la propaganda totalitaria, que en manos de los estrategas del Eje ha alcanzado un alto grado de perfección, consiste en dirigir críticas injuriosas contra las instituciones democráticas y los principios que éstas sustentan. Entre las múltiples tácticas totalitarias, una de las más eficaces es el menosprecio del sistema democrático, la detractación de sus principios y la difamación de sus funcionarios y sus símbolos. Todos estos ataques insidiosos pueden presentarse con la apariencia de justos propósitos de reforma social y política. Al realizar estos ataques, los totalitarios van siempre más allá de una crítica justificada de las instituciones políticas, difamándolas deliberadamente a fin de socavar la confianza del pueblo en las mismas. La propaganda subversiva atacó especialmente el sentimiento del pueblo por el simbolismo político del Estado democrático-constitucional. Por consiguiente, las leyes de orden público prohiben el ultraje de la bandera, himno nacional, escudo, etc. del Estado (147) y de la Nación, el gobierno, las instituciones y las autoridades en general (148). También se prohibe la injuria a los poderes públicos (149). Por otro lado, se prohiben especialmente en las leyes de orden público, y en los reglamentos en vigor con anterioridad a las mismas, el simbolismo antidemocrático, tales como uniformes de partidos políticos, banderas, himnos, distintivos y otros símbolos que exteriorizan solidaridad con un grupo o movimiento revolucionario (150).

---

(147) Argentina: Artículo 9 (los símbolos de las fuerzas armadas).
Chile I: Artículo , Nº 1.
Uruguay: Artículo 6, letra K.
Venezuela: Artículo 35 (incluye injuria a la persona de Bolívar).

(148) Brasil II: Artículo 28 y las leyes a que se refiere la nota precedente.

(149) Brasil: Artículo 3, Nº 25.

(150) Argentina: Artículo 10.
Brasil I: Artículo 8.
Chile I: Artículo 4.
Paraguay: Artículo 8 (se refiere a la erección de estatuas y bustos).
Perú: Artículo 1, Nº 10.

G. Medidas relativas a la organización subversiva.

Se ha recalcado varias veces en esta Introducción General que la innovación más destacada en materia de agresión política, desarrollada y puesta en práctica por el Eje, consiste en la hábil combinación de los elementos de propaganda y de organizaciones subversivas. Por consiguiente, las leyes de orden público se ocuparon casi tan extensamente de la organización subversiva como de las medidas dirigidas contra la propaganda. Las normas utilizadas en la propaganda subversiva son aplicables asimismo a las organizaciones, y, en realidad, con frecuencia estos dos procedimientos de infiltración totalitaria se han considerado como un solo tipo delictivo. Existen prohibiciones contra los partidos políticos contrarios al régimen democrático (151), y contra cualquier clase de asociación u organización subversiva, aún cuando éstas no lleven el nombre o no actúen como un partido político. Casi todas las leyes de orden público contienen disposiciones contra las organizaciones subversivas en general (152).

Las organizaciones o agrupaciones de carácter militar que atacan el monopolio de las fuerzas armadas por el gobierno legalmente constituído, representan un grave peligro a la integridad de los Estados democrático-constitucionales. Este tipo de organización subversiva está íntimamente relacionado con el uso de uniformes de partidos. Estos últimos influyen, por su efecto psicológico, en la reacción de un espíritu de deslealtad e insubordinación; pero no son más que una parte incidental de las organizaciones militares en sí, que entrenan a sus miembros en el uso de las armas con intenciones bélicas y los someten a una disciplina rigurosa y lealtad estricta para con los líderes. La prohibición de las organizaciones militares particulares fué en muchos Estados una de las primeras medidas de defensa política adoptadas y existen reglamentos especiales sobre este aspecto de la subversión totalitaria. Se

(151) Chile I: Artículo 3.
(152) Argentina: Arts. 2 y 3.
Brasil I: Artículo 3, Nº 8.
Chile I: Artículo 1, Nº 5; artículo 3.
Chile II: Artículo 1, letra L.
Paraguay: Arts. 5 y 9.
Perú: Artículo 1, N.os 4 y 5.
Uruguay: Artículo 6, letras I y J.

encuentran también en las leyes de orden público (153).

Las organizaciones se transforman en subversivas cuando están relacionadas con personas o entidades extranjeras enemigas de los principios de los Estados democráticos-constitucionales. Por consiguiente, además de los reglamentos especiales existentes las leyes de orden público prohiben que las organizaciones nacionales mantengan relaciones o estén afiliadas con tales grupos extranjeros (154). Dado que las asociaciones subversivas pueden contaminar a los institutos de enseñanza, algunas de las leyes de orden público contienen disposiciones contra la propaganda y organización subversiva en las escuelas y proscriben la vinculación del personal docente con las organizaciones prohibidas (155).

H. Medidas sobre reuniones subversivas.

El derecho de reunión puede ser utilizado para los fines de la propaganda subversiva y facilita al mismo tiempo la organización subversiva. Las leyes de orden público restringen esta libertad constitucional cuando es utilizada con fines subversivos (156). Una medida muy acertada para el contralor eficaz de las reuniones subversivas consiste en prohibir que se pongan a disposición locales para tales reuniones ilícitas (157).

I. Medidas para el contralor de extranjeros.

Se ha señalado en varias ocasiones a lo largo del presente

---

(153) Brasil I: Artículo 3, N.os. 4, 5 y 6; artículo 8.
(154) Argentina: Artículo 5, Nº 3.
     Chile I: Artículo 1, Nº 6.
     Perú: Artículo 1, Nº 5.
     Uruguay: Artículo 6, letra L.
     Venezuela: Arts. 21-28.
(155) Brasil I: Artículo 14.
     Perú: Artículo 10.
(156) Chile: Artículo 1, Nº 11.
     Cuba: Artículo 28.
     Paraguay: Artículo 1, letra (a).
     Perú: Artículo 1, Nº 12.
     Uruguay: Artículo 6, letra L.
     Venezuela: Arts. 4-15, 37 y 38.
(157) Argentina: Artículo 5, Nº 2.
     Chile I: Artículo 1, Nº 12.
     Chile II: Artículo 1, letra K.
     Perú: Artículo 1, Nº 13.

estudio, que el contralor de los elementos extranjeros no se refiere únicamente a las actividades subversivas de los que residen en el territorio nacional y caen dentro de la competencia del Estado, sino también a las influencias subversivas ejercidas desde el exterior sobre las condiciones y la política interna. Por consiguiente, las leyes de orden público prohiben mantener relaciones con personas, grupos o entidades extranjeros o actuar conforme a órdenes de los mismos (158) y castigan a los extranjeros que acepten subvenciones para la realización de actos ilícitos (159). Es evidente que tales actividades afectan asimismo la seguridad externa del Estado y pueden resultar en actos de espionaje o en la obtención de información perjudicial para la seguridad nacional (160). Aunque un número considerable de medidas especiales tratan de la posición y las condiciones de los extranjeros, las leyes de orden público no dejaron de complementarlas con diversas disposiciones sobre la prohibición y las condiciones de entrada (161), la privación de la nacionalidad (162), expulsión (163), internacional (164), registro (165), residencia (166), el contralor

---

(158) Argentina: Artículo 5, Nº 3; artículo 21; artículo 43, Nº 3.
Brasil I: Artículo 2, Nº 4.
Chile I: Artículo 1, N.os. 6 y 8.
Chile II: Artículo 1, letra I.
Perú: Artículo 1, Nº 5.
Uruguay: Artículo 6, letra L.
Venezuela: Artículo 21.

(159) Argentina: Artículo 5, Nº 3.
Chile I: Artículo 1, Nº 7.
Chile II: Artículo 1, letra j.

(160) Véase Argentina, artículo 23 (realización de actos oficiales ú órdenes o resoluciones de un estado extranjero en el país o ejecutar para el servicio de información u otra actividad tendiente a que ellas se hagan efectivas).

(161) Chile I: Arts. 15 y 19.
Paraguay: Artículo 1, letra (b); artículo 13.

(162) Argentina: Artículo 42, Nº 2.
Brasil I: Artículo 16.
Paraguay: Artículo 15.
Perú: Artículo 12.

(163) Argentina: Artículo 42, Nº 2; artículo 11.
Chile I: Arts. 16 y 17.
Perú: Artículo 12.
Venezuela: Artículo 43.

(164) Cuba: Arts. 15-18.

(165) Chile I: Artículo 18.
Paraguay: Artículo 2.

de las actividades de los extranjeros (167). Como materias excepcionales, puede señalarse la definición de extranjeros enemigos (168) y la protección de los extranjeros no peligrosos (169).

J. Medidas contra los disturbios subversivos de la vida económica y las relaciones de trabajo.

En nuestra época, en que la economía de una nación influye en gran parte sobre su actividad política, puede decirse que la vida económica es una función de la política. Por lo tanto, los disturbios y la inquietud popular producidos por factores económicos constituyen un peligro para la tranquilidad pública y perturban el orden público al igual que los factores políticos. Los agentes del Eje encargados de la agresión política sabían bien que la economía y la política de una nación están íntimamente relacionadas. Por lo tanto, las leyes de orden público debieron tratar extensamente de elementos delictivos de un tipo enteramente nuevo que se denominan generalmente "crímenes contra la economía popular y la tranquilidad del derecho de trabajo". En primer lugar, se incluyen disposiciones sobre huelgas que se consideran ilícitas, ya sea porque el régimen en vigor no las permite o porque se ha establecido un sistema adecuado para solucionarlas (170). En segundo lugar, se controlan las violaciones de los procedimientos normales económicos, tales como la manipulación ilícita de los precios de artículos de consumo y otras mercaderías (171) y las deficiencias intencionadas en el abastecimiento y los servicios públicos que afecten a la comunidad, (172). Una

---

(166) Chile II: Artículo 8, letras C y D.
Paraguay: Artículo 4.
(167) Paraguay: Arts. 1, 3 y 14.
(168) Cuba: Artículo 14.
(169) Paraguay: Artículo 6.
(170) Argentina: Arts. 33-36.
Brasil I: Artículo 3, N.os 21 y 22.
Brasil II: Arts. 33 y 42.
Chile I: Artículo 2, Nº 4.
Perú: Artículo 1, N.os 8 y 9.
Venezuela: Arts. 29-32.
(171) Brasil I: Artículo 3, Nº 23.
Brasil II: Artículo 43.
(172) Argentina: Artículo 27.
Brasil II: Artículo 32.

cantidad de disposiciones de índole económica se han originado debido a las condiciones de guerra, tales como "ocultar, destruir o hacer salir del país bienes necesarios para la defensa nacional" (173) o la proscripción de relaciones económicas con los extranjeros enemigos (174), o el contrabando de artículos cuya exportación ha sido prohibida, (175).

K. Medidas para la protección de la seguridad exterior del Estado.

Según lo expuesto en una sección anterior de esta introducción general (176), a raíz de una nueva ideología internacional ha desaparecido casi por completo la división tradicional entre la seguridad interior y exterior del Estado, y que cualquier amenaza a la estabilidad interna de un Estado democrático-constitucionad constituye, directa o indirectamente, un peligro para su existencia exterior, o sea su subsistencia como Estado independiente. Es por esta razón que las leyes de orden público se dedican más especialmente a la protección de la seguridad interna que al contralor de actos que afectan directamente la integridad y existencia del Estado. También es posible que al formular las leyes de orden público se estimó, justificadamente, que las disposiciones de los códigos penales vigentes sobre atentados contra la seguridad externa del Estado bastaban para controlar los actos manifiestos de traición o connivencia con Estados extranjeros en perjuicio de la Nación. No obstante, algunos de ellos contienen disposiciones de esta naturaleza, tales como la tentativa de subyugar el territorio a la soberanía de un gobierno extranjero (177), o la conspiración con un Estado extranjero contra la integridad y la unidad de la Nación (178), o la tentativa, a mano armada, de dividir el territorio nacional (179). Una de las leyes de orden público establece la creación de tribunales especiales pa-

---

(173) Argentina: Artículo 30.
(174) Argentina: Artículo 31, N.os. 1 y 2.
Brasil II: Artículo 22.
(175) Brasil II: Artículo 37.
(176) Véase supra, p.
(177) Brasil I: Artículo 2, Nº 1.
(178) Brasil I: Artículo 2, Nº 2.
Argentina: Artículo 12.
(179) Brasil I: Artículo 2, Nº 3.

ra pronunciarse sobre actos de traición, espionaje y otros delitos contra la seguridad exterior (180).

La agresión totalitaria ha provocado en el Hemisferio Occidental una intensificación notable de la solidaridad panamericana, situación que se refleja en las nuevas medidas de emergencia. Cualquier acto de agresión dirigido contra uno de los miembros de la comunidad de Naciones Americanas, o, en tiempos de guerra, contra un aliado de una Nación Americana, constituye, por su naturaleza, un acto de agresión dirigida contra todas y cada una de las Repúblicas Americanas. De este reconocimiento del destino común de los Estados Americanos ha surgido un nuevo tipo de medidas legislativas que protegen la seguridad externa de un Estado Americano mediante el castigo de actos de agresión u otros actos perjudiciales dirigidos contra cualquier otro Estado Americano (181). Por medio de las leyes de orden público se incluyeron dentro de la legislación nacional estos elementos delictivos sobre lo que podría llamarse la seguridad internacional del Estado (182). Desde este punto de vista corresponde castigar cualquier acto destinado a fomentar el esfuerzo bélico de una nación enemiga de un Estado Americano o la contribución, sea cual fuere, de su capacidad bélica. Esto incluye la ayuda a un Estado en guerra con una Nación Americana, sea ésta de índole militar, política o económica (183). Se proscribe asimismo la propaganda que

---

(180) Cuba: Artículo 3; los Tribunales de Urgencia dictan sobre traición, espionaje y los delitos incluídos en los arts. 102-113 del Código Penal Militar y varios otros delitos de carácter público que le son asignados. Véase asimismo artículo 47.

(181) Véase la exposición sobre este aspecto importantísimo, infra, sección VIII.

(182) Véase supra, p. 55.

(183) Chile II: Artículo 1, letra D.
Uruguay: Artículo 6, letra A - E. — Las disposiciones uruguayas están detalladas minuciosamente y versan sobre: participación en la guerra contra un estado americano (letra A); corrupción para cumplir actos contrarios a los intereses del país o de América (letra B); mantenimiento de inteligencias con el enemigo en perjuicio de los intereses panamericanos (letra C); suministro a un estado extra-continental, en guerra contra un estado americano, de medios o bienes para utilizarse en actos en contra de cualquier estado americano (letra D); favorecimiento económico de un estado extra-continental en guerra con un estado americano (letra E).

ponga en peligro la seguridad de las Repúblicas Americanas o las relaciones entre las mismas, o que suscite disensiones políticas o sociales (184), y el envío al extranjero de informaciones que puedan perjudicar las relaciones amistosas con los gobiernos extranjeros (185).

Es natural que se castiguen asimismo las actividades destinadas a derrocar, o substituir por otro, el gobierno de un Estado Americano, como también las actividades e intrigas contra una Nación aliada en guerra contra un enemigo común (187).

En contraste con las tácticas de intervención utilizadas por el Eje, algunas disposiciones de las leyes de orden público encarecen el respeto de los Estados, gobiernos e instituciones extranjeras. Se prohiben las ofensas contra la dignidad del jefe de un Estado extranjero o de su representación diplomática, las manifestaciones de desacato contra la bandera, escudo e himno nacional de un Estado extranjero y los atentados contra el edificio de una representación diplomática extranjera (188).

L. Medidas dirigidas contra el espionaje.

En los sistemas tradicionales de derecho penal los actos de espionaje encuadran dentro de la seguridad externa del Estado porque tienden a favorecer a un Estado extranjero, ya sea en preparación para la guerra o durante la misma. No

---

(184) Paraguay: Artículo 7.
　　Brasil I: Artículo 3, Nº 17, prohibe también la propaganda en pro de la guerra, pero debe tenerse presente que la Ley de Orden Público de 1938 fué dictada en una época de paz.
(185) Argentina: Artículo 16.
(186) Argentina: Artículo 4.
(187) Argentina: Artículo 13.
(188) Argentina: Artículo 15, Nos. 1, 2 y 3.
　　Brasil II: Arts. 19-21 (espionaje militar); arts. 46-48 (espionaje político). Véase asimismo arts. 23-26 sobre los medios que pueden utilizarse para el espionaje (comunicaciones, fotografías, etc.).
　　Cuba: Artículo 3; arts. 19-23 (se refieren a la revisación y censura de la correspondencia como medida de contralor contra el espionaje).
　　Chile II: Arts. 1, letras A, B, C y E; véase asimismo artículo 8, letras a y b.
　　Paraguay: Artículo 3.
　　Uruguay: Artículo 6, letras F y G.

obstante, debido a la fusión de la seguridad interior y exterior del Estado a consecuencia de la agresión totalitaria, un espía no se dedica exclusivamente a asuntos militares. Hoy en día, de acuerdo a la agresión política totalitaria, el espionaje es de índole militar, económica y política. Ajustándose a este nuevo concepto del espionaje, las leyes de orden público incluyen generalmente disposiciones detalladas contra actos de espionaje militar, político y económica (189).

---

(189) Argentina: Artículo 17-20 y 22.
  Brasil II: Artículos 19-21 (espionaje militar); artículos 46-48 (espionaje político). Véase asimismo artículos 23-26 sobre los medios que pueden utilizarse para el espionaje (comunicaciones, fotografías, etc.).
  Cuba: Artículo 3; artículos 19-23 (se refieren a la revisación y censura de la correspondencia como medida de contralor contra el espionaje).
  Chile II: Artículos 1, letras A, B, C y E; véase asimismo artículo 8, letras a y b.
  Paraguay: Artículo 3.
  Uruguay: Artículo 6, letras F y G.

A. CONTRALOR DE EXTRANJEROS

INTRODUCCION

I. El extranjero en los pueblos antiguos

Si fuera necesario, sin entrar a perfilar los matices, sintetizar la condición del extranjero en las sociedades antiguas, habría de señalarse, como rasgo general predominante, la idea de desconsideración, de desconfianza y hasta de desprecio, impresa en las costumbres y en la práctica de las actividades civiles, sociales y políticas.

La concepción antigua del extranjero está radicalmente influída, primero, por la guerra hostil y cruenta, por la enemistad recíproca de las hordas y de las tribus y, luego, por la religión, por la idea de predominio y exclusividad de los dioses locales, cuya veneración es vínculo de unión y comunidad, pero que es también, en cuanto la divinidad cesa de ser común, el linde diferenciador de una y otra agrupación social.

El primer gesto del hombre primitivo frente a otro de un grupo distinto es, por ello, el de llevar la mano al arma en actitud de ataque o de defensa. Andando el tiempo y por igual causa, la interpretación sociológica ha podido ver, no sin razón, en la diestra tendida entre dos hombres que se acercan —actitud conservada, a través de la historia, en el saludo moderno— la seguridad simbólicamente expresada de que no han de hacer uso de sus armas.

La diferencia de cultos y sentimientos religiosos, la ofrenda a dioses distintos que los de la ciudad, lleva consigo la noción de diversidad, la idea de violación a las reglas del ritual propio de la comunidad, el concepto que singulariza a lo foráneo y que necesariamente lo excluye. Por esta razón y basándose en la autoridad de Fustel de Coulanges, ha podido observar Weiss que el "carácter común a todas las teocracias, es decir, a todas las sociedades dominadas y absorbidas por la idea religiosa, es el desprecio del extranjero" (1).

(1) "El nacional es el elegido de la Divinidad; el extranjero es un ser impuro, excluído de la religión y, por consecuencia, de todos los derechos de la cual ella es la fuente: "El ciudadano, dice Fustel de Coulanges, es el hombre que posee la religión de la ciudad; es aquel que honra los mismos dioses que ella...

Naturalmente que, como toda generalización, la precedente admite muy diversas excepciones. Por circunstancias y razones distintas, la gran mayoría de los pueblos de la antigüedad, las organizaciones teocráticas inclusive, han dispensado casi siempre al extranjero, bajo ciertas condiciones y por aplicación de hábitos e institutos jurídicos diferentes, un tratamiento que a menudo disipa, al menos en parte, ese concepto tan generalizado de hostilidad y de desigualdad. Las instituciones romanas, por ejemplo, proscribían la hospitalidad y el tratamiento humanitario respecto de ciertas clases de extranjeros. Al famoso principio de las Doce Tablas, "adversus hostem aeterna auctoritas" —contra el extranjero están eternamente la ley o la autoridad—, que puede ciertamente ser invocado como norma reguladora de las relaciones de Roma con los bárbaros, es dable oponer en efecto los preceptos en que se funda el tratamiento otorgado a los peregrinos, esto es, a los extranjeros cuyas naciones se hallaban vinculadas al imperio por tratados, o a los latinos, pobladores antiguos del Lacio y de las viejas colonias latinas. Las instituciones del más autorizado sistema de derecho de la antigüedad fueron vaciándose en moldes peculiares, de acusadas diferencias, según las circunstancias y las condiciones especiales inherentes a cada una de las categorías de extranjeros que entraron en contacto con Roma. Como gráficamente anota Boucaud, "Roma no englobaba a todos los extranjeros en una igual reprobación. Los distinguía en una repartición concéntrica, en razón de la distancia etnográfica o diplomática, como un sol desigualmente rodeado de sus planetas" (2). Referencias análogas podrían

---

El extranjero, por el contrario, es aquel que no tiene acceso al culto, aquel a quien los dioses de la ciudad no protegen y que no tiene siquiera el derecho de invocarlos. Porque estos dioses nacionales no quieren recibir plegarias y ofrendas más que del ciudadano; ellos rechazan al extranjero; la entrada a sus templos les está prohibida y su presencia durante las ceremonias es un sacrilegio." Así todas las legislaciones teocráticas de la antigüedad establecen entre el indígena y el extranjero una desigualdad profunda y tanto más imborrable cuanto tiene su gérmen en una diferencia de religión". (André Weiss, Manuel de Droit International Privé, sixieme édit., París, 1909).

(2) Charles Boucad, Pax Romana. L'ordre romain et le Droit des Gens, París, 1934, pág. 9.

multiplicarse (3). Mas, por benévolas o accesibles que pudieran ser en ciertos casos, respecto del extranjero, las instituciones civiles o sociales, los hábitos y costumbres de los pueblos antiguos, tales liberalidades revestían en todo caso un carácter innegable de excepción. El rasgo histórico invariable y normal puede por eso ser reducido, según se indicara, a una tendencia restrictiva o de limitación. Cuando esas limitaciones aflojan, excepcionalmente, en el plano civil, social o cultural, se conservan sin embargo inmutables en el orden político, fundándose en razones de seguridad pública. Este es el caso de los metecos en Atenas, inhibidos de adquirir inmuebles o contratar derechos reales, o el de los "extranjeros compuestos" del derecho indiano, obligados a residir tierra adentro, lejos de los puertos, con el fin de evitar el espionaje (4).

No es en esencia diferente la condición del extranjero —o warganeus— en la sociedad bárbara. La única forma de eludir el tratamiento inferiorizante que le es aplicable por su condición, consiste en someterse allí al patronato de un hombre libre que responda por él y se comprometa a pagar el "wehrgeld" —precio de la paz— por las ofensas o delitos que pueda cometer.

---

(3) Así, entre los hebreos, y también como ejemplo, el aislamiento y separación a que algunos pasajes de la ley condena a su pueblo, respecto de los extranjeros, pueden contraponerse otros textos considerados y hasta misericordiosos para éstos: "Haz justicia al huérfano y a la viuda. Ama al extranjero y dale comida y vestido" (Deuteronomio, I, 18 y 19); "No negarás la paga — a tu hermano menesteroso — o al forastero que mora contigo en la tierra — y está dentro de tus puertas (Deuteronomio, XXIV, 13 y 14); "Una misma ley será para el natural — y para el extranjero que está peregrino entre vosotros". (Exodo, VII, 48 y 49). En fin, al concepto de la ley de Licurgo desterrando al extranjero del suelo lacedemonio, y a los mismos "isóteles" y "metecos" de las leyes atenienses. pueden oponerse justamente, entre los griegos, las ideas de Sócrates, basadas en la filosofía pitagórica, para quien la patria era toda la tierra. "Hemos nacido, decía Sócrates, para reunirnos a nuestros semejantes y formar en común la sociedad del género humano". Según Holzendorff y Rivier, pueden reputarse la política y la moral en sus afinidades con la filosofía de Pitágoras, de Sócrates, de Platón y Aristóteles, como las cartas de fundación de una comunidad cosmopolita en el mundo de las ideas. (Introduction au Droit des Gens, París, 1889, pág. 219).
(4) A. Weiss, Manuel de Droit International Privé, trad., prólogo y notas de Estanislao S. Zeballos, 5ª ed. t. I, p. 46-132.

Tras el sistema de las leyes personales —normas propias de cada tribu, que coexisten— asoman los primeros atisbos del sistema feudal, definiéndose en la aplicación estricta de las disposiciones legales, no ya por razón del origen del sujeto, sino por fuerza del principio del suelo. Es la razón y el triunfo de la tierra, origen, trayecto y destino del régimen feudal que, según la expresión de Michelet, "es como la religión de la tierra". A la ley tribal o nacional sucede la ley feudal, que es la ley del señor— duque, conde, barón— propietario de la tierra. El extranjero es aquí el que sale del feudo en que nació para radicarse en otro distinto. Su nombre es el de "albana" o "aubana" y, para establecerse en el nuevo territorio, debe, en el plazo de un año y un día, rendir vasallaje o pleitesía al dueño del suelo, bajo pena de confiscación total o parcial de sus bienes. Diversas capitaciones y censos está obligado a pagar el albana, al igual que las personas nacidas en el territorio del señor; pero experimenta, además, restricciones e incapacidades originales, propias de su condición. La más importante, y que ha hecho la tradicionalidad de la denominación, que impide al albana trasmitir una sucesión o testar, es el derecho de albinaje o albinazgo ("droit d'aubaine"), expresión por la que también se suelen designar los derechos del extranjero en general.

Una nueva etapa histórica se dibuja luego bajo la lucha del señor contra la autoridad real. Con el triunfo del monarca, sólo un traspaso de beneficiario — de la persona del señor a la del rey — se produce. Tal es el cuadro, en lo fundamental, bajo el antiguo derecho monárquico francés. Poco a poco, sin embargo, los extranjeros radicados en determinadas ciudades o provincias, o ciertos pueblos extranjeros, o bien cierta clase de extranjeros, fueron liberados en forma parcial casi siempre del derecho de albinaje, ya por sustitución de la capacitación por un impuesto ("droit de détraction"), ya por beneficio de reciprocidad, ya por la creación de bienes trasmisibles —muebles, por lo general— ya, en fin, por la limitación de la facultad de trasmitir a los herederos nacionales exclusivamente, o por obtención de las cartas de naturalización ("lettres de naturalité").

La universal influencia de los principios del cristianismo y del derecho canónico, que proclamaban la igualdad de todos los seres humanos delante del Señor y que, por lo tanto, asimilaban al extranjero, bajo la protección de la iglesia, a los habitantes, viene a desempeñar más tarde un papel de primera jerarquía en el proceso de las ideas y del encauzamiento de las instituciones jurídicas por el camino de un reconocimiento más amplio de la personalidad humana y, en consecuencia, de la del extranjero. Debe mencionarse aquí, también, la función que en el mismo sentido tuvieron las ciudades o metrópolis, durante el período del feudalismo. Aquel que se iba a la ciudad, se volvía libre, es decir, se despojaba de la atadura y la calificación jerarquizada que le estaba asignada dentro de la estructura feudal de la sociedad. "Stadtluft macht frei" (el que respira el aire de la ciudad es un hombre libre) rezaba justamente un proverbio, y ello ha quedado consignado en forma explícita en muchas de las codificaciones civiles de la época, como el Stattrech de Magdeburgo, el de York, el de Iglau, etc. (5).

El derecho intermediario aportó un nuevo impulso, decisivo, hacia el reconocimiento de una situación más justa e igualitaria dentro de la organización etática. Una de las medidas de la Asamblea Constituyente Francesa fué, en efecto, la de declarar abolido para siempre el derecho de albinazgo y el de "détraction", por considerarlos contrarios "a los principios de

---

(5)   El comercio, la producción industrial, la mecanización y la organización, dice Mumford, contribuyeron a dilatar la vida de la ciudad. Mas esto no explicaba cómo se daba de comer a los hambrientos. La gente no vive de monedas, aun cuando la casa de moneda local tiene el privilegio exclusivo de acuñarla; tampoco vive del aire, aun cuando, como dice el refrán, "el aire de la ciudad hace que la gente sea libre". La vida próspera de esas ciudades tenía su orígen en las mejoras introducidas en la agricultura de la campaña... El movimiento de las ciudades, desde el siglo décimo en adelante, es un relato de antiguos establecimientos urbanos que se convierten gradualmente en ciudades con gobierno propio y en nuevos establecimientos que se fundan bajo los auspicios de un señor feudal, con privilegios y derechos que servían para atraer grupos permanentes de artesanos y de mercaderes. La carta de la ciudad era un contrato social; la ciudad libre tenía seguridad legal así como seguridad militar, y el hecho de vivir en la ciudad corporada durante un año y un día anulaba todas las obligaciones de la esclavitud. En consecuencia, la ciudad medioeval se convirtió en un ambiente selectivo que agrupaba a los más hábiles, a los más aventureros, a los más prominentes y, en consecuencia, casi con seguridad a la parte más inteligente de la población. (Lewis Mumford, La cultura de las ciudades, t. I, págs. 44 y 45).

fraternidad que deben vincular a todos los hombres, sea cual fuere su país y su gobierno..., en un pueblo que ha fundado su Constitución en los derechos del hombre y del ciudadano" (6).

La tesis revolucionaria no era sino la concreción de la filosofía de siglo XVIII, múltiple en sus manifestaciones peculiares, aunque coincidente en la necesidad de cambiar el orden preexistente, en la convicción de que la liberación del hombre haría, por sí sola, la perfección de la humanidad, y en el respeto de los valores y la condición que él representa.

A su concepción doctrinaria y al derecho positivo instaurado bajo su inspiración quedó, sin embargo, ajeno, al igual que en los pueblos antiguos, el reconocimiento de los derechos políticos. Una razón de elemental prudencia y seguridad nacional aconsejaba no adjudicar el manejo de las funciones y decisiones de gobierno, sino a los naturales. Por eso, "se encuentra en todos los actos de las Asambleas del período intermidiario —señala Weiss— una preocupación constante de alejar a los extranjeros no naturalizados de las funciones públicas, de someterlos a la observancia de las leyes de policía y de seguridad en vigor en el suelo francés. Si ellos rehusaban obedecer, si su presencia era capaz de causar al gobierno francés algún embarazo o peligro, la ley del 28 Vendimiario del año VI (art. 7) permitía expulsarlos del territorio de la República por simple medida administrativa" (7).

II. El extranjero en las Repúblicas Americanas.

1. La situación civil del extranjero. La política de liberalidad. Las libertades y garantías públicas.

Conocida es la influencia que sobre las ideas políticas y el movimiento constitucional y legislativo de los países del mundo civilizado, tuvo la Revolución del 89. La estimación del ser humano, el reconocimiento de derechos inalienables y anteriores que el hombre trae consigo y que la sociedad no puede desconocer ni violar, preside la formación de una conciencia filo-

_____

(6) D. de 6 ago. 1790 (V. asimismo, D. de 8 abr. 1791, Const. de 1791, título 6 y Const. del año III, art. 355).
(7) Op. cit.

sófica colectiva en el mundo moderno e, incluso, es trasmutada a fórmulas jurídicas en un intento de afirmar e inmortalizar la conquista de dogmas que se reputan indestructibles y eternos. Dupont pudo así expresar la convicción y la esperanza profunda de su época por la perdurabilidad y la eficacia de la obra de la revolución: "Queremos hacer —dijo— una declaración de derechos para todos los hombres, para todos los tiempos, para los pueblos todos, que sirva de modelo al mundo".

Las declaraciones de derechos de Virginia y de los Estados americanos en general, originadas en la intolerancia religiosa de la Madre Patria, que condujo a los disidentes a buscar tierras abiertas a la libertad de conciencia, constituyó un modelo que guió, en cierto modo, la labor de los revolucionarios franceses, destinada a adquirir caracteres de inmortalidad e irradiarse sobre todo el mundo civilizado. Como se sabe, la influencia de este movimiento fué especialmente viva y notable sobre los pueblos del nuevo Continente. Casi sin excepción, las Constituciones americanas dieron cabida, en su parte dogmática, a una enunciación más o menos amplia de los derechos del hombre y del ciudadano. Para las Repúblicas Americanas la igualdad civil de extranjeros y nacionales vino a integrar algo así como un dogma, juntamente con otros postulados defendidos tradicionalmente por la política norte y sud americana.

La vocación democrática de estas Repúblicas, consustanciada con su origen y su historia, habría de contribuir, decisivamente, por lo demás, a definir el rango del hombre y la condición jurídica del ciudadano, abierta al extranjero, con el que se ha nutrido la levadura de sus poblaciones.

Las prácticas económicas aislacionistas en que la legislación indiana había mantenido a sus colonias de América fué, asimismo, un importante motivo de disconformidad inscripto en los planes políticos de la revolución americana triunfante. Ya con antelación, la actividad comercial se infiltraba por numerosos resquicios, ilegítimos del punto de vista legal, pero necesarios a las exigencias económicas, trayendo un contacto con el extranjero que no hizo sino apurar el advenimiento de la separación política (8). La independencia hubo de arrasar

_____

(8) "Así nació el trato con el extranjero, cómplice de esa constante violación de la ley y que, por el fraude, cooperaba a la riqueza del país; y así también, gradualmente, se acentuó el

por tal motivo con las trabas de la política colonial: no más prohibiciones de comerciar con el extranjero; no más clausura de los puertos y de los ríos a la navegación de los buques de bandera distinta que la española; libertad de comercio, libertad de navegación en las constituciones políticas, libertad en las leyes y en la concertación profusa de los tratados con todas las naciones del orbe. La reacción por el régimen abrogado conducía insensiblemente a una concepción amplia y liberal respecto al sistema económico y comercial de los nuevos Estados.

En especial, la posición de estos países, presentándose al estadista de la construcción de las nacionalidades como un rico y vasto territorio pero carente de población, iba a ser un elemento más, y esencial, en la configuración del cuadro que debe evocarse para comprender exactamente la condición del extranjero en América. Sólo atraso y pobreza por doquier habían quedado detrás de los sacrificios y las luchas en que se forjó la libertad americana. Poblaciones autóctonas que la conquista segó en el proceso de formación de su propia cultura, en algunos casos, tribus semi-salvajes, en otros, pero siempre embrutecidas por el trato inhumano del dominador, por la práctica de la esclavitud, las enfermedades y los vicios, cuando no diezmadas enteramente por la simple matanza, la situación de las colonias liberadas reclamaba el aporte de la inmigración europea que fué, desde entonces, mirada y ansiada como el gran remedio, tal vez como el único remedio capaz de infundirles la vida y el aliento del progreso. Inmigración para poblar y trabajar la tierra, para desarrollar la producción, para fomentar el progreso e incrementar las industrias y las artes, para consolidar la instrucción, para echar, en fin, las bases de las nacionalidades futuras.

En el fondo, todo el problema se reducía a una cuestión elemental de política demográfica: poblar y poblar. La popularidad de Alberdi quizás no provenga de otra cosa que de la interpretación y condensación magistral de las aspiraciones vitales de una época, que concitara la atención de todos los gober-

repudio contra el sistema prohibitivo y se ansió la liberación". (Carlos F. Carbone Oyarzum, Sistema constitucional argentino de Derecho International. Contribución al estudio del problema de los extranjeros en la República Argentina, Buenos Aires, 1928, pág. 44).

nantes y reclamara el aporte de todos los hombres preocupados por el destino del mundo que nacía. El extranjero no fué, no pudo ser mirado ya como un "hostis", como en la sociedad romana, ni como un "aubain" como en la organización estratificada del Medioevo, sino como un amigo, como un colaborador, como un salvador, provisto de todas las nociones y de todos los elementos que la civilización europea ponía al alcance de su mano.

Europa fué, desde entonces, el arsenal humano de América. De allí salieron contingentes innumerables de emigrantes, como es bien conocido y ha tenido oportunidad de señalarlo el autor antes de ahora: "Desde el aventurero de la conquista, el filibustero y el traficante de esclavos, hasta los pacíficos emigrantes y colonos del siglo XIX y de la actualidad. Rosseuw Saint-Hilaire aprecia en tres millones el número de españoles que, sólo en el siglo XVI han dejado la península para la colonización de América. Hacia 1800, el porcentaje de individuos de origen europeo que se encuentran fuera de Europa, cuya población es para aquel mismo tiempo, de unos 175 millones de habitantes aproximadamente, alcanza, según Levasseur, a 9.515.000. De esta cifra, alrededor de 7 millones corresponden a América del Norte y 2.700.000 a la del Sur. Noventa años más tarde, mientras la población europea se duplica, alcanzando, de 175 millones que tenía en 1800, a 360 aproximadamente, el número de habitantes europeos fuera de su continente llega, según el mismo autor mencionado, a 92 millones, esto es, se decuplica. A América del Norte, le corresponden 67 millones y algo más de esta cifra que se ha proporcionado, y a América del Sur, 15, así distribuídos: 6 y medio a Brasil, 3 y medio a la Argentina y al Uruguay, 2 y medio a Chile y 3 y medio a los países del trópico. Wilcox, por su parte, calcula los individuos de origen europeo de raza no mezclada que se encuentra fuera del continente desde 1800 hasta 1929, en 164 millones, de los cuales 110 tocarían a América del Norte, 30 a América del Sur y 13.3, 6.9 y 3.4 a Asia, Oceanía y Africa, respectivamente" (9).

En lo que se refiere a América, este fué el resultado de

_____

(9)   Alejandro Rovira, estudio publicado en colaboración con el señor Luis Seguí González, "El Día" de Montevideo, 12 de feb. 1940, y números siguientes.

sus primeras leyes de inmigración y colonización, o de lo que se ha dado en llamar la política de fomento de la inmigración europea. El objeto esencial, según se ha dicho, era poblar, pero, a la vez, poblar bien. El mismo Alberdi hubo de salir al paso de una acepción errónea que se había hecho de su famoso apotegma, para esclarecer el verdadero sentido, el único sentido que podía tener, mirado desde el punto de vista que afecta al bien entendido interés americano (10).

El tratamiento jurídico del extranjero en América hubo de estar así necesariamente presidido por un fin de atracción, de estímulo y de igualdad respecto del nacional. Garantías públicas de libertad y bienestar; reconocimiento de los derechos individuales o naturales y de los derechos civiles; libertad de contraer matrimonio; de adquirir y enajenar bienes muebles o inmuebles; de recibir herencias y trasmitir por testamento; de entrar, residir y salir del país; de ejercer el comercio; de trabajar; de contratar; de asociarse; de publicar las ideas sin necesidad de previa censura; de comparecer en juicio; de enseñar y aprender; de practicar libremente todas las creencias, etc. Estos y muchos otros fueron principios prodigados por las leyes y más corrientemente inscriptos en las Constituciones mismas. De entre éstas, podría ser mencionada como un modelo, por la amplitud y generosidad de su sistema,

---

(10) "Como se pone bajo mi nombre, dijo, a cada paso, la máxima de mi libro "Bases", de que en América gobernar es poblar, estoy obligado a explicarla, para no tener que responder de acepciones y explicaciones, que lejos de emanar de esa máxima se oponen al sentido que ella encierra y lo comprometen, o lo que es peor, comprometen la población en Sud América". "Gobernar es poblar en el sentido que poblar es educar, mejorar, civilizar, enriquecer y engrandecer espontánea y rápidamente, como ha sucedido en Estados Unidos. Poblar es enriquecer cuando se puebla con gente inteligente en la industria y habituada al trabajo que produce y enriquece. Poblar es civilizar cuando se puebla con gente civilizada, es decir, con pobladores de la Europa civilizada. Por eso he dicho en la Constitución, que el gobierno debe fomentar la inmigración europea. Poblar es apestar, corromper, degenerar, envenenar un país, cuando en vez de poblarlo con la flor de la población trabajadora de Europa, se le puebla con la basura de la Europa atrasada o menos culta. Porque hay Europa y Europa, conviene no olvidarlo; y se puede estar dentro del texto liberal de la Constitución, que ordena fomentar la inmigración europea, sin dejar por eso de arruinar un país de Sud América con sólo poblarlo de inmigrantes europeos."

la argentina de 1853, en vigencia, establecida "con el objeto de constituir la unión nacional, afianzar la justicia, consolidar la paz interior, proveer a la defensa común, promover el bienestar general y asegurar los beneficios de la libertad, para nosotros, para nuestra posteridad y para todos los hombres del mundo que quieran habitar en el suelo argentino".

La posición tradicional de los países del continente fué, por virtud de estas razones y otras muchas que se omitirán ahora, una tendencia constante y una más o menos generalizada aplicación, con contornos de principio de derecho público americano, de la equiparación absoluta de nacionales y extranjeros en materia de derechos civiles. En este sentido, aparte del derecho interno de cada país, cabe a las Conferencias de Washington (1889-90), de México (1901-02) y de Río de Janeiro (1928), señalar la concreción, cuando menos, de un anhelo internacional común del continente, al declarar que "los extranjeros gozan de todos los derechos civiles de que gozan los nacionales".

Sólo la igualdad política hubo de quedar como baluarte irreductible en el proceso de la equiparación de nacionales y extranjeros en la sociedad americana. La razón obedeció, en el fondo, a los mismos motivos que tuvieron en vista todas las sociedades políticas antiguas y modernas. Grave insensatez hubiera sido, realmente, confiar el manejo de la cosa pública a quienes carecían del conocimiento y del sentido de la sociedad en que han de actuar, a quienes faltaba el sentimiento político, el fervor o el interés por el nuevo ambiente, a quienes, infatuados por el orgullo de la raza o dominados todavía por la nostalgia de la tierra de origen, se sentían ligados a directivas ajenas o contrarias al exclusivo y legítimo predominio de los valores propios de la organización nacional. Pero aún así, la liberalidad de las costumbres americanas dejaba librada la resolución de esta diferencia a la propia decisión del extranjero, habilitado por el juego de generosas instituciones sobre naturalización y ciudadanía, para incorporarse definitivamente y de buena fe, mediante un acto de voluntad espontáneo e incoercible, a la sociedad que él mismo eligiera para vivir y desenvolver sus actividades (11).

(11) Véase, Infra, Sección B. Prevención del abuso de nacionalidad.

2. La política restrictiva. Las medidas de contralor.

Medidas severas de fiscalización o contralor de los extranjeros, no fueron aplicadas en las Repúblicas Americanas sino hasta épocas relativamente recientes. Lo contrario hubiera estado en pugna con los intereses espirituales y la concepción económica predominante en estos países, que caracterizó a la política americana del siglo XIX, y primeros años del presente, según se ha indicado con anterioridad.

No había, ni se encuentra entonces una reglamentación exigente en las leyes ni en los hábitos americanos. El extranjero, en aquella época, entra, reside, trabaja y se va luego del país, o se queda definitivamente en él, absorbido por intereses, afectos, amistades o esperanzas, apegado a la tierra que ha empezado a ser, a veces inadvertidamente, una nueva patria para él o, lo que es común, que es ya la patria de su mujer y de sus hijos. El inmigrante actúa, piensa y se mueve con la más plena libertad. He ahí el rasgo que importa destacar. Su ingreso no ha estado sujeto a un permiso previo, de admisión o residencia. Su identidad, sus antecedentes, sus creencias, apenas si interesan a la autoridad, principalmente movida por un fin de colonización, sanidad o policía. El extranjero es libre de instalarse donde le plazca, o de mudarse cuantas veces quiera sin atender más que a su propia comodidad. En su mano están la elección y la práctica de la ocupación u oficio que es de su agrado o de su interés. Soberanamente decide si ha de quedarse, recorrer de un extremo al otro el territorio del país, o salir de él. En fin, en la misma forma que el nacional, el extranjero puede hacer todos los actos de la vida del hombre libre cuyo ejercicio y goce le garantizan las costumbres y las leyes liberales del país.

Andando el tiempo y por imposición de las circunstancias, estas condiciones habrán de variar de modo fundamental. Al régimen de despreocupación o indiferencia pública va a suceder un contralor más riguroso sobre la vida y la actividad del extranjero.

Si hubieren de establecerse necesariamente las demarcaciones temporales dentro de las que se produce esa transformación restrictiva, podría indicarse, de un modo muy convencional, y como sucediendo a la etapa antes bosquejada o período liberal, una fase nueva que se distingue por las restricciones que se introducen. Dentro de ella cabe distinguir aún dos tipos especiales de limitaciones, según se inspiren éstas en una política de nacionalización de la vida americana o tomen en cuenta específicamente los propósitos de la defensa política. Trazar las líneas fundamentales de este proceso, de acuerdo a una y otra de las finalidades mencionadas, es el objeto de las páginas siguientes de esta introducción.

a. La política de nacionalización.

Esta etapa es una de las más delicadas de la historia americana. Iniciada no ha mucho se encuentra aún en estado embrionario. Considerada en su conjunto, puede decirse que está dominada por una preocupación de creciente nacionalización de los distintos órdenes de la vida nacional, de protección del trabajador, las industrias, las profesiones y las actividades sociales, culturales e intelectuales, en general, de la Nación. Es la época de la saturación del mercado interno del trabajo, del crecimiento de los índices de desocupación, del cambio de la política inmigratoria, orientada ahora hacia una severa restricción o prohibición del ingreso de extranjeros, y del fortalecimiento paralelo de los poderes jurídicos que regulan la inadmisión y la expulsión de los mismos.

De un modo siempre general, podrían señalarse los años que siguen a la post-guerra y, en especial, los de 1928-30 en que se hace presente la gran crisis económica mundial, como un punto de partida convencional de esta etapa.

La política inmigratoria experimenta, en este período, una gran mutación. Las condiciones y exigencias para el ingreso son sensiblemente aumentadas, mediante criterios restrictivos diversos, y aun se llega, en ciertos casos, a prohibir absolutamente toda inmigración como medida de emergencia. Las leyes norteamericanas de 1917, 1921 y 1924 ya habían reducido notablemente el número anual de extranjeros inmigrantes. El cambio en las fuentes tradicionales de la inmigración, y la repercusión de este fenómeno sobre el tronco de la raza, las costumbres y el sentimiento nacional del pueblo americano, determinaron, conjuntamente con las otras causas generales, la adopción del sistema de cuotas, imitado luego por otros países. La afluencia inmigratoria queda aquí reducida por un sistema que condiciona el número o cuota anual de extranjeros de cada nacionalidad, a un porcentaje calculado en proporción a la cantidad de súbditos de esa misma nacionalidad por relación a la población total del país en una determinada fecha. El crecimiento inmigratorio resulta así restringido con este procedimiento que, a la vez, garantiza la estabilidad de la composición étnica de la población nacional (12). En los demás países hispanoamericanos, se acentúa una preocupación semejante, que tiene por consecuencia la limitación o la selección restrictiva, según las necesidades económicas internas, de la admisión de trabajadores, de obreros e inmigrantes.

Las medidas son muy variadas y se fundan muchas veces en un sistema combinado de limitaciones distintas identificadas sólo por el fin. Por lo general, van desde la enumeración casuística de las categorías de extranjeros no admisibles o indeseables, la exclusión de ciertas razas o nacionalidades étnicamente inasimilables o de standard de vida muy bajo (13); la imposición de tasas o depósitos sobre cada inmigrante (14); el aumento de los derechos por visación consular (15); la prohibición de expedir permisos de desembarco a los extranjeros que no comprueben poseer un destino o contrato de trabajo que les asegure su subsistencia (16); la posibilidad de ingresar solamente a los extranjeros que se dispongan a invertir capitales en el país o vengan mediante un "permiso de llamada" (17); hasta la simple prohibición del

---

(12) V. **Estados Unidos,** Act of May 19, 1921 (42 Stat. 5), "An act to limit the inmigration of aliens into the United States"; Act of May 26, 1924 (42 Stat. 153), "An act to limit the inmigration of aliens into the United States, and for other purposes"; **Brasil,** Const. de 16 jul. 1934, art. 21 inc. 6º; Const. de 10 nov. 1937, art. 151; D. de 16 abr. 1936; D. L. Nº 406, de 4 may. 1938 y sus modificativos Nos. 639, de 20 ago. 1938; 809, de 26 oct. 1938 y 1532, de 23 ago. 1939; y D. reglam. Nº 3010, de 20 ago. 1938; **México,** Ley General de Población, de 24 ago. 1936, arts. 7º, Sec. III y IX y 84 par. 2º, especialmente.
(13) **Colombia,** D. Nº 397, de 17 feb. 1937, p. ej.
(14) Id. Id.; **Ecuador,** L. de 16 feb. 1938; L. de 26 nov. 1940 arts. 17 y 19; **Guatemala,** D. 1781, de 25 ene. 1936, p. ej.
(15) **Argentina,** D. de 16 dic. 1930, p. ej.
(16) Mismo país, D. de 26 nov. y 14 dic. 1932.
(17) **Brasil,** D. de 14 dic. 1930, y de 9 y 16 may. 1934, p. ej.

arribo de inmigrantes por un tiempo determinado, etc. (18).

Una preocupación, una conciencia creciente por el destino de la propia nacionalidad, se insinúa cada vez más en los países americanos. A la guerra del 14 le cabe una influencia decisiva en este sentido. Las repercusiones del conflicto tuvieron un eco muy sensible en los numerosos extranjeros residente en el continente americano. Estas reacciónes dieron una noción precisa de la inestabilidad y falta de cohesión de los grupos sociales nacionales, constituídos en su mayoría por grandes masas de personas fuertemente vinculadas, por lazos espirituales y de sangre, a sus naciones originarias. El fenómeno obró internamente estimulando el sentido nacional, exaltándolo a veces, y se tradujo en un amplio movimiento legislativo, social y cultural, que comprende los últimos años de la vida americana, orientado hacia el fin ostensible de fortificar e integrar, por un doble proceso espiritual y material, una firme conciencia nacional (19).

Todo este cúmulo de factores, en grados y circunstancias distintas, ha concurrido a estimular la inauguración de una "política nacional" en los diferentes países americanos. Ade-

(18) **Uruguay**, L. Nº 8868, de 19 jul. 1932, art. 10, p. ej.
(19) "Con anterioridad a la guerra mundial regía ampliamente la doctrina del "melting pot", de acuerdo a la cual el Nuevo Continente podía asimilar un número ilimitado de inmigrantes, observa Barry. El inmigrante era el colaborador de la grandeza americana. La América era un mero asilo para todo aquel hombre de buena voluntad que quería rehacer su vida. Entre 1880 y 1900 un sano optimismo, una sólida moral, y una prosperidad crecientes hicieron fácilmente asimilables todas las corrientes inmigratorias. Pero alrededor de 1910, en pléna marea inmigratoria eslavo-latina, se empezaron a presentar dudas al espíritu americano con respecto a la eficacia de la asimilación de esa población. El estallido de la guerra mundial movió una inmensa reacción en las distintas nacionalidades residentes en los Estados Unidos que sintieron renacer otra vez, sus viejos vínculos de sangre. Este fenómeno fué motivo de seria reflexión por parte de los verdaderos americanos. Fué así que millones de extranjeros que se creían americanos, no lo eran. Los Estados Unidos frente al desencadenamiento de la guerra mundial no eran una nación, sino un mosaico de nacionalidades Nace así como reacción la existencia de un neonacionalismo del viejo espíritu sajón protestante, que se condensa en una legislación protectora de selección de la inmigración, de deportación del extranjero indeseable, de educación pública y privada, y de americanización". (Alfredo M. Barry, Leyes sobre "homestead" federal y sobre inmigración de los EE. UU. de América, Bs. Aires, 1939, págs. 104-105).

más de esos factores, accidentales unos, provocados otros, tal vez deba hacerse también un lugar a aquella ley sociológica de aplicación general a todos los grupos humanos, que recordaba ya Bryce a comienzos de siglo en sus "Reflexiones" sobre el porvenir de las Repúblicas del continente: "Es la ley de los desenvolvimientos sociales que quiere que una comunidad política independiente, aún cuando fuere en su origen parecida a sus vecinos por la raza, por la religión y por las costumbres, tienda a separarse de éstos, a adquirir una individualidad propia, a crear un tipo nacional y a imprimir este tipo sobre cada uno de sus miembros" (20).

Como quiera que sea, el hecho que interesa apuntar es la tendencia general hacia una nacionalización creciente del sentimiento público local, por pulsación de las cuerdas que despiertan y llaman a la emotividad del hombre. Nacionalización de la actividad económica, favoreciendo o reservando las zonas principales de la explotación comercial, industrial y profesional, a los nacionales; difusión y empleo del idioma nacional; enseñanza y dignificación de la historia, los sucesos y los hombres significativos de la vida patria; veneración de los símbolos de la nacionalidad; estimación de la personalidad nacional del Estado en el concierto de la comunidad internacional; fusión de los elementos heterogéneos de la población; selección y contralor del inmigrante; restricciones, en fin, hacia el extranjero con el propósito de que no desarmonice en el conjunto nacional. He ahí, en síntesis, los objetivos esenciales de esa corriente de opinión y acción políticas, desarrollada en los últimos años, con mayor o menor intensidad, por casi todos los países del continente americano (21).

---

(20)   James Bryce, Les   Républiques Sud Américaines, Les Pays. Les Nations. Les Races. Trad. del inglés por C. Gandilhom Gens-D'Armes, París, 1915, t. II, pág. 294.

(21)   "Sobre la base de esos índices se fué gestando la idea de que era necesario el logro de una conciencia propia, de que convenía desembarazarse de ciertas interesadas premisas tejidas en torno a la eterna juventud y minoridad de estos pueblos que sólo conducían a una tutela demasiado duradera. Dejó de verse al extranjero y a lo importado con los ojos de la imaginación exaltada. Se analizaron las posibilidades de su ingreso, los peligros inherentes a su infiltración desordenada y tumultuosa y las ventajas de seleccionarlo. Comenzó a cuidarse la nacionalidad, a defenderse el acervo hereditario y la homogeneidad espiritual y moral sin la cual una nación no es digna del

Una preocupación por asimilar, por absorber en el cuerpo nacional, los núcleos extranjeros incorporados en el' curso
de la etapa anterior, que en alguna forma mantuvieron sus
peculiaridades de origen, conservándose reacios a fundirse en
el conglomerado social, constituye la otra cara del mismo movimiento. "La última década de la historia sudamericana se
caracteriza por la aparición de un deseo intenso de establecer
entre todos sus habitantes, ya sean "nativos" o "extranjeros", el sentido de la nacionalidad como el punto más importante de la vida social y política", ha observado justamente
Loewenstein, refiriéndose al problema de la asimilación de las
masas extranjeras existentes en el Brasil. (22). La cuestión,
en realidad, tiene antecedentes en la historia sudamericana,
aún cuando, en general, y en carácter de movimiento político
y legislativo definido, ella quede bien ubicada en el período
correspondiente a los tres últimos lustros (23).

Como tendencia constructiva en la historia contemporá-

_____

nombre. Se pusieron diques, frenos y controles .Advenia la
política del discernimiento". (H. Zorraquín Becú, El problema
del extranjero en la reciente legislación latino-americana, Bs.
Aires, 1943, "El espíritu nacional", p. 137).

(22) Karl Loewenstein, Brazil under Vargas, New York, 1942, cap.
IV, pgs. 187 y siguientes.

(23) Estos antecedentes podemos encontrarlos, aun con anterioridad al siglo que corre, en la preocupación de muchos americanos ilustres que, adelantándose a su época, señalaron persis-
tentemente la necesidad de oponer al sentido dispersivo de una
sociedad exageradamente cosmopolita, el sentimiento agluti-
nante fundado en la idea nacional. Véase, si no, como ejemplo, la obra del argentino Domingo Faustino Sarmiento, recogida en el volúmen que lleva por título "La condición del
extranjero en América", Bs. Aires, edit. La Facultad, 1928. "El
autor de civilización y barbarie que antes censuró nuestros
defectos sociales en el indio, en el gaucho, en el español y en
el criollo de las ciudades, para abrir paso a la inmigración
—anota Rojas—, tuvo la suficiente libertad mental y acierto
político para censurarlos en el "gringo" cuando la emigración
ya realizada planteó nuevos problemas morales a la nacionalidad argentina. Porque de eso se trataba: de un problema
moral. El cosmopolitismo es una forma de barbarie que al romper la cohesión de la conciencia nacional en la patria que
llama y hospeda al emigrado, lo convierte a éste en un cons-
pirador, al servicio de su patria de origen, o en un mercader
al servicio de sus intereses más egoístas. Cosmopolitismo no
es internacionalismo ni humanitarismo; es anarquía espiritual de una sociedad y comporta el empobrecimiento de sus
fuerzas históricas. Pueblo que aspira a realizar una obra de
cultura, debe superar el cosmopolitismo por un ideal nacional.

nea, la "política nacional" americana, levantadamente entendida y aplicada, en actitud de afirmación serena de la personalidad del Estado nacional, como barrera y defensa de las fuentes y manifestaciones de la propia cultura dentro de sociedades cosmopolitas, ha sido una consecuencia ineluctable de las circunstancias, impuesta por la realidad social y política en los últimos tiempos. Nada tiene ella que ver ciertamente con el "nacionalismo" agresivo de los países totalitarios, destructor de los últimos vestigios del pensamiento liberal. (24).

Si se examina la legislación de los países en que plasma esa directiva, se percibe claramente que la finalidad no es la

---

El nacionalismo en los países de necesaria inmigración como el nuestro, es una disciplina idealista en defensa de la civilización." (Op. cit., noticia preliminar, pgs. 14 y 15).

(24)   En el primer sentido, aquella política deviene, en la época actual, despojada de exageraciones, una concepción legítima del progreso, una auténtica doctrina fundada en el interés del porvenir humano, porque, como ha dicho Nitti, "el amor a la patria es sagrado. La nación, entendida como formación histórica y base de la patria, es una idea noble. En la fase actual de la civilización no se puede concebir ningún progreso humano que no se base sobre aquellos grupos que fueron formados por la historia. Toda obra internacional, toda obra colectiva, de cooperación entre los pueblos, supone la existencia de naciones libres e independientes". (Francisco S. Nitti, El Nacionalismo como negación de la libertad y de la democracia. Hechos e ideas. Bs. Aires, 1936, Año II, Nº 16, págs. 378 y siguientes).

En el segundo sentido, el nacionalismo "es más bien un estado de espíritu de reacción que una doctrina. En él se encuentran todos los fermentos de las ideas antiguas y de los antiguos errores que parecían haber desaparecido: todos los fermentos de la violencia, el espíritu de reacción, el antisemitismo, la xenofobia, las antiguas formas del clericalismo". El implica, también, la anulación, la esclavitud absoluta del individuo por el Estado, la eliminación del liberalismo político y económico o, si se quiere, aprisiona toda la vida del hombre en la divisa brutal del fascismo italiano: "Todo en el Estado, nada contra el Estado, nada fuera del Estado". (Mussolini, Discursos de 1927, pág. 157; el mismo, el Fascismo, Bs. Aires, 1933, pág. 12, Anti-individualismo y libertad). Lleva consigo la finalidad de poder y de conquista, la sobreestimación desmedida de todo lo nativo o autóctono, la exaltación de la superioridad racial del elemento humano que lo integra; persigue el crecimiento de éste para aumentar incesantemente el poderío económico y militar de la nación; genera el desprecio y el odio hacia los otros pueblos, conduce al armamentismo y a la guerra, emula el nacionalismo en las demás naciones en un esfuerzo instintivo de autoconservación, tiraniza el pensamiento mera antipatía o desafecto por lo extraño, sino más bien el propósito de unificar la multiforme composición de las razas y engendrar un sentimiento legítimamente nacional.

Para apreciar con claridad esta transformación, parece útil sintetizar la situación jurídica básica del extranjero, según resulta de las Constituciones y de las leyes civiles americanas del presente. Porque este movimiento general no ha podido cumplirse, en efecto, sin que se entrara a la revisión de ciertos valores políticos y jurídicos, aparentemente tan consolidados como el de la misma igualdad civil entre nacionales y extranjeros.

El régimen constitucional y la legislación americana sobre la materia, estudiados desde el ángulo que interesa al tema, pueden ser reducidos a los tres siguientes grupos:

1º) el constituído por aquellos países que proclaman en sus constituciones y leyes fundamentales el principio de la igualdad civil: Bolivia (25) Chile (26), Paraguay (27) y Uruguay (28);

---

sometiéndolo a pretendidos cauces arbitrariamente nacionales, aleja al derecho de toda aspiración ideal de justicia transformándolo en el guardián de la propia iniquidad, deforma el sentimiento religioso divinizando al Estado y a los hombres dirigentes, deviene, en suma, una verdadera religión política.

(25) **Bolivia,** Const. de 1938, art. 6º: "Toda persona tiene los siguientes derechos fundamentales, conforme a las leyes que reglamentan su ejercicio: a) de ingresar, permanecer, transitar y salir del territorio nacional. b) de dedicarse al trabajo, comercio o industria en condiciones que no perjudiquen al bien colectivo. c) de emitir libremente sus ideas y opiniones por cualquier medio de difusión. d) de reunirse y asociarse para los distintos fines de la actividad, que no sean contrarios a la seguridad del Estado. e) de hacer peticiones individual o colectivamente. f) de recibir instrucción. g) de enseñar bajo la vigilancia del Estado".

Art. 23: "Toda persona goza de los derechos civiles; su ejercicio se regla por la ley civil".

L. de 27 dic. 1926, art. 29: "Los inmigrantes, fuera de los derechos especiales que gozan por este Reglamento, disfrutarán de las garantías concedidas a los extranjeros por la Constitución Política del Estado".

(26) **Chile,** Const. de 1925, art. 10: "La Constitución asegura a todos los habitantes de la República: 1º La igualdad ante la ley. En Chile no hay clase privilegiada. En Chile no hay esclavos, y el que pise su territorio, queda libre. No puede hacerse este tráfico por chilenos. El extranjero que lo hiciere, no puede habitar en Chile, ni nacionalizarse en la República; etc.

Código Civil: "Art. 57. — La ley no reconoce diferencia en-

2º) el constituído por aquellos otros que, proclamando el mismo principio, autorizan a las leyes que reglamenten su ejercicio para imponer ciertas restricciones que acusan una diferencia entre nacionales y extranjeros respecto de determinados intereses. Pueden citarse, como ejemplos, los países siguientes: Colombia (29), Cuba (30), Ecuador (31), Perú (32) y Venezuela (33).

tre el chileno y el extranjero en cuanto a la adquisición y goce de los derechos civiles que regla este Código".

(27) **Paraguay**, Const. de 1940, art. 19: "Todos los habitantes de la República gozan de los siguientes derechos, conforme a las leyes que reglamentan este ejercicio: elegir profesión; trabajar y ejercer todo comercio e industria lícitos, salvo las limitaciones que, por razones sociales y económicas de interés nacional, imponga la ley; reunirse pacíficamente; peticionar a las autoridades; publicar sus ideas por la prensa sin censura previa, siempre que se refieran a asuntos de interés general; disponer de su propiedad; asociarse con fines lícitos; profesar libremente su culto; aprender y enseñar".

Art. 33: "La nación paraguaya no admite prerrogativas de sangre ni de nacimiento; no hay en ella fueros personales ni títulos de nobleza. Todos los habitantes de la República son iguales ante la ley. Los nacionales son admisibles a cualquier empleo, sin otra condición que la idoneidad, y los extranjeros estarán sujetos a las limitaciones que establezcan las leyes. En la República del Paraguay no hay esclavos".

(28) **Uruguay**, Const. de 1934; con las reformas de 1942: "Art. 7º. Los habitantes de la República tienen derecho a ser protegidos en el goce de su vida, honor, libertad, seguridad, trabajo y propiedad. Nadie puede ser privado de esos derechos, sino conforme a las leyes que se establecieren por razones de interés general".

Todos los demás derechos o garantías individuales expresamente reconocidos por la Constitución uruguaya, son formulados igualmente en favor de los habitantes, sin distinción. (Ver, además, arts. 8, 10, 11, 12, 15, 17, 25, 27, 29, 31, 35, 37, 38, 51 inc. 2º y 58, inc. 2º).

Código Civil: Art. 22, inc. 2º: "La ley oriental no reconoce diferencia entre orientales y extranjeros en cuanto a la adquisición y goce de los derechos civiles que regla este Código".

(29) **Colombia**, Const. de 1888 y sus modificaciones, art. 10: "Los extranjeros disfrutarán en Colombia de los mismos derchos civiles que se conceden a los colombianos. Pero la ley podrá, por razones de orden público, subordinar a condiciones especiales o negar el ejercicio de determinados derechos civiles, a los extranjeros".

El Acto Leg. Nº 1, de 1936, reproduce análogo principio en su art. 5º.

(30) **Cuba**, Const. de 1940, art. 19: "Los extranjeros residentes en el territorio de la República se equiparan a los cubanos:...g) en cuanto al disfrute de los derechos civiles, bajo las condiciones y con las limitaciones que la ley prescriba".

3º) El integrado por aquellos países que establecen en sus constituciones y leyes ordinarias ciertas diferencias entre nacionales y extranjeros. Tal sería el caso, en especial, de México y Brasil.

La condición civil del extranjero no es aludida de una manera directa por la Constitución mexicana (34). Las garantías individuales le alcanzan, sin embargo, por disposición expresa de la propia Constitución, aparte de estar ellas formuladas en términos amplios, comprensivos de todas las personas; pero sólo los mexicanos tienen derecho para adquirir el dominio de las tierras, aguas, y sus accesiones, o para obtener concesiones de explotación de minas, aguas o combusti-

(31) **Ecuador,** Const. de 1906-07 y sus modificaciones. Art. 28: "Los extranjeros gozan de los mismos derechos civiles que los ecuatorianos y de las garantías constitucionales, excepto las consignadas en los números 13 y 14, del artículo 26; en tanto que respeten la Constitución y las leyes de la República".
Los incisos 13 y 14 del artículo citado, garantizan a los ecuatorianos, la libertad de sufragio y la admisión a las funciones y los empleos públicos, sin otras condiciones que las que determinan las leyes.
V. también Leyes de Extranjería, Extradición y Naturalización de 16 de feb. 1938, art. 24; y de 26 de nov. 1940 arts. 2º, 3º, 6º y 21 Regl. de 29 ene. 1941, art. 2º.

(32) **Perú,** Const. de 1933, con las reformas de 1936 y 1939, art. 23: "La Constitución y las leyes protegen y obligan igualmente a todos los habitantes de la República. Podrán expedirse leyes especiales porque lo exija la naturaleza de las cosas, pero no por la diferencia de personas".
Código Civil, Título Preliminar, Art. XVI: "El derecho de propiedad y los demás derechos civiles son comunes a peruanos y extranjeros, salvo las prohibiciones y limitaciones que por motivos de necesidad nacional se establezcan para los extranjeros y las personas jurídicas extranjeras".
Ver, además infra, pág. 180, nota 53, L. Nº 7505, de 8 abr. 1932; D. de 24 jun. 1936, art. 10; D. de 15 may. 1937, art. 48, inc. a), etc.

(33) **Venezuela,** Const. de 1936, art. 32: "La nación garantiza a los venezolanos", etc.
Art. 37: "Los derechos o deberes de los extranjeros los determina la Ley, pero en ningún caso podrán ser mayores que los de los venezolanos".
L. de 31 jul. 1937, art. 2º: "Los extranjeros gozan en Venezuela de los mismos derechos civiles que los venezolanos, salvo las excepciones establecidas o que se establezcan".

(34) Const. de 1917 y sus modificaciones.

bles minerales en la República (35), reservándose siempre el Ejecutivo Federal "la facultad exclusiva de hacer abandonar el territorio nacional, inmediatamente y sin necesidad de juicio previo, a todo extranjero cuya permanencia juzgue inconveniente" (36).

La igualdad civil se conserva en Brasil, de un modo un tanto indirecto. La Constitución brasileña garantiza a los extranjeros la igualdad ante la ley, el derecho a la libertad, a la seguridad individual y a la propiedad, pero con la salvedad de que no gozan de la libertad de locomoción, ni del derecho de adquirir bienes inmuebles en cualquier parte del territorio o de ejercer libremente su actividad, pues, expresamente se reservan estos derechos en favor del brasileño (37). La explotación del subsuelo (38), el funcionamiento de las instituciones bancarias y de seguros (39), las concesiones de servicios públicos (40), la marina mercante (41), el ejercicio de

---

(35) Ibid., art. 27, I. Sólo los mexicanos por nacimiento o por naturalización y las sociedades mexicanas tienen derecho para adquirir el dominio de las tierras, aguas y sus accesiones, o para obtener concesiones de explotación de minas, aguas o combustibles minerales en la República mexicana. El Estado podrá conceder el mismo derecho a los extranjeros siempre que convengan ante la Secretaría de Relaciones en considerarse como nacionales respecto de dichos bienes y en no invocar, por lo mismo, la protección de sus gobiernos por lo que se refiere a aquéllos; bajo la pena, en caso de faltar al convenio, de perder, en beneficio de la Nación, los bienes que hubieren adquirido en virtud del mismo.

(36) Ibid. art. 33.

(37) Const. de 10 nov. 1937, art. 122, incs. 1º y 2º y siguientes.

(38) Art. 143. Las minas y demás riquezas del subsuelo, así como los saltos de agua, constituyen propiedad distinta de la propiedad del suelo, a los efectos de la explotación o del aprovechamiento industrial, Parágrafo primero. Sólo se concederá autorización a brasileños, o empresas constituidas por acciones brasileñas, y se dará al propietario preferencia para la explotación, o participación en sus beneficios.

(39) Const., art. 145. Sólo podrán funcionar en el Brasil los bancos de depósito y las empresas de seguro, cuyos accionistas sean brasileños. La ley dará un plazo razonable a los bancos de depósito y a las empresas de seguros actualmente autorizados para operar en el país, para que se transformen de acuerdo con las exigencias de este artículo.

(40) Const., art. 146. Las empresas concesionarias de servicios públicos federales o municipales deberán formar su administración con mayoría de brasileños o delegar en brasileños todos los poderes de gerencia.

(41) Const., art. 149. Los propietarios, armadores y comandantes

las profesiones liberales (42), son actividades sustraídas completamente o restringidas de modo considerable al extranjero por imperio constitucional. La Constitución, al prohibir, además, a la Unión, a los Estados y a los Municipios, "hacer distingos entre brasileños nativos" (43) parece conceder a la ley la facultad de hacerlo entre extranjeros y nacionales, y aún entre nativos y naturalizados.

Estas directivas constitucionales encuentran un desarrollo paralelo en la legislación secundaria, dirigida a lograr una creciente nacionalización en los distintos órdenes de la vida del país. La población, la educación, la actividad profesional, el idioma, constituyen motivos centrales de preocupación por parte de la ley, que determina reglas para conseguir la finalidad que se propone. La legislación ordinaria de tres países, especialmente, servirá para ilustrar, por vía de ejemplo, los contornos de esta política: México, Brasil y Perú.

La Ley General de Población, de 24 de agosto de 1936, ofrece un vasto y previsor cuerpo de normas en el primero de estos países, para ajustar la importación del elemento humano a las necesidades o conveniencias sociales, económicas y demográficas internas. Los problemas fundamentales que se dirige a resolver son "el aumento de la población, su racial distribución dentro del territorio, la fusión étnica de los grupos nacionales entre sí, el acrecentamiento del mestizaje nacional mediante la asimilación de los elementos extranjeros, la protección de los nacionales en sus actividades económicas, profesionales, artísticas o intelectuales mediante disposiciones migratorias" (44). Las tablas diferenciales que deben formarse anualmente, marcando el número máximo de extranjeros que podrán admitirse durante el año siguiente, señalarán

---

de navíos nacionales, así como los tripulantes, en la proporción de dos terceras partes, deben ser brasileños nativos, y estará reservado también a éstos el pilotaje en las bocas de los ríos, puertos y lagos.

(42) Const., art. 150. Sólo podrán ejercer profesiones liberales los brasileños nativos y los naturalizados que hayan prestado servicio militar en el Brasil, exceptuando los casos de ejercicio legítimo en la fecha de la Constitución y los de reciprocidad internacional admitidos en la ley. Solamente a los brasileños nativos será permitida la reválida de los títulos profesionales especiales por instituciones extranjeras de enseñanza.

(43) Const., art. 32, inc. a).

(44) Ley cit., art. 1º inc. I al V.

las condiciones de nacionalidad, raza, estado civil, edad, ocupación, instrucción, medios económicos y demás características pertinentes. En todo caso deberá "tenerse en cuenta el interés nacional, el grado de admisibilidad racial y cultural y la conveniencia de su admisión, a fin de que no constituyan factores de desequilibrio" (45). Es preciso, asimismo, delimitar sectores donde habrán de residir los extranjeros admitidos en el país, por lo menos durante cinco años, teniéndose en cuenta las necesidades nacionales y la procedencia de los mismos (46). Se procurará el establecimiento de fuertes núcleos nacionales de población en los lugares fronterizos que se encuentren escasamente poblados y se darán facilidades a los extranjeros asimilables cuya fusión sea más conveniente para las razas del país (47). Las adjudicaciones de tierras para colonización extranjera deben ser intercaladas con las poseídas y trabajadas por mexicanos (48). Se concederán facilidades para su arraigo a los extranjeros que contraigan matrimonio con mujer mexicana por nacimiento (49) y se patrocinarán las medidas adecuadas para conseguir la asimilación de los extranjeros a la vida cultural del país, pudiendo imponérseles la obligación de naturalizarse en breve plazo, de adquirir el idioma oficial o de inscribirse en centros docentes nacionales (50). Se prohibe el ejercicio de las profesiones liberales a los extranjeros, salvo casos excepcionales o de notoria utilidad; las actividades comerciales e industriales son delimitadas en los distintos lugares del país, para protección de los nacionales y como control de la vida económica. El ejercicio sistemático y remunerado de las actividades intelectuales o artísticas de los extranjeros, debe ser también restringido en el grado en que lo exija la protección de los nacionales (51).

La reciente legislación brasileña incorpora preceptos de una decidida orientación nacionalista, para equilibrar la in-

---

(45) Ibid, art. 7º, inc. III.
(46) Ibid, art. 7º, inc. IV.
(47) Ibid, art. 7º, incs. VI y IX.
(48) D. de 24 oct. 1941, que establece las tablas diferenciales y condiciones a que se sujetó la admisión de inmigrantes en 1942, art. 3º.
(49) Ley cit., art. 35.
(50) Ley cit., art. 34.
(51) Ley cit., arts. 30, 31, 32 y 33.

fluencia de las poblaciones extranjeras que habitan su suelo y lograr la asimilación total de las mismas. Entre dichas normas, cabe recordar especialmente, la dirigida a adaptar al medio nacional a los brasileños descendientes de extranjeros. "Esa adaptación se hará por la enseñanza y por el uso de la lengua nacional, por el cultivo de la historia del Brasil, por la incorporación en asociaciones de carácter patriótico y por todos los medios que puedan contribuir a la formación de una conciencia común", debiendo para ello estimularse la creación de organizaciones patrióticas, establecer bibliotecas de interés nacional, exigir que en los núcleos coloniales sea observado el porcentaje legal de brasileños, evitar que inmigrantes de un mismo origen se aglomeren en un solo Estado o en una sola región, y arraigar familias brasileñas en las zonas del territorio nacional en donde hubiere aglomeración de descendientes extranjeros. Las concesiones de predios deben ser realizadas preferentemente a favor de los nacionales, las escuelas que funcionen en las colonias no pueden ser dirigidas por extranjeros ni usarse en ellas otro idioma que el nacional; las publicaciones no pueden efectuarse en lengua extranjera sin autorización especial para impedir así "el cultivo demasiado vivo de la lengua y de las costumbres extranjeras en una determinada zona" (52).

En Perú, la "Ley orgánica de educación pública" de 1º de

---

(52)   D. Nº 1545 de 25 ago. 1939; D. L. Nº 406, de 4 may. 1938, arts. 39, 40 inc. 1º, 41 y 42; D. Nº 3010 de 20 ago. 1938, arts. 165, 166 y 272; D. L. Nº 1968, de 17 ene. 1940.

Es interesante citar, respecto del uso de los idiomas extranjeros en las publicaciones periódicas, los fundamentos recogidos en una circular administrativa, donde se estima: "que la circulación de periódicos en lengua extranjera no debe constituir obstáculo al uso de la difusión de la lengua nacional entre los elementos extranjeros fijados en el país;... que la impresión de esos periódicos exclusivamente en idioma nativo favorece entre aquellos elementos el hábito de expresarse en ese idioma aun después de larga permanencia en el Brasil;... que ese hábito se extiende a los descendientes brasileños, con perjuicio de las características nacionales que al Gobierno incumbe preservar;... que la impresión de periódicos en lengua extranjera y su circulación en el país no constituyen un servicio a la cultura nacional, toda vez que tienen por fin mantener los caracteres nativos de las corrientes de inmigración, dificultándoles la asimilación al medio brasileño", etc. (Portaria Nº 2277 de 18 jul. 1939, del Mrio. de Justicia y Negocios Interiores).

abril de 1941, especialmente, obliga a los establecimientos de enseñanza privados: "1º) A orientar la enseñanza en un sentido nacionalista; 2º) A rendir culto a los héroes nacionales y a emplear únicamente himnos, canciones y emblemas patrióticos peruanos... con exclusión de todo otro símbolo extranjero; 3º) A nominarse en castellano, sin usar gentilicios, o patronímicos extranjeros; 4º) A contratar por lo menos un 80 % de profesores nacionales, porcentaje que se aplicará igualmente al total de horas que se dicten... (53); 5º) A ocupar en la enseñanza de la historia y geografía del Perú y Educación Cívica a profesores de nacionalidad peruana...; 6º A designar como directores a peruanos de nacimiento; 7º) A impartir la instrucción en castellano" (54).

En actitud de preservación análoga de la función esencial de todo instituto educativo que, como lo expresa la misma disposición en su preámbulo, "debe servir en primer términos los intereses e ideales del pueblo colombiano", el Decreto Nº 91 de 21 de enero de 1942, de este país, dispone que "en los establecimientos dirigidos por extranjeros, la enseñanza de la historia, la geografía y la literatura colombianas, así como la de los principios cívicos, se hará precisamente, lo mismo que en todas las escuelas y colegios del país, por ciudadanos colombianos, ciñéndose rígidamente a los programas

---

(53) Este precepto es en realidad, extensión del principio ya consagrado por la ley Nº 7505, de 8 abr. 1932. Dispone esta ley en su artículo 1º: "las empresas, talleres y negociaciones comerciales o industriales establecidas o que se establezcan en el país estarán obligados a ocupar personal peruano en los servicios técnicos, administrativos o mano de obra, en una proporción no menor al 80 por ciento" (Ley Nº 8540, art. 30) Por Decreto Nº 7735, de 5 abr. 1933, que establece disposiciones para la ejecución de la ley, se determinan las excepciones al régimen de ésta, considerándose peruanos a "los extranjeros casados con mujer peruana que tuviesen dicho estado cuando se promulgó dicha ley o que tuvieren hijos peruanos". Se exime asimismo a los artistas de teatro y espectáculos similares que actúen en el país por tiempo menor de un año, al personal del servicio internacional de transporte de entidades extranjeras, a los extranjeros obligados por contratos de locación extendidos en escritura pública siempre que ésta se haya efectuado antes de promulgarse la ley 7505, y a los extranjeros que a la fecha de ésta tuvieren diez años consecutivos de servicios prestados en el Perú a una empresa o negociación (arts. 1º a 4º inclusives).

(54) Ley cit., art. 377.

del Ministerio, de conformidad con lo preceptuado en los Artículos 13 y siguientes de la ley 56 y Decreto 865 de 1930" (art. 4º).

Paralelamente a esta evolución, se percibe también una tendencia constitucional y legislativa que viene a demarcar un terreno que queda prácticamente vedado a toda actuación política del extranjero. Según habrá oportunidad de apreciarlo más adelante, las disposiciones vigentes de numerosas Repúblicas Americanas exigen, en efecto, la más estricta abstención del extranjero en las cuestiones de política interna y actividades conexas, bajo conminación de expulsión o sanciones especiales, con el fin de preservar la seguridad de las instituciones nacionales, el orden público, etc. (55).

b. La defensa política.

El motivo expreso o implícito de las disposiciones dictadas por las Repúblicas Americanas para garantir la defensa política, es el de la protección, individual o colectiva, contra los intentos y los actos de agresión perpetrados por las potencias del Eje. Puede así hablarse de un nuevo período, provocado por el auge de la infiltración totalitaria organizada, durante el cual se ejerce un contralor más estricto por razones de seguridad, nacional e interamericana, del extranjero. Es la amenaza directa a la seguridad e instituciones de las Repúblicas del Hemisferio Occidental, expresada a través de la propaganda, el espionaje, el sabotaje y demás formas de la actividad subversiva, fomentados y dirigidos sistemáticamente por los países del Pacto Tripartito (56), como preludio de sus planes de expansión y conquista universales. El comienzo de este período puede fijarse, convencionalmente también, en los años subsiguientes a 1933, fecha del advenimiento al po-

(55) Infra, pág. 186.
(56) Como la expresión ha de ser usada con frecuencia en el curso de este trabajo y a pesar de la notoriedad de su significado, no está de más recordar que se conoce por tal el tratado de alianza suscripto por Japón, Alemania e Italia el 27 de setiembre de 1940 y según el cual el primero de estos países se compromete a reconocer y respetar la dirección de los dos últimos en la formación de un "Nuevo Orden" europeo y éstos a su vez declaran reconocer y respetar recíprocamente la aspiración nipona de instalar un "Nuevo Orden" en lo que se ha llamado "el área ampliada de Asia".

der del nacional-socialismo en Alemania, aunque es recién bastante más tarde que los gobiernos americanos comprenden cabalmente el significado del peligro totalitario.

La consecuencia más importante que deriva del mismo, en lo que interesa a este estudio, está constituída, en el orden interno, por la aparición de una serie de medidas de contralor de los extranjeros, por razones específicas de defensa política, que vienen a yuxtaponerse así a las restricciones de índole económica, social y cultural, establecidas por influencia de la política de nacionalización antes reseñada; y en el orden internacional, por una marcada tendencia a organizar de una manera común la defensa política de América y a enfrentar también conjuntamente los peligros contra la seguridad de los países que la integran.

A medida que las ideologías políticas totalitarias se expandían mediante una gigantesca propaganda, traspasando las fronteras de los Estados americanos, para avivar el sentimiento nacionalista de sus ciudadanos residentes en ellos, y captar incluso las simpatías de los propios nacionales, o formar por lo menos una corriente de opinión favorable, iba paralelamente acentuándose, cada vez más, la necesidad de ejercer una fiscalización adecuada del elemento extranjero. El aporte humano de los últimos años, constituído principalmente por perseguidos y refugiados políticos que huían del continente europeo, había ya insinuado una transformación sobre el estilo del contralor público, que dió trascendental importancia al aspecto político, implicado por la necesidad de mantener la seguridad de las instituciones cuyo descrédito y destrucción preconizaban las nuevas doctrinas. Cuando la situación se hizo más intolerable, las investigaciones oficiales realizadas en la mayor parte de los países demostró palmariamente el grado de penetración y corrupción alcanzado en tan breve tiempo y puso al descubierto el empleo sistemático que los Estados totalitarios habían hecho y continuaban haciendo, con una finalidad política exclusiva, de sus nacionales y de las entidades aparentemente lícitas en que éstos se hallaban agrupados. Esa táctica, aparte de poner en riesgo la vida regular de los Estados americanos, contribuía al mismo tiempo, por una explotación habilidosa, a exaltar y unificar la vinculación subjetiva basada en las tradiciones comunes, en la identidad de la raza y en la supuesta grandeza del destino providencial de aquellos extranjeros pertenecientes a los Estados llamados a participar en la elaboración de una "Nueva Era" de la historia humana. Daba también lugar a la sobrevivencia y formación de grupos minoritarios, de verdaderos quistes sociales, reacios a toda asimilación o fusión étnica en los cuadros nacionales. Fomentaba el desprecio de las poblaciones nativas, de sangres impuras, producto de los entrecruzamientos de las razas, que habían conducido a estos pueblos al estado de inferioridad y envilecimiento en que se debatían... Especialmente, la América Latina fué objeto del más franco menosprecio de los apóstoles de las nuevas doctrinas, íntimamente convencidos de "que en un porvenir lejano la humanidad debería afrontar problemas cuya solución exigirá que una raza excelsa en grado superlativo, apoyada por las fuerzas de todo el planeta, asuma la dirección del mundo"... (57). Del punto de vista político, esas minorías se convertían también en un permanente peligro de perturbaciones internas o de intervenciones extrañas inmediatas.

Por encima de la masa extranjera, agitada por la propaganda, deslumbrada por el falso espejismo del superior destino de la raza o de la nacionalidad elegida, se movían aún los hilos sutiles pero infinitamente más peligrosos del espía, del saboteador, del agente subversivo, cautamente infiltrado entre la población. La obra de la desorganización nacional, resultaba, así, del punto de vista de las autoridades encargadas de la guarda del orden público, un proceso bastante complicado y de variados matices en lo que se refiere a los métodos y a la técnica utilizados, pero concreto y diáfano en cuanto al fin perseguido, que era el de destruir de antemano la resistencia y el espíritu del pueblo cuya conquista se decretaba, minar su confianza y vencerlo con sus propias armas antes de derrotarlo definitivamente en el terreno de la agresión militar. Hitler ya había dicho que el aparato guerrero de otros tiempos debía ser sustituído por "la dislocación psicológica del adversario por medio de la propaganda revolucionaria y esto, antes ya de que las armas entren en juego" (58).

(57) A. Hitler, "Mein Kampf", 2da. parte, cap. 1.
(58) H. Rauscning, "Hitler me dijo", p. 25 de la versión española. Véase además, infra, Sección D, contra los de los medios de comunicación y formación de la opinión pública.

Frente a todas esas manifestaciones de la infiltración política de los últimos tiempos, comenzó a acentuarse el contralor público sobre los extranjeros. Por aplicación de fórmulas jurídicas vigentes, o mediante la elaboración de textos nuevos, se estructuró rápidamente un sistema preventivo y represivo de las actividades subversivas en general. La defensa política de América requería la tutela de todos aquellos aspectos más importantes para la preservación del orden jurídico democrático, y a esa necesidad trataron de dar satisfacción los gobiernos de las distintas Repúblicas del continente.

En lo que a los extranjeros se refiere, se afirmó expresamente en las leyes y disposiciones administrativas, la decisión de someterlos a una vigilancia o fiscalización especial. En muchos casos, y como se apreciará en los capítulos que siguen, este propósito se dirige exclusivamente a los extranjeros súbditos de los países del Eje residentes en territorio americano. Es el caso, en general, por ejemplo, de las disposiciones de Bolivia (59), Brasil (60), Costa Rica (61), Cuba (62), México (63) y Panamá (64). También la Argentina debe

(59) D. de 10 dic. 1941, art. 3º "Los súbditos de los países del Eje, residentes en territorio nacional, estarán sujetos a estrecha vigilancia."
(60) Inf. V. C. — Los nacionales de los Estados miembros del Pacto Tripartito, o los Estados a ellos subordinados, están bajo una muy estricta vigilancia de las autoridades policiales.
(61) D. Nº 47, de 11 dic. 1941, art. 1º. Los súbditos japoneses, alemanes e italianos que se encuentran actualmente en el país, quedan sometidos a la vigilancia especial de autoridades militares del lugar, en que cada uno de ellos reside, del cual no podrán salir, sin permiso escrito que en cada caso solicitarán a la referida autoridad.
(62) Informe del Estado Mayor del Ejército. Se dispuso la investigación acerca de las actividades de los núcleos de súbditos japoneses, para que se mantenga estrecha vigilancia sobre los mismos y sobre el lugar de sus respectivas residencias.
(63) Inf. V. C. — "Se ejerce además una vigilancia permanente sobre los extranjeros residentes en México". "Los nacionales del Eje han sido apartados de la Baja California y de las Zonas Costeras".
(64) L. Nº 104 de 10 dic. 1941, art. 3º. Facúltase al P. E. para tomar a la mayor brevedad posible las siguientes medidas:
   a) Celebrar acuerdos y llegar a arreglos con el Gobierno de los Estados Unidos de América, para prevenir, impedir y repeler actos hostiles contra los intereses de los dos países o de sus aliados. Estos arreglos comprenderán todas las medidas de vigilancia y de protección contra los enemigos de las dos naciones y sus aliados, y contra los espías de cualquier nacionalidad y origen".

ser incluída en esta categoría en virtud de las medidas tomadas al declarar la guerra al Japón y Alemania (65). En otras
ocasiones, esa vigilancia se acentúa especialmente respecto de
los extranjeros súbditos de aquellos países con los cuales existía
un estado de guerra, como sucede en los casos de Guatemaia
(66) y Panamá (67), por ejemplo. Asimismo la fiscalización
suele recaer sobre extranjeros considerados peligrosos, en general, como sucede en ciertos textos legales vigentes en Colombia (68) ,Chile (69), Nicaragua (70), Panamá (71) y Venezuela (72). En fin, ciertas veces, los preceptos legales otorgan una autorización muy amplia a la administración, aunque
limitándola a la condición de beligerancia del país, según resulta, por ejemplo, de los términos de la ley cubana de 23

---

(65) D. Nº 7058, de abr. 1945; D. Nº 7527, de 6 abr. 1945; D. Nº
      11.417, de 23 mayo 1945. Se crea el registro especial de nacio-
      nales de los países enemigos, para la inscripción y vigilancia
      de las personas de nacionalidad (natural o legal), alemana o
      japonesa domiciliadas o residentes en la República.

(66) Informe relativo a las medidas sobre vigilancia y contralor de
      personas en Guatemala. — "La vigilancia de los extranjeros
      se ha hecho más estricta durante la emergencia actual; sobre
      todo, de los nacionales de países enemigos".

(67) Supra, nota 64.

(68) D. Nº 1205, de 25 jun. 1940, art. 11: "Las autoridades de que
      habla el artículo anterior, (encargadas del Registro y Vigilan-
      cia de extranjeros) cuando tengan sospechas relativas a ac-
      tividades peligrosas de un extranjero, residente o naturali-
      zado, podrán también investigar su género de vida, ocupa-
      ción, relaciones comerciales, medios de que deriva su sub-
      sistencia y todas las demás circunstancias que estimen ne-
      cesarias de conocer y rendirán inmediatamente un informe
      a la Sección de Extranjeros de la Policía Nacional".
      Inf. V. C. — La Sección de Espionaje y Contraespionaje
      del Departamento de Información del Estado Mayor del Ejér-
      cito, lleva a cabo un estricto contralor de los extranjeros pe-
      ligrosos mediante un sistema de archivos y de expedientes,
      en estrecha colaboración con las autoridades de Policía.

(69) Reglamento del art. 23, ley 7200 de 18 jul. 1942, art. 3º, inc.
      g): faculta al Jefe Militar de la zona de emergencia en ca-
      so de estado de sitio, a someter a vigilancia de la autoridad
      a las personas peligrosas.

(70) Informe sobre medidas adoptadas por el gobierno de Nica-
      ragua. "Vigilancia contra los nacionales simpatizantes de las
      doctrinas y procedimientos de los países totalitarios".

(71) Ver supra, nota 64.

(72) Inf. V.C. — Hay medidas específicas de vigilancia perma-
      nente de los extranjeros del Eje que se consideran peligrosos.

de julio de 1918 (73). En algunos casos particulares, los países han hecho aplicación asimismo de una fórmula genérica, comprensiva no sólo de los extranjeros, sino de todas las personas peligrosas del punto de vista de la defensa política (74).

3. La situación política del extranjero

a. Las restricciones políticas anteriores a la emergencia.

Para completar debidamente las nociones esenciales suministradas en esta introducción, así como para precisar el contenido y los límites de las restricciones impuestas por las medidas de defensa incluídas en esta sección de la presente obra, es necesario decir todavía algunas palabras sobre la situación política de los extranjeros, conforme ella aparece regulada en el derecho público americano del presente.

Como se ha visto páginas atrás, las naciones americanas se incorporaron al concierto universal en posesión de un concepto amplio de la dignidad humana y de un profundo sentimiento de consideración y respeto hacia el semejante. El tra-

---

(73) Art. 6º. "En virtud del estado de guerra y sólo mientras ésta subsista, se autoriza al Ejecutivo para poner en práctica cuantas medidas tiendan a someter bajo la vigilancia de la autoridad, a los extranjeros que arriben a la República, acerca de los cuales existan motivos racionales para suponerlos hostiles a los intereses de Cuba o de las naciones a las cuales está aliada en la presente guerra".

(74) Es el caso típico del Uruguay, por ejemplo. El decreto de 25 de setiembre de 1940 impone a las autoridades de policía y miembros de las instituciones armadas, además de sus funciones ordinarias —y exhorta a todos los ciudadanos en el mismo sentido— la obligación de dedicar "preferentemente sus actividades a la vigilancia y represión, dentro de lo que está en la órbita de su competencia, de las organizaciones o individuos que, por la propaganda o por la acción, se constituyan en instrumentos de planes que puedan poner en peligro la soberanía, las instituciones o el orden públicos nacionales".

Aplicación de una técnica semejante, hacen las Circulares del Ministerio del Interior de 28 de octubre de 1941 y 30 de julio de 1942, inc. a), que recaban de las Jefaturas de Policía una información detallada sobre las "personas que en el Departamento están sindicadas como elementos de actividad contraria, confirmada o posible, a la democracia y a favor del totalitarismo, con especificación de nombres, ocupación, nacionalidad y todo dato que la Jefatura juzgue conveniente".

tamiento diferido en ellas al extranjero se mueve, por eso, en un principio, en un plano muy superior al de los pueblos antiguos y al de muchos países europeos de la época. Sus constituciones consagraron unánimemente los derechos fundamentales inherentes a la calidad de hombres de sus habitantes, de la cual participa igualmente, es obvio decirlo, el extranjero. Esta fué una consecuencia de la política americana del período de formación nacional que respondió especialmente, aparte de a los principios inherentes al liberalismo político, a un fin utilitario, impuesto por la necesidad de atraer y radicar al extranjero en el suelo patrio.

Las fórmulas jurídicas usadas por el derecho positivo llevaron a una igualdad, a una equiparación formal y práctica del extranjero y del nacional, en casi todos los órdenes de la actividad humana, con excepción del campo político, donde subsistieron y se perciben limitaciones impuestas por naturales exigencias emanadas de las condiciones propias a la organización como Estados soberanos e independientes de los pueblos americanos. De una manera general, puede afirmarse que el derecho constitucional de los Estados americanos consagra uniformemente la exclusión de los extranjeros de toda actividad interna de carácter político. Esto constituye un asunto demasiado importante como para dejarlo librado a la intervención de quienes, formados en otros hábitos, desconocedores del nuevo ambiente y de las realidades sociales, económicas y espirituales de que se nutre la función política, con la mirada todavía puesta muchas veces en sus países de origen, carecen del interés y de la aptitud que el funcionamiento regular de los órganos del Estado requiere de la ciudadanía. Esa exclusión obedece, en esencia, a una razón elemental de dignidad y estima cívicas propias de toda organización nacional consciente de su unidad e individualidad políticas.

1) Prohibición de intervenir en la política interna.

La intervención en la vida política del país fué, en todo momento, sistemáticamente reservada al ciudadano con exclusividad. La actividad política se considera una cuestión interna, privativa del ciudadano y totalmente ajena al extranjero.

El ejercicio de los derechos políticos, activos y pasivos, el acceso a los cargos y dignidades públicos en el derecho positivo americano contemporáneo y en el de los primeros tiempos, trasciende la capacidad jurídica del extranjero, queda al margen de su aptitud política, mientras éste no adquiere la condición, el "status" emergente de la ciudadanía mediante el procedimiento especial de la naturalización o de la ciudadanía legal (75).

La prescindencia absoluta del extranjero en la política interna del país, constituye, pues, un primer principio fundamental. Las propias constituciones prescriben que los extranjeros no pueden desempeñar ninguna función pública de carácter representativo y, tampoco, a veces, funciones meramente administrativas. Careciendo de la ciudadanía, los extranjeros no poseen la calidad de electores y, menos, por tanto, la de elegibles. Los derechos políticos son privativos de los ciudadanos (76). En consecuencia, los extranjeros no pueden inmiscuirse directa ni indirectamente, en la política interior del país,

(75) Constituye una excepción muy particular a este principio, digna por ello de ser señalada, el derecho uruguayo. El art. 132 de la Constitución de 1917, autorizaba a la ley para acordar a los extranjeros el derecho de voto activo y pasivo en materia municipal. Según quedó fundado en los antecedentes respectivos, el artículo constituía algo así como un reconocimiento a los esfuerzos de los extranjeros que contribuyeren a la grandeza del país, siendo el campo municipal el más indicado para una concesión de esta naturaleza, dada la vinculación estrecha que hay entre todos los habitantes de una comuna.

La Constitución de 1934, reformada en 1942, tuvo en cuenta este antecedente, y amplió su alcance, al conceder el derecho al sufragio, en general, a los extranjeros con residencia de 15 años en el país, casados, de buena conducta, que tuvieren profesión, industria o capital, sin necesidad de obtener ciudadanía legal. Al conceder sólo el voto activo, el constituyente tuvo en mente el presumible desinterés del extranjero, que demuestra así su arraigo y preocupación por las cuestiones del país, y no su afán de ser elegido o lograr una posición burocrática; y, además, fundó en ese precepto la esperanza de que la intervención del extranjero apareje, en las luchas cívicas, un factor de atemperación y equilibrio.

Los más recientes estatutos de los Estados Unidos contienen igualmente excepciones a la regla general, que excluye al extranjero del ejercicio de los derechos y actividades políticas.

(76) **Colombia.** Const., art. 10, inc. 3: Los derechos políticos se reservarán a los nacionales.
Art. 14: La calidad de ciudadano en ejercicio es condición previa indispensable para elegir y ser elegido, y para

bajo apercibimiento de severas medidas que, por lo general, llegan a afectar su residencia en el territorio nacional (77).

desempeñar empleos públicos que lleven anexa autoridad o jurisdicción...

Cuba. Const., art. 39. Solamente los ciudadanos cubanos podrán desempeñar funciones públicas que tengan aparejada jurisdicción.

Costa Rica. L. Nº 25, de 13 de may. 1889, art. 17. Los extranjeros no gozan de los derechos políticos que competen a los ciudadanos... Los extranjeros no pueden votar ni ser votados para cargo alguno de elección popular, ni ser nombrados para cualquier otro empleo o comisión que. invista autoridad o jurisdicción civil o política.

Ecuador. Const. art. 28. Los extranjeros gozan de las garantías constitucionales, excepto las consignadas en los números 13 y 14 del artículo vigésimo sexto.

Art. 26: El Estado garantiza a los ecuatorianos.... 13. La libertad de sufragio. 14. La admisión a las funciones y los empleos públicos.

Honduras. Const., Título II, Capítulo II. De los extranjeros. Art. 18, inc. 2º. Tampoco podrán desempeñar cargos o empleos públicos, inclusive los de los distintos cultos establecidos en el país, bajo pena de expulsión...

México. Const., Capítulo II, art. 32. Los mexicanos serán preferidos a los extranjeros, en igualdad de circunstancias, para toda clase de concesiones y para todos los empleos, cargos o comisiones del Gobierno en que no sea indispensable la calidad de ciudadano. En tiempo de paz, ningún extranjero podrá servir en el Ejército, ni en las fuerzas de policía o seguridad pública.

La Constitución mexicana incorpora, incluso, un precepto especial prohibitivo del ejercicio del ministerio religioso a los extranjeros; art. 130, inc. 8º. Para ejercer en los Estados Unidos Mexicanos el ministerio de cualquier culto, se necesita ser mexicano por nacimiento.

Nicaragua. Const., Título II. De los extranjeros, art. 26. Los extranjeros podrán desempeñar puestos públicos en los ramos de beneficencia y ornato o en aquellos que se requieran conocimientos técnicos especiales; pero no podrán desempeñar cargos o empleos que lleven anexa autoridad o jurisdicción.

Panamá. Const. de enero de 1941, Título II, Nacionalidad Extranjería. Art. 21 ,inc. 2º: Los derechos políticos sólo pueden ser ejercidos por los nacionales.

Art. 60: La ciudadanía consiste en el derecho de elegir y de ser elegido para puestos públicos de elección popular. Se requiere ser ciudadano para ejercer cargos oficiales con mando y jurisdicción.

Venezuela. L. de 29 jun. 1942, art. 2º. Los extranjeros no tienen derechos políticos en Venezuela...

(77) Pueden mencionarse, como ejemplo las constituciones de:

México. Capítulo III, De los extranjeros. Art. 33, inc. 2º. Los extranjeros no podrán de ninguna manera, inmiscuirse en los asuntos políticos del país.

Nicaragua: Título II, De los extranjeros. Art. 23. Los ex-

a) Proyecciones de esta prohibición sobre, ciertos derechos individuales.

La prohibición de intervenir en la política nacional, que se ha indicado, implica correlativamente, para el extranjero, además, la limitación y, en algunos casos, la supresión de derechos fundamentales constitucionalmente reconocidos y garantidos por el derecho público interno al habitante o al ciudadano, tales como el derecho de reunión, de asociación, la libertad de pensamiento u opinión, etc., ejercidos con fines políticos.

Es sobre todo en la legislación ordinaria, donde se reitera con frecuencia el principio prohibitivo de intervenir en la política interna. Obedeciendo a una técnica de reglamentación, se complementa por ella el precepto, definiéndose o sancionándose los medios en virtud de los cuales puede llegarse a la violación del mismo. Esto sucede, especialmente, con oportunidad en que la ley regla la situación del extranjero en orden a los regímenes sobre entrada y residencia, o sobre asociación y propaganda. Además de la prohibición genérica de intervenir en la política interna del país (78), las leyes declaran pa-

tranjeros no deben inmiscuirse de ninguna manera en las actividades políticas del país. Por la contravención, sin perjuicio de ser expulsados sin juicio previo, quedarán sujetos a las mismas responsabilidades que los nicaragüenses.

El Salvador. Título III, De los extranjeros. Art. 15, inc. 2º Los extranjeros que directa o indirectamente participen en la actividad política interna del país.... perderán el derecho de residir en él.

Venezuela. La Const. venezolana prohibe en forma indirecta la intervención en política del extranjero, al determinar la responsabilidad en que incurren los que lo hagan.

Título III. Art. 38: Los extranjeros domiciliados o no que tomen parte en las contiendas o actividades políticas venezolanas, quedarán sometidos a las mismas responsabilidades que los venezolanos, y podrán ser detenidos, confinados o expulsados del territorio de la República.

(78) **Bolivia.** D. Supr. de 28 ene. 1937, art. 10, inc. c, que establece, entre otras cosas, las obligaciones de los extranjeros en Bolivia, imponiéndoles absoluta prescindencia en materia de política interna.

Brasil. D. L. Nº 383, de 18 abr. 1938, art. 1º. Los extranjeros fijados en el territorio nacional y los que en él se hallen en carácter temporario, no pueden ejercer ninguna actividad de naturaleza política ni inmiscuirse, directa o indirectamente, en los negocios públicos del país.

Colombia. D. Nº 1205, de 1940, art. 1º, inc. 3, establece también, como causal de expulsión, la intervención en cuestiones políticas de cualquier naturaleza que ellas sean.

ralelamente la inhibición de afiliarse o participar en las actividades de los partidos o sociedades políticos (79), de ingresar en entidades políticas o de asociarse para intervenir en la política nacional (80), de ser propietarios, dirigr, administrar o redactar publicaciones políticas, o de escribir o pronunciar discursos de la misma índole (81). Así establecida la prohi-

---

En la solicitud de permanencia presentada por los extranjeros, éstos se comprometen, según el punto 1º de la respectiva declaración, a abstenerse de toda actividad política.

Guatemala. D. Nº 2241, de 24 may. 1939, art. 1º. Los extranjeros radicados o que se encuentren temporalmente en el territorio nacional, se abstendrán de ejercer directa o indirectamente, cualesquiera actividades de carácter político.

Venezuela. Ley de Extranjería, de 31 jul. 1937, art. 28. Los extranjeros deben observar estricta neutralidad en los asuntos públicos de Venezuela...

(79) **Brasil.** D. L. Nº 383, de 18 abr. 1938, art. 2º. Les es vedado, especialmente a los extranjeros: 1º—organizar, crear o mantener sociedades, fundaciones, compañías, clubes y cualesquier establecimientos de carácter político...

Colombia. D. Nº 804, de 15 abr. 1936, art. 1º, inc. n. Serán expulsados los que intervengan en la política interna del país, afiliándose a sociedades o partidos políticos o de cualquier otra forma.

Conforme al punto 6º de la declaración presentada por el extranjero al ingresar, debe comprometerse a no intervenir directa ni indirectamente en las actividades de los partidos políticos en Colombia.

Venezuela. L. de Extranjería de 31 jul. 1937, art. 28. Los extranjeros se abstendrán 1º: de formar parte de sociedades políticas.

(80) **Costa Rica.** L. Nº 25, de 13 may. 1889, art. 17, inc. 2º. No pueden asociarse para tratar de intervenir activamente en la política militante de la República...

Venezuela. L. de 18 jun. 1936, art. 21. No podrán ser admitidos en las asociaciones de carácter político o en cuyo programa o estatutos se incluyan, aún secundariamente, finalidades políticas,... los extranjeros...

(81) **Venezuela.** L. de Extranjería de 31 jul. 1937, art. 28. Los extranjeros se abstendrán: 2º, de dirigir, redactar o administrar periódicos políticos y de escribir sobre política del país y pronunciar discursos que se relacionen con la política del país.

Esta restricción ha sido incorporada en forma expresa al derecho **brasileño** por la Constitución vigente, con un alcance no meramente político, sino general, que responde de modo directo al proceso de nacionalización antes indicado, del que ese estatuto es el más notable ejemplo. Dispone, en su artículo 122, inc. 15, letra g): No pueden ser propietarios de empresas periodísticas las sociedades por acciones al portador y los extranjeros, y queda prohibido, tanto a estos como a las personas jurídicas, participar en tales empresas como accionistas. La dirección de los periódicos, así como su orientación intelectual, política y administrativa, serán únicamente ejercidas por

bición de participar en política dentro de las formas consagradas por el ordenamiento jurídico de cada Estado, es una consecuencia de la misma la interdicción y sanción de participar en movimientos internos armados, de origen político, o con un fin político, prevista en las leyes de algunos países (82).

2) Limitaciones a la capacidad política del naturalizado.

Es cierto que el extranjero, según se ha señalado, puede normalmente pasar a integrar la masa ciudadana del país en que reside, mediante la naturalización o la adquisición de la ciudadanía, conforme a las condiciones y requisitos establecidos por el derecho nacional en vigor. Las instituciones de los Estados Americanos, en efecto, de manera análoga a lo previsto por la legislación universal sobre la materia, permiten la incorporación del extranjero a la sociedad política nacional, habilitándole, entonces, una vez incorporado a ella, para desempeñar actividades de orden político (83). Pero esta capacidad política no es absoluta sino que, por el contrario, queda sujeta a ciertas limitaciones. En realidad y conforme a la naturaleza de las cosas, subsistirá siempre una diferencia entre la condición del naturalizado o ciudadano legal y la del natural. Esta diferencia, que responde, en último análisis, a un hecho ajeno a la voluntad del hombre, y que éste no puede modificar, se insinúa o aparece a menudo en las legislaciones, proveyendo un rasgo típico más en el perfil de la situación política del extranjero.

Las principales dignidades de la función de gobierno, o de la actividad administrativa, son sistemáticamente vedadas al extranjero naturalizado. Para alcanzar la investidura de Presidente de la República, por ejemplo, las Constituciones americanas, sin excepción, exigen la calidad de natural o de

brasileños nativos.
Perú consigna un precepto semejante en la Ley Nº 9034, de 23 nov. 1939, Capítulo II, art. 7º. Los extranjeros o personas jurídicas extranjeras no podrán ser propietarios o accionistas de empresas periodísticas políticas.

(82) **El Salvador**. L. de Extranjería, de 29 set. 1886, art. 4º. Los extranjeros no tomarán parte en las disensiones civiles del país; los que contravengan esta prohibición, podrán ser expulsados gubernativamente del territorio, como extranjeros peligrosos.

(83) Véase infra, Sección B, Prevención del abuso de nacionalidad.

ciudadano por nacimiento o, habiendo nacido en el extranjero, la circunstancia de ser hijo de nacional (84). Algunos países demandan, también, igual requisito para ser Vice-Presidente de la República (85), o para ser diputado o senador (86). La carta política de Paraguay requiere esta calidad para desempeñar, además de los cargos de Presidente de la República, Consejero de Estado y Representantes, las funciones de Ministro y miembro de la Suprema Corte de Justicia (87). Otras veces, la distinción con el nacional se reduce a una mayor exigencia de tiempo en el ejercicio de la ciudadanía (88); o bien

(84)   Consts. de **Argentina**, art. 76; **Bolivia**, arts. 85, 67 y 63; **Brasil**, art. 81; **Colombia**, arts. 87 y 110; **Costa Rica**, art. 96, inc. 1º; **Cuba**, art. 139, inc. a;**Chile**, art. 61; **República Dominicana**, art. 45, inc. 1º, **Ecuador**, art. 73; **El Salvador**, art. 96; **EE. UU. de América**, art. 2º, Sección 1, 4; **Guatemala**, Const. 1936, art. 65 y art. 130. Const. de 1945, inc. 1º; **Haití**, art. 32, inc. 1º de la Const. de 1935; art. 83 de la Const. de 1932 puesta nuevamente en vigencia con fecha 12 de agosto de 1946; **Honduras**, art. 115; **México**, art. 82, inc. 1º; **Nicaragua**, art. 203, inc. 1º; **Panamá**, art. 106, inc. 1º; **Paraguay**, art. 46; **Perú**, art. 136; **Uruguay**, art. 149; y **Venezuela**, art. 94.

(85)   Consts. de **Honduras**, art. 115; **Uruguay**, art. 149, inc. 2º, entre otras.

(86)   Consts. de **Bolivia**, arts. 67 y 63; **Brasil**, art. 51; **Colombia**, art. 87; **Cuba**, art. 121, inc. a); **Ecuador**, arts. 45, inc. 1º y 51; **México**, art. 55, I; **Perú**, art. 98; y **Venezuela**, art. 60.

(87)   Const., art. 42.

(88)   **Argentina**. Const., art. 47. Son requisitos para ser elegido senador: haber sido seis años ciudadano de la Nación,...
Cuba. Const., art. 12. Para ser representante se requiere: a) ser cubano por nacimiento o por naturalización, y en este último caso con diez años de residencia continuada en la República, contados desde la fecha de la naturalización.
República Dominicana. Const., art. 18, párrafo. Los naturalizados no podrán ser senadores, sino diez años después de haber adquirido la nacionalidad y siempre que hubieren residido de manera contínua en el país durante los dos años que precedan a su elección.
     Art. 21, párrafo. Los naturalizados no podrán ser elegidos diputados sino ocho años después de haber adquirido la nacionalidad, siempre que hubieren residido de manera contínua en el país durante los dos años que precedan a su eleción.
Estados Unidos. Const., art. 1º, sección 2, 2. No podrá ser representante el que... no haga 7 años que es ciudadano de los Estados Unidos...
     Art. 1º, sección 3, 3. No podrá ser senador el que... no haga 9 años que es ciudadano de los Estados Unidos...
Haití. Const. de 1935, art. 5º. Los extranjeros naturalizados haitianos no son admitidos a ejercer derechos políticos sino después de 10 años de residencia en Haití, a contar de la na-

el acceso a los empleos públicos queda en suspenso durante cierto tiempo subsiguiente a la naturalización del extranjero (89). En fin, existen incluso actividades de menor significación que las anteriores, del punto de vista representativo u honorífico, pero que, por su naturaleza y la relevancia que ofrecen para la seguridad nacional —fuerzas de tierra y mar, policía, etc.—, las legislaciones suelen reservar exclusivamente al nacional o las franquean al extranjero, sólo mediante el cumplimiento de requisitos especiales (90).

Estas formalidades obedecen todas, en el fondo, a un mismo propósito: asegurar la identificación del naturalizado con

turalización ...; y art. 10 inc. 3º de la Const. de 1932.
Uruguay: Const., art. 81: Para ser representante se necesita ciudadanía natural en ejercicio, o legal con cinco años de ejercicio; Art. 90: Para ser senador se necesita ciudadanía natural en ejercicio o legal con siete años de ejercicio...

(89)   Chile. Const., art. 5º, inc. 4º. Los nacionalizados tendrán opción a cargos públicos de elección popular, sólo después de 5 años de estar en posesión de sus cartas de naturalización.
Paraguay. Const.. art. 42. Los nacionalizados pueden ejercer todos los cargos públicos después de dos años de haber obtenido carta de naturalización.
Uruguay. Const., art. 69. Todo ciudadano puede ser llamado a los empleos públicos. Los ciudadanos legales no podrán ser designados sino 3 años después de habérseles otorgado la carta de ciudadanía.

(90)   Bolivia. Const., art. 171. Ningún extranjero será empleado en el ejército sin previa autorización del Congreso. Para desempeñar los cargos de Comandante en Jefe del Ejército y Jefe del Estado Mayor General, es requisito indispensable ser boliviano de nacimiento.
República Dominicana. Const., art. 87. Para pertenecer a cualquier cuerpo armado de la República es necesario ser dominicano en el pleno ejercicio de los derechos civiles y políticos.
Ecuador. Const., art. 81. No puede el Presidente de la República o el Encargado del Poder Ejecutivo... admitir extranjeros al servicio militar en clase de Jefes u Oficiales, sin permiso del Congreso...
México. Const., art. 32, inc. 2º. Para pertenecer a la Marina Nacional de guerra y desempeñar cualquier cargo o comisión en ella, se requiere ser mexicano por nacimiento. Esta misma calidad será indispensable en capitanes, pilotos, patrones, maquinistas y, de una manera general, para todo el personal que tripule cualquier embarcación que se ampare con la bandera mercante mexicana. Será también necesaria la calidad de ciudadano mexicano por nacimiento para desempeñar el cargo de Capitán de Puerto y todos los servicios de practicaje, así como las funciones de Agente Aduanal en la República.
Art. 73: El Congreso tiene facultad:...XV. Para dar Reglamentos con objeto de organizar, armar y disciplinar la Guar-

la sociedad política a la que se incorpora. Al reconocer una distinción natural, basada en el principio de la diferente nacionalidad de origen, la prohibición absoluta de acceder a las principales dignidades de la República o de desempeñar las funciones de mayor responsabilidad, prevista unánimemente por el derecho público americano, se da satisfacción, a la vez que a una seguridad de naturaleza política, a una necesidad de orden moral originada en explicables sentimientos de dignidad e independencia.

Una nueva aplicación del propósito en que se fundan estas limitaciones la deparan aquellas disposiciones que eximen al naturalizado de prestar servicio militar contra su país de origen (91), o que lo dispensan de hacerlo, en general, durante un período determinado, luego de haber adquirido la ciudadanía del país (92). La distinción se elabora aquí, también en función del interés nacional, precisado de la más plena lealtad de todos sus ciudadanos; pero se toma cuenta, igualmente, de la situación especial del naturalizado, cuyos servicios en tales circunstancias habrían necesariamente de prestarse al duro precio de un razonable conflicto de encontrados sentimientos.

3) Reserva de soberanía. Prohibición de recurrir a las reclamaciones diplomáticas.

Finalmente, debe ser mencionada una previsión restrictiva incluída en algunas Constituciones americanas, por dictado del principio de soberanía y que, por su contenido, contri-

---

dia Nacional, reservándose, a los ciudadanos que la formen, el nombramiento respectivo de Jefes y Oficiales...
Paraguay. Const., art. 42. Los naturalizados pueden ejercer todos los cargos públicos... menos los de... Jefes del Ejército y de la Armada.

(91) **Colombia.** Const., art. 11, inc. 2º. Los extranjeros naturalizados y los domiciliados en Colombia no serán obligados a tomar armas contra el país de su origen.
Panamá. Const., art. 168, inc. 2º. Los extranjeros nacionalizados no serán obligados a tomar armas contra el país de su nacimiento.

(92) **Argentina.** Const., art. 21. "Los ciudadanos por naturalización son libres de prestar o no este servicio — el de tomar armas en defensa de la patria y la Constitución — por el término de 10 años, contados desde el día en que obtengan su carta de ciudadanía".

buye también en cierto modo a definir la situación del extranjero, desde el punto de vista político.

Ciertos textos, en vista de la naturaleza del derecho que protegen, se apresuran a declarar que la situación del extranjero a su respecto no es mejor que la del nacional. Tal es lo que sucede en cuanto al derecho de propiedad, en especial, materia que muchas Constituciones rodean de esta prevención y que, por las proyecciones de orden político que pueden derivar en caso de controversia — como lo enseña una amplia experiencia histórica en los países del continente—, afectando la soberanía y la misma independencia del Estado, se proclama por completo extraña a toda jurisdicción extranjera, salvo el caso de denegación de justicia (93).

Otras veces, la reserva es formulada de una manera general, inhibitoria de recurrir a la intervención diplomática sin especificación de ninguna clase especial de asunto. En vista de la extensión dada por el Eje al derecho de sus nacionales, como "Volksgenossen", aunque sean naturalizados, esta negación del recurso diplomático es susceptible de adquirir remozada categoría de oportunidad y conveniencia política (94).

---

(93)   Const. de **Bolivia**, art. 18. Los súbditos o empresas extranjeras están en cuanto a la propiedad, en la misma condición que los bolivianos, sin que en ningún caso puedan invocar situación excepcional ni apelar a reclamaciones diplomáticas, salvo casos de denegación de justicia.
Const. de **Ecuador**, art. 23. Todo contrato que un extranjero o una compañía extranjera celebrare con el gobierno, o con un individuo particular, llevará implícitamente la condición de la renuncia a toda reclamación diplomática.
Const. de **Perú**, art. 32. Los extranjeros están, en cuanto a la propiedad, en la misma situación que los peruanos, sin que en ningún caso puedan invocar al respecto situación excepcional, ni apelar a reclamaciones diplomáticas.
(94)   Const. de **Honduras**, art. 18. Título II, Cap. II. De los extranjeros. No podrán hacer reclamaciones ni exigir indemnización alguna del Estado, sino en la forma y en los casos en que pudieran hacerlo los hondureños.
Art. 19. Los extranjeros no podrán ocurrir a la vía diplomática sino en los casos de denegación de justicia. Para este efecto, no se entiende por denegación de justicia que un fallo ejecutoriado no sea favorable al reclamante. Si contraviniendo esta disposición, no terminaren amistosamente las reclamaciones y le causaren perjuicios al país, perderán el derecho de habitar en él.
Const. de **Nicaragua**, art. 24. Los extranjeros no podrán hacer reclamaciones ni exigir indemnización alguna del Estado,

b. Las restricciones políticas originadas por las ideologías extremistas.

El principio prohibitivo estudiado precedentemente, sigue siendo la regla invariable a través del tiempo. Mas, su esfera va a ensancharse de modo considerable bajo el imperio de las circunstancias determinadas por el advenimiento de las ideologías y tendencias políticas extremistas de la época contemporánea. A la restricción de intervenir en la política **propia** del país de residencia, viene a sumarse la prohibición de introducir o favorecer intereses, ideologías o tendencias **extranjeros** en la política interna. En suma, se trata siempre de una prohibición de participar en la política interna, pero no ya por la simple intervención del extranjero en las cosas nacionales, sino mediante la importación de inspiraciones o corrientes de pensamiento extrañas a la política local, o generados por el propósito de influirla o sustituirla.

En el período inmediato anterior a la primera guerra mundial, las corrientes de inspiración anarquista y nihilista, primero, y en la etapa de la post-guerra, las tendencias del socialismo internacional y del comunismo y, más tarde, del fascismo y del nacional-socialismo, que encontraban en muchos extranjeros admiradores inconscientes o propagadores interesados, provocaron en los países americanos el nacimiento de una legislación defensiva, tuteladora de las concepciones políticas nativas y de la ideología democrática.

Las tendencias políticas predominantes en el país de origen del extranjero, y mismo las semejantes de otros países, comenzaban, por influencia del residente extranjero, a infiltrarse en el ambiente político de los países americanos, a gra-

---

sino en los casos y forma en que pudieren hacerlo los nicaragüenses...

Art. 25. Los extranjeros no podrán ocurrir a la vía diplomática, sino en los casos de denegación de justicia. No se entiende por tal el hecho de que un fallo ejecutoriado sea desfavorable al reclamante. Los que contravinieren a esta disposición perderán el derecho de habitar en el país.

Const. de **El Salvador**, art. 14. Los extranjeros no podrán recurrir a la vía diplomática sino en los casos de denegación de justicia y después de agotados los recursos legales que tengan expeditos. No se entiende por denegación de justicia el que un fallo ejecutoriado sea desfavorable al reclamante. Los que contravengan esta disposición perderán el derecho de habitar en el país.

vitar en el cuadro de las facciones locales e incluso, a tomar abiertamente posiciones en la actividad política nacional.

Este movimiento, tan ligeramente esquematizado, se tornó especialmente intenso con la propaganda de los ideales del Estado totalitario, proclamados por el reformismo político contemporáneo, en oposición al sistema de la democracia liberal, cuya decadencia y destrucción se proclama y persigue. En particular los extranjeros provenientes de Italia y Alemania traían consigo un fuerte sentido de superioridad nacional por relación al país americano de adopción, que los impulsaba, consciente o inconscientemente, a disminuir la estimación por los sistemas políticos imperantes en ella y a enaltecer lo que juzgaban como realizaciones superiores de los regímenes establecidos en sus patrias de origen. Muchos de esos extranjeros ansiaban incluso tornarse los apóstoles de la nueva fe política, los iniciadores de las masas nativas en el camino de la búsqueda e implantación de las formas políticas sustitutivas de la democracia. La propaganda totalitaria, por su parte, se orientaba decididamente hacia el descrédito de las instituciones americanas, tratando de estimular a la vez el sentimiento nacionalista de los extranjeros radicados en estas tierras. Cuando ello era posible, trataba aún de lograr la colaboración de los propios nacionales, ya fuere en forma de participación activa o de simple complacencia o simpatía hacia las nuevas doctrinas. La creación de asociaciones u organizaciones de distinta naturaleza, será un primer medio sumamente generalizado y eficaz de mantener una estrecha vinculación cultural y política con el país de origen. Un segundo procedimiento, de incalculable utilidad para la consecución de los mismos objetivos, habrá de ser la propaganda. Así, mientras el extranjero guarda, por un lado, una actitud neutral en las cuestiones de política interna autóctona del país, impuesta por la prohibición antes analizada, se convierte por otro en un agente activo de la política de su país de origen en el Estado de residencia, integrando y sosteniendo asociaciones, periódicos y demás vehículos de propaganda, o debatiendo, comentando y difundiendo los ideales políticos de su patria. Aparentemente, no desea interferir en la política interna del país que lo abriga, pues su actividad se limita a promover el desenvolvimiento de los intereses totalitarios por motivos comerciales, culturales u otros; pero, a la vez que fomenta estas relaciones, trata de dar un ejemplo de los beneficios que produciría el nuevo régimen de ser introducido en el país y proporciona a los nacionales instrucciones elocuentes sobre la forma de ser un "fascista", un "nacionalsocialista" o un "nacionalista" constructivo dentro de su propio país (95).

Se deja en esta forma delineada la situación del extranjero en las Repúblicas Americanas. Si ya las condiciones internas propias de cada país había llevado a algunos de éstos, en un movimiento de tendencia más o menos generalizada, a introducir ciertas restricciones en la condición civil de los extranjeros y a limitar su intervención en la órbita de la política nacional, la propagación de las ideologías revisionistas del presente y la manifestación concreta de la actividad subversiva contribuyeron, por su parte, a fortalecer aquella tendencia restrictiva en carácter de exigencias determinadas por la defensa del estado democrático.

Es propósito de los capítulos que siguen el exponer justamente las distintas medidas específicas para el contralor de los extranjeros relacionadas con la defensa política, según resulta de las disposiciones pertinentes de las Repúblicas del Hemisferio.

---

(95) V. infra, SecciónD, Contralor de los medios de comunicación y formación de la opinión pública.

CAPITULO I

REGISTRO

I. Naturaleza y fines del instituto

Del punto de vista del contralor de los extranjeros, tal vez ninguna otra institución como el registro, tenga el carácter de medida inicial básica para la estructuración y funcionamiento adecuados del sistema general de la defensa política de un país. Quizás, sea éste también el procedimiento más generalizado en las Repúblicas Americanas para identificar y ejercer ulteriormente una efectiva vigilancia sobre los extranjeros, definitiva o transitoriamente incorporados a la masa de sus poblaciones.

Si bien se observan muchas veces peculiaridades propias de cada sistema individual de registro, ya sea en orden a sus objetivos inmediatos, a su alcance, a su organización y a sus medios de acción, hay siempre en esta medida un carácter mínimo común de contralor de los extranjeros.

El registro de extranjeros tiene, esencialmente, un fin de policía. Antes que nada, interesa a su objeto llevar una contabilización y clasificación tan exacta cuanto es posible, de todo el elemento extranjero que entra o reside en un país; busca poder individualizarlo y ubicarlo en cualquier momento dentro del territorio nacional; conocer su nombre, su edad, su nacionalidad, su procedencia y destino, su estado civil, su filiación, la fecha de su llegada y la forma en que lo ha hecho, su profesión u ocupación y las actividades a que se dedica, el grado de instrucción que posee, su fortuna, la familia y las vinculaciones que mantiene, sus antecedentes, etc. En algunos casos especiales, es utilizado para coadyuvar inclusive, mediante una oportuna inscripción y elaboración permanente de los datos respectivos, en la consecución de los múltiples fines que han llevado al Estado en los últimos tiempos, en un intervencionismo creciente, a ensanchar considerablemente el campo de su actividad.

A este título, el registro se convierte en un auxiliar precioso e indispensable de posteriores investigaciones y supervigilancia de las personas sospechadas de dedicarse a actividades subversivas. La simple declaración de datos y referencias por el propio registrado —interesado a veces en ocultar la verdad acerca de los actos que realiza o los fines que persigue—, no podría en efecto constituir por sí sola una medida de prevención o represión de actividades subversivas. El registro, únicamente, proporciona una base adecuada para el descubrimiento de tales actividades merced al empleo continuo e inteligente, por parte de las autoridades competentes, de los informes y referencias que se obliga a suministrar al extranjero. En tales datos existe siempre un indicio, un punto de partida, que corresponde a la autoridad investigar y confrontar. Limitado a una mera organización burocrática, el registro sería a lo sumo una buena oficina de estadística, pero nunca un instrumento eficiente de defensa política (96).

Las causas que determinan la creación de este y otros medios ulteriores de contralor, son fundamentalmente las mismas que antes se han señalado al estudiar, de un modo general, los motivos —económicos, sociales y políticos— de las restricciones y las medidas de fiscalización de los extranjeros en las Repúblicas Americanas (97). Sintetizando conceptos ya expuestos se dirá nuevamente, en lo que es de exclusivo interés ahora, que dos factores esenciales concurren paralelamente en la génesis del registro. Por un lado, la inauguración de una política nacional, el despertar de una mayor preocupación por regular de modo más científico y orgánico todo lo relacionado con la admisión, la residencia y la salida del extranjero en el país, consultándose las exigencias que dimanan de las condiciones internas por orden a la población ya establecida en él, su número, su composición étnica y su distribución dentro del territorio, el régimen económico, las necesidades del mercado del trabajo nacional, la producción, las condiciones sociales, el estado de las profesiones, las industrias, las ciencias y las artes. Por otro, los problemas políticos de los últimos tiempos, las actividades subversivas, la infiltración de las corrientes ideológicas extremistas que, en muchos casos, trae consigo el

---

(96) Ver, especialmente, "Organización administrativa para el contralor de extranjeros", Infra, págs. 308 y sgtes.
(97) Introducción, págs. 166 y sgtes.

extranjero, haciéndose su agente o propagador. Tanto el uno como el otro de estos factores señaló la conveniencia de establecer instrumentos especiales de organización y contralor de los extranjeros. El primero, como medio indispensable de facilitar la ejecución administrativa de la nueva política, de seleccionar la inmigración, de orientar la colonización, de dirigir la economía nacional, de hacer posible el programa de asimilación, conforme lo requieren las necesidades, deducidas del valor positivo o negativo de los datos elaborados y de las estimaciones de la estadística. El segundo, como medida de defensa de la seguridad política interna, como base para una estricta fiscalización de las actividades y conducta de los extranjeros, de modo de poder prevenir y reprimir eficazmente todo acto o tentativa dirigida a comprometer la paz, el orden y la seguridad del país.

Es este último, especialmente, el carácter que define el instituto del punto de vista que más interesa a este análisis. El registro es concebido aquí como la base sobre la cual debe fundarse todo sistema efectivo para el contralor y supervisión de las personas extranjeras que se dedican a cualquiera de las diversas formas de actividades subversivas, realizadas en interés de los países del Eje. Tal ha sido el fundamento teórico predominante de la Resolución Nº VI aprobada por el Comité el 7 de julio de 1942 (98) y, también, el carácter práctico saliente del empleo de los sistemas nacionales de registro hecho por los diversos países del Hemisferio durante la emergencia.

Consumada la agresión totalitaria a una República del Continente, la III Reunión de Consulta de los Ministros de Relaciones Exteriores de Río de Janeiro sentó los principios de la defensa nacional y colectiva de las Repúblicas Americanas, en un conjunto de previsiones y recomendaciones de distinta índole. En la Resolución XVII, aprobada por dicha Reunión, se recomendó a los gobiernos americanos "que mantengan y amplíen sus sistemas de vigilancia para evitar que actividades subversivas de individuos o grupos de individuos nacionales de los países extracontinentales, que provengan o sean dirigidos desde un país extranjero, puedan obstaculizar o limitar los

(98) Comité Consultivo de Emergencia para la Defensa Política, Primer Informe Anual sometido a los gobiernos de las Repúblicas Americanas, jul. de 1943, Montevideo, ps. 70 y siguientes.

esfuerzos individuales o colectivos de las Repúblicas Americanas para preservar su integridad o independencia y la integridad y solidaridad del Continente americano" (99). Y en el Memorándum anexo a la citada Resolución se recomendó, asimismo, el contralor de los extranjeros peligrosos, exigiéndose que todos los extranjeros se registren y que comparezcan periódicamente ante las autoridades, ejerciéndose una estricta supervisión sobre las actividades y conducta de todos los nacionales de Estados miembros del Pacto Tripartito y de los Estados a ellos subordinados, etc. (100).

En vista de estos fundamentos y del hecho de que las leyes y reglamentos sobre registro e identificación de extranjeros existentes en la mayoría de las Repúblicas Americanas, aunque adecuados en períodos normales, necesitaban ser revisados y coordinados a fin de que las autoridades correspondientes dispusieran de una base indispensable para la represión de las actividades políticas en favor de los Estados del Eje, pudieran realizar eficientemente la supervisión y contralor de los extranjeros peligrosos dentro de cada país, y efectuar un intercambio amplio y constante de información entre las respectivas autoridades nacionales, el Comité recomendó a los gobiernos americanos, el establecimiento o la revisión de sus leyes, organizaciones, procedimientos y prácticas relativas a la fiscalización, registro e identificación de extranjeros domiciliados o residentes o en tránsito, conforme a ciertos principios generales y normas mínimas considerados esenciales para la estructuración del régimen nacional de emergencia (101).

Esta Resolución puede considerarse como una fórmula adecuada en materia de registro, identificación y contralor de extranjeros por razones de defensa política. Bajo este aspecto excede a menudo el alcance de las leyes vigentes en las Repúblicas Americanas, elaboradas, en su mayoría, en el curso de la última década, con propósitos ajenos al de contralor político y cuando aún no se percibían en toda su realidad los peligros de la infiltración totalitaria.

---

(99) Res. Nº XVII, Actividades Subversivas, 2º.
(100) Res. cit. Anexo, A, 1).
(101) Res. cit., parte expositiva, letras A a E, y Exposición de Motivos.

II. Ambito personal de validez de las normas sobre registro

Si bien los requerimientos emanados de la defensa política llevaron al Comité a recomendar, de conformidad con la competencia prevista en la Resolución XVII de la III Reunión de Consulta, la adopción o el fortalecimiento de las normas sobre registro respecto de los extranjeros y especialmente de los de las Potencias del Eje y Estados subordinados, la legislación interna de las Repúblicas Americanas sobre la materia, aprobada con anterioridad a la emergencia en la mayoría de los casos y con finalidades diferentes, proyecta esas normas a un ámbito personal de aplicación más o menos reducido según las situaciones. Por tal motivo y como cuadro general de orientación de la validez de tales preceptos respecto de las personas, se indicarán a continuación, abreviadamente, las categorías principales a que los mismos pueden ser reducidos. Análogo procedimiento será también empleado en mucho de los capítulos subsiguientes al exponerse las otras medidas de contralor.

1. Todas las personas.

A la superioridad específica, del punto de vista que concierne a la defensa política, de las reglas aconsejadas por el Comité, las disposiciones vigentes en algunos países americanos oponen, en algunos casos, un mayor alcance personal de la norma. Este carácter aparece especialmente en los regímenes sobre registro y expedición de documentos, carnets o cédulas de identidad, dentro de cuya técnica, en términos generales, se exige la inscripción de todas las personas, sean nacionales o extranjeras, sin excepción. En esencia, las disposiciones establecen en estos casos la obligación de todos los habitantes del país, en forma indiscriminada, de registrarse; o bien adelantan que ese deber comprende a todas las personas, sean nacionales o extranjeras, dentro de ciertas condiciones que expresamente se fijan. De esta manera, todo el elemento humano que reside en el territorio de un país, o la gran mayoría del mismo, es igualitariamente tratado por la ley sobre registro, sin atenderse a la nacionalidad de unos y otros, siendo aplicables a ambos, nacionales y extranjeros, en forma igualmente pareja, todas las exigencias y requisitos establecidos por los preceptos legales. En realidad, estas normas constituyen, en muchos casos, verdaderos estatutos reguladores de los servicios de identificación civil y son empleados para satisfacer las múltiples necesidades de la función pública en el Estado moderno.

Las disposiciones de Argentina (102), Bolivia (103), Chile (104), Ecuador (105), Guatemala (106), México (107), Pa-

(102) Las disposiciones, en realidad, son de carácter provincial y no nacional: D. de la Prov. de Buenos Aires de 23 mar. 1994, arts. 1º y 4º, y D. Nº 4479 de nov. de 1944, de la intervención federal en la citada provincia.
No existe en la República Argentina una ley nacional sobre la materia, aunque sí diversos proyectos no sancionados por las autoridades competentes. El Comité no dispone de información acerca de si otras provincias han adoptado medidas análogas a las establecidas por la de Buenos Aires.

(103) L. de 10 dic. 1927, art. 1º. Se crea la cédula de identidad personal obligatoria para todos los estantes y habitantes de la República.
Reg. de 31 dic. 1927, art. 1º.

(104) D. Nº 216 de 15 may. 1931 (Registro de Empadronamiento Vecinal). 1) Las Prefecturas de Carabineros de Chile, formarán y organizarán debidamente el empadronamiento de vecinos de los sectores de su respectiva jurisdicción y para cuyo fin en cada comisaría, subcomisaría o subtenencia se llevará el registro de empadronamiento Vecinal de conformidad al Reglamento respectivo.
L. Nº 6880 de 8 abr. 1941, arts. 5º y 9º. Oblígase a todas las personas naturales a solicitar cédula de identidad, y a los extranjeros, su cédula de identidad y residencia.

(105) L. de 1º de enero de 1925, art. 1º. Se establece en la República de Ecuador, dependiente del Ministerio del Interior, el Registro de Identificación Dactiloscópica.
Art. 2º Todo habitante de la República del Ecuador... está obligado a obtener su cédula de identidad...
D. Nº 1576 de 30 dic. 1941, art. 3º. La cédula de identidad personal es obligatoria para todos los habitantes de la República en la forma y modo que determinan este Decreto y los correspondientes Reglamentos.

(106) D. Leg. Nº 1735 de 4 jun. 1931, art. 1º. Se crea la Cédula de Vecindad obligatoria para todos los guatemaltecos y extranjeros domiciliados en la República ...
Reg. de 5 ago. 1931, arts. 1º y 2º.

(107) L. de 24 de ago. 1936 (General de Población), art. 157. El registro es obligatorio para las personas que señala esta ley, y potestativo o voluntario para los demás.
La ley mexicana comporta, en realidad, un sistema de identificación general progresivo de las personas, conforme las necesidades lo requieran. Quedan comprendidos en la disposición legal con carácter de obligatoriedad, los funcionarios y empleados federales, los de distrito federal y territorios, y los de beneficencias públicas de los municipios, los miembros del

namá (108), República Dominicana (109) y Venezuela (110), pueden ser citados como ejemplos de registros de carácter general.

_____

ejército y armada nacional, los tripulantes y empleados de la marina mercante, los ejidatarios y campesinos que soliciten tierras, los trabajadores y empleados sindicalizados, los empleados de las instituciones públicas de crédito o de empresas o servicios públicos, los profesionales, los ministros de los cultos en general, los propietarios de bienes raíces, los mayores de 16 años que reciban asistencia pública en establecimientos del Estado o particulares de beneficencia y los empleados de éstos, los contratistas de obras públicas, los que soliciten autorización para portar armas, los conductores de vehículos, las personas del servicio doméstico que trabajen en hoteles, restaurantes y otros establecimientos abiertos al público y las demás personas que designe la Secretaría de Gobernación oportunamente "por disposición de observancia general y a medida que el desarrollo de la ley general de población lo vaya permitiendo, en lo que a identificación se refiere".

Ha sido por aplicación de estas previsiones, que se han dictado, durante la emergencia, disposiciones especiales exigiendo el registro e identificación de las personas que trabajan o están de algún modo relacionadas con las industrias y actividades esenciales de la vida nacional, para prevenir cualquier tentativa o ataque contra las mismas. (Acuerdos de 10 abr. y 19 oct. 1942, especialmente). Por el primero de éstos, se recomendó a la Secretaría de Gobernación la identificación de los trabajadores que prestan servicios en la industria del petróleo y, por el segundo, se extendió dicha tarea, con carácter de urgente, "a todas las industrias nacionales, cuya producción o funciones, se consideren de vital importancia para el país, en el momento actual, inclusive las de materiales de guerra y transportes, registrando e identificando debidamente a todos los trabajadores, empleados y funcionarios de tales industrias".

(108) L. Nº 83 de 1º jul. 1941, art. 2º. Están obligados a poseer y llevar consigo la Cédula de Identidad Personal: a) Los panameños de uno y otro sexo, legalmente domiciliados en Panamá, si son mayores de edad o, si son menores, emancipados o habilitados de edad. b) Los extranjeros de uno y otro sexo, legalmente domiciliados en Panamá, si son mayores de edad, o si son menores, emancipados o habilitados de edad .

(109) L. Nº 372 de 19 nov. 1940, art. 1º. Es obligatoriedad para todas las personas del sexo masculino, nacionales o extranjeros, residentes en la República ..., proveerse de un certificado de identificación que se denominará "Cédula Personal de Identificación" ...

(110) L. de 30 jul. 1938, art. 23. La identificación de las personas se hará por los funcionarios del Cuerpo de Investigaciones y tendrá fines de carácter civil, policial o judicial, electoral y de control de extranjeros.
Art. 56. Los venezolanos residentes en el extranjero solicitarán su respectiva cédula de identidad por ante los funcio-

También el Uruguay—país en el cual no existe el registro de extranjeros—parece inclinarse en esta dirección, según se desprende de las numerosas iniciativas presentadas al parlamento para crear un registro general de la población o vecindad (111). La tendencia se manifiesta particularmente acentuada en el proyecto de Registro General de la Población, aprobado últimamente por la Comisión Interministerial uruguaya para la Defensa Política y que el Poder Ejecutivo nacional ha hecho suyo. La finalidad central de la institución proyectada es la de llevar por medios técnicos, las altas y bajas de los habitantes de la República, el contralor del movimiento migratorio, la fiscalización, por razones de policía y de defensa política, de las actividades de todas las personas residentes en el país, y de proporcionar todas las informaciones y servicios necesarios al desenvolvimiento de las funciones de los órganos públicos. Según expresa el referido organismo en su informe, "el proyecto de referencia ha de servir, no sólo para ejercer el contralor adecuado de los problemas específicos y transitorios que se relacionan con la defensa política, sino que, por su estructura, su concepción técnica y su amplio enfoque jurídico, que le confiere todas las proyecciones de un verdadero servicio público, ha de constituir además un instrumento de alta eficacia para la solución de las numerosas cuestiones de naturaleza permanente que al Estado contemporáneo plantea uno de sus elementos esenciales: la población" (112).

Evidentemente, estas fórmulas superan el alcance más

narios consulares de la República, quienes observarán al efecto, las prescripciones de esta ley y sus reglamentos.
D. de 22 jul. 1941, art. 1º. Procédase a la organización inmediata de los servicios necesarios para hacer efectiva en jurisdicción del territorio de la República, la identificación personal con fines de carácter civil, policial o judicial, electoral y de control de extranjeros, previstos en los artículos 23 al 42 de la Ley del Servicio Nacional de Seguridad.
Art. 2º. La identificación de las personas, tanto nacionales como extranjeras, se hará por el método .....

(111) V., Alejandro Rovira y Luis Seguí González, Contralor de Actividades Subversivas en el Uruguay, Montevideo, 1943, págs. 23-29.
(112) Mensaje del Poder Ejecutivo a la Asamblea General al inaugurarse el 2º Período de la XXXIV Legislatura, Montevideo, 1944, págs. 31 y siguientes.

restringido del registro exclusivo de los extranjeros, como lo ha reconocido el propio Comité al declarar que sólo problemas de orden práctico obstarían a una recomendación de esta naturaleza en las actuales circunstancias (113). Obvio parece ser el motivo que inspira este criterio. El espionaje, el sabotaje, la traición, la propaganda, la actividad subversiva, en fin, en sus diversas formas no es, teórica y empíricamente, privativa del extranjero. Es contra éste ,es verdad, que ha solido manifestarse generalmente una explicable sospecha de deslealtad respecto del país en que reside. Pero desgraciadamente no es tampoco menos verdadero que todos los nacionales hayan podido siempre y en todas partes quedar exentos de tal sospecha de infidelidad.

2. Todos los extranjeros.

Esta categoría es, en puridad, la que en forma más estricta se ciñe a las prescripciones contenidas en la Resolución VI del Comité, antes citada. Dividida ésta en cuatro partes esenciales — organización para el registro y fiscalización de los extranjeros; registro; comparecencia y contralor ulterior; y sanciones — presenta interés inmediato al objeto del presente capítulo la parte propiamente relacionada con el acto de registro o inscripción (114).

Aconseja esta Resolución que todo extranjero que se encuentre radicado en el país o ingrese a él después del establecimiento del sistema de registro, quede obligado a registrarse, salvo algunas excepciones de naturaleza especial, de que se trata más adelante. Los extranjeros menores de catorce años, deben ser registrados por el padre, la madre o el tutor, los que asumirán en su caso todos los deberes y responsabilidades que les correspondan.

_____

(113) Res. Nº VI, cit., Exposición de Motivos, Primer Informe Anual, p. 70: "Otro postulado implícito es que en vista de los difíciles problemas de carácter práctico que se plantean en el registro de todos los habitantes de un país, no es preciso que el Comité formule en esta ocasión una recomendación que incluya el registro de nacionales".

(114) En cuanto a los otros aspectos mencionados, Véanse los Capítulos II, V, y VI de esta sección.

Al inscribirse, cada extranjero debe aportar, bajo juramento o afirmación de decir verdad (115), una información lo suficientemente amplia como para llenar los fines del registro y que figura en anexo a la citada Resolución. Esta información tiene un carácter estrictamente confidencial y sólo debe ser asequible a las personas u oficinas correspondientes que fueran autorizadas por el funcionario encargado del registro.

En el acto de la inscripción, cada extranjero debe recibir un documento o cédula de identidad, que será firmada en presencia del funcionario correspondiente, y llevará su nombre, número de registro permanente, impresiones digitales, fotografía y los datos morfológicos esenciales. Un modelo de cédula de identidad obra anexo a la Resolución.

Los principios contenidos en esta Resolución, han sido sugeridos por los regímenes nacionales existentes en materia de registro e identificación de personas en las Repúblicas Americanas, según se adelanta en la respectiva exposición de motivos (116); y esta afirmación se corrobora efectivamente en el breve análisis de las leyes y disposiciones administrativas de los distintos países del continente que se hace a continuación. Como diferencia, y según ya se indicara, sólo se observa una preocupación predominante en la Resolución del Comité, enderezada más específicamente al aspecto relativo a la defensa política, que es el fin inmediato que se ha tenido presente en su elaboración.

Aunque las leyes vigentes sobre registro no suelen definir de modo expreso lo que debe entenderse por extranjero, el sentido parece ser para todas ellas el natural y obvio de la palabra, tomada en oposición a la de nacional, es decir, que connota la calidad de toda persona carente de la nacionalidad del país. Esta calidad debe, en consecuencia, deducirse en función de los textos constitucionales y las disposiciones internas que, conforme a ellos, regulan la adquisición y pérdida de la nacionalidad, en cada país, así como de lo establecido en los tratados y demás actos de carácter internacional que sean aplicables.

Puede mencionarse, como ejemplo de definición legal ex-

---

(115) V. Infra, pág. 258.
(116) Primer Informe Anual, cit., p. 71, párrafo segundo.

presa de la calidad de extranjero, la ley estadounidense de 5 de febrero de 1917 (117). Para esta disposición, la palabra **extranjero** —tomada en relación con los intereses de las leyes sobre entrada y residencia de personas en el país—"comprende a toda persona que no sea nativo o ciudadano naturalizado de los Estados Unidos" (118).

Pero singularmente el Decreto-ley boliviano de 2 de agosto de 1937 puede ser mencionado como un ejemplo de enumeración taxativa, en orden a las normas sobre registro, de las circunstancias que concurren a configurar la calidad de extranjero en una persona. Dice el artículo 1º del citado decreto-ley: "Para los fines legales, se denomina extranjero todo individuo que reside dentro del territorio de la República y carece de la nacionalidad boliviana, por encontrarse en uno de los siguientes casos: a) haber nacido en otro país, descendiente de padres extranjeros; b) haber nacido en otro país descendiente de padres bolivianos, y optado, llegada su mayoridad, por la nacionalidad del país de nacimiento; c) haber preferido la nacionalidad extranjera del padre, aunque hubiera nacido en Bolivia, inscribiéndose en el Consulado o de la manera señalada por sus leyes patrias; d) haber perdido la nacionalidad boliviana conforme a las leyes del país; e) los nacidos en Bolivia, de padres que pertenecen al servicio Diplomático o Consular, acreditado por Estados extranjeros; f) los que se establezcan en Bolivia y hayan conservado su nacionalidad conforme a las leyes de su patria" (119). Distinciones seme-

---

(117) L. de 5 feb. 1917. Sec. 1 (39 Stat. 874; 8 U. S. C. 173).

(118) Análogo sentido parece estar implícito en ciertas disposiciones de Bolivia en cuanto dispensan de la inscripción al extranjero nacionalizado boliviano (decreto de 17 de julio de 1942, art. 10, inc. c), por ejemplo); y en la ley de Cuba, al establecer que "si el interesado presentare a las oficinas del Registro, con posterioridad, documento que acreditase su condición de cubano, solicitará baja como extranjero, pudiendo extendérsele entonces la certificación negativa de su inscripción" (D. L. Nº 788, de 28 dic. 1934, art. XVI, con las modificaciones del D. L. Nº 532, de 25 ene. 1936).

(119) D. L. de 2 ago. 1937, cit.
Esta misma disposición precisa suficientemente el grado y alcance de la protección extranjera que se reconoce a los nacionales, y la que le aseguran las reparticiones del país, de conformidad con los tratados internacionales, los principios del derecho de gentes y el derecho interno: "El derecho de extranjería, para todo individuo inscripto —dice el artículo se-

jantes suelen ser hechas por las disposiciones sobre extranjería y naturalización de diversas otras Repúblicas Americanas, en general, entre las que se recordará aquí la ley de Guatemala, Nº 1781 de 25 de enero de 1936, art. 1º.

La obligación de registrarse o de obtener documentos de identidad impuesta a todos los extranjeros residentes en el país, o de los que posteriormente ingresen a él, es establecida por las disposiciones de las siguientes Repúblicas Americanas: Bolivia (120), Brasil (121), Colombia (122), Costa Rica

---

gundo—, de acuerdo con el presente decreto, consiste en invocar para sí o en favor de sus familiares, los beneficios derivados de la vigencia de Tratados suscriptos con los países de donde provienen, y el de recurrir a la protección diplomática en su caso, de acuerdo con los principios y las prácticas del Derecho Internacional, aparte de solicitar la tuición que en favor de ellos ejerce el Ministerio de Inmigración".

(120) D. de 11 abr. 1922, art. 1º. Dentro del plazo de treinta días todos los extranjeros residentes en el país deberán obtener en la Policía de Seguridad su respectiva Cédula de permanencia...
L. de 10 dic. 1927, art. 1º. Se crea la cédula de identidad personal obligatoria para todos los estantes y habitantes de la República.
Reg. de 31 dic. 1927, art. 1º.
D. Supr. de 28 ene. 1937, art. 10. Todo extranjero que ingrese al territorio nacional está obligado; b) cuando llegue a su destino: apersonarse a la Policía de Seguridad del lugar, y en La Paz, al Ministerio de Inmigración ...
Art. 11. Las policías de Seguridad, registrarán el formulario Nº 1 que presenten los extranjeros, haciéndoles saber: a) a los que han de radicarse definitivamente, que es de su obligación obtener cédula de identidad correspondiente ...
D. L. de 2 ago. 1937, art. 5º. Se crea en el Ministerio de Inmigración el "Registro de Extranjeros", donde se inscribirán todas las personas que tienen esa condición.
D. Supr. de 3 may. 1939, art. 2º. Se levantará un censo de los extranjeros residentes en el país ...
D. Supr. de 21 may. 1940, art. 2º. La Sección Extranjería del Ministerio de Inmigración queda encargada del empadronamiento de extranjeros, así como de la confección de la respectiva estadística ...
D. de 17 jul. 1942, art. 1º. El censo, cuyo levantamiento encomienda al Ministerio de Inmigración, el art. 2º del D. S. de 22 de agosto de 1940 tiene carácter general para todo elemento extranjero estante y habitante en el territorio de la República, que se encuentra obligado a efectuar su inscripción en el distrito de su residencia.
(121) D. L. Nº 406 de 4 may. 1938, art. 27. Los extranjeros destinados al territorio nacional no podrán desembarcar o transponer las fronteras sino luego de identificados por el Departamento Nacional de Inmigración, de acuerdo con las normas que el reglamento de esta ley estableciere ...

(123), Cuba (124), Chile (125), Ecuador (126), El Salvador

Art. 28. Dentro del plazo de treinta (30) días, contados de la fecha de desembarco, el extranjero deberá presentarse para el registro a la autoridad policial competente.

D. N⁰ 3010 de 20 ago. 1938, arts. 130-164.

D. L. N⁰ 3.082 de 28 feb. 1941, art. 1⁰. Quedan obligados al registro todos los extranjeros que entraren al país en categoría de "temporario".

(122) D. N⁰ 1697 de 16 jul. 1936, art. 29. Es deber de todos los extranjeros que entran al territorio de Colombia, presentarse, en Bogotá, a la Sección de Extranjeros de la Policía Nacional; en las capitales de Departamento a la Oficina de Extranjería ... para que, previo examen del pasaporte y demás papeles, se haga el registro correspondiente y se les expida la respectiva cédula de extranjería.

D. N⁰ 181 de 29 ene. 1942, art. 3⁰.

(123) D. Ej. N⁰ 1 de 3 set. 1930, arts. 1⁰ y 2⁰ inc. e). Los extranjeros de inmigración no prohibida que ingresaren al país con fines de permanencia deben presentarse a la Dirección General de Policía, en la Capital, o Comandancia respectiva, en las provincias, para "proveerse de su respectiva cédula de identidad inmigratoria".

L. N⁰ 37 de 7 jun. 1940, art. 2⁰. Todo extranjero residente en el país debe proveerse de una "Cédula de Residencia que expedirá la Secretaría de Seguridad Pública por medio de una oficina creada con ese exclusivo objeto... su obtención no releva al interesado de la obligación en que está de obtener y portar la " Cédula de Identidad" corriente ...

Por Ds. Nos. 1, 3 y 5, de 5 ene., 4 mar. y 1⁰ may. 1942, el gobierno costarricense ha prorrogado indefinidamente el plazo fijado para la inscripción por las disposiciones sobre registro, respecto de los extranjeros naturales de países amigos.

(124) D. L. N⁰ 788 de 28 dic. 1934, art. III, con las mod. del D. L. N⁰ 532 de 25 ene. 1936. Están obligados a inscribirse en el Registro, de Extranjeros de acuerdo con el artículo 7⁰ de la Ley de Extranjería, todos los extranjeros residentes en el territorio de la República y los que con posterioridad a la vigencia de este Decreto-Ley sean admitidos en el Territorio Nacional..

(125) L. N⁰ 3446 de 12 dic. 1918, art. 6⁰. La autoridad administrativa podrá obligar a los extranjeros a inscribirse en registros especiales, que estarán a cargo de las Prefecturas de Policía y obtener cédula de identidad personal, que expedirán esos mismos funcionarios ...

L. N⁰ 6026 de 11 feb. 1937, art. 18. Los extranjeros que lleguen al país deberán inscribirse ... en los Registros especiales establecidos por la ley 3.446, de 12 de diciembre de 1918, y obtener cédula de identidad personal ...

D. N⁰ 2544 de 12 jul. 1937, art. 1⁰. Los ciudadanos extranjeros radicados en el país que permanezcan en él durante un período superior a dos meses deberán obtener su correspondiente carnet de identidad y residencia e inscribirse en los registros especiales que para ese efecto mantienen los gabinetes de identificación ...

L. N⁰ 6180 de 4 feb. 1938, art. 19. Los extranjeros residentes

(127), Estados Unidos (128), Guatemala (129), Haití (130),
México (131), Nicaragua (132), Panamá (133), Paraguay

en el país, que de acuerdo con la ley Nº 6026 de 11 de febrero
de 1937, deben inscribirse en el Registro de Extranjeros, obtendrán en el momento de cumplir con esta obligación un
carnet especial de extranjería con el cual acreditarán haber
dado cumplimiento a dicha ley.

(126) D. Nº 152, de 18 may. 1938, art. 7º. Todos los extranjeros de ambos sexos, establecidos en el país, ... están obligados a solicitar
permisos de Domicilio ...
D. Nº 111 de 29 ene. 1941, art. 28. En la Dirección General de
Extranjería se llevará un registro de extranjeros ...

(127) D. Leg. Nº 86 de 14 jun. 1933, art. 42. Todo extranjero que
entre al país ... deberá presentarse a las autoridades de migración mostrando sus documentos y declarando su domicilio o residencia, etc.
Art. 43. El extranjero que entre al país cumpliendo con las
formalidades que establece la ley, será considerado como transeúnte y tendrá derecho a una permanencia que no pasará
de seis meses. Vencido este plazo, si deseare continuar residiendo en el país, tendrá obligación de inscribirse en el registro de la Oficina Central de Migración, como extranjero residente ...
Art. 45. Todos los extranjeros residentes en el país y los que en
lo sucesivo adquieran esa calidad, están obligados a registrarse en la Oficina Central de Migración ...
D. Ej. de 27 jul. 1933, art. 19. En el Registro General de Extranjeros Residentes, deberán inscribirse todos los extranjeros que no estén sujetos a inscripción conforme a la Ley de
Migración en los Registros Especiales ...

(128) L. de Reg. de Ext. de 28 jun. 1940 (54 Stat. 670) Sec.30 (8
U. S. C. 451). No se concederá a partir de la fecha ninguna
visación a un extranjero que procure entrar a los Estados Unidos salvo que este extranjero se haya registrado y se le hayan
tomado sus impresiones digitales.
Sec. 31 (a) (8 U. S. C. 452) Será obligatorio para todo extranjero que se encuentre ahora o en lo sucesivo en los Estados Unidos y que (1) tenga catorce años de edad o más (2)
no se haya registrado ni se le hayan tomado sus impresiones
digitales conforme a la Sección 30, y (3) permanezca en los
Estados Unidos durante 30 días o más, solicitar ser registrado
y que se le tomen las impresiones digitales antes de la expiración de dichos 30 días.

(129) D. Nº 1781 de 25 ene. 1936, art. 45. La inscripción de los
extranjeros se lleva en la Secretaría de Relaciones Exteriores ...
Art. 46. Están obligados a inscribirse los extranjeros mayores
de diez y ocho años residentes en el país y podrán hacerlo los
menores de esa edad que así lo deseen ...

(130) Inf. V. C.

(131) L. de 24 ago. 1936 (General de Población), art. 44. Todos
los extranjeros que entren al país, o que residan en él, ...
están en la obligación de registrarse ante las autoridades que

(134), Perú (135), República Dominicana (136), y Venezuela (137).

---

señala el reglamento respectivo, dentro de los treinta días siguientes a su llegada al país ...

Art. 46. Como anexo al Registro de Extranjeros se establecerá el Servicio de Identificación correspondiente.

D. de 18 dic. 1941, art. Primero. Es obligatorio para todos los extranjeros residentes en el país, inscribirse en el nuevo Registro de Extranjeros que implantó la Secretaría de Gobernación ...

L. de 4 mar. 1942

(132) L. de Extranjería de 3 oct. 1894, art. 8. Habrá un registro de extranjeros en todos los pueblos de la República, para inscribir en él a todos los extranjeros que lo soliciten. Las municipalidades cuidarán de que en la oficina del Registro Civil se tenga un libro especial con ese objeto.

L. de 5 may. 1930, art. 19. Para los efectos de esta ley, y para lo prescripto en la ley de extranjería, dentro de un mes de su vigencia se abrirá en cada Jefatura Política un registro que se denominará "Registro de Extranjeros" a cargo y bajo la responsabilidad del Jefe Político, en el cual deben inscribirse en orden numérico y alfabético y por nacionalidades los extranjeros residentes ...

D. Regl. de 29 dic. 1930, art. 2º. Se considerarán como extranjeros radicados o domiciliados en el país, los que tengan casa abierta o lleven tres años de residencia en él y se hayan inscripto en el registro como tales...

Art. 38. Todo extranjero que llegue al territorio de la República con ánimo de permanecer en ella deberá, dentro de los quince días siguientes al de su llegada, hacer ante el Ministerio de Relaciones Exteriores o ante el Jefe del Departamento en que se encuentre la declaración de su intención y la solicitud de que se le agregue al registro respectivo, y de que se le extienda el certificado de registro y vecindad.

Art. 39. Todo extranjero que llegue al territorio de la República que haya adquirido domicilio legal deberá poseer certificado de registro y vecindad que le será expedido por el Jefe Político del Departamento en que reside y por el Ministerio de Relaciones Exteriores.

(133) L. Nº 54 de 24 dic. 1938; D. Nº 53 de set. 1939 y D. Nº 55 de 11 set. 1939. El régimen de registro panameño conforme a estas disposiciones resulta de una manera indirecta, en cuanto se regula primordialmente por ellas las cuestiones de entrada, salida y residencia de extranjeros.

L. Nº 83 de 1º jul. 1941, art. 2º. Están obligados o poseer y llevar consigo Cédula de Identidad Personal: b) Los extranjeros de uno y otro sexo, legalmente domiciliados en Panamá, si son mayores de edad, o si son menores, emancipados o habilitados de edad.

Inf. V. C.

(134) D. L. Nº 10.193, de 29 mar. 1937, art. 24. Las autoridades policiales exigirán a todos los extranjeros una constancia en el Registro correspondiente del Departamento de Tierras y Co-

Como se comprueba a través de la simple lectura de los tex-

lonias para ser anotados en el Registro de Extranjeros de la
Policía.
(135) L. Nº 7744 de 23 abr. 1933, art. 1º. Las reinscripciones de los
extranjeros residentes en el Perú se verificarán semestralmente, sujetándose a las normas siguientes ...
D. de 12 jun., 1940, art. único. Se inscribirán en los Registros
de Extranjeros, todos los extranjeros admitidos a residencia
permanente mayores de diez años y menores de dieciocho ...
D. Supr. de 25 jun. 1940, art. 1º. El Departamento de Nacionalización, Extranjería e Inmigración procederá, a partir
del primero de julio próximo, a la depuración y reinscripción
de los extranjeros admitidos a residencia permanente en el
Perú.
Art. 2º. Para los efectos del artículo anterior, los extranjeros
deberán presentarse ante el Departamento del ramo, en el orden en que sean llamados, para entregar su carnet de identidad, así como los documentos que acrediten la forma cómo ingresaron al país.
Art. 3º. Revisados los expedientes en vista de los antec-den-
tes que existan en las Seccionales de Inmigración y Extranjería, se procederá a canjear las cartas de identidad entrega-
das, por otras, numeradas en forma correlativa y expedidas en
papel de seguridad.
D. de 11 jul. 1942, art. 1º. Modifícase la ley de extranjería Nº
7744 conforme a las disposiciones que siguen:
Art. 2º. La obligación de inscribirse prescripta en el inc. a)
del art. 1º, se extiende a todos los extranjeros mayores de
diez años y debe hacerse dentro de los 30 días de su llegada
al país o de cumplida esa edad.
(136) L. Nº 1343 de 10 jul. 1937, art. 1º. Todos los extranjeros
residentes en la República ... están obligados a solicitar su
inscripción en un Registro que con tal objeto será abierto en
la Dirección General de Inmigración, en el término de seis
meses, contados desde la fecha en que entre en vigor la presente ley.
Art. 2º. Todo extranjero que llegue al país para residir en
él ..., estará igualmente obligado a solicitar su inscripción,
en el término de quince días después de su llegada.
L. Nº 372 de 19 nov. 1940, art. 1º. Es obligatorio para todas
las personas del sexo masculino, nacionales o extranjeras, residentes en la República, ... proveerse de un certificado de
identificación que se denominará "Cédula Personal de Identidad".
Párrafo. Para los fines de esta ley se considerarán residentes a los extranjeros que permanezcan más de sesenta (60)
días en el país.
L. Nº 391 de 17 dic. 1940, art. 1º. Toda persona del sexo feme-
nino, nacional o extranjera ... que resida en el país, está obligada a poseer un certificado de identificación que se denominará "Cédula Personal de Identidad". Se considerará que
una mujer extranjera es residente en el país cuando haya
permanecido en este más de sesenta días.
(137) L. de 31 jul. 1937, art. 21. En el Ministerio de Relaciones

tos referidos, el sistema de registro suele estar ordenado a menudo en función de las disposiciones sobre entrada y salida de

Interiores se llevará un registro de todos los extranjeros que entren legalmente, a la República, de acuerdo con los datos que, a este efecto, deberán enviar al mencionado Despacho las respectivas autoridades de los lugares de entrada.

Art. 23. Se autoriza al Ejecutivo Federal para ordenar, cuando lo juzgue conveniente, la formación de la Matrícula General de los extranjeros domiciliados en el país, sin perjuicio de las operaciones relativas a la ejecución del Censo de la República, previsto en la ley de la materia .

L. de 30 jul. 1938, art. 23. La identificación de las personas se hará por los funcionarios del Cuerpo de Investigación y tendrá fines de carácter civil, policial o judicial, electoral y de control de extranjeros.

Art. 26. Los extranjeros, residentes o transeúntes en el país, cumplirán las disposiciones que sobre identificación personal prescriban la presente Ley, la de Extranjeros y los Decretos, Reglamentos o Resoluciones que dicte el Ejecutivo Federal.

D. de 22 jul. 1941, art. 1º. Procédase a la organización inmediata de los servicios necesarios para hacer efectiva en jurisdicción del Territorio de la República, la identificación personal con fines de carácter civil, policial o judicial, electoral y de control de extranjeros, previstos en los artículos 23 al 42 de la Ley del Servicio Nacional de Seguridad.

Regl. de 7 may. 1942, art. 10. Las Oficinas de Identificación de Extranjeros ... velarán porque los extranjeros cumplan con todos los ... requisitos exigidos por la Ley y este Reglamento al ingresar al país o salir de él ...

Art. 11. Todo extranjero que ingrese al país deberá venir provisto de dos ejemplares de la cédula de identidad que le expedirá, conforme el modelo Nº 1, el respectivo funcionario diplomático o consular que otorgue o vise el pasaporte. En dicha cédula se harán constar todos los datos que sirvan para identificar al extranjero ...

Art. 12. El extranjero deberá presentar, a los efectos de su examen, su pasaporte, los dos ejemplares de la Cédula y los demás documentos exigidos por la Ley, a la Oficina de Identificación de Extranjeros o a la Primera Autoridad Civil del puerto o lugar de entrada. Uno de los ejemplares será visado y devuelto al extranjero y el otro se remitirá al Ministerio de Relaciones Interiores ...

Art. 34. A los fines de completar transitoriamente la Matrícula General de los extranjeros residentes en el país, prevista en el artículo 23 de la Ley de Extranjeros, el Ministerio de Relaciones Interiores proveerá a los Presidentes de Estado, al Gobernador del Distrito Federal y a los Gobernadores de Territorios, del suficiente número de ejemplares de una "Cédula", especial, conforme al modelo Nº 4...

Art. 35. En el Ministerio de Relaciones Interiores se llevará un Registro especial de todos los extranjeros que ingresen legalmente a la República, y en él se anotarán los datos que,

personas, como forma de facilitar la ejecución de las mismas. Es por tal razón que deberá tenerse presente al respecto el estudio particular que de dichas disposiciones se hace en otra parte de esta obra.

En algún caso muy especial, como sucede en la ley nicaragüense de 1894, que se ha citado más bien como antecedente, la inscripción es facultativa, de conformidad con la economía general de la disposición, vinculada al ordenamiento jurídico interno en materia de domicilio de las personas y al régimen sobre nacionalidad.

Excepcionalmente, la ley venezolana enuncia en forma explicativa que las normas sobre registro e identificación serán aplicables entre otros fines, para ejercer el contralor de los extranjeros, como medida específica dentro de un sistema más amplio de protección de la seguridad nacional.

3. Nacionales del Eje o de países enemigos (138)

La situación de ruptura de relaciones diplomáticas con las potencias del Eje o, más tarde, la declaración de guerra a las mismas, así como la posición de solidaridad con aquellas Repúblicas Americanas que se hallaban en guerra con dichas potencias, determinó a algunos países de este Hemisferio a establecer el registro como medida específicamente aplicable a los nacionales de las precitadas potencias.

En este caso encuadran las normas de cinco países americanos, especialmente: Argentina, Cuba, Estados Unidos, Nicaragua y Paraguay.

---

respecto de cada extranjero, consten en el ejemplar de la "Cédula de Identidad"... También se llevará en el mismo Ministerio un Registro General en donde se centralizarán todos los datos contenidos en la correspondiente "Cédula".

(138) Bajo esta denominación, se connota aquí la situación del súbdito de los Estados del Eje propiamente y de los Estados subordinados al mismo, y también la de los extranjeros pertenecientes a países con los cuales existe un estado de guerra o se han roto las relaciones diplomáticas. En el fondo, la distinción es puramente formal, por la identidad de situaciones a que una y otra fórmulas se refieren. Se les emplea, sin embargo, para respetar la terminología usada en las disposiciones de las Repúblicas Americanas, aunque vinculándolas en el tratamiento común de los puntos examinados en el presente y ulteriores capítulos de este estudio.

El precepto cubano, en realidad, tiene su origen en la autorización prevista por la ley dictada por este país durante el anterior conflicto internacional y por virtud de la cual pueden adoptarse ciertas medidas restrictivas respecto de los ciudadanos o súbditos de una nación enemiga, o aliada del enemigo, que se encuentren en el territorio nacional. Por el artículo 3º de esa ley, en efecto (139) "se autoriza al Poder Ejecutivo para formar un censo de extranjeros enemigos, los cuales estarán obligados a inscribirse y a cumplir lo que a este efecto se decrete."

Las disposiciones o las medidas aplicadas por los otros cuatro países han tenido en vista, concretamente, la situación planteada por la actual conflagración.

La dictada por la República Argentina es consecuencia directa de la declaración de guerra hecha por su Gobierno al Imperio de Japón y al Reich Alemán (140), según se expresa en la parte preliminar de la disposición respectiva. Se crea por ésta, como medida de seguridad, el "Registro especial de nacionales de los países enemigos" para la inscripción y vigilancia de los nacionales de los mencionados países, domiciliados o residentes en la República (141). Estos extranjeros, dentro de los diez días hábiles después de publicada por la prensa la disposición en la Capital Federal, y de veinte días hábiles en las provincias y territorios nacionales, deben presentarse a la autoridad policial de su domicilio o residencia a los efectos de su inscripción (142).

En Estados Unidos se estableció, en 1942, un registro especial para los extranjeros enemigos, o sea los nacionales de Alemania, Japón e Italia, requiriéndose por él información complementaria a la exigida en el registro general y obligán-

---

(139) L. de 23 jul. 1918.

(140) D. Nº 6945, de 27 mar. 1945.

(141) D. Nº 7058, de 2 abr. 1945, art. 1º, con las modificaciones introducidas por el D. Nº 11.417 de 23 may. 1945. De acuerdo con la primera de estas disposiciones, las personas domiciliadas o residentes en el país, de nacionalidad (natural o legal) alemana o japonesa, serán denominados "extranjeros bajo vigilancia". (Art. 3º).

(142) D. Nº 7058, de 2 abr. 1945, art. 4º. — Este Decreto ha sido reglamentado por el D. Nº 7527, de 6 abr. 1945.

dose a esos extranjeros a obtener y llevar consigo una cédula de identidad (143).

En Nicaragua se dispuso el levantamiento de catálogos especiales de todos los extranjeros que, nacidos en Alemania, Italia o Japón, se encuentren radicados en el territorio nacional; y también de los hijos de alemanes, italianos o japoneses residentes en él, pero esta medida fué tomada más bien con carácter preventivo y de información (144).

La medida paraguaya sobre esta materia se adoptó en atención a las recomendaciones de la II y III Reuniones de Consulta, sobre actividades subversivas, disponiéndose que "a fin de ejercer una estricta vigilancia y control sobre las actividades y conducta de todos los nacionales de los Estados miembros del Pacto Tripartito y de los Estados a ellos subordinados, procédase a la reinscripción de los mismos en el Registro correspondiente..." (145).

4. Registros especiales.

En varias Repúblicas Americanas existen preceptos que establecen el registro de clases o categorías especiales de extranjeros. Aunque la finalidad de tales normas no guarda relación alguna con las medidas de contralor de extranjeros por finalidades políticas, ha parecido conveniente mencionarlas en forma breve, para precisar así el alcance personal de las disposiciones sobre registro vigentes en los países americanos.

El régimen de la inmigración es el campo que con mayor frecuencia contiene previsiones de esta naturaleza, en especial en aquellas Repúblicas que se han preocupado de fomentar o atraer al inmigrante por aplicación de una política colonizadora. La finalidad de los registros establecidos en estos casos es la de llevar una estadística superficial o la de ejercer una adecuada policía de la inmigración, fiscalizando e imponiendo el cumplimiento de las prohibiciones de ingreso, especialmente aquellas que obstan al ingreso de los individuos de ciertas razas consideradas nocivas para la población o la economía nacionales. Otras veces, el objeto es el de determinar la

---

(143) Proclama Presidencial Nº 2537 de 14 ene. 1942, basada en la Ley de 6 jul. 1798; (R. S. 4067; 50 U. S. C. 21).
(144) Circ. de 1º oct. 1939, 1º, a) y b).
(145) D. L. Nº 11.061, de 16 feb. 1942, art. 2º.

clase de documentos con los que se ha ingresado al país, o la calidad legal investida por el extranjero conforme a las disposiciones sobre inmigración, la profesión u oficio declarado en el acto de ingreso y la que se ejerce luego en el país. En fin, las disposiciones bolivianas prevén el establecimiento de un registro especial de extranjeros nacionalizados, como instrumento de contralor e información en el procedimiento respectivo.

Proveen ejemplos de lo que se deja expuesto, entre otros países, las disposiciones de Argentina (146), Bolivia (147), El Salvador (148), Honduras (149), Nicaragua (150), Paraguay (151), Perú (152) y Uruguay (153).

---

(146) L. Nº 817, de 19 oct. 1876, art. 3º. El Departamento de Inmigración tendrá los deberes y atribuciones siguientes:... 14) Llevar un registro foliado en que se consignará,... la entrada de cada inmigrante...

(147) D. Sup. de 20 may. 1937, art. 20. El Ministerio de Inmigración llevará además un registro de Extranjeros Nacionalizados en Bolivia. Toda vez que se presente una nueva solicitud, las Municipalidades pedirán informes al Ministerio de Inmigración, sobre los antecedentes de los extranjeros que tratan de adquirir la nacionalidad boliviana, como requisito indispensable para conceder o negar la solicitud.
D. Sup. de 3 may. 1939, art. 2º. Se levantará un censo de los extranjeros residentes en el país, para determinar la calidad de pasaportes con que ingresaron, sus medios de vida, ocupación, etc....
D. Sup. de 21 may. 1940, art. 2º. Los inmigrantes semitas arribados al territorio de la República y los que ingresaren al país, están obligados a inscribirse en el Registro a cargo del Comisariato Nacional de Inmigración...

(148) D. Leg. Nº 86, de 14 jun. 1933, art. 52. El registro de ciudadanos chinos o de Mongolia, establecido en la Secretaría de Relaciones Exteriores en virtud del artículo 12 del Decreto Legislativo de 11 de junio de 1927, así como el Registro creado por el artículo 1º del Decreto expedido en Consejo de Ministros el 28 de noviembre de 1925 y ratificado por la Asamblea Nacional el 13 de abril de 1926, quedan en lo sucesivo a cargo de la Oficina Central de Migración.
Art. 53. A cargo de la misma Oficina estará un Registro Especial de individuos originarios de Turquía, Arabia, Líbano, Siria, Palestina, conocidos en el país con el nombre genérico de "turcos", para los efectos de las restricciones que a propósito de los mismos establece esta ley.

(149) L. Nº 134 de 20 mar. 1934, art. 35. Para los efectos de la Ley de Inmigración dentro de un mes de su vigencia se abrirá en cada gobernación política un registro que se denominará "Registro de Inmigración", a cargo y bajo la responsabilidad del gobernador en el cual deben inscribirse en orden numé-

5. Edad.

Una calificación especial, susceptible de repercutir sobre cualquiera de las categorías precedentemente referidas, pero

rico y alfabético y por nacionalidades, los extranjeros residentes...

Art. 36. Los gobernadores políticos cumplirán las obligaciones que impone el artículo que precede, por medio de los alcaldes municipales de la jurisdicción en que residen los extranjeros.

Art. 37. Un mes después de concluido el registro, los gobernadores políticos remitirán una copia al Ministerio de Gobernación y otra a la Oficina de Colonización e Inmigración, para que se haga el registro general en un libro destinado al efecto.

Regl. de 24 abr. 1934, art. 6º. Los alcaldes municipales llevarán un registro de los extranjeros y centroamericanos mayores de edad que residan en la jurisdicción, en que harán constar en orden numérico y alfabético, la edad, sexo, etc.

Art. 7º. Los alcaldes municipales enviarán copia de ese registro a la Gobernación Política del Departamento, que servirá para elaborar el registro de los extranjeros y centroamericanos residentes en él.

Art. 8º. Con las copias de los registros departamentales que los gobernadores enviarán a la Secretaría de Estado en el Despacho de Gobernación, se formará en esta oficina el registro general de los extranjeros y centroamericanos residentes en el país, en un libro destinado para ese efecto.

(150) L. de 5 may. 1930, art. 19. Para los efectos de esta ley, y para lo prescripto en la ley de extranjería, dentro de un mes de su vigencia se abrirá en cada Jefatura Política un registro... También se llevará en las Jefaturas Políticas un registro de todos los individuos pertenecientes a las razas enumeradas en el art. 5º de la presente ley, y que estuvieren a la fecha radicados en el país...

(151) D. L. Nº 10.193, de 29 mar. 1937, art. 23. El Departamento de Tierras y Colonias llevará un Registro de Turistas y Extranjeros con permiso temporal de desembarco y estada y otorgará a éstos un permiso que justifique su permanencia en el país.

D. Nº 10.713, de 10 dic. 1938, art. 1º. Facúltase al Departamento de Tierras, Inmigración y Colonización a llamar a nueva inscripción en el Registro de Inmigrantes, a los extranjeros radicados en la Capital y ciudades y pueblos en el interior de la República y llegados al país el primero de enero de mil novecientos treinta y dos.

(152) D. Sup. de 26 jun. 1936, art. 6º. El Departamento Comercial del Ministerio de Relaciones Exteriores y la Sección de Extranjería del Ministerio de Gobierno y de Policía llevarán cada uno un registro especial de inmigrantes. El que se establezca en el Ministerio de Relaciones Exteriores será formado con los datos que remitirán mensualmente los Cónsules del Perú en el extranjero, conforme a la reglamentación

que contribuye a determinar igualmente el ámbito de aplicación de las normas sobre registro, es la que se refiere a la edad límite que fijan las disposiciones por lo general para hacer efectiva, respecto de las personas comprendidas por las mismas, la obligación de inscribirse.

Como ya se indicara, la Resolución del Comité sobre registro de extranjeros recomendó la inscripción de todos ellos, fuere cual fuere su edad. En el caso de personas menores de catorce años, esa obligación debía ser cumplida por el padre o tutor.

La legislación americana establece por lo común un límite mínimo exigible para el registro. En algún país, este límite llega a los diez años, y el máximo a los sesenta; pero la mayoría de las legislaciones fijan como edad obligatoria de inscripción, los dieciocho años. Este aspecto ayuda a precisar todavía más la naturaleza especial de las disposiciones vigentes sobre registro en la gran mayoría de las Repúblicas Americanas, como instituto anterior a la reciente emergencia y, por tanto, con fines no siempre coincidentes con el interés de la defensa política. Tales disposiciones suelen fijar así, abstractamente, o en función de los objetivos específicos que persiguen, la edad que determina la obligación de inscribirse. En muchos casos, esa edad concuerda con la de la capacidad civil o la requerida para el ejercicio de los derechos cívicos. Si hubiera de adoptarse necesariamente una edad mínima eficiente a los fines exclusivos de la defensa política, esa edad no podría ser otra que aquella en que las personas adquieren, por regla general, el raciocinio y el discernimiento necesarios como para obrar libremente. La individualización precisa de tal edad sigue siendo solamente la dificultad. Al respecto, y salvando situaciones y casos de excepción, puede resultar adecuado el establecimiento de un límite que oscile entre los trece y los quince años de edad. En la expo-

---

a que se refiere el artículo 14. El que se establezca en el Ministerio de Gobierno y Policía será formado con los datos derivados del control de ingreso al territorio nacional...
D. de 15 may. 1937, arts. 39, 40, 41, 42, etc.

(153) L. Nº 2096, de 18 jun. 1890, art. 31, inc. 2º. El Inspector de desembarco exigirá del capitán del buque una lista general de los inmigrantes que conduzca para territorio nacional, debiendo esa lista especificar el nombre, apellido, edad, etc.

sición de motivos del proyecto de Registro General de la Población, aprobado por la Comisión Interministerial uruguaya para la Defensa Política, antes citado, se consigna el criterio, fundado en razones generales, del abatimiento de la edad de registro hasta la de quince años. Al respecto se dice en aquella exposición: "Ha parecido conveniente esta edad para determinar el límite en que las personas deben registrarse, pues si bien es cierto que en la casi totalidad de los sistemas de registro de contralor del movimiento de la población, extranjeros, se hace coincidir la edad que determina la obligatoriedad de inscribirse con la de adquisición de los derechos políticos — 18 años entre nosotros — no es menos cierto que la experiencia ha demostrado la existenica de numerosísimos casos de individualidades precoces, tanto en la esfera delictual como en la acción social o política de carácter extremista que, por actuar desde temprana edad, resulta conveniente registrar prematuramente también" (154).

Exigen la declaración de la edad, o la fijan en forma expresa en determinado límite-mínimo, como condición del registro, las disposiciones de Argentina (155), Bolivia (156), Brasil (157), Colombia (158), Costa Rica (159), Cuba (160), Chile (161), El Salvador (162), Estados Unidos (163), Gua-

---

(154) Información trasmitida por el Gobierno del Uruguay, con fecha 10 oct. 1944.

(155) D. Nº 7058, de 2 abr. 1945, art. 4º;
D. Nº 7527, de 6 abr. 1945, art. 14 (extranjeros bajo vigilancia mayores de 14 años, directamente; menores de esa edad, por sus padres o tutores, o en su defecto, por la autoridad).

(156) 16 años en adelante (D. de 17 jul. 1942, art. 8). (Cabe señalar que el D. L. de 2 ago. 1937, art. 6º, establecía como límite la edad de 12 años).

(157) Mayores de 18 años (D. L. Nº 406, de 4 may. 1938, art. 29) y menores de 60 (D. 3010, de 20 ago. 1938, art. 147 (parágrafo único) y 149 (parágrafo 1º).

(158) Mayores de 14 años (D. Nº 131, de 29 ene. 1942, art. 3º) (parágrafo).

(159) Mayores de 17 años (D. Nº 5, de 14 jun. 1941, arts. 1º (mayor de 17 años) y 2º (declaración de edad). Mujeres mayores de 20 años (D. cit., art. 7º).

(160) Mayores de 16 años (D. Nº 788, de 28 dic. 1934, art. 4º, letra c).

(161) Mayores de 18 años (L. Nº 6880, de 8 abr. 1941, art. 5º).

(162) D. Ej. de 27 jul. 1933, art. 20, inc. 2º.

(163) Ley de Registro de Extranjeros de 28 jun. 1940. Sec. 31 (a) y (b) 3 (54 Stat. 673; 8 U. S. C. 452). Deben registrarse por

temala (164), Haití (165), Nicaragua (166), Perú (167) y Venezuela (168).

En algún caso especial las normas fijan, también, el límite máximo de edad registrable, como sucede en la legislación brasileña, que la hace llegar a los 60 años. Del punto de vista del contralor político, esta limitación puede resultar nociva desde que un extranjero mayor de esa edad, podría ser tan peligroso como otro de cuarenta años, por ejemplo.

6. Excepciones.

El cuadro general trazado en las páginas anteriores no se hallaría completo si no se mencionaran los casos que escapan a la aplicación de las normas sobre registro reseñadas. Se trata, por lo general, de situaciones especiales que obligan al derecho interno, o hacen conveniente, según los distintos casos y regímenes, eximir de la obligación de registrarse.

La Resolución del Comité prevé las siguientes excepciones al registro: funcionarios diplomáticos y agentes consulares acreditados ante el gobierno; agentes y funcionarios en misión especial de un gobierno extranjero reconocido por la República; y extranjeros en tránsito (169).

Tales excepciones están incorporadas a casi todas las leyes americanas sobre la materia. En general, éstas prefijan también otras clases de excepciones, de naturaleza bastante diversa. Interesa señalarlas a todas, pues, tratándose de vacíos, de puntos en blanco que se presentan en el contralor que se ejerce a través de las medidas sobre registro, el alcance del

---

sí, los mayores de 14 años. Los menores de esa edad deben ser registrados por sus padres. Cuando un extranjero alcanza los 14 años debe presentarse personalmente para registrarse.

(164) Mayores de 18 años (L. de Extranjería, art. 46) y menores de 60 (D. Nº 1735, de 4 jun. 1931, art. 1º).
(165) Formulario de Registro.
(166) L. de 3 oct. 1894, art. 10.
(167) Mayores de 10 años (L. Nº 7744, de 23 abr. 1933, art. 1º, inc. a); D. de 11 jul. 1941, art. 2º).
(168) L. de 30 jul. 1938, art. 25; D. de 22 jul. 1941, art. 5º (Ciudadanos venezolanos mayores de 21 años;... extranjeros que tengan más de seis meses de residencia en la República). D. de 7 may. 1942, arts. 11 y 26, inc. c).
(169) Res. cit., B, 1) y b).

mismo quedará tanto más afectado cuanto más amplias sean aquéllas. Aquí también es de fácil percepción que, en muchos casos, la dispensa de registro ha sido prevista con anterioridad al período de la infiltración totalitaria o, por lo menos, en una época en que no se entreveía toda la significación de la misma.

Las excepciones establecidas pueden reducirse a las categorías siguientes:

a. **Funcionarios diplomáticos y consulares extranjeros; agentes y funcionarios extranjeros en misión especial.**

Esta excepción se origina en la propia naturaleza de la función diplomática, instituída en interés recíproco de los Estados y genera, a su vez, las inmunidades y prerrogativas internacionalmente reconocidas y practicadas por todas las naciones. El agente que la ejerce precisa actuar con una independencia absoluta frente al soberano ante el que está acreditado: su palabra debe ser libre, dice Vidal; su libertad de acción no debe encontrar obstáculo de ninguna clase, pero al mismo tiempo, no tiene a su alcance ninguna fuerza material que le garantice el respeto de esa libertad. Para suplirla, el Derecho Internacional rodea al agente diplomático de una protección amplia, enérgica y eficaz, distinta y superior a la que ofrece a todos los extranjeros y que constituye el origen de las prerrogativas y las inmunidades que disfruta (170).

Aunque doctrinariamente más discutido y, por ello mismo, de un carácter no tan amplio como el de las prerrogativas reconocidas al representante diplomático, los funcionarios consulares quedan también amparados por ciertas excepciones, inmunidades y prerrogativas que determinan las leyes internas del Estado o las convenciones consulares. En fin, aparte de estas prerrogativas convencionalmente necesarias o indispensables, existe un margen discrecional o de mera cortesía, cuya extensión es determinada con arreglo a la voluntad de cada Estado, que otorga así a ciertas personas, por motivos diferentes, un tratamiento de excepción. Este aspecto tiene gran importancia del punto de vista de la de-

_____

(170) Ginés Vidal y Saura, Tratado de Derecho diplomático, contribución al estudio sobre los principios y usos de la diplomacia moderna, 1925, Libro II, Cap. XVI, pág. 247.

fensa política, por el uso perjudicial a la seguridad del país a que se presta la función y que ha dado lugar a numerosos episodios ilustrativos en diversas Repúblicas del continente americano, durante la crisis de la propaganda y la infiltración fascistas. La diferente situación material entre los cónsules "electi" y "missi", tan generalizada en la práctica interna, y el abuso que de los primeros han hecho los gobiernos del Eje, ofrece un ejemplo concreto de la prudencia con que debe rodearse el otrogamiento de exequaturs y el discernimiento de las prerrogativas necesarias al ejercicio normal de la función.

Fué por reacción contra el abuso notorio de las Legaciones y Consulados de los países del Eje, convertidos en centros activos de propaganda y acción totalitarias, que la Resolución II de la Segunda Reunión de Consulta de los Ministros de Relaciones Exteriores de las Repúblicas Americanas, recomendó se impidiera "dentro de las disposiciones del Derecho Internacional, las actividades políticas de los agentes diplomáticos o consulares extranjeros, en el territorio en que estén acreditados, que pongan en peligro la paz y la tradición democrática de América", y que las Resoluciones I y IV de la Tercera Reunión de Río de Janeiro, preconizaron la ruptura de relaciones diplomáticas y comerciales con los Estados del Eje.

El examen de este delicado asunto no ofrecía otra solución razonable, en aquella emergencia, que el remedio tradicional, aunque un tanto paradójico, según ya señalara el genio de Montesquieu, de hacer entrega de los pasaportes y, si acaso, reclamar de sus soberanos: "Que s'ils abusent de leur être réprésentatif, on les fait cesser en les renvoyant chez eux; on peut même les accuser devant leur maître, qui devient par lá leur juge et leur complice" (171).

Dispensan expresamente de la inscripción en el registro a los diplomáticos, cónsules, personas al servicio de un gobierno extranjero y miembros de congresos o conferencias internacionales, las leyes de los siguientes países, entre otros: Bolivia (172), Brasil (173), Colombia (174), Costa Rica (175), Cuba

---

(171) Esprit des lois, liv. 26, chap. 21.
(172) D. L. de 2 ago. 1937, art. 7, letra a).
(173) D. L. Nº 406, de 4 may. 1938, art. 90.
(174) D. Nº 181, de 29 ene. 1942, art. 8º.

(176), Estados Unidos (177), Nicaragua (178), Perú (179) y República Dominicana (180).

b. Extranjeros en tránsito.

Según se ha visto antes, la Resolución del Comité recomendó se exceptuara del registro a los extranjeros que no permanezcan en el país más de quince días, con tal que lo notifiquen a la oficina o departamento de Gobierno que contralorea a los transeúntes.

La disposición tiende a conceder un plazo mínimo dentro del cual el extranjero queda exento de dar cumplimiento a las disposiciones sobre registro, buscando así conciliar, en lo posible, la mayor comodidad respecto de aquellos viajeros que, por sus actividades o simple finalidad de paseo, no exceden de ese tiempo de permanencia en el país, con los motivos que mueven a imponer un contralor severo de la entrada y salida de personas por razones de defensa política. En un plazo más o menos breve, como el aconsejado, no son tan de temerse las actividades subversivas de los agente enemigos, máxime si se tiene presente que el extranjero llegado en aquellas condiciones, no queda completamente desprovisto de toda fiscalización oficial, en virtud de la obligación que se le impone de dar aviso de su permanencia. Concurren también a este fin algunas previsiones tales como las que se relacionan con la declaración de la duración de la visa (181), o del motivo del viaje (182), por ejemplo, contenidas en algunas leyes vigentes sobre registro.

Muchos países exoneran de la obligación de registrarse a los extranjeros en tránsito, es decir, con permanencia precaria, que se hallan sólo de paso en el territorio nacional, con destino a otro país. Por lo general, el término fijado por las

---

(175) D. Ej. Nº 1, de 3 set. 1930, art. 13.
(176) D. L. Nº 788, de 28 dic. 1934, art. 4º.
(177) L. de 28 jun. 1940, Sec. 32 (b), (54 Stat. 674; 8 U. S. C. 453) excluye de la obligación del registro a los funcionarios de gobiernos extranjeros y a los miembros de su familia.
(178) L. de 3, de oct. de 1894 ,art. 30.
(179) L. Nº 7744, de 23 abr. 1933, art. 2º.
(180) L. Nº 1343, de 10 jul. 1937, art. 1º.
(181) **Colombia**. D. Nº 181, de 29 ene. 1942, art. 6º.
(182) **Costa Rica**. D. Nº 1, de 3 set. 1930, art. 2º, inc. b); **Venezuela**, D. de 7 may. de 1942, arts. 11 y 26, inc. h).

disposiciones es mayor que el de quince días. Hay casos en que llega hasta tres meses. Esta franquicia se inspira, evidentemente, en hábitos de plausible tolerancia, aunque debe observarse que, en épocas de emergencia como las que atravesó últimamente el mundo, un sentido de elemental previsión aconseja restringirla convenientemente.

Pueden citarse, como ejemplos, las disposiciones de: Bolivia (183), Brasil (184), Costa Rica (185), Estados Unidos (186) y Perú (187) —todos hasta treinta días—; Guatemala (188) —hasta sesenta días—; Panamá (189) —hasta diez días — y Cuba (190) — hasta noventa días. Exceptúan asimismo de la inscripción a los transeúntes, trasmigrantes y visitantes locales, las disposiciones de México (191) y Nicaragua (192).

Algunas de estas leyes y otras de distintos países, eximen de la inscripción, también, a los "turistas". La acepción técnica que esta categoría de viajeros tiene en la legislación comparada sobre entrada y salida de personas, es tratada en su congruo lugar (193). Sin embargo, resulta oportuno señalar aquí la trascendencia de esta excepción con referencia a las disposiciones sobre registro.

La legislación universal, al inaugurarse la época restrictiva de la inmigración y de los contralores sobre los extranjeros, trató de manera muy benigna el régimen sobre admisión de temporarios con visa de turismo. Estaba en juego el interés económico, comercial y hasta cultural de muchos países que, por su situación especial, atractivos naturales o artificiales, u otros motivos, habían contado desde antes, o se disponían a

---

(183) D. L. de 2 ago. 1937, art. 7º, inc. b; D. de 17 jul. 1942, art. 10, inc. b).
(184) D. Nº 3010, de 20 ago. 1938, art. 143.
(185) D. Nº 5, de 14 jun. 1941, art. 1º.
(186) L. de 28 junio 1940, Sec. 31 (a) (3). (54 Stat, 673; 8 U. S. C. 452).
(187) D. 11 jul. 1941, art. 2º.
(188) D. Nº 1781, de 25 ene. 1936, (Ley de Extranjería), art. 46.
(189) Inf. V. C.
(190) D. L. Nº 788, de 28 dic. 1934, Art. IV, inc. b) (con las modificaciones del D. L. Nº 852 de 1º feb. 1935 y tercera disposición transitoria, inciso segundo.
(191) L. de 24 ago. 1936, art. 44.
(192) L. de 5 may. 1930, art. 30, y D. de 29 dic. 1930, art. 36.
(193) Véase infra Sección c, Entrada y salida de personas, etc.

hacerlo en lo sucesivo, con una corriente sostenida de visitantes, de viajeros, que recorren los países para su diversión personal y la de sus familiares, o "turistas", como se les llamó, dándose curso a una palabra originariamente tomada del francés. Mientras los puertos permanecían rigurosamente cerrados a los trabajadores y a los inmigrantes, los turistas conseguían más o menos fácilmente el ingreso a todos los países.

El interés del país se veía estimulado por este desfile constante de personas extranjeras que, lejos de gravitar sobre su situación económica interna, fomentaba el crédito nacional en el exterior y contribuía a hacer el enriquecimiento de los comerciantes, de los hoteleros y de las compañías de transportes. El turismo, convenientemente organizado y dirigido, se había convertido así en una industria más, a veces con la participación directa del Estado mismo, y era un medio excelente de hacer propaganda del país en el exterior.

Esta situación fué intensa y hábilmente aprovechada por las huestes invasoras de los totalitarios en casi todos los países europeos, luego ocupados, para introducir un verdadero contrabando humano de soldados, encargados de brindar la recepción a los invasores militares. En lo que toca a América, las puertas entreabiertas al turismo sirvieron a menudo también para que se infiltrase por ellas un buen número de espías y agentes subversivos. Las facilidades al ingreso de quienes viajaban en esta calidad, era una ocasión particularmente tentadora para no ser aprovechada por la penetración sistemática planeada y puesta en práctica por las potencias del Pacto Tripartito. En especial, esta situación se tornaba tanto más delicada cuanto los plazos de permanencia, por lo general prorrogables, eran sensiblemente más amplios que los fijados al simple transeúnte o pasajero en tránsito. Entre los turistas de buena fe, fueron introducidos muchas veces emisarios políticos de los países del Eje, con misiones especiales, en asuntos de espionaje, sabotaje y otras actividades subversivas. Transcurrido un tiempo prudencial, el falso turista no tardaba en desaparecer, para dedicarse tranquilamente a su trabajo o constituir focos de quintacolumnismo.

El turista planteó en tales circunstancias, una de las más complejas cuestiones con que hubieron de enfrentarse los gobiernos americanos en los últimos tiempos. La cuestión había dejado de ser ya un simple aspecto de la legislación sobre entrada y salida de personas, para convertirse en el problema infinitamente más serio de la defensa política del hemisferio. Por eso los países que revisaron sus leyes y reglamentaciones sobre esta materia, ajustándolas a las necesidades de la hora, infligieron un rudo golpe a los designios de penetración de los Estados del Eje. De modo particular, la inscripción en el registro de los extranjeros entrados en calidad de turistas, constituía una base muy apropiada para fiscalizarlos en sus actividades dentro del país, que de otro modo resultaba imposible en mérito a la libertad y falta de control de que gozaban.

Las leyes de los siguientes países exceptúan a los turistas de inscribirse en el registro de extranjeros: Bolivia (194), Brasil (195), Costa Rica (196), Cuba (197), Guatemala (198), México (199) y Nicaragua (200).

c. Intelectuales, grupos artísticos, teatrales y deportivos.

La presente constituye una excepción bastante generalizada. Por la naturaleza de las actividades a que se dedican sus beneficiarios, no plantea, en principio, una situación tan ardua como las anteriores. El simple hecho de tratarse de intelectuales, artistas o deportistas, entraña de por sí un cierto grado de popularidad, de renombre o conocimiento general, que no resulta compatible, ciertamente, con la reserva o el anonimato necesario al agente subversivo.

El refinamiento de la técnica totalitaria llegó empero a

---

(194) D. de 17 jul. 1942, art. 10.
(195) D. L. Nº 406, de 4 may. 1938, arts. 12 inc. a) y 30; D. L. Nº 3176 de 7 abr. 1941. Dispensa del registro establecido por el D. L. Nº 3082, de 28 feb. 1941, a los naturales de los Estados americanos que ingresaren como turistas por los puertos de Río o Santos y no demorasen en el país un plazo mayor de seis meses.
(196) D. Ej. Nº 1, de 3 set. 1930, art. 13.
(197) D. L. Nº 788, de 28 dic. 1934, art. IV, inc. b) (Con las modificaciones del D. L. Nº 852, de 1º feb. 1935) y tercera disposición transitoria, inciso segundo.
(198) D. Nº 1781, de 25 en. 1936 (Ley de Extranjería), art. 46.
(199) L. de 24 ago. 1936, art. 44.
(200) D. Regl. de la L. de 5 may. 1930, de 20 dic. 1930, art. 36.

utilizar este medio como forma de infiltración ideológica y política, justamente basada en la presunta impunidad que depara aquella condición. Por ello, y aunque las excepciones respecto de tales personas estén, por lo general, justificadas, un examen cuidadoso de los antecedentes del exceptuado y una vigilancia discreta de las actividades que desarrolla dentro del país, constituyen una medida preventiva cuya utilidad es innecesario encarecer.

Pueden mencionarse, como ejemplo de tales excepciones, las disposiciones de Bolivia (201), Brasil (202), Costa Rica (203) y Haití (204).

d. Miembros de órdenes religiosas.

Esta excepción es de carácter muy especial y se encuentra en las disposiciones de muy pocos países, entre los que pueden mencionarse: Argentina(205), Cuba (206) y Chile (207).

La ley argentina declara eximidos de la obligación de inscribirse a "los miembros de cualquier sexo de las órdenes y congregaciones religiosas de cualquier credo, así como el clero secular de la Iglesia Católica y ministros de otras religiones"; la ley cubana, a "los religiosos de ambos sexos enclaustrados" y la chilena, a "los miembros de órdenes religiosas".

La excepción concedida a los religiosos del estado regular, resulta comprensible dentro del régimen de esta última ley, que instituye el registro de toda la población nacional activa, y se justifica, por analogía, frente a las demás excepciones que la misma establece, según se verá más adelante.

---

(201) D. L. de 2 ago. 1937, art. 7º, inc. d).
(202) D. L. Nº 406, de 4 may. 1938, arts. 12, inc. a) y 30.
(203) D. Ej. Nº 1, de 3 set. 1930, art. 13.
(204) Personal docente de nacionalidad americana, francesa o belga (Inf. V. C.).
(205) D. Nº 7058, de 2 abr. 1945, art. 19 inc. c), según las modificaciones introducidas por el D. Nº 11.417 de 23 may. 1945.
(206) D. L. Nº 788, de 28 dic. 1934, art. IV, inc. d).
(207) L. Nº 6880, de 8 abr. 1941, art. 5º.
La legislación peruana exime también "a los miembros de las órdenes religiosas católicas de uno y otro sexo, que compruen ben dedicarse a la asistencia social o a la educación gratuita", pero solamente en cuanto se refiere al pago de timbres por la inscripción (D. de 11 jul. 1941, art. 3º).

En cambio, la razón de ser de las excepciones de las disposiciones argentinas y cubanas, de alcance tanto para el clero del estado regular como para el seglar, sólo parece explicable por un propósito específico de deferencia en el tratamiento, al que no es ajena la influencia religiosa, especialmente la católica, predominante en los países latinoamericanos.

e. Otras excepciones.

Existen, finalmente, en algunas disposiciones sobre registro, ciertas otras excepciones a la inscripción.

Es el caso, por ejemplo, conforme al sistema de la ley chilena de registro, de los recluídos en manicomios, procesados mientras permanezcan en esta calidad, y condenados mientras dure la privación de libertad (208). Aquí la excepción tiene el mismo objeto que la exoneración acordada a los religiosos enclaustrados, antes referida. Se trata, en realidad, de elementos que casi no cuentan demográficamente en el balance de la población activa de un país y que, por su condición, no pueden aportar cambio alguno a los movimientos producidos dentro de la misma.

Otro ejemplo lo proporciona la ley cubana que exceptúa de registrarse a los soldados del Ejército Libertador y veteranos de la Guerra Hispanoamericana. La excepción se explica naturalmente, como un acto de reconocimiento diferido a quienes contribuyeron a independizar a la República del dominio español. Ya se ha indicado antes que esta dispensa implica, al mismo tiempo, la exención de pagar las tasas que la ley establece.

La ley boliviana exime de inscribirse a los extranjeros nacionalizados bolivianos, es decir, a los naturalizados y la previsión parece, en cierto modo, redundante, pues no se trata ya en realidad de extranjeros (209).

La disposición de Guatemala, por su parte, exonera de la inscripción a los extranjeros que, sin estar radicados en el país, tengan autorización especial para permanecer en él más de dos meses (210).

---

(208) L. N° 6880, de 8 abr. 1941, art. 5°.
(209) D. de 17 jul. 1944, art. 10.
(210) D. N° 1781, de 25 ene. 1936 (Ley de Extranjería), art. 46.

Las normas nicaragüenses exoneran a aquellos extranjeros que no deben considerarse inmigrantes o domiciliados (211); las de Costa Rica, a las personas que hubieren ocupado posiciones distinguidas en el país de origen o de donde proceden (212), facultándose, además, al Director General de Policía, a dispensar de la inscripción en el Registro, en general, a los extranjeros que merezcan ser eximidos por su reconocida honorabilidad (213); y las de Estados Unidos, facultan al Director del Registro para dictar reglamentos especiales respecto de ciertas clases de extranjeros (214). Finalmente, de acuerdo con las informaciones proporcionadas por los funcionarios haitianos que asistieron a la Visita de Consulta, se exceptúa de la obligación de registrarse a los extranjeros contratados por el Gobierno (215).

Las disposiciones dictadas por la Argentina para ejercer el contralor de los nacionales de Japón y Alemania, residentes en el país, con motivo de la declaración de guerra, eximen de las medidas de vigilancia previstas, a las mujeres domiciliadas en la República que estén casadas con argentinos nativos o por opción, y a aquellos que llegaron al país antes del año 1927 y estuvieren casados con mujer argentina nativa o por naturalización (216). En casos excepcionales y debidamente justificados, además, los ministerios del Interior y de Relaciones Exteriores y Culto, por resolución conjunta, pueden eximir del cumplimiento del todo o parte de las disposiciones sobre registro y vigilancia de extranjeros enemigos (217).

---

(211) D. de 29 dic. 1930, art. 36.
(212) D. Ej. Nº 1, de 3 set. 1930, art. 14.
(213) D. Ej. Nº 1, de 3 set. 1930, art. 14.
(214) Marineros extranjeros, confinados en instituciones en los Estados Unidos, extranjeros deportados y los que no han obtenido autorización para entrar al territorio y residir permanentemente en él. (L. de 28 jun. 1940 (Sec. 32) (c). (54 Stat. 674; 8 U. S. C. 453).
(215) Inf. V. C.
(216) D. Nº 7058, de 2 abr. 1945, art. 19, incs. a) y b), de acuerdo al texto sustitutivo dado por el D. Nº 11.417, de 23 may. 1945.
(217) D. Nº 7058, de 2 abr. 1945, art. 20, de acuerdo a la nueva redacción dada por el D. Nº 11.417 de 23 may. 1945. Existe, en realidad, una excepción más, de carácter transitorio, prevista por las disposiciones argentinas y a la que se hace referencia al tratar del requisito relativo a la nacionalidad (Infra, pág. 241, nota 265).

III. Información y requisitos a satisfacerse en el acto de inscripción.

Constreñidos a la exposición de los informes que deben proporcionarse y los requisitos que han de satisfacerse por las personas obligadas al registro, desde el ángulo especial que interesa a las medidas inspiradas en la defensa política, se mencionarán aquí aquellos datos y requisitos, tomando como modelo la Resolución del Comité, con referencia concreta a las disposiciones legales o administrativas de las Repúblicas del continente que los exigen.

1. Nombre.

El formulario anexo a la Resolución del Comité, requiere el nombre, los otros nombres siguientes al primero y usual, y el apellido; el nombre bajo el cual el extranjero ha entrado al país y, también, los otros nombres por los cuales aquél ha sido conocido (nombre de soltera, si se trata de mujer; nombres profesionales; de casada; sobrenombre y apodos) (218).

Esta amplia referencia de los distintos elementos que contribuyen a individualizar a una persona por el nombre, persigue el fin general, ya enunciado, de documentar la filiación del extranjero de la manera más completa posible, con miras a investigaciones y medidas de contralor ulteriores, así como para decidir sobre sus antecedentes y conducta. La inscripción del nombre en el registro no queda por supuesto librada a la simple declaración del extranjero sino que, por regla general, y análogamente a lo que sucede con numerosos otros datos requeridos en el acto de inscripción, debe ser probada con los documentos de identificación personal, tales como carnets o cédulas de identidad, pasaportes, certificados del registro del estado civil, documentos consulares, etc. Suministra un ejemplo adecuado de esto la disposición argentina, al determinar taxativamente los documentos probatorios de la veracidad de las declaraciones de los extranjeros bajo vigilancia, y de cuya eficacia debe juzgar la propia autoridad policial (219).

---

(218) Anexo A, 1), b) y c).
(219) Los documentos enumerados por la disposición son los siguientes: a) todo documento de identidad argentino; b) pasaporte extranjero; c) acta o testimonio de naturalización

Exigen en forma expresa o implícita la inscripción completa de nombres y apellidos en el registro, las disposiciones de los siguientes países: Argentina (220), Bolivia (221), Brasil (222), Colombia (223), Costa Rica (224), Chile (225), Ecuador (226), El Salvador (227), Estados Unidos (228), Guatemala (229), Haití (230), Nicaragua (231), Panamá (232) y Venezuela (233).

Además de los nombres de los registrados, algunas disposiciones suelen exigir también los de sus padres y madres. Exceden así, tales disposiciones, de lo recomendado por la Resolución del Comité, pero evidentemente este nuevo dato contribuye a reforzar los elementos de individualización personal. Pueden mencionarse, como ejemplo, las disposiciones de Cos-

---

extranjera; d) certificado o cédula de nacionalidad actuales, expedidos por la respectiva repartición extranjera; e) todo otro documento que la acredite en forma indubitable (D. N⁰ 7058, de 2 abr. 1945, art. 17, según el texto sustitutivo dado por el D. N⁰ 11.417, de 23 may. 1945). Véase, asimismo, Otros elementos de identificación personal, infra, pág. 244|

(220) D. N⁰ 7527, de 6 abr. 1945, art. 13, inc. a).

(221) D. de 22 ago. 1940 (Formulario); D. de 17 jul. 1942, art. 2⁰.

(222) D. N⁰ 3010, de 20 ago. 1938, art. 149, parág. 1⁰.

(223) D. N⁰ 181, de 29 ene. 1942, art. 6⁰.

(224) D. Ej. N⁰ 1, de 3 set. 1930, art. 4⁰, inc. a); D. N⁰ 5, de 14 jun. 1941, art. 2⁰.

(225) Tarjeta de Registro adjunta a la nota del miembro designado por Chile ante el Comité, de 6 jul. 1942.

(226) D. N⁰ 111, de 29 ene. 1941, art. 28, inc. a).

(227) D. Leg. N⁰ 86, de 14 jun. 1933, art. 45; D. Ej. de 27 jul. 1933, art. 20, inc. 1⁰; Formulario de Registro.

(228) Reglamento de la ley de Reg. de Ext. de 28 jun. 1940. El extranjero debe dar su nombre completo, el nombre con el que llegó a los Estados Unidos y todos los nombres por los que se le ha conocido, en Estados Unidos o en otro país y los nombres de negocio o profesionales, los alias y sobrenombres, (29.4 (e) (1).

(229) D. N⁰ 1781, de 26 ene. 1936 (Ley de Extranjería), art. 45; D. N⁰ 1735, de 4 jun. 1931, art. 3, incs. e) y d).

(230) Formulario de Registro, Anexo V. de Consulta.

(231) L. de 3 oct. 1894, art. 10; D. de 29 dic. 1930, art. 34.

(232) L. N⁰ 83, de 1⁰ jul. 1941, art. 6⁰, letra a), numeral 5, y letra d), numeral 1.

(233) D. de 7 may. 1942, arts. 11 y 26, inc. b).

ta Rica (234), Guatemala (235), Nicaragua (236) y Panamá (237).

Aunque las disposiciones sobre registro vigentes no prevén, naturalmente, el punto, parece oportuno decir dos palabras sobre la posibilidad del cambio de nombre.

Ese cambio puede producirse, tanto con anterioridad a la inscripción en el registro, cuanto con posterioridad al mismo, luego que el extranjero se encuentra ya residiendo en el país. Si bien es cierto que no podrá descartarse la hipótesis indicada en primer término, mediante la posesión de documentos falsos, en el caso de agentes subversivos, por ejemplo, expresamente expedidos por las autoridades del país al que sirven, lo esencial es que el extranjero se incorpore a la población de una República Americana caracterizado por un nombre. Que él sea falso o auténtico, no importará mayormente; lo fundamental es que ese signo es un determinante inconfundible de su personalidad. En todo caso, corresponderá siempre a las autoridades nacionales, realizar las investigaciones y comprobaciones necesarias para esclarecer las dudas o sospechas que puedan abrigar. La verificación de un cambio de nombre realizado con anterioridad al ingreso al país, no podrá menos que fundar una legítima presunción contraria a las buenas intenciones perseguidas por el extranjero.

La segunda situación, esto es, el cambio de nombre ya dentro del país, requerirá siempre, para que el contralor del extranjero no se vuelva inefectivo, una adecuada coordinación entre las autoridades del registro y las competentes para acordar ese cambio. Sobre el particular puede ser mencionado el caso de los Estados Unidos, en lo que se refiere al registro de nacionales enemigos, conforme al cual se exige a los propios interesados comunicar a la oficina encargada del mismo, todo cambio de nombre que haya sido acordado por resolución de la autoridad legalmente facultada para ello (238).

---

(234) D. Nº 5, de 14 jun. 1941, art. 2º.
(235) D. Nº 1781 de 25 ene. 1936 (Ley de Extranjería), art. 45, D. Nº 1735, de 4 jun. 1931, art. 3º, inc. f); Formulario de inscripción.
(236) L. de 5 may. 1930,art. 19, inc. 3; D. de 29 dic. 1930, art. 34.
(237) L. Nº 83, de 1º jul. 1941, art. 6º, letra d, nums. 5) y 6).
(238) Inf. V. C.

2. Domicilio o residencia.

La Resolución del Comité incluye la declaración del lugar donde el extranjero vive —calle, ciudad, pueblo, país, estado, provincia, departamento o territorio— y la dirección postal (239). Desde el momento en que el registro tiene por objeto ejercer un contralor estricto, de carácter político, sobre el extranjero, es fundamental para la autoridad, conocer en todo tiempo donde él vive y, aún, los lugares a que habitualmente concurre o donde trabaja, de manera de poder fiscalizar debidamente sus actividades y localizarle siempre que sea necesario.

Esta exigencia, aunque coincide muchas veces con la noción civil de domicilio o residencia, tiene así un alcance circunstancial más extenso, como una nueva consecuencia derivada de la importancia de contralor de los extranjeros durante la emergencia. Más que el sentido latino de "domicilium", jurídicamente caracterizado por una cierta fijeza del lugar donde una persona vive, o de la noción civil de residencia, constituída por la habitación temporaria en un lugar distinto que el domicilio, la referencia que interesa al registro es el lugar donde el extranjero pueda ser hallado en cualquier momento. Se induce de ello, la conveniencia de que este dato sea exigido como regla general de una manera amplia, capaz de asegurar el fin que se persigue. Por lo general, también, la autoridad competente habrá de comprobar la exactitud del mismo y no dejarlo librado a la simple declaración formulada por el registrante.

Se encuentra una inclusión expresa de esta información, por lo general, a título de domicilio, en las disposiciones de los países que se indican a continuación: Argentina (240), Bolivia (241), Brasil (242), Colombia (243), Ecuador (244), El

---

(239) Anexo A, 2, a) y b).
(240) D. Nº 7527, de 6 abr. 1945, art. 13, inc. 1). Esta disposición requiere asimismo el número telefónico y la dirección postal (Poste Restante) del extranjero.
(241) D. de 11 abr. 1922, art. 1º; D. 22 ago. 1940 (Formulario); D. 17 de jul. 1942, art. 2.
(242) D. 3010, de 20 ago. 1938, art. 149, parágrafo 1º.
(243) D. Nº 181, de 29 ene. 1942, art. 6º.
(244) D. Nº 111, de 29 ene. 1941, art. 28, incs. k) y l).

Salvador (245), Estados Unidos (246), Guatemala (247), Haití (248), Nicaragua (249), Panamá (250) y Venezuela (251).

3. Fecha y lugar de nacimiento.

Al igual que los datos anteriores, la fecha y el lugar de nacimiento suele ser requerida por las disposiciones sobre registro como complemento de caracterización de cada persona.

La Resolución del Comité recomendaba solicitar la fecha, con especificación de mes, día y año, así como el lugar de nacimiento, con determinación de ciudad o pueblo, estado, provincia, departamento o territorio, y país (252). En las disposiciones de Argentina (253), Bolivia (254), Costa Rica (255), Ecuador (256), El Salvador (257), Estados Unidos (258), Guatemala (259), Haití (260), Nicaragua (261), Panamá

---

(245) D. Leg. Nº 86, de 14 jun. 1933, art. 47; Formulario de Registro.
(246) Regl. de la ley de Reg. de Ext., de 28 jun. 1940. El extranjero debe dar su residencia, es decir, el local donde habitualmente duerme y la dirección postal (29.4 (e). (2).
(247) D. Nº 1781, de 26 ene. 1936 (Ley de Extranjería), art. 45; D. Nº 1735, de 4 jun. 1931, art. 3º, inc. f).
(248) Formulario de Registro, Inf. V. C.
(249) L. de 3 oct. 1894, art. 10.
(250) D. Nº 55, de 11 set. 1939, art. 1º, D. Nº 83, de 1º jul. 1941, art. 6º, letra d, numeral 13.
(251) D. de 7 may. 1942, art. 34, incs. 10 y 35.
(252) Anexo A, 3, a) y b).
(253) D. Nº 7527, de 6 abr. 1945, art. 13, incs. e) y d).
(254) D. de 17 jul. 1942, art. 2º.
(255) D. Nº 5, de 14 jun. 1941, art. 2º.
(256) D. Nº 111, de 29 ene. 1941, art. 28, incs. b) y l).
(257) Formulario de Registro.
(258) Reglamento de la ley de Reg. de Ext. de 28 jun. 1940. El extranjero debe indicar el mes, día y año de su nacimiento según el calendario gregoriano, así como la ciudad, aldea o villa (o la más próxima), la provincia y el país donde nació, tal como existía en la época del nacimiento. Se debe indicar como país de nacimiento el Estado o poder que, en la época de su nacimiento, ejercía dominio o soberanía sobre tal lugar (29.4.1) (3).
(259) D. Nº 1781, de 26 ene. 1936 (Ley de Extranjería), art. 45; D. Nº 1735, de 4 jun. 1931, art. 3º, inc. e).
(260) Formulario de inscripción.
(261) D. de 29 dic. 1930, art. 34.

(262) y Venezuela (263), se consigna expresamente la exigencia de estas referencias.

Por lo general, estos extremos deben ser acreditados fehacientemente con los documentos respectivos, ya indicados al estudiar el nombre. Guardan en realidad una cierta relación con la nacionalidad y la edad exigida para el registro, que se examinan separadamente. La comprobación de su carácaer genuino puede ser sometido fácilmente, en casos de duda, a pruebas e investigaciones de distinta naturaleza (peritajes médico-legales, cuestionarios o tests de índole histórica, geográfica, social, económica, etc., sobre el conocimiento del medio local, el idioma, las costumbres, etc.), capaces de demostrar la suposición de los datos respectivos.

4. Nacionalidad.

La determinación precisa del vínculo jurídico-político que liga a una persona respecto de un Estado constituyendo su nacionalidad, aparece como un elemento de singular importancia en el contralor de la actividad subversiva. La defensa política del Hemisferio se vió especialmente comprometida por los designios hegemónicos de las Potencias del Eje, afirmados colectivamente mediante la deformación del sentimiento del Estado nacional, a base de la comunidad de sangre, y llevado al terreno de la acción por la cooperación de sus propios súbditos, convertidos en instrumentos de aquellas aspiraciones políticas.

La adjudicación de nacionalidad a un extranjero que ingresa al país, en el acto del registro, deviene así una cuestión de positiva trascendencia por las repercusiones que ha de tener sobre la técnica y la medida del contralor a ejercerse posteriormente a su respecto. No ha de ser indiferente, por ejemplo, el hecho de atribuir una nacionalidad distinta que la alemana a un súbdito del Tercer Reich ,por el simple hecho de su nacimiento, en vista de los principios sistemáticamente sustentados y aplicados por la legislación alemana racista, basada en la comunidad inalterable de la sangre.

La determinación de la nacionalidad del registrado no ha

_____

(262) L. N° 83, de 1° jul. 1941, art. 6°, letra d), núms. 2 y 3.
(263) D. de 7 may. 1942, arts. 11, 26 inc. c), 34 inc. 3° y 35.

de quedar nunca librada a la propia decisión o manifestaciones de éste. Deben ser siempre las autoridades, de acuerdo con los datos aportados por el extranjero y los documentos que hacen prueba de nacionalidad, las encargadas de establecerla. La cuestión en sí misma presentará a menudo dificultades bastante complejas, requiriendo, por eso, en cada caso, un examen atento de los diferentes elementos de juicio, a la vez que una idoneidad especial de los funcionarios encargados del registro.

Conforme a las clasificaciones corrientemente seguidas por la legislación universal sobre la materia, pueden distinguirse dos grandes grupos: la nacionalidad de origen y la nacionalidad adquirida. Dentro del primero, se encuentran criterios o sistemas especiales, a saber: la nacionalidad de una persona es determinada por la filiación, es decir, por la nacionalidad de sus padres, cualquiera sea el lugar donde aquella haya nacido o a la inversa, se determina por el lugar donde ha nacido, sin tener en cuenta la nacionalidad de sus padres; o bien, en fin, se emplea un sistema mixto o combinado, que hace aplicación, a la vez, tanto del principio de la filiación como del lugar del nacimiento. Dentro del segundo, existen dos formas esenciales determinantes de la adquisición de la nacionalidad: el matrimonio —la mujer sigue la nacionalidad del marido, como lo han consagrado las legislaciones europeas tradicionales o, inversamente, trasmite su nacionalidad al hombre que la desposa, como lo han instituído muchas legislaciones americanas a fin de arraigar definitivamente al inmigrante—, y la naturalización, que implica para toda persona que tiene la capacidad jurídica necesaria, la libertad "de elegir el Estado al cual quiere pertenecer, renunciar a su nacionalidad presente, y adquirir una nueva, siempre que la abdicación y la adquisición sean hechas de buena fe, sean efectivas, hayan revestido las formas y reunido las condiciones requeridas por la ley del Estado al cual va a quedar unida" (264).

La determinación de la nacionalidad supondrá, aún, en muchos casos, el examen y la aplicación conjunta de las leyes de más de un país, o situaciones en que las dificultades

---

(264) Pasquale Fiore, Droit International codifié, arts. 377 y 378.

serán incluso mayores, por razón de la falta de nacionalidad, de que se han visto privadas gran número de personas de distintos países de Europa (265).

En fin, y como se refiere detenidamente en otra parte de esta obra (266), la importancia del dato resulta todavía del hecho de que la adquisición de una nacionalidad distinta, por parte de los súbditos del Eje, ha tendido con frecuencia a aprovechar de la protección legal que ella confiere, para realizar así, con cierta impunidad, sus actividades subversivas.

Requieren la declaración de esta referencia, las leyes de los siguientes países: Bolivia (267), Brasil (268), Colombia (269), Costa Rica (270), Ecuador (271), El Salvador (272), Estados Unidos (273), Guatemala (274), Haití (275), Nica-

---

(265) Es acreedora de mención al respecto, la disposición argentina, que dispone que en los casos de personas sin nacionalidad actual, sólo se considerarán tales, a los así declarados por jueces argentinos. (D. Nº 7058, de 2 abr. 1945, art. 17, en la nueva redacción dada por el D. Nº 11.417, de 23 may. 1945).

Por Res. de 10 jul. 1945, de los ministerios del Interior y Relaciones Exteriores y Culto, se establece justamente que las personas que habiendo nacido en los países enemigos carezcan en la actualidad de nacionalidad ("heimatlos"), deberán probar esta condición por declaración de la justicia argentina; exceptuándose durante un plazo de seis meses, de las obligaciones de inscripción en el registro y demás previstas por los Ds. Nos. 7058 y 11.475, de 2 abr. y 23 may. de 1945, respectivamente, a aquellos extranjeros que comprueben ante las autoridades policiales de la jurisdicción de su domicilio, que han iniciado procedimiento judicial para obtener la declaración antes referida. Se trata, pues, de una nueva excepción, de carácter transitorio, que las circunstancias han venido a añadir a las ya mencionadas oportunamente.

(266) Ver, al respecto, Sección B, Prevención del abuso de nacionalidad.

(267) D. de 11 abr. 1922, art. 1º; D. de 22 ago. 1940 (Formulario); D. de 17 jul. 1942, art. 2º.

(268) D. Nº 3010, de 20 ago. 1938, art. 149, parág. 1º.

(269) D. Nº 181, de 29 ene. 1942, art. 6º.

(270) D. Nº 1, de 3 set. 1930, art. 4º, inc. b).

(271) D. Nº 111, de 29 ene. 1941, art. 2º, letra (b).

(272) D. Leg. Nº 86 de 14 jun. 1933, art. 47; D. Ej. de 27 jul. 1933, art. 20, inc. 4º y art. 21.

(273) Reglamento de la ley de Reg. de Ext. de 1940. El extranjero debe indicar el país del cual es ciudadano o súbdito y al cual debe lealtad. Si el extranjero no es ciudadano de ningún país, lo debe manifestar; debe indicar, en tal caso, el país último del cual fué ciudadano o súbdito o al cual debió guardar lealtad (29.4(1) (4).

(274) D. L. Nº 1781, de 26 ene. 1936 (Ley de Extranjería), art. 45.

ragua (276), Panamá (277), Perú (278) y Venezuela (279).

5. Sexo. — Estado civil.

Ambos datos son previstos por la Resolución del Comité sobre Registro de Extranjeros (280) y complementan lógicamente la individualización integral del registrado.

Por sexo se entiende la especial conformación orgánica que distingue al macho de la hembra. La determinación no ofrece dificultades en el caso de personas vivas, salvo las circunstancias particulares de malformaciones sexuales — seudohermafroditas, por ejemplo — que, según su grado, pueden afectar la identidad de la persona.

Requieren la referencia de este elemento las disposiciones de Bolivia (281), Colombia (282), El Salvador (283) y Venezuela (284).

Por estado civil se entiende la situación que una persona ocupa dentro del grupo familiar y como consecuencia de la cual se convierte en titular de derechos y obligaciones. Es precisamente por esta circunstancia que el estado civil de los individuos adquiere en el derecho moderno una especial significación, ya que la determinación del mismo indica cuál es su exacta posición jurídica en cuanto al cumplimiento de determinados derechos y obligaciones. Así, por ejemplo, es evidente que el estado civil de casado coloca a su titular en una posición jurídica completamente distinta, en cuanto a ciertos derechos y obligaciones, a la de aquel que no posee ese estado.

Específica y concretamente, la Resolución del Comité precisa el contenido del concepto, al exigir la declaración de la calidad del registrante por relación a la organización de la familia, esto es, si se trata de una persona soltera, casada, viuda, divorciada o separada legalmente.

---

(275) Formulario, Inf. V. C.
(276) L. de 3 oct. 1894, art. 10; D. de 29 dic. 1930, art. 34.
(277) L. Nº 83, de 1º jul. 1941, art. 7º.
(278) D. Sup. de 26 jun. 1936, art. 8º.
(279) D. de 7 may. 1941, arts. 11, 26 inc. a, 34 inc. 1º y 35.
(280) Anexo A, 5, a) y b).
(281) D. de 17 jul. 1942, art. 8º.
(282) D. Nº 181, de 29 ene. 1942, art. 6º.
(283) L. Nº 86, de 14 jul. 1933, art. 45; Formulario de Registro.
(284) D. de 7 may. 1942, arts. 11, 26 inc. b, 34 inc. b, 2 y 35.

Reviste aquí cierto interés lo ya dicho al tratar de las posibilidades de cambiar el nombre. La alteración dolosa del estado civil, puede presentarse en la misma forma que en el nombre, aunque racionalmente no ofrezca, del punto de vista de la defensa política, la misma o parecida importancia, en la mayoría de los casos.

Exigen declaración del estado civil las disposiciones de Argentina (285), Bolivia (286), Brasil (287), Colombia (288), Costa Rica (289), Ecuador (290), El Salvador (291), Estados Unidos (292), Guatemala (293), Haití (294), Nicaragua (295), Panamá (296) y Venezuela (297).

6. Raza.

La Resolución del Comité recomienda la declaración de la raza del registrado, a saber: blanca, negra, japonesa, china, otra (298).

Tomado en sentido estrictamente científico, este dato parece no responder a ningún objeto definido que interese a la defensa política, si se exceptúa la mera finalidad individualizadora.

En las leyes de cuatro Repúblicas Americanas se exige declaración acerca de la raza de la persona registrada: Estados Unidos, Nicaragua, Panamá y Venezuela, aunque sin dar una noción de lo que debe entenderse por tal.

---

(285) D. Nº 7527, de 6 abr. 1945, art. 13, inc. h).
(286) D. de 11 abr. 1922, art. 1º; D. de 22 ago. 1940 (formulario); D. de 17 jul. 1942, art. 2º.
(287) D. Nº 3010, de 20 ago. 1938, art. 149, parágrafo 1º.
(288) D. Nº 181, de 29 ene. 1942, art. 6º.
(289) D. Ej. Nº 1, de 3 set. 1930, art. 4º, inc. d); D. Nº 5, de 14 jun. 1941., art. 2º.
(290) D. Nº 111, de 29 ene. 1941, art. 28, inc. f).
(291) D. Leg. Nº 86, de 14 jun. 1933, art. 47; D. Ej. de 27 jul. 1933, art. 20, inc. 3º; Formulario de Registro.
(292) Reglamento de la ley de Reg. Ext. de 28 jun. 1940. El extranjero debe declarar su sexo y estado civil. Si está separado de su marido o mujer pero no divorciado, debe indicar que es casado (Sec. 29.4. (1) (5).
(293) D. Nº 1781, de 26 ene. 1936 (Ley de Extranjería), art. 45; D. Nº 1735, de 4 jun. 1931, art. 3º, inc. g).
(294) Formulario, Inf. V. C.
(295) L. de 3 oct. 1894, art. 10; D. de 29 dic. 1930, art. 34.
(296) L. Nº 83, de 1º jul. 1941, art. 6º, letra d), numeral 4.
(297) D. de 7 may. 1942, arts. 11 y 26 inc. b) y 34 inc. 2º y 35.
(298) Res. Nº VI, Anexo A, 5, c).

Aparte de Estados Unidos, cuyas disposiciones han inspirado evidentemente los términos de la Resolución del Comité (299), las normas vigentes en el segundo de los países citados (300) determinan la obligatoriedad de indicar la raza a que pertenece el extranjero; las del tercero (301) exigen la indicación de la raza o el color de los extranjeros, al inscribirse en el registro; y las del cuarto (302), por último, ordenan se inscriba en la cédula de identidad, entre otros datos, la raza del extranjero.

Evidentemente, la discriminación racial puede, en muchos casos, contribuir a la identificación del sujeto registrado. Pero, además de esta función individualizadora parece, sin embargo, haberse perseguido otra finalidad, pues científicamente, no resulta legítimo hablar de una "raza japonesa" y de una "raza china" sino, a lo sumo, de una raza amarilla, como subdivisión de alguna especie zoológica que se distingue de otras razas de la misma especie, por determinados caracteres hereditarios. En este sentido, las disposiciones de los países citados tienen explicación en cuanto se aplican a ejercer el contralor sobre razas o clases sociales de inmigración legalmente prohibida. Este es el caso, por ejemplo, de los preceptos nicaragüenses, y otros semejantes de distintas Repúblicas Americanas, que han sido mencionados precedentemente al tratar de los registros especiales (303).

7. Otros elementos de identificación personal.

Pueden agruparse bajo este título común, ciertos requisitos y procedimientos diversos, aunque caracterizados todos ellos por el propósito de lograr la más completa individualización del registrado.

La Resolución del Comité Consultivo de Emergencia aconseja el registro de la estatura —en pies o metros, y pulgadas

(299) Regl. de la ley de Reg. de Ext. de 28 jun. 1940 (29.4) (1) (5). El extranjero debe indicar la raza a la que pertenece. Según el formulario de registro, debe indicar si pertenece a la raza blanca, negra, japonesa, china u otra.
(300) D. de 29 dic. 1930, art. 34.
(301) L. Nº 83, de 1º jul. 1941, art. 6º, letra d, Nos. 7 y 8.
(302) D. de 7 may. 1942, arts. 11, 26 inc. ch), 34 inc. 4 y 35.
(303) Supra, págs. 219 y sigtes.

o centímetros—, el peso —en kilogramos o libras—, el color del cabello y de los ojos, y las cicatrices que pueda tener el extranjero (304). Recomienda, asimismo, la obtención de la impresión dígito-pulgar derecha, y la fotografía, según resulta del modelo de cédula de identidad anexo a la misma, y la mención de las señas particulares del titular del documento, en el que deben ser estampadas unas y otras (305) ; y requiere, finalmente, la firma del extranjero (306) .

Se trata, pues, de cuestiones relacionadas con la identidad y la identificación de las personas y que configuran todas ellas una serie de problemas cuya solución y estudio corresponden a ramas especiales de la policía científica y de la medicina legal. Aquí sólo será del caso decir que por identidad suele entenderse el conjunto de caracteres que individualizan a una persona, haciéndola igual a sí misma y distinta de las demás. La identificación, en cambio, es el procedimiento para reconocer a una persona viva, muerta o, simplemente, a restos cadavéricos. La técnica de la identificación, ofrece dos formas principales : una policial, que sobre bases antropométricas, dactiloscópicas, etc., busca la identificación de las personas, y otra médica, que requiere conocimientos anatómicos especiales y concurre principalmente a la identificación de restos cadavéricos incompletos. Las referencias dactiloscópicas y antropométricas están previstas, en general, como datos que deben llenarse en el acto de la inscripción, en muchas de las disposiciones americanas sobre registro.

Algunas veces, las disposiciones exigen aún otros requisitos, tales como la exhibición de documentos o la declaración de testigos que acrediten la identidad del extranjero, y puedan proporcionar informes satisfactorios sobre su persona y actividades. Tales documentos son corrientemente los usados para comprobar la identidad personal, como pasaportes, cédulas o carnets, permisos de ingreso al país, certificados consulares, cartas de naturalización, certificaciones sanitarias, etc. Otras leyes obligan a acreditar la buena conducta del extranjero. Esta exigencia se halla racionalmente ligada con el régimen legal sobre entrada y salida de personas. Se obliga al extranjero a documentar por medio de informes policiales y

---

(304) Anexo A, 6.
(305) Anexo B, primera y segunda páginas interiores.

de otra índole, proporcionados por las autoridades de su propio país, ante el cónsul del país de destino, la ausencia de antecedentes judiciales, policiales, u otros (307).

Se encuentran exigencias expresas relativas a la estatura, peso, cabellos, ojos, cicatrices y otras características análogas, en las disposiciones de Costa Rica (308), Cuba (309), El Salvador (310), Estados Unidos (311), Panamá (312) y Venezuela (313).

Las impresiones digitales del registrado son exigidas directamente por las disposiciones de Costa Rica (314), Cuba (315), Estados Unidos (316), Panamá (317) y Venezuela (318); y de un modo indirecto por las disposiciones de Argentina (319) y El Salvador (320). Sólo por excepción estas disposiciones se aplican a determinar el sistema dactiloscópico a emplearse. No obstante, y según se desprende de la mayoría de las disposiciones referidas, en que el régimen de registro aparece trabado con los sistemas de identificación civil, policial o judicial, puede afirmarse que los métodos técnicos aplicados no difieren de los procedimientos universales en la materia y a que antes se ha hecho alusión.

(306) Anexo A, declaración jurada, para personas de 14 años de edad y mayores.
(307) Ver, al respecto, Sección G, Entrada y Salida de Personas, infra.
(308) D. Nº 1, de 3 set. 1930, art. 4º, inc. g); D. Nº 5, de 14. jun. 1941, art. 2º.
(309) D. L. Nº 788, de 28 dic. 1934, art. V.
(310) D. Leg. Nº 86, de 14 jun. 1933, art. 45; Formulario de Registro.
(311) Regl de la L. de Reg. de Ext. de 28 jun. 1940. 4 (1) (6). El extranjero debe declarar su altura, su peso, el color de sus ojos y cabellos.
(312) L. Nº 83, de 1º jul. 1941, art. 6º, letra d), núm. 10.
(313) D. de 7 may. 1942, arts. 11, 26 inc. ch), 34 incs. 4 y 5; y 35.
(314) D. Ej. Nº 1, de 3 set. 1930, arts. 4º, inc. i), y 3º; D. Nº 5, de 14 jun. 1941, art. 2º.
(315) D. L. Nº 788, de 28 dic. 1934, art. V.
(316) L. de Registro de Extranjeros de 28 jun. 1940, Sec. 30, Sec. 31 (54 Stat 673 - 674; 8 U. S. C. 451, 452).
(317) L. Nº 83, de 1º jul. 1941, art. 6º, letra b) núm. 4).
(318) D. de 7 may. 1942, arts. 11, 26 inc. f), 34 inc. 7º y 35.
(319) D. Nº 7527, de 6 abr. 1945, art. 7º Se establecerá la identidad de los comparecientes, con documentos expedidos por las autoridades de la República y si carecieren de ellos, siendo procedente, se les identificará por medio de las impresiones digitales. En la manifestación se dejará expresa mención del documento presentado.

Se encuentra un requerimiento formal de la fotografía del registrado en los textos vigentes en Argentina (321), Bolivia (322), Costa Rica (323), Cuba (324), Panamá (325) y Venezuela (326). Aunque las disposiciones no esclarecen el punto, parece elemental que la fotografía no es aportada por el extranjero, a su discreción, sino obtenida en las oficinas administrativas correspondientes simultáneamente con el acto del registro, como lo exige la técnica de la identificación.

Demandan la firma del extranjero, o la constancia de que éste no sabe escribir, Argentina (327), Costa Rica (328), Cuba (329), El Salvador (330), Estados Unidos (331) y Panamá (332). Exigen la deposición de testigos o personas, por lo general de reconocida solvencia o reputación, que puedan suministrar informaciones acerca del registrado, Bolivia (333), Costa Rica (334), México (335) y Nicaragua (336). La buena conducta es solicitada por la legislación de El Salvador (337), Nicaragua (338) y Venezuela (339).

En cuanto a los documentos de identidad, existen referencias concretas en las disposiciones de los siguientes países:

---

(320) L. Nº 86, de 14 jun. 1933, art. 45.
(321) D. Nº 7527, de 6 abr. 1945, art. 20.
(322) D. de 17 jul. 1942, arts. 2º y 6º.
(323) D. Ej. Nº 1, de 3 set. 1930, art. 4º, inc. h); D. Nº 5, de 14 jun. 1941, art. 2º.
(324) D. L. Nº 788, de 28 dic. 1934, art. V (foto de frente).
(325) L. Nº 83, de 1º jul. 1941, art. 6º, letra b) numeral 1.
(326) D. de 7 may. 1942, arts 11 y 26 inc. e) (dos fotos: una de frente y otra de perfil), 34 inc. 6º y 35.
(327) D. Nº 7527, de 6 abr. 1945, art. 13, inc. w). En caso de que el declarante fuera analfabeto, la declaración contendrá su impresión dígito pulgar derecha y firmará un testigo, cuya identidad deberá quedar debidamente acreditada.
(328) D. Ej. Nº 1, de 3 set. 1930, art. 4º, inc. i) (firma auténtica); D. Nº 5, de 14 jun. 1941, art. 2º (firma auténtica).
(329) D. L. Nº 788, de 28 dic. 1934, art. V.
(330) Formulario de Registro.
(331) Regl. de la L. de Reg. de Ext. de 28 jun. 1940, (29.4) (g).
(332) L. Nº 83, de 1º jul. 1941, art. 6º, letra b, numeral 3.
(333) D. Sup. de 22 ago. 1940 (Formulario).
(334) D. Ej. Nº 1, de 3 set. 1940, arts. 2º y 4º.
(335) Inf. V. C.
(336) L. de 3 oct. 1894, art. 9º.
(337) D. Leg. Nº 86 de 14 jun. 1933, arts. 45 y 47; D. Ej. de 27 jul. 1933, art. 21.
(338) D. de 5 may. 1930, art. 34.
(339) D. de 7 may. 1942, arts. 11 y 26, inc. n).

Bolivia (340), Colombia (341), Costa Rica (342), Ecuador (343), El Salvador (344), Guatemala (345), México (346), Nicaragua (347), Panamá (348), República Dominicana (349) y Venezuela (350).

---

(340) D. de 22 ago. 1940 (Formulario). Carnet de Identidad Nº...; D. de 17 jul. 1942, art. 6º, inc. a), pasaporte internacional con el que ingresaron al país; d) Cédula de Identidad boliviana.

(341) D. Nº 181, de 29 ene. 1942, art. 6º "...con el objeto de ser registrados previo el examen de su pasaporte y demás papeles".

(342) D. Ej. Nº 1, de 3 set. 1930, art. 2º, inc. a) exhibir su pasaporte y constatar la autenticidad del mismo; D. Nº 5, de 14 jun. 1941, art. 2º: "En el Departamento de Extranjeros cada persona tendrá un prontuario con su ...; número, fecha y lugar donde fué extendido el pasaporte y cónsul que lo hubiere visado y fecha en que lo hizo..."

(343) D. Nº 111, de 29 ene. 1941, art. 28, letra j). Los datos necesarios para su identificación, tales como el número de la Cédula de Identidad, si la tuviere, el permiso de residencia, detalles del pasaporte, etc.

(344) D. Leg. Nº 86 de 14 jun. 1933, art. 42. Todo extranjero que entre al país deberá, dentro de las cuarenta y ocho horas de su ingreso al lugar de destino, presentarse a las autoridades de migración mostrando sus documentos ...

(345) D. Nº 1781, de 25 ene. 1936 (Ley de Extranjería), art. 47. "Para la inscripción debe ocurrir el extranjero a la Sección de Relaciones Exteriores y en los departamentos, a las Jefaturas Políticas, comprobando su calidad de extranjero, con algunos de los documentos que a continuación se expresa:
1 — El certificado del agente diplomático o consular respectivo, acreditados en la República, siempre que en él se exprese que el interesado es originario del país en cuyo nombre funciona el agente;
2 — El pasaporte con el que el solicitante haya entrado a la República, legalizado en debida forma; y
3 — La carta de naturalización, legalizada asimismo; y sólo cuando se justifique suficientemente su destrucción o pérdida, o que este documento no es necesario por la ley del país donde hubiere de haberse expedido, podrán admitirse otras pruebas de que el interesado adquirió legalmente la naturalización.

(346) L. de 24 ago. 1936, art. 45. "Los extranjeros en el momento de registrarse, deberán comprobar las circunstancias de su entrada legal y de su permanencia en el país por medio de documentos fehacientes".

(347) L. de 3 oct. 1894, art. 9º. "El extranjero, al hacerse inscribir en el registro indicado, presentará documentos, y a falta de éstos, información de dos testigos idóneos para identificar su persona".

(348) L. Nº 83, de 1º jul. 1941, art. 7º "... y los documentos que haya presentado para acreditar si entró legalmente al país".

(349) L. Nº 1343, de 10 jul. 1937, art. 5º. "El interesado deberá apo-

8. Llegada al país.

La Resolución del Comité recomienda se exija la declaración de la fecha de la última llegada del extranjero al país —mes, día y año—, el puerto o lugar de entrada, el nombre del vapor, compañía de navegación y otros medios de transporte utilizados, la calidad en que se efectuó el viaje —pasajero, tripulante, polizón u otro—, el carácter del viajero conforme a la legislación del país de arribo o a la visa obtenida, es decir, si entró como residente permanente, turista, estudiante, comerciante, marinero, oficial o empleado de un gobierno extranjero u otro, y estada anterior en el país —mes, día y año— (351).

El objeto de estos datos resulta claramente de su propio sentido. Se persigue obtener una información lo suficientemente precisa acerca de la llegada del extranjero, el tiempo de residencia en el país, carácter y forma en que lo ha hecho, etc., capaz de orientar, en caso necesario, coordinada con otros datos o indicios referentes a una determinada persona, una pesquisa. La referencia, por lo demás, es sometida a verificación, de acuerdo a los datos registrados por las compañías de navegación y las autoridades inmigratorias. Como muchos otros datos del registro, por lo general, poco servirán éstos en el momento de su obtención; pero convenientemente clasificados y archivados, estarán siempre a disposición de las autoridades y en muchos casos contribuirán a decidir, en el momento oportuno, el éxito de una investigación o a facilitar la clave de un intrincado asunto en que se encuentre interesada la seguridad del país. En la práctica, suelen presentarse dificultades, dado que muchos extranjeros, con largo tiempo de

---

yar su solicitud en una certificación expedida por el cónsul del país al cual pertenece, en la cual conste su nacionalidad". "Párrafo: A los extranjeros que no tuvieran representación consular en la República, les será aceptada como válida para los fines de esta ley, la que hubieran obtenido u obtengan en su consulado de otro país, siempre que la fecha de su expedición no exceda de tres meses".

(350) D. de 7 may. 1942, art. 26. inc. k) "número del pasaporte, autoridad que l_0 ha expedido y fecha del último visto bueno y la autoridad que lo otorgo n) "La referencia de haber presentado los correspondientes certificados de buena conducta..."

(351) Anexo A, 7, a) a e) inclusives.

residencia en el país, han olvidado la fecha de ingreso.

La Resolución del Comité excede las exigencias generalmente previstas por las disposiciones vigentes sobre registro. Sólo se encuentran en ellas referencias al lugar y fecha de llegada, a los medios de transporte utilizados y al carácter del viajero de acuerdo con la ley del país de destino. Pueden mencionarse, como ejemplo del primer requisito, las reglamentaciones en vigor en Argentina (352), Bolivia (353), Costa Rica (354), Ecuador (355), Estados Unidos (356), Haití (357), Panamá (358), Perú (359) y Venezuela (360); del segundo, las disposiciones de Argentina (361), Costa Rica (362) y Venezuela (363); y del tercero, los decretos de Argentina (364) y Ecuador (365).

9. Residencia anterior en otro país.

La Resolución del Comité solicita además declaración del tiempo que el extranjero ha vivido en un país (366). El sentido que debe darse a la pregunta es el de la residencia o domicilio anterior en otro país, sea el de origen, sea uno de adopción. En efecto, el número de años que el extranjero ha residido en el país del registro, puede deducirse fácilmente de la combinación de otros datos, tales como el de la fecha de llegada, el de la entrada anterior al país, etc. Por lo demás, no

---

(352) D. Nº 7527, de 6 abr. 1945, art. 13, inc. e).
(353) D. Sup. de 22 ago. 1940 (Formulario).
(354) D. Ej. Nº 1, de 3 set. 1930, art. 4º, inc. f); D. Nº 5, de 14 jun. 1941, art. 2º.
(355) D. Nº 111, de 29 ene. 1941, art. 28, inc. d.
(356) L. de Reg. de Extranjeros de 28 jun. 1940, Sec. 34, (a) (1) (54 Stat 674; 8 U. S. C. 455 a (1). El Reglamento de esta ley (29.4) (1) (7) exige la indicación del puerto o ciudad de entrada en su última llegada a los Estados Unidos, el medio de transporte usado, el nombre del barco o de la compañía marítima, su calidad de pasajero, emigrante, etc.
(357) Formulario, Anexo Inf. V. C.
(358) L. Nº 83, de 1º jul. 1941, art. 7º "... la fecha de su entrada al país ..."
(359) D. Sup. de 26 jun. 1936, art. 8º.
(360) D. de 7 may. 1942, arts. 11 y 26, inc. LL).
(361) D. Nº 7527, de 6 abr. 1945, art. 13, inc. e).
(362) D. Ej. Nº 1, de 3 set. 1930, art. 4º, inc. f); D. Nº 5, de 14 jun. 1941, art. 2º.
(363) D. de 7 may. 1942, arts. 11 y 26, inc. L).
(364) D. Nº 7527, de 6 abr. 1945, art. 13, inc. e).
(365) D. Nº 111 de 29 ene. 1941, art. 28, inc. (e).

resultaría congruente esta declaración, sino en los países que no han establecido todavía un sistema de registro, pues donde éste funciona, se ha visto que es obligatoria la inscripción pasado cierto plazo, por lo general muy breve. Las leyes vigentes de algunos países confirman, además, esta inteligencia de la disposición. El objeto de la misma parece armonizar bien con los propósitos esenciales del contralor de extranjeros, al facilitar el conocimiento del país en que el registrado ha estado establecido en los últimos tiempos con cierto carácter de permanencia o fijeza, según se trate del domicilio o de la residencia (el mero tránsito, naturalmente, no queda comprendido dentro de los fines de esta declaración), y permitir, asimismo, informarse a su respecto por un intercambio de antecedentes con las autoridades del respectivo país.

Contienen una referencia especial sobre este punto, las disposiciones de Costa Rica (367), Haití (368), Panamá (369) y Venezuela (370).

10. Tiempo de permanencia proyectada.

Esta pregunta está igualmente contenida en la Resolución del Comité (371). Se requiere la declaración de si la estada es permanente o, en caso contrario, la permanencia proyectada. Desde luego esta declaración está unida a los requisitos legales sobre la entrada de personas, pues la permanencia de extranjeros queda condicionada en todo caso por el carácter de su visa (372).

Exigen esta declaración: Costa Rica (373), Estados Unidos (374), Nicaragua (375) y República Dominicana (376).

---

(366) Anexo A, 8, a.
(367) D. Nº 1, de 3 set. 1930, art. 4º, inc. c).
(368) Formulario 1941, Inf. V. C.
(369) L. Nº 83, de 1º jul. 1941, art. 7º.
(370) D. de 7 may. 1942, arts. 11 y 26, inc. j).
(371) Anexo A, 8, b).
(372) V., al respecto, infra, Sección G, Entrada y Salida de personas.
(373) D. Nº 1, de 3 set. 1930, art. 2º, inc. b).
(374) L. de Reg. de Extranjeros, de 28 jun. 1940 (34 (a) 3, (54 Stat. 674; 8 U. S. C. 455 (a) 3).
(375) L. de 3 oct. 1894, art. 10 (intención de permanecer).
(376) D. Nº 1116, de 24 abr. 1943, art. 2º.

11. Profesión u ocupación.

Sin que pueda adelantarse ninguna avaluación del interés exacto que para la defensa política merece la declaración de la profesión, la ocupación, el empleo o los medios de subsistencia del registrado, la conveniencia de este dato no podría ser, en principio, discutida. El agente subversivo tratará de encubrir siempre su verdadera calidad bajo los rótulos más diversos e insospechados. No obstante, su actividad, cualquiera ella sea, al relacionarlo dentro del grupo profesional o social, obrará como un indicio de importancia que la autoridad está en condiciones de aprovechar a fin de determinar la situación real del extranjero, del punto de vista de su conducta política.

La Resolución del Comité solicita declaración de la ocupación habitual y actual —que no siempre coinciden—; si es empleado o no; y por quién, suministrándose en tal caso el nombre, la dirección y el ramo del negocio de este último (377).

Se encuentran previsiones sobre el particular, en las disposiciones de Argentina (378), Bolivia (379), Brasil (380), Costa Rica (381), Ecuador (382), El Salvador (383), Estados Unidos (384), Guatemala (385), Haití (386), Nicaragua

---

(377) Res. cit., Anexo A, 9 a), b) y c).

(378) D. Nº 7527, de 6 abr. 1945, art. 13, incs. j) Medios de subsistencia y lugar donde trabaja; y m) Industria o comercio que desarrolla (radicación, capital y naturaleza de las actividades y producciones).

(379) D. de 11 abr. 1922, art. 1º, profesión; D. de 22 ago. 1940 (formulario); profesión y ocupación actual; D. de 17 jul. 1942, art. 2º ... profesión u oficio de su especialidad, ocupación actual.

(380) D. Nº 3010, de 20 ago. 1938, art. 149, 1º, profesión.

(381) D. Ej. Nº 1, de 3 set. 1930, art. 2º, inc. b) ...la clase de actividades a que va a dedicarse, art. 4º, inc. e; D. Nº 5, de 14 jun. 1941, art. 2º.

(382) D. Nº 111, de 29 ene. 1941, art. 28, inc. c), profesión u oficio; inc. h) declaración de la actividad a que pretende dedicarse...

(383) D. Leg. Nº 86, de 14 jun. 1933, arts. 45, medios lícitos para ganarse la vida; 47, declaración de profesión; D. Ej. de 27 jul. 1933, art. 20, inc. 2º, profesión u oficio (Formulario de Registro).

(384) Regl. de la L. de Reg. de Ext. 28 jun. 1940, Sec. 29.4 (1) (9). El extranjero debe indicar su profesión u ocupación ordinaria, o sea el medio por el cual se gana la vida. Debe indicar también el nombre y dirección de la persona, firma

(387), Panamá (388), Perú (389), República Dominicana (390) y Venezuela (391).

12. Actividades de los últimos cinco años.

La Resolución N° VI recaba la declaración de la participación que ha tenido el extranjero en las distintas actividades sociales, comerciales, culturales, etc., durante los últimos cinco años, o la participación actual o futura en las mismas, con indicación de si pertenece a clubes, asociaciones, organizaciones o sociedades, o si desarrolla alguna actividad en ellos (392).

La pregunta tiene una finalidad de orientación para la vigilancia del extranjero y la determinación de su conducta, correspondiendo a las autoridades del registro, como en otros casos antes señalados, verificar su exactitud. Informes de esta naturaleza constituyen una gran ayuda para determinar las vinculaciones sociales, culturales y políticas de un extranjero, situándolo en el medio al que pertenece o en el que actúa habitualmente.

Requieren este dato los siguientes países: El Salvador (393), Estados Unidos (394) y República Dominicana (395).

---

o sociedad de la que es empleado, así como la actividad a que la misma se dedica.
(385) D. N° 1781, de 25 ene. 1936, (Ley de Extranjería), art. 45, profesión.
(386) Formulario, Inf. V. C.
(387) L. de 3 oct. 1894, art. 10, profesión u oficio.
(388) L. N° 83, de 1° jul. 1941, art. 6°, letra d) numeral 11, profesión y oficio.
(389) D. Sup. de 26 jun. 1936, art. 8°, oficio y ocupación...
(390) D. N° 1116, de 24 abr. 1943, art. 2°, ... b) ocupación a que se ha dedicado anteriormente; c) nombre y dirección de la persona física o jurídica para quien trabaja y clase de negocios;
(391) D. de 7 may. 1942, arts. 11 y 26, inc. h), profesión u oficio; art. 34, inc. 8° y 35, idem.
(392) Anexo A, 10.
(393) Formulario para el registro (última ocupación).
(394) L. de Reg. de Extranjeros 28 jun. 1940 (Sec. 34 (a) (2) (54 Stat. 674; 8 U. S. C. 455 (a) (2). El Reglamento de la ley Sec. 29. 4 (1) (10), exige las actividades en los últimos cinco años.
(395) D. N° 1116, de 24 abr. 1943, art. 2°.

13. Servicio militar o naval.

La Resolución del Comité requiere la declaración del servicio militar o naval prestado por el registrante, con especificación de rama del servicio, fecha de iniciación y fin, y país en que lo ha hecho (396).

Esta pregunta tiende a conocer la capacitación militar del extranjero y su importancia no necesita ser destacada mayormente. A fin de prevenir declaraciones negativas, en el caso de personas interesadas en ocultar su instrucción militar, por razones de carácter subversivo, auxiliará siempre a las autoridades del registro el conocimiento del régimen legal sobre servicio militar del país en que, por la nacionalidad del extranjero, éste estaría obligado a prestarlo.

La misma Resolución exige, además, que se declare el o los parientes que el registrado tenga en el servicio militar de su país, indicándose también el nombre de éste, la rama del servicio y el nombre del familiar (397). Esta pregunta responde, como la anterior, y algunas subsiguientes, a un fin exclusivamente determinado por la pasada emergencia. El Comité ha tenido ocasión de declarar en los memorándums especiales sometidos a los gobiernos de las Repúblicas Americanas, al examinar algunos aspectos concretos de la defensa política en cada una de éstas, que la mencionada exigencia obedece a razones prácticas inspiradas en las tácticas de presión y extorsión del Eje, habiendo sido su utilidad demostrada por la experiencia.

Las mencionadas preguntas son requeridas por las disposiciones de Argentina (398), El Salvador (399), Estados Unidos (400) y República Dominicana (401).

14. Parientes.

La misma finalidad que en el caso de los parientes en

---

(396) Anexo A, 11, a).
(397) Anexo A, 11, b).
(398) D. Nº 7527, de 6 abr. 1945, art. 13, inc. s).
(399) Formulario para el registro.
(400) Regl. de la L. de Reg. Ext., 28 jun. 1940, (Sec. 29 4. (1) (11).
Si el extranjero ha prestado servicio militar o naval en algún país, incluyendo los Estados Unidos, debe declarar el nombre del país o países, la clase de servicio y las fechas de enrolamiento y baja.
(401) D. Nº 1116, de 24 abr. 1943, art. 2º.

el servicio militar, referida en el numeral anterior, persigue la declaración de los parientes que tiene el registrado (402). La Resolución del Comité requiere la referencia de los parientes inmediatos: padres, con indicación de nombre y dirección; cónyuge, con mención del nombre, fecha del matrimonio y lugar donde éste se efectuó; e hijos, con indicación del número, nombre y dirección (403).

El hecho de tener parientes en algún país del Eje u ocupado por éste, por ejemplo, puede crear para el extranjero que se registra una situación de dependencia, que las autoridades encargadas de su fiscalización deben tener legítimo interés en conocer como lo ha señalado anteriormente el Comité (404).

Consignan la declaración de los parientes, las disposiciones en vigor en Argentina (405), Bolivia (406), Brasil (407), Costa Rica (408), Ecuador (409), Estados Unidos (410), Guatemala (411), Haití (412), Nicaragua (413), Panamá (414) y Venezuela (415).

15· Antecedentes delictuosos.

La Resolución del Comité incluye también una pregunta relativa a los antecedentes delictuosos del registrado. A este fin, obliga a responder si ha sido arrestado o procesado

(402) Cf. Comité Consultivo de Emergencia para la Defensa Política, 2º Informe Anual, pág. cit.
(403) Anexo A, 12.
(404) 2º Informe Anual, Montevideo 1944, p. 128.
(405) D. Nº 7527, de 6 abr. 1945, art. 13, inc. k.
(406) D. de 22 ago. 1940 (Formulario).
(407) D. Nº 3010, de 20 ago. 1938, art. 149, parágrafo 1º.
(408) D. Nº 5, de 14 jun. 1941, art. 2º.
(409) D. Nº 111, de 29 ene. 1941, art. 28, inc. (g).
(410) Regl. de la L. de Reg. Ext. de 28 jun. 1940, Sec. 29.4 (1) (12), pero sólo se exige indicación de los parientes que se encuentran en los Estados Unidos. El Registro especial de extranjeros enemigos, de 1942, requiere la indicación de los parientes que se encuentran en el extranjero.
(411) D. Nº 1781, de 25 ene. 1936 (Ley de Extranjería), art. 45; D. Nº 1735, de 4 jun. 1931, art. 3º, inc. f).
(412) Formulario, Anexo V. C.
(413) L. de 3 oct. 1894, art. 10; L. de 5 may. 1930, art. 19, inc. 3º; D. de 29 dic. 1930, art. 34.
(414) L. Nº 83, de 1º jul. 1941, art. 6º, letra d), núms. 5) y 6).
(415) D. de 7 may. 1942, arts. 11 y 26, inc. i).

por algún delito, indicándose en este caso la naturaleza del mismo, la fecha y lugar del arresto, y las resultancias del sumario (416). No debe confundirse esta pregunta con la relativa a la "buena conducta" del registrado antes tratada, que exigen las leyes de algunos países (417). Aunque los antecedentes judiciales excluyen en la generalidad de los casos la buena conducta, ésta supone un concepto más amplio o exigente que la mera ausencia de antecedentes penales. Unicamente las disposiciones sobre registro, vigentes en los Estados Unidos de América (418) y Argentina (419), requieren en forma expresa la declaración de los delitos en que ha incurrido o por los que hubiere sido procesado el extranjero. Tratándose de una esfera más amplia, según se ha dicho, que la de la buena conducta, parece sin embargo un criterio de interpretación aceptable el señalar la posibilidad de exigirlos en aquellos países donde tiene cabida este último requisito.

16. Afiliaciones y actividades políticas de los últimos cinco años.

La afiliación o la actividad desplegada por el extranjero durante los últimos cinco años, como dirigente, miembro o funcionario de organizaciones destinadas parcial o totalmente a influir o desarrollar actividades políticas, relaciones públicas o política pública de un gobierno extranjero, con indicación de los nombres de las organizaciones, es otra pregunta que incluye la Resolución del Comité.

La trascendencia de la pregunta es obvia. La dificultad radica, sin embargo, en la ocultación de tan importante dato, que inevitablemente hará el extranjero que actúa como espía o agente subversivo a órdenes de una potencia del

---

(416) Anexo A, 13.
(417) Otros elementos de identificación personal, supra, págs. 244
(418) L. de Reg. de Extranjeros de 28 jun. 1940, Sec. 34 (a) (4).
(54 Stat. 674; 8 U. S. C. 455 (a) (1).
El Reglamento de la ley exige al extranjero que indique la naturaleza del delito, la fecha de arresto, la ciudad, el país en que fué arrestado y la decisión del caso.
(419) D. Nº 7527, de 6 abr. 1945, art. 13, inc. t). Si ha sido procesado o condenado por algún delito y, en caso afirmativo, detallarlo.

Eje. Por lo general, ese carácter sólo podrá ser establecido con posterioridad, mediante las averiguaciones que originen los casos sospechosos, así como por intercambio de informaciones con las autoridades de otros países. Cuando, por el contrario, la referencia sea declarada por el extranjero, es evidente que la naturaleza de la asociación de que se trate sentará una presunción favorable o contraria al mismo. Así, el simple hecho de ser miembro de la "German American Bund", por ejemplo, dará al registrado, a primera vista, y salvo prueba en contrario, el carácter de sospechoso de mantener o haber mantenido vinculaciones con el Eje.

Existen previsiones relativas a esta pregunta solamente en las disposiciones de Argentina (420) y Estados Unidos (421), y en el formulario para el registro utilizado en la República de El Salvador.

17. Solicitud de naturalización o carta de ciudadanía.

El objeto de este dato es el de prevenir la concesión de la nacionalidad o de la carta de ciudadanía, o provocar la revocación de la que hubiere sido ya otorgada en aquellos casos en que de las informaciones obtenidas por las autorida-

---

(420) D. N° 7527, de 6 abr. 1945, art. 13, inc. p). Si es o ha sido miembro de grupo, sociedad u otro organismo dedicado directa o indirectamente a actividades a favor de cualquiera de los estados beligerantes; q) Si conoce alguna persona u organismo que participe y haya participado en cualquier actividad, ya sea por medio de propaganda, espionaje o sabotaje, ya sea por otro medio cualesquiera, en favor de alguno de los estados beligerantes; r) si conoce algún nacional de los países en estado de guerra con la Nación Argentina, que haya entrado ilegalmente en la República o esté viajando con documentos falsos, o que posea aviones, armas de fuego, explosivos, instrumentos radioemisores u otros aparatos propios para la guerra, la propaganda, el espionaje o el sabotaje.

(421) Regl. de la L. de Reg. de Extranjeros de 28 jun. 1940. El extranjero deberá indicar la nómina de clubes, grupos, organizaciones y sociedades a las que pertenece y si es funcionario o dirigente de los mismos (29). 4. (1) (10). Debe indicar, además, si en los últimos cinco años ha sido afiliado o miembro, o dirigente, de organizaciones destinadas totalmente o en parte, a influir o desarrollar actividades políticas, relaciones públicas o la política de un gobierno extranjero (29. 4. (1) (15).

des del registro, resultare que se trata de una gestión de obtención fraudulenta de aquel "status". Es sintomático, además, como indicio de peligrosidad, pues los agentes al servicio del Eje, como ya se ha dicho, han procurado revestirse de esta calidad para actuar con mayor desembarazo y seguridad en el cumplimiento de sus planes (422). La declaración de que se ha presentado solicitud de naturalización, determinará, por eso, una investigación mucho más rigurosa que en el caso de la simple inscripción del extranjero en el registro.

Contienen un requerimiento expreso de esta referencia, las disposiciones de Argentina (423), El Salvador (424), Estados Unidos (425), y Panamá (426).

18. Juramento o afirmación de decir verdad.

La Resolución del Comité aconseja, por último, según se ha indicado antes, que las declaraciones prestadas por el extranjero en el acto del registro sean hechas bajo juramento o afirmación de decir verdad.

En realidad, esto constituye un requisito formal o de procedimiento que, si bien no puede ser considerado como un índice seguro de veracidad en las respuestas, suministra una base apropiada para la sanción ulterior, en caso de que se compruebe la falsedad o la omisión de datos esenciales, al par que configura una grave sospecha contra quien, deliberadamente, haya contestado en esa forma (427).

Sólo en las disposiciones de cuatro países se encuentra una previsión especial al respecto: Argentina (428), Costa

---

(422) Véase, infra, Sección B, Prevención del abuso de nacionalidad.
(423) D. Nº 7527, de 6 abr. 1945, art. 13, inc. n).
(424) Formulario para el registro.
(425) Regl. de la L. de Reg. de Extranjeros de 28 jun. 1940. Se exige declaración de si se ha presentado solicitud de nacionalidad en los Estados Unidos. (29. 4. (1) (12).
El formulario para el registro de extranjeros enemigos, exige la indicación de si solicitó naturalización o se naturalizó en otro país (Pregunta Nº 10).
(426) L. N. 83, de 1º jul. de 1941, art. 8º.
(427) Comité Consultivo de Emergencia para la Defensa Política, 2º Informe Anual, p. 128. En lo que respecta a sanciones, véase Capítulo VI, infra.
(428) D Nº 7527, de 6 abr. 1945, art. 13, inc. V). Afirmación de la exactitud de las manifestaciones.

Rica (429), El Salvador (430) y Estados Unidos (431).

19. Otros datos.

Bajo este numeral pueden tener cabida algunas otras preguntas susceptibles de desdoblarse en dos categorías: aquellas que, aún cuando no interesan esencialmente, o sólo en forma indirecta, a la defensa política, suelen estar previstas por las leyes americanas en vigencia en materia de registro, y aquellas otras que afectan directamente a la misma. Entre estas últimas, cabe citar las establecidas por la reglamentación argentina y que se relacionan con la obligación de declarar: los elementos utilizables con finalidades de guerra (432), viajes habituales que deba cumplir, y si ha hecho en cualquier forma contribuciones o transferencias de sumas de dinero o bienes, o ha sido solicitado para hacer tales contribuciones o transferencias para uso directo o indirecto, en interés de los estados beligerantes (433).

Entre las preguntas de la otra categoría pueden indicarse las siguientes: recursos que posee el registrado (bienes muebles, propiedad raíz, depósitos bancarios, títulos, dinero, etc.) (434); grado de instrucción (435); religión (436); lo-

(429) D. Nº 5, de 14 jun. 1941, art. 2º.
(430) Formulario de registro.
(431) L. de Reg. de Extranjeros, de 28 jun. 1940. Sec. 34 (c). (54 Stat. 8 U.S.C. 455 (c)). Si el registrante tiene escrúpulos de conciencia con respecto al juramento, puede hacer afirmación sobre la verdad de sus afirmaciones y respuestas. Regl. de la L. de Reg. de Extranjeros de 1940. Parte 29. 4. (i).
(432) D. Nº 7527, de 6 abr. 1945, art. 13, inc. n). Véase, al respecto, Capítulo IV, infra, págs. 293 y sigtes.
(433) D. cit., art. 13, incs. ñ) y o).
(434) Argentina: D. Nº 7527, de 6 abr. 1945, art. 13, inc. 11).
Bolivia: D. de 22 ago. 1940 (Formulario); D. de 17 jul. 1942. (art. 2º).
Costa Rica: D. Ej. Nº 1, de 3 set. 1930, art. 2º.
El Salvador: Formulario de Registro.
Ecuador: D. Nº 111, de 29 ene. 1941, art. 28, inc. (i).
Nicaragua: D. de 29 dic. 1930, art. 34.
Venezuela: D. de 7 may. 1942, arts. 11 y 26, inc. m).
(435) Bolivia: D. de 22 ago. 1940 (Formulario).
Panamá: L. Nº 83, de 1º jul. 1941, art. 6º, letra d, núm. 12.
(436) Bolivia: D. de 22 ago. 1940 (Formulario); D. de 17 jul. 1942, art. 2º.
Costa Rica: D. Nº 5. de 14 jun. 1941, art. 2º.
El Salvador: D. Leg. Nº 86, de 14 jun. 1933, art. 47 y Formulario.

calidades del país visitadas (437); lugar de procedencia (438); lugar donde piensa dirigirse (439); requisitos cumplidos para ingresar (440) y funcionario que autorizó el ingreso al país (441).

Queda así exhaustivamente agotada la mención de los distintos elementos que las legislaciones de las Repúblicas del continente establecen con carácter obligatorio en el acto de inscripción o registro. La exigencia de tales datos y requisitos, así como los que se mencionarán en los capítulos siguientes, configuran verdaderas obligaciones conforme al régimen particular de cada legislación, cuyo incumplimiento infiere una lesión al orden jurídico que origina la conveniente represión. Este aspecto punitivo de las medidas examinadas en la presente sección, es objeto de especial referencia en capítulo especial (442).

de Registro.
Haití: Formulario, Inf. V. C.
Panamá: L. Nº 83, de 1º jul. 1941, art. 6º, letra d) núm. 9.
Venezuela: D. de 7 may. 1942, arts. 11 y 26, inc. b), 34, inc. 2º y 35.
(437) Bolivia: D. de 22 ago. 1940, (Formulario).
(438) Argentina: D. Nº 7527, de 6 abr. 1945, art. 13, inc. f).
(439) Colombia: D. Nº 181, de 29 ene. 1942, art. 6º.
(440) Argentina: D. Nº 7527, de 6 abr. 1945, art. 13, inc. g).
(441) Bolivia: D. de 22 ago. 1940 (Formulario).
Costa Rica: D. Nº 5, de 14 jun. 1941, art. 2º.
Venezuela: D. de 7 may. 1942, arts. 11 y 26, inc. k).
(442) Véase, infra, Capítulo VI.

CAPITULO II

COMPARECENCIA PERIODICA Y CAMBIOS DE RESIDENCIA Y OCUPACION

I· Comparecencia periódica. Naturaleza y eficacia de la medida. Personas a las que se aplica.

Es una medida de singular utilidad dentro del régimen de registro, mirada desde el punto de vista que interesa a la defensa política, la de obligar a las personas peligrosas inscriptas a comparecer periódicamente ante las autoridades, e informar si se ha producido algún cambio que altere o modifique los datos e informaciones proporcionados en el acto del registro (443).

Ha sido en vista de esta utilidad, demostrada por la experiencia de muchas Repúblicas Americanas, que la Resolución Nº VI del Comité recomendó se exigiera la comparecencia personal de los nacionales o personas bajo la jurisdicción de los Estados miembros del Pacto Tripartito o Estados a ellos subordinados, dejándose constancia de cada comparecencia en la cédula de identidad del registrado (444).

Esta concurrencia personal periódica del extranjero ante las autoridades, ayuda necesariamente al contralor político a que está sometido. Las autoridades saben concretamente, por esta presentación, que el extranjero se encuentra en el lugar que declaró en el acto del registro, y que está, así, permanentemente a su disposición para el caso de adoptarse a su respecto cualquier medida o providencia especial. La desaparición de un extranjero del lugar habitual de residencia, no puede menos que ocasionar un transtorno de consideración en el régimen de contralor y, cuando esa desaparición hace mucho tiempo que se ha producido sin que la autoridad haya tomado el debido conocimiento de ella, el descubrimiento del nuevo paradero del registrado se torna más difícil por la imposibili-

---

(443) V. Cap. I. Supra, págs. 234 y sigtes.
(444) Res. cit. C, 2).

dad material de seguir rastros que ya se han debilitado o desaparecido. El apersonamiento periódico desplaza, a la vez, el contralor, sobre el mismo registrado, que se convierte así en un auxiliar mecánico de las autoridades, descartando la probabilidad de que aquél se esfume sin que éstas adquieran bien pronto conciencia de tal hecho. La constancia registrada en la cédula de identidad, acreditando el cumplimiento de la obligación, proporcionará, además, a las autoridades, en caso de duda o de contactos accidentales con un determinado extranjero, la certidumbre de que el mismo se encuentra sometido a fiscalización.

El Comité ha tenido oportunidad de señalar que este medio de contralor ulterior del sistema de registro constituye un requisito de carácter mínimo, aunque de alcance general, muy conveniente como indicio que permitirá orientar las investigaciones de las autoridades del registro. Estas se hallarán habilitadas, por tal medio, para comprobar la veracidad o inexactitud de las informaciones suministradas por los comparecientes y adoptar las medidas que cada caso requiera. Los extranjeros, por su parte, quedarán en esta forma obligados a declarar si ha habido algún cambio que modifique los datos suministrados cuando se registraron, ya que es de temer que los súbditos del Eje varíen en su actitud o conducta política, con el grave peligro de que las respuestas suministradas al registrarse por primera vez, induzcan a error a las autoridades encargadas de la fiscalización de sospechosos (445).

Aquella Resolución aconseja, asimismo, que la comparecencia tenga lugar cada tres meses. La determinación de un plazo adecuado, con carácter general, como el recomendado por la Resolución, tiende naturalmente a salvaguardar las exigencias de la defensa política, conciliándolas, en lo posible, con la realidad y las necesidades propias de cada país. La comparecencia trimestral de los nacionales del Eje ofrecía, aparentemente, la impresión de un contralor efectivo. Períodos más largos parecían inadecuados y, más cortos, podían significar tal vez molestias innecesarias para las autoridades, así como para los propios extranjeros, gran parte de los cuales no esta-

---

(445) Segundo Informe Anual sometido por el Comité a los gobiernos de las Repúblicas Americanas, Montevideo, 1944, p. 129.

ba siempre, después de todo, constituída por individuos peligrosos. Ahora, considerado en cada caso concreto, en medios
distintos y en función de sistemas diferentes de contralor, así
como en atención a situaciones personales de excepción, aquel
plazo era lógico que experimentase las variaciones correlativas.

Las disposiciones vigentes en distintas Repúblicas Americanas, así como las prácticas administrativas aplicadas con
motivo de la reciente emergencia, hacen efectiva la comparecencia periódica, o permiten la adopción de esta medida, aunque con alcance diferente. Al igual que otras medidas y contralores políticos analizados antes y subsiguientemente, esta
medida sólo es concebible y revela su eficacia práctica, dentro del sistema general de fiscalización fundado en las disposiciones del registro de los extranjeros, de que trata el capítulo anterior.

En orden a las personas objeto del contralor, pueden distinguirse las tres categorías siguientes: comparecencia de cualquiera persona, de todos los extranjeros, y de los nacionales
del Eje.

1. Todas las personas.

El objeto directamente perseguido por las disposiciones
clasificables en esta categoría, no es siempre el de la defensa
política; pero esas normas aparecen en todo caso como susceptibles de fundar la aplicación de una medida de aquella naturaleza, por razones de emergencia, o constituyen un precedente.

La finalidad de los textos legales es, a veces, la de exigir
la comparecencia ante las autoridades a fin de declarar respecto
de los efectos que se poseen y suministrar información sobre
los familiares (446); o bien dicha comparecencia queda determinada por la obligación de presentar periódicamente la cédula de identidad, para que se anoten en ella los cambios físicos experimentados por su poseedor (447); o, en fin, se concede a la autoridad la facultad de obligar a una persona a com-

(446) **Ecuador:** D. de 19 abr. 1942; Inf. V. C. La comparecencia
debe efectuarse anualmente.
(447) **Guatemala:** Regl. de 5 ago. 1931, art. 23, cada diez años.

parecer en cualquier momento ante la misma para que exhiba su cédula (448).

2. Todos los extranjeros.

La comparecencia de los extranjeros está relacionada aquí, sea con las disposiciones que regulan la entrada y salida de personas, sea con las normes que regulan en general la situación del extranjero, sea por último, específicamente, con el sistema de registro. Así, todo extranjero debe presentarse a la autoridad de policía cuando se le exija prueba de su residencia legal (449); o cuando se halle en tránsito para otro país (450); o debe hacerlo periódicamente cuando la autoridad pública lo estime conveniente (451); o, en fin, cuando la autoridad del registro ordene la repetición de cualquier inscripción que hubiere resultado defectuosa (452).

3. Nacionales del Eje o de países enemigos.

Esta es, específicamente, la categoría que concuerda con la recomendación de la Resolución del Comité.

La comparecencia tiene aquí un fin de contralor de extranjeros, por motivos de defensa política. En cuanto al tiempo y la oportunidad en que se exige este requisito, existen ciertas diferencias según los países. En alguno se requiere la comparecencia cuantas veces sea necesaria (453); en otros, se fija un plazo que va desde los seis (454), tres (455) y un meses (456),

---

(448) **Panamá:** L. Nº 83, de 1º jul. 1941, art. 23.
(449) **Brasil:** D. Nº 406, de 4 may. 1938, art. 91.
(450) **Cuba:** D. 1019, de 13 abr. 1942, tercero; D. Nº 840, de 19 mar. 1943, cada 30 días.
(451) **Colombia:** D. 1025, de 25 jun. 1940, art. 10.
(452) **Costa Rica:** D. Nº 5, de 14 jun. 1941, art. 3º.
(453) **Bolivia:** Informe del Ministerio de Inmigración, de 17 mar. 1943. El Decreto boliviano Nº 321 de 13 dic. 1943, que sienta la obligación, respecto de los súbditos de los Estados Miembros del Pacto Tripartito o de los Estados a él subordinados, de comparecer ante las autoridades del registro, dispone que dicha comparecencia se realizará periódicamente, cada tres meses (art. 9º, in fine).
(454) **Nicaragua:** Inf. V. C.
(455) **El Salvador:** Inf. V. C.
(456) **Cuba:** D. Nº 3085 de 30 set. 1943, art. Primero. Ordena la comparecencia una vez por mes de los súbditos italianos que fueron liberados de las medidas de internación.

hasta las comparecencias semanales (457) y aun diarias (458).
Otras veces, simplemente se exige esa comparecencia sin pre-
fijarse término (459). Las disposiciones dictadas por la República Argentina exigen la comparecencia cada tres meses,
conforme a lo recomendado por el Comité (460).

En lo que se refiere a la oportunidad, algunos países obligan a comparecer cuando los nacionales del Eje, salen, entran
o transitan dentro del territorio nacional (461), o bien se hace efectiva esta exigencia respecto de los extranjeros de países enemigos, que dan motivo a vigilancia especial (462).

En el caso de Cuba, la comparecencia recae, especialmente,
sobre algunos súbditos italianos, liberados de la internación
que sufrían, lo que provee un ejemplo de un tipo especial de
fiscalización periódica, por aplicación de aquella medida (463).
Las autoridades a las cuales concierne la fiscalización de este
contralor son, por lo general, las autoridades de policía o las
encargadas del registro.

II.   Cambios de residencia y ocupación

1.   Cambios de Residencia. Fundamentos de la medida. Personas a las que se aplica.

Se ha tenido oportunidad de dar, en anterior capítulo, una
noción jurídica de la residencia, a la vez que una noción prác-

---

(457) **Cuba:** Inf. V. C.
   Panamá: Inf. V. C.
(458) **Guatemala:** Informe sobre medidas para el contralor de personas. Cuando las circunstancias lo aconsejan, esa comparecencia se efectúa incluso varias veces al día.
   Haití: Los extranjeros del Eje deben presentarse diariamente a firmar una constancia de que no se han movido de Port
   au Prince, lugar que la ley ha marcado para residir (Inf.
   V. C.).
(459) **Perú:** Memorándum sobre control de extranjeros;
   Paraguay: D. L. Nº 11.061 de 16 feb. 1942, art. 2º.
(460) D. Nº 11.417, de 23 may. 1945, art. 8º. Trimestralmente el extranjero bajo vigilancia deberá presentarse ante la autoridad policial correspondiente. De esa comparecencia, las autoridades deben dejar constancia en la ficha declaración y
   en la cédula especial del extranjero (D. Nº 7527, 6 abr. 1945,
   art. 25).
(461) **Bolivia:** Informe del Ministerio de Inmigración.
(462) **Haití:** Inf. V. C.
(463) D. Nº 3085, de 30 set. 1943.

tica, considerada en relación con los objetivos fundamentales de la defensa política. Ha quedado señalado allí mismo la importancia que, desde este último punto de vista, encierra la residencia, como dato localizador indispensable del registrado (464).

La actualización permanente de la residencia en casos de cambios o mudanzas ulteriores, de que se tratará aquí, no es en consecuencia sino una proyección especial de la obligación impuesta al extranjero de declarar el lugar donde vive en el momento de la inscripción. Sin el contralor exacto de referencia tan importante, el registro, como se ha dicho, constituirá una más o menos fiel fotografía del pasado, pero será completamente ineficaz como instrumento de defensa política.

La mayor parte de las disposiciones sobre registro emplean este método complementario de contralor. Muchas veces, sin embargo, la notificación, a las autoridades, del cambio de residencia u ocupación, es concebible en la legislación de algunos países como requisito independiente del régimen de registro, como medida aislada, sin conexión con éste e, incluso, exigida en ausencia del mismo.

Las normas vigentes suelen incluir este requisito por motivos distintos: electorales, estadísticos, migratorios o económicos. No obstante, la mayoría tiene en vista razones de contralor político, o bien las disposiciones suelen ser utilizadas con esta finalidad.

Siendo este último el propósito que interesa al presente estudio, merecerá un tratamiento más detenido, sin perjuicio de indicar, en su oportunidad, la concurrencia o predominancia de alguna otra finalidad legal.

En este sentido, la fórmula que parece satisfacer las exigencias de la defensa política de un modo más amplio, es la contenida en la Resolución del Comité. Se aconseja por ella que todo nacional o persona bajo la jurisdicción de los Estados miembros del Pacto Tripartito o Estados a ellos subordinados o que actúen en su interés político, que desee cambiar su residencia de un distrito o sección de registro a otro dentro del país, deberá conseguir permiso para tal cambio, de la oficina de registro local, visándose la concesión de dicho per-

(464) Supra, pág. 237.

miso en la cédula de identidad del solicitante. En cuanto a los demás extranjeros, la Resolución recomienda que se les exija notificar, a posteriori, el cambio de residencia a la oficina del registro local, la que hará constar la notificación en la cédula de identidad respectiva, y quedando exentos, por consecuencia, de la obligación de obtener permiso previo. En todos los casos, la oficina de registro local deberá notificar a la oficina de registro donde el extranjero establezca su nueva residencia, y enviará a esta oficina los datos y documentos correspondientes a dicho extranjero. Además, la misma oficina local notificará el cambio de residencia a la Oficina central. Por su parte, el extranjero deberá hacer saber inmediatamente su llegada a la oficina local del distrito donde establezca la nueva residencia (465).

Resulta de aquí, como se ve, un doble tratamiento formal, según se trate de extranjeros del Eje o de los demás extranjeros. A los primeros se les exige una gestión y obtención de permiso, previamente al cambio de residencia proyectado. La razón del procedimiento reside en la presunta mayor peligrosidad que ofrecen dichas personas, lo que supone una investigación anterior de los motivos del cambio, lugar escogido, etc., y también, necesariamente, la posibilidad de que las autoridades, en caso de tratarse de un extranjero peligroso o sospechoso, denieguen la autorización pedida por resultar, ese cambio, contrario a la seguridad o a la defensa política, o lo permitan sólo en tanto que se realice para determinadas zonas o distritos no vitales o desprovistos de importancia estratégica. Respecto de los otros extranjeros, la Resolución se limita a aconsejar un requisito más simple, cual es la mera notificación a la autoridad local de la mudanza verificada. En uno y otro caso, debe dejarse constancia de ella en la cédula de identidad del extranjero, la cual viene a constituir así, una pieza esencial dentro del régimen de contralor, cuando aquel requisito se encuentra ligado al sistema de identificación o registro (466).

La fiscalización que resulta de la denuncia de los cambios de residencia suele complementarse estrechamente con

(465) Res. Nº VI, C. 4.
(466) Ver, infra, Cap. V, págs. 308 y sigtes.

los registros de huéspedes y pasajeros que deben llevar los hoteles en muchos países, según se verá más adelante (467). De tal manera, todas las posibilidades ordinarias de burlar el contralor relativo al domicilio quedan normalmente cerradas, haciéndose prácticamente imposible o muy difícil el mantenimiento prolongado de una situación intencionalmente violatoria de las disposiciones.

Cuando la obligación de denunciar estos cambios está unida al sistema de registro, como sucede en muchos países, la aplicación de aquélla alcanza, naturalmente, sea a los extranjeros, en caso de tratarse de un registro exclusivo de éstos, sea a todas las personas, cuando lo es de la población general de un país. Aquellos países que han adoptado medidas especiales para el contralor de los súbditos del Eje y Estados subordinados, o aquellos que disciernen por sus disposiciones un tratamiento más riguroso a los extranjeros de países enemigos, como consecuencia de la declaración de guerra, suelen hacer aplicación particular, también, a dichos extranjeros de exigencias relativas a los cambios de residencia.

Las leyes y demás disposiciones vigentes en los restantes países del continente, no efectúan distinción alguna entre unos y otros extranjeros a los efectos del control sobre los cambios de residencia, concretándose a establecer, algunas veces en forma expresa, la necesidad de obtener autorización, como requisito previo al cambio, y otras, a sentar la obligación de comunicarlo a la autoridad una vez efectuado el mismo.

Muchas disposiciones determinan expresamente el plazo dentro del cual debe darse noticia de la mudanza efectuada, el que oscila, por lo general, en un término que va desde los cinco a los quince días. Otras, en cambio, preceptúan esta obligación de manera indirecta al configurar las sanciones por omisión a las disposiciones sobre registro y cambio de residencia (468).

Disposiciones vigentes en la Argentina pueden ser citadas como ejemplos de denuncia de los cambios de domicilio por razones que tienen que ver con el régimen electoral (469), o con

---

(467) Ibid.
(468) Ver infra, Cap. VI.
(469) D. Nº 3434, de 26 jul. 1943.

la estadística general de la población (470). La primera comprende naturalmente a los miembros del cuerpo electoral y la segunda a toda la población activa de la Provincia de Buenos Aires. Como ejemplo de contralor por motivos económicos, deben ser citadas las disposiciones brasileñas, que obligan al extranjero, dentro de los cuatro primeros años, a contar de la fecha de etrada al país, a registrarse nuevamente en caso de mudar domicilio (471), e, igualmente, la disposición colombiana, que exige permiso previo de las autoridades para cambiar de residencia a aquellos extranjeros que, para entrar a Colombia, hubieran declarado que se radicarán en determinado sitio (472). La residencia en estos casos está íntimamente unida con la ocupación a que el extranjero ha declarado dedicarse para ingresar al país, que le dispensa así ciertas facilidades, en tanto se trata de braceros, agricultores, etc., de interés para la explotación de la riqueza nacional, pero que impone, por ello mismo, el mantenimiento de esta condición por un determinado tiempo.

El aspecto inmigratorio de la obligación de denunciar los cambios de domicilio, tiende a asegurar el contralor de los extranjeros ingresados al país como temporarios y cuyo plazo de permanencia se hubiere vencido, prohibiéndoseles mudarlo, en este caso, sin previo permiso; o bien constriñe a declarar ese cambio cuando se trata de extranjeros en tránsito para otro país. Constituyen una aplicación práctica de uno y otro criterio, las disposiciones de Brasil (473) y Cuba (474), respectivamente.

No obstante estas normas especiales, el contralor específico vinculado con la defensa política es el objetivo general-

---

(470) D. Nº 5004, reglamentario de la ley de la Provincia de Buenos Aires, que creó la identificación civil y estadística general. Esta disposición regula muy detalladamente lo relacionado con los cambios de domicilio en sus artículos 24 a 28, y 30.
(471) D. Nº 406 de 4 may. 1938, arts. 28, incs. 1º y 2º, y 3º.
D. Nº 3010 de 20 ago. 1938, art. 152. La obligación alcanza igualmente a los cambios de ocupación, salvo la prohibición genérica que inhibe a los agricultores o técnicos de industrias rurales que hubieren ingresado al Brasil utilizando la preferencia de la cuota, de abandonar su actividad durante 4 años a contar de su desembarco (D. Nº 3010, cit., art. 160).
(472) D. Nº 1205 25 de jun. 1940, art. 7º, Informe V. C.
(473) D. Nº 3082, 28 de feb. 1941, arts. 5º y 6º.
(474) D. Nº 1019, de 13 abr. 1942, Tercero.

mente perseguido por las disposiciones vigentes en las Repúblicas Americanas en materia de cambios de residencia, y, por lo común, esta exigencia se encuentra incluída entre las distintas previsiones que integran el sistema de registro.

Igual que en el capítulo precedente, las normas respectivas, en lo que se refiere a las personas, pueden ser reducidas a las siguientes categorías: obligación de participar el cambio de domicilio respecto de todas las personas; obligación de hacerlo todos los extranjeros; obligación de realizarlo solamente determinados extranjeros (nacionales del Eje, de países enemigos, etc.).

a. Todas las personas.

La obligación de notificar el cambio de domicilio recayendo sobre todas las personas, se encuentra en las disposiciones de algunos de los países que exigen el registro de todos sus habitantes (475).

El requisito se configura aquí obligándose a toda persona que traslade su residencia a un lugar diferente de aquel en que está registrada su identificación, a hacer visar su cédula en las oficinas de la nueva residencia, dentro de un determinado plazo. Tal es el caso, particularmente, de las disposiciones en vigor en Ecuador (476) y Guatemala (477). Una situación más especial es la prevista en Chile, en materia de Registro de Empadronamiento Vecinal. De acuerdo con las disposiciones respectivas, ningún arrendatario o propietario puede cambiar de domicilio sin haber obtenido previamente un salvoconducto que acredite el lugar de su nuevo afincamiento, el que debe ser solicitado 24 horas antes de efectuarse la mudanza (478).

b. Todos los extranjeros.

La notificación a las autoridades del cambio de domici-

---

(475) V. Supra, Cap. I.

(476) L. de 1º ene. 1925, art. 11. La visación debe hacerse dentro de los primeros días de la llegada.

(477) D. Nº 1735, de 4 jun. 1931, art. 13.

(478) D. Nº 216 de 15 may. 1931. Esta disposición parece encaminarse fundamentalmente, a precaver el incumplimiento de los contratos de arrendamiento (Véase, especialmente, su art. 4º).

lio, luego de producido éste, en caso de extranjeros, es un requisito muy generalizado en las leyes americanas. Es en esta categoría donde con mayor frecuencia se da cabida a este contralor como complemento de las disposiciones relacionadas con el registro. Se persigue con esta exigencia, evidentemente, el mantenimiento al día del dato, que el extranjero ha debido ya declarar en el momento de su inscripción (479).

La fórmula consagrada por los textos exige, por lo general, la denuncia del cambio de domicilio a las autoridades, una vez efectuado el mismo, en un plazo cierto; y, excepcionalmente, se requiere autorización previa para mudarlo. Caen dentro de la fórmula general, las disposiciones de Bolivia (480), Brasil (481), Colombia (482), Costa Rica (483), Cuba (484), Chile (485), República Dominicana (486), El Salvador (487), Estados Unidos (488), Haití (489), México (490), Panamá (491), Perú (492) y Venezuela (493). De los

---

(479) Cap. 1, pág. 237.
(480) D. L. de 2 ago. 1937, art. 6º inc. segundo, in fine.
(481) D. L. Nº 406 de 4 may. 1938, arts. 28 inc. 1º y 2º, y 31.
        D. 3010, de 20 ago. 1938, art. 152. Cualquier cambio de residencia efectuado dentro de los primeros 4 años del ingreso al país, importa nuevo registro.
(482) D. Nº 1697 de 17 jul. 1936, art. 31. El aviso debe hacerse dentro de los 5 días siguientes al cambio y procede, ya se trate de una mudanza de domicilio, residencia o habitación.
(483) D. Nº 5, de 14 jun. 1941, art. 17.
(484) D. L. Nº 788, de 28 dic. 1934, art. XV. La notificación debe efectuarse dentro de los 10 días siguientes al cambio.
(485) D. N. 2544, de 12 jul. de 1937, art. 3º.
(486) L. Nº 372 de 19 nov. 1940, arts. 17 párrafos V y VI, y 30.
(487) D. Nº 86, de 14 jun. 1933, art. 50.
(488) L. de Registro de Extranjeros de 28 jun. 1940, Sec. 35. (54 Stat 675, 8 U. S. C. 456). Se debe notificar el cambio de residencia dentro de los 5 días de producido éste, cuando se resida permanentemente. El que no tiene residencia permanente debe notificar su residencia cada tres meses.
(489) Inf. V. C.
(490) L. de 24 ago. 1936, art. 47. L. de 11 jun. 1942, art. 10, núm. II. La garantía consignada en el art. 11 de la Const. mexicana sobre libertad de locomoción, ha sido, además, limitada con motivo de la pasada emergencia, facultándose al Ejecutivo Federal para determinar las condiciones que han de llenarse para mudar de residencia en el país, fijando la documentación necesaria para acreditar que se ha satisfecho ese requisito.
(491) D. Nº 55 de 11 set. 1939, arts. 1º y 3º. La comunicación del cambio debe hacerse dentro de los 5 días siguientes al mismo.
(492) Res. Supr. de 18 jul. 1941. La notificación debe efectuarse dentro de los 3 días.
(493) L. de 31 jul. 1937, art. 22.

países citados sólo Costa Rica y República Dominicana establecen de un modo expreso la consignación, en la cédula de identidad, del cambio habido. Como ejemplo de disposición que obliga a obtener un permiso previo a la realización del cambio de domicilio, puede citarse la del Perú, siempre que el cambio sea de un Departamento a otro (494). Es de interés señalar, por último, que la disposición cubana, aparte de la obligación impuesta al registrado de denunciar los cambios de domicilio, ha establecido con motivo de la pasada emergencia, una función paralela a cargo de las autoridades de registro, a fin de conocer si los inscriptos "permanecen en los domicilios que han consignado al obtener un último certificado de inscripción" (495). Se fortalece así, la eficacia del contralor, fiscalizándose debidamente el cumplimiento de las disposiciones.

c. Nacionales del Eje o de países enemigos.

La medida se hace más rigurosa en el caso de los nacionales de los Estados del Pacto Tripartito y Estados subordinados o de Estados enemigos, que quedan sometidos a un contralor especial. Este contralor consiste, por regla general, en la obligación de recabar autorización previa para efectuar un cambio de residencia, siendo la autoridad la que decide sobre la conveniencia de conceder o denegar el correspondiente permiso. En algunos casos, los extranjeros afectados por la medida quedan simplemente obligados a comunicar el cambio a la autoridad, a posteriori, dentro de un plazo fijo, y a justificar la realización del mismo.

Obligan a solicitar permiso para mudar de residencia, las disposiciones de Argentina (496), Estados Unidos (497), Guatemala (498) y Paraguay (499). En Brasil, el Jefe de Policía de Río de Janeiro ha tomado medidas para someter a denun-

---

(494) L. de 18 jul. 1941, art. 1º.
(495) Res. de 29 dic. 1941, primero, letra d).
(496) D. Nº 7058, de 2 abr. 1945, art. 9º, con las modificaciones dadas por el D. Nº 11.417 de 23 may. 1945. Este permiso es de concesión discrecional, a juicio de los Ministerios del Interior y de Relaciones y Culto.
(497) Regl. de 5 de feb. 1942, Sec. 7.
(498) Ac. Ej. de 12 dic. 1941, art. 5º; D. Nº 2655 de 23 dic. 1941, art. 1º, letra h).
(499) D. L. Nº 11.061, de 16 feb. 1942, art. 4º.

cia obligatoria el domicilio que tengan los nacionales de Alemania, Japón e Italia, dentro de los quince días a partir de la fecha de la disposición (500); y Cuba los obliga igualmente a cumplir este requisito y a indicar, en cada caso, el cambio de domicilio, dando justificación del mismo (501).

2. Cambios de ocupación. Naturaleza de la medida. Aplicaciones que recibe en la legislación americana.

La Resolución del Comité no aconsejó, entre las medidas de contralor ulterior, que se exigiera la denuncia del cambio de ocupación. Este aspecto, sin embargo, aunque de menor trascendencia que el cambio de domicilio no deja de tener su importancia y, a este título, fundándose en la experiencia recogida en sus esfuerzos para contrarrestar las actividades subversivas, llevó a este organismo a hacer posteriormente mención de la conveniencia de aplicar dicho contralor a los nacionales de los países en guerra, en repetidas ocasiones, particularmente en los memorándums especiales sobre problemas concretos de defensa política en cada país americano (502).

La medida en cuestión permite una vigilancia más inmediata del extranjero y puede deparar oportunidades inmejorables para descubrir una trama cualquiera de actividad subversiva. Ya se ha analizado anteriormente la relevancia que, en principio, ofrece la declaración de la profesión u ocupación en el acto del registro desde el punto de vista de la defensa política (503). El mismo o mayor interés subsiste en los casos en que se cambia la ocupación o actividad que ha sido declarada.

Ha quedado frecuentemente comprobada por la realidad de estos últimos años la penetración sutil que realizaron muchos agentes del Eje en determinadas ramas de la actividad comercial, industrial y, especialmente, en las organizaciones obre-

---

(500) Medidas tomadas por el Jefe de Policía de Río de Janeiro, con fecha 29 ene. 1942.

(501) D. Nº 3341, de 11 dic. 1941, segundo. A este requisito están sometidos también los súbditos italianos residentes en el país, que fueran liberados de las medidas de internación adoptadas a su respecto (D. Nº 3085 de 30 oct. 1943, Primero).

(502) Segundo Informe Anual sometido a los Gobiernos de las Repúblicas Americanas, Montevideo, 1944, Contralor permanente, pág. 129.

ras, a objeto de fomentar un espíritu de depresión o derrotismo favorable a los planes del Eje, o bien con el propósito de obtener informaciones que pudiesen ser útiles a la estrategia de éste. El examen atento de los cambios de ocupación declarados por los extranjeros, inteligentemente combinados en un proceso lógico-deductivo con los antecedentes, el origen, la residencia y la ocupación anterior de los mismos, permitirá muchas veces a la autoridad extraer los hilos de una conspiración, o poner en descubierto la trama de una tentativa de espionaje, sabotaje u otra manifestación cualquiera de actividad subversiva.

Aunque no establecidas originariamente con este fin, sino más bien por motivos de contralor económico o profesional, existen en las disposiciones de algunas Repúblicas Americanas exigencias especiales que obligan a denunciar los cambios de ocupación. Naturalmente que la medida puede ser empleada con una finalidad de contralor político, y prestar los resultados esperados. Contienen este requisito, en forma expresa, las disposiciones de República Dominicana (504), Ecuador (505), Estados Unidos (506), Brasil (507) y Colombia (508) que, según ha quedado dicho con anterioridad, ejercen esta fiscalización íntimamente vinculada con la obligación de denunciar los cambios de residencia. En el régimen de las disposiciones colombianas y ecuatorianas, el cambio de profesión o actividad queda sujeto a la concesión del permiso previo de la autoridad, pero no así en los demás países citados, donde sólo rige la obligación de notificar el cambio luego de producido.

(503) Cap. 1, págs. 111-112.
(504) L. Nº 372, de 29 nov. 1940, arts. 17, parág. V y VI y 30.
(505) D. Nº 111 de 29 ene. 1941, art. 23.
(506) Los extranjeros enemigos deben notificar a la oficina central todo cambio de ocupación.
(507) D. Nº 3010, de 20 ago. 1938, art. 160.
(508) D. Nº 1205, de 25 jun. 1940, art. 7º; Inf. V. C.

CAPITULO III

RESTRICCIONES A LOS VIAJES EN EL INTERIOR DEL PAIS Y ZONAS DE RESIDENCIA PROHIBIDA

I. **Restricciones de viajes. Naturaleza e importancia de la medida. Personas a las que se aplica.**

Una medida de probada eficacia en la prevención de las actividades subversivas es el contralor oficial de los viajes realizados dentro del país por los extranjeros que residen en él. La libertad de locomoción, reconocida por el derecho público americano y de aplicación efectiva en la práctica, facilitada como lo está hoy por medios numerosos y rápidos de comunicación, puede constituir, durante circunstancias difíciles, tales como la planteada por la reciente emergencia, de quedar librada a un ejercicio abusivo e incontrolado, una manera excelente de desenvolver y ejecutar planes contrarios a la seguridad nacional y colectiva y de burlar la vigilancia oficial merced a un oportuno y cómodo desplazamiento. La importancia del contralor sobre los viajes dentro del país resalta manifiestamente si se atiende a la experiencia de numerosos países americanos. Las investigaciones realizadas en éstos pusieron de relieve los procedimientos empleados por agentes subversivos, consistentes en realizar viajes en el interior del país con el fin de mantener un estrecho contacto con grupos u organizaciones afines, llevar dinero, trasmitir instrucciones, obtener informes, fortificar el espíritu de cohesión, conquistar nuevos adeptos, etc., actividades todas que no podían realizarse abiertamente por los medios usuales en tales casos. Las medidas sobre contralor de bancos y casas de crédito, la censura postal y radiotelegráfica, y muchas otras medidas restrictivas adoptadas, hubieran quedado desprovistas de utilidad si el tránsito que normalmente debe efectuarse por su intermedio, se hubiera podido realizar individualmente y a sus espaldas, por los interesados en burlar toda fiscalización.

En realidad, las restricciones a los viajes de los extranjeros dentro del país, constituyen un medio auxiliar de la internación (509). Ya que no es siempre posible ni deseable en muchas situaciones internar a todos los extranjeros residentes en un determinado país, impedir o fiscalizar adecuadamente sus viajes es, al menos, un procedimiento supletorio lo bastante adecuado para quebrantar su solidaridad política y la eventualidad de sus conspiraciones.

Casi todas las Repúblicas Americanas prevén, bien por sus disposiciones relativas al registro, bien por medidas adicionales, requisitos diversos tendientes a someter a una adecuada fiscalización los viajes de los extranjeros radicados en sus respectivos territorios y, algunas veces, incluso los de sus propios nacionales.

La Resolución Nº VI del Comité recomendó que todo extranjero a quien se exija su inscripción en el registro, deberá llevar siempre su cédula de identidad para presentarla, si fuera solicitada por funcionario o empleado competente, sin cuyo documento no podrá viajar dentro del país, etc. (510).

El cuadro general de las disposiciones americanas en esta materia, coincide en alguna oportunidad con esta directiva administrativa que hace, del expresado documento, la pieza central de referencia de una serie de contralores auxiliares. Frecuentemente, las medidas aplicadas superan el temperamento recordado, entrando a precisar exigencias y formas sumamente detalladas del contralor de viajes.

Análogamente a lo que sucede en los capítulos anteriores, una clasificación útil para la apreciación general de dichos requisitos puede aplicarse teniendo en cuenta las personas sujetas a los mismos.

1. Todas las personas.

La variante más amplia en orden a los sujetos sobre los que recaen las medidas de contralor de que se trata, la suministran aquellos países que fiscalizan el tránsito de todos los habitantes.

La técnica seguida es, en algunos casos, consecuencia directa de la declaración de suspensión de la garantía constitunal que reconoce la libertad de locomoción, tal como sucede en

_____
(509) Infra, cap. VII.
(510) C, 3.

los casos de Costa Rica (511) y México (512). La ley de este último país declara expresamente que la garantía constitucional de libre tránsito por el territorio nacional queda limitada por la determinación de reglas especiales para viajar dentro de él.

En esta categoría puede ser mencionada la disposición uruguaya que, aun siendo igualmente general, por su eventual alcance, se dirige especialmente a fiscalizar administrativamente a todas aquellas personas que, por sus actividades o propósitos, puedan comprometer el mantenimiento del orden y la tranquilidad pública o el respeto a las instituciones democráticas nacionales. Las medidas de contralor consisten en la facultad de las autoridades de policía, conforme a lo previsto por el inciso 6º del artículo 360 del Código Penal, de requerir, de toda persona que habite el territorio nacional o transite por él y acerca de la cual existan presunciones fundadas de que realiza las actividades o sustenta los propósitos antes mencionados, la exhibición de los documentos que acrediten su identidad, o en su defecto las referencias concretas necesarias que permitan identificarla. Asimismo, la policía deberá solicitar de toda persona que se encuentre en la jurisdicción departamental respectiva proveniente de otros parajes, la información comprobatoria de los lugares de procedencia y de destino, así como el motivo de su traslado. Si bien no existe, en la legislación uruguaya, una prohibición de viajar en el interior del país, de acuerdo con estas disposiciones ha sido posible ejercer, durante la emergencia, un discreto contralor del movimiento interno de personas, como lo confirman por lo demás, los fundamentos de la medida (513).

2. Todos los extranjeros.

Las medidas comprenden en este caso, sólo a los extran-

---

(511) Acs. Legs. de 4 mar., 6 may. y 9 dic. 1942, y 7 jul. 1943, que suspenden por tiempo determinado y con el fin único de salvar el orden público y mantener la seguridad del Estado, el goce y ejercicio de la garantía consignada en el art. 28 de la Constitución. Un procedimiento similar ha utilizado Guatemala, aunque restringiendo el alcance de la limitación constitucional a los extranjeros del Eje (Infra, págs. 278 y ss.).

(512) D. Leg. de 1º jun. 1942. Ley de Prevenciones Generales de 11 jun. 1942, art. 10, numeral II.

(513) Circular del Ministro del Interior de 1º set. 1942.

jeros. En cuanto a los procedimientos empleados por las disposiciones son muy diversos. Van, por lo general, desde la exigencia del permiso previo (514) hasta el requisito del simple aviso de llegada (515). Algunos países emplean la cédula de identidad como documento imprescindible para autorizar el viaje (516); otros, requieren estar en posesión de un pasaporte especial de tránsito, expedido comúnmente por la autoridad policial (517). En el permiso de viaje otorgado al extranjero se hace constar generalmente el término de la duración del viaje, el sitio o sitios por donde viajará, el nombre del titular y la autoridad que lo expide.

En algún otro país, la restricción, a pesar de ser extensiva a todos los extranjeros, sólo rige en cuanto se trata de proteger una determinada actividad especial o medio de transporte considerado vital. Es el caso del Uruguay, particularmente, donde disposiciones en vigor prohiben el vuelo de todos los aviadores civiles que no sean uruguayos, con excepción de los que pilotean aviones de turismo o comerciales extranjeros, que posean autorización de la autoridad. Está también prohibido a las compañías de aeronavegación, llevar sin previa autorización escrita, pasajeros que no sean uruguayos (518). Finalizada ya la guerra, esta y otras disposiciones uruguayas análogas han sido derogadas o modificadas, pero salvándose la determinación de ciertas zonas prohibidas de vuelo, así como la prohibición ahora específica, de desarrollar toda actividad aérea aplicable a los extranjeros del Eje, tanto en calidad de alumnos o pilotos como de pasajeros, salvo los que fueren transportados por las líneas aéreas regulares (519).

3. Nacionales del Eje o de países enemigos

La característica saliente de las disposiciones de esta ca-

(514) Colombia:Memorándum del Director del Departamento de Extranjeros; Inf. V. C.
Haití: Inf. V. C.
Venezuela:\ Inf. V. C.
(515) Colombia: D. Nº 1697, de 16 jul. 1936, art. 32.
(516) Colombia: Memorándum cit.
Venezuela: Inf. V. C.
(517) Bolivia: Orden del Jefe de Policía ("El Diario", 17 de mar. 1943).
(518) D. de 29 dic. 1941, arts. 3º, 4º y 5º.
(519) D. de 16 ago. 1945, arts. 1º, 2º y 4º.

tegoría es la de no permitir a los súbditos de los Estados del Eje realizar ningún viaje dentro del país, sin la obtención previa de un permiso especial otorgado por la autoridad competente que, por lo general, es la policía. En este sentido, han tomado medidas el Jefe de Policía de Río de Janeiro, en Brasil (520), así como Costa Rica (521), El Salvador (522), Estados Unidos (523), y Paraguay (524). También Guatemala debe ser incluída en este grupo, a cuyo efecto ha declarado restringida, por vía general, la garantía constitucional del Art. 19 que consagra la libertad de locomoción (525). La disposición paraguaya declara que los viajes que se autoricen se harán bajo el inmediato y permanente control de las autoridades nacionales. La costarricense, en cambio, precisa la forma en que se extenderán los permisos y el término de validez de los mismos, según el criterio que sobre el solicitante tenga la autoridad respectiva. Estos permisos deben contener indicación del sitio hacia donde se dirigirá el extranjero, tiempo por el cual se extiende y un lugar destinado a la visación por parte de la autoridad cuya jurisdicción se visitará (526).

En Colombia, las autoridades no conceden permiso para viajar a los extranjeros del Eje cuando éstos intentan dirigirse a las zonas del litoral o lugares prohibidos en general (527).

Costa Rica (528) y México (529) exigen también un permiso previo, como condición indispensable para viajar, a los extranjero de países enemigos. La disposición del primero de dichos países prohibe a las compañías de vapores de aeronavegación, expedir pasajes a los nacionales de Estados enemigos que trataren de viajar dentro del país, sin estar en posesión del permiso policial correspondiente. La misma dispo-

---

(520) Medidas tomadas por la Jefatura de Policía de Río de Janeiro, con fecha 29 ene. 1942.
(521) D. Nº 47 de 11 dic. 1941, art. 1º in fine;
   D. Nº 51 de 20 dic. 1941, art. 1º.
(522) Inf. V. C.
(523) Inf. V. C.
(524) D. L. Nº 11.061 de 16 feb. 1942, art. 4º.
(525) D. Ej. Nº 2648 de 12 dic. 1941, art. 1º.
(526) D. Nº 51, de 20 dic. 1941, art. 3º.
(527) Memorándum del Director del Departamento de Extranjeros de 17 set. 1942.
(528) D. Nº 51, de 20 dic. 1941, art. 4º.
(529) Inf. V. C.

sición costarricense parecería exigir a dichos extranjeros, además del permiso policial, la posesión del pasaporte corriente, en cuanto lo instituye como requisito indispensable para salir del país y añade: "esta última restricción regirá aún cuando se tratare de viajar dentro del territorio de la República".

Cuba requiere de los súbditos de los países con los que esté en guerra, o de sus aliados, así como de los ocupados por el Eje, que al ausentarse del lugar donde residen habitualmente o trasladarse de un lugar a otro de la República lo participen previamente, por escrito, al Jefe de la Sección de Policía del domicilio, en la Habana, y al Capitán de la Estación de Policía de la demarcación en que residen, en el interior (530). Las autoridades de Guatemala prohiben a los nacionales de países enemigos, salir del país y transitar interdepartamentalmente (531); y las argentinas exigen un permiso especial a los extranjeros bajo vigilancia cuando se trate de viajes fuera del país (532).

Las disposiciones vigentes en Colombia instituyen, por último, un régimen que precisa con detenimiento los requisitos y condiciones que han de llenar los súbditos de los gobiernos con los cuales se han roto las relaciones diplomáticas que desean viajar, siempre que no hayan sido objeto de medidas de internación. Se les exige, en tales casos, una declaración, garantizada con hipoteca, prenda o fianza, en cuantía fijada por la Dirección de la Policía Nacional (533). Esta declaración concebida en forma muy amplia implica una verdadera obligación civil, de conformidad con la cual el extranjero se compromete a respetar las instituciones, las leyes y demás disposiciones emanadas de las autoridades competentes del país, abstenerse de toda actividad política y de cualquier acto que pueda poner en peligro el orden público o la seguridad del Es-

---

(530) D. Nº 1906, de 29 jun. 1943, art. 1º. A igual obligación están sometidos los súbditos italianos liberados de las medidas de internación que sufrían (D. Nº 3085, de 30 oct. 1943).
(531) Informe relativo a las medidas sobre vigilancia y contralor de personas en Guatemala.
(532) D. Nº 7058, 2 abr. 1945, art. 11; D. Nº 7527, de 6 abr. 1945, arts. 26 y 27 (Véase infra, Sección C, Entrada y salida de personas.
(533) Informe del Jefe de la Sección de Extranjeros de la Policía Nacional.

tado; realizar propaganda de organizaciones políticas extranjeras, o fomentar la afiliación o apoyo a dichas organizaciones; no ser miembro efectivo u honorario de policías extranjeras; someterse a la inspección de sus archivos, libros y documentos relativos al giro de sus negocios u otras actividades públicas o privadas, etc. El incumplimiento de las obligaciones contraídas, aparte de quedar respaldado con la garantía antes mencionada, deja en salvo en todo caso la facultad del gobierno de expulsar del territorio al extranjero o, de no ser ello posible, de fijarle residencia permanente en el lugar del país que se estime conveniente.

En Estados Unidos se dictaron reglamentaciones destinadas a limitar y controlar los viajes de los extranjeros enemigos requiriendo para ello un permiso previo y prohibiendo todos los viajes en aeroplano. Se les permite a los extranjeros enemigos viajar sin permiso previo a lugares de culto, a sus negocios, a escuelas o a oficinas del Gobierno. Para otros viajes, se requiere permiso previo, indicando el propósito del viaje que se solicita a los Fiscales de los Estados Unidos. La solicitud de un permiso para hacer un solo viaje especificado debe ser llenada 7 días antes de que empiece el viaje. Sin embargo, en casos de emergencia los reglamentos autorizan a suprimir este requisito. En lo que respecta a los extranjeros enemigos que deben hacer viajes frecuentes, se sigue un procedimiento distinto. En tales casos se les puede acordar un permiso general de viaje, que abarque un período de tres a seis meses y que autoriza los viajes en la zona especial indicada en el permiso. Al concluir cada viaje, se solicita al extranjero enemigo informes sobre donde fué y cuánto tiempo permaneció en cada lugar. Esos permisos generales de viaje sólo se expiden a aquellas personas en cuya lealtad se tiene completa confianza después de consultar con el Federal Bureau of Investigation (534).

II. Zonas de residencia o habitación prohibida. Naturaleza y objeto de la medida. Modalidades que adopta y personas a las que se aplica.

Por simples razones de orden público el derecho interno de las Repúblicas Americanas suele prever ciertas restricciones

---

(534) Reglamentos sobre Viaje y otras actividades de Extranjeros de nacionalidad enemiga, de 5 feb. 1942.

en materia de residencia y habitación. Estas medidas son propias de tiempos normales y anteriores, por tanto, a la situación de emergencia que planteó la agresión de los Estados del Eje. Pero aparte de tales medidas, el ataque totalitario llevó también a muchos países del Hemisferio a establecer limitaciones de la misma naturaleza, aunque dirigidas directamente a proteger los intereses de la defensa política. Se concibe de inmediato el fundamento de medidas de este carácter, que afectan indudablemente en forma muy seria los derechos de las personas, si se tiene en cuenta la geografía de ciertos países, la configuración de sus costas, la distribución y composición del elemento humano que lo habita y la importancia de preservar incólumes los establecimientos y regiones de interés esencial para la defensa del país. A estas circunstancias se suma el peligro que supone para la defensa nacional el hecho de que agentes enemigos puedan utilizar las tierras o propiedades ubicadas en zonas estratégicas donde residen o a las que tienen fácil acceso, para la comisión de actos de espionaje o de sabotaje, o que se trate de parajes naturalmente expuestos a la posibilidad de un ataque o invasión exterior.

Las disposiciones dictadas por tales motivos se basan, en general, en la presunción de peligrosidad que recae sobre ciertas personas que habitan esas determinadas zonas y, asimismo, en la importancia estratégica o la significación militar, económica, social o de otra índole, que dichas zonas revisten. Muy frecuentemente, el criterio que inspira la medida es también una combinación de ambos motivos.

Las medidas varían en cuanto a su naturaleza, alcance y modo de aplicación: traslado o remoción de residentes, prohibición absoluta de habitar ciertos lugares, zonas restringidas, permisos para residir, limitación de ciertas actividades comerciales y profesionales en dichos territorios y restricciones al derecho de propiedad.

Miradas desde el punto de vista de las personas afectadas, las medidas pueden ser estudiadas en función de las tres siguientes divisiones, a saber: medidas relativas a todas las personas, todos los extranjeros y a nacionales del Eje y de países enemigos.

1. Todas las personas.

Dos son los procedimientos aplicados por las distintas Repúblicas Americanas respecto de las limitaciones a la residencia o habitación de las personas: la declaración de zonas militares dentro de las cuales quedan naturalmente restringidas las actividades de todos los individuos; y el traslado fuera de las mismas, de aquellos que resulten sospechosos o peligrosos, a juicio de las autoridades competentes.

Aunque el concepto no encuentra siempre en los textos legales lo que podríamos llamar una definición, por zonas militares debe entenderse ciertas áreas afectadas al uso o al contralor exclusivo del ejército, por el interés o la importancia estratégica y económica que presentan en el conjunto de las complejas funciones que constituyen la defensa nacional activa y pasiva de un país. Generalmente son consideradas como zonas militares, regiones que merecen una protección especial, tales como puertos, aeródromos civiles, establecimientos industriales, plantas de electricidad, centrales de gas, zonas costaneras desde donde es posible observar el tráfico militar, lugares adyacentes a campos e instalaciones del ejército y otros sitios similares.

A fin de suministrar un ejemplo sobre las medidas a que se hace referencia, se mencionarán algunas de las disposiciones más características, en forma muy breve (535). Así, han declarado zonas militares, Ecuador (536) y República Dominicana. Durante el estado de guerra, las zonas portuarias pueden ser declaradas, en esta última República, bajo la administración militar, por Decreto del Presidente de la República. En este caso, las funciones del Comandante de Puerto, quedan a cargo de un oficial del Ejército designado por el Poder Ejecutivo, y las actividades de los particulares dentro de dichas zonas portuarias, se regirán por las reglamentaciones especia-

---

(535) Para un conocimiento más amplio del asunto, ver infra, Sección D III, Protección de zonas, servicios e instalaciones vitales contra el sabotaje y otras actividades subversivas.

(536) El D. Ej. Nº 4, de 3 ene. 1942, declara zona militar toda la península ecuatoreña de Santa Elena, en la Provincia de Guayas.

les que dicte el Poder Ejecutivo en interés de la defensa nacional (537).

En los Estados Unidos, por Orden Ejecutiva, para asegurar la protección contra el sabotaje de materiales de defensa nacional, se autoriza al Secretario de Guerra y a los comandantes militares que éste designe para fijar zonas militares de las cuales alguna persona determinada o todas las personas puedan ser excluídas y respecto a las cuales el derecho de cualquiera persona a entrar, permanecer o salir, estará sujeto a las restricciones que el Secretario de Guerra o el Comandante Militar competente puedan imponer a su discreción (538).Además, se autoriza al Secretario de Guerra y a los Comandantes Militares, a tomar las medidas que juzguen convenientes en cada zona militar, incluyendo el uso de tropas. Posteriormente, por una ley (539), se dispuso que quien entre, permanezca, abandone o cometa un acto en una zona militar, en violación de las restricciones vigentes en dicha zona o de las órdenes pertinentes, será castigado con multa o prisión o con ambas penas, si resulta que conocía o debía conocer la existencia y extensión de las restricciones u órdenes infringidas. Con arreglo a esta orden, cerca de unas 100.000 personas, incluyendo extranjeros de nacionalidad japonesa y ciudadanos de ascendencia japonesa, fueron evacuadas de las áreas costeras del Océano Pacífico.

El traslado de toda persona peligrosa, de las zonas próximas a las instalaciones expuestas a ser dañadas por actos de sabotaje o propicias al espionaje, ha sido aplicado por Brasil (540) y por Perú (541). Conforme a las disposiciones de este último país, declarada zona de seguridad una parte cualquiera del territorio nacional, en función de las posibilidades o peligrosidad de ataque, invasión o sabotaje, el jefe de la zona puede solicitar al Ministerio de Gobierno, la autoriza-

---

(537) L. Nº 104, de 26 oct. 1942, art. 34. En uso de esta facultad legal, el gobierno dominicano ha declarado zonas militares los puertos principales del país: Ciudad de Trujillo, Barahonia, San Pedro de Macorís, La Romana y Puerto Plata, por D. Nº 1194, de 7 jun. 1943, art. 1º.
(538) O. Ej. Nº 9066 de 19 feb. 1942.
(539) L. de 21 mar. 1942, 56 Stat, 173; 18 U. S. C. 97 a).
(540) Inf. V. C.
(541) Res. de 21 jun. 1943, arts. 1º y 4º.

ción correspondiente para trasladar de un departamento a otro, a toda persona sospechosa o inculpada de actos de sabotaje, divulgación de medidas secretas de seguridad militar o de propaganda antipatriótica o derrotista. Esta actividad, que en otros lugares del territorio, daría mérito a la iniciación del proceso penal correspondiente, justifica aquí, además, la medida del traslado, como prevención de la influencia nociva que entraña y que torna más delicado y difícil el mantener la seguridad y buena administración de la zona militar. La legislación chilena autoriza al Presidente de la República, para declarar zonas de emergencia partes determinadas del territorio, en casos de peligro o de ataque exterior o de invasión, o de actos de sabotaje, contra la seguridad nacional (542). Posteriormente se han declarado Zonas de Emergencia once provincias (543); en virtud de esta declaración, tales zonas quedan bajo la dependencia inmediata de un jefe militar, al cual se le concede, entre otros derechos, el de solicitar al Presidente de la República, que decrete el traslado de personas de un departamento a otro cuando así lo exijan el orden interno y la seguridad nacional (544).

2. Todos los extranjeros.

Es en este grupo donde se congrega el más crecido número de disposiciones sobre la materia y de un mayor interés específico a los efectos de esta parte del estudio. La posibilidad de cometer actos contra la seguridad de un país durante un conflicto como el que hubieron de enfrentar las Repúblicas Americanas, tiene evidentemente una probabilidad mayor en el caso del extranjero, y fué esta contingencia la que trataron de prevenir especialmente la generalidad de las disposiciones y medidas puestas en práctica por las Repúblicas Americanas. Además de los temperamentos ya vistos en las páginas anteriores, existen algunos otros que se indicarán de inmediato.

---

(542) L. Nº 7200 de 18 jul. 1942, arts. 23 y Regl. del art. 23 de la ley 7200.
(543) D. Nº 233, de 14 ene. 1943, basado en el D. Nº 7200.
(544) Regl. del art. 23 de la ley Nº 7200 de 18 jul. 1942, art. 5º, inc. final.

a. Prohibición de residencia.

Una medida semejante, por su naturaleza, a la adoptada respecto de todas las personas y de que se ha tratado con anterioridad, es la que declara determinadas zonas sometidas a contralores especiales de protección y vigilancia, prohibiéndose o limitándose en ellas las actividades de los extranjeros.

El Uruguay particularmente ha hecho aplicación de esta fórmula. Para prevenir actos contrarios a la defensa nacional se han limitado los derechos reales y personales de los extranjeros en las inmediaciones de establecimientos militares, lugares de interés militar o que interesen a los servicios públicos, aeródromos, polvorines, gasómetros, usinas eléctricas y de aguas corrientes, plantas de depósito o destilación de combustibles, centrales de comunicaciones, etc. El Poder Ejecutivo determinó la zona de seguridad en cada caso, no pudiendo permanecer en ella, ni pernoctar, ni frecuentar, ningún extranjero declarado peligroso conforme a un procedimiento seguido ante las autoridades administrativas. La medida tiene carácter excepcional y su vigencia queda limitada por la duración de la guerra y hasta tanto la República normalice sus relaciones internacionales (545).

b. Prohibición de poseer y adquirir bienes inmuebles.

Como se ha indicado en la introducción a la presente sección, suele encontrarse en varias leyes y aun en los propios textos constitucionales de muchos países americanos, la prohibición, respecto de los extranjeros, de adquirir o poseer a cualquier título en una determinada extensión fronteriza o costas del territorio, bienes inmuebles, tierras, aguas, minas, y combustibles minerales, directa o indirectamente, individualmente o en sociedad, bajo la pena de perder la propiedad en beneficio del Estado. Sólo la ley, cuando se trata de un precepto constitucional, o si no en casos muy excepcionales, cuando la previsión es materia de la legislación ordinaria, permite dispensar de esta prohibición. Tales medidas, generalmente inspiradas en el propósito de acentuar las delimitaciones te-

---

(545) D. L. de 16 jul. 1942, arts. 1º, 2º, 3º y 4º.
D. de 15 oct. 1942, arts. 5º y 6º, especialmente.

rritoriales, dándoles carácter de fijeza que eviten los conflictos de límites y los problemas que derivan del establecimiento de poblaciones extranjeras sobre las marcas de un país, o de acentuar el proceso de la asimilación, aparte de ser anteriores a la emergencia, no responden originariamente a razones de defensa política contra las actividades subversivas, en el sentido en que aquí son encaradas, pero es innegable que se revelan como singularmente apropiadas para prevenirlas y, en tal entendido, se ha juzgado oportuno mencionarlas en esta exposición.

Se encuentran disposiciones de esta naturaleza, especialmente, en el derecho vigente en Brasil (546), Ecuador (547), El Salvador (548), México (549) y Perú (550).

___

(546) D. L. Nº 1.968 de 17 ene. 1940, art. 1º. Las concesiones de tierras en una faja de ciento cincuenta kilómetros a lo largo de la frontera nacional, solamente podrán ser hechas mediante previa audiencia del Consejo de Seguridad Nacional. Parágrafo único. Compréndese en esas concesiones, para los efectos de esta ley, desde que sean extranjeros los concesionarios o adquirentes, operaciones de tierras particulares, situadas en la aludida faja, como enajenación, transferencias por enfiteusis, anticresis, usufructo o a título precario, transferencias de posesiones o arrendamientos.
(Esta misma disposición da criterios para la apreciación de las concesiones antes referidas, fija procedimiento, etc. en un artículo extenso y completo).
D. L. Nº 2.610 de 20 set. 1940.

(547) D. Nº 111 de 29 ene. 1941, art. 34. En una extensión de 50 kilómetros distantes de las fronteras, los extranjeros no podrán adquirir ni poseer, por ningún título, tierras, aguas, minas y combustibles, directa o indirectamente, ya sea individualmente o en sociedad, bajo pena de perder en beneficio del Estado la propiedad adquirida, salvo el caso de autorización especial concedida por la Ley.

(548) Const., art. 51. Sólo los salvadoreños por nacimiento y las sociedades formadas por éstos, podrán ser propietarios de inmuebles y tener derechos reales sobre ellos, en una faja de quince kilómetros de ancho, a lo largo de las costas y fronteras. Los actuales propietarios extranjeros podrán continuar siéndolo por un período no mayor de veinticinco años.

(549) Const., art. 27, inc. séptimo. La capacidad para adquirir el dominio de las tierras y aguas de la Nación, se regirá por las siguientes prescripciones: I Sólo los mexicanos por nacimiento o por naturalización y las sociedades mexicanas tienen derecho para adquirir el dominio de las tierras, aguas y sus accesiones, o para obtener concesiones de explotación de minas, aguas o combustibles minerales en la República Mexicana. El Estado podrá conceder el mismo derecho a los extranjeros siempre que convengan ante la Secretaría de Re-

c. Prohibición de ejercer ciertas actividadas.

En algunas ocasiones las leyes prevén ciertas restricciones que afectan de un modo indirecto la libertad personal de residencia de los extranjeros al vedárseles determinadas actividades, comerciales o profesionales, en lugares de interés fundamental para la seguridad de la nación.

Dos ejemplos típicos suministran las disposiciones de Colombia y Uruguay.

En el primero de estos países, la Policía Nacional ha visto ampliadas sus facultades preventivas ordinarias respecto de la vigilancia de las actividades de extranjeros residentes, pudiendo impedir el uso, en las costas y mares territoriales de la República, de embarcaciones privadas de propiedad extranjera, y prohibir y cerrar restaurants, hoteles, casinos, expendios de licores, casas de tolerancia, etc., que estuvieren administradas por extranjeros o en los que éstos tuvieren interés, en aquellos sitios donde lo crea conveniente, en especial en las proximidades de cuarteles del ejército y de policía, institutos militares, campos de aterraje o acuatizaje, centrales eléctricas, plantas y represas de acueductos, malecones, puentes, estaciones radioemisoras y radiotelegráficas (551). El motivo de estas restricciones parece evidente: en algunos de tales

---

laciones en considerarse como nacionales respecto de dichos bienes y en no invocar, por lo mismo, la protección de sus gobiernos por lo que se refiere a aquéllos; bajo la pena, en caso de faltar al convenio, de perder, en beneficio de la Nación los bienes que hubieren adquirido en virtud del mismo. En una faja de cien kilómetros a lo largo de las fronteras y de cincuenta en las playas, por ningún motivo podrán los extranjeros adquirir el dominio directo sobre tierras y aguas.

(550) Const., art. 136. Dentro de cincuenta kilómetros de las fronteras los extranjeros no pueden adquirir ni poseer, por ningún título, tierras, aguas, minas o combustibles, directa e indirectamente, individualmente o en sociedad, bajo pena de perder, en beneficio del Estado, la propiedad adquirida, excepto el caso de necesidad nacional declarada por ley expresa.
L. Nº 7943 de 10 dic. 1934, art. 1º. Quedan prohibidas las traslaciones en cualquier forma, del dominio o de la posesión de propiedad rústica situadas en las provincias limítrofes de la República en favor de personas colectivas o individuales extranjeras, incluyendo las instituciones de derecho público, salvo el caso de concesiones otorgadas de conformidad con leyes especiales.

(551) D. Nº 2190, de 19 dic. 1941, art. 4º.

sitios hay mayores facilidades para cometer actos de espionaje y en otros el acceso a lugares de importancia militar o estratégica resulta enormemente facilitado.

En el Uruguay, en el caso de extranjeros declarados peligrosos, que fueren propietarios de un comercio o una industria o establecimiento de cualquiera naturaleza, situado dentro de una zona de seguridad, el Juez de Paz seccional debe designar un interventor judicial; y en el caso de que fueren gerentes de un comercio, industria o establecimiento de cualquiera naturaleza, se notificará a los propietarios o a sus representantes de que el extranjero peligroso debe ser removido dentro de un término improrrogable de tres días (522). Tanto la disposición colombiana, como la uruguaya, tienen carácter transitorio, limitado al conflicto internacional (553).

d. Remoción de extranjeros.

Las medidas aplicadas sobre el particular persiguen el alejamiento o traslado de los extranjeros sospechosos de las zonas o proximidades donde podrían practicar actos contrarios a la seguridad del país. Es el caso de Brasil (554), de Colombia y Ecuador, por ejemplo.

En este último país un precepto del Reglamento para la ejecución de la Ley de Extranjería da al Poder Ejecutivo en forma permanente un poder jurídico adecuado, al facultarlo para cambiar el lugar de residencia de un extranjero, sea o no residente, cuando lo exijan el orden y seguridad de la República (555). El gobierno de Colombia, a fin de determinar cuáles extranjeros deberían quedar sometidos a la medida, ordenó una investigación de los propietarios de todas las zonas o terrenos fronterizos o colindantes con establecimientos petroleros u oleoductos, así como los de algunos aeródromos clan-

---

(552) D. de 15 oct. 1942, art. 13.
(553) Tiene también cierta relación con el tema tratado en esta parte del presente capítulo la asignación de residencia a los extranjeros, autorizada por las disposiciones de algunos países americanos. Véase sobre el particular el Cap. VII, infra.
(554) Inf. V. C.
(555) D. de 29 ene. 1941, art. 30.

destinos, y, una vez comprobadas las sospechas, dispuso su alejamiento de dichos parajes o internación en el país (556).

3. Nacionales del Eje o de países enemigos.

Las medidas que pueden mencionarse bajo esta categoría, intrínsecamente consideradas, no son diferentes de las antes estudiadas respecto de todas las personas y de los extranjeros en general. Se trata sólo, como se ha dicho ya, de distintos ámbitos personales de aplicación de la norma jurídica, determinados por la técnica legislativa general empleada en virtud de la situación especial en que se hallaba cada país frente al pasado conflicto, o por el grado diferente de peligrosidad que el legislador atribuye al sujeto en vista del cual la norma ha sido elaborada. Se reiteran así, la prohibición absoluta de residir en ciertos puntos del territorio, o la relativa de hacerlo sin permiso de la autoridad, la obligación de fijar domicilio fuera de las mismas, etc.

Los nacionales del Eje o de países enemigos, residentes en determinadas zonas del territorio o lugares vitales, quedan obligados a fijar su domicilio o residencia, indefinidamente, fuera de dichos parajes.

Entre los países que poseen disposiciones de tal naturaleza, deben ser citados especialmente Colombia (557), Cuba (558), Ecuador (559) y Guatemala (560); y también las normas dictadas por la Argentina respecto de los extranjeros bajo vigilancia (japoneses y alemanes), aunque como consecuencia, especialmente, de las infracciones a las disposiciones sobre registro y contralor, que les son aplicables (561). Las disposiciones prescriben también, a menudo, que el litoral de

---

(556) Inf. V. C.
(557) Res. del Director de la Policía Nacional, Nº 260 de 25 jun. 1942, art. 1º; Inf. V. C.
(558) D. Nº 3341, de 11 dic. 1941, Primero; D. Nº 840, de 19 mar. 1943, 1º; D. Nº 3085 de 30 oct. 1943, Primero; Medidas tomadas por la Marina de Guerra de Cuba.
(559) D. Nº 4, de 3 ene. 1942, arts. 1º y 2º; Inf. V. C.
(560) D. Nº 2655, de 23 dic. 1941, art. 1º, inc. a).
(561) D. Nº 7058, de 2 abr. 1945, art. 12, inc. e). Esta medida — que la disposición denomina "internación" — supone, de acuerdo con el reglamento respectivo, "la obligación de fijar residencia y permanecer dentro de las zonas establecidas por el Poder Ejecutivo" (D. Nº 7527, de 6 abr. 1945, art. 44).

los puertos, lugares cercanos a éstos, las costas, zonas estratégicas del territorio, los aeropuertos y aeródromos, cercanías de los cuarteles, estaciones de ferrocarriles, depósitos de gasolina y otros combustibles, cruces de carreteras, puentes, torres de telegrafía inalámbrica, lugares de observación y de señales militares y, en general, todo punto considerado de valor estratégico para la defensa nacional, quedan vedados al acceso, residencia, tránsito o transporte de los nacionales del Eje y de países enemigos, los que no pueden hacerlo, sin un permiso o autorización especial que expiden en cada caso las autoridades militares. Dentro de esa categoría, quedan comprendidos todos aquellos extranjeros del Eje o de países enemigos residentes en el territorio nacional, así como los turistas, refugiados, personas de paso y liberados de las medidas de internación. En algún caso especial, se ha restringido o prohibido también a esos extranjeros, dedicarse a las actividades pesqueras, habitar los lugares en que habitualmente solían hacerlo e incluso se han ocupado sus embarcaciones (562).

En Estados Unidos la Proclama Presidencial Nº 2525 de 7 de diciembre de 1941 establece la base para que se determinen zonas donde se prohibe o restringe la permanencia de extranjeros enemigos. Las autoridades militares tienen el poder de fijar zonas restringidas. Se autoriza también al Procurador General y al Ministro de Guerra a excluir a los extranjeros enemigos de un área determinada que rodee fuertes, campos de aterrizaje, etc.

El reglamento del Fiscal General de 5 de febrero de 1942 dispuso las zonas prohibidas y las restring·das, Sec. 15, (a). Ningún extranjero de nacionalidad enemiga residirá, entrará o permanecerá en una zona designada como prohibida, Sec. 15 (b). Ningún extranjero de nacionalidad enemiga residirá, entrará, permanecerá o se encontrará en un área designada como restringida, excepto que se acuerden permisos a tales extranjeros para permanecer en las zonas restringidas con arreglo a condiciones preestablecidas.

En algunos casos muy especiales las medidas anteriores admiten excepciones. Tal es, por ejemplo, el régimen de las

_____

(562) **Cuba:** Medidas tomadas o proyectadas por la Marina de Guerra de Cuba, Inf. proporcionado por el gobierno.

disposiciones colombianas. Por solicitud de los propios funcionarios locales, las autoridades competentes —que son las de
policía— pueden conceder permisos a los extranjeros que justifiquen una actividad correcta y una prescindencia en toda
actividad pública o privada contraria a los intereses de la política internacional del país y siempre que los lugares de que
se trate no se encuentren situados a menor distancia de cien
kilómetros de la orilla del mar. Esas solicitudes, deben basarse
en documentos o testimonios aceptables, y la autorización que
se otorgue es revocable en todo tiempo por el solo arbitrio de
la autoridad. A fin de otorgar estos permisos, las autoridades
exigen también una solicitud por escrito ante el gobierno de
cada departamento y un certificado de conducta política. Una
comisión o junta local, suele asesorar a la policía para resolver la petición y en caso de acordarse el permiso de residencia, se exige como condición indispensable, una garantía personal, prendaria o hipotecaria (563).

---

(563) Res. del Director de la Policía Nacional, Nos. 260 de 25 jun.
1942, art. 2º, y 262 de 1º jul. 1942; Inf. V. C.

CAPITULO IV

POSESION Y USO DE ARMAS, EXPLOSIVOS, APARATOS DE RADIO Y OTROS ELEMENTOS DE IMPORTANCIA FUNDAMENTAL Y CONTRALOR DE LA CORRESPONDENCIA

I. Elementos de importancia fundamental

1. Fundamento del contralor público sobre la posesión y uso de armas, explosivos y otros implementos bélicos.

La Segunda Reunión de Consulta, recomendó la aplicación de diversas reglas como medio de prevenir las actividades subversivas, entre ellas, la prohibición del tráfico de armas y materiales de guerra (564). La Tercera Reunión de los Cancilleres americanos, encarando ya este problema desde un ángulo más específico, aconsejó, como medio aparente para ejercer el contralor de los extranjeros peligrosos, entre otras medidas, que se impidiera a los súbditos de los Estados del Eje o Estados a ellos subordinados, poseer, comerciar o usar armas de fuego, explosivos u otros implementos bélicos que pudieran ser utilizados en actos de sabotaje (565).

No parece necesario destacar mayormente la importancia que tales medidas revisten en punto al contralor público de las actividades subversivas. La experiencia de muchas Repúblicas Americanas había ido poniendo de relieve cómo la posesión de armas e instrumentos aptos para la guerra, de distinta naturaleza y aplicación, por parte de simpatizantes de los Estados totalitarios o miembros de organizaciones que respondían a sus fines, puso en riesgo la existencia de las instituciones y soberanía de aquéllas, al permitir la constitución en su propio seno de verdaderos cuerpos disciplinados y diestros en el uso de los instrumentos bélicos modernos que, encubiertamente algunas veces, desembozadamente en otras, no hubie-

---

(564) Resolución VII, letra c).
(565) Resolución XVII, Anexo, A, 3).

ran requerido sino la consigna exterior para sumir en el caos
y la destrucción los órganos y el funcionamiento regular del
Estado que los albergaba. Igualmente, la posesión y el tráfico
de sustancias explosivas, y otros implementos aplicables a fines bélicos, en manos de particulares, sin las debidas restricciones, creaba un constante y efectivo peligro para la seguridad
interior, porque tornaba posible e indiscutiblemente más poderoso cualquier movimiento subversivo, y también para la
seguridad exterior, que podía verse afectada por estos mismos
movimientos o por actos de sabotaje capaces de impedir o
perjudicar el esfuerzo de guerra o la defensa nacional. Principios esenciales inherentes a la constitución y organización
de todo Estado soberano, exigen por lo demás que éste detente,
te, con exclusividad de todo grupo u organización privada, el
monopolio de la fuerza pública y que no exista siquiera la posibilidad de que ese monopolio sea discutido o puesto en duda.
Este ha sido justamente uno de los más flagrantes abusos cometidos por los Estados totalitarios al estimular y dirigir, con
una finalidad política, la formación de diversas organizaciones
militarizadas, integradas por sus connacionales y simpatizantes en muchas Repúblicas Americanas.

Con relación a las normas legales establecidas por el derecho interno, la posesión y el uso de las armas de fuego por
los particulares es tolerada, en algunos países, dentro del juego
regular de los preceptos penales como medio de defensa personal contra criminales y maleantes, o como concesión hecha a
la realidad en ambientes naturalmente inhóspitos o aislados.
Mas, se trata siempre de una autorización consentida por el
Estado en salvaguardia de la vida y seguridad de sus habitantes frente a la imposibilidad material de prestar eficientemente y en todas partes una función primaria que es privativa de la autoridad pública. Ahora, tal autorización sólo puede
restar legítima en cuanto ella es utilizada de acuerdo al fin
que la origina. Es por esto que la posesión de armas, explosivos, sustancias químicas y otros instrumentos adecuados para ser empleados con fines bélicos en general, en manos de
grupos totalitarios que habían dado muestras inequívocas de
sus propósitos subversivos, constituía un peligro en potencia
para el estado que lo toleraba, como actos preparatorios de
futuras dificultades o agresiones.

La técnica moderna en materia de sabotaje y rebelión exige, no sólo la intervención destacada de los elementos civiles en contra del Estado, sino también la posesión de implementos bélicos y un adiestramiento especial en su manejo, que resulta complicado y difícil. Eliminar la tenencia de tales implementos por parte de nacionales del Eje, así como controlar las organizaciones de éstos que se dedicaban a impartir enseñanza militar fué, por tal motivo, una cuestión de vital importancia para la vida del Estado democrático (566).

En el presente capítulo se mencionan las medidas legales que tienden a ese fin, que crean un sistema legal preventivo para tutelar la seguridad interna y externa del Estado, prohibiendo a los particulares el tráfico, uso y posesión de los elementos materiales de ataque o defensa.

Algunas Repúblicas del continente, debidamente aleccionadas, pusieron en práctica las medidas aconsejadas por las Reuniones Internacionales antes referidas. Otras, se habían adelantado ya, por sus leyes y disposiciones administrativas, a prevenir los peligros emergentes de la ausencia de contralores específicos sobre la posesión y uso de armas, explosivos y otros implementos de guerra, por parte de los extranjeros peligrosos. Países hubo, en fin, que complementaron y actualizaron los sistemas desde antiguo en vigencia que someten a reglamentaciones especiales todos los aspectos relacionados con esta materia.

Se desprende de lo expuesto, que las medidas empleadas acusan una gran diversidad. Los sistemas varían, en efecto, según el régimen legal o administrativo aplicado por cada país en la regulación de la fabricación, importación, tenencia, etc., de dichos elementos y objetos; o bien están en función de la situación internacional adoptada por cada gobierno frente a la conflagración siendo, por ende, los contralores establecidos, más o menos rigurosos y exclusivamente aplicables a los extranjeros considerados enemigos, o a todos los extranjeros sin distinción; o bien, por último, conciernen a todas las personas que, de una u otra manera, participan en forma activa en el comercio de aquellos artículos.

---

(566) Véase, en cuanto a este último punto, infra, Sección D II, Contralor de Asociaciones.

A fin de sistematizar la mención comparativa de las medidas comúnmente adoptadas, resulta útil estudiarlas separadamente, según el objeto particular a que se contrae el respectivo contralor, pero en función siempre de las discriminaciones oportunas en orden a las personas sujetas al mismo, como se ha hecho en los capítulos anteriores.

2. Posesión, uso, comercio, etc., de armas

Las medidas aplicadas para el contralor de las armas son muy diversas, según antes se ha dicho. Por lo general, van desde la revalidación de los permisos otorgados para usarlas, hasta la expropiación, incautación o requisa de las que se encuentran en poder de los particulares, de extranjeros especialmente, pasando por contralores intermedios tales como la declaración de las que se poseen, permisos de fabricación, importación, porte, venta, etc.

a. Todas las personas.

Las disposiciones que caben en esta categoría constituyen, más bien que temperamentos específicos dirigidos contra probables actos subversivos de los nacionales del Eje o de países enemigos, medidas genéricas de prevención establecidas por razones de orden público y seguridad interna. Se trata en efecto de cuestiones que reclaman una atención cuidadosa y permanente del Estado, incluídas entre aquellos aspectos sobre los que se expande el cumplimiento de sus fines primarios. Naturalmente que, a este título, tales normas concurren a configurar el cuadro de las prevenciones y los contralores jurídicos generales que hacen posible la defensa contra los actos de sabotaje, arma favorita de la actividad subversiva mediante acción directa, y que es objeto de examen especial en otra parte de esta obra, en lo que a la prevención y represión del mismo se refiere (567).

Como ejemplo de esta clase de normas aplicables a todas las personas pueden mencionarse, aparte de los preceptos comúnmente contenidos en los Códigos Penales de la mayor parte de los países y que se omitirán aquí, las dictadas por Ar-

---

(567) Véase infra, Sección D III.

gentina (568), Brasil (569), Colombia (570), Costa Rica (571), Cuba (572), Chile (573), Ecuador (574), Guatemala (575), Haití (576) y República Dominicana (577). Casi todas estas disposiciones, en líneas muy generales, se aplican a determinar las armas de fuego, clases, calidades, calibres, etc. y las personas y miembros de instituciones autorizadas a poseerlas o a llevarlas, el régimen a que deben ceñirse las licencias, etc. Otras veces prescriben la cancelación de las matrículas otorgadas, la obligación de renovarlas y denunciar los elementos de que se esté en posesión o, finalmente, fijan las sanciones aplicables a quienes las tengan ilegalmente en su poder o las introduzcan en forma clandestina al país.

b. Todos los extranjeros.

Es el caso, particularmente, de Bolivia. Los extranjeros residentes en el territorio deben hacer declaración de las armas que poseen y depositarlas ante la autoridad política superior de su domicilio, la que las entregará en custodia al Arsenal del Ejército (578). Aunque no de alcance tan general, debe ser mencionada, también, la disposición de la ley venezolana, que obliga a las personas que entran al territorio nacional en condición de viajeros o transeúntes, a depositar ante la primera autoridad civil del lugar de ingreso, las armas y cartuchos de comercio ilícito, que lleven consigo, los que podrán reclamar a su salida del país. La misma ley determina cuáles son las armas de comercio libre (579).

---

(568) Edicto Policial, de 12 jun. 1940.
(569) D. L. Nº 4766, de 1º oct. 1942, art. 37.
(570) D. Nº 952, de 11 abr. 1942.
(571) D. Nº 12, de 18 dic. 1941, art. 1º.
(572) D. L. Nº 51, de 5 mar. 1934, 13; D. L. Nº 292, de 15 jun. 1934; D. Nº 1283, de 30 abr. 1942; Res. de 12 y 14 may. 1942.
(573) L. de 31 dic. 1942, art. 1º, inc. f).
(574) D. Nº 1097, de 30 set. 1941.
(575) D. Nº 1581, de 19 set. 1934; D. Nº 2395, de 27 jun. 1940.
(576) D. L. de 29 dic. 1941.
(577) L. Nº 74, de 31 jul. 1942.
(578) D. de 13 abr. 1942, art. 3º.
(579) L. de 12 jun. 1939, art. 28. Este mismo artículo añade: "Sin embargo, cuando se trate de personas que para dirigirse a otro país necesiten viajar por territorio nacional, puede el Ejecutivo Federal autorizarlas para que conserven las armas, tomando las providencias necesarias para que se haga efec-

c. Nacionales del Eje y de países enemigos

Entre las Repúblicas Americanas que han adoptado medidas sobre la materia, exclusivamente relacionadas con los nacionales del Eje, se encuentran Argentina, Brasil, Costa Rica, Cuba, Chile, Estados Unidos, Guatemala y Paraguay. Genéricamente, las medidas se contraen a: denegar permisos para portar registros o tener armas, y comerciar con ellas (580); cancelar las autorizaciones acordadas (581); obligar a la denuncia, depósito o entrega a la autoridad de las que se posean (582), tendiéndose, en definitiva, a prohibir el uso o tenencia de las armas de fuego. Excepcionalmente, se permite a la autoridad conceder permisos a aquellos extranjeros que, a pesar de su nacionalidad, son considerados no peligrosos (583).

3. Posesión, uso, comercio, etc., de explosivos

Las medidas referentes a explosivos reproducen, casi sin excepción, los temperamentos aplicados en materia de armas, por lo que resulta ocioso reiterar detalles ya referidos.

---

tiva la salida de éstas, dentro del plazo fijado en el respectivo permiso".

(580) **Brasil:** Medidas tomadas por la Jefatura de Policía de Río de Janeiro, con fecha 29 ene. 1942, II, letras f) y g);
Chile: D. Nº 550, de 26 ene. 1943.
Estados Unidos: Proclama del Presidente de la República, Nº 2525 de 7 dic. 1941. Reglamentación sobre viajes y otras actividades de extranjeros de nacionalidad enemiga, de 5 feb. 1942, Sec. 11.
Guatemala: D. Nº 2655, de 23 dic. 1941, art. 1º, inc. d).
Paraguay: D. L. Nº 11.061, de 16 feb. 1942, arts. 3º y 14.

(581) **Brasil:** Medidas tomadas por la Jefatura de Policía de Río de Janeiro, con fecha 29 ene. 1942.
Cuba: L. de 23 jul. 1918, art. 1º, letra a); Res. de 20 dic. 1941, art. 1º.
Chile: D. Nº 550, de 26 ene. 1943.

(582) **Argentina:** D. Nº 7058, de 2 abr. 1945, art. 6º; D. Nº 7527, de 6 abr. 1945, arts. 13, incs. n) y r), y 15. Este último artículo declara comprendidas toda clase de armas, incluso las de caza y sus piezas.
Costa Rica: D. Nº 12, de 18 dic. 1941, art. 2º.
Cuba: L. de 23 jul. 1918, art. 1º, letra a); Res. 20 dic. 1941, art. 3º.
Estados Unidos: Se obliga al depósito de todos los artículos cuya posesión se prohibe. Regl. 5 feb. 1942, Sec. 12.
Paraguay: D. L. Nº 11.061, de 16 feb. 1942, arts. 3º y 4º.

(583) **Guatemala:** Ac. Ej. de 12 dic. 1941, 3º.
Paraguay: D. L. Nº 11.061, de 16 feb. 1942, art. 14.

En algunos países se ha prohibido la tenencia de explosivos a los extranjeros de países en guerra con la República, como en Estados Unidos (584), Guatemala (585) y Paraguay (586), por ejemplo; o se les ha interdictado de negociar con dichas sustancias, anulándose todas las licencias expedidas anteriormente con ese fin, como lo ha hecho Brasil (587), o se les ha obligado a efectuar su declaración, como en la Argentina (588). Las restantes medidas afectan al comercio y posesión en sí de estas materias, comprendiendo en consecuencia a todas las personas, y no sólo a los extranjeros, habiendo sido mencionadas precedentemente.

4. Radiotrasmisores, máquinas fotográficas y aparatos de precisión.

La radiotrasmisión, como elemento de comunicación con fines bélicos, resulta de una total eficiencia. Es un procedimiento directo e instantáneo verdaderamente insustituíble en el estado actual de las relaciones humanas. A los efectos del espionaje, delito contra la seguridad del Estado de fundamental significación, constituye un medio perfecto de comunicación constante, rápida y exacta. Por medio de trasmisiones de onda corta, sobre todo, es posible establecer relación con cualquier punto del mundo, sin experimentar el contralor natural a que están sometidos otros procedimientos de comunicación. Así, los espías del Eje, diseminados por todo el continente, encontraban en la radiotrasmisión una de las formas más perfectas e impunes de enviar informes de interés militar o político, fuera del continente americano (589). A la posibilidad del sabotaje se suma el peligro de la propaganda subversiva proceden-

---

(584) Proclama Presidencial de 7 dic. 1941 y Reglamentación de 5 feb. 1942.
(585) D. Nº 2655, de 23 dic. 1941, art. 1º, letra d).
(586) D. L. Nº 11.061, de 16 feb. 1942, arts. 3º y 4º.
(587) Medidas tomadas por la Jefatura de Policía de Río de Janeiro, el 29 ene. 1942, II g).
(588) D. Nº 7058, de 2 abr. 1945, art. 6º; D. Nº 7527, de 6 abr. 1945, arts. 13, incs. n) y r), y 15. Este último artículo declara comprendidos en la disposición las pólvoras, explosivos y sustancias químicas y toda clase de proyectiles, cartuchos y sus piezas sueltas y caracterizadas.
(589) V., infra, Sección D I, Contralor de los medios de comunicación y formación de la opinión pública, Cap. III.

te de los países del Eje, fácilmente recibida y distribuída por medio de radioreceptores. Son estas formas de ataque al país las previstas por las disposiciones que restringen, respecto de los súbditos del Eje, el uso o posesión de aparatos de radio. Además de la simple prohibición de poseer aparatos radiotrasmisores o de señales, sin licencia del gobierno, se han aplicado limitaciones diferentes a los referidos extranjeros, tales como la prohibición de tenerlos, instalarlos o manejarlos, facultades del gobierno para prohibir el uso de trasmisiones de radio a personas de nacionalidad extranjera, permisos especiales para estar en posesión de los mismos, obligación de declarar aquellos que tengan en su poder, incautación o expropiación de los de su propiedad o tenencia, prohibición de que se les transfieran o vendan, o de comerciar con ellos, prohibición e incautación de utensilios y artefactos radioeléctricos, etc. Algunos de los países que han dictado disposiciones sobre esta materia son: Argentina (590), Brasil (591), Cuba (592), Chile (593), Estados Unidos (594), Guatemala (595), Honduras (596), Nicaragua (597) y Paraguay (598).

En cuanto a las máquinas fotográficas y aparatos de precisión, en la legislación de cuatro países: Argentina (599), Cuba (600), Estados Unidos (601) y Guatemala (602), se

---

(590) D. Nº 7058, de 2 abr. 1945, art. 6º; D. Nº 7527, de 6 abr. 1945, arts. 13, incs. n) y r), y 15. Este artículo involucra los aparatos o materiales radiotelegráficos, radioemisores, telegráficos y telefónicos.
(591) D. L. Nº 4701, de 17 set. 1942, arts. 2º y 5º.
(592) Ac. L. Nº 6, de 23 ene. 1942; Inf. del Ministerio de Defensa Nacional de Cuba, de 28 may. 1943; Res. de 8 ene. 1942, primero.
(593) L. de 31 dic. 1942, art. 8º, inc. b).
(594) Proclama Presidencial Nº 2525 de 7 dic. 1941 y Regl. de 5 feb. 1942, Sec. 8 (radio-trasmisiones) y Sec. 9 (receptores de onda corta), Sec. 9 d, se les puede acordar autorización si la posesión del receptor es necesaria como medio de vida y el permiso no es perjudicial para la seguridad nacional.
(595) Ac. Ej. de 12 dic. 1941, art. 4º; D. Nº 2655, de 23 dic. 1941, arts. 1º, letra e) y 4º.
(596) Inf. en poder del Comité.
(597) Inf. V. C.
(598) D. L. Nº 11.061, de 16 feb. 1942, art. 3º.
(599) D. Nº 7058, de 2 abr. 1945, art. 6º; D. Nº 7527, de 6 abr. 1945, arts. 13, incs. n) y r) y 15, inc. m).
(600) Res. de 8 ene. 1942, Primero.
(601) Proclama Presidencial Nº 2525 de 7 dic. 1941, y Regl. de 5 feb. 1942, Sec. 10.

encuentran disposiciones específicas sobre contralor de la posesión y uso de esos aparatos, comprendiendo gemelos, telescopios e instrumentos náuticos en general. Esas medidas tienden a obtener la declaración de los mencionados elementos que se encuentren en posesión de los extranjeros enemigos, o a incautarse de los mismos; o bien el Poder Ejecutivo, cuando lo estimare conveniente para la seguridad de la República, queda autorizado para impedir a dichos extranjeros el uso de tales implementos.

5. Aeroplanos y objetos de utilidad para la aviación.

En las disposiciones argentina y paraguaya, se encuentran previsiones expresas que obligan a los extranjeros bajo vigilancia, a declarar los aparatos de aviación, piezas sueltas caracterizadas, así como los accesorios u objetos de utilidad para la aviación (603).

6. Otros implementos bélicos.

Mediante el empleo de una fórmula genérica —"útiles de guerra", "aparatos bélicos"—, algunos países han tomado medidas relativas al contralor de los objetos e implementos para fines de guerra en general, en poder de extranjeros enemigos, aparte de la regulación especial referente a otros materiales específicos, según se ha visto en los numerales anteriores.

Las medidas aplicadas consisten en prohibir la posesión y el uso de esos aparatos o útiles de guerra —como gases deletéreos, máscaras antigás, etc.— en poder de dichos extranjeros, o bien en obligar a declarar la tenencia de los mismos o someter a dichos aparatos a cuantas reglas y disposiciones gubernativas se dicten. Son un ejemplo de una y otra situaciones las medidas en vigor en Argentina (604), Cuba (605),

---

(602) D. Nº 2655, de 23 dic. 1941, art. 4º.
(603) **Argentina:** D. Nº 7527, de 6 abr. 1945, art. 15, inc. L.
Paraguay: D. L. Nº 11.061, de 16 feb. 1942, art. 3º.
(604) D. Nº 7058, de 2 abr. 1945, art. 6º; D. Nº 7527, de 6 abr. 1945, arts. 13, incs. n) y r), y 15. Este último artículo incluye entre los elementos sujetos a denuncia, además de los ya referidos, los paracaídas, arneses de carácter militar, animales de silla, tiro y carga, planchas blindadas, material de cam-

Estados Unidos (606), Guatemala (607) y Paraguay (608), respectivamente.

Determinando el contenido de la expresión genérica "material bélico", la norma reglamentaria dictada por la Argentina prescribe que deberá interpretarse como tal, "aquel que tenga como único destino operaciones de esta naturaleza, o cuando teniendo varias aplicaciones, la autoridad local no encuentra justificada su tenencia. En caso de duda se expedirá con el asesoramiento de las autoridades militares del lugar" (609).

II. Contralor de la correspondencia

1. Naturaleza y fundamento de la medida. Personas a las que se aplica.

El contralor de la correspondencia es objeto de análisis particular en la parte respectiva de una sección ulterior de este trabajo (610). No obstante, se ha juzgado de interés hacer aquí una rápida referencia de las restricciones aplicadas en esta materia teniendo principalmente en cuenta los sujetos sobre los cuales tales restricciones recaen.

Varias Repúblicas Americanas dictaron, en efecto, disposiciones que restringen el derecho de los extranjeros que en ellas residen y algunas veces de todas las personas, de expedir y recibir libremente envíos postales, o que aplican un contralor especial a sus envíos en particular, a fin de suprimir cualquier posibilidad de tránsito clandestino de correspondencia. La finalidad de estas medidas, está estrechamente vinculada con la situación surgida como consecuencia de la agresión po-

---

pamentos, embarcaciones y vehículos, y piezas sueltas de los mismos, y todo otro material bélico.
(605) L. de 23 jul. 1918, art. 1º, inc. a). "...aparatos y útiles de guerra".
(606) Proclama Presidencial Nº 2525 de 7 de dic. 1941; Regl. de 5 feb. 1942.
(607) D. Nº 2655, de 23 dic. 1941, art. 1º, inc. d). "...y en general, todo objeto o implemento que pueda ser destinado a fines de guerra".
(608) D. L. Nº 11.061, de 16 feb. 1942, art. 3º.
(609) D. Nº 7527, de 6 abr. 1945, art. 16.
(610) Infra, Sección D I, Contralor de los medios de comunicación y formación de la opinión pública.

lítica y militar de los Estados del Eje, que comprometió la seguridad de las Repúblicas Americanas, y las obligó a limitar la libertad de comunicaciones para prevenir que se trasmitieran a dichos Estados, informaciones vitales, de carácter estratégico, económico o de otra naturaleza, o se emplearan los medios de comunicación como instrumentos para diseminar propaganda subversiva. Ya las valijas de los diplomáticos del Eje o de aquellos pertenecientes a los Estados vinculados a él o simpatizantes con los propósitos totalitarios, al amparo de las franquicias propias de la función, habían constituído durante largo tiempo un conducto singularmente cómodo para inundar de panfletos y publicaciones de propaganda a las Repúblicas de este Hemisferio, transportar material subversivo, trasmitir informes, consignas, instrucciones de acción para ejecutar los planes de penetración y conquista política elaborados por los teóricos del totalitarismo y servir propósitos similares (611). El alejamiento de los funcionarios diplomáticos del Eje con motivo de la ruptura de relaciones colectivamente acordada por las Repúblicas Americanas en la Reunión de Río, y más tarde la declaración de guerra, desvió, en gran parte, el curso de esa intensa corriente de correspondencia subversiva a los medios normales de transporte postal, utilizando vías indirectas y variadas de procedencia e inclusive falseando y adulterando las características de imprenta del material, para disimular el origen de la propaganda. Las valijas postales, como el más usual y voluminoso tipo de intercomunicación, sirvieron a menudo para transportar impresos subversivos, comunicaciones e informaciones de interés para las potencias agresoras. El procedimiento no era totalmente desdeñable, desde que los otros medios de comunicación más efectivos y rápidos, tales como telégrafo y cables, quedaron sometidos a una rigurosa vigilancia y eran más fáciles de fiscalizar (612). En el presente apartado se examinarán las medidas específicas empleadas por algunas Repúblicas Americanas para controlar la correspondencia de los extranjeros du-

---

(611) Prueba detenida de estas actividades se suministra entre otros documentos oficiales, en los informes publicados por la "Comisión Investigadora de Actividades Antiargentinas", Cámara de Diputados de la Nación, Nos. 1 y 5, publicados en 1941.
(612) Véase, infra, Sección D I, Contralor de los medios de comunicación y formación de la opinión pública, cit.

rante la actual emergencia, o aquellas disposiciones vigentes con anterioridad susceptibles de ser utilizadas con el mismo fin. Se trata, en general, de medidas preventivas o de fiscalización, tendientes a evitar el intercambio de informes de importancia entre los extranjeros radicados en el país y personas del exterior, salvo, naturalmente, con aquellos países con los cuales el Estado se encuentra en un estado de guerra, pues en este caso queda prohibida, con carácter general, toda remisión o recepción de correspondencia con el enemigo e, incluso, se aplican severas sanciones penales a los que infrinjan la prohibición.

Como las medidas examinadas con anterioridad, las diferentes restricciones aplicadas (prohibición de recibir o remitir envíos postales, supresión de la inviolabilidad de la correspondencia, etc.) recaen, con mayor o menor amplitud, sobre sujetos también diversos según el tipo de contralor de que en cada caso se trate.

a. Todas las personas.

La limitación más general, afecta a todas las personas sin distinción. Es el levantamiento o suspensión de las garantías constitucionales que aseguran la inviolabilidad de la correspondencia, haciéndose así posible jurídicamente el establecimiento de la censura total. La mayoría de los Estados americanos incluyen entre las garantías consignadas en la carta fundamental la inviolabilidad de la correspondencia; pero paralelamente, junto a esta seguridad, que es una de las garantías fundamentales dentro del sistema de declaración de derechos, las mismas Constituciones prevén las circunstancias excepcionales en las que es posible restringir o suspender todas o algunas de dichas garantías. Esta ha sido la forma amplia de control establecida, por ejemplo, en Costa Rica (613), El Salvador (614)

(613) Acs. Legs. de 4 mar., 6 may. y 9 dic. de 1942, y de 7 jul. 1943.
(614) Ley de Estado de Sitio, de 31 ene. 1939, art. 5º. El estado de sitio ha sido declarado en dicha República, por ley de 8 dic. 1941, art. 1º. Según previene la ley de extranjería de 29 set. 1886, art. 35, declarada la suspensión de las garantías individuales en los términos previstos por la ley de estado de sitio, los extranjeros quedarán, como los salvadoreños, sujetos a las prevenciones de la ley que decrete la suspensión, salvas las estipulaciones de los tratados preexistentes.

y México (615). Son tres casos concretos de lo que acaba de decirse en términos generales.

b. Todos los extranjeros.

Aparte de la exigencia de exhibir documentos de identidad para enviar o retirar correspondencia, prevista por algunas legislaciones (616), existen medidas específicas relativas al contralor de la correspondencia de los extranjeros contenidas en disposiciones vigentes de algunas Repúblicas Americanas. Un ejemplo de las mismas, lo suministra la disposición de Colombia, para la cual el escribir o recibir cartas o cualquier otro documento, en clave, siempre que no se proporcionen explicaciones satisfactorias, constituye una causal de expulsión del país (617).

c. Nacionales del Eje y de países enemigos

Las medidas se reducen en este caso a una categoría especial de extranjeros: los nacionales de las potencias del Eje y de los países enemigos. Se declara, por lo general, restringida la garantía constitucional por todo el tiempo que dure la guerra respecto de los mencionados extranjeros que residan en el territorio nacional. Es el caso, por ejemplo, de Guatemala (618) y Cuba (619). Algunas legislaciones, precisando ya más el tipo de restricciones, declaran que los ciudadanos o súbditos de una nación enemiga o aliada del enemigo, que se encuentren en el territorio nacional, se consideran extranjeros enemigos, y están sujetos, en consecuencia, a las reglas y disposiciones gubernativas que se dicten en cuanto al uso de papeles cifrados, informaciones y documentos (620); o bien se autoriza al Poder Ejecutivo para intervenir y censurar la correspondencia de cualquiera clase que se reciba o dirija por los extranjeros enemigos (621) o, en fin, se le faculta para prohibirla totalmente (622).

---

(615) Ley de Prevenciones generales, de 11 jun. 1942, art. 17.
(616) Véase, infra, Cap. V, II 2 a 1), Exigencia de documentos de identidad.
(617) D. Nº 1205, de 25 jun. 1940, art. 1º, núm. 18.
(618) D. Ej. Nº 2648, de 12 dic. 1941.
(619) L. de 3 ago. 1918, art. III in fine.
(620) **Cuba:** L. de 23 jul. 1918, art. 1º, letra a.
(621) **Cuba:** L. de 3 ago. 1918, art. III.
(622) **Cuba:** D. Nº 3365, de 12 dic. 1941, Primero.

d. Personas sospechosas.

Otra modalidad de las medidas adoptadas por algunos países americanos, consiste en aplicar un contralor especial a la correspondencia interna y exterior de determinadas personas consideradas sospechosas, por motivos fundados que autorizan a someterlas a un sistema preventivo de vigilancia de sus actividades (623). En estos casos, por lo general, se toma nota de los nombres, domicilio y demás datos que permitan la inmediata localización del sospechado cuya correspondencia es observada e intervenida siempre que ello se juzga necesario (624).

e. Viajantes, tripulantes, corredores y empleados de empresas de transportes.

No pudo pasar inadvertida la infiltración de informaciones y correspondencia que se producía en muchos países burlándose los contralores oficiales merced a la mediación de viajantes, corredores, tripulantes y empleados de compañías de transporte, que llevaban consigo documentos de una a otra localidad, en países distintos. Este era, en verdad, un modo eficiente por el cual los elementos totalitarios impedidos de comunicarse con sus camaradas del exterior por los medios comunes, sometidos a rigurosa fiscalización, intercambiaban sus informes y órdenes con la mayor impunidad. Aún eliminado el tráfico intercontinental de barcos del Eje, y fiscalizadas las comunicaciones por las normas sobre censura, aquel método fué usado por muchas de las tripulaciones que seguían actuando cobijadas bajo la protección de banderas neutrales, sobre todo en barcos de pabellón español. La clandestinidad del procedimiento y la forma especial de llevarse a cabo, hacía aún más delicada su eliminación porque era necesario someter a investigación expresa o tener sospechas o datos ciertos respecto de determinados intermediarios. Algunos países adoptaron precauciones para evitar este transporte realizado al margen de los servicios postales. Las medidas, que varían de acuerdo a las características de medio y condiciones del

---

(623) **Colombia:** Memorándum sobre las comunicaciones clandestinas de radio.
(624) **México:** Inf. V. C.

tránsito, etc., pueden reducirse a la siguientes: revisaciones personales y registro de los equipajes y encomiendas, tanto a la partida como en lugares fronterizos; identificación previa obligatoria de las tripulaciones, por medio del rol y demás documentos pertinentes, a fin de individualizar a los infractores e incautarse de la correspondencia ilegal, etc. Se ha hecho aplicación de estos contralores en las medidas dictadas por El Salvador (625), Panamá (626) y Venezuela (627).

---

(625) **Reglamento de Correos**, art. 82; Inf. V. C.
(626) D. Nº 50, de 18 jul. 1928, art. 65; D. Nº 499, de 18 ago. 1942.
(627) Inf. V. C.

CAPITULO V

ORGANIZACION ADMINISTRATIVA. — EXPEDICION Y USO DE DOCUMENTOS DE IDENTIDAD. — INTERCAMBIO INTERNACIONAL DE INFORMACIONES SOBRE EXTRANJEROS

I. Bases para la organización del contralor de extranjeros

El funcionamiento práctico de las disposiciones sobre registro y contralor en general de los extranjeros, examinadas en los capítulos que preceden, exige, como supuesto indispensable una organización administrativa adecuada que dirija, armonice y ejecute las distintas funciones de modo de alcanzar eficientemente los fines primarios del contralor propuesto. El desenvolvimiento de las diferentes medidas y facultades que integran el contralor general de los extranjeros, del registro especialmente, requiere, en efecto, en primer término, la presencia de un órgano central, del que deberá partir el impulso rector de toda la gestión de su incumbencia; un centro administrativo dinámico al que deberán llegar constantemente las variantes que se produzcan en todas las partes del territorio, respecto de todos los registrados y con relación a todas sus actividades; una oficina central, encargada de la clasificación y ordenamiento de todos esos elementos, por esencia cambiantes, siempre pronta para facilitar la oportuna utilización de los mismos, mediante informaciones, estadísticas y conclusiones de distinta índole. Sólo de esta manera los datos recogidos por el registro estarán en condiciones de ser usados con utilidad por las autoridades de policía, inmigración y pasaportes, magistrados judiciales y otras. La oficina central deberá cumplir, también, una importante función de agencia fiscalizadora de las ramificaciones locales con el fin de obtener una aplicación uniforme de las disposiciones legales y de su interpretación en todo el territorio nacional (628). En segundo lugar, las funciones del registro, requieren, también, la pre-

_____

(628) Véase infra, Envío periódico de informaciones a la Oficina Central y contralor de los servicios locales.

sencia de órganos locales, de oficinas secundarias de ejecución de las directivas impartidas por el órgano central encargadas de llevar al terreno de la aplicación, en los más distintos puntos del territorio nacional, las disposiciones pertinentes; de dependencias que recojan las inscripciones previstas por la ley y actualicen los cambios que se produzcan respecto de cada registrado; que otorguen documentos que permitan la individualización de cada uno de éstos y obtengan las noticias convenientes sobre sus actividades; que comprueben el cumplimiento de las obligaciones que fueran impuestas a aquéllos o las infracciones en que incurran, dando regularmente cuenta a la oficina central de estos diferentes aspectos, de modo que ella pueda cumplir con las funciones que le conciernen.

Tales son, ligeramente reseñados, los lineamientos de la organización básica para el registro y contralor de los extranjeros.

Las disposiciones de las Repúblicas Americanas se ajustan a ellos en sus rasgos generales. Algunas veces, la precisión de la función, la distribución de las competencias aparece más marcada que en otras —ya enunciada expresamente, ya de una manera implícita—, pero pudiendo observarse siempre, en lo esencial, una coincidencia en la estructura orgánica y en el reparto de las atribuciones.

En algunos países en que no existen oficinas para el registro, no dejan de haber, por ello, departamentos especiales encargados del contralor de los extranjeros, el que se ejerce mediante la aplicación de procedimientos fiscalizadores diversos y, muchas veces, merced a la coparticipación de organismos administrativos distintos. La exposición que se hace en el presente capítulo toma en consideración, sin embargo, sólo la legislación de los Estados que poseen registro.

Conviene a esta revista del derecho americano, metodizar la exposición según el orden esquematizado en las líneas precedentes. A ese efecto, se examinarán primero las disposiciones vigentes que tienen que ver con las funciones de los órganos centrales del registro, para hacer luego lo propio respecto de las oficinas locales.

II. Estructura orgánica y funcional

1. Oficina Central.

Dentro de las funciones asignadas a la oficina central para dar cumplimiento a los fines del registro y fiscalización de extranjeros, pueden distinguirse las siguientes, como más importantes:

a. Superintendencia y dirección general del servicio.

Ya se han adelantado los motivos de esta superdirección. A las razones de orden administrativo, inspiradas en la necesidad de cohesión y unidad de la labor total del registro y contralor de los extranjeros, se unen motivos de orden técnico desde que la diversidad de sistemas o procedimientos, por razón de jurisdicciones estaduales o locales, dentro de un mismo territorio nacional, sería perjudicial al eficaz desempeño del servicio. El registro de extranjeros ha de tener, por consecuencia, carácter nacional o federal y no estadual, departamental o municipal, aunque ocasionalmente tales agencias puedan ser usadas para propósitos técnicos de interés al registro centralizado.

Esta primera directiva ha sido aconsejada por el Comité (629) y, en general, es la regla consagrada en las disposiciones que rigen la materia en los países del continente. Es dable observar, por ello, que en aquellas Repúblicas en que por razones técnicas o administrativas se utilizan los servicios de las oficinas estaduales o municipales las disposiciones precisan, por lo general, que la función se presta en carácter de delegada o subordinada a los órganos centrales o federales y bajo su dirección administrativa y técnica.

Existen oficinas centrales en esta materia, por lo común bajo la dependencia, o con cierta autonomía, pero sometidas al contralor de los órganos gubernativos siguientes: Ministerio del Interior, de Gobernación o de Seguridad Pública; Departamento de Inmigración y Extranjería; autoridades policiales; Ministerio de Relaciones Exteriores, y Ministerio de Defensa Nacional, en los países que se indican a continuación:

1º Como dependencia del M. del Interior, Gobernación o

---

(629) Resolución VI, A) 1) a).

Seguridad Pública: Costa Rica (630), Cuba (631), Haití (632), México (633) y Venezuela (634).

2º Como dependencia del Dpto. de Inmigración y Extranjería: Bolivia (635), República Dominicana (636), Ecuador (637), El Salvador (638) y Perú (639).

3º Como dependencia de las autoridades de policía: Ar-

---

(630) Departamento de Extranjería, que funciona como dependencia de la Secretaría de Seguridad Pública (L. Nº 37, de 4 jun. 1940, art. 2º).

(631) Dirección General de Registro de Extranjeros funciona en la Secretaría de Gobernación como oficina autónoma, vinculada en su parte técnica al Gabinete Nacional de Identificación (D. L. Nº 788, de 28 dic. 1934, art. 2º). Con motivo de la emergencia se dispuso, sin embargo, que dicha oficina quedase adscripta al Ministerio de Defensa Nacional, a partir del 15 ene. 1942 (D. Nº 87 de 13 ene. 1942, Primero).

(632) Inf. suministrada por el gobierno.

(633) La Dirección Gral. de Población tiene a su cargo, entre otras funciones, la de estudiar y tramitar las cuestiones relativas al registro de nacionales y extranjeros (L. de 24 ago. 1936, art. 10, inc. I. Ver, además, arts. 152, 153, 154, inc. I, letra a) y 181, que definen, centralizando, las funciones del Servicio Nacional de Identificación y órganos jerárquicos.

(634) Los Servicios de identificación de extranjeros están a cargo del Cuerpo de Investigación, oficina especial adscripta a la Dirección Nal. de Seguridad y de Extranjeros del Ministerio de Relaciones Interiores (L. de 30 jul. 1938, arts. 2º, 17, 20, letra e), 21, letra d), 23, 29 y 42, especialmente. D. de 22 jul. 1941, arts. 3º, 4º y 9º letra a); Ver, también, D. de 7 may. 1942 arts. 34 y 35).

(635) Oficina Central a cargo del Censo de los Extranjeros dependientes del Ministerio de Inmigración (D. de 17 jul. 1942, arts. 3º y 16).

(636) Dirección General de Inmigración (L. Nº 1343, de 10 jul. 1937, art. 4º). Sin embargo, el Registro funciona actualmente en el Cuartel General de la Policía Nacional (L. Nº 263, de 17 abr. 1943, art. 1º; D. Nº 1116, de 24 abr. 1943, art. 1º).

(637) Dirección de Migración y Extranjería (Inf V. C.).

(638) Oficina Central de Migración (D. Leg. Nº 86, de 14 jun. 1933, art. 44. A cargo de la misma oficina quedan los registros especiales de chinos, turcos, árabes, libaneses, sirianos y palestinos, creados por disposiciones especiales. (Véase, supra, pág. 220, nota 148).

(639) Departamento de Naturalización, Extranjería e Inmigración (D. Supr. de 25 jun. 1940, art. 1º; Memorándum de 18 oct. 1943, de la Sección Congresos y Organismos Internacionales del Ministerio de Relaciones Exteriores y Culto del Perú).

gentina (640), Brasil (641), Colombia (642), Chile (643), Panamá (644) y República Dominicana (645).

4º Como dependencia del Ministerio de Relaciones Exteriores: Guatemala es el único país en donde el Registro funciona actualmente como dependencia de la Cancillería (646).

5º Como dependencia del Ministerio de Defensa Nacional: Según se ha dicho anteriormente, Cuba ha transferido al Ministerio de Defensa Nacional, durante la pasada emergencia, la Dirección General del Registro de Extranjeros, que funcionaba en la Secretaría de Gobernación (647).

6º Como dependencia del Ministerio de Justicia, y como sección del Servicio de Inmigración y Naturalización, existe en Estados Unidos la División de Registro de Extranjeros (648).

b. **Centralización y guarda de la información.**

Una segunda función de la Oficina Central, de suma importancia, es la relacionada con la formación, clasificación y custodia de los informes obtenidos como resultado de las inscripciones (649). Esta atribución, como las que se indican más adelante, no son en realidad sino consecuencias del principio básico de la superintendencia y dirección general del registro.

Las leyes vigentes en la mayor parte de las Repúblicas

---

(640) D. Nº 7058 de 2 abr. 1945, art. 2º; D. Nº 7527 de 6 abr. 1945, arts. 1º y 2º, inc. c).

(641) Servicio del Registro de Extranjeros, a cargo del Departamento de Inmigración y de las policías del Distrito Federal y de los Estados (D. L. Nº 406, de 4 may. 1938, arts. 27 y 28; D. Nº 3010 de 20 ago. 1938, arts. 130 y 131).

(642) Dirección Gral. de la Policía Nacional (D. Nº 169̈, de 16 jul. 1936, art. 67; D. Nº 181 de 29 ene. 1942, art. 4º).

(643) Dirección Gral. de Investigaciones e Identificación (D. Nº 2544 de 12 jul. 1937, art. 8º; D. Nº 1.084 de 28 mar. 1938, art. 47, inc. b).

(644) Sección Extranjería de la Policía Nacional (D. Nº 55, de 11 set. 1939, art. 1º).

(645) Véase nota número 636, supra.

(646) D. Nº 1781 de 25 ene. 1936, art. 45.

(647) D. Nº 87, de 13 ene. 1942, Primero.

(648) Inf. V. C.

(649) Res. cit., A) 1) b).

Americanas prevén, por lo general, esta función, asignándola a la oficina central, y sucede tal cosa igualmente en la práctica, incluso cuando las disposiciones no han resuelto el punto de un modo expreso. El temperamento es lógico y consecuente con el principio de la centralización y uniformidad del servicio. Por lo general, las disposiciones establecen que un ejemplar de las tarjetas, prontuarios e individuales dactiloscópicas utilizados para la identificación de cada registrado debe remitirse a la oficina central, por cada repartición local, a fin de ser clasificados y guardados convenientemente en aquélla, que es la dependencia que lleva el control general del servicio. Asimismo, suele preverse la incorporación a los expedientes respectivos, de los documentos que se reciban, no solamente de otros funcionarios de identificación, nacionales, sino también de servicios extranjeros en el mismo ramo (650).

Existen previsiones especiales estableciendo la remisión del material a las oficinas centrales, en las disposiciones de Argentina (651), Bolivia (652), Brasil (653), Colombia (654), Chile (655), República Dominicana (656), El Salvador (657), Estados Unidos (658), México (659) y Venezuela (660).

Como se dijera oportunamente (661), la resolución del Comité aconsejaba también que la información proporcionada por el registrado debería ser secreta y confidencial, siendo asequible solamente a las personas u oficinas facultadas legalmente. Este carácter reservado de los datos es previsto a menudo por las disposiciones sobre registro, proporcionando un ejemplo ilustrativo al respecto, entre otras, las de Argen-

---

(650) Véase infra, págs. 340 y sigtes.; Intercambio internacional de informaciones sobre extranjeros.
(651) D. Nº 7527, 6 abr. 1945, arts. 2º inc. a) 10 y 21.
(652) D. de 16 may. 1928, arts. 3º, 9º y 16.
(653) D. L. Nº 406, de 4 may. 1938, art. 32; D. Nº 3010, de 20 ago. 1938, art. 109.
(654) D. Nº 1697, de 16 jul. 1936, art. 38.
(655) D. Nº 1084 de 28 mar. 1938, art. 47, inc. b).
(656) L. Nº 372, de 19 nov. 1940, art. 4º. Ver, asimismo, L. Nº 391, de 17 dic. 1940, art. 11; L. Nº 263, de 17 abr. 1943, art. 3º; D. Nº 1116, de 24 abr. 1943, art. 1º.
(657) D. Ej. de 2.' jul. 1933, arts. 5º y 29.
(658) Ley de Registro de Extranjeros de 28 jun. 1940, Sec. 33 (b) (54 Stat. 674; 8 U. S. C. 454 (b).
(659) L. de 24 ago. 1936, art. 154, núm. I, letra c).
(660) L. de 30 jul. 1938, art. 39, letras b) y f), y 42 letra b).
(661) Supra, pág. 209.

tina (662), Costa Rica (663) y México (664).

c. **Coordinación de las informaciones y cooperación con otras dependencias oficiales.**

Esta tarea presenta un carácter destacado en el contralor de los extranjeros (665). Los datos obtenidos por medio de las oficinas del registro como consecuencia de las inscripcciones y actualizaciones correspondientes tendrán todo el valor indiciario que, como emanados del propio extranjero —interesado muchas veces en ocultar la verdad de su filiación o encubrir las actividades que realmente efectúa— puede atribuírseles, pero no más que ese. De aquí la necesidad de comparar y coordinar tales datos con otras informaciones obtenidas por medio de investigaciones o procedimientos de naturaleza di-

---

(662) D. de 23 mar. 1944, art. 22. Las constancias del Registro de Identificación son reservadas y podrán ser suministradas únicamente a requerimiento escrito de reparticiones dependientes de los Poderes Públicos, por intermedio del Ministerio de Gobierno. Una vez ordenado el informe, la Dirección de Identificación Civil y Estadística General procederá a evacuarlo gratuitamente y con carácter de urgente.
D. Nº 7527 de 6 abr. 1945, art. 2º, inc. a). La formación de un archivo, con la clasificación de las inscripciones que se realicen en todo el territorio de la Nación y la custodia del mismo, asignándose a toda la documentación el carácter de reservado.

(663) D. Nº 5 de 14 jun. 1941, art. 5º. Toda la documentación del Registro de Extranjeros se considerará secreta y confidencial, y solamente podrá mostrarse a las personas especialmente autorizadas por el señor Presidente de la República o por el Secretario de Estado en el Despacho de Seguridad Pública. Las certificaciones que por cualquier motivo hubiesen de extenderse en el ramo judicial deberán solicitarse por el medio correspondiente.

(664) L. de 24 ago. 1936 (General de población), art. 179. El archivo de identificación será secreto y solamente podrán proporcionarse sus datos a los jueces, agentes de Policía autorizados, a funcionarios administrativos que oficialmente lo soliciten. Sólo se exhibirá a otras personas con autorización de la Secretaría de Gobernación para fines de carácter científico.

(665) Queda fuera de este análisis el intercambio de informaciones y cooperación recíproca realizado por oficinas de contralor de extranjeros de países que no poseen registro. Por lo demás y muy corrientemente, esta es una actividad administrativa que se traduce empíricamente pero que no puede documentarse por los textos legales.

versa, por reparticiones del gobierno —servicios de investigación, de policía, de naturalización, de inmigración, autoridades judiciales, etc.— y de cooperar estrechamente con estas dependencias, mediante adecuados contactos, a fin de lograr el establecimiento de una vasta y completa estructura de contralor general de los extranjeros. Datos o referencias que pueden muy bien ser reservados o desfigurados a las autoridades del registro, se insinúan o manifiestan muchas veces, por conveniencia personal, simple inadvertencia o por la fuerza de las circunstancias, ante otras reparticiones del Estado. De hecho suele existir —y esta noción no es ignorada por el espía o el agente subversivo en general—, una desconexión, una desunidad manifiesta entre los diferentes servicios administrativos especiales de un país. La declaración de un mismo dato o referencia, de modo diverso o contradictorio ante autoridades distintas, comporta frecuentemente la impunidad. Cada repartición administrativa, preocupada por objetivos particulares y contraída a las funciones especiales que le conciernen, no tiene en vista, y por lo regular no podría actuar de otro modo, las vinculaciones lógicas de ciertos aspectos de sus tareas con las de otras dependencias oficiales y los beneficios recíprocos que una adecuada colaboración e intercambio de informaciones significarían para la prestación eficaz de los respectivos servicios. Poco podrían hacer las autoridades del registro si sus datos no fueran objeto de comprobaciones e investigaciones especiales, si no se complementaran con las de otros departamentos del gobierno. Poco también podrían hacer éstos a su vez, si no dispusieran de las informaciones básicas, del punto de partida para toda investigación que está en condiciones de proporcionarles la documentación acumulada y sistematizada por el registro.

La Resolución del Comité ha recomendado esta coordinación de informaciones y cooperación administrativa interorgánicas (666), coincidiendo las disposiciones vigentes en muchas de las Repúblicas Americanas, con tan útil previsión. La mayoría de los textos establecen que la oficina del registro queda facultada para solicitar de las reparticiones que interesen, los datos e informaciones que convengan a sus fines. En-

_____

(666) A), 1), b) y c).

especial, se busca asegurar una eficaz cooperación en los trabajos de dicha oficina y las funciones de servicios tales como los de inmigración, capitanía de puertos, policía, **identificación**, autoridades consulares, de extranjería, judiciales, del registro civil, electoral, etc. Así, por ejemplo, en Estados Unidos, una vez registrado el extranjero, las impresiones digitales son enviadas al F.B.I. (Federal Bureau of Investigation) para cotejar con sus archivos. Si se encontraba que el extranjero tenía antecedentes criminales se enviaba copia del prontuario a la división de registro de Extranjeros. Los funcionarios de la Sección de Inmigración y Naturalización verificaban los puertos de entrada y los manifiestos de los barcos, a fin de determinar la verdad de las respuestas proporcionadas. Pueden ser objeto de mención, como previsiones generales de coordinación y contralor interadministrativo, las disposiciones de los países siguientes: Argentina (667), Brasil (668), Colombia (669), Costa Rica (670), Estados Unidos (671), República Dominicana (672), El Salvador (673), Panamá (674), Perú (675) y Venezuela (676).

d. Informes estadísticos periódicos.

Existe gran conveniencia en el estudio y análisis estadístico de los datos sobre extranjeros a cargo de las Oficinas del registro. La apreciación, en su conjunto, de los movimientos generales producidos dentro de la población extranjera de un país, no puede realizarse de manera eficaz si no se dispo-

---

(667) D. de la Provincia de Buenos Aires de 23 mar. 1944, arts. 39 y 43, D. Nº 7527, de 6 abr. 1945 art. 2º inc., d).
(668) Inf. V. C.
(669) Memorándum del Departamento de Extranjeros, A, (1), (c); D. Nº 1205 de 25 jun. 1940, art. 13.
(670) D. Nº 5, de 14 jun. 1941, art. 14; Inf. V. C.
(671) Los archivos son secretos y confidenciales, pero pueden ponerse a disposición de las personas y oficinas que disponga el Director con autorización del Procurador General. (Ley de Reg. de Extranj. de 28 jun. 1940, Sec. 34 (b). (54 Stat. 674; 8 U. S. C. 455 (b)).
(672) L. Nº 263, de 17 abr. 1943, art. 3; Inf. V. C.
(673) D. Leg. Nº 86 de 14 jun. 1933, arts. 39 y 41. D. Ej. de 27 jul. 1933, art. 6º.
(674) Inf. V. C.
(675) D. de 15 may. 1937, art. 41.
(676) D. de 7 may. 1942, art. 35.

ne de los cuadros y estimaciones estadísticos necesarios. La adquisición de la nacionalidad, los desplazamientos periódicos hacia determinadas zonas del territorio como consecuencia de los viajes internos, el desempeño de los empleos públicos, las solicitudes de ingreso o salida del país, la habitación en determinadas zonas fronterizas o áreas de interés vital, los permisos para usar armas, la tenencia de implementos bélicos de importancia fundamental, la omisión en las renovaciones de inscripción o comparecencia, etc., traducidos al lenguaje esquemático y preciso del método estadístico, periódicamente actualizados, son, en la sociedad contemporánea, los medios más aptos para enfrentar los problemas de gobierno y discurrir las soluciones apropiadas. Recoger los diversos datos que las leyes obligan a denunciar a las personas registradas, para luego no disciplinarios permanente y convenientemente, sería tarea poco menos que vana y sin utilidad. El registro es sólo una fuente de información que, complementada por otros medios adicionales, suministrará el trayecto exacto, de orden civil, profesional y social de cada individuo. Pero será menester proceder también a estimaciones de conjunto, colectivas, más complejas por tanto; de donde la necesidad de preparar informes estadísticos periódicos, en función de los índices corrientes, de nacionalidad, lugar de residencia, profesión u ocupación, que permitan la observación regular del problema y, asimismo, según conceptos más especiales que en determinado momento puedan resultar de interés a las autoridades.

La Resolución del Comité aconseja que dichos informes estadísticos se realicen semestralmente (677); y algunas leyes americanas prevén términos más o menos amplios para la elaboración de trabajos de estadística general, con referencia a los datos de denuncia obligatoria. La determinación de un plazo uniforme en esta materia es, sin embargo, una cuestión imposible de lograr. Las más de las veces, él deberá quedar librado a las necesidades de cada servicio, a la naturaleza de los datos a elaborar, a las condiciones de cada país y a los diversos matices con que se presentan los problemas nacionales relacionados con los extranjeros. De una manera expresa, las dis-

(677) A) 1) b).

posiciones de muy pocos países contienen previsiones especiales. Empero, sería erróneo seguir de ello que en las demás Repúblicas no se utilicen estos procedimientos informativos. Por el contrario, según lo demuestran las informaciones que obran en poder del Comité, puede afirmarse que es esta una práctica generalizada en las Repúblicas Americanas, por lo menos en aquellas donde existen disposiciones sobre registro.

La mención concreta de Argentina, Cuba y El Salvador, bastará para dar una idea bastante clara del objeto perseguido por las disposiciones vigentes en cuanto a este punto. Los servicios estadísticos de la Dirección de Identificación Civil y Estadística General de la Provincia de Buenos Aires, se establecen en base a una División de Estadística General de la cual depende, entre otras, una sección de Demografía, que tiene a su cargo el censo y el movimiento de la población, calculada trimestralmente de acuerdo al último censo oficialmente aprobado, al crecimiento vegetativo y migratorio y en correlación con el Registro de Vecindad (678). El reglamento de las disposiciones dictadas por el Gobierno de la República Argentina a consecuencia de la declaración de guerra al Japón y Alemania para hacer efectiva la fiscalización de las personas nacionales de esos países —extranjeros enemigos— residentes en ella, prescribe, ya de expresa manera, como obligación del organismo central, encargado del registro, la preparación de informes estadísticos semestrales sobre tales personas (679).

En Cuba, la Sección de Estadística mantiene en archivo tarjetas en clave correspondientes a las inscripciones efectuadas, ordenadas por fechas y por nacionalidades, y confecciona las estadísticas correspondientes, incluso para determinar los extranjeros que no han efectuado la renovación de sus certificados y otros datos de interés (680).

La Oficina Central de Migración de El Salvador, está encargada de formar y publicar cada mes, en el Diario Oficial, la estadística del movimiento migratorio; y cada año, el censo de los extranjeros residentes en el país, utilizando los partes

---

(678) D. de la Prov. de Buenos Aires, de 23 mar. de 1944, art. 35.
(679) D. Nº 7527, de 6 abr. 1945, art. 2º, inc. b).
(680) Informe del Ministerio de Gobernación, sobre la Organización del Registro y Fiscalización de Extranjeros, Sección de Estadística.

inmediatos que las Delegaciones de ella dependientes están en la obligación de rendirle (681). Los datos que la Dirección General de Estadística deberá proporcionar se refieren especialmente a nacionalidad, sexo, edad, profesión u oficio, lugares fronterizos, puertos aéreos o marítimos de entrada, país de procedencia, tiempo de permanencia en la República, etc. (682). La estadística indicada debe ser publicada anualmente, por lo menos (683).

2. Oficinas locales.

Se ha señalado al comienzo del presente capítulo la necesidad y utilidad de las oficinas locales en el conjunto de la organización sobre el registro y contralor de los extranjeros. Resta, en consecuencia, analizar la distribución de sus funciones primordiales. La jurisdicción de las oficinas locales debe cubrir, en su totalidad, el territorio íntegro del país. Es fundamental que los obligados a registrarse no dilaten u omitan el cumplimiento de su obligación por falta de oficinas locales convenientemente distribuídas en las diferentes provincias, departamentos, zonas o distritos. A cada domicilio debe corresponder invariablemente la jurisdicción de una oficina local de acuerdo a demarcaciones territoriales adecuadas y dentro de cada una de estas demarcaciones ha de ser esa misma oficina local el centro administrativo que mantenga el contralor inmediato y directo de las personas registrables, estableciendo un nexo permanente y adecuado entre éstas y la oficina central. Las funciones principales a cargo de dichas oficinas, que pueden distinguirse, están constituídas por las siguientes:

a. Inscripción y expedición de documentos de identidad.

El domicilio o la residencia determinan, por regla general, la jurisdicción de cada oficina. Queda a cargo de ésta, pues, la tarea inicial del registro, o sea la inscripción del extranjero. Los plazos para dar cumplimiento a esta obligación y los datos

---

(681) D. Leg. Nº 86 de 14 jun. 1933, art. 15.
(682) D. E. de 27 jul. 1933, art. 7º, numeral 4º.
(683) D. E. cit., art. 8º.

que deben suministrarse en el acto del registro, ya han sido examinados en otro capítulo (684). Aquí se señalarán las características esenciales de los textos que regulan la expedición de los documentos de identidad en conexión con el acto de registro. Por lo general, todas las disposiciones prevén el desempeño de funciones locales de inscripción y expedición de cédulas, adjudicándolas, unas veces, a dependencias especiales que se crean, y otras a organismos administrativos o políticos preexistentes. En todo caso, la relación de subordinación o dependencia queda claramente configurada, al igual que la función. Corrientemente también la propia oficina central constituye o desempeña a la vez las funciones de una oficina local, a los efectos de la inscripción de las personas radicadas en su jurisdicción geográfica y expedición de los correspondientes documentos de identidad. Algunas veces se confieren atribuciones de centros de registros a funcionarios especiales que recorren las jurisdicciones de varias oficinas locales, aunque, por lo común, esta función tiene carácter inspectivo.

La inscripción es, pues, el acto previo indispensable en virtud del cual las autoridades toman contacto y conocimiento adecuado del extranjero, individualizándolo mediante los procedimientos técnicos de identificación y obtención de los demás datos y requisitos a que se ha hecho referencia oportunamente (685). Una vez identificado y registrado debidamente el extranjero, las oficinas están en condiciones de expedirle el respectivo documento —cédula, carnet, certificado, etc.— de identidad, sea en forma definitiva, sea en forma provisoria, según los sistemas legales o reglamentarios adoptados por cada país. Las oficinas locales suelen ser los centros donde radican las autoridades de policía, o municipales, o delegaciones migratorias, o bien son confiadas al gobernador de cada provincia o departamento. En algunas ocasiones la ley prescribe la cooperación de otras dependencias gubernativas, tales como las reparticiones de correos, oficinas fiscales, etc.

En algunos casos, también, como sucede en Estados Unidos, por ejemplo, al extranjero no se le entrega una cédula de identidad, sino únicamente una tarjeta-recibo que acredita so-

---

(684) Supra págs. 234 y sigtes.
(685) Ibidem.

lamente el haber dado cumplimiento a la obligación de registro
pero que no sirve para fines de identificación, ni acuerda ningún derecho o privilegio especial. Según se dispone expresamente "el extranjero no tiene la obligación legal de llevar consigo tal recibo, y no sufrirá ninguna pena o perjuicio por no llevarlo con él" (686).

Posteriormente, una vez declarada la guerra, se comprobó la necesidad de que, por lo menos los extranjeros enemigos, poseyeran una cédula de identidad (687). Por tal motivo se llevó a cabo un registro de los nacionales de Alemania, Japón e Italia, solicitándose informaciones más detalladas que las requeridas en 1940. A los extranjeros enemigos se les obligó a llevar consigo sus certificados de identidad, conteniendo una fotografía, la descripción personal, su nombre, dirección, fecha y lugar de nacimiento e impresión digital del índice de la mano derecha. En caso de no llevar consigo tal certificado, el extranjero quedaba sometido a arresto, detención e internación mientras durase la guerra. Los extranjeros enemigos debían presentar su cédula cada vez que lo solicitase un oficial de policía u otro funcionario de gobierno.

Los criterios reseñados precedentemente están reconocidos en forma más concreta o más amplia, en las disposiciones de los siguientes países: Argentina (688), Bolivia (689), Brasil

---

(686) Regl. de la L. de Reg. Ext. de 28 jun. 1940, 29.4 (p).
(687) Reglamento de 22 de ene. 1942. Por orden del Fiscal General de 19 de octubre de 1942, los italianos no están obligados a llevar consigo su cédula de identidad y se les exime de otras restricciones impuestas a extranjeros enemigos.
(688) D. Nº 7058 de 2 abr. 1945, art. 7º. Todo extranjero bajo vigilancia mayor de catorce años, deberá poseer un documento especial denominado "cédula especial de extranjeros bajo vigilancia".
D. Nº 7527 de 6 abr. 1945, art. 4º. Las tareas a cumplir en el interior de la República para dar cumplimiento a las disposiciones del Decreto Nº 7058/45 y de esta reglamentación, serán realizadas en el orden excluyente que sigue por: 1º Delegaciones y subdelegaciones de la Policía Federal, en las ciudades o localidades de su asiento; 2º La Dirección de Gendarmería Nacional, en los lugares en que ejerza su jurisdicción; 3º La Prefectura General Marítima, en los lugares de su exclusiva jurisdicción; 4º Las policías locales.
La disposición argentina se aparta del régimen general, sin embargo, en cuanto reserva a la oficina central (D. Nº 7527 de 6 abr. 1945, art. 2º, inc. e) la expedición de cédulas especiales que se exigen a los extranjeros nacionales de los

(690), Colombia (691), Costa Rica (692), Cuba (693), Chile (694), República Dominicana (695), Ecuador)696), El Salva-

---

países enemigos. Este documento al ser entregado, invalida las cédulas de identidad anteriormente otorgadas por las autoridades nacionales o provinciales, las que, además, deben ser retiradas (D. Nº 7058 de 2 abr. 1945, art. 7º, in fine).
Para el estudio y preparación de la cédula especial y de los documentos de inscripción, fichas, etc., la disposición argentina establece que se tendrá en consideración las medidas aconsejadas por el Comité (Dec. cit., art. 14).

(689) Dec. de 11 abr. 1922, art. 2º; L. de 10 dic. 1927, art. 3º; D. de 31 dic. 1927, arts. 3º y 4º; D. de 16 may. 1928; D. L. de 2 ago. 1937, art. 6º; D. Sup. de 22 ago. 1940, art. 2º; D. de 17 jul. 1942, art. 4º.

(690) D. L. N: 406 de 4 may. 1938, art. 32; D. 3010, de 20 ago. 1938, arts. 130, 131 inc. V, 135, 142 y 149; D. L. Nº 3082, de 28 feb. 1941, art. 2º.

(691) D. Nº 1697, de 16 jul. 1936, arts. 29, 39 y 40; D. Nº 1053, de 1º jun. 1937, art. 8º; D. Nº 1205, de 25 jun. 1940, arts. 5º y 6º; D. Nº 181, de 29 ene. 1942, arts. 3º y 5º. La expedición de cédulas de extranjeros se hace: en Bogotá por el jefe de la Sección Extranjeros; en las capitales de los Departamentos por las Oficinas de Identificación, Seguridad y Extranjería, y por las Alcaldías cuando son autorizadas para ello por la Dirección General de la Policía Nacional. Fuera de las oficinas radicadas en las capitales de los Departamentos, hay secciones de Seguridad, Identificación y Extranjería en algunos Municipios importantes, tales como Armenia, y Pererra en Caldas, Tumaco e Ipiales (nacionales) en Nariño y Buenaventura en el Departamento del Valle. En las Intendencias y Comisarías, la Cédula se expide por los comandantes de las respectivas divisiones de la Policía Nacional, acantonadas en dichos territorios (Informe del Gobierno de Colombia, sobre Cédulas de Identidad), A, b) párrafo noveno; Informe del Dpto. de Extranjeros, sobre Registro de Extranjeros, A, (2).

(692) D. Ej. Nº 1 de 3 set. 1930, art. 3º; L. Nº 37, de 7 jun. 1940, art. 2º; D. Nº 5, de 14 jun. 1941, arts. 1º a 3º.
Se ha encomendado al Jefe de Policía y a los jefes políticos la tarea de llevar a cabo los registros, y en las regiones más apartadas del país, a los Agentes de Policía principales o a los Sub-Inspectores de Hacienda (Inf. V. C.).

(693) D. L. Nº 788, de 28 dic. 1939, art. VII; Res. de 26 nov. 1940, primero y segundo. Para efectuar las inscripciones existen en Cuba 129 centros de Inscripción, uno en cada Término Municipal además de la Oficina Central del Registro que funciona en el Ministerio de Gobernación habiendo un número extenso de funcionarios autorizados para realizar las inscripciones a través de todo el territorio. Además efectúan inscripciones las 14 estaciones de Policía de la Habana (Informe del Mrio. de Gobernación sobre Organización del Registro Fiscalización de Extranjeros, Método de Inscripción).

(694) L. Nº 3446 de 12 dic. 1918, art. 6º; D. Nº 216 de 15 may. 1931, art. 1º; D. Nº 2544 de 12 jul. 1937, art. 1º, D. Nº 1084

dor (697), Estados Unidos (698), Guatemala (699), México (700), Panamá (701), Perú (702) y Venezuela (703).

---

de 28 mar. 1938, art. 45, incs. e) y f). Los Gabinetes de Identificación dependientes del Servicio de Identificación, tienen a su cargo la inscripción y expedición de carnets de identidad y residencia.

(695) L. Nº 372, de 19 nov. 1940, art. 5º; L. Nº 391, de 17 dic. 1940, arts. 3º y 11; L. Nº 263, de 17 abr. 1943, art. 2º. Las inscripciones se realizan en Sto. Domingo, ante la Oficina Central que funciona en el Cuartel General de la Policía Nacional, y en las comunas y distritos municipales, por medio de los jefes de Puesto de la Policía Nacional (Inf. V. C.).

(696) Regl. de 4 mar. 1941, art. 2º. Las atribuciones de las oficinas locales, en vías de establecimiento, están confiadas provisoriamente al Gobernador de cada provincia (Inf. V. C.).

(697) D. Leg. Nº 86, de 14 jun. 1933, arts. 11, 13 y 14; D. Ej. de 27 jul. 1933, arts. 14 y 26. La Oficina Central del Control Migratorio y sus Delegaciones realizan las funciones de inscripción y expedición de las Tarjetas Individuales de Identificación.

(698) Ley de Registro de Extranjeros de 28 jun. 1940. (54 Stat. 670). Las oficinas locales empleadas para registrar a los extranjeros que se encontraban dentro del territorio son las de Correos (Sec 33). Los extranjeros que entran a los Estados Unidos son registrados por las oficinas consulares en el país de procedencia (Sec. 30). (8 U. S. C. 451, 454).

(699) D. Nº 1781 de 25 ene. 1936, arts. 47 y 48; D. Leg. Nº 1735, de 4 jun. 1931, arts. 2º y 7º; Regl. de 5 ago. 1931, arts. 3 y 4º. La inscripción de los extranjeros se efectúa, en la capital en la Secretaría de Rel. Exteriores y, en los Departamentos, en las Jefaturas Políticas respectivas. La expedición de las cédulas de Vecindad la realizan las Oficinas Municipales a cargo del Alcalde.

(700) L. de 24 ago. 1936, arts. 11, 153, 154, incs. II letra b y III letra a, y 155. Para el registro, la Dirección General de Población es especialmente auxiliada por las oficinas de correos y telégrafos federales, las oficinas federales de Hacienda, los Ayuntamientos y los Gobiernos de los Estados.
Respecto del servicio de Identificación, aparte de las Oficinas Centrales establecidas en la Capital de la República, existen Oficinas dependientes de la Secretaría de Gobernación, en cada capital de Estado y Territorio Federal y en las demás ciudades que se estime conveniente, y a las cuales compete, entre otras atribuciones, expedir las cédulas de identidad. La ley prevé, además, con carácter general, que las autoridades todas de la Federación y de los Estados serán auxiliares del Registro Nacional de Población para el cumplimiento de la misma. Especialmente, se encarga de hacer el servicio de identificación a los jueces u oficiales del Registro Civil, salvo en las ciudades en que haya oficina del Servicio de Identificación dependiente directamente de la Secretaría de Gobernación.

(701) D. Nº 55 de 11 set. 1939, art. 4º; L. Nº 88 de 1º jul. 1941,

1) Exigencia de documentos de identidad.

La expedición de los documentos de identidad a las personas registradas, da ocasión para abordar el examen de las diferentes situaciones en que esos documentos son requeridos como requisito indispensable para realizar una serie bastante considerable de actos.

Es este, en realidad, un contralor más, de suma importancia, que viene a agregarse a los estudiados en los capítulos precedentes. Su aplicación se proyecta a actividades y circunstancias de muy diversa naturaleza, pero por las características que comporta, este contralor está estrechamente vinculado con el sistema de organización administrativa adoptado para llevar a la práctica las disposiciones sobre registro y fiscalización en general de los extranjeros. Merced a la exigencia de los documentos de identidad expedidos por las autoridades como consecuencia de la inscripción, todos los principales actos que un extranjero realiza en la vida de relación quedan sometidos a un contralor constante que determina claramente su personalidad y eventualmente permite dilucidar los propósi-

---

art. 10. Además de la Oficina Central dependiente del Mrio. de Gobierno a cargo de la policía, existen en el interior de la República oficinas locales instaladas en los respectivos cuarteles de policía (Inf. V. C.).

(702) L. Nº 7744 de 23 abr. 1933, art. 1º, letra a); D. de 25 jun. 1940, art. 5º. La inscripción se verifica en el Dpto. de Extranjería e Inmigración, en Lima y Callao, y ante las autoridades políticas, en provincias (Memorándum de la Sección Congresos y organismos internaciones del Mrio. de Relaciones Exteriores y Culto del Perú, Registro e Identificación de Extranjeros).

(703) D. de 22 jul. 1941, art. 4º, inc. segundo; D. de 7 may. 1942, art. 34. Aparte de la Oficina Central de Identificación, que funciona en Caracas, el Mrio. de Rel. Interiores está facultado para establecer y organizar las demás oficinas locales de identificación, que fueren necesarias; en los lugares que así lo requieran, en carácter de dependientes de la Oficina Central. Varias de estas oficinas locales, en número de 8 a 10, se encuentran en funciones, existiendo en cada puerto y en los lugares fronterizos. Allí donde no se han establecido aún tales oficinas, la tarea de identificación se lleva a cabo por Comisiones delegadas. Además, los Gobiernos estaduales tienen casi todos Gabinetes de Identificación que cooperan con el Mrio. de Relaciones Interiores, bajo cuya dependencia actúan en cumplimiento de las disposiciones de registro. (Inf. V. C.).

tos perseguidos con dichos actos. La defensa política se ha mostrado particularmente interesada en este contralor que habilita a la autoridad para vigilar las actividades de aquellas personas sospechosas y prevenir todos los actos tendientes a habilitar o comprometer la seguridad interna de cada país y la del Hemisferio. Las operaciones financieras, por ejemplo, efectuadas por intermedio de los bancos e instituciones de crédito, o el despacho o retiro de la correspondencia, sometidos como lo están en algunas Repúblicas a la comprobación de identidad, aparte de otros requisitos específicos, hace posible el detenimiento de un envío de dinero encaminado a apoyar intereses contrarios a la defensa nacional e interamericana o la incautación de informes vitales a su seguridad. Mediante la exigencia de exhibir los documentos de identidad como condición indispensable para realizar cualquier acto de importancia, se configura un sistema preventivo de control público y se determina claramente la responsabilidad de cada individuo por las consecuencias que pueden acarrearle sus hechos dolosos o meramente imprudentes. En especial, el papel que el extranjero es susceptible de asumir, en las actividades subversivas, recomienda un celo permanente, en el cumplimiento de estos requisitos, y aconseja poseer una absoluta certeza de la legitimidad de sus propósitos como condición previa para autorizar o no la realización del acto de que se trate, durante una emergencia como la planteada por el reciente conflicto bélico mundial. Los países que expiden una cédula o carnet de identidad en conexión con las normas relativas al registro demandan, para estas finalidades, la exhibición de este documento, en el que constan los datos para la identificación del titular. Muchos otros países que no han implantado el registro o que no otorgan una cédula como consecuencia de la inscripción en el mismo, exigen igualmente la exhibición de diferentes documentos de identidad, como requisito imprescindible para realizar un número muy diverso de actos. El documento varía, también, en calidad, según los países y los sistemas especiales conforme a los cuales se expide. A veces, es general para todos los habitantes, o sólo comprende a los extranjeros o a determinada clase de estos: residentes, en tránsito, turistas, etc. Es muy frecuente, en las disposiciones, la reserva de que dicho documento sólo acredita la identidad de su poseedor.

a) Actos en que son exigibles.

Considerando el conjunto de las leyes y disposiciones administrativas en vigor en las Repúblicas Americanas puede afirmarse, según ya se ha dicho, que se exigen los documentos de identidad en muy diversos casos y circunstancias reductibles a las categorías generales que se expondrán a continuación:

(1) Habitación u hospedaje en hoteles y otros comercios de análoga naturaleza.

Esta exigencia, en realidad, da oportunidad para el ejercicio de uno de los contralores más importantes y generalizados en las disposiciones de las Repúblicas Americanas en materia de uso de documentos de identidad. Muchos de los preceptos sobre registro o los relacionados con el contralor del movimiento de personas utilizan como forma complementaria de los contralores administrativos directos, estudiados en los capítulos anteriores, la fiscalización que resulta de la obligación, puesta a cargo de los hoteles y casas de hospedaje, de anotar en libros o registros especiales los pasajeros que se alojan en ellos y de proveer una noticia periódica de los mismos a las autoridades. La defensa política tiene así en esta medida una valiosa ayuda, que refuerza otros contralores ejercidos sobre los extranjeros, tales como las autorizaciones para viajar (704). Otorgado un permiso de viaje, las oficinas competentes trasmiten la noticia a las autoridades de las localidades a donde el extranjero ha declarado dirigirse y a las intermedias, siendo éstas informadas oportunamente al arribo de aquél, por los registros de los hoteles. Dentro de esta obligación, está igualmente comprendida la de dar aviso cuando el huésped hace abandono del establecimiento. El itinerario cumplido por el extranjero queda, de este modo, perfectamente documentado y la autoridad puede continuar ejerciendo inin-

---

(704) Supra, Cap. III, Restricciones de viaje en el interior del país.

terrumpidamente la fiscalización conveniente sobre sus actividades, pese a su alejamiento del lugar de residencia.

Estas normas tienen un alcance diferente en cuanto a las personas comprendidas por ellas. La mayoría de las veces, la medida responde a exigencias administrativas internas, anteriores a la situación de emergencia. Por ello, salvo alguna excepción muy particularizada, quedan sometidos a su aplicación todos los extranjeros y, en ciertos países, todas las personas. En alguna República se obliga a recoger la anotación de aquéllos extranjeros que han ingresado de acuerdo a una determinada calidad legal, por ejemplo, turistas, conforme a las discriminaciones previstas por las leyes sobre entrada y salida de personas. A ese efecto, cada huésped o pasajero debe comprobar su identidad, nacionalidad, carácter del ingreso, etc., mediante la documentación personal correspondiente.

Las referencias de declaración obligatoria son, en la mayoría de los casos, las fundamentalmetne corriente para determinar la identidad personal del huésped, tales como nombre, nacionalidad, estado civil, edad, etc. Algunas disposiciones enumeran detenidamente los datos de interés, incluyendo, a veces, también, diversas preguntas de naturaleza más amplia, semejantes a las referencias exigidas en el acto del registro, tales como procedencia, destino, tiempo de estada, etc. (705). Las leyes de otros países, en fin, no entran a precisar dato alguno, limitándose a sentar la obligación de los establecimientos de hospedaje de poner en conocimiento de la autoridad el movimiento de pasajeros que se ha operado en ellos. La disposición vigente en Colombia puede ser mencionada como tipo de exigencias taxativas amplias. Según ella, deben anotarse en un libro especial los siguientes datos de cada una de las personas alojadas en hoteles, pensiones o casas de inquilinato: fecha de alojamiento, nombre, apellido, nacionalidad, estado civil, profesión u ocupación, procedencia, tiempo que piensa permanecer en la localidad, fecha en que salió, lugar a donde se dirige, número y fecha de la cédula de extranjería y autoridad que la expidió (706).

---

(705) V. supra, págs. 234 y sigtes.
(706) D. Nº 1697, de 16 jul. 1936, art. 52.

Salvo Brasil, ningún otro país parece determinar límite de edad para la aplicación de este contralor. Según el tenor literal de las disposiciones de este país, no quedan comprendidos por las mismas los menores de 18 años (707). Sin embargo, allí donde esta medida está concebida dentro de la organización jurídica general del registro, la edad fijada para la inscripción (708) determina también la aplicación del contralor.

Algunos países, especialmente aquellos que regulan este aspecto como un requisito más dentro del sistema general del registro, coordinan necesariamente el contralor con el documento de identidad expedido en oportunidad de la inscripción (709); otros países requieren la anotación en el pasaporte internacional (710); otros, en fin, no exigen ningún documento en particular. Se observa, asimismo, en la confrontación de las disposiciones, que muchas de ellas determinan expresamente el término dentro del cual debe trasmitirse a las autoridades la nómina de los pasajeros ingresados y salidos (711). Con excepción de Nicaragua, que exige que se dé aviso cada doce horas, los demás países obligan a hacerlo diariamente. El resto de las legislaciones no prescriben plazo alguno para cumplir con esta obligación.

Debe señalarse, por último, un vacío de importancia que se percibe en la legislación que se estudia y es la ausencia de obligación de los particulares que alojan huéspedes en sus domicilios, de notificarlo a las autoridades. La omisión

---

(707) D. Nº 406 de 4 may. 1938, art. 29. Tal es la edad fijada para la inscripción en el registro (Supra, pág. 223, nota 157).
(708) Supra, pág. 221 y sigtes.
(709) Colombia: Dec. Nº 1697 de 16 jun. 1936 art. 52.
Rep. Dominicana. L. 372 de 19 nov. 1940, art. 31 inc. 7; L. 391, art. 11 que declara aplicable el art. 31 de la ley 372 a las mujeres.
Perú: D. Supr. de 21 jun. 1940, art. 6º.
Venezuela: D. de 22 jul. 1941, art. 6º.
(710) Colombia: D. Nº 1697 de 16 jul. 1936, art. 52.
Ecuador: L. de 2 jun. 1938, art. 20.
(711) Colombia: D. Nº 1697 de 16 jul. 1936, art. 51.
Costa Rica: D. Nº 5 de 14 jun. 1941, art. 11.
El Salvador: D. Ej. de 9 feb. 1934, art. 3º.
Nicaragua: Inf. V. C.
Perú: D. Supr. de 21 jun. 1940, art. 6º.
Uruguay: D. de 4 set. 1888, arts. 105, 106, y 107, y Edicto de la Policía de Montevideo, de 20 nov. 1888.

tiene trascendencia para la defensa política, por cuanto ha quedado revelado en numerosos casos la violación de los contralores que se analizan por parte de espías y agentes totalitarios que utilizan los domicilios de simpatizantes para encubrir su tránsito y eludir la vigilancia sobre sus actividades. En este sentido, constituye una excepción que merece destacarse, el caso de Costa Rica, que, a estar a los datos que se poseen, sería el único país que obliga "a las agencias de arrendamiento que alquilan habitaciones a extranjeros, o a los propietarios en cuyas casas o habitaciones residan extranjeros, a dar aviso inmediato al Departamento de Extranjeros, con especificación de su cédula de residencia si la tuviere, su nombre y su nacionalidad" (712).

Según se ha dicho, y como en otras medidas, también aquí es posible facilitar la exposición de las disposiciones atendiendo al ámbito personal de aplicación de las mismas.

(a) Todas las personas.

Caen dentro de la clasificación antes enunciada de los países que exigen el contralor de todas las personas o pasajeros, los siguientes: Argentina (713), Bolivia (714), Costa Rica (715), Chile (716), República Dominicana (717), Ecuador (718), Guatemala (719), Nicaragua (720), Paraguay (721), Uruguay (722) y Venezuela (723).

---

(712) D. Nº 5 de 14 jun. 1941, art. 12.
(713) D. Nº 7058, 2 abr. 1945, art. 10, con las modificaciones dadas por el D. Nº 11.41, de 23 may. 1945.
(714) D. de 11 abr. 1922, art. 3º.
(715) L. Nº 35, de 30 oct. 1849, art. 37.
(716) L. 6880 de 8 abr. 1941, art. 6º.
(717) L. Nº 372, y L. Nº 391 de 19 nov. y 17 dic. 1940, arts. 31 inc. 7º y 11, respectivamente.
(718) L. de 2 jun. 1938, art. 20.
(719) Informe relativo a las medidas sobre vigilancia y contralor de personas en Guatemala, párrafo cuarto.
(720) Inf. V. C.
(721) Inf. V. C.
(722) Edictos de la policía de Montevideo, de 8 oct. 1851, 7 nov. 1859, 28 mar. 1883 y 20 nov. 1888. Estas disposiciones, concernientes sólo al Departamento de Montevideo, tendrían una aplicación relativa. (A. Rovira y L. Seguí González, "Contralor de actividades subversivas en el Uruguay", Montevideo 1943, pág. 22). El D. de 4 set. 1883, habría extendido el ré-

(b) Todos los extranjeros.

Requieren el contralor de todos los extranjeros que se hospedan en hoteles, posadas, etc., Brasil (724), Colombia (725), Costa Rica (726), Cuba (727), El Salvador (728), México (729) y Perú (730).

(c) Nacionales del Eje y de países enemigos.

Ejemplos de contralor de los extranjeros nacionales de países en guerra con la República, de los aliados de éstos o de aquellos ocupados por los países enemigos, siempre que los mismos estén habilitados para viajar, los proporcionan las disposiciones dictadas por Argentina (731) y Cuba con motivo de la guerra mundial (732).

(d.) Extranjeros ingresados bajo determinada calidad legal

Debe ser citado, finalmente, como exigencia de documentos de identidad a extranjeros ingresados al país bajo determinada calidad legal, conforme al régimen sobre inmigración (733), el caso de Ecuador, que exige a los propietarios de hoteles, pensiones, etc., la anotación del número de cédula de turismo de cada turista. La individualización de tales personas se realiza como es lógico de acuerdo con la documentación que acredita su calidad y que deben exhibir necesaria-

---

gimen jurídico antes mencionado a toda la República, aunque con iguales reservas en lo tocante a su ejecución (Op. cit. ps. 20 y 21).

(723) D. de 22 jul. 1941, art. 6º; Inf. V. C.

(724) D. L. Nº 406, de 4 may. 1938, arts. 29, 35, y 38; D. Nº 3010, de 20 ago. 1938, arts. 122 y 128; Inf. V. C.

(725) D. Nº 1697, de 16 jul. 1936, art. 51.

(726) D. Ej. Nº 1 de 3 set. 1930, art. 9º; D. Nº 5 de 14 jun. 1941, art. 11.

(727) D. L. Nº 788, de 28 dic. 1934, Disposiciones Generales y Transitorias, décima.

(728) D. Ej. de 9 feb. 1934, art. 1º.

(729) Inf. V. C.

(730) D. Supr. de 21 jun. 1940, art. 6º.

(731) D. Nº 7058 de 2 abr. 1945 ,art. 10, in fine, con las modificaciones dadas por el D. Nº 11.417 de 23 may. 1945, y D. Nº 7527 de 6 abr. 1945, art. 28.

(732) D. Nº 1019 de 13 de abr. 1942, cuarto.

(733) Ver, Sección C, Entrada y salida de personas, etc.

mente en los establecimientos de hospedaje para obtener alojamiento (734).

(2) Actos o gestiones ante las autoridades y con ellas.

En este grupo caben situaciones tales como solicitar permisos de instalación de radio trasmisores (735), registrar o cambiar el domicilio (736), contraer matrimonio y celebrar otros actos relativos al estado civil (737), remitir o retirar envíos postales (738), otorgar, aceptar y cancelar instrumentos públicos y registrar instrumentos privados (739), actuar ante notarías y escribanías (740), ejercitar acciones o derechos propios o en representación de terceros ante los poderes

---

(734) L. de 2 jun. 1938, art. 20.

(735) Chile: D. Nº 1470, de 17 mar. 1941, art. 16, inc. b).

(736) Colombia: D. Nº 1053, de 1º jun. 1937, art. 1º, inc. d);
Chile: L. Nº 6880 de 8 abr. 1941, art. 6º.

(737) Argentina: D. de la Provincia de Buenos Aires, de 23 mar. 1944, art. 17, inc. c);
República Dominicana: L. Nº 372, de 19 nov. 1940, art. 31, inc. 8º;
Guatemala: D. L. Nº 1735 de 4 jun. 1931, art. 8º.

(738) Argentina: D. de la provincia de Buenos Aires, Nº 80.9, de 31 mar. 1944, art. 1º, incs. a) y b) 2).
Colombia: D. Nº 1697, de 16 jul. 1936, art. 37; D. Nº 1053 de 1º jun. 1937, arts. 1º, inc. H), 2 y 14.

(739) Colombia: D. Nº 1053, de 1º jun. 1937, art. 1º, inc. b);
República Dominicana: L. Nº 372, de 19 nov. 1940, art. 31, inc. 2º.

(740) Argentina: D. de la provincia de Buenos Aires de 23 mar. 1944, art. 17, inc. h;
Colombia: D. Nº 1697, de 16 jul. 1936, art. 37;
Cuba: D. L. Nº 788 de 28 dic. 1934, art. XVIII; D. L. Nº 532, de 25 ene. 1936;
Chile: L. Nº 6880, de 8 abr. 1941, art. 6º;
República Dominicana: L. Nº 372, de 19 nov. 1940, art. 33;
México: L. de 24 ago. 1936, art. 92;
Perú: D. Supr. de 21 jun. 1940, art. 2º.

(741) Argentina: D. de la provincia de Buenos Aires, Nº 3434, de 26 jul. 1943, art. 3º, inc. 2º; D. de la provincia de Buenos Aires de 23 mar. 1944, art. 17, inc. e);
Colombia: D. Nº 1053 de 1º jun. 1937, art. 1º, inc. e);
Cuba: D. Nº 788, de 28 dic. 1934, art. XVIII; D. L. Nº 532 de 25 ene. 1936;
Chile: D. Nº 2544, de 12 jul. 1937, art. 7º; Ley Nº 6880 de 8 abr. 1941, art. 6º;
República Dominicana: L. Nº 372 de 19 nov. 1940, art. 31, incs. 3º, 4º y 17;
Ecuador: L. de 1º ene. 1925, art. 3º, inc. 1º; D. de 21 oct. 1942, art. 1º, Quinta;

públicos en asuntos judiciales o administrativos (741), obtener permisos de porte de armas o de caza (742), desempeñar funciones o empleos públicos (743), iniciar gestiones para la naturalización (744), y retirar el depósito exigido por las leyes inmigratorias para ingresar al país (745).

(3) Actividades profesionales y comerciales

Pueden citarse aquí, aquellos casos en que se exige la posesión de la cédula de identidad para ejercer la profesión, arte u oficio (746), o celebrar contratos (747). Las disposiciones de algunos países obligan también a los propietarios de establecimientos comerciales, industriales o agrícolas, a solicitar los documentos de identidad a los extranjeros o personas en general que concurren a los mismos por motivos de sus

---

México: L. de 24 ago. 1936, art. 92;
Nicaragua: D 29 dic. 1930, art. 40;
Panamá: L. Nº 83, 1º jul. 1941 ,art. 21;
Perú: L. Nº 7744 de 23 abr. 1933, art. 7º; D. Supr. de 21 jun. 1940, art. 2º;
Venezuela: L. de 30 jul. 1938, art. 31; D. de 22 jul. 1941, art. 6º.

(742) República Dominicana: L. Nº 372, de 19 nov. 1940, art. 31, inc. 16.

(743) Argentina: D. de la provincia de Buenos Aires de 23 mar. 1944,
Bolivia: D. de 31 dic. 1927, art. 13.
Colombia: D. Nº 1053, de 1º jun. 1937, art. 1º incs. a) y g).
República Dominicana: L. Nº 372 de 19 nov. 1940, arts. 31, incs. 1º, 10 y 11, 32 y 39.
Ecuador: L. de 1º ene. 1925, art. 3º, inc. 2º; D. Nº 1576, de 30 dic. 1941, art. 12.
Guatemala: D. Nº 1.35, de 4 jun. 1931, art. 8º.

(744) Bolivia: D. Supr. de 1º dic. 1938, art. 2º, inc. h).
Colombia: L. 22 bis, de 1936, art. 6º inc. b).
Costa Rica: D. Ej. Nº 1, de 18 feb. 1931, arts. 1º, inc. e) y 2º. art. 2.

(745) Venezuela: D. de 7 may. 1942, art. 27, inc. 3.

(746) Argentina: D. de la provincia de Buenos Aires, de 23 mar. 1944, art. 17, inc. g).
Bolivia: Inf. V. C.
Brasil: D. Nº 3010 de 20 ago., 1938, art. 136.
República Dominicana: L. Nº 372, de 19 nov. 1940, art. 34.
Ecuador: L. de 1º ene. 1925, art. 3º, inc. 2º.
Perú: L. Nº 7744, de 23 abr. 1933, art. 7º; D. Supr. de 21 de jul. 1940, art. 3º.

(747) Colombia: D. Nº 1053 de 1º jun. 1937, art. 1º, inc. c).
Cuba: D. L. Nº 788 de 28 dic. 1934, art. XX.
Ecuador: D. Nº 1576, de 30 dic. 1941, art. 12; D. de 21 oct. 1942, art. 1º, Quinta.

actividades comerciales (748), o exigen la exhibición de la cédula a los empleados u obreros, como condición para obtener ocupación o percibir sus sueldos o salarios (749).

(4) Obtención de pasajes y pasaporte.

En esta categoría encuadran los textos vigentes en ocho Repúblicas Americanas, que exigen la presentación de los documentos de identidad como requisito necesario para la adquisición de pasajes en las compañías de transportes (750) o para obtener el pasaporte (751), respectivamente. En algún caso, las disposiciones o las prácticas obligan también a los encargados o administradores de los servicios de transportes de pasajeros a requerir de éstos los respectivos documentos de identidad (752).

(5) Actos con empresas de servicios público;, bancos instituciones de crédito y casas de empeño.

Ejemplos de esta clase de exigencias están contenidos en

(748) **México:** L. de 24 ago. 1936, art. 92.
Venezuela: D. de jul. 1941, art. 6º.
(749) **Argentina:** D. de la provincia de Bs. As. de 23 mar. 1944, art. 17, inc. i).
Bolivia: D. de 31 dic. 1927, art. 13.
Brasil: D. Nº 3010, de 20 ago. 1938, arts. 147, 154, 163 inc. I y 241.
Colombia: D. Nº 1697 de 16 jul. 1936, art. 35; D. Nº 1205, de 25 jun. 1940, art. 3º.
Costa Rica: L. Nº 8 de 21 abr. 1941, quinto; D. Nº 5 de 14 jun. 1941, art. 19
Cuba: D. L. Nº 788, de 28 dic. 1934, art. XX.
República Dominicana: L. Nº 372, de 19 nov. 1940, art. 31 inc. 12.
(750) **Brasil:** D. Nº 3010 de 20 ago. 138, art. 183.
Colombia: Inf. V. C.
Costa Rica: D. Nº 10, de 12 set. 1941; L. Nº 8 de 21 abr. 1941. art. sexto; L. Nº 5 de 14 jun. 1941, art. 18.
República Dominicana: L. Nº 372, de 19 nov. 1940, art. 40, inc. 10.
El Salvador: Inf. V. C.
Guatemala: Ac. Ej. de 12 dic. 1941, art. 6º; D. Nº 2655, de 23 dic. 1941, art. 2º.
Perú: D. Supr. de 21 jun. 1940, art. 5º.
Venezuela: D. de 22 jul. 1941, art. 6º.
(751) **Brasil:** D. Nº 3345, de 30 nov. 1938, art. 27.
Colombia: D. Nº 1053, de 1º jun. 1937, art. 1º, inc. f).
Costa Rica: D. Ej. Nº 1 de 3 set. 1930, art. 11; D. Nº 4 de 26 abr. 1942 art. 8º.
(752) **México:** Inf. V. C.

las disposiciones de Argentina, Chile, República Dominicana, Perú y Venezuela (753).

(6) Otros actos.

Además de las situaciones reseñadas, existen varios otros casos en que se obliga a exhibir los documentos de identidad o se ordena a las autoridades que los exijan. Entre ellos, pueden mencionarse la inscripción en establecimientos educativos (754), y la renovación o nueva inscripción en el registro (755). La disposición venezolana impone a los propietarios, gerentes o administradores de teatros y cines la obligación de exigir los documentos de identidad a las personas que concurren a los mismos (756). Finalmente, en muchas otras situaciones o circunstancias que se precisan de un modo expreso por la ley o decreto administrativo, ya porque la persona de que se trata infunde sospechas, o simplemente porque así lo requiere la autoridad, muchos países establecen la obligación de exhibir los documentos de identidad (757). Es re-

---

(753) **Argentina:** D. de la Provincia de Buenos Aires, Nº 3434, de 26 jul. 1943, art. 3º.
Chile: L. Nº 6880, de 8 abr. 1941, art. 6º.
República Dominicana: L. Nº 372, de 19 nov. 1940, art. 31 incs. 14 y 15.
Perú: D. Supr. de 21 jun. 1940, art .4º.
Venezuela: D. de 22 jul. 1941, art. 6º.

(754) **Argentina:** D. de la Provincia de Buenos Aires de 23 mar. 1944, art. 17, inc. g).
República Dominicana: L. Nº 372, de 19 nov. 1940, art. 31, inc. 9º.

(755) **Bolivia:** D. de 17 jul. 1942, art. 6º, letra d).
Brasil: D. Nº 3010, de 20 ago. 1938, art. 149, pár. 4º).
Cuba: D. L. Nº 788, de 28 dic. 1934, art. VI; D. L. Nº 532, de 25 ene. 1936.
Chile: D. Nº 2544, de 12 jun. 1937, art. 5º.
Nicaragua: D. de 29 dic. 1930, art. 37.

(756) D. de 22 jul. 1941, art. 6º.
Colombia: D. Nº 1697 de 16 jul. 1936, art. 36.
Cuba: D. L. Nº 788, de 28 dic. 1934, art. VII.
Costa Rica: D. Ej. Nº 1, de 3 set. 1930, art. 6º; D. de 4 jun. 1941, art. 10.
El Salvador: D. L. Nº 86, de 14 jun. 1933, art. 51.
Panamá: L. Nº 83, de 1º jul. 1941, art. 23.
Perú: L. Nº 7744, de 23 abr. 1933, art. 7º; D. Supr. de 21 jun. 1940 art. 9º.
Uruguay: Cir. del Min. del Interior de 1º set. 1942.
Venezuela: L. de Extranjería, de 31 jul. 1937, art .27.

lativamente frecuente también la declaración genérica contenida en las disposiciones de varios países, de que los documentos de identidad deben exhibirse en "todos los casos en que las leyes, decretos, etc., lo exijan" o en "todos los actos de la vida civil" (758) o bien cuando un funcionario tiene dudas sobre la identidad de una persona (759).

Muchas de estas exigencias, por la naturaleza de los actos a que las mismas se refieren, no obedecen evidentemente a motivos originados en la defensa política, aún cuando algunas de ellas pueden deparar oportunidades excelentes para ejercer un contralor de las actividades subversivas. La aplicación de las mismas, no es, pues, un asunto que pueda ser determinado de antemano de modo absolutamente cierto, por lo que, al igual de lo que ocurre respecto de otras medidas de prevención o represión de actividades totalitarias, serán las propias autoridades las encargadas de discernir sobre la conveniencia u oportunidad de hacerlas efectivas.

b) Actualización de los datos

Por actualización se significa aquí el registro permanente y minucioso de las referencias que se obtienen en cada inscripción, o de los cambios experimentados en las mismas, con posterioridad al acto inicial de registro.

No parece necesario insistir acerca de la significación de esta atribución de las oficinas locales. Los datos obtenidos en el acto de registro deben lógicamente hallarse al día, ajustarse a la realidad presente, a medida que ella va operando sus transformaciones sobre cada registrado. Un registro que se limitara sólo al acto primitivo de la inscripción y dejara de lado las variantes producidas con ulterioridad sería algo así como una curiosa aunque inútil fotografía del pasado, en que los rasgos de sus personajes, desleídos por la acción del tiempo y los cambios físicos naturales, imposibilitaría todo reconocimiento. Completando la imagen podría de-

---

(758) **Argentina:** D. de la provincia de Buenos Aires, de 23 mar. 1944, art. 17, inc. j).

Brasil: D. L. Nº 406, de 4 may. 1938, arts. 29 y 35.

Colombia: D. de 19 nov. 1940, art. 31, inc. 6º.

Ecuador: L. de 1º ene. 1925, art. 3º, inc. 1º.

(759) **Ecuador:** D. de 21 oct. 1942, art. 12.

Guatemala: D. L. 1.35, de 14 jun. 1932, art. 9º.

cirse que, más bien que una fotografía, lo que resulta imprescindible al registro ha de ser algo así como un verdadero "film" de la vida y actividades de cada persona.

El Comité recomendó en su Resolución que cada oficina local debe conservar y mantener al día los datos relativos a las actividades de la persona registrada, las organizaciones de que es miembro, los cambios de dirección y empleo. De un modo general, cabría señalar la correlación existente con todas las referencias exigidas al registrarse que son suceptibles de experimentar alteraciones. Algunas de las actividades y variaciones de mayor importancia han sido ya tratadas en los capítulos anteriores. Tal es el caso, por ejemplo, de los cambios de residencia y ocupación, los permisos para viajar dentro del país, para poseer armas de fuego y otros implementos vitales, etc. Aparte de ellos, las disposiciones de algunos países suelen prever genéricamente, como atribución de las oficinas del registro, la obligación de mantener estrictamente actualizados todos los cambios que se produzcan, imponiendo al extranjero la obligación correlativa de denunciarlos. Al igual de lo que ocurre respecto de otros contralores, se usa con frecuencia la cédula de identidad como documento registrador de los cambios habidos. Si bien las leyes de muchas Repúblicas no contienen disposición expresa sobre la materia, tal obligación suele darse por sobreentendida y en la aplicación del sistema de registro, como ha tenido oportunidad de apreciarlo el Comité, se da cabida corrientemente a este procedimiento.

Pueden mencionarse, como ejemplo de previsión expresa, las disposiciones de Argentina (760), Brasil (761), Colombia

---

(760) D. Nº 7527 de 6 abr. 1945, art. 2º, inc. f. Esta disposición análogamente al criterio seguido en materia de expedición de cédulas, atribuye exclusivamente al organismo central el cometido de "actualizar los datos relativos a las personas registradas, como ser: sus cambios de domicilio, de ocupación, traslados, etc, etc.".

(761) D. 3010, de 20 ago. 1938, art. 131. Compete a este Servicio: Inc. VIII) - Realizar el contralor de los extranjeros que entran al país en carácter temporario, evitando que se demoren más de 6 meses. XIII) - Anotar en las observaciones de la Cédula de identidad (modelo 19) la autorización concedida por el C.I.C. para que los agricultores o técnicos de las industrias rurales pasen a ejercer otra actividad. XIV) - Hacer en la cédula de

(762), Costa Rica (763), Chile (764) y Guatemala (765).

c) Recepción y examen periódicos de informes de los registrados, de sus fichas y solicitudes

La tarea concretada en el epígrafe es una proyección de la precedente. Está contenida también en la Resolución del Comité de una manera bastante amplia que puede citarse como modelo. Dice este documento que será una función de las oficinas locales: recibir y examinar todos los informes periódicos o de otra índole que recaben de la persona registrada; efectuar un examen periódico de las fichas respectivas para asegurarse que dicha persona cumple con el deber de someter tales informes en los casos especificados; recibir y examinar todas las solicitudes formuladas por dicha persona para viajar dentro del país o para participar en cualquiera actividad para la cual se exija permiso previo, debiendo anotarse en la respectiva cédula de identidad los permisos concedidos.

Sólo por excepción entran las disposiciones a determinar estas tareas administrativas que quedan así, más bien, reservadas al campo de las instrucciones internas u órdenes del servicio, o que se ejecutan como resultante necesaria, implícita en el conjunto de las disposiciones sobre el registro. Esto sucede, en particular, cuando las leyes configuran la obligación del registrado de obtener permisos previos para determinadas actividades, especialmente la relativa a los de viajes. Otras veces se establece que tal permiso o tal cambio producido respecto del registrado debe anotarse en la cédula o en

---

identidad: las anotaciones relativas al desembarco, transformación del carácter de su entrada al país, cambio de domicilio o empleo y las demás que se hicieren necesarias. D. Nº 3082, de 28 febrero 1941, art. 6º. Los extranjeros que transfieran su residencia para una circunscripción diferente, deben presentarse dentro de 8 días siguientes ante el Servicio de la nueva jurisdicción para que se coloque el "visto respectivo" en su cédula. En el servicio serán hechas las anotaciones necesarias.

(762) D. Nº 1954, de 3 set. 1927, art. 7º, numeral 3º.
(763) L. Nº 35 de 30 oct. 1849 art. 37.
(764) D. Nº 1084 de 28 mar. 1938, art. 45, inc. j).
(765) D. Leg. Nº 1735, de 4 jun. 1931, art. 13; Reg. de 5 ago. 1931, art. 14.

su prontuario. La recepción y estudio de los informes periódicos de los registrados y de sus fichas y solicitudes quedan, pues, casi enteramente librados a la ejecución administrativa conforme a las directivas y sugestiones que imparten las autoridades centrales.

Por vía de ejemplo, se mencionarán aquí las disposiciones vigentes en los siguientes países: Argentina (766), Brasil (767), Colombia (768), Costa Rica (769), Guatemala (770),

---

(766) D. Nº 7527 de 6 abr. 1945, art. 2º. Corresponde al organismo central: g) Examinar los informes y constancias de las personas registradas, para establecer si omiten el cumplimiento de las disposiciones.

(767) D. Nº 3010 de 20 ago. 1938, art. 131. Compete a este servicio (Servicio de Registro de Extranjeros):
XIII) — Anotar en la Sección observaciones de la Cédula de Identidad (modelo Nº 19) la autorización concedida por el C. I. C. para que agricultores o técnicos de industrias rurales pasen a ejercer otra actividad.
XIV) — Hacer en las cédulas de identidad las anotaciones relativas al desembarque, transformación del carácter de su entrada en el país, cambios de residencia o empleo, y demás que fueren necesarias.
Art. 141. parágrafo 1º: "Las autoridades en los casos a que se refiere el presente artículo, registrarán los datos que consideren útiles para su servicio, y anotarán en la cédula presentada la nueva residencia del extranjero...."

(768) Res. del Director de la Policía Nacional, Nº 260 de 25 jun. 1942, art. 1º, parágrafo: "Los extranjeros a quienes se refiere este artículo sufragarán los gastos que ocasione el cumplimiento de la presente disposición y deberán solicitar permiso para su salida a la autoridad correspondiente, indicando el lugar a donde se dirijan. Igualmente darán el aviso de su llegada dentro de las 24 horas siguientes, a la primera autoridad política del respectivo lugar. En Bogotá y dentro del mismo término, este aviso se dará a la Dir. Gral. de la Policía Nacional (Depart. de Extranjeros. Los artículos 31 y 32 del Dec. 1060) de 1933, estipulan la obligación de dar aviso de todo cambio de domicilio o dirección y de toda salida o llegada a las autoridades respectivas. Las anotaciones no se hacen en la cédula de extranjería, ya que por su tamaño relativamente pequeño no sería practicable, sino en el prontuario que de cada extranjero se lleva.

(769) D. Nº 51, de 20 dic. 1941, art. 1º: Los súbditos alemanes, italianos y japoneses residentes en el país, estarán obligados a presentarse ante la respectiva autoridad del lugar donde residen, con el objeto de obtener el correspondiente permiso que los autorice para abandonar la jurisdicción en que radican. Art. 5º: Las copias de los talonarios de permisos se enviarán por las respectivas autoridades al Departamento de Extranjeros para su archivo y control.

(770) L. de 2 nov. 1937, art. 23; Ac. Ej. de 12 dic. 1941, arts. 5º

México (771) y Panamá (772), que proporcionarán una idea ilustrativa acerca de lo que se deja expuesto.

d) Envío periódico de informaciones a la oficina central y contralor de los servicios locales.

Es frecuente la inclusión de preceptos especiales en las leyes y demás disposiciones sobre registro y contralor de extranjeros que obligan a las oficinas locales a trasmitir informaciones periódicas a la oficina central. Las materias objeto de dichos informes tienen que ver con los diversos aspectos de ese contralor. Por lo general, se exigen detalles minuciosos con referencia a los viajes realizados, al movimiento de pasajeros, a los prontuarios o datos recogidos en cada inscripción, a las cédulas expedidas o renovadas, a los cambios producidos respecto de cada registrado, etc. El término establecido para formular esos informes periódicos varía según las disposiciones advirtiéndose que el mismo está en función de la naturaleza de tales informes, de la distribución de oficinas y de otras condiciones análogas. Las variaciones van, en general, desde el informe diario, hasta el mensual, pasando por

---

y 9º.
D. Nº 2655 de 23 dic. 1941, art. 1º: A los nacionales de los países en guerra con la República, se les prohibe: g) Viajar en aviones, entrar o salir del país, y transitar entre poblaciones o regiones de distinto departamento sin obtener previamente un permiso especial de las oficinas superiores de la Policía en la Capital o en las respectivas cabeceras departamentales.
Las personas afectas a la presente ley, y los vehículos de su pertenencia no podrán transitar en la República sin el pasaporte o permiso correspondiente expedido por las autoridades de policía";...

(771) L. de 24 ago. 1936, art. 174: "Los encargados de la identificación en las oficinas locales, comunicarán a la oficina central de registro, dentro del más breve plazo, los cambios de estado civil que ante ellos se justifiquen y registren, dejando en la cédula de identidad respectiva, la debida constancia. Igual obligación tendrán los jueces y oficiales del Registro Civil".

(772) L. Nº 83, de 1º jul. 1941, art. 6º, letra f): "en las páginas restantes de la cédula deberán hacerse anotar las modificaciones relativas al estado civil del cedulado, que se hayan producido después de haber adquirido este documento; y los otros datos y observaciones que exigen las leyes y las disposiciones reglamentarias de las mismas".

plazos intermedios, semanales, decenales y quincenales, etc. El motivo de tales informes radica en la necesidad de mantener al día los datos que lleva la oficina central, a la vez que en ejercer un contralor administrativo necesario sobre la marcha del servicio en las oficinas locales. En este último sentido, constituyen variantes dignas de mención, las disposiciones de Chile (773) y Guatemala, que además de la obligación impuesta a las oficinas locales de producir sus informes periódicos, confían cometidos de inspección a funcionarios especiales que recorren la República. Dice la disposición de este último país: "Habrá uno o más Inspectores Instructores encargados de visitar los Registros para vigilar su funcionamiento y dar en cada caso las instrucciones necesarias. Estos empleados serán nombrados por el Ejecutivo; dependerán directamente del Ministerio de Gobernación y Justicia y están obligados a dar a este Despacho, informes periódicos de sus labores" (774).

Sobre el particular deben citarse las disposiciones de los siguientes otros países: Bolivia (775), Colombia (776), Costa Rica (777), El Salvador (778) y Guatemala (779).

e) Notificación de las infracciones

Finalmente, los preceptos en vigor en varias Repúblicas asignan a las dependencias locales, lo mismo que a las centrales, una misión de vigilancia acerca del cumplimiento de las infracciones producidas. La previsión ha sido incluída también entre las cláusulas de la Resolución del Comité, al consignar que concierne a las oficinas locales notificar a la central y a las autoridades correspondientes todos los casos de violación o de sospecha de violación de cualquiera de las disposiciones, normas o reglamentos relativos al registro y contralor

---

(773) D. Nº 1084, de 28 ene. 1938, art. 48.
(774) Reg. de 5 ago. 1931, art. 18.
(775) D. de 11 abr. 1922, art. 4º.
(766) D. Nº 169 de 16 jul. 1936, arts. 41, 42 parágrafo 2º y 44; D. Nº 1053, de 1º jun. 1937, art. 11; D. Nº 1205, de 25 jun. 1940, art. 9º.
(777) D. Nº 5, de 14 jun. 1941, art. 23; D. Nº 6, de 30 jun. 1942.
(778) D. Leg. Nº 86, de 14 jun. 1933, art. 15.
(779) Reg. de 5 ago. 1931, art. 15; L. de 2 nov. 1937, art. 22, in fine.

de los extranjeros, de modo que se pueda efectuar la investigación del caso y aplicar las medidas punitivas y correctivas correspondientes.

Se encuentran prescripciones en el sentido indicado, en las leyes de Argentina (780), Bolivia (781), Brasil (782), Colombia (783), Cuba (784), Chile (785), República Dominicana (786), El Salvador (787) y México (788). En cuanto a las sanciones en sí, son objeto de examen en el capítulo que sigue.

III. Intercambio internacional de informaciones sobre extranjeros

1. Importancia de la medida.

La materia tratada en este apartado presenta una positiva significación dentro del cuadro general de medidas aplicadas para ejercer el contralor de los extranjeros. Si se admite la conveniencia o la necesidad de que los Estados regulen individualmente, con un fin de fiscalización política, las actividades de los extranjeros que residen en sus territorios —y todos ellos lo han hecho, en general, según ha habido oportunidad de

---

(780) D. Nº 7527 de 6 abr. 1945, art. 2º. Corresponde al organismo central: h) Practicar todas las investigaciones que se consideren necesarias tendientes a la comprobación de las violaciones a las medidas o normas dispuestas. Art. 5º) Las policías del interior a que se refiere el artículo precedente, (4º, supra nota 688), organizarán registros regionales utilizando como base el duplicado de la documentación que remitan al organismo central. Tendrán también a su cargo, dentro de sus distritos, las tareas que se encomiendan al organismo central por el art. 2º, en la parte pertinente, con excepción de los incs. b), c), y d), y comunicarán a la Policía Federal toda novedad que deba registrarse o que se juzgue de importancia.

(781) D. Supr. de 31 dic. 1927, arts. 16 y 17.

(782) D. Nº 3010, de 20 ago. 1938, arts. 131, incs. II y III; 141, par. 2º, 161, par. 3º y 162, par. 3º.

(783) D. Nº 1697 de 16 jul. 1936, art. 45; D. Nº 1205 de 25 jun. 1940, art. 11; Inf. del Departamento de Extranjeros, A. (2) (C).

(784) Memorándum del Ministerio de Gobernación sobre Organización del Registro, y Fiscalización de Extranjeros.

(785) D. Nº 2544, de 12 jul. 1937, art. 6º.

(786) L. Nº 372, de 19 nov. 1940, arts. 48 y 61.

(787) D. Ej. de 27 jul. 1933, art. 13.

(788) L. de 24 ago. 1936, art. 161.

apreciar anteriormente—, se induce la importancia que ha de revestir, para la preservación de la seguridad de las Repúblicas Americanas, amenazadas en la esencia de sus instituciones y forma peculiar de convivencia, el intercambio de informaciones sobre los extranjeros convictos o sospechados de realizar actividades subversivas durante las circunstancias que ellas acaban de enfrentar. A la experiencia y conocimiento directos que poseen las autoridades de un determinado país viene a unirse por este medio el aporte de las investigaciones o informaciones de las autoridades de todos los demás, con lo que se amplía o perfecciona la documentación de sus archivos y se contribuye a formar, por encima de las organizaciones administrativas aisladas, una estructura superior común, habilitada para obrar con pareja eficacia allí donde quiera que se insinúe o presente un peligro capaz de comprometer la seguridad individual o colectiva de las Naciones del Hemisferio. Las modalidades de acción de las potencias del Eje, en su campaña de agresión política, demostraron la utilidad y urgencia de esa cooperación. La actividad particular y aislada de cada país hubiera constituído en efecto una ventaja inapreciable para la estrategia política totalitaria, empeñada en explotar en su provecho exclusivo, las disensiones raciales, políticas, sociales, económicas y religiosas entre los pueblos del continente. Ella hubiera sido, también, seguramente estéril en la tarea de contención y represión de las actividades subversivas desarrolladas contra la integridad de sus instituciones por las potencias del Eje. A la unión espiritual y material que la agresión enemiga tuvo la virtud de despertar entre las naciones americanas hubo de agregarse así una unión también estrecha en el campo de la técnica, la organización administrativa y el intercambio de informaciones para la prevención y represión de la actividad subversiva totalitaria. Las tácticas empleadas por los países del Eje conducían necesariamente a ese acercamiento y colaboración. El peligro no se reducía a una penetración en determinado país, sino que se trataba de una agresión sistemática y colectiva contra todo el continente. A planes tan ambiciosamente desmedidos, debía de oponerse también un frente vasto y solidario capaz de resistir con eficacia los intentos de dominio de los totalitarios. Es por demás conocido, por ejemplo, el procedimiento comúnmente utilizado por dichos Estados, consistente en adjudicar nuevo destino de operación a sus agentes de propaganda, espionaje o sabotaje, luego de transcurrido cierto tiempo de actuación en un mismo país, o de haber sido individualizados o catalogados por las autoridades del mismo como extranjeros sospechosos. El movimiento de tales agentes, de unas Repúblicas Americanas para otras, pudo sólo frustrarse a menudo merced a la información trasmitida al nuevo país de destino por las autoridades de aquél donde dichos agentes habían actuado hasta ese momento. En general, la transmisión recíproca de informaciones sobre extranjeros cobró un valor de primer plano durante la actual emergencia junto a los otros medios utilizados por las Repúblicas Americanas para anular toda posibilidad de conspiración y perturbación del orden interno, e impedir la infiltración y organización de espías, saboteadores y toda clase de agentes subversivos dentro de sus respectivos territorios.

Por lo demás, la medida en sí no era totalmente nueva. Los Estados ya se prestaban, desde antiguo, una decidida cooperación y practicaban un intercambio regular de informaciones, para asegurar la represión de los delitos comunes y la detención de criminales y fugitivos. La novedad radicaba más bien en la extensión de los procedimientos, en la mayor presteza y regularidad del intercambio, así como en la clase de sujetos sobre los cuales éste se efectuaba y que estaba constituída principalmente por extranjeros desleales a las Repúblicas en que residían. Mas, cualesquier fueren los procedimientos escogidos para materializar un efectivo intercambio de datos sobre extranjeros en las Repúblicas Americanas, el hecho verdaderamente importante era el propósito generalizado en todas ellas de hacer frente a una nueva necesidad común o colectiva por medios también comunes. El peligro inminente ante la agresión totalitaria, había demostrado de modo terminante hasta qué grado la seguridad de cada República Americana se encontraba indisolublemente unida a la seguridad de todas las demás.

2. Medidas preconizadas o en vigencia.

El examen de las disposiciones y prácticas relativas a este punto ofrece, aunque escasos, algunos ejemplos concretos de intercambio de informaciones. En algunas oportunidades, obra de recomendaciones o sugestiones emanadas de distintos convenios internacionales, en otras, fruto de acertadas previsiones del derecho interno.

a. De carácter internacional.

Merecen señalarse algunas resoluciones y recomendaciones aprobadas en convenios y otros actos internacionales americanos referentes al punto que interesa. Su mención encierra más importancia por cuanto, aparte de constituir directivas fundamentales han dado motivo, algunas veces, a la adopción de medidas internas de aprobación y ejecución convirtiéndose así en útiles precedentes.

Los Convenios Internacionales de Policía Sudamericana de 1905 y 1920, entre Argentina, Bolivia, Brasil, Perú y Uruguay, acordaron el intercambio recíproco de informaciones sobre tentativa o ejecución de hechos anárquicos u otros semejantes, colectivos o individuales, tendientes a la alteración del orden social, así como sobre cualquier otro movimiento que pudiera considerarse subversivo; sobre los individuos peligrosos para la sociedad, entendiéndose por tales, entre otros, los incitadores habituales a subvertir el orden social por medio de delitos contra la propiedad, las personas o las autoridades, los agitadores o incitadores para atacar las instituciones. El intercambio acordado debe hacerse cuando cada contratante presume que la información pueda ser útil a alguno de los otros. Sin embargo, y con el fin de ir formando el Archivo Internacional de Informaciones, se establece que se enviará siempre un duplicado de la información al Gobierno argentino, aunque no interese a éste.

Deben comunicarse, asimismo, la salida o expulsión de individuos peligrosos, cualquiera sea el país de su destino. Este convenio ha sido aprobado por los países signatarios y aplicado corrientemente por las respectivas policías.

El Tratado de Derecho Penal Internacional revisado en Montevideo en 1939 prevé que los Estados firmantes suministrarán informes sobre los antecedentes judiciales o policiales registrados en sus respectivos archivos siempre que fueren requeridos por otro Estado interesado. La información a intercambiarse, queda naturalmente circunscripta a las especies contenidas en el Tratado, es decir, extradición y asilo políticos (789).

Con relación más directa a la actual emergencia, la II Reunión de Consulta declaró que es esencial a la conservación de la paz o integridad del continente el más amplio intercambio de informes relativos a cualquiera clase de actividades dirigidas, ayudadas o instigadas por Gobiernos, grupos o individuos extranjeros, que tiendan a subvertir las instituciones nacionales o a fomentar desórdenes en su vida política interna, o a modificar por la presión, la propaganda, la amenaza o de cualquiera otra manera, el libre y soberano derecho de sus pueblos a regirse por los sistemas democráticos que en ellos prevalecen (790). Otra conclusión de la misma Reunión, encarece a los Gobiernos la comunicación recíproca de informaciones y datos acerca del ingreso, inadmisión y expulsión de extranjeros (791).

La III Reunión de Consulta recomendó a los Gobiernos de las Repúblicas Americanas que comuniquen a los otros, los informes que obtengan, relativos a la presencia en ellas de extranjeros sospechosos para su paz o seguridad (792).

El Comité ha aconsejado, asimismo, en algún caso, el intercambio de informaciones con referencia a determinadas materias especiales, sobre las que este organismo ha emitido recomendaciones. Se encuentra así, en la Resolución sobre Registro de Extranjeros, la sugestión de que, cuando se conceda permiso a un extranjero para salir del país con destino a otro de América, se trasmita a la Oficina Central del Registro de Extranjeros de dicho país, toda la información pertinente sobre aquél, que se posea (793). Por otra Resolución, se aconseja también a las Repúblicas Americanas la adopción de un plan

---

(789) Art. 17, inc. segundo.
(790) Resolución VI.
(791) Resolución VII.
(792) Resolución XVII. Anexo, A, 1. Ver asimismo la Res. XIX, de la mencionada Reunión.
(793) Resolución VI, C, 5), in fine.

general de intercambio de informaciones a fin de contrarrestar la propaganda totalitaria y reforzar y perfeccionar las medidas tendientes a reprimirla (794).

La Conferencia Regional convocada por iniciativa del Comité y realizada en la ciudad uruguaya de Rivera en setiembre de 1942, con asistencia de delegados de las Repúblicas de Argentina, Bolivia, Brasil, Paraguay y Uruguay recomendó a los Gobiernos representados que intercambiaran informaciones acerca de las personas a quienes se les hubiera negado autorización para viajar en cualquier parte del Hemisferio; que hubieren sido expulsados a cualquiera República Americana; que no hubieren cumplido con las disposiciones sobre el Registro de Extranjeros; que participaren en actividades hostiles a la defensa y seguridad del Hemisferio, o sobre las que recayeren sospechas de ejecutarlas; y, por último, cualquiera otra información con respecto al tránsito de personas que pudiese ayudar a los gobiernos en el mantenimiento de la defensa y seguridad del Hemisferio (795).

Tales son las conclusiones más importantes aprobadas en las reuniones internacionales de los últimos años en materia de intercambio de informaciones. Estas sugestiones coinciden, en algunos aspectos, con las medidas aplicadas en ciertos países del continente, según se verá seguidamente.

b. De carácter interno.

Las disposiciones en vigor se ajustan a directivas muy variadas. El intercambio recae, tanto sobre los extranjeros en general, sin discriminación de datos de particular interés, cuanto sobre determinadas informaciones específicas, relacionadas con alguna actividad o calidad particular del extranjero.

Este intercambio es, a menudo, una medida administrativa de iniciativa propia, no contenida necesariamente en disposiciones legales o decisiones de la administración. Las referencias acerca de esta materia, más que tomadas de los textos legales, se basan por ello en informes proporcionados por las autoridades de los países. En las leyes de Colombia, por

---

(794) Resolución V.
(795) Resolución II.

ejemplo, se encuentra una referencia expresa al intercambio de informaciones sobre extranjeros sospechados de realizar actividades subversivas. Según la disposición respectiva se confiere al Departamento de Extranjeros de la Policía Nacional el cometido de mantenerse en contacto con las policías de los países americanos a fin de luchar contra el espionaje y las actividades antiamericanas de elementos extranjeros (796). Se efectúa también un intercambio de informaciones sobre extranjeros en general, en Costa Rica. De acuerdo con los informes proporcionados por el Gobierno de este país se realiza frecuentemente un intercambio con las autoridades de los países colindantes de Panamá y Nicaragua y, en casos especiales, directamente con otras Repúblicas Americanas. Cuando las circunstancias lo requieren, se efectúan también consultas entre los agentes consulares costarricenses en el exterior y los de otras Repúblicas del Continente (797).

Las restantes previsiones contenidas en la legislación americana se contraen a promover el intercambio de datos relativos a otros aspectos más especiales tales como expulsiones, viajeros, extradidos, etc. Requieren informaciones en materia de expulsados, Bolivia y Costa Rica. En Bolivia, cada vez que se dicta una medida de expulsión, y a fin de evitar el reingreso al país del afectado, se da conocimiento de ella a los Cónsules del cordón fronterizo, debiendo los Consulados Generales hacerlas conocer en las Legaciones de modo que estas autoridades no sean sorprendidas con la visación de pasaportes diplomáticos para las personas expulsadas (798). Las disposiciones costarricenses disponen que cuando se expulse a un extranjero de la República, el Departamento de Extranjeros debe distribuir profusamente su fotografía y filiación entre todas las autoridades del país y funcionarios consulares en el exterior, impartiendo igualmente informes sobre aquellos extranjeros que no hubieren sido expulsados del territorio y lo abandonaren voluntariamente, pero que por su conducta y antecedentes no sean acreedores a que se admita su reingreso. Los funcionarios diplomáticos y consulares de la República en el exterior

---

(796) L. Nº 505, de 1940, art. 44, inc. j.
(797) Cir. del Ministerio de Inmigración, de 10 abr. 1937, letra l).
(798) Inf. V. C.

deben, asimismo, comunicar al Departamento de Extranjeros, a la mayor brevedad, toda la información que obtuvieren sobre los extranjeros y expulsados de sus jurisdicciones o sobre aquellos cuya conducta y antecedentes los calificasen como peligrosos (799).

En materia de viajes, además de lo que es aplicable, según lo dicho precedentemente, a Bolivia y Costa Rica, tienen exigencias especiales Colombia y El Salvador. Un decreto colombiano adjudica a la Sección Especial de Policía dependiente de la Dirección General, entre otras, la función de canjear informaciones con la policía extranjera respecto de los inmigrantes sospechosos (800).

En El Salvador, el gobierno transmite comúnmente los nombres de los extranjeros a quienes se les ha negado la entrada a la República, a aquellos países donde se espera que tales personas tratarán de ingresar y, por su parte, las autoridades nacionales mantienen al día una nómina de aquellas que han sido procesadas o deportadas por delitos contra el orden público, o de las que recibe informaciones de otras naciones americanas (801).

Respecto de los delincuentes, en general, y de los extradictos, particularmente, la misma disposición de Colombia antes mencionada confía a las autoridades de policía la misión de mantener relaciones con las autoridades similares de los países que tengan tratados de extradición con la República para dar y recibir informaciones sobre los sindicados como reos y prófugos y procurar su captura (802).

---

(799) D. Nº 5, de 14 jun. 1941, arts. 21 y 22.
(800) D. Nº 1954, de 3 set. 1927, art. 7º, inc. 2º.
(801) Inf. V. C.
(802) D. Nº 1954, de 3 set. 1927, art. 7º, inc. 1º. Naturalmente, al aspecto jurídico del intercambio de informaciones, va unida una cuestión de orden técnico, que tiene que ver con la coordinación y uniformidad de los sistemas empleados para la identificación de las personas, y que, como se sabe ,es diverso en los distintos Estados del continente.

CAPITULO VI

SANCIONES

I. Características generales de las normas punitivas sobre contralor de extranjeros.

El cumplimiento de las obligaciones establecidas por las disposiciones sobre contralor de extranjeros examinados en los capítulos que anteceden está respaldado generalmente por la determinación de las penalidades correlativas. Aparte de ser una consecuencia del establecimiento de toda obligación jurídica, la necesidad concreta de tales sanciones adquiere una relevancia más caracterizada, si es posible, por virtud de las razones especiales que indujeron a adoptar las medidas de defensa política en la materia de que se trata y a las que se ha hecho oportuna referencia. La amenaza de la punición, pues, actúa también en este sector tan especial de la legislación americana, con sus características ordinarias de determinante de la observancia del deber jurídico, ofreciendo especial eficacia respecto de ciertos sujetos naturalmente refractarios que difícilmente acatarían los preceptos legales de no mediar el temor ante el poder coactivo del Estado. Las disposiciones de las Repúblicas Americanas establecen una serie bastante amplia de sanciones por transgresión a las normas relativas al registro, vigilancia y contralor de extranjeros en general, casi tan amplia como las propias obligaciones previstas por esas normas.

La Resolución del Comité sobre Registro de Extranjeros da cabida a una fórmula general sobre sanciones que puede servir de ejemplo para ilustrar la situación. Se recomienda por ella que sea castigado con prisión o sea internado el extranjero que no se inscriba o no comparezca periódicamente, o dolosamente conteste con falsedad u omita algún dato del registro, o adultere o falsifique alguna cédula de identidad (803). La legislación americana satisface, en esencia, el contenido de es-

---

(803) Res. Nº VI, D), 1), 2) y 3).

ta fórmula sancionadora concebida frente a las exigencias de la defensa política con un carácter de norma mínima. Si se exceptúa la internación, no recogida en general, por las leyes y disposiciones americanas como penalidad o como medida asegurativa, parece lícito concluir, luego de una revista de las mismas, que ellas contienen previsiones adecuadas para reprimir las infracciones que se produzcan. A fin de proporcionar una idea más definida sobre los matices y los aspectos particulares que resultan de las disposiciones tratadas, será útil, primero, trazar brevemente las líneas generales comunes a que se ciñen los sistemas legales, y luego entrar al estudio directo de las diferentes leyes y de los principios que las informan en orden a cada medida o contralor específico.

Importa ante todo afirmar que las disposiciones, uniformemente, suelen contraponer a cada precepto configurativo de una obligación o de una prohibición la correspondiente sanción. Así, a la obligación de registrarse, de comparecer, de denunciar los cambios de ocupación o domicilio, o a la prohibición de poseer o usar armas de fuego y explosivos, de residir en determinadas zonas, etc., va unida la pena correlativa, por omisión de cumplir el deber impuesto o comisión del acto prohibido. No siempre la sanción es prevista conjuntamente con el precepto. La mayoría de las veces, la ley configura el tipo de conducta o la omisión antijurídica y establece de inmediato la sanción pertinente, o bien lo hace en una sección especial sobre penalidades, contenida en el mismo cuerpo legal. Esta es la técnica corriente y también la más comúnmente empleada, según se ha dicho. Pero no todas las veces sucede así. Casos hay en que otra ley o disposición especial es la que determina la sanción aplicable a tal o cual violación de las normas sobre contralor de extranjeros. Esto ocurre frecuentemente en aquellos países en donde se ha aumentado la intensidad de las penalidades con motivo de la emergencia actual, o en aquellos otros en que se ha considerado necesario emplear la represión allí donde anteriormente parecía o era suficiente la simple declaración de la obligación sin respaldarla en la eventual coacción punitiva. En fin, suele encontrarse todavía una última modalidad, que traduce una aplicación particular de la teoría de las leyes penales en blanco: cuando la ley no ha previsto la pena correlativa a un tipo penal, a tal o cual precepto, suele incluirse una sanción determinada, que se declara en general aplicable a todas las distintas situaciones para las cuales no se ha fijado una penalidad especial. Es por este motivo que muchas medidas respecto de las cuales parecería no existir en las leyes sanción específica alguna, quedan comprendidas dentro del régimen punitivo siendo reprimidas por las autoridades en virtud de la autorización general contenida en la ley. La naturaleza de las penas es, en cierto modo variada, según las legislaciones y, naturalmente, según la mayor o menor entidad del ilícito jurídico-penal. Es, sin embargo, perceptible una relativa uniformidad o coincidencia en la valoración de las magnitudes penales. Generalmente, la ley actúa en el campo de la simple contravención administrativa o delito de policía, reprimidas benignamente en su carácter de infracciones menores; aunque con bastante frecuencia resulta perceptible también la valoración mayor y, en consecuencia, la penalidad más severa que una determinada legislación atribuye a un mismo acto, que viene a constituir así, apreciado con criterio formal, según el monto de la pena, un verdadero delito. Se observa también que en esta sobrevaloración intervienen, según los casos, tanto la entidad material del acto antijurídico, mirado desde el punto de vista del riesgo que él entraña para la seguridad, cuanto la consideración circunstancial o accidental de la época de emergencia por la que se atravesó. De estas breves generalidades se desprende que las expresiones **sanción** y **pena** responden la mayoría de las veces a su real acepción técnico-penal; pero en otras ocasiones sólo por extensión puede legítimamente hablarse de penas, ya porque la acción de los órganos públicos se reduce a la aplicación de simples medidas de seguridad, ya porque las mismas son impuestas en vías diferentes que la de la jurisdicción criminal.

Para la exposición detallada de los diversos tipos punibles en vigor en las Repúblicas Americanas, ha parecido conveniente observar, en lo posible, el mismo orden en que han sido tratadas las diferentes prohibiciones u obligaciones jurídicas emergentes de los preceptos contenidos en los capítulos que preceden. Algunas modalidades sancionadoras de carácter más amplio, que no pueden incluirse lógicamente dentro del cuadro configurado por dichas obligaciones y prohibiciones, son enunciadas al final del capítulo.

II. Actos y omisiones específicamente reprimidos

1. Omisión de inscripción, obtención de cédula o visación, y suministro de datos falsos.

El tipo penal está integrado aquí por elementos más, o menos amplios según las legislaciones; pero, en general, ellos pueden ser reducidos a la fórmula comprensiva de sanciones por omisión a las disposiciones sobre inscripción o registro, obtención de cédulas o visación de las mismas y suministro de datos o informaciones falsas. Están comprendidos en la fórmula precedente, infracciones por comisión u omisión tales como las siguientes: no apersonarse a dar cuenta del ingreso ante las autoridades correspondientes al llegar al país o lugar de destino dentro del mismo (804); no inscribirse (805), no presentar las pruebas necesarias para la inscripción (806), o no renovar ésta (807); no obtener la cédula o documentos de identidad respectivos (808); no hacerlos refrendar o visar al tras-

---

(804) **Bolivia:** D. de 28 ene. 1937, art. 10, letra b.
Costa Rica: D. Nº 5 de 14 jun. 1941, art. 4.
El Salvador: D. Leg. Nº 86, de 14 jun. 1933, art. 42.
(805) **Bolivia:** D. de 17 jun. 1942, art. 14, letra a).
Brasil: D. L. Nº 406 de 4 may. 1938, art. 61, letra c.
D. Nº 3010 de 20 ago. 1938, art. 236, inc. c y 245.
Colombia: D. Nº 181 de 29 ene. 1942, art. 3º, parág. 2º.
Cuba: L. de 23 jul. 1918, art. 4º.
D. L. Nº 788 de 28 dic. 1934, art. 3º (con las modificaciones introducidas por el D. L. Nº 532, de 25 ene. 1936).
L. de Extranjería, arts. 5º y 21.
Memorándum sobre Organización del Registro.
D. Nº 840, de 19 mar. 1943, art. 2.
Chile: L. Nº 3446, de 12 dic. 1938, art. 6º.
El Salvador: D. L. Nº 86 de 14 jun. 1933, art. 45.
D. Ej. de 27 jul. 1933, art. 22.
Estados Unidos: L. de Registro de Extranjeros de 28 jun. 1940, Sec. 36 (a). (54 Stat. 675; 8 U. S. C. 457 (a)).
Guatemala: Ley Extranjería de 25 ene. 1936, arts. 46 y 54.
Perú: L. Nº 7744, de 28 abr. 1933, art. 8º.
(806) **El Salvador:** D. L. Nº 86 de 14 jun. 1933, art. 48.
(807) **Perú:** L. Nº 7744 de 28 abr. 1933, art. 8º.
(808) **Bolivia:** D. de 11 abr. 1922, art. 1º.
Colombia: D. Nº 1697 de 16 jul. 1936, art. 29, parágrafo 2º.
Costa Rica: D. Ej. Nº 1 de 3 set. 1930, art. 7º.

ladarse de un punto a otro del país (809) ; no renovarlos dentro de los plazos fijados (810), o no presentarlos a la autoridad para su anotación, cuando se produjese algún cambio en los datos que contiene (811) ; proporcionar intencionalmente datos falsos (812) ; tratar de obtener una cédula por medios fraudulentos (813) o hacerse expedir más de una (814) ; llevar o exhibir como propias, cédulas de terceros (815) ; retener las de otras personas (816) ; o negarse a entregar la que hubiese pertenecido a un difunto (817), etc.

La pena más generalizada es la multa simple, prefijada

D. Nº 5 de 14 jun. 1941, art. 4º.
Chile: L. Nº 6880 de 8 abr. 1941, art. 5º.
Rpca. Dominicana: L. Nº 372 de 19 nov. 1940, art. 40 inc. 1º y art. 42.
El Salvador: D. Ej. de 30 set. 1935, art. 1º.
Guatemala: Ley de Extranjería de 25 ene. 1936, art. 46.
México: L. de 24 ago. 1936, arts. 199 y 200.
D. de 18 dic. 1941, arts. primero y cuarto.
L. de 4 mar. 1942.
D. de 6 oct. 1942, arts. 3º y 4º.
Panamá: D. Nº 423 de 5 jun. 1942, arts. 1º y 2º.
(809 Colombia: D. Nº 1697 de 16 jul. 1936, art. 33.
(810) Cuba: D. L. Nº 788 de 28 dic. 1934, art. 21 con las modificaciones introducidas por el D. L. Nº 532 de 25 ene. 1936.
Memorándum sobre Organización del Registro.
Chile: D. L. Nº 26 de 1924, art. 7º.
L. Nº 6880 de 8 abr. 1941, art. 5º.
El Salvador: D. Ej.de 30 set. 1935, art. 1º.
(811) Rpca. Dominicana: L. Nº 372 de 19 nov. 1940, arts. 40, inc. 13 y 45.
(812) Bolivia: D. Nº 321 de 31 dic. 1943, art. 10.
Colombia: D. Nº 1697 de 16 jul. 1936, art. 43.
Inf. sobre cédulas de identidad.
Costa Rica: L. Nº 8, de 21 abr. 1941, art. 1º.
D. Nº 5, de 14 jun. 1941, art. 4º.
Estados Unidos: L. de Registro de Extranjeros de 28 jun. 1940, Sec. 36 (c) (54 Stat. 675; 8 U. S. C. 457 (c)).
Rpca. Dominicana: L. Nº 372 de 19 nov. 1940, art. 4º, inc. 8º y art. 43.
(813) Costa Rica: D. Nº 5 de 14 jun. 1941, art. 4º.
Estados Unidos: L. de Registro de Extranjeros de 28 jun. 1940, Sec. 36 (c). (54 Stat. 675; 8 U. S. C. 457) (c)).
(814) Rpca. Dominicana: L. Nº 372 de 19 nov. 1940, art. 40 inc. 17 y art. 45.
Panamá: L. Nº 83 de 1º jul. 1941, art. 26.
(815) Rpca. Dominicana: L. Nº 372 de 19 nov. 1940, ats. 40 inc. 3º y 43.
(816) Rpca. Dominicana: L. Nº 372 de 19 nov. 1940, arts. 40 inc. 12 y 45.
(817) L. Nº 372 de 10 nov. 1940, arts. 40 inc. 18, y 45.

para cada contravención por la propia ley, o bien reducida al sistema de escalas penales, dentro de un mínimo y un máximo en que debe ser individualizada conforme a la entidad de cada violación. En algunos casos, a la multa como penalidad, va unida accesoriamente la aplicación de medidas asegurativas tales como la expulsión a juicio del gobierno, o la detención en la residencia u otro lugar que determina la autoridad (818); o bien implica el tratamiento de sospechoso, en cuya calidad el extranjero es sometido a una vigilancia especial de la policía, como sucede en Costa Rica, por ejemplo (819). Muchas veces la infracción da mérito a la expulsión pura y simple como en la ley brasileña (820). Otras leyes instituyen la pena de prisión o reclusión en grados mínimos, irredimible, como la de la República Dominicana (821), o conmutable por multa, como las de Chile (822) y México (823), sin perjuicio del cumplimiento de la obligación de registrarse u otra, una vez sufrida la pena. En ciertos casos la prisión es concurrente con la multa. La reincidencia suele ser castigada con el duplo de la pena fijada para la primera infracción, o bien determina la expulsión. Respecto de las declaraciones falsas hay leyes que remiten a las penas previstas por los Códigos Penales para los delitos de falsedad o falso testimonio (824).

---

(818) **Colombia:** D. Nº 181 de 29 ene. 1942, art. 3º parág. 2º.
(819) D. Nº 5 de 14 jun. 1941, art. 4º.
(820) D. Nº 406 de 4 may. 1938, arts. 61, letra c y 78.
D. Nº 3010 de 20 ago. 1938, art. 236, inc. c).
(821) L. de 10 jul. 1937, art. 8º; L. Nº 372 de 19 nov. 1940, art. 40, incs. 3 al 8, 19 y 43).
(822) L. Nº 3446, de 12 dic. 1938, art. 6º.
(823) L. de 24 ago. 1936, art. 183; D. de 6 oct. 1942, arts. 3º y 4º.
(824) **Costa Rica:** D. Nº 5, de 14 jun. 1941, art. 4º.
Código Penal: Art. 427: "El que insertare o hiciere insertar en un instrumento público o en un documento público declaraciones falsas concernientes a un hecho que el documento deba probar, de modo que pueda resultar perjuicio, será condenado a prisión de uno a seis años".
Art. 431: "El que, a sabiendas, hiciere uso de un documento falso en todo o en parte, será reprimido como si fuera autor de la falsedad".
Guatemala: D. 1735, de 4 jun. 1931, art. 6º.
Código Penal: Art. 206: "El que falsificare un pasaporte o una cédula de vecindad, será castigado con la pena de un año de prisión correccional".
Art. 207: "La misma pena se impondrá al que en un pasaporte verdadero o en una cédula de vecindad verdadera, mu-

Merecen particular referencia las leyes de Cuba, Estados Unidos y República Dominicana, elaboradas durante o con vista a épocas de anormalidad. Según la ley del país primeramente nombrado, el encarcelamiento o reclusión se extiende a todo el tiempo de duración de la guerra (825).

En Estados Unidos la omisión voluntaria de registrarse es castigada con multa no superior a U$S 1000 o con prisión no superior a 6 meses, o con ambas penas. La misma pena se aplica al que formule declaraciones falsas o intente registrarse con fraude, pero además, en este último caso, si el extranjero tiene menos de cinco años de residencia puede ser deportado (826). La ley de la República Dominicana, por su parte, prevé diferentes clases de penas, que pueden ser aplicadas individual o concurrentemente. En algunos casos, el incumplimiento de las disposiciones de contralor induce a tomar medidas de seguridad contra el infractor, tales como la cancelación del permiso de residencia en el país; en otros casos, esa violación produce desventajas de naturaleza civil, tales como la denegación de licencia o patente para el ejercicio de profesiones, oficio, comercio o industria, clausura del establecimiento, etc., mientras no se haya obtenido la inscripción; en otros casos, en fin, ese incumplimiento genera la expulsión o la reclusión en una colonia penal hasta por seis meses, debiendo siempre,

---

dare el nombre de la persona a cuyo favor se halle expedido, o el de la autoridad que lo expidiere, o altere en ellos alguna circunstancia esencial".
Art. 208: "(Decreto gubernativo Número 2286). El que hiciere uso del pasaporte o de la cédula de vecindad de que trata el artículo anterior, será castigado con la pena de un año de arresto mayor.
En la misma pena incurrirán los que hicieren uso de un pasaporte verdadero o de una cédula de vecindad verdadera, expedidos a favor de otra persona; y en la mitad, el que estando obligado a llevar pasaporte, sale del territorio nacional sin llenar ese requisito".
México: L. de 24 ago. 1936, arts. 200 y 201.
Código Penal: Art. 247: "Se impondrán de dos meses a dos años de prisión y multa de diez a mil pesos: I. — Al que, interrogado por alguna autoridad pública en ejercicio de sus funciones o con motivo de ellas faltare a la verdad.
Panamá: L. Nº 83, de 1º jul. 1941, arts. 28 y 29.
(825) L. de 23 jul. 1918, art. IV.
(826) L. de Registro de Extranjeros, 28 jun. 1940, Sec. 36 (a) y (c). (54 Stat. 675; 8 U. S. C. 475 (a) y (c)).

al ser liberado, cumplirse con las obligaciones correspondientes (827).

2. Omisión de comparecer periódicamente ante las autoridades.

De acuerdo con el material legislativo a disposición del Comité, únicamente en las disposiciones de Bolivia (828) y Cuba (829) se encuentran sanciones específicas a la no comparecencia periódica. Esto no significa que en los demás países donde se establece el deber del extranjreo de comparecer cada tanto tiempo (830), se descuide absolutamente el cumplimiento de dicha obligación. En la mayoría de los casos, ella determina la adopción de medidas especiales de vigilancia y fiscalización del infractor, en el cual recae de pleno una sospecha o presunción de peligroso; o bien aquella obligación queda penalmente amparada por la imposición de sanciones emanadas de una autorización general aplicable a las contravenciones no previstas por la ley de un modo expreso según se ha indicado anteriormente (831).

3. Omisión de denunciar los cambios de ocupación y domicilio.

En lo que concierne a la ocupación, profesión u oficio, los preceptos vigentes sancionan la omisión de denunciar cualquier cambio de los mismos que se produzca o el efectuarlo sin el permiso de la autoridad.

Las sanciones relativas a cambios de domicilio, habitación o residencia, aparecen configuradas en forma un poco más casuística. Por lo general, es punible la omisión de dar aviso del cambio dentro del término preestablecido, previa o ulteriormente al mismo; el hacerlo sin el permiso de la autoridad o contra su prohibición, o sin presentar la cédula para refrendarla o anotar en ella el cambio producido; formular de-

---

(827) L. Nº 1343 de 10 jul. 1937, art. 8º.
(828) D. Nº 321 de 13 dic. 1943, art. 10.
(829) D. Nº 840, de 19 mar. 1943, art. segundo.
(830) Supra, cap. II.
(831) Supra, págs. 349-350.

claración falsa de domicilio u ocultar intencionalmente el cambio; exhibir documentos falsos o adulterados para obtener el permiso de mudanza, o no presentarse ante las autoridades del nuevo domicilio, etc. Tales son las previsiones penales comúnmente recogidas en las disposiciones de Brasil (832), Colombia (833), Costa Rica (834), Cuba (835), Chile (836), Estados Unidos (837), Panamá (838) y Perú (839).

La pena más frecuente aquí es también la de multa, que se gradúa proporcionalmente a la falta y condición económica del infractor y se duplica, por lo general, en caso de reincidencia. Algunas legislaciones, como la brasileña (840), la aplican siempre que no medie dolo. La prisión no se prevé casi para esta clase de infracciones y, cuando ello acaece, como en la ley chilena (841), por ejemplo, lo es por aplicación del principio general de la sustitución. La legislación colombiana (842) ordena la fijación al infractor de un plazo para abandonar el país; si éste no lo hace voluntariamente, es pasible de una orden de expulsión. La exhibición de documentos falsos para obtener un cambio o acreditar un domicilio ficticio cae, generalmente, bajo las disposiciones de la legislación penal ordinaria respecto de la falsificación de documentos.

4. Omisión de dar aviso o de solicitar permiso para viajar dentro del país.

Las disposiciones de Bolivia (843) y Colombia (844) cas-

(832) D. L. Nº 406, de 4 may. 1938, art. 76.
(833) D. Nº 1697, de 16 jul. 1936, art. 31, parágrafo; D. Nº 1205, de 25 jun. 1940, art. 7º.
(834) L. Nº 8 de 21 abr. 1941, art. 1º, tercero.
(835) D. Nº 3341 de 11 dic. 1941, art. segundo. D. Nº 840 de 19 mar. 1943, segundo.
(836) D. Nº 216, de 15 may. 1931, arts. 6 y 7.
(837) L. de Registro de Extranjeros de 28 jun. 1940, Sec. 36 (b). (54 Stat. 675; 8 U.S.C. 457 (b)). El que no dé noticia del cambio de residencia será castigado con multa no superior a U$S 100 o con prisión no superior a 30 días o con ambas penas.
(838) D. Nº 55, de 11 set. 1939, arts. 1º, 3º y 5º.
(839) D. Sup. de 18 jul. 1941, arts. 1º y 2º.
(840) D. L. Nº 400, de 4 may. 1938, art. 76.
(841) D. Nº 216 de 15 may. 1931, arts. 6 y 7.
(842) D. Nº 1697 de 16 jul. 1936, art. 31, parágrafo. D. Nº 1205, de 25 jun. 1940, art. 7º.
(843) Medidas adoptadas por la Jefatura de Policía, "El Diario", 1º mar. 1943.
(844) D. Nº 1697 de 16 jul. 1936, art. 32, parágrafo.

tigan expresamente la omisión de solicitar permiso o documentos para viajar dentro del país o de dar aviso a las autoridades de la salida y llegada. Multa y arresto policiario en su grado máximo, y expulsión para la reincidencia, son las penas previstas por las disposiciones de uno y otro país, respectivamente.

5. Infracción a las prohibiciones de residir o frecuentar ciertas zonas.

La figura tutela aquellos lugares o zonas declarados de acceso prohibido por motivos estratégicos o de protección de instalaciones consideradas vitales, a fin de impedir actos de sabotaje o espionaje, inhibiendo la residencia, el tránsito y la entrada de los extranjeros declarados peligrosos. Pueden citarse como ejemplo de penas para esta clase de infracciones, las leyes de Cuba (845), Estados Unidos (846) y Uruguay (847). La pena consiste también en multa o arresto duplicable para el reincidente. La disposición uruguaya deja librado a la autoridad el disponer en este caso la expulsión del extranjero.

6. Infracción a las disposiciones sobre tenencia y uso de armas y explosivos y transporte de correspondencia.

Según ya se dijera oportunamente esta parte debe ser necesariamente complementada con los artículos respectivos de los Códigos Penales y leyes de orden público donde se castiga casi sin excepciones el porte y uso de armas y la tenencia, fabricación y venta de explosivos cuando se careciere de la licencia o del permiso especial concedido por la autoridad conforme a los reglamentos pertinentes. Pero, aparte de estos preceptos ordinarios, algunos países instituyen, además, en

---

(845) D. Nº 840, de 19 mar. 1943, arts. primero y segundo.
(846) La residencia o presencia indebida en zonas restringidas o prohibidas da lugar a arresto, detención e internación. Regl. 5 feb. 1942, Sec. 15. La ley de 21 mar. 1942 (56 Stat. 173; 18 U. S. C. 97 (a)) castiga con multa, o prisión o con ambas penas al que entre o permanezca en zonas de seguridad.
(847) D. L. de 16 jul. 1942, arts. 4º y 16.

las disposiciones dictadas durante la pasada emergencia, ciertas penalidades aplicables a extranjeros en general o a extranjeros del Eje o de países enemigos, y en ciertos casos a todas las personas, como medio de vigorizar las prohibiciones especiales establecidas en aquellas. Existen preceptos expresos sobre el particular en las disposiciones de Argentina (848), Colombia (849), Costa Rica (850), Ecuador (851), Estados Unidos (852) y Guatemala (853).

En su formulación más amplia, la figura comprende el uso, porte, importación o fabricación de armas, explosivos o bombas y similares, sin autorización, o el ocultamiento o renuncia a entregar a la autoridad las que hubieren sido confiscadas o expropiadas. Las penas consisten en multas o bien en el comiso del arma, sustancias o materiales, y arresto hasta por un mes, o el doble de dicho tiempo para la reincidencia, o la expulsión, como en Colombia. La ley de Guatemala aplica la pena de muerte y sigue el principio de la asimilación absoluta para la complicidad y el encubrimiento (854).

La legislación de Panamá castiga de manera especial a las personas que, como tripulantes o pasajeros, lleven correspondencia sin someterla a la revisión o examen de las autoridades competentes (855). La pena aplicada es la multa o el arresto que se aumentan por encima del duplo, en caso de reincidencia.

---

(848) D. Nº 7058, de 2 abr. 1945, art. 12, inc. c); D. Nº 7527, de 6 abr. 1945, art. 18.
(849) D. Nº 1205 (para extranjeros(de 25 jun. 1940, art. 1º, incs. 8º y 9º; D. Nº 952, de 11 abr. 1942, art. 3º (Para todas las personas).
(850) D. Nº 45, de 11 dic. 1941, art. 2º. (Para todos los particulares).
(851) L. de 2 jun. 1938, art. 24. Disposiciones relativas a todos los turistas.
(852) Reg. 5 feb. 1942, Sec. 16. Se somete a arresto, detención e internación, mientras dure la guerra, y los materiales poseídos son confiscados.
(853) D. Nº 1581 de 19 set. 1934, arts. I a IV. (Para todas las personas).
(854) D. Nº 1581, de 19 set. 1934, art. I a IV. En realidad, esta drástica disposición ha sido puesta en vigencia, según se declara en su preámbulo, para reprimir la posesión y empleo de explosivos y bombas por parte de individuos de mal vivir y con tendencias comunistas.
(855) D. Nº 499 de 18 ago. 1942, arts. 1º y 3º.

7. **Omisión de dar aviso de los huéspedes o inquilinos o de exigir los documentos de identidad.**

a. **En hoteles, casas de hospedaje, agencias de arrendamiento, etc.**

Es muy común y frecuente en las disposiciones de las Repúblicas Americanas la sanción por omisión de dar aviso de los huéspedes que se alojan en los hoteles y similares. Teniendo en cuenta las diversas disposiciones en vigencia en los distintos países la fórmula siguiente da una idea bastante completa de esta clase de penalidades, que recae sobre los dueños, gerentes, encargados o administradores de hoteles, pensiones, fondas y casas de hospedaje y agencias de arrendamientos, secciones fiduciarias de los bancos y particulares que alquilen habitaciones, etc., por: omitir dar noticia dentro de determinado plazo de la presencia de huéspedes o enviar periódicamente a la autoridad la nómina de los pasajeros que ingresan o salen, con sus respectivos datos, o requerir de sus huéspedes la cédula de identidad, o aceptarlos sin que se halle ésta al día, no llevar en forma los libros o registros para las anotaciones; conceder alojamiento en los establecimientos ubicados en determinadas zonas a aquellos extranjeros que tienen vedado el acceso a las mismas, o no dar aviso del contrato de arrendamiento celebrado y reseñar los datos del inquilino, etc. Contienen preceptos expresos, sobre esta materia, las disposiciones de Bolivia (856), Colombia (857), Costa Rica (858), Cuba (859), República Dominicana (860), El Salvador (861), Perú (862) y Uruguay (863). Merece señalarse, especialmente, el caso de Costa Rica, cuya legislación establece sanciones no sólo para los dueños de hoteles, casas de arrendamiento,

(856) D. de 11 abr. 1922, art. 3º.
(857) D. Nº 1697, de 16 jul. 1936, arts. 56 y 57; D. Nº 1205, de 25 jun. 1940, art. 2º.
(858) L. Nº 8 de 21 abr. 1941, art. 1º, inc. cuarto; D. Nº 5, de 14 jun. 1941, arts. 11 y 12.
(859) D. Nº 840, de 19 mar. 1943, art. segundo.
(860) L. Nº 372, de 19 nov. 1940, art. 40, inc. 14.
(861) D. Ej. de 9 feb. 1934, arts. 1º y 4º.
(862) D. de 21 jun. 1940, arts. 6º y 8º.
(863) D. de 16 jul. 1942, art. 16; D. de 15 oct. 1942, art. 19.

etc., sino también para los dueños de casas que no notifican a la autoridad la presencia de extranjeros en sus domicilios (864).

La multa, sin excepción, es la pena prevista por las disposiciones de los países antes citados. La reincidencia es castigada, bien con el doble (República Dominicana), más la posibilidad de la expulsión (Uruguay), bien con la multa en su grado máximo y clausura del establecimiento (Costa Rica). La clausura del comercio ofrece, naturalmente, una gran importancia en la previsión del incumplimiento de la obligación de dar aviso de los huéspedes. La severidad de la medida, que responde al carácter agravante de la reincidencia y lo definitivo de la misma, obran como preventivo asegurando, por intimidación, la observancia del precepto.

b. En los medios de transporte, oficinas públicas, bancos y otras actividades.

Aparte de las sanciones por la omisión de exigir, en los hoteles y establecimientos similares, los documentos de identidad o permisos especiales a que están sujetos los extranjeros, las disposiciones prevén también el castigo por la misma omisión en muy diversas otras actividades de la vida diaria. Una idea general de dichas sanciones puede obtenerse a través de la siguiente enunciación de los sujetos que quedan sometidos a la aplicación de las mismas según lo establecido por la gran mayoría de las legislaciones: las compañías de transportes marítimos o fluviales, terrestres o aéreos que expidieren pasajes o transportaren a extranjeros que no poseyeren sus documentos de identidad, o no se hallaren en posesión del permiso especial de viaje, o que aún teniéndolos no estuvieren al día, o que no informaren a la autoridad, dentro de los plazos establecidos, de los extranjeros que han hecho uso de los servicios de transporte con especificación del número de cédula y demás datos pertinentes; los propietarios, gerentes, administradores, empresas, sociedades y, en general, cualquier particular que dieren trabajo, ocuparen o se sirvieren de ex-

---

(864) L. Nº 8, de 21 abr. 1941, art. 1º, inc. 4º; D. Nº 5, de 14 jun. 1941, art. 12.

tranjeros que carecieren de cédula de identidad debidamente anotada, o que no suministraren aviso de su contratación, previamente o con posterioridad, con indicación de los datos personales respectivos o que no exigieren de aquél la inscripción en el registro; los gerentes de bancos, casas de créditos y sucursales bancarias que pagaren cheques, libraren giros o aceptaren depósitos a personas que no tuvieren sus cédulas personales al día, y los dueños de casas de compra venta que realizaren negocios con dichas personas, etc. Inclusive, hay muchas disposiciones que obligan a poseer y exhibir la cédula o documento de identidad correspondiente a quienes comparecen ante una autoridad o empleado público de cualquier orden, para practicar una diligencia, ejercer algún derecho, acción o reclamación, o para desempeñar algún cargo, desarrollar cualquiera actividad comercial, industrial o profesional, o practicar cualquier acto para el cual sea menester la cédula de identidad. También suele castigarse al que no diere cumplimiento a la obligación de exhibir a las autoridades sus respectivos documentos de identidad cuando fuere requerido a tal efecto. En fin, casi todas las leyes, sin excepción, prevén sanciones para los que fabriquen, adulteren o falsifiquen una cédula de identidad o para los que utilicen documentos ajenos en provecho propio.

Contienen unas y otras de las precitadas figuras penales, las disposiciones de estos países: Argentina (865), Bolivia (866), Brasil (867), Colombia (868), Costa Rica (869), Cuba (870), República Dominicana (871), El Salvador (872), Gua-

---

(865) D. Nº 11.417, de 23 may. 1945, art. 13.

(866) D. de 17 jul. 1942, art. 14, letra b).

(867) D. L. Nº 406 de 4 may. 1938, art. 61, letra a); D. Nº 3010 de 20 ago. 1938, arts. 241 y 247.

(868) D. Nº 1697 de 16 jul. 1936, arts. 35 y 36; D. Nº 1205 de 25 de jun. 1940, arts. 1º inc. 20 y 8º.

(869) L. Nº 8, de 21 abr. 1941, art. 1º, quinto y sexto; D. Nº 5, de 14 jun. 1941, arts. 18 y 19.

(870) D. L. Nº 788, de 28 dic. 1934, art. XX.

(871) L. Nº 372, de 19 nov. 1940, arts. 40, incs. 4º al 15, 43, 44 y 45.

(872) D. Ej. Nº 86, de 14 jun. 1933, art. 51; D. Ej. de 17 oct. 1935, art. 2º.

temala (873), México (874), Panamá (875) y Perú (876).

Las clases de penas que las leyes reservan para este tipo de infracciones presentan variantes análogas a las ya vistas. La multa es la más común, doblándose para la reincidencia. En algún caso se declara expresamente que se aplicará esta pena sin perjuicio de la responsabilidad legal en caso de encubrimiento, o se impone una pequeña multa conjuntamente con prisión en su grado máximo (Costa Rica) (877), o simplemente la pena de arresto (El Salvador) (878). Casi unánimemente, las leyes se remiten a las disposiciones del Código Penal, sobre falsificación documentaria, para reprimir la fabricación, falsificación, adulteración y uso de documentos de identidad de terceros. Esta es la regla, por lo general. Excepcionalmente, algunos países, además de las penas de multa y prisión o reclusión, aplicables, hacen también efectiva la expulsión del infractor. Tal es el caso de Bolivia (879) y Brasil (890), por ejemplo.

8. **Infracción a las disposiciones sobre entrada y salida de personas y tránsito clandestino a través de las fronteras.**

Aun cuando las disposiciones relacionadas con la entrada y salida de personas y el tránsito clandestino a través de las fronteras constituyen materias de otra sección de la presente obra (881), ha parecido del caso mencionar ligeramente aquí las normas represivas establecidas al respecto, en razón de la íntima vinculación que las mismas mantienen con las medidas analizadas en la presente sección como partes de un sistema general de contralor de los extranjeros.

(873) D. Nº 1735, de 4 jun. 1931, art. 6º.
(874) L. de 24 ago. 1936, art. 201.
(875) L. Nº 83, de 1º jul. 1941, arts. 22, 24 y 32.
(876) L. Nº 7744, de 23 abr. 1933, arts. 7º y 8º.
(877) L. Nº 8 de 21 abr. 1941, art. 1º, quinto y sexto; D. Nº 5 de 14 jun. 1941, arts. 18 y 19.
(878) D. Leg. Nº 86, de 14 jun. 1933, art. 51; D. Ej. de 17 oct. 1935, art. 2º.
(879) D. de 17 jul. 1942, art. 14, letra b).
(880) D. L. Nº 406, de 4 may. 1938, art. 61, letra a); D. Nº 3010 de 20 agos. 1988, arts. 241 y 247.
(881) Ver, Sección C, Entrada y salida de personas, etc.

El cumplimiento de las disposiciones que regulan la entrada y salida es asegurado naturalmente por las propias disposiciones específicas en forma coactiva o mediante la institución de preceptos punitivos. Las medidas generalmente aplicadas en estos casos son las de inadmisión y expulsión. Por su contenido material y el procedimiento especial a que están sujetas estas medidas no pueden ser tratadas sin embargo entre las sanciones a cuyo concepto escapan, por lo que son estudiadas en lugar aparte (882). Pero además de estas medidas las disposiciones en vigencia suelen consignar, independiente o conjuntamente con ellas, verdaderas penas, diversas en naturaleza según las características de cada infracción.

Los actos y omisiones de tal manera reprimidos, que afectan tanto la entrada como la salida y el tránsito clandestino, pueden ser reducidos a los siguientes: no provisión, no posesión o posesión irregular del pasaporte u otros documentos que autorizan el tránsito, o la falta de visación de los mismos; no exhibición de los documentos de ingreso a las autoridades de inmigración; el ingreso o la salida por puntos no habilitados; o la salida del país sin permiso de las autoridades competentes.

Muchas disposiciones incluyen, también, preceptos aplicables a las empresas de transporte que expidan pasajes para salir del país a personas que no exhiban los documentos que autorizan esa salida, o que no fiscalicen que los pasajeros estén provistos de documentación para viajar, así como a las personas, nacionales o extranjeras, que faciliten, contribuyan o protejan la entrada de clandestinos. Las sanciones establecidas para estas infracciones consisten, en general, en penas de multa, arresto, prisión, internación en campos de detención, trabajo en obras públicas, liberación bajo vigilancia de la autoridad, confiscación de los vehículos utilizados para la comisión de las infracciones, etc. Existen prevenciones penales como las indicadas en las disposiciones de Bolivia (883),

---

(882) Ibidem.
(883) D. de 20 may. 1937, art. 24; D. Supr. de 30 jul. 1938, art. 3º.

Brasil (884), Colombia (885), Costa Rica (886), República Dominicana (887), Ecuador (888), El Salvador (889), Estados Unidos (890), Honduras (891), México (892), Nicaragua (893), Panamá (894), Paraguay (895), Perú (896) y Uruguay (897).

9. **Omisiones y transgresiones de los funcionarios encargados del cumplimiento de las disposiciones sobre contralor de extranjeros.**

Es relativamente frecuente en las disposiciones en vigencia en materia de registro, entrada y salida de personas y demás preceptos relacionados con el contralor de los extranjeros, la inclusión de sanciones especiales dirigidas a asegurar el cumplimiento de las mismas por parte de los funcionarios encargados de su ejecución. Aunque no se trata, evidentemente, de penalidades aplicables a extranjeros, ofrece interés mencionar brevemente aquí esta clase de sanciones, que contribuye a reforzar la organización de todo el sistema de contralor de personas peligrosas. El punto tiene una importancia fundamental, no sólo con relación a este aspecto específico del contralor de los extranjeros, sino de todo el sistema de la defensa política contra actividades subversivas. La negligencia en el cumplimiento de sus funciones, o la complicidad o tolerancia del empleado público respecto de las transgresiones de la ley por parte del extranjero y del agente subversivo, ha

(884) D. L. Nº 3175, de 7 abr. 1941, art. 4º.
(885) D. Nº 1260, de 3 jun. 1936, art. 7º; D. 2441, de 30 set. 1936, art. 5º; D. Nº 1697, de 16. jul. 1936, arts. 19 y 58.
(886) D. Nº 5, de 14 jun. 1941, art. 9º.
(887) L. Nº 95, de 14 abr. 1939, arts. 11, letra b), y 14, letra (a), números 4) y 7).
(888) D. Nº 112, de 1º feb. 1941, art. 108.
(889) L. Nº 86, de 14 jun. 1933, arts. 20 y 22.
(890) L. de 22 may. 1918, (40 Stat. 559) con las modificaciones de la L. de 21 jun. 1941 (55 Stat. 252) Sec. 3. (22 U. S. C. 225).
(891) L. Nº 134, de 20 mar. 1934, arts. 26, 27, 28 y 29.
(892) L. de 24 ago. 1936, arts. 71 y 98.
(893) L. de 5 may. 1930, arts. 11, 12, 13, incs. a) y b), 14 y 24; D. de 29 dic. 1930, arts. 25, 26, 27 y 28.
(894) L. Nº 54 de 24 dic. 1938, art. 28; L. Nº 304 de 23 de ene. 1942, art. 4º
(895) D. L. Nº 11.061 de 16 feb. 1942, art. 12, inc. a).
(896) D. Supr. de 15 may. 1937, art. 16.
(897) D. de 23 nov. 1937, art. 14; D. de 22 mar. 1944.

sido uno de los aspectos más generalmente explotados en la tarea de penetración y descomposición políticas ensayada por las potencias totalitarias. Esa complacencia culpable o connivencia interesada se ha visto coronada también por un éxito sorprendente en la ejecución de los planes subversivos y ha contribuído a preparar como se sabe, en más de un país europeo, la derrota psicológica o el ambiente necesario para que ésta pudiera producirse. Simpatía ideológica con las doctrinas totalitarias, indiferencia burocrática o simple displicencia en la aplicación de las disposiciones que reprimen las actividades subversivas, como quiera que sea, tales actitudes del agente del Estado democrático constituyen una de las raíces más profundas y delicadas del quintacolumnismo.

Los preceptos penales sobre esta materia recogidos por la legislación americana pueden ser comprendidos, en su fórmula más general, de la siguiente manera: se hacen acreedores a sanción los funcionarios que no llevaren los registros del modo prescripto por las leyes, que no expidieren las cédulas debiendo hacerlo, las retuvieron una vez expedidas, o las otorgaren sin llenar los requisitos debidos, vendieren cédulas en blanco, o las otorgaren a sabiendas a quienes ya hubieren obtenido otras, o dispensaren de su presentación siendo su deber exigirlas, o no requirieren de los extranjeros que tramiten asuntos ante ellos que previamente comprueben su residencia legal en el país, o no dieren aviso de que no se encuentran en estas condiciones; o, en general, dejaren de cumplir o de hacer cumplir las disposiciones de la ley o sus reglamentos, o por negligencia no velaren por su más estricto cumplimiento o contravinieren cualquiera de sus disposiciones, etc. Existen sanciones de esta naturaleza en las leyes de Brasil (898), Cuba (899), República Dominicana (900), Guatemala (901), México (902) y Panamá (903).

Los funcionarios a los cuales incumbe la vigilancia de las

---

(898) D. L. Nº 406, de 4 may. 1938, art. 68; D. Nº 3010, de 20 ago. 1938, art. 242.
(899) D. L. Nº '.88, de 28 dic. 1934, art. XXI.
(900) L. Nº 372, de 19 nov. 1940, art. 41.
(901) D. Nº 1735, de 4 jun. 1931, art. 6º.
(902) L. de 24 ago. 1936, arts. 92, 184, 202, 203 y 206.
(903) L. Nº 83, de 1º jul. 1941, arts. 25 y 27.

fronteras y, en general, los encargados de fiscalizar el movimiento de personas, cuando no denuncian la entrada de clandestinos, son castigados, también, frecuentemente, por las normas respectivas. Pueden ser mencionadas las disposiciones de Honduras (904), Nicaragua (905) y Panamá (906), como ejemplo de sanciones de esta naturaleza.

Las penalidades aplicadas son las que provee comúnmente el derecho disciplinario: amonestación, multas administrativas o descuentos de sueldo, suspensión, arresto hasta por tres días, prisión y destitución. Algunas veces, atendida la calidad de la falta, se combinan una y otra de estas sanciones, como la multa y la destitución, por ejemplo. La reincidencia aumenta cuantitativamente el grado de la pena. El elemento subjetivo de la transgresión es tenido en cuenta por algunas leyes: las formas dolosas agravan la penalidad en cuanto se da entrada, además de la responsabilidad administrativa, a la responsabilidad criminal, como sucede en Brasil y Guatemala. Las violaciones legales más graves originan, generalmente, la aplicación de penas también más severas, tales como la prisión o reclusión, a las que se une, como accesoria, la inhabilitación o interdicción para ejercer empleo público hasta por diez años (907).

III. Penalidades genéricas.

Existe, en ciertas leyes y disposiciones vigentes, la reserva de una zona en cierto modo indeterminada de conducta punible, o determinada en forma muy general, que se declara sometida a la sanción especial que la propia disposición fija. Se quiere de este modo proteger penalmente todo el orden jurídico implicado por las disposiciones que regulan el contralor de extranjeros sin que queden vacíos o huecos penales que comprometan su vigencia material por defecto de sanción. La técnica empleada es formalmente diversa, pero el rasgo común se perfila de algún modo en la condición indeterminada del

---

(904) L. Nº 134, de 20 de mr. 1934, arts. 26 y 27.
(905) L. de 5 may. 1930, arts. 11 y 12; D. de 29 dic. 1930, arts. 25, 26 y 27.
(906) L. Nº 54, de 24 dic. 1938, art. 28.
(907) México. L. de 24 ago. 1936, art. 203.
Panamá. L. Nº 83 de 1º jul. 1941, art. 27.

elemento **precepto** de la infracción, por oposición a la **sanción** que queda fijada concretamente en la ley. Muchas veces ese precepto es llenado por reglamentaciones o decisiones administrativas, o queda referido a las infracciones no previstas de un modo expreso por la ley o sus reglamentos, o se remite, en general, a las disposiciones vigentes. Ya se ha señalado la finalidad de esta clase de sanciones. Su razón de ser íntima está en la propia naturaleza de la materia contravencional, donde la diversidad de hechos y matices impide una configuración previa detallada de las contravenciones, u obliga a una casuística embarazosa y a menudo estéril. Las fórmulas utilizadas por las disposiciones que se analizan tienden a castigar con la pena establecida a los extranjeros que no cumplieren las reglas o disposiciones gubernativas, o incurrieren en alguna de las transgresiones de la ley o sus reglamentos, o de disposiciones anteriores vigentes, o de alguna manera contravinieren a las disposiciones emanadas de la autoridad competente, o violaren el orden jurídico, o se hicieren merecedores de sanción. A veces, también, se confieren atribuciones represivas a la autoridad, dentro de sus facultades legales, para impedir las violaciones de la disposición y anteriores; e incluso, se reprime a los extranjeros que incurrieren en alguna de las causas previstas por la ley "u otras semejantes", dándose así entrada a la analogía y, por consiguiente, al sistema de amplitud legal que ella comporta. En algunos casos la misma ley limita temporalmente su aplicación al limitar su duración a la de la guerra con el país del cual es súbdito el extranjero, o con los aliados de aquél, como lo establece la ley cubana, o se extiende esa vigencia a la establecida, en general, para el régimen de emergencia que la disposición integra, como en la uruguaya. Contienen preceptos de este tipo genérico de penalidad, las disposiciones de Argentina (908), Brasil (909), Co-

---

(908) D. Nº 7058 de 2 abr. 1945, art. 12. Es ilustrativa la formulación de este artículo, así como la referencia de las distintas penalidades aplicables, de acuerdo còn la importancia de la infracción: "Todo extranjero bajo vigilancia que incurra en infracción a cualquiera de las obligaciones emergentes del presente decreto o su reglamentación será pasible de las siguientes medidas según la importancia de la infracción: a) Multa de diez a cien pesos m/n., o en su defecto arresto de tres a treinta días; b) Arresto insustituible de tres a treinta

lombia (910), Cuba (911), Ecuador (912) y Uruguay (913).
Las penas aplicadas son, generalmente, las de multa o prisión.

días; d) Detención a disposición del Poder Ejecutivo de la
Nación; e) Internación; f) Concentración. Las penas previstas en los incs. a), y b) serán aplicadas por el Jefe de Policía Federal, quien propondrá al Poder Ejecutivo las medidas
de los incs. d), e) y f)". Sobre estas últimas medidas, véase
el capítulo siguiente.

(909) D. L. Nº 406, de 4 may. 1938 art. 69; D. Nº 3010, de 20 ago.
1938, art. 243.
(910) D. Nº 1205 de 25 jun. 1940, arts. 1º inc. 20 y 8º.
(911) L. de 23 jul. 1918, art. IV.
(912) D. de 29 ene. 1941, art. 10[?].
(913) D. L. de 18 jun. 1942, art. 57.

CAPITULO VII

INTERNACION

I. Naturaleza y alcance de la medida.

1. Fundamento y finalidad.

La internación se presenta como el método más severo en el proceso gradual de los contralores internos de las activi dades subversivas en lo que a las personas se refiere. Si los procedimientos preventivos y represivos pueden en su conjun to ser caracterizados por el elemento de restricción que im portan y que los vincula en un rasgo común, la internación señala, en su grado máximo, el límite de tal carácter, al redu cir totalmente a la impotencia el peligro y desarticular las ba ses de la acción totalitaria por neutralización del agente en cargado de desarrollarla. La internación está por eso íntima mente relacionada con la mayor parte de las otras medidas estudiadas en la presente obra como temperamento integran te de un plan general de defensa política.

En tiempos normales, el extranjero peligroso o indeseable sería comúnmente expulsado para su país de orígen, de con formidad con el principio del derecho internacional según el cual todo Estado tiene la obligación de aceptar a sus súbditos cuando se les niega el acceso o el derecho de permanecer en el territorio de otro Estado. La situación de emergencia, en cambio, por fuerza de las circunstancias, ha dado origen a la internación. Esta medida tiene, en consecuencia, un carácter subsidiario y se explica, en esencia, por dos razones principa les: en primer lugar, porque el extranjero considerado peli groso en el país de residencia, lo sería en grado mucho ma yor volviendo al país de origen para suministrar allí sus co nocimientos e informes sobre aquél; y, en segundo lugar, por la falta material de transportes. La expulsión simple a otro país del Hemisferio significaría, por otra parte, en las circunstancias de anormalidad, no una anulación del peligro sino simplemente un desplazamiento geográfico del mismo que puede aumentar eventualmente siempre que la vigilancia fuere menos severa en el país de destino del expulsado. Estos fundamentos y la urgencia decisiva de la situación planteada a los países del Continente a consecuencia de la agresión totalitaria hizo necesario acudir al procedimiento de la internación. Ella implica, lisa y llanamente, la privación de la libertad personal de los individuos peligrosos, la imposibilidad de moverse libremente dentro del Hemisferio o dentro del territorio del país en que accidentalmente residen. Si por esencia entraña la disminución de un bien tan precioso como la libertad, la internación no puede, sin embargo, ser válidamente identificada con las sanciones penales privativas de libertad — prisión, reclusión, o encarcelamiento—, porque no se propone ni tiene en vista ninguna idea de retribución o compensación de una lesión inferida al orden jurídico. Su finalidad es más bien preventiva o de evitación de actos contrarios al orden y seguridad internos de cada República Americana y, por ende, a la seguridad de todo el Hemisferio, susceptibles de ser realizados por aquellas personas fundamentalmente consideradas peligrosas, bien por sus antecedentes o conducta anteriores o presente, dirigida a aquel fin, bien por la predisposición o tendencia vehementes al mismo, legítimamente inferidas de tales antecedentes o conducta. Tal fué el criterio sustentado, en lo fundamental, por la Resolución Nº XX del Comité (914), como respuesta a la insidiosa técnica de penetración y acción empleadas por el totalitarismo. Para la aplicación de sus planes de conquista política, las potencias del Eje, aún antes de la emergencia, habían ido introduciendo paulatinamente una serie muy numerosa de agentes subversivos en los países de este Hemisferio, bajo los más diversos pretextos y condiciones, pero con el propósito deliberado de formar, en realidad, centros activos de propaganda, espionaje y sabotaje, disciplinados y diestros en los métodos de la más decantada técnica subversiva. A los peligros insospechados de tales procedimientos hubo necesidad de contraponer medios igualmente enérgicos y aptos de prevención. Entre éstos y como uno de los más severos y eficaces, se encuentra la inter-

_____

(914) Detención y expulsión de los nacionales peligrosos del Eje, Primer Informe Anual, págs. 92 y siguientes.

— 371 —

nación, aplicada por diferentes países del continente. Se vivían, entonces, los momentos en que los sistemas para el contralor y vigilancia de los extranjeros y las medidas represivas consiguientes no estaban todavía lo suficientemente ajustados en las Repúblicas Americanas, sorprendidas por la agresión. La internación de los extranjeros peligrosos adquirió así una importancia de primer plano y diversos países, con el fin de prevenir la amenaza que constituía el dejar en libertad de acción a esos extranjeros, optaron por la aplicación de diferentes medidas restrictivas de su libertad personal. La mencionada Resolución del Comité, por los motivos antes expuestos e inspirada en las medidas en vigor en ciertas Repúblicas Americanas (915), aconseja una fórmula que puede considerarse como la enunciación amplia de los principios y procedimientos fundamentales en la materia.

Se recomienda por ella a los gobiernos de las Repúblicas Americanas: "que establezcan inmediatamente un plan inte-
"gral y enérgico para la detención, permanentemente, mien-
"tras dure la emergencia actual, de todos los nacionales peli-
"grosos de los Estados miembros del Pacto Tripartito y Esta-
"dos a ellos subordinados residentes en su territorio, adoptan-
"do para ello, singular o conjuntamente, los siguientes proce-
"dimientos:

"a) la detención dentro de su propio territorio en cam-
"pos o zonas bien vigiladas, en caso de existir las condiciones
"necesarias para este fin o que las mismas puedan obtenerse
"fácilmente;

"b) la expulsión o deportación, mediante los acuerdos ne-
"cesarios, a otra República Americana donde deberá efectuar-
"se la detención de tales sujetos, en caso de que este procedi-
"miento sea necesario o conveniente por las condiciones de
"facilidad existentes en dicha República.

"Este procedimiento, como regla general, se regirá por
"los principios y normas análogos sobre detención, estableci-
"dos en la Convención de Ginebra de 27 de julio de 1929, re-
"lativa al tratamiento de prisioneros de guerra" (916) (917).

---

(915) Informe cit., pág. 94.
(916) Informe cit., pág. 103.
Aun cuando en atención a la distinta índole de los su-

2. Limitaciones.

En la propia Resolución antes citada se encuentran las

---

jetos detenidos no resulte posible hacer una asimilación absoluta, la Convención de Ginebra del 29, mencionada por la Resolución del Comité, establece criterios de suma importancia con respecto a múltiples aspectos prácticos de la internación. En general, las normas de la Convención revelan un espíritu humanitario al procurar el mejor tratamiento posible para el prisionero, no sólo en las condiciones materiales de la internación (salubridad, higiene, alimentación, vestimenta), sino en cuanto al respeto debido a su personalidad y honor, como asimismo en la justa reglamentación del trabajo a que pueda sometérsele, que debe ser remunerado, y a la posibilidad de una comunicación con el exterior. Todo esto se garantiza con el derecho de visita y de inspección que se reconoce a los representantes diplomáticos del pais que representa los intereses de la potencia enemiga. Desde el punto de vista de la defensa política es digno de hacer notar que los prisioneros de guerra, a quienes están asimiladas las personas internadas, no deben hallarse sujetos a ninguna propaganda política y deben tener libertad de elegir la clase de esparcimiento o distracción intelectual que deseen, etc.

(917) Como se comprenderá, quedan totalmente extrañas al contenido de este capítulo las medidas de internación adoptadas por los gobiernos de las Repúblicas Americanas para hacer efectivos los deberes de la neutralidad frente al conflicto internacional, respecto de las fuerzas beligerantes dentro de su jurisdicción. Esta materia está regulada por los principios del Derecho Internacional Público, especialmente por las Convenciones de La Haya, de 1889, sobre las leyes y costumbres de la guerra terrestre, arts. 57-60, y de 1907 sobre la neutralidad de los Estados, arts. 11 a 15, etc. El Comité Interamericano de Neutralidad se ha ocupado también con ocasión del último conflicto bélico, de esta materia, en su Recomendación sobre Internación, aprobada el 26 de enero de 1940.

Tales medidas, sin embargo, han tenido repercusiones directas en varias ocasiones, durante la emergencia, sobre los contralores especificamente originados en la defensa política. El caso más notorio al respecto lo constituye la tripulación del acorazado alemán "Admiral Graf Spee", hundido frente a las costas de Montevideo. Muchos integrantes de la dotación de este barco que fueren internados por disposición del gobierno uruguayo pudieron fácilmente evadirse debido a la liberalidad de la vigilancia. Ello determinó la aprobación del Decreto de 5 agos. 1943, que fijó un régimen especial de internación y contralor, con carácter general, de mayor eficiencia. La parte dispositiva del mismo puede ser señalada como un ejemplo de norma adecuada para dar cumplimiento a los deberes de la neutralidad. Dice así:

Art. 1º. — Los ex-tripulantes de los barcos "Graf Spee" y "Tacoma", serán internados en el local que designe la Presidencia de la República por intermedio del Ministerio del Interior y quedarán sometidos al régimen que se establece

limitaciones naturales y formales de la medida, que pueden

en el presente decreto.

Art. 2º. — Los internados gozarán de los derechos civiles, cuyo ejercicio es compatible con su situación. La dirección del establecimiento les otorgará los medios y facilidades necesarios para que puedan realizar los negocios jurídicos correspondientes, siendo los gastos de cargo de los interesados.

Art. 3º. — Los internados podrán dedicarse a cualquier género de trabajo o actividad que sea compatible con el régimen de internación establecido por el presente decreto y dispondrán del producido íntegro de su actividad. El Ministerio del Interior dará las órdenes e instrucciones para facilitar las actividades intelectuales, morales y físicas de los interesados.

Art. 4º. — En todos sus actos, los internados estarán sometidos a las normas jurídicas vigentes en la República y a la autoridad de sus magistrados.

Art. 5º. — Los internados no podrán salir de los establecimientos de internación, salvo autorización expresa concedida en cada caso por el Ministerio del Interior por motivos justificados.

Art. 6º. — Los internados recibirán visitas bajo el contralor del personal encargado de su vigilancia. Toda persona que visite a los internados deberá justificar fehacientemente su identidad ante el director de la internación, quien asentará sus datos en un registro especial. Una copia de esas constancias deberá ser comunicada quincenalmente a la División Investigaciones de la Jefatura de Policía de Montevideo. La dirección podrá reglamentar las visitas fijando a ese efecto los días y horas en que serán admitidas.

Art. 7º. — Los internados que hubieran contraído matrimonio, en el Uruguay, con anterioridad a la fecha de este decreto, podrán recibir privadamente la visita de sus esposas e hijos en el local de internación, una vez por semana, en la forma que determine la dirección.

Art. 8º. — Los internados podrán recibir y enviar correspondencia postal o telegráfica y recibir encomiendas, libros o revistas así como periódicos cuya circulación se realice conforme al derecho vigente. La correspondencia, así como las encomiendas, libros y revistas, serán previamente censuradas por el director de la internación.

Art. 9º. — En todo caso que un internado entregue correspondencia para ser censurada, la dirección deberá entregarle un recibo en forma en el que constará el contenido del sobre o la dirección del destinatario. La expedición de cartas o telegramas enviados por ellos se hará contra el pago de las tarifas corrientes.

Art. 10. — La censura de la correspondencia, libros, etc. se hará en el más breve plazo posible.

Art. 11. — Queda prohibido a los internados el uso del teléfono, así como la posesión o el uso de aparatos receptores o transmisores de radiotelefonía o la posesión de materiales aptos para la construcción de tales aparatos. No obstante, en cada local de internación se podrá disponer de un

ser reducidas a las tres principales siguientes: por orden al tiempo, a las personas y al procedimiento.

a. De orden temporal

La primera limitación resulta, como la gran mayoría de las aconsejadas por el Comité, de la duración material del conflicto internacional. Se trata de un procedimiento sui-géneris, de emergencia, originado por las características especiales de la situación creada por la guerra, de los métodos empleados y de los fines perseguidos por las potencias totalitarias. Al ataque "total" de las potencias del Eje, hubo necesidad vital de oponer melios en cierto sentido también "totales" de defensa. En vista de la naturaleza misma de la medida, su aplicación encuentra, por eso, una limitación natural indiscutible en la duración de la situación que la origina.

---

aparato receptor de radiotelefonía de onda larga, cuyo funcionamiento, dentro de las horas que se señalen, deberá ser fiscalizado por el director o por el funcionario que éste designe. Dichos aparatos serán examinados periódicamente por la Dirección General de Comunicaciones. Las recepciones tendrán que ser hechas en idioma español.

Art. 12. — En caso de enfermedad de cualquiera de los internados, la dirección solicitará de inmediato la presencia del médico forense, sin perjuicio de requerir los servicios de la Asistencia Pública o del médico más cercano, si las circunstancias lo aconsejaran. Mensualmente, se procederá a la inspección médica de los internados por el médico forense que indique el Ministerio del Interior, al que deberá elevar informe escrito. Si se hiciera necesaria la hospitalización de algún internado, será trasladado al Hospital Militar bajo custodia.

Art. 13. — Queda terminantemente prohibida la obtención de fotografías dentro de los locales de internación, con fines de publicidad.

Art. 14. — Los internados podrán solicitar la asistencia de ministros de los cultos que profesen, así como realizar oficios religiosos semanales dentro del local de internación. La visita de estos ministros del culto, deberá ser autorizada por el Ministerio del Interior.

Art. 15. — Los internados tienen el derecho de hacer conocer del Gobierno de la República, por intermedio de la dirección o de cualquiera de las instituciones autorizadas para visitarlos, cualquier clase de quejas relativas al régimen de internación. Esas quejas, en caso de ser recibidas por la dirección, deberán ser elevadas de inmediato al Ministerio del Interior. Aún en el caso de ser infundadas, no podrán dar mérito a modificación alguna del régimen de internación con respecto a quien la hubiera formulado.

Esta vigencia temporal del procedimiento está expresamente señalada en la Resolución (918). Perdurando las condiciones de anormalidad que la impusieron esta medida sólo podría ser suspendida, en consecuencia, por un Estado individualmente considerado, cuando él legítimamente juzgase que su propia seguridad le permite disponer la liberación. Esta observación no es óbice sin embargo para el levantamiento de la medida, en casos concretos, cuando las autoridades han logrado la comprobación o la convicción de que determinada persona no presenta o ha perdido la calidad de peligrosa.

b. De orden personal.

La segunda limitación radica en los sujetos afectados por la medida. Proviniendo la amenaza y agresión políticas contra el Hemisferio de los Estados miembros del Pacto Tripartito y Estados a ellos subordinados, la internación revestía los caracteres de una exigencia respecto de las personas peligrosas pertenecientes a esas nacionalidades y, dentro de éstas, de aquellos individuos especialmente sindicados como agentes subversivos. Según podrá apreciarse más adelante las medidas adoptadas por muchas Repúblicas Americanas excedieron algunas veces esta limitación de orden personal, al conceder facultades aplicables respecto de todos los extranjeros y, en algunos casos, de todas las personas. No obstante, la nacionalidad conserva siempre un valor de término medio, como índice primario para el encaminamiento de las investigaciones sobre la peligrosidad del sujeto que hace que pueda considerársele teóricamente al menos, como una apropiada demarcación del ámbito de validez personal de la medida (919).

c. De orden formal.

La tercera y última limitación se relaciona con el procedimiento y los medios empleados para la ejecución de la medida en vista del fin que se persigue. No se trata aquí de internaciones a la manera totalitaria, procedimiento que por sí solo sirve para ilustrar suficientemente de todo el horror y

(918) Supra, pág. 371.
(919) Resolución cit., Núms. 2, 3, 4, 5, 6, 7 y 8.

salvajismo que han hecho la triste celebridad de los métodos y la filosofía del fascismo y del nazismo. La internación en campos o lugares especiales de los nacionales peligrosos del Eje, sometidos a una estricta vigilancia, preconizada por la Resolución del Comité y hecha efectiva por varias Repúblicas Americanas, difiere, en efecto, sustancialmente, de los famosos "campos de concentración" construídos y llenos de torturados por el sadismo científico de las autoridades del Tercer Reich en todo el continente europeo y sus similares fascistas. Como producto de una situación verdaderamente excepcional en el seno de sociedades civilizadas, el valor y la dignidad del hombre no podrían ser legítimamente subestimados o desconocidos aun tratándose de sus propios negadores o enemigos sin comprometer los postulados esenciales del régimen democrático. No sólo la jerarquía acordada al ser humano por la ideología democrática y su respeto por la personalidad individual, sino el propio concepto relativista del mundo y de la vida en que se fundamenta filosóficamente esta ideología, impiden que la internación revista, en las Repúblicas Americanas, el sentido de un tratamiento humillante o constituya un medio de mortificación o persecución políticas. En esta medida no puede verse sino la decisión irrevocable de los países del Hemisferio de defender a toda costa, de un enemigo implacable, en un trance supremo, los modos de convivencia y las instituciones que les son propias. Las formas procesales a llenarse para la aplicación de la medida actúan por ello, necesariamente, como una garantía esencial al correcto cumplimiento de ese fin. No obstante, y si bien el carácter excepcional de esta solución permite explicar el hecho, la tendencia predominante parece acusar una valoración superficial o secundaria de las reglas del proceso, aparentemente con el propósito de no restar eficacia a la medida. Por la trascendencia que el punto encierra se le dedica más adelante una consideración especial (920).

3. Principales cuestiones técnicas y prácticas que suscita la aplicación de esta medida.

Aparte de los caracteres señalados precedentemente la in-

---

(920) Infra, págs. 401 y sigtes.

ternación roza otros distintos aspectos que deben ser objeto de previa mención.

En primer lugar, se plantea la cuestión de las facultades de las autoridades para detener e internar. Ello impone una revista marginal de las garantías constitucionales y de la suspensión que las mismas puedan experimentar en circunstancias especiales, como las de la emergencia, por razones de amparo de la seguridad nacional. Algunas veces, la cuestión ha pasado de la Constitución a las leyes ordinarias especialmente dictadas al efecto y que prevén el régimen de las facultades extraordinarias del Poder Ejecutivo, entre ellas, especialmente, las de limitar la libertad personal de los habitantes del país. De cualquier modo el punto reviste significación y es interesante ver la aplicación de estos institutos típicos del derecho constitucional liberal a la situación específica determinada por la internación de personas peligrosas.

Un segundo aspecto de gran trascendencia gira en torno de lo que puede llamarse los criterios de peligrosidad, esto es, las reglas por aplicación de las cuales pueda, con cierta legitimidad, concluirse que la persona de que se trata debe ser objeto de internación. La experiencia de la guerra anterior fué pródiga en ejemplos de medidas restrictivas de la libertad de los súbditos de los países enemigos aplicadas de manera indiscriminada y en gran escala. Los procedimientos estructurados a raíz de la guerra actual han insinuado al parecer una tendencia hacia el afinamiento de esta técnica, imponiendo una discriminación de acuerdo a la peligrosidad política de los sujetos. Esta es una de las facetas más delicadas del asunto y, pese a las dificultades inherentes a la escasa elaboración doctrinaria y legislativa de sus elemntos, se les presta oportuna consideración en las páginas subsiguientes.

Un tercer punto de interés es el relacionado con los sistemas de internación. El constituye más bien una cuestión de carácter empírico sobre el que es preciso acudir a las prácticas y procedimientos administrativos y a la experiencia cumplida por los países del continente más que a las disposiciones respectivas, generalmente silenciosas sobre este particular.

En fin, existen otras diversas cuestiones que deben ser por lo menos mencionadas aquí. Se quiere aludir con ésto a los diversos aspectos que en grados variables pueden o no presentarse a la atención de los gobiernos en esta materia según las características particulares de cada país. Tales aspectos dependen naturalmente del número de elementos extranjeros susceptible de internación que se encuentra sobre un territorio dado, de la distribución que adoptan dentro del mismo, de su ubicación geográfica, especialmente en casos de núcleos o poblaciones más o menos homogéneas de extranjeros, de las calidades de nacidos en el país de residencia o en otro distinto, y de la adquisición o no de la nacionalidad o ciudadanía del país, etc. Por lo general, el número de extranjeros peligrosos suele estar en proporción al total de la población extranjera radicada en el país, pero varía eventualmente de acuerdo al mayor o menor grado de asimilación cultural de las minorías extranjeras en un determinado Estado, así como por relación al tiempo de avecindamiento. En aquellos países de reducido número de extranjeros, la internación ofrece características más bien sencillas. No sucede lo propio en aquellos otros donde el número de extranjeros es verdaderamente considerable. Tal es el caso, especialmente, de Brasil y Estados Unidos, en cuyos territorios residen numerosos grupos de pobladores de origen y descendencia germana, italiana y japonesa. En este último país, por ejemplo, se consideró necesario para la seguridad nacional proceder a la evacuación de más de cien mil personas de origen japonés que residían, al tiempo de la entrada de la Unión en la guerra, en la zona militar Nº 1, que abarca una extensa franja de alrededor de unas 150 millas a lo largo de la costa del Pacífico. Tareas de esta naturaleza significan hacer frente no ya a uno, sino a innumerables problemas de todo orden. Entre ellos pueden apuntarse la labor previa de selección de las personas a internar —pues la evacuación en forma indiscriminada de personas peligrosas y de individuos leales, aparte de no constituir un temperamento técnico ni justo, puede ser motivo de una fuente insuperable de resentimientos y obstáculos para la reincorporación ulterior de esos elementos al organismo nacional—; la designación del personal administrativo y técnico apto para dirigir y cumplir la evacuación y los trabajos preparatorios; la organización de registros y de elementos de fiscalización, avi-

tuallamiento, cooperación clutural, deportiva, religiosa, etc., y
el establecimiento de alojamientos adecuados a lo largo de todo
el trayecto a recorrer por los evacuados, hasta el lugar de
destino; fijación y acondicionamiento de las zonas de redis-
tribución, y preparación de las condiciones favorables para la
ocupación de toda esa masa humana desarraigada de sus hábitos y transplantada a un medio que le es ajeno; elección de
los métodos apropiados para ejercer una buena vigilancia; preparación de las condiciones adecuadas para la reintegración de
los internados a la vida normal una vez transcurrida la emergencia, sin que se susciten recelos y desconfianzas recíprocos,
naturalmente explicables, entre los naturales del país y los
extranjeros de probada lealtad hacia el mismo, etc. (921).
Por último, la internación podrá operarse en el mismo país en
que reside el extranjero peligroso, o efectuarse, mediante
acuerdos bilaterales o multilaterales, en un país distinto. Es
este un procedimiento que ha debido ser empleado por algunos países del Hemisferio, impedidos, por diferentes motivos
o dificultades naturales, de aplicar directamente la internación.

II. Régimen de la internación.

1. Facultades del gobierno. Suspensión de las garantías constitucionales (922).

El problema de las facultades legales para detener o internar a las personas debe estudiarse, primeramente, dentro

---

(921) Una reseña de la evacuación cumplida por las autoridades
americanas respecto de los japoneses radicados en la zona
del Pacífico puede verse en el artículo de Galen M. Fis-
cher, publicado por "Far Eastern Survey", órgano del American Council of the Institute of Pacific Relations de New
York, y reproducido en la "Revista de Inmigração", Río de
Janeiro, Setembro de 1943, ps. 521-534. El problema concreto de los evacuados japoneses en los EE. UU., presentó
caracteres especiales que dificultaban la aplicación de las
medidas en virtud de la calidad de ciudadanos de la Unión
de muchos de ellos. Esto envolvía una importante cuestión
de índole jurídica, pues, de tratarse simplemente de extranjeros, sólo hubiera aparejado dificultades de orden técnico.
(922) Véase en la Introducción General, págs. 73 y sigtes, las relaciones de la legislación de emergencia con las garantías constitucionales.

del campo constitucional, por orden a las reglas que regulan la suspensión de garantías. En las Constituciones se determina el ejercicio del poder por un juego doble de atribuciones del gobierno y establecimiento de garantías individuales; de la combinación de estos dos elementos surgen claramente los límites de las facultades legales en la materia que se examina.

En general, las Constituciones garantizan la seguridad personal de todos los individuos (923). Nadie puede ser penado ni confinado sin forma de proceso y sentencia legal (924). Nadie puede ser detenido sino infraganti delito, o habiendo semi plena prueba de él, por orden escrita del juez competente (925). Esta es una fórmula concisa y representativa de esta garantía; se suma a ella la eficacia jurídica de los recursos de "habeas corpus" o de amparo. Mas, para conocer precisamente la situación de las facultades legales con respecto a la internación, es necesario estudiar también otro instituto, incluído en la carta fundamental de todos los países americanos: las facultades legales extraordinarias o suspensión de garantías. En situaciones de emergencia, se modifica el régimen ordinario y, restringiéndose los límites de las libertades públicas, se ofrecen amplias facultades al gobierno, como mejor medio para ejercer la defensa de la colectividad. El régimen de las facultades extraordinarias, mirado en relación con el aspecto que interesa a este estudio — facultad legal para internar a las personas — puede analizarse a través de los siguientes elementos: a) Circunstancias que dan mérito para suspender las garantías; b) Alcance de la suspensión, es decir, límite de las facultades de la autoridad; y c) Término por el cual se dicta. Se puntualiza, a continuación, solamente el aspecto que roza nuestro tema: facultad legal para internar a las personas.

a. Circunstancias que originan la suspensión.

Las circunstancias que determinan la vigencia del régi-

---

(923) La Constitución de Venezuela garantiza los derechos sólo a los venezolanos (Título II). — Los derechos de los extranjeros los determina la ley (Título III, art. 37).
(924) Art. 12 de la Constitución uruguaya, por ejemplo.
(925) Art. 15 de la Constitución uruguaya, por ejemplo.

men extraordinario pueden ser concretadas en la fórmula siguiente: en caso de amenaza externa; de inminente perturbación interna; de existencia de concierto, plan o conspiración tendientes a poner en peligro la paz pública, el Estado, las instituciones o los ciudadanos; y en cualquier otra circunstancia semejante, cuando así lo exijan la tranquilidad y la seguridad públicas (926).

b. Alcance.

El régimen de facultades extraordinarias implica, esencialmente, la suspensión de las garantías constitucionales **(927)**, y la facultad de arrestar a las personas, internarlas o confinarlas en lugares no destinados a reos comunes, o trasladarlas de un punto a otro del territorio (928).

---

(926) Veánse las disposiciones constitucionales respectivas en la Introducción General supra, págs. 84 y sigtes., nota 71.

(927) **Colombia:** Const. Art. 117, inc. 3º: El Gobierno no puede derogar las leyes por medio de los expresados decretos (los dictados no de acuerdo a las facultades legales, sino los que se expiden según el Derecho de gentes en épocas de guerra). "Sus facultades se limitan a la suspensión de los que sean incompatibles con el estado de sitio".
Costa Rica. — Const. Art. 73, inc. 7º: "Suspender las garantías individuales".
Cuba. — Const. Art. 281: Facultades extraordinarias concedidas al Consejo de Ministros. En cada caso, la ley extraordinaria que las conceda determinará la materia concreta a que habrán de aplicarse.
República Dominicana. — Const. Art. 33, inc. 7º: "Suspende las garantías constitucionales".
Guatemala. — Const. 1935, Art. 39 y Const. 1945, Arts. 54 y 138: "Restringe las garantías constitucionales".
El Salvador. — Const. Art. 58: "Suspensión de garantías constitucionales".
México. — Const. Art. 29: Suspender garantías.
Panamá. — Const. Art. 51: Suspende las garantías constitucionales.
Perú. — Const. Art. 70: Suspensión (limitada) de garantías.
Venezuela. — Const. Art. 36: Restringe o suspende las garantías constitucionales.

(928) **Argentina.** — Const. Art. 23: ... quedan suspensas las garantías constitucionales. "Pero durante esta suspensión no podrá el Presidente de la República condenar por sí, ni aplicar penas. Su poder se limitará en tal caso respecto de las personas, a arrestarlas o trasladarlas de un punto a otro de la Nación, si ellas no prefiriesen salir del territorio argentino".

En los Estados Unidos la base jurídica para el plan de
internación y en general para el régimen de contralor de extranjeros enemigos se encuentra en la Ley de Extranjeros
enemigos de 1793 que dispone que "cuando exista una guerra
declarada entre los Estados Unidos y cualquier otra nación o
gobierno extranjero, o se realice una invasión o incursión de-
predatoria, o se intente o amenace contra el territorio de los
Estados Unidos, y el Presidente formule una proclamación pública de tal suceso, todos los nativos, ciudadanos o súbditos

---

Bolivia. — Const. Art. 35, inc. 4º: "Si la conservación del
orden público exigiese el alejamiento de los sindicados, podrá ordenarse su confinamiento a una capital de departamento o de provincia que no sea malsana"... "al confinado... que pida sus pasaportes para el exterior no podrán
serle negados por causa alguna, debiendo las autoridades
otorgarle las garantías necesarias al efecto".
Brasil. — Const. Art. 168: El Presidente tiene atribución
para disponer la: a) "Detención en edificio o local no destinado a reos de delito común; destierro para otros puntos
del territorio nacional o residencia forzada en determinadas
localidades del mismo territorio, con la privación de la libertad de viajar".
Chile. — Const. Art. 72, inc. 17: Se concede al Presidente
de la República facultades para trasladar de un Departamento a otro y la de arrestarlas en su casa, y en lugares
que no sean cárceles u otros que estén destinados a la detención o prisión de reos comunes.
Ecuador. — Const. 83, 9º: "Confinar, en caso de guerra internacional, a los sindicados en favorecerla; y a los sindicados de tener parte en conmoción interior". (Después, prohibe ciertos lugares para confinar)... "Si el indiciado pidie-
re pasaporte para salir de la República, se le concederá dejando a su arbitrio elegir la vía".
Nicaragua. — Const. Art. 220: El Presidente de la República podrá "dictar órdenes de detención contra los que se pre-
suman responsables, interrogarlos y mantenerlos detenidos hasta por 15 días...; pero si a juicio del Jefe del Estado, fuere necesario confinar en el interior de la República
a los indiciados, podrá decretar el Consejo de Ministros su
confinamiento", "...en lugares que no sean cuarteles ni
cárceles destinados a la detención o prisión de reos comunes".
Paraguay. — Const. Art. 52: "El Presidente podrá ordenar
el arresto de las personas sospechosas. Podrá también trasladarlas de un punto a otro de la República, salvo que ellas
prefieran salir del país..."
Venezuela. — Const. Art. 36, in fine: "Podrá arrestarse,
confinarse o expulsarse del territorio de la República a los
individuos nacionales o extranjeros que sean contrarios al
restablecimiento o a la conservación de la paz".

de la nación o gobierno hostil que tengan 14 años o más, que se encuentren en los Estados Unidos, y no se hayan naturalizado, estarán sujetos a aprehensión, restricción, detención y traslado como extranjeros enemigos. El Presidente queda autorizado en tal caso, por su misma proclama o por otro acto público, a indicar la conducta que debe observarse por parte de los Estados Unidos respecto a los extranjeros indicados; el modo y grado de las restricciones a que estarán sujetos y en qué casos y de acuerdo a qué criterios de seguridad se permitirá su residencia..." (929).

En la Proclama Presidencial Nº 2525 de 7 de diciembre de 1941 relativa a los japoneses, en la Nº 2526 de 8 de diciembre del mismo año relativa a los alemanes, y en la Nº 2527 de esta misma fecha, sobre los italianos, así como en la Nº 2653 de 17 de julio de 1942 referente a los ciudadanos o súbditos de Hungría, Rumania y Bulgaria, el Presidente confió al Fiscal General la misión de poner en práctica el reglamento contenido en la Proclama citada en primer término en cuanto a ciertas regiones y al Ministro de Guerra en relación con otras y dispuso, a la vez: "Cada uno de ellos está específicamente encargado de ordenar la detención de los extranjeros enemigos que en su opinión merezcan la aprehensión o deportación de acuerdo a dichos reglamentos". Y en la citada Proclama Nº 2525, Sección (7) se estableció que "todos los extranjeros enemigos peligrosos para la paz o la seguridad de los Estados Unidos serán sujetos a detención sumaria"... "Los extranjeros enemigos arrestados quedarán sujetos a confinamiento en los lugares de detención que determinarán los funcionarios responsables de la ejecución de este Reglamento"... "y permanecerán confinados hasta que se reciban órdenes del Procurador General o del Secretario de Guerra", según el caso.

c. Duración.

La suspensión de garantías se prolongará por el tiempo que duren las circunstancias de emergencia. Puede extender-

---

(929) L. de 6 jul. 1789; R. S. 4067; U. S. C. 21.

se, materialmente, a todo el término que duren éstas (930) o quedar sujeta a términos prefijados (931). En algunos países donde fueron concedidas facultades extraordinarias con motivo de la declaración de guerra al Eje se precisó más exactamente la forma de ejercerlas, por medio de leyes transitorias, vigentes durante la situación de emergencia. En esos países las leyes determinan qué órganos podrán ejercer las atribuciones extraordinarias. Algunas veces, se difieren al Presidente de la República (932); otras, a órganos copartici-

---

(930) **Brasil**. — Const. Art. 166: Ilimitado. Según duren los motivos, a juicio del Presidente de la República.
Colombia. — Const. Art. 117: Cuando se restablezca el orden público.
República Dominicana. — Const. Art. 33, inc. 7: Por el término de la duración.
Guatemala. — Const. 1935, art. 39: Lo fija el Ejecutivo. Debe levantarse al no pesar las circunstancias que determinaron su suspensión. Const. 1945, art. 138. Véase nota siguiente.
Panamá. — Const. Art. 51: Cuando la causa cese.
Venezuela. — Const. Art. 36: Cuando cesen las causas, cesará.
(931) **Argentina**. — Const. Art. 67, inc. 26 y art. 86, inc. 19: Cuando lo decreta el Presidente de la República por término "limitado".
Bolivia. Const. Art. 34: Por 90 días como máximo. Caduca de hecho, salvo el caso de guerra internacional declarada o de guerra civil en acción. Puede prolongarlo por 90 días, únicamente, pero no declarar otro, dentro del mismo año, salvo que medie el asentimiento del Congreso.
Costa Rica. Const. Art. 73, inc. 7º: 60 días o menos.
Cuba. Const. Art. 281: La ley extraordinaria determinará el término, el cual no excederá de 45 días. Art. 283: El Congreso puede dar por extinguido el estado de sitio, antes de lo previsto.
Chile. Const. Art. 72, inc. 17: No puede exceder del término de seis meses. Ley Nº 7401, de 31 de diciembre de 1942, art. 8º, d). Ver, además, infra, nota 950.
Ecuador. Const. Art. 84: El fijado por el Decreto de concesión.
El Salvador. Const. Art. 58: 90 días. Se prorroga con acuerdo de la Asamblea o del Poder Ejecutivo, con acuerdo de Ministros si no está reunida la Asamblea.
Guatemala, Const. 1945, art. 138: La suspensión no puede exceder de 30 días por cada vez que sea decretada. Si antes de que venza dicho término desaparecieren las causan que motivaron la restricción, se le hará cesar en sus efectos, teniendo derecho todos los ciudadanos para instar a su revisión.
México. Const. Art. 29: Por tiempo limitado.
Perú. Const. Art. 70: 30 días. Después, es necesario nuevo

pes de la función ejecutiva — Ministros de Guerra o Interior— (933); o, en fin, se otorgan a reparticiones administrativas jerárquicamente subordinadas (934). Sin embargo, en la mayoría de los casos, la atribución se da al gobierno en forma genérica.

2. Criterios de peligrosidad.

La internación, como ya se dijo, no es una pena, no tiene por causa la realización de un delito: es una medida preventiva de seguridad, tomada contra ciertos individuos que se presume fundadamente que son peligrosos (935). Para presumir peligroso a un individuo, éste debe reunir, pues, ciertas condiciones que funden esa presunción. La fórmula que comprende esas condiciones es un criterio de peligrosidad.

Según algunas leyes, los criterios de peligrosidad son aplicables a cualquiera persona (936), con lo que se supera el ámbito de validez personal de la Resolución XX del Comité Consultivo de Emergencia, específicamente limitada a los nacionales peligrosos de los Estados miembros del Pacto Tripartito y Estados a ellos subordinados. Otras legislaciones reducen su alcance, exclusivamente, a ciertas clases especiales de individuos: extranjeros (937), o extranjeros no domiciliados (938), o súbditos de países enemigos, como es el caso de las decisiones estadounidenses antes mencionadas (939). Pero estas calidades no son fundamento suficiente, ni podrían determinar por sí solas la aplicación de la medida. La peligrosidad se presume o se deduce, por ciertos hechos, por determinadas conductas humanas, delictivas o no, que denuncian

decreto.
(932) **Chile**. L. de 31 dic. 1942, art. 8º.
    México. L. de 11 jun. 1942, art. 11.
    Nicaragua. L. Marcial de 29 mar. 1939, art. 5º.
    Venezuela. L. de 22 jun. 1942, art. 35.
(933) **Cuba**. D. Nº 1118, de 24 abr. 1942 (Ministerio de Defensa Nacional). D. Nº 3415 de 18 dic. 1941, art. 1º (Ministerios de Gobernación y Defensa Nacional).
(934) **Colombia**. D. Nº 2190, de 19 dic. 1941, arts. 3º y 4º (Dirección General de Policía Nacional).
(935) Supra, págs. 369 y sigtes.
(936) **Cuba**. Ac. L. Nº 3, de 5 ene. 1942, art. 8º y art. 12.
(937) **Colombia**. D. Nº 2190, de 19 dic. 1941, arts. 3º y 4º.
(938) **Guatemala**. D. Nº 2655, de 23 dic. 1941, art. 13.

la tendencia subversiva y que actúan como indicio de peligrosidad.

El Comité, en su Resolución, precisa seis formas de conducta considerándolas como indiciarias de peligrosidad:

"a) Afiliación u otro apoyo activo a cualquier organización o grupo que actúe en interés de un Estado miembro del Pacto Tripartito o de un Estado a él subordinado;

"b) Conducta que dé motivo suficiente para creer que la persona ha participado o probablemente participará en la trasmisión o la obtención ilegal de información vital para la defensa del Hemisferio o de cualquier República Americana;

"c) Conducta que dé motivo suficiente para creer que la persona ha incurrido o probablemente incurrirá en actos de destrucción o sabotaje de servicios o materiales vitales a la defensa y seguridad del Hemisferio o de cualquier República Americana, en favor de cualquier Estado miembro del Pacto Tripartito o Estado a él subordinado;

"d) Conducta que dé motivo para creer que la persona ha diseminado propaganda totalitaria o ha incitado a otros a actuar en interés de un Estado miembro del Pacto Tripartito o Estado a él subordinado;

"e) Adhesión a la ideología totalitaria o decidida simpatía con la misma;

"f) Cualquier otra conducta que indique intención de perjudicar la defensa y seguridad de cualquier República americana en interés de un Estado miembro del Pacto Tripartito" (940).

El principio general recomendado consiste, pues, en la disposición del nacional del Eje a ayudar a un Estado miembro del Pacto Tripartito en los objetivos perseguidos por éste en el conflicto mundial. Para facilitar su aplicación la Resolución elabora criterios específicos. Como el propio Comité lo ha indicado, "el mencionado principio conduce a una decisión ob-

---

(939) **Argentina**. D. Nº 7058, de 2 abr. 1945, arts. 1º, con las modificaciones dadas por el D. Nº 11.417 de 23 de may. 1945, y 12, incs. d), e) y f).
Costa Rica. D. Nº 11, de 11 dic. 1941, art. 2º.
Estados Unidos. Proclamas Presidenciales Nos. 2525 de 7 dic. 1941, 2526 y 2527 de 8 dic. 1941 y 2653 de 17 jul. de 1942.
(940) Primer Informe Anual, cit., pág. 103.

jetiva fundada en el examen de las relaciones pasadas o presentes del individuo con grupos u organizaciones controladas o dominadas por el Eje, de actos tales como la diseminación de propaganda totalitaria o, en términos generales, de "cualquiera otra conducta que indique una intención de perjudicar la defensa y seguridad de cualquier República Americana en interés de un Estado miembro del Pacto Tripartito". "Es necesario tener presente que el fundamento del principio expuesto es la seguridad continental. Por lo tanto, nada significa que la conducta o las relaciones del individuo no estén dirigidas o aparenten no estarlo, contra la soberanía, independencia, instituciones o seguridad de la República americana de su residencia. Los agentes del Eje que residen en un país se ocupan de actividades que amenazan la seguridad de otras naciones del Hemisferio y los intereses del Continente exigen que tales agentes sean internados (941)". Los criterios propugnados no abarcan, en consecuencia, todos los tipos de actividades peligrosas capaces de dar ocasión a la aplicación de la medida y que como se comprende, pueden ser variadísimos. Al formular estas normas fué la intención del Comité proveer una ejemplarización apropiada, incluyendo "entre ellas actividades que, aunque peligrosas, no son consideradas como delitos por las leyes penales de los países americanos, de modo que pudiera obtenerse la internación de toda persona que incurriera en las mismas, aunque no fuese posible condenarla en un juicio criminal" (942). Pocas son las leyes que dan verdaderos criterios de peligrosidad. Un examen rápido a través de las distintas legislaciones americanas permitirá formarse una idea sobre la forma en que es regulado este punto.

La Proclama Presidencial Nº 2563, de 17 de julio de 1942 de los Estados Unidos, respecto a los ciudadanos o súbditos de Hungría, Rumania y Bulgaria constituye un ejemplo. Allí se dice: "Todo ciudadano o súbdito de Hungría, Rumania y Bulgaria... que, a juicio del Procurador General o del Ministro de Guerra, según el caso, ayude o esté por ayudar al enemigo, o que pueda ser (ab large) un peligro para la paz pública o seguridad o que, a juicio del Procurador General o

_____

(941) Res. cit., Exposición de Motivos, Primer Inf. Anual, pág. 100.
(942) Segundo Inf. Anual, p. 131, Normas de peligrosidad.

del Secretario de Guerra, según sea el caso, esté violando o esté por violar cualquier reglamento adoptado y promulgado por el Presidente o cualquier ley penal de los Estados Unidos o de los Estados o territorios del mismo, estará sujeto a arresto sumario como extranjero enemigo y a confinamiento en un lugar de detención".

Según se expresó en la Visita de Consulta realizada a este país, "los extranjeros enemigos son internados solamente cuando una completa investigación revela una disposición de su parte para comprometer la seguridad de la nación mediante la comisión de un acto hostil si surge la oportunidad para ello".

En Cuba, el Acuerdo-Ley Nº 3 de 1942 incluyó, en el "Código de Defensa Social", tres criterios que responden a las circunstancias siguientes: cooperación con el enemigo; simpatías totalitarias; calidad de extranjero enemigo: "1º) Peligrosidad política predelictual: "Del tipo sospechoso. El art. 48-B del Código de Defensa Social, quedará adicionado con un inciso marcado con el número 13, que dirá: 13. Durante el Estado de emergencia a que se contrae el tit. XVIII de la Constitución de la República, o mientras la Nación se encuentre en guerra con alguna potencia extranjera, o se encuentren suspendidas las Garantías Constitucionales por motivo de alguna grave alteración del orden público, las personas, nacionales o extranjeras, sobre las que recaigan sospechas de que cooperarán con los enemigos de la República, o con los perturbadores del orden, en cualquier forma que esta cooperación pueda prestarse (943). "2º) Calidad de quintacolumnista: "Definición de quintacolumnismo. Se entiende por quintacolumnismo toda actividad, gestión, propaganda, acto o hecho por virtud del cual se exteriorice conveniencia, cooperación, inteligencia o simpatía en cualquier forma que las mismas se desarollen, actúen o manifiesten, con los países totalitarios, o con sus aliados, colaboradores o protegidos o con cualquiera Nación que se encuentre en guerra, o en estado de guerra con la República" (944). "3º) Calidad de extranjero enemigo: "A los efectos de la presente Ley podrán ser declarados enemigos,

(943) Ac. L. Nº 3, de 5 ene. 1942, art. 8º.
(944) Ac. L. Nº 3, de 5 ene. 1942, art. 12.

los nacionales, ciudadanos o súbditos de algún país que se encuentre en guerra o en estado de guerra con la República, siempre que hayan cumplido 14 años de edad. Dicha declaración será hecha por el Poder Ejecutivo y podrá comprender a todos los nacionales, ciudadanos o súbditos del país, o solamente a determinadas personas. Igualmente, el Poder Ejecutivo fijará las reglas que deberán ser observadas por los nacionales, ciudadanos o súbditos de las potencias que estuvieren en guerra con Cuba" (945).

La legislación venezolana consiente la aplicación de la medida respecto de los extranjeros enemigos y de cualesquier otros extranjeros peligrosos. El Ejecutivo Federal, por razones de orden público, puede disponer la internación o el confinamiento de "los naturales de países con los cuales Venezuela haya roto las relaciones diplomáticas o se encuentre en guerra, o cualesquier otros extranjeros a quienes se considere peligrosos para la seguridad nacional" (946). Está ausente en esta norma, sin embargo, la determinación de un criterio concreto de peligrosidad en función del cual pueda atribuirse esa calidad al extranjero. La condición de peligroso para la seguridad nacional, o fórmulas genéricas semejantes, empleadas por las leyes de otros países americanos, según se verá a continuación, queda así librada a la apreciación discrecional del Gobierno y sólo tiene una limitación adjetiva en cuanto se fija un procedimiento especial para la imposición de la medida.

Costa Rica, Chile, Guatemala y Perú, por ejemplo, consagran en sus legislaciones un temperamento semejante. En su virtud, la primera de estas Repúblicas ha impuesto vigilancia especial y prohibición de salir de su residencia a todos los súbditos japoneses, alemanes e italianos que se encontraban en el país (947). La base legal de esta decisión ejecutiva está contenida en el Decreto Nº 11 de la misma fecha, que autoriza a concentrar en los campos de internación que para ese efecto se establezcan — o a expulsar del territorio nacional, a opción del Poder Ejecutivo (948) — a los súbditos de

(945) Id., id., id., art. 14.
(946) L. de 29 jun. 1942, art. 21.
(947) D. Nº 47, de 11 dic. 1941, art. 1º.
(948) Véase, en la Sección C, la parte dedicada al estudio de la expulsión.

las naciones con las cuales existe el estado de guerra que se encuentren en el país, "que ejerciten en cualquier forma actividades peligrosas al interés del Estado" (949).

La ley de Chile sobre seguridad exterior de la República, faculta al Presidente de la misma, por reclamarlo la necesidad imperiosa de la defensa del Estado, a señalar lugares de permanencia forzosa a los extranjeros, que, "por cualquier medio, tiendan a favorecer a una potencia en guerra con algún país de América o sus aliados o perjudicar a éstos" (950).

La disposición guatemalteca otorga al Gobierno el poder jurídico de concentrar a los nacionales de los países con los cuales se encuentra en guerra la República "cuando su actitud haga presumir actividades subversivas o peligrosas para la seguridad de la Nación y de sus instituciones" (951). En Perú, las medidas establecidas permiten a los extranjeros contra los cuales se dicten medidas de expulsión y que no pudiesen salir del país por las circunstancias impuestas por la guerra, fijar su residencia en el país, bajo vigilancia, en el modo y forma que en cada caso se establezca; siendo aplicable el mismo procedimiento respecto de aquellos extranjeros que cometan actos ilícitos que no den lugar a expulsión, o que realicen actividades que puedan comprometer la neutralidad del país, el orden interno o la moral pública. La medida es, por lo tanto, subsidiaria de la expulsión, o deviene aplicable como consecuencia de determinadas infracciones (952).

Las disposiciones dictadas por Argentina como consecuencia de la declaración de guerra al Imperio del Japón y al Reich alemán, prevén también las medidas de detención, internación y concentración de los extranjeros súbditos de aquellos países, pero más bien como resultantes de las infracciones simples o reiteradas, al régimen de registro y vigilancia que pudieren cometer dichos extranjeros (953). La reglamentación

---

(949) D. Nº 11, de 11 dic. 1941, art. 2º, inc. segundo.
(950) L. de 31 dic. 1942, art. 8º, letra d). Esta facultad es otorgada de conformidad al numeral 13 del art. 44 de la Constitución, según el cual sólo en virtud de una ley se puede restringir la libertad personal, y ello por el plazo de seis meses.
(951) D. Nº 2655, de 23 dic. 1941, art. 13.
(952) D. Supr. de 28 jun. 1940, arts. 1º y 2º.
(953) D. Nº 7058, de 2 de abr. 1945, art. 12. Todo extranjero bajo vigilancia que incurra en infracción a cualquiera de las obli-

de este decreto determina, en consecuencia, las circunstancias que originan la aplicación de dichas medidas y que responden, por un lado, a la comisión reiterada de las infracciones al mismo en condiciones tales que denoten peligrosidad, o simplemente cuando esas violaciones impliquen una manifiesta desobediencia a la autoridad (954); pero, por otro lado, parece admitirse la aplicación de aquellas medidas sin vincularlas necesariamente con la comisión de infracción alguna, esto es, como medida puramente preventiva, en cuanto se faculta también a adoptarlas "teniendo en cuenta los antecedentes del causante" o "cuando así lo aconseje la seguridad de la Nación" (955).

Con excepción de Perú, en todos estos casos, la sola calidad de nacional de países enemigos, o simplemente de extranjero, más el carácter de peligroso, como en las disposiciones de Venezuela, Costa Rica, Guatemala y Argentina, o la manifestación de la tendencia antiamericana, como en la legislación chilena, determina la posibilidad de hacer efectiva la medida. Técnicamente, no se trata de criterios de peligrosidad, sino de una cualificación genérica, o restringida, de personas -extranjeros enemigos, extranjeros en general, peligrosos-, que origina la aplicación de la internación. Ahora, parece de la mayor evidencia que esta cualificación, por su misma amplitud, requiere necesariamente, para ser llevada a la práctica, del instrumental determinativo intermedio que sólo puede proporcionar un auténtico criterio o tipo de peligrosidad. Los preceptos de las disposiciones preindicadas, ofrecen, pues, una base jurídica apropiada para hacer uso de las conductas indiciarias consignadas en el numeral 4 de la Resolución XXX del Comité, antes citadas (956) u otras análogas. Esta posibilidad fué considerada y sugerida, por lo demás, en su oportunidad, en las conclusiones suscriptas en las Visitas de Consulta realizadas entre delegados del citado organismo y los funcionarios nacionales de

---

gaciones emergentes del presente decreto o su reglamentación será pasible de las siguientes medidas según la importancia de la infracción: d) detención a disposición del Poder Ejecutivo de la Nación; e) Internación; f) concentración.
(954) D. Nº 7527, de 6 abr. 1945, art. 42, incs. a) y b).
(955) D. y art. cits., incs. c) y d).
(956) Supra, pág. 386.

las referidas Repúblicas Americanas, así como en los Memorándums especiales sobre algunos problemas de defensa política trasmitidos a las mismas (957).

Las fórmulas precedentes parecen obedecer a dos razones fundamentales: 1º) evitar que los elementos subversivos actúen en contra de la seguridad del país o de algún país americano en guerra con una potencia extracontinental, aunque sin determinar exactamente el concepto de peligrosidad, sin configurar el "tipo", los modos de la peligrosidad, aludida por la ley; y 2º) obviar o reducir en lo posible las dificultades de prueba, bastando el convencimiento de que el individuo es, genéricamente, "peligroso", para proceder a su internación; ahora, es evidente que un tal sistema de juicio por convicción y sin tipificación reduce sensiblemente las garantías del punto de vista del individuo.

A los efectos de construir un concepto de peligrosidad, juegan una función importante, al menos como tentativa, las determinaciones que hiciera el Comité en su Resolución XX, ya transcripta. Allí se elabora un instrumento técnico que permite determinar, en cada caso, con mayor o menor precisión, si el individuo es o no políticamente peligroso. Aunque no se trata el problema de la prueba, se mencionan las determinantes como "indicios" que es un elemento técnico.

Según los informes en poder de este organismo, son varios los países que interpretaron sus leyes sobre internación, de acuerdo a los criterios contenidos en aquella Resolución.

Cabe mencionar finalmente, por vía de ejemplo, un tipo legal más de facultad, de mayor amplitud que las disposiciones precedentes, y es el incluído en la legislación panameña de emergencia. Fundada en razones de seguridad nacional, así como para satisfacer los compromisos suscriptos por la República con las restantes naciones del Hemisferio Occidental, a fin de "mantener los principios democráticos hoy grandemente

---

(957) Informe sobre la Visita de Consulta a Costa Rica, Conclusión Nº 3; Informe sobre la Visita de Consulta a Venezuela, Conclusión Nº 2; Memorándum sobre algunos problemas de defensa política en Guatemala, Nº 2, Detención y Expulsión; Memorándum sobre algunos problemas de defensa política en Chile, 1º, b), etc.

amenazados por países de ideología antidemocrática" (958), la ley faculta al Poder Ejecutivo para adoptar, a la mayor brevedad posible, "respecto a toda persona natural o jurídica o entidad política, las medidas de prevención o las de represión que se hagan necesarias para la defensa nacional y la de los países aliados" (959). A pesar de no estar prevista en ese texto de manera expresa la internación o detención de personas peligrosas, la latitud del mismo parece autorizar la aplicación de esa medida por el gobierno, fuere en los casos concretos que la requiriesen, ya por vía general o de reglamentación. En lo que a los criterios de peligrosidad se refiere, son aplicables también a esta ley, los conceptos que se han vertido líneas arriba.

3. Sistemas de internación.

Teniendo en cuenta los fundamentos que han llevado a las Repúblicas Americanas a la adopción de un régimen de internación, se explican claramente los distintos sistemas adoptados por las legislaciones, a saber: residencia compulsiva, campos de internación e internación en otro país.

Es de clara percepción en la ley un doble grado en cuanto al alcance y severidad del sistema en vigor, ya sea que las restricciones sobre la libertad del individuo peligroso se limiten a una imposición de residir en determinados lugares, ya se extiendan a la concentración de dichos individuos en zonas o campos specialmente establecidos. La primera modalidad es bien distinta de la segunda y ha sido tratada con anterioridad: se persigue con ella librar determinadas zonas de la presencia de extranjeros, por motivos de defensa o seguridad, más que imponer una medida individualizada contra extranjeros específicamente seleccionados en razón de su peligrosidad (960).

a. Residencia fija.

El primer método importa impedir el desplazamiento de la persona y su libre elección de residencia: las autoridades le fijan un lugar determinado que puede ser su propio domicilio u

---

(958) L. Nº 104, de 10 dic. 1941, consid. 3º.
(959) L. Nº 104, de 10 dic. 1941, art. 3º, letra b).
(960) Véase Supra, Capítulo III.

otro lugar especialmente alejado de zonas vitales o estratégicas (pozos petrolíferos, plantas industriales, costas, etc.) (961).

---

(961) **Argentina:** D. Nº 7527, de 6 abr. 1945, art. 44. La internación significará para los que sean pasibles de esa medida,
la obligación de fijar residencia y permanecer dentro de las
zonas establecidas por el Poder Ejecutivo. Como se ha señalado páginas atrás, esta medida procede, conforme al régimen de las disposiciones argentinas, más bien como consecuencia de las violaciones a las normas que regulan el registro y vigilancia de los extranjeros enemigos.
Colombia: D. Nº 2190, de 19 dic. 1941, arts. 3º y 4º. La Policía Nacional tendrá, además de sus facultades preventivas
ordinarias, las de señalar a los extranjeros lugares de residencia fija o transitoria, en los casos previstos en el artículo anterior.
Res. del Director General de la Policía Nacional, Nº 260 de 25
jun. 1942, art. 1º. Cinco días después de publicada la presente Resolución en las Capitales de los Departamentos, los
nacionales pertenecientes a los países con los cuales Colombia
tiene rotas relaciones diplomáticas (Alemania, Italia y Japón) que residan en los departamentos del Atlántico, Bolívar, Magdalena y Valle, las provincias costaneras del Cauca
y Nariño, costas sobre el Atlántico del Departamento de An-
tioquía, Intendencias y Comisarías y puertos sobre el río Magdalena, están en la obligación de fijar, indefinidamente, su
residencia o domicilio en lugares distintos a los mencionados
anteriormente.
Costa Rica: D. Nº 47, de 11 dic. 1941, art. 1º. Los súbditos
japoneses, alemanes e italianos que se encuentren actualmente en el país quedan sometidos a la vigilancia especial
de las autoridades militares del lugar en que cada uno de
ellos reside, del cual no podrán salir, sin permiso escrito que
en cada caso solicitarán a la referida autoridad.
D. Nº 51, de 20 dic. 1941.
Cuba: Ac. Ley Nº 3 de 5 ene. 1942, art. 18. **Confinamiento
o arresto en casa.** El Ejecutivo podrá, en casos excepcionales, autorizar el confinamiento del extranjero enemigo, domiciliado o establecido en Cuba, o con familia cubana, en
el mismo domicilio del extranjero, o en el lugar que con ese
objeto se le fije por el Gobierno, pudiendo en estos casos el
Ejecutivo suspender, en cuanto al confinado, las medidas que
sobre administración de bienes de los extranjeros enemigos y
su fiscalización, se hubieren acordado. Para ello será necesario que el extranjero enemigo presente un fiador abonado,
de nacionalidad cubana, el cual quedará sujeto no solamente al pago, como fiador solidario, de la cantidad de quinientos pesos que se señala como fianza, sino que en el caso de
que el extranjero enemigo quebrante, el confinamiento, o las
condiciones bajo las cuales se le haya otorgado esta gracia,
se constituirá el mismo fiador en arresto y sufrirá el confinamiento quebrantado por el fiador, por todo el tiempo que
hubiere debido durar el mismo, sin remisión alguna.
Chile: Ley Nº 7401, de 31 dic. 1942, art. 8º. Por reclamarlo

La residencia forzosa asignada por las autoridades implica, ciertamente, una restricción de conducirse en forma libremente nociva para los intereses de la Nación o del Hemisferio, y se vuelve un medio que reduce en parte las dificultades ordinarias que ofrecen a las autoridades la vigilancia, el contralor del individuo peligroso y de sus actividades. Sin embargo, esta medida, a pesar de contribuir al fin perseguido, no resultó muchas veces lo necesariamente enérgica y efectiva según tuvo oportunidad de comprobarlo, a través de la experiencia de varios países, el propio Comité. En los Memorándums especiales sobre problemas de la defensa política particulares a cada país, este organismo recalcó por tal motivo: "Es indudable, sin embargo, que un nacional peligroso de Alemania o Japón constituye siempre una amenaza, aunque se le fije un lugar de residencia forzosa y se le someta a una continua vigilancia policial. El Comité ha recibido informaciones de distintos países americanos sobre nacionales del Eje que se encontraban en las condiciones mencionadas y se valían sin embargo de medios subrepticios para ponerse en contacto con otros connacionales, prosiguiendo en diversas formas sus actividades subversivas. Es evidente que, pese a la aplicación de estas medidas y mientras permanezca en contacto con el núcleo social, el nacional peligroso del Eje sigue siendo un propagandista disolvente y un factor de descontento dentro de la

la necesidad imperiosa de la defensa del Estado, autorizase al Presidente de la República para dictar una o más de las siguientes medidas: d) Señalar lugares de permanencia forzosa para determinados extranjeros o localidades o zonas en que les esté prohibido residir. De conformidad con esta ley, el Poder Ejecutivo ha dictado diversos Decretos señalando lugares "de permanencia forzosa" a determinados extranjeros. (V., por ejemplo, los Ds. Nos. 1439, 1453 y 2630 de 10 y 11 de mar. y 26 may. 1943, entre otros).

Ecuador: D. Nº 111 de 29 ene. 1941, art. 30. El Poder Ejecutivo a su juicio, podrá cambiar el lugar de residencia de un extranjero, sea o no residente, cuando lo exijan el orden y la seguridad de la República.

Estados Unidos: L. de 6 jul. de 1798 (R. S. 4067; 50 U. S. C. 21). Siempre que haya guerra declarada entre los Estados Unidos y cualquiera otra Nación o Gobierno extranjero, todos los naturales, ciudadanos habitantes y súbditos de la nación o gobiernos hostiles... serán pasibles de ser detenidos, restringidos, retenidos, y trasladados como extranjeros enemigos.

México: L. de 11 jun. 1942.

comunidad, buscando el apoyo de cualquier elemento a fin de suscitar dificultades a los esfuerzos del Gobierno para la defensa del país y para la contribución al esfuerzo bélico. Por estas consideraciones, se ha llegado a la conclusión de que la medida de residencia forzada en su propia casa solamente tiene una utilidad temporaria, y que la solución satisfactoria consistiría en la internación de dichos nacionales durante el período de la guerra en campos especialmente destinados al efecto" (962). La residencia fija sólo puede ser considerada, en consecuencia, como un sustitutivo de la internación, aunque vulnerable a peligrosas infiltraciones de actividad subversiva. Las personas obligadas a residir compulsivamente en sus domicilios, disponen, por lo general, de todos los medios comunes de comunicación y relación con el mundo exterior de épocas normales, pueden hacer uso de las comunicaciones telefónicas, ausentarse para concurrir a consultas médicas u hospitalizarse, recibir visitas, burlar la vigilancia y dejar el domicilio durante la noche, etc., como ha quedado de relieve concretamente, en distintos casos, en más de un país americano.

b. Libertad bajo palabra

Esta es una variante que se suele adoptar en los casos en que no se considera necesaria la internación y existe, sin embargo, cierta peligrosidad. Se exige al extranjero que informe periódicamente a un ciudadano leal que actúa como fiador responsable de su conducta, así como a un funcionario perteneciente al Servicio de Inmigración y Naturalización, acerca de su ocupación y sus actividades. Este régimen es más o menos estricto según la peligrosidad del extranjero sometido al mismo. Su variación fundamental radica en la frecuencia con que se obliga a este último a presentarse ante el fiador y el funcionario oficial, la que en ciertos casos llega a una semana. Los términos de la orden de libertad pueden también especificar ciertas restricciones tales como imposibilidad de trabajar en cierta clase de empleos, viajar en ciertas zonas o asociarse a determinados individuos u organizaciones. Estados Unidos particularmente ha hecho aplicación de este contralor (963).

---

(962) Segundo Informe Anual, pág. 130.
(963) Inf. V. C.

c. Detención.

Un grado más severo y de indiscutible eficacia dentro del régimen es la concentración de los extranjeros peligrosos en campos especiales, preferentemente en regiones interiores del país, bajo la vigilancia directa de las autoridades. Tal es el sistema recomendado por el Comité (964). Esta medida permite, evidentemente, el máximo de seguridad en la neutralización del individuo peligroso, y su propósito, según ya se ha indicado, es que las Repúblicas Americanas intensificaren la práctica de detener a todos los nacionales peligrosos del Eje mientras durase el conflicto internacional. Las medidas recomendadas por dicha Resolución complementan así muchas otras de carácter restrictivo o represivo a aplicarse a los citados extranjeros tales como el registro, vigilancia y comparecencia periódica ante las autoridades, restricciones sobre su entrada y salida, pérdida de su ciudadanía, protección contra el sabotaje mediante su traslado a regiones de residencia obligatoria, prohibición de su empleo en servicios o industrias vitales y demás contralores incluídos en la Resolución XVII de la Tercera Reunión de Consulta y Resoluciones concordantes del Comité (965). La Resolución del Comité sugiere, según ya se ha mencionado, como reglas generales para la orientación del plan de internación las contenidas en la Convención de Ginebra de 27 de junio de 1929, sobre prisioneros de guerra. Esta Convención, dice la exposición de motivos de la Resolución XX, por supuesto, no es estrictamente aplicable en la especie, pues se refiere solamente a los prisioneros de guerra; sin embargo, en muchos aspectos, los principios que contiene se refieren a fases del proceso de detención, que son muy semejantes a las consideradas aquí, y constituyen, por consiguiente, una norma apropiada tal como se recomienda en el parágrafo 3 de la Resolución anexa. Por este motivo, muchos de los beligerantes en la guerra actual se han ajustado a esos principios, para la detención de civiles. Cualquier amenaza del Eje de maltratar a los ciudadanos americanos bajo su jurisdicción, hecha a pesar

---

(964) Res. XX, 3, supra, pág. 371.
(965) Ibid., Exposición de Motivos, Primer Informe Anual, pág. 192 y ss.

de la aplicación de esos principios por las Repúblicas Americanas, valdrá muy poco en vista de la posición mucho más favorable de éstas, donde se encuentra un número de nacionales
del Eje muy superior al de nacionales americanos en los territorios de los Estados del Pacto Tripartito o los dominados por
los miembros de éste. Las Repúblicas Americanas tienen así
el medio de asegurar un tratamiento adecuado para sus ciudadanos en el extranjero.

El sistema de detención se ha puesto en vigor en diversas
Repúblicas Americanas que declararon la guerra al Eje,
como Estados Unidos, México, Brasil, Cuba y Argentina. En
punto a las disposiciones legales, pueden mencionarse en conjunto, como ejemplo, las vigentes en Costa Rica, Cuba, Guatemala, México, Nicaragua y Venezuela (966). En Estados

---

(966) **Costa Rica:** D. Nº 11 de 11 dic. 1941, art. 2º. El Gobierno
garantiza entera seguridad en sus personas y bienes a los
súbditos de las naciones con las cuales existe el estado de
guerra mientras permanezcan en el territorio siempre que observen una conducta correcta a juicio de las autoridades militares o de policía y mientras la necesidad justificada no
obligue a variar esa situación, de acuerdo con los principios
del Derecho Internacional.
Los súbditos de dichas naciones que ejerciten en cualquier forma actividades peligrosas al interés del Estado, serán reconcentrados en los campos de internación que para
el efecto se establezcan o expulsados del territorio de la República a opción del Poder Ejecutivo.
Cuba: Ac. L. Nº 3 de 5 ene. 1942, art. 13, A. A las personas acusadas de quinta columnismo se les aplicará, siempre
que el acto realizado no dé origen a una responsabilidad penal cualquiera, la medida de seguridad a que se refiere el
artículo 585 - C - 3 del Código de Defensa Social.
Código de Defensa Social, art. 585 C) "Las medidas personales detentivas" son: 3) Reclusión en un campamento de
concentración o internamiento, o en otro lugar adecuado o
disponible para los individuos comprendidos en el artículo
48, B) 13) de este Código.
Art. 48, B) 13. (Adición del Ac. ley Nº 3, de 5 ene. 1942, art.
8º). El estado peligroso puede declararse con respecto al nacional o extranjero sospechado de cooperar con los enemigos
de la República. (Adición del Ac. Ley Nº 3, de 5 ene. 1942,
art. 10).
Ac. L. Nº 3 de 5 ene. 1942, art. 14. **De los extranjeros enemigos.** A los efectos de la presente Ley podrán ser declarados extranjeros enemigos, los nacionales, ciudadanos o súbditos de algún país que se encuentre en guerra o en estado
de guerra con la República, siempre que hayan cumplido catorce años de edad. Dicha declaración será hecha por el Po-

Unidos se han establecido campos de internación en donde se considera esencial que el internado permanezca siempre en actividad, adhiriéndose en todos los aspectos, como la alimentación, el recreo y el horario, de un modo estricto, a la Conven-

der Ejecutivo y podrá comprender a todos los nacionales, ciudadanos o súbditos del país, o solamente a determinadas personas. Igualmente el Poder Ejecutivo fijará las reglas que deberán ser observadas por los nacionales, ciudadanos o súbditos de las potencias que estuvieren en guerra con Cuba.

Art. 15. — **Internamiento de los extranjeros enemigos.** Tan pronto como se declare la guerra o exista un estado de guerra con alguna Nación extranjera, el Poder Ejecutivo podrá disponer el internamiento de los nacionales, ciudadanos o súbditos de aquél país que se consideren peligrosos o su deportación a su país de origen, si pudiere cumplirse esta última medida.

Art. 16. — **Lugar del internamiento.** — El internamiento se llevará a cabo, a ser posible, en campamentos o lugares convenientes habilitados.

Art. 17. — **Duración del internamiento.** — El internamiento durará salvo disposición en contrario del Ejecutivo, todo el tiempo que dure la guerra, o el estado de guerra con el país del extranjero enemigo.

Guatemala. D. Nº 2655, de 23 dic. 1941, art. 13. El Gobierno podrá disponer la concentración de los nacionales de los países con quienes está en guerra la República, cuando su actitud haga presumir actividades subversivas o peligrosas para la seguridad de la Nación y de sus instituciones. Los guatemaltecos naturales y naturalizados que se encuentren en las mismas condiciones sospechosas, serán sometidos a juicio de investigación ante las autoridades competentes.

México: L de 11 jun. 1942, art. 11 inc. 1. Autoriza "la concentración por tiempo indefinido de extranjeros y aun de nacionales en lugares determinados".

Nicaragua: L. de 29 mar. 1939, Cap. II, art. 5. Cuando se hubiere decretado la restricción o suspensión de garantías, el Ejecutivo podrá dictar órdenes de detención contra cualesquiera personas y confinar en un lugar del territorio de la República a los perturbadores...

Venezuela: L. de 29 jun. 1942, art. 20. El Ejecutivo Federal podrá crear campos nacionales de concentración.

Art. 21. — Los naturales de países con los cuales Venezuela haya roto las relaciones diplomáticas o se encuentre en guerra, y cualesquiera otros extranjeros, a quienes se considere peligrosos para la seguridad nacional, podrán ser internados en campos nacionales de concentración o confinados a poblaciones del Interior de la República, o lugares fronterizos, siempre que así lo juzgue necesario el Ejecutivo Federal para precaver actividades que puedan perturbar el orden público, o las instituciones de la República. Estas medidas durarán mientras subsistan las causas que las originaron, a juicio del Ejecutivo Federal.

ción de Ginebra sobre tratamiento de los prisioneros de guerra. Existen dos tipos de campos: uno para hombres solamente y otro para familias, para el caso en que sea necesario internar a éstas.

El trabajo, que nunca es obligatorio, es siempre remunerado. Es posible mantener correspondencia con el exterior, que es naturalmente censurada y utilizar receptores de radio de onda larga. Se aplica estrictamente el derecho de visita de la potencia protectora que prevé la Conferencia de Ginebra. A un régimen muy parecido fueron sometidos los evacuados de las zonas costeras en virtud de las órdenes mencionadas en el lugar respectivo. Estas personas fueron retenidas en campos especiales y se pusieron en libertad a las que no tenían carácter sospechoso o peligroso. Se ha puesto también en práctica un régimen de internación menos severo para los casos en que sea menos verosímil que el extranjero escape o recurra a la violencia. En este régimen se autoriza el trabajo en chacras o lugares abiertos, habiéndose ensayado el sistema en las vecindades de los campos de internación con muy buenos resultados (967).

Las disposiciones argentinas llaman "concentración" a esta medida, que consiste "en la colocación del causante en un campo o localidad determinado por el Poder Ejecutivo, donde quedará sometido —bajo la vigilancia de las autoridades a ese efecto designadas—, a un régimen especial establecido de acuerdo con las normas que al efecto se dicten" (968).

d. Internación en otro país.

Tratando de armonizar los objetivos generales del régimen con las dificultades prácticas que obstan, en algunas Repúblicas Americanas, al cumplimiento de la internación dentro de su territorio, el Comité recomendó la expulsión o deportación de la persona peligrosa, mediante los acuerdos necesarios, a otra República Americana donde deberá efectuarse la internación (969). Al cumplir por este medio con el programa

---

(967) Inf. V. C.
(968) D. Nº 7527 de 6 abr. 1945, art. 45.
(969) Resolución cit., 3 (b).

de internación los Estados han tratado de solucionar el problema planteado por las personas peligrosas, aún en aquellos casos en que las condiciones locales dificultan la internación dentro de sus territorios respectivos. La explicación de este sistema está implícitamente contenida en la consideración de que el problema general de la defensa política afecta por igual a todas y a cada una de las naciones del continente siendo por tanto lógica una solución común por medio de acuerdos bilaterales o multilaterales. La expulsión o la repatriación sistemática de los extranjeros peligrosos sólo constituiría, como ya se ha dicho, un medio excelente de favorecer las actividades del Eje en otras Repúblicas del Continente, o de proporcionar a los gobiernos del Pacto Tripartito, informaciones de interés para sus planes políticos o militares.

Varias Repúblicas han utilizado esta vía para la internación de individuos peligrosos.

4. Procedimiento.

Por regla general el procedimiento para decidir la internación es el más sencillo de todos: la simple orden de detención. Se trata de una medida de orden administrativo que toma el Presidente de la República, como en México, Nicaragua y Venezuela (970); o el Poder Ejecutivo, a propuesta de la policía, como en la Argentina (971); incluso, a veces, puede decretar la internación un órgano ejecutivo subordinado, por ejemplo, la Policía Nacional como sucede en Colombia (972). Los procedimientos tienden a reducirse en lo posible despojándoseles de todo carácter dilatorio. En Estados Unidos, especialmente, se ha adoptado un procedimiento que aun cuan-

---

(970) **México:** L. de 11 jun. 1942, art. 11: "El Presidente podrá ordenar con exclusión de toda otra autoridad mediante acuerdo por escrito y mientras dure la suspensión de garantías, la detención de extranjeros y nacionales.
Nicaragua: L. de 29 mar. 1939, art. 5º.
Venezuela: L. de 22 jun. 1942, art. 21.
(971) D. Nº 7058 de 2 abr. 1945, art. 12, inc. f). Concentración. Las penas previstas en los incs... serán aplicadas por el Jefe de Policía Federal, quien propondrá al Poder Ejecutivo las medidas de los incs. d), e) y f); D. Nº 7527, de 6 abr. 1945, art. 42.
(972) **Colombia:** D. Nº 2190, de 19 dic. 1941, arts. 3º y 4º.

do se sustancia en vía administrativa tiende a revestirse de ciertas garantías a fin de deparar mayor protección a los extranjeros a quienes comprende la medida. El mecanismo administrativo que se ha creado para tratar este problema es, en sus grandes líneas, totalmente nuevo. Comprende, sin embargo, como era de esperarse, elementos que provienen de los principios fundamentales de la práctica legal anglo-americana. Los distintos pasos en los que se mueve ese procedimiento son: la aprehensión, la audiencia, la revisión y finalmente la decisión final. Conforme a ellos, se indicará en sus rasgos principales, el procedimiento seguido.

En cuanto a la aprehensión de los extranjeros enemigos, ésta se ha mantenido bajo un control central. El medio procesal con arreglo al cual se efectúa, es la orden de arresto presidencial. Tales órdenes son expedidas por la Oficina Central: (1) de oficio, basada en la información recibida de cualquier fuente de investigación; (2) a pedido de los fiscales locales de los Estados Unidos, a quienes se les ha solicitado que transmitieran con tal pedido los hechos que hacen deseable el arresto. Tales hechos los reciben de la Oficina Federal de Investigación (F.B.I.). La ventaja de este último procedimiento, que es el que más se emplea, radica en que da a la Oficina Central el beneficio de la opinión de un funcionario cuyos deberes, como representante local del Departamento de Justicia, lo han familiarizado con la situación del núcleo social en donde vive el extranjero enemigo, sin someterlo a todos los prejuicios locales que pueden obrar en favor o en contra de tal individuo. Sin embargo, surgen a veces casos en los cuales se juzga inoportuno esperar hasta que se pueda obtener la orden presidencial. En tales situaciones, el Fiscal está facultado para autorizar discrecionalmente un arresto de emergencia. Cuando así procede debe indicarlo a la Oficina Central por telegrafía, exponiendo las razones por las cuales ha sido requerido el arresto de emergencia. Si la Oficina Central aprueba el arresto se expide una orden presidencial; si ésta es rehusada, el extranjero enemigo es puesto en libertad.

La custodia de los extranjeros enemigos, una vez arrestados, es asumida por el Servicio de Inmigración y Naturalización, que es una rama del Departamento de Justicia. Esta práctica que se opone al uso de cárceles locales permite el tratamiento uniforme de los detenidos en todos los puntos del país, y evita la violación de la Convención de Ginebra. Asimismo, permite el empleo de personal que está acostumbrado al contacto con extranjeros.

Una vez arrestado, al extranjero enemigo se le concede una audiencia tan pronto como es posible.

La integración del tribunal, la naturaleza de los **medios** para probar la verdad de las acusaciones y las restricciones empleadas por los acusadores y los investigadores a fin de evitar los efectos de lo que se ha llamado "la historia de época de guerra", constituye indiscutiblemente la parte más importante de todo el procedimiento. Sin el extremo cuidado, inteligencia, habilidad y buena voluntad en este momento, todo el programa podría transformarse en un instrumento de opresión y de injusticia, que no serviría entonces los fines de seguridad nacional y de unidad.

Los Tribunales de Audiciencia ante los cuales se presenta la prueba relacionada con el carácter del extranjero enemigo y su conducta, se componen de tres ciudadanos prominentes de la localidad en que vive dicho extranjero enemigo. La prueba que condujo a su arresto y cualquiera otra información disponible, favorable o desfavorable, se presenta al Tribunal por el Fiscal de Distrito de los Estados Unidos. Además, el extranjero puede presentar testigos u otras pruebas en su descargo, la que es examinada personalmente por el Tribunal. No se le permite estar representado por un abogado o asesor, pero puede contar durante toda la audiencia con un amigo que actúa en calidad de consejero. Este procedimiento hace que la selección de los miembros de los Tribunales revista la mayor importancia. El extranjero enemigo, por lo común, no está familiarizado con la investigación y presentación de hechos, ni con la naturaleza del problema que tiene que resolver, esto es, demostrar su falta de peligrosidad. Por razones que se indicarán después, no siempre se le pone en conocimiento de toda la prueba que apoya la pretensión de que es peligroso. La determinación última a hacerse, es decir, si es o no potencialmente peligroso, es difícil. El extranjero no está protegido por ninguna de las salvaguardias de las reglas de prueba y de procedimiento que rigen en los casos penales. Por tales razones, el Tribunal de Audiencia debe estar compuesto de hombres de una equidad y honradez poco acostumbradas, y de habilidad para analizar la verdad e importancia de la prueba aducida. Los mayores esfuerzos se han hecho para nombrar personas que inspiren confianza local.

Tan pronto como es posible, después del arresto, se le da aviso al extranjero enemigo de la fecha en la cual tendrá lugar la audiencia. Simultáneamente se le notifica de que puede en esos momentos presentan los hechos en su descargo y ser acompañado de un amigo. En la fecha de la audiencia, el Fiscal de los Estados Unidos presenta al Consejo todas las pruebas disponibles. Esto incluye usualmente uno o más informes de investigación y el cuestionario que cada extranjero enemigo debe llenar una vez aprehendido. Después de esta presentación el extranjero enemigo y su consejero aparecen ante el Tribunal para ser interrogado y presentar la prueba destinada a demostrar la lealtad del sujeto o su falta de tendencias peligrosas para los Estados Unidos.

El hecho de que el extranjero no esté presente cuando el Fiscal expone su prueba, posiblemente haga que el extranjero enemigo quede en la ignorancia de los cargos contra él y por lo tanto deje de presentar una defensa válida y eficaz. La explicación de este procedimiento radica en el hecho de que, en muchos casos, y dada la naturaleza especial del juicio, la información que compromete al extranjero enemigo es de carácter confidencial. Ya en plena guerra se dieron instrucciones a los Tribunales de Audiencia en el sentido de que revelen al extranjero todos los cargos que existan, salvo que haya un pedido expreso de reserva o secreto y que dicho pedido haya sido examinado y atendido. La injusticia puede, por supuesto, evitarse mediante un interrogatorio apropiado por el Fiscal y el Tribunal, dado que en el proceso de tal interrogatorio, lo sustancial de los cargos puede ser presentado sin revelar detalles confidenciales cuyo descubrimiento podría perjudicar investigaciones posteriores. El Tribunal puede, además, postergando la audiencia y requiriendo información de oficio, obtener datos adicionales que sirvan suficientemente para caracterizar al extranjero enemigo, sin confiar enteramente en su propio testimonio, a menudo inadecuado.

Las audiencias se conducen con completa prescindencia de las reglas técnicas de prueba. En ausencia de tales reglas, al extranjero se le pueden formular preguntas de toda clase, y pruebas remotas y de oídas, pueden usarse tanto en su contra como en su favor. Esta situación evidentemente puede ser perjudicial para el individuo. Como ya se ha dicho la mejor salvaguardia radica en un buen tribunal y en una investigación adecuada.

Una vez completada la audiencia, el Tribunal presenta sus conclusiones, en forma de recomendación, al Procurador General, para que éste dictamine luego de revisar el procedimiento. Esto significa que el Tribunal no tiene poder para internar o poner en libertad al extranjero: solamente recomienda uno u otro de esos procedimientos. La decisión final pertenece al Procurador General de los Estados Unidos. Se ha juzgado conveniente esta revisión central, antes de adoptar una decisión, por varias razones. En primer lugar, la uniformidad. Las distintas localidades suelen tener actitudes totalmente diferentes con respecto a problemas semejantes. En segundo lugar, la posición central de la unidad de contralor enemigo le permite aunar la información y la experiencia que proviene de la revisión de todos los casos. Lo que para los Tribunales particulares parece ser un ejemplo aislado de cierto tipo de conducta, adquiere una significación mayor cuando se reunen y revisan muchos casos por una oficina central. En tercer lugar, la Oficina Central de Revisión está en condiciones de obtener y analizar informaciones de otras dependencias gubernamentales que por limitaciones de tiempo y personal no pueden presentar sus pruebas ante los Tribunales. Esta información puede ser utilizada ya sea directamente en el proceso de revisar las recomendaciones de los Tribunales, ya como base para requerir mayor investigación y una nueva audiencia.

El Fiscal de los Estados Unidos en el distrito debe proporcionar al Procurador General todo el material relacionado con el caso, lo que comprende generalmente los cuestionarios, los informes de investigación, las cartas y fianzas en favor del extranjero y el informe y recomendación del Tribunal de Audiencias.

Este material se reune con el recibido por la Oficina Central respecto del caso de que se trata y es enviado a un Fiscal de Revisión que lo analiza y resume en un memorándum destinado al Jefe de la Sección de Revisión. A base de este memorándum y del examen del expediente, la Sección de revisión puede adoptar tres decisiones: enviar el expediente al Procurador General con una recomendación final; requerir mayores aclaraciones de las razones en que el Tribunal de Audiencia funda su reclamación; u ordenar mayores investigaciones sobre puntos determinados y una nueva audiencia ante el Tribunal.

Debido a la rapidez con que deben realizarse la investigación y la audiencia primitivas, muchas veces se formulan objeciones a las mismas. En vista de ello, se ordena nueva audiencia con mucha liberalidad, siendo el único requisito necesario para ello, demostrar que se puede presentar nuevas pruebas sobre la inocencia del individuo o sobre su culpabilidad. Existen dos métodos de solicitar tales audiencias. El extranjero enemigo, sus parientes o amigos pueden escribir a la Oficina Central o al Fiscal de Distrito. Si las autoridades locales, es decir, el Fiscal de Distrito y el Tribunal de Audiencia, consideran que debe acordarse una nueva, ésta puede celebrarse sin necesidad de autorización de la Oficina Central. Durante las hostilidades se organizaron en gran escala nuevos Tribunales competentes para entender en las nuevas audiencias, a fin de evitar la dificultad que emana de la resistencia de los Tribunales a revisar su primera decisión. En el 30 % de los casos en que se ha acordado revisión, la recomendación original ha sido alterada, lo que usualmente se debe a nuevas circunstancias o en informaciones complementarias o nuevas.

Si la nueva audiencia es rehusada por las autoridades locales, el Procurador General puede, o confirmar la decisión denegatoria de las autoridades locales o acordarla. Después de la nueva audiencia, un nuevo informe y una nueva recomendación son presentados al Procurador General para ser revisados de la manera indicada.

La decisión final a que llega el Procurador General después de la recomendación de la Sección de Revisión, se envía al Fiscal de Distrito, al F.B.I., al Servicio de Inmigración y Naturalización y al Tribunal de Audiencias. Se lleva a efecto dos o tres días después de expedida. Puede ser una de las tres decisiones siguientes: 1) libertad; 2) internación, y 3) libertad bajo palabra.

Los extranjeros enemigos que se consideran potencialmente peligrosos para los Estados Unidos son internados por la duración de la guerra y ubicados en campos de internación regidos por el Servicio de Inmigración y Naturalización.

En los casos en que tanto el marido como la mujer son internados, se les coloca en los campos familiares.

Guatemala observa un sistema doble, según se trate de extranjeros o de naturales: el gobierno podrá internar a los primeros, mientras que los segundos, en las mismas condiciones de sospecha, son sometidos a juicio de investigación ante autoridades competentes (973).

La ley chilena prefija un procedimiento similar al establecido para los extranjeros sobre los que pesa una orden de expulsión, concediendo al afectado la facultad de interponer reclamo ante la Corte Suprema, dentro de cinco días, sin perjuicio de las medidas de seguridad que se adopten. La Corte, en juicio breve y sumario, con audiencia del Fiscal, y en carácter de Jurado, debe fallar la reclamación dentro del plazo de diez días a contar de la presentación. Durante estos plazos, la Corte puede adoptar las medidas de precaución y vigilancia que crea necesarias respecto del recurrente. Transcurrido el plazo de cinco días sin que se interponga recurso judicial en contra de la orden de expulsión o tres días después del fallo denegatorio de la Corte, el Intendente respectivo ordenará ejecutar lo mandado (974).

En Cuba la legislación se ha preocupado también por regular este aspecto. De conformidad con las disposiciones aplicables se sigue un juicio ante los Tribunales de Urgencia, según el procedimiento ordinario y especial de éstos (975). Dichos Tribunales fueron creados por los Decretos-Leyes Nos. 292, de 15 de junio de 1934 y 491 del mismo año; y por vir-

---

(973) D. Nº 2655, de 23 dic. 1941, art. 13.
(974) L. Nº 7401, de 31 dic. 1942, art. 8º, letra d), párrafo cuarto; L. Nº 3446, de 12 dic. 1918, arts. 4º y 5º.
(975) Ac. L. Nº 3, de 5 ene. 1942, art. 43.

tud del procedimiento establecido que debe seguirse ante estas jurisdicciones se hace singularmente más severa y restricta la situación del extranjero. Como se expresa en una información proporcionada por las autoridades cubanas, las partes interesadas no pueden presentar, en los referidos procedimientos, cuestiones de competencia ni recusaciones. Practicada la detención de cualquiera persona, y si en realidad existen indicios de criminalidad contra la misma, no cabe el beneficio de la libertad provisional, teniendo el enjuiciado que permanecer en prisión hasta que se dicte la correspondiente sentencia. La competencia de los Tribunales de Urgencia ha sido ampliada considerablemente por diversas disposiciones. El Acuerdo Ley número 3, de 5 de enero de 1942, antes citado, especialmente, pone a su cargo el juzgamiento de numerosos delitos contra el orden interno y seguridad del Estado. "Los Cuerpos de Seguridad o Policía dan cuenta directamente a los Tribunales de Urgencia, de los hechos delictuosos llevados a efecto dentro de sus respectivas jurisdicciones; el Tribunal radica causa, practica las pruebas pertinentes para la comprobación del delito y se va directamente al juicio oral, siendo los mismos magistrados los que intervienen en todas las incidencias del proceso". "Las sentencias dictadas por estos Tribunales no se ajustan, además, a las formalidades de la Ley de Enjuiciamiento Criminal, sino que se dictan simplemente por medio de un acta, como en los Juzgados Correccionales, sin pronunciamientos legales, hechos probados, ni calificación del delito. Estas sentencias, por graves que sean, no admiten apelación ante el Tribunal de Casación, siendo firmes desde el momento que se pronuncian. En las instrucción de los sumarios no se pueden apersonar los abogados defensores, quienes solamente son oídos en el acto del juicio oral. El acusado y el defensor se enteran de los cargos que se imputan, sólo en ese acto, quedando por tanto el imputado en estado de indefensión hasta ese instante, ya que no puede interesar la práctica de ninguna prueba en el abono de su inocencia, ni saber de qué se le acusa, pues todas las actuaciones son secretas" (976).

---

(976) Memorándum del Ministerio de Justicia de Cuba, sobre creación, competencia y procedimiento de los Tribunales de Urgencia.

La observación general que debe hacerse, finalmente, según ya se insinuara es que, a los efectos de la internación, la tendencia dominante es la de reducir el procedimiento al mínimo y, a veces, suprimirlo casi totalmente; se sacrifica así la forma, que es garantía, a la rapidez necesaria para una urgente defensa del Estado.

B. PREVENCION DEL ABUSO DE LA NACIONALIDAD

INTRODUCCION

El abuso de la nacionalidad y la agresión política.

El estudio realizado en la sección precedente revela cómo en todos los países americanos, a consecuencia de la agresión política del Eje o con anterioridad a la misma, se puso en vigor un sistema especial de vigilancia y contralor sobre los extranjeros, adaptando y modificando los regímenes existentes para su registro, detención y expulsión, entrada y salida y movimiento dentro del país, y prohibiendo o restringiendo las actividades políticas de aquellos. Se ha visto, asimismo, que la legislación o las medidas administrativas adoptadas en casi todos los países americanos implantaron un régimen aún más riguroso contra los nacionales de las Potencias totalitarias, en atención al hecho comprobado de que las mismas utilizaron a muchos de sus nacionales como la primera línea de ataque político.

Todas estas medidas requerían, sin embargo, como un complemento indispensable, la adopción de normas jurídicas que previnieran o suprimieran lo que se ha dado en llamar el "abuso de la nacionalidad". Es esta una frase empleada para referirse a una modalidad particular en las tácticas de agresión política del Eje.

El vínculo de nacionalidad, ya sea por nacimiento o por naturalización, presupone la lealtad para con el Estado del cual se forma parte y tal suposición es la causa de la diferencia de tratamiento que establecen entre extranjeros y nacionales, las leyes y reglamentos destinados a prevenir o reprimir las actividades subversivas. Ese hecho no escapó a la observación de los Estados del Eje, que instruyeron a sus agentes sobre la conveniencia de adquirir una nacionalidad americana, a fin de evitar la aplicación de las medidas de estricto contralor que rigen para los extranjeros en general y para los nacionales del Eje en particular, y de esforzarse por emplear en sus maniobras a nacionales americanos, en la mayor escala posible.

De manera que la primera fuente de abusos de nacionalidad proviene de la dolosa adquisición de la misma por agentes del Eje, que intentan obtener de ese modo un manto de impunidad y protección para sus manejos ilícitos. Tal como se dice en la exposición de motivos de la Resolución XV del Comité, "existe amplia evidencia de que, de acuerdo con una política general de los Estados del Eje, muchos agentes totalitarios que anteriormente eran nacionales de dichos Estados, han adquirido deliberadamente una nacionalidad americana para ocultar y facilitar sus planes subversivos" (1).

Este peligro, derivado de la naturalización premeditada de agentes totalitarios, no fué sin embargo el único que debieron afrontar las Repúblicas Americanas. Hubo una segunda causa de abusos de nacionalidad, tan grave como la anterior, que obedeció a los esfuerzos de las Potencias totalitarias por mantener la adhesión y dependencia de muchos de sus ex-nacionales, que se habían naturalizado de buena fe en alguna República Americana (2). Los nazis, por ejemplo, con el apoyo de su doctrina racial, trataron siempre de convencer a sus antiguos nacionales que su naturalización en otro país no podía afectar el vínculo indestructible que los ligaba a Alemania.

Además, tanto en Alemania como en Japón, Italia y otros Estados satélites del Eje, rije el principio del "jus sanguinis" por oposición al "jus soli" o al sistema mixto seguido por la mayoría de las Repúblicas Americanas. En virtud de la aplicación de aquel principio, Alemania, Italia, Japón y otros Estados satélites, reclaman como súbditos propios a los hijos de sus nacionales, sin tener en cuenta el lugar de su nacimiento. De acuerdo con estadísticas fidedignas, hay millones de nacionales americanos que han nacido en las Repúblicas Ame-

---

(1) Primer Informe Anual del Comité, pág. 113.
(2) Bien expresivo acerca del grado que alcanzaron estas formas de abuso de nacionalidad, es el siguiente considerando del decreto mexicano de 25 jul. 1942: "algunos nacionales de los países que actualmente son enemigos del nuestro —o que deben ser asimilados a éstos— adquirieron dolosamente carta de naturalización mexicana o han faltado a su solemne protesta de adhesión, obediencia y sumisión a las leyes y autoridades de la República, de tal manera que la nacionalidad mexicana que hoy ostentan, sólo sirve para encubrir reprobables actividades y eludir la vigilancia y el trato que deben recibir como enemigos de nuestro país".

ricanas y que son o pueden ser reclamados como súbditos por los Estados del Eje. A base de una intensa propaganda y por otros medios de presión y extorsión, principalmente de índole económica, las Potencias totalitarias intentaron conseguir la lealtad y adhesión de todas las personas indicadas, tanto naturalizados como dobles nacionales, habiendo logrado éxito en un importante número de casos (3).

Es preciso señalar también que una de las tácticas de la agresión política totalitaria consistió en la penetración en la vida de las Repúblicas Americanas, a favor de instituciones americanas de carácter político, económico, social, cultural y espiritual. Las personas y entidades Americanas filo-totalitarias fueron hábilmente utilizadas con el propósito de organizar un cuerpo de prosélitos cuya fuerza radicaría principalmente en la circunstancia de su nacionalidad americana. Los naturales de Repúblicas Americanas que fueron vulnerables a tal penetración y realizaron una propaganda sistemática en favor del Eje, participaron en sus organizaciones o cometieron actos de agresión política como el espionaje o el sabotaje, traicionaron la confianza que toda República dispensa a sus naturales y, por lo tanto, sus actividades deben también calificarse como verdaderos abusos de nacionalidad.

Es evidente, pues, que las Repúblicas Americanas estaban expuestas a serios y variados abusos de nacionalidad y que la aplicación efectiva y completa de las disposiciones dictadas para combatir la agresión política totalitaria, requería indispensablemente la adopción de medidas que los previnieran o contrarrestaran.

---

(3) El párrafo que se transcribe de un Memorándum enviado por el Gobierno del Perú al Comité de Defensa Política, da una idea de los procedimientos empleados para captar la voluntad de estos dobles nacionales: "los súbditos japoneses nacidos en el país eran enviados, a los doce o catorce años de edad, al Japón, para que se adentraran en el espíritu nacional nipón, sirvieran en su ejército y completaran su formación japonesa; y cumplidos esos fines y alegando haber nacido en el Perú, trataban de regresar o de utilizar su nacionalidad de nacimiento para fines de espionaje o de actividades quintacolumnistas". Memorándum preparado por el Jefe de la Sección Congresos y Organismos Internacionales del Ministerio de Relaciones Exteriores y Culto del Perú, con un estudio comparativo de las resoluciones del Comité y las disposiciones legales vigentes en el Perú.

Era preciso, además, que todas las Repúblicas Americanas, sin excepción alguna, estuvieran dispuestas a poner en vigor tales medidas y que todas ellas convinieran en adoptar un mínimo de contralor que fuera realmente efectivo, ya que de faltar tal acuerdo se comprometía gravemente la eficacia misma del sistema. En efecto, si alguna República Americana fuera omisa en la adopción de medidas o las que tomara carecieran de eficacia, los agentes del Eje hubieran tratado de obtener su naturalización en tal República, y, una vez en posesión del privilegio de una nacionalidad americana, se valdrían del mismo para desarrollar, conjuntamente con los naturalizados y naturales desleales de esa República, actividades subversivas no sólo en el país de naturalización, sino también en los demás, ya que existen en muchas naciones del Continente privilegios y exenciones al régimen de contralor de extranjeros en beneficio de los nacionales de otras Repúblicas del Hemisferio.

La adopción de medidas restrictivas especiales en materia de nacionalidad, contrariaba, sin duda, la política de liberalidad seguida tradicionalmente por las Repúblicas Americanas, con el propósito de brindar al extranjero que se establece y arraiga en el país, la posibilidad de ocupar una situación equivalente a la del natural, así como se apartaba de la tendencia uniformemente adoptada por las mismas, en el sentido de garantizar a sus naturales, salvo por gravísimas circunstancias, la permanencia del vínculo de nacionalidad que, desde el nacimiento, los liga a sus respectivos países. Ambas políticas presuponían, naturalmente, la lealtad y la fidelidad de aquel a quién se reconocía u ofrecía generosamente el privilegio de la nacionalidad. Por lo tanto, la prueba indudable de que las facilidades y beneficios concedidos tradicionalmente por las Repúblicas Americanas eran aprovechados para socavar los propios cimientos de sus instituciones, justifica sobradamente la adopción de medidas de emergencia, aunque ellas implicasen el abandono de las firmes directivas seguidas hasta entonces.

Todos estos motivos explican que los Ministros de Relaciones Exteriores de las Repúblicas Americanas, en la Reunión de Consulta de Río de Janeiro, se pusieran de acuerdo en la necesidad de tomar medidas "para evitar el abuso de la naturalización", indicando los campos en los cuales era menester adoptar alguna acción y esbozando las soluciones aconsejables para ello. La primera de éstas consiste en aumentar el cuidado en lo que se refiere a la concesión de la nacionalidad, para evitar que un extranjero que tenga o conserve fidelidad hacia alguno de los Estados miembros del Pacto Tripartito o Estados a ellos subordinados, pueda naturalizarse en algún país americano. La segunda es despojar de la nacionalidad americana a todos los naturalizados que hubieren demostrado su lealtad a algún Estado del Eje (4).

El Comité de Defensa Política detalló en su Resolución XV (5), las líneas generales señaladas por la Tercera Reunión de Consulta en el Memorándum anexo a la Resolución XVII, e incluso, trató un aspecto del peligro, que no estaba comprendido en el documento mencionado. Como el propio título de la sección pertinente lo indica, el Memorándum anexo sólo se refiere a los abusos de naturalización, con lo que quedan excluídos los casos de deslealtad de naturales, que son previstos, en cambio, por la Resolución XV.

Esta Resolución se divide en dos secciones principales: una primera, sobre adquisición de nacionalidad, y una segunda, sobre pérdida de la misma.

La primera sección tiene un efecto preventivo: tratar de

---

(4) Resolución XVII, Memorándum anexo, parágrafo B;
    1) Redoblando la vigilancia que las circunstancias exigen en lo que se refiere a la naturalización de extranjeros, y en particular, en lo que concierne a la denegación de la ciudadanía, a los que en alguna forma continúen prestando obediencia o sigan considerándose como nacionales de los Estados miembros del Pacto Tripartito o de los Estados a ellos subordinados;
    2) Anulando la ciudadanía y los derechos a ella inherentes de aquellos ciudadanos de origen no americano, que, habiéndoseles concedido el privilegio de convertirse en ciudadanos de un Estado Americano, cometan actos perjudiciales a la seguridad o la independencia de ese Estado, o por cualquier otro medio demuestren su lealtad a un Estado miembro del Pacto Tripartito o a cualquiera de los Estados a ellos subordinados; y considerando, además, que tales individuos pierden su calidad de ciudadanos si reconocen o tratan de ejercer el derecho a la doble ciudadanía.
    Primer Informe Anual del Comité, pág. 247.
(5) Primer Informe Anual del Comité, pág. 113.

impedir, haciendo más estrictos los requisitos exigidos para la naturalización, que los extranjeros desleales, sean o no nacionales del Eje, lleguen a adquirir una nacionalidad americana.

Las recomendaciones de la segunda sección, aunque en apariencia tienen un efecto punitivo, al preconizar la revocación de las naturalizaciones de quienes evidencien no ser fieles al país de su adopción, y la pérdida de nacionalidad por naturales o naturalizados que incurran en determinados actos demostrativos de deslealtad, en realidad solamente están encaminadas a facilitar la aplicación de medidas preventivas, de carácter policial, pues el efecto de tales recomendaciones es colocar a una persona en el "status" jurídico correspondiente a su verdadera lealtad y adhesión, para poder someterlo luego a las medidas aplicadas a los extranjeros peligrosos, en caso de que por su conducta merezca ese tratamiento.

Nacionalidad y ciudadanía.

En el Memorándum anexo a la Resolución XVII de la Tercera Reunión de Consulta, los términos nacionalidad y ciudadanía parecen ser utilizados como sinónimos. En la Resolución XV del Comité se habla exclusivamente de nacionalidad, entendiéndose comprendida en este concepto la ciudadanía legal para aquellos regímenes constitucionales que no admitan naturalización de extranjeros (6).

Al hacer un estudio comparado del sistema constitucional, legal y reglamentario sobre la materia en las veintiuna Repúblicas Americanas, es indispensable, sin embargo, una clara precisión y aclaración de dichos términos. Siguiendo el sistema dominante en la casi totalidad de las Repúblicas Americanas, se distinguirá en el presente estudio entre nacionalidad y ciudadanía.

La nacionalidad, tal como es considerada por la Resolución XV del Comité, y como es entendida implícitamente en las Constituciones de la mayor parte de los países americanos, puede caracterizarse como una relación entre un Estado y una persona, que implica derechos y deberes especiales pa-

---

(6) Primer Informe Anual, pág. 115.

ra ambas partes. La obligación básica derivada de la nacionalidad para el individuo consiste en la lealtad que debe al
Estado del cual es nacional; lealtad que se expresa, principalmente, de un modo positivo, en la prestación de servicios
militares, y de un modo negativo, en la abstención de determinados actos incompatibles con tal lealtad, so pena de incurrir en el delito de traición a la patria o su equivalente. Recíprocamente, el Estado tiene deberes especiales para con sus
nacionales, debiéndoles asegurar su protección en el terreno
interno y en el internacional, conforme a sus reglas constitucionales y sus leyes en el primer caso, y a las normas del Derecho Internacional Público en el segundo (7).

De acuerdo con la Constitución y la legislación de la mayoría de los países americanos, la nacionalidad no implica,
necesariamente, el derecho o el privilegio de ejercer facultades de carácter político. De este modo, el concepto de nacionalidad tiene un sentido distinto del de ciudadanía. La ciudadanía, en efecto, se define como el conjunto de derechos po-

---

(7) Esto no pretende de ningún modo, constituir una definición
de la nacionalidad, válida para todo tiempo y lugar, sino simplemente una indicación de las facultades y deberes que son
por lo común inherentes a la misma: a saber, protección internacional, que se documenta por el pasaporte y se manifiesta en el derecho de hacer uso de la Embajada y consulado
de un país; protección interna, consistente en el derecho del
nacional de entrar y permanecer sin ser expulsado, en el territorio de su Estado; y deberes correlativos de lealtad.
Sin embargo, como observa Ernst Ysay, "es imposible citar
ciertos derechos o deberes específicos, que permitan establecer una discriminación entre nacionales y extranjeros, en
todos los Estados del mundo, o aún en las distintas épocas
de un mismo Estado... Se dice que sólo al nacional incumbe
el deber de servir en el ejército nacional. Esta es ciertamente
la regla. Pero habrá siempre Estados en donde excepcionalmente los extranjeros serán sujetos de esos mismos deberes...
Se puede sostener que los deberes de fidelidad, en tanto que
obligación moral, no ligan nunca al extranjero; pero se trata
de determinar una noción jurídica, y los efectos jurídicos
de esos deberes de fidelidad alcanzan a veces al extranjero".
"De la Nationalité". Recueil des Cours de l'Académie de
Droit International — 1924 — IV, Tomo 5, pág. 433-4.
Quizás el signo específico de estos deberes sea el que señala Hall, "la subsistencia de las obligaciones del nacional,
a pesar de encontrarse fuera de la jurisdicción de su Estado". A Treatise on International Law — Oxford, 1904,
pág. 224.

líticos; más concretamente, como la facultad de elección para los cargos públicos y la calidad de ser elegible para los mismos (8) y (9).

En Cuba, sin embargo, la distinción que acaba de señalarse no es de recibo y los términos nacionalidad y ciudadanía son usados como sinónimos. La Constitución Política, en su Título II usa como absolutamente intercambiables los términos nacionalidad y ciudadanía.

En los Estados Unidos, en casi todas las disposiciones legislativas como en el uso popular, los términos nacionali-

---

(8) Esta distinción es plenamente aceptada en el campo doctrinario, siendo suficiente citar las siguientes autoridades: Alejandro Alvarez, "Droit International Américain". 2eme. partie, "La Nationalité dans le Droit International Américain". París, 1910, pág. 295. "La nacionalidad es el lazo jurídico-político que liga una persona a un país determinado, que indica la colectividad a la que pertenece. La ciudadanía es la aptitud que posee un individuo para ejercer ciertos derechos políticos, entre los cuales el derecho del sufragio es el más importante o de llenar ciertos cargos públicos".
Richard W. Flournoy Jr. y otros. The Law of Nationality. Draft of conventions prepared in anticipation of the first conference on the codification of International Law. Harvard Law School, Cambrigde Mass., 1929, pág. 23. "La relación entre un Estado y la persona que es su nacional está basada en la lealtad debida por tal persona al Estado... El "vínculo de lealtad" es un término de uso general para denotar el conjunto de obligaciones de una persona para con el Estado al que pertenece... La nacionalidad no implica necesariamente el derecho o privilegio de ejercer funciones civiles o políticas. De este modo la palabra nacionalidad tiene un sentido más amplio que ciudadanía, a pesar de que frecuentemente se usan como sinónimos". Ver también Zeballos, La Nationalité, París, 1914, t. 1 págs. 168-171. Bluntschli, Derecho Público Universal, Madrid, 1880, trad. esp. t. I., págs. 174-181. Répertoire de Droit International de Lapradelle y Niboyet, Vo. Nationalité, París 1931, t. I., Nº 19, pág. 253.
(9) Es bien característico para expresar el concepto de nacionalidad el artículo 31 de la Constitución de Venezuela: "Art. 31. Los venezolanos tienen el deber de defender la Patria y de cumplir y obedecer la Constitución y Leyes de la República, y los Decretos, Ordenes y Resoluciones que para su ejecución dicten, conforme a sus atribuciones, los Poderes Públicos. No podrán comprometerse a servir contra Venezuela y si lo hicieren serán castigados como traidores a la Patria".
Sobre el concepto de ciudadanía es muy expresivo el art. 14 de la Constitución de Colombia: "Art. 14. La calidad de ciudadano en ejercicio es condición previa indispensable para elegir y ser elegido, y para desempeñar empleos públicos que lleven anexa autoridad o jurisdicción...".

dad (nationality) y ciudadanía (citizenship) con usados como sinónimos. Se ha utilizado, por lo general, el término "ciudadano", y así lo hace la Constitución, en tanto que la palabra "nacional" es de introducción y uso más reciente. Sin embargo, la ley de Nacionalidad de 1940 emplea la palabra nacional y hace una distinción entre los que son a la vez, "nacionales pero no ciudadanos" y aquellas personas nacidas en
ciertos territorios no continentales de los Estados Unidos, que
son "nacionales pero no ciudadanos" gozan de menos atribu-
tos que los primeros (10).

---

(10) V. Ley de Nacionalidad de 1940, sec. 201 y 204; 54 Stat. 1138-
1139; 8 U. S. C. 601, 604.
En el comentario que se encuentra en el Mensaje del Presidente al Congreso, sobre las disposiciones de la Ley de Nacionalidad, Wáshington, 1939, Parte I, pág. 2, se dice con respecto al uso diferencial cada vez mayor de los dos vocablos:
"El término nacionalidad se refiere al "status" de cualquier
persona que debe lealtad permanente a los Estados Unidos
y tiene un significado más amplio en su alcance que el término ciudadanía.
Todos los ciudadanos de los Estados Unidos son también nacionales de los Estados Unidos, pero hay nacionales que no
son ciudadanos de los Estados Unidos. Esto se refiere a los
habitantes de los diversos territorios no continentales que deben lealtad permanente a los Estados Unidos, pero que no
tienen la calidad de ciudadanos. Es decir, los de las Islas
Filipinas, los nativos de la zona del Canal de Panamá y los
habitantes de Samoa y Guam, que deben lealtad permanente
a los Estados Unidos".
"Desde el punto de vista del Derecho Internacional los nacionales no ciudadanos tienen el mismo "status" y derecho
a la misma protección en el extranjero que los nacionales que
son ciudadanos de los Estados Unidos, pero sus derechos dentro del territorio de los Estados Unidos, bajo la Constitución
y las leyes, no son los mismos".
El surgimiento de esta distinción resulta de "la expansión de los Estados Unidos por la adquisición de posesiones
insulares. Desde esta época ha sido necesario, tal como se
ha indicado más arriba, usar un término más amplio que la
palabra ciudadano para referirse a las personas que deben
lealtad permanente a los Estados Unidos y de este modo la
palabra "nacional" ha entrado en uso".
Por eso es que la Ley de Nacionalidad de 1940, sección
101 a) define la palabra nacional como aplicándose a una
persona que debe lealtad permanente al Estado y la sección
b) establece que la palabra nacional de los Estados Unidos
significa: 1) un ciudadano de los Estados Unidos o 2) una
persona que aunque no sea ciudadana de los Estados Unidos
debe lealtad permanente a los Estados Unidos. La sección
321 establece el régimen de naturalización de los nacionales

En la Argentina hay discrepancias en cuanto a la sino-
nimia entre nacionalidad y ciudadanía, pues mientras unos
sostienen que son relaciones jurídicas distintas, otros afirman
que ambos términos se equivalen, habiendo aceptado la Corte
Suprema esta última tesis (11).

En los restantes dieciocho países americanos, la distinción es expresamente consagrada por la Constitución o la ley.

En un primer grupo, integrado por dieciséis países americanos, se distingue la nacionalidad de la ciudadanía y aquella
es un requisito indispensable y previo para ésta. En este sistema, las personas que tienen la nacionalidad del país pueden
llegar a convertirse en ciudadanos, cuando llenan determinadas condiciones de sexo, de ilustración, de edad, etc. Puede ha-

---

que no son ciudadanos de los Estados Unidos y que pueden
convertirse en tales, siguiendo los procedimientos comunes
de naturalización. La única diferencia es que la residencia
en los territorios no continentales de los Estados Unidos
equivale para ellos a la residencia dentro de los Estados Unidos.

En el DIGEST OF INTERNATIONAL LAW, de Green H.
Hackworth, Volume III, Chapter IX, parág. 220, se dice:

"Las palabras **ciudadanía** y **nacionalidad** se refieren al
"status" del individuo en sus relaciones con el Estado y se
usan a menudo como sinónimos. La palabra **nacionalidad**, sin
embargo, tiene un sentido más amplio que el vocablo **ciudadanía**. Del mismo modo, los términos **ciudadano** y **nacional**
son con frecuencia empleados indiferentemente. Pero de nuevo en este caso el último término es más amplio en su alcance que el primero. La palabra **ciudadano**, en su acepción general, es aplicable solamente a una persona que está dotada
de plenos derechos políticos y civiles en el cuerpo político del
Estado. La palabra **nacional**, incluye al **ciudadano** pero también a la persona que, aunque no sea ciudadano, debe lealtad permanente al Estado y tiene derecho a su protección,
como, por ejemplo, los nativos de ciertas posesiones alejadas
de los Estados Unidos.

(11) Fallos de la Corte Suprema, tomo 147, pág. 252, Cf. González Calderón. Derecho Constitucional Argentino, Buenos Aires, 1931, T. II, pág. 254, Alcorta, Curso de Derecho Internacional Privado, Buenos Aires, 1927, T. I pág. 317. En favor
de la distinción está la mayoría de la doctrina: Estrada -
Curso de Derecho Constitucional - Buenos Aires, 1895, T. I,
pág. 146; Montes de Oca, Lecciones de Derecho Constitucional, Buenos Aires, 1896, T. I, pág. 398; González, J. V. Ma-
nual de la Constitución Argentina, Buenos Aires, pág. 231;
Longhi, Luis R. Derechos y Privilegios inherentes a la ciudadanía, Anales de la Facultad de Ciencias Jurídicas y Sociales de La Plata, T. VII, año 1934, pág. 317; A. Walter Vi-
llegas, Ciudadanía y Naturalización, Buenos Aires, 1938, pág.
70.

ber por lo tanto, nacionales no ciudadanos (por ejemplo, el menor de determinada edad), pero no pueden existir ciudadanos que no sean nacionales.

Existen, en este sistema, dos modos de acceder a la nacionalidad, diferenciándose así la nacionalidad originaria, obtenida por el "jus soli" o el "jus sanguinis", o por la mezcla de ambos, según el criterio que siga la respectiva Constitución (naturales), de la nacionalidad adquirida, que poseen los extranjeros que han solicitado y obtenido la carta de naturalización (naturalizados).

Se deduce de lo anterior, que en este sistema el naturalizado no es extranjero, sino que asume la calidad de nacional, y en tal carácter puede ser o no ciudadano, según llene las condiciones de edad, de sexo, etc., requeridas por las leyes respectivas.

En los países comprendidos en este grupo que admiten la pérdida de nacionalidad, existen diferencias entre ésta y la de la ciudadanía, ya que se determinan por distintas causales, aunque siempre la pérdida de nacionalidad acarrea la de la ciudadanía. En cambio, puede perder la ciudadanía, tanto el natural como el naturalizado, sin dejar por ello de continuar siendo nacional (12).

Paraguay y Uruguay, aunque aceptan la distinción entre nacionalidad y ciudadanía, siguen lineamientos algo diferentes a los indicados en los párrafos anteriores. En estos países, si bien se distingue la nacionalidad de la ciudadanía, no se admite la nacionalización de extranjeros, sino que el extranjero que ha obtenido carta de naturalización solamente adquiere la ciudadanía legal. En este sistema, puede haber, por lo tanto,

---

(12) Este régimen es el consagrado en las Constituciones de **Bolivia**, arts. 39, 40, 41, 42, 43, 44, 45; **Brasil**, arts. 115, 116, 117, 118, 119; **Colombia**, arts. 7, 8, 9, 10, 11, 13, 14; **Costa Rica**, arts. 4, 5, 6, 7, 8, 9, 10, 11; **Chile**, arts. 5, 6; 7; 8; 9; **Ecuador**; arts. 9, 10, 11, 12, 13, 14, 15; **El Salvador**, arts. 7, 8, 9; 10; 11; 17, 18, 19, 20, 21; **Guatemala**, arts. 4, 5, 6, 7, 8; 9; 10; 11; 12; **Haití**, arts. 3, 4, 5, 6, y L. de 22 de ago. 1907; **Honduras**, arts. 6, 7, 8, 9, 10, 11, 12, 13, 14; 24, 25, 26, 27, 28, 29, **México**, arts. 30, 31, 34, 35, 36, 37, 38; **Nicaragua**, arts. 14; 15, 16, 17, 18, 19, 20, 21, 28, 29, 30, 31, 32; 33; **Panamá**, arts. 11, 12, 14, 15, 16, 17, 18, 19, 20, 60, 61, 62, 63; **Perú**; arts. 4, 5, 6, 7, 84, 85, 86, 87, 88; **República Dominicana**, arts. 8, 9, 10, 11; **Venezuela**, arts. 27, 28, 29, 30, 31, 32 inc. 14.

nacionales no ciudadanos (los que no llenan las condiciones de edad, etc., establecidas por la ley) y ciudadanos no nacionales (los extranjeros ciudadanizados). En ambos países, la Constitución no permite la pérdida de nacionalidad; sólo existe la de ciudadanía (13).

En los dieciséis países que pertenecen al primer grupo indicado, el naturalizado queda en una situación exactamente igual al natural, desde el momento en que adquiere la naturalización, con sólo algunas excepciones que tienen relación con la posibilidad de llegar a ocupar determinados cargos públicos de fundamental importancia, como la Presidencia de la República (14).

En el Uruguay, en cambio, la legislación, en particular la que se refiere al contralor y represión de actividades subversivas, muestra ciertas vacilaciones en cuanto a la situación jurídica respectiva del natural y del naturalizado. Existen ciertas leyes dictadas durante la emergencia que se aplican tanto al extranjero ciudadanizado como al no ciudadano, y en ellas se distingue para el tratamiento diferencial, no entre ciudadanos y no ciudadanos, sino entre nacionales y extranjeros (15).

Queda instituído, por virtud de tales leyes, un régimen de asimilación del ciudadano legal al extranjero. que, a los fines de contralor y fiscalización, satisface de la manera más directa uno de los objetivos principales que se persiguen con las medidas para prevenir los abusos de nacionalidad.

----

(13) Constituciones de Paraguay art. 41, y de Uruguay, art. 71. Ver, sin embargo, pág. 539, nota 314 infra.
(14) Véase supra, Sección A, Contralor de Extranjeros.
(15) Véase, por ejemplo, el Decreto Ley Nº 10.194 de Zonas de Seguridad, de 16 de julio de 1942, la Ley Nº 9604 de 13 de octubre de 1936, sobre Inadmisión y Expulsión de Indeseables (pueden ser expulsados o no admitidos en el país los ciudadanos legales), la Ley Nº 9977 de 5 de diciembre de 1940 sobre aeronavegación y la Ley Nº 8080 de 27 de mayo de 1927 sobre represión del proxenetismo.
Como expresa la Comisión Interministerial del Uruguay en informe transmitido al Comité por el Ministro de Relaciones Exteriores con fecha 10 de octubre de 1944, "estas leyes acogen la doctrina construída en función de una terminante distinción de los conceptos, nacionalidad y ciudadanía, y según la cual esta última calidad, tiene significación conforme al régimen de nuestro Derecho Público, solo del punto de vista de los derechos políticos".

CAPITULO I

ADQUISICION DE NACIONALIDAD

La resolución XV del Comité de Defensa Política en su primera parte, bajo el título de Adquisición de Nacionalidad, trata de los requisitos y procedimientos de naturalización, indicando las exigencias que, a su juicio, deben regir de un modo uniforme en las Repúblicas del Continente, como normas mínimas que impidan a toda persona desleal el acceso a cualquier nacionalidad americana.

Esta fórmula, "Adquisición de nacionalidad", que sirve también de título al primer capítulo del presente estudio, ha sido impugnada por algunos autores, por considerarla equívoca. Pontes de Miranda, por ejemplo, observa que es erróneo hablar de nacionalidad adquirida para referirse a la naturalización y a otras formas de acceso a la nacionalidad, verificadas, después o con independencia del nacimiento, porque la nacionalidad originaria también se adquiere, "solamente que la adquisición se produce en el momento del nacimiento" (16). La Constitución de México, en su art. 30, da fundamento a esta observación, al expresar: "la nacionalidad mexicana se adquiere por nacimiento o por naturalización".

Sin embargo, a falta de otra expresión más exacta, y en vista de que su uso y aceptación es general en el lenguaje popular como en el científico, se mantiene dicha fórmula, recordando que en estas cuestiones de terminología todo radica en ponerse de acuerdo en cuanto al significado que se atribuye a los vocablos. Por adquisición de nacionalidad se entenderá, pues, toda forma de acceso a la nacionalidad, realizada con posterioridad e independientemente del nacimiento. En apoyo de esta decisión es posible invocar un ejemplo de una autoridad equivalente al de México, cual es la Constitución de Venezuela, que en su Art. 27 dice: "la nacionalidad venezolana se tiene por el nacimiento y se adquiere por la naturalización".

Se desprende de lo anterior que existen distintas

---

(16) Nacionalidade de origem e naturalizaçao no direito brasileiro, Río de Janeiro, 1936, pág. 17.

formas de adquisición de nacionalidad, aunque la naturalización, que es la única contemplada en las Resoluciones de la Reunión de Río y las del Comité, sea la más importante de todas. Esta puede definirse como la adquisición de la nacionalidad de un Estado, operada en virtud de una decisión de las autoridades competentes de este último, ante una solicitud expresa de un individuo que para poder ver satisfechos sus deseos, debe llenar ciertas condiciones requeridas por la Constitución o la ley.

Otra forma de adquisición de nacionalidad, comprendida en este capítulo, de acuerdo al título escogido y al significado atribuído al mismo, es la que resulta en algunos países del hecho del matrimonio. En estos casos la nacionalidad es obtenida, no por una gestión voluntaria del interesado, iniciada con el objeto único y exclusivo de adquirir la nacionalidad del país, como ocurre en el caso anterior, sino a consecuencia de un acto jurídico distinto, que persigue otros fines, verificándose la adquisición de nacionalidad sin necesidad de que el extranjero llene las condiciones y requisitos fijados por la ley para la naturalización, ni de que siga los procedimientos propios de esta última.

Finalmente, otra forma de adquisición de nacionalidad posterior al nacimiento y que no se produce por este solo hecho, es la opción, o sea la declaración unilateral de voluntad de parte de una persona que por razón de su nacimiento tiene derecho a más de una nacionalidad, y que elige una de ellas, siendo considerada, a partir de tal elección, como natural del país cuya nacionalidad ha preferido.

Aunque las recomendaciones del Comité versan exclusivamente sobre las condiciones substantivas y formales que deben regir para la naturalización, al estudiar el sistema legal y reglamentario en vigor en todas las Repúblicas Americanas, es también necesario referirse concisamente a las otras formas de adquisición de nacionalidad que se han indicado, por cuanto ellas han dado lugar a la adopción, en ciertas Repúblicas, de medidas especiales de emergencia encaminadas a prevenir los abusos de nacionalidad.

A. Adquisición de la nacionalidad por naturalización.

La naturalización constituye la forma de acceso a la nacionalidad en donde es más activo el papel del Estado, ya que debe intervenir decisivamente y caso por caso para conferirla.

En la nacionalidad originaria o en las otras formas de adquisición, en cambio, son las disposiciones constitucionales o legales las que determinan, de un modo general y abstracto, cuando se posee la nacionalidad o se tiene derecho a la misma.

Por eso es en el estudio de las disposiciones vigentes en la actualidad en materia de naturalización, donde se puede apreciar más claramente cómo en todos los Estados ha penetrado, y se ha impuesto la idea de que la nacionalidad constituye el don más preciado que pueden acordar a un extranjero. De allí la creciente importancia que se reconoce en las Repúblicas Americanas al acto de otorgamiento de la nacionalidad, que es mirada como una distinción que se concede cuando el Estado se ha convencido de que el solicitante es realmente digno de la misma, por su incorporación y arraigo en el medio social, la separación completa de su ambiente nacional anterior, su ausencia de peligrosidad y su lealtad al régimen político del Estado de adopción.

Esta idea se refleja en el concepto dominante en América acerca de la naturaleza del acto de otorgamiento de la nacionalidad, de mucho interés en esta materia, por cuanto ha servido para llenar las lagunas del sistema jurídico en vigor en algunos países americanos.

Aunque puede señalarse el ejemplo de países donde el extranjero que ha llenado las exigencias legales, tiene un verdadero derecho a la naturalización, es una tendencia predominante, que se ha extendido progresivamente hasta comprender a casi todas las Repúblicas Americanas la que vé en el otorgamiento de la naturalización una concesión o gracia del Estado, y no un derecho que pueda invocar el peticionario cuando ha cumplido con todos los requisitos establecidos.

En los Estados Unidos las Cortes de Justicia han declarado que "la naturalización constituye un privilegio, que se da, condiciona o retira del modo que el Congreso determine, y que el extranjero puede reclamar como un **derecho** sólo una vez que ha cumplido las condiciones que el Congreso ha impuesto"; que "las Cortes, a diferencia del Congreso, no actúan como en una cuestión sujeta a su gracia soberana; que ello estaría más allá de la función judicial" (17).

El Uruguay constituye también un ejemplo del tipo primeramente indicado. Un precepto de su Constitución establece las condiciones para adquirir la nacionalidad y expresa que quienes se encuentran comprendidos en aquéllas "tienen derecho a la ciudadanía legal" (18). Esta disposición constitucional ha sido interpretada en los términos siguientes: "establecido que un extranjero cumple los extremos requeridos por el artículo 66, inc. A), la Corte Electoral carece del poder discrecional de conceder o no la ciudadanía legal, estando jurídicamente obligada a expedir la carta. Es discrecional, dentro de ciertos límites, la apreciación de las pruebas producidas por el peticionante; pero no el otorgamiento o la denegación de la ciudadanía legal. Ella constituye un derecho reconocido por el Estatuto Fundamental a favor de los extranjeros que se encuentran en las circunstancias previstas por el texto" (19).

Pero fuera de estos casos, en casi todas las Repúblicas del Continente la naturalización no se concibe como un derecho que pueda invocar el extranjero con los años de residencia en el territorio reclamados por la ley, y demás condiciones legales, así como la intervención del Estado no se reduce a la mera comprobación de la existencia de tales condiciones. Por el contrario, la concesión de la nacionalidad constituye un acto gracioso, un favor del Gobierno, el que se reserva la facultad de negarla aún cuando se hayan cumplido todas las exigencias legales.

Esta facultad de las autoridades competentes para rehusar la nacionalidad que se le pide, aunque el solicitante llene

---

(17) En United States v. Macintosh, 283 U. S. 605, 615 (1931) y en re Fordiani, 98 Conn. 435, 120 atl. 338, 339 (1923) Citados por Hackworth, op. cit. parag. 224.
(18) Art. 66.
(19) Justino Jiménez de Aréchaga, "Ciudadanía Legal y Divorcio", "La Justicia Uruguaya", Montevideo, 1944, T. 8º sección doctrinaria, pág. 7.

todas las condiciones legales y para decidir por motivos de conveniencia u oportunidad, es acordada en términos expresos por las leyes o decretos, o resulta, inequívocamente de la jurisprudencia de las Cortes competentes, de los siguientes países: Argentina, Brasil, Colombia, Cuba, Ecuador, Guatemala, México, República Dominicana (20), Panamá (21), Chile (22), Costa Rica, Perú y Venezuela (23).

---

(20) **Argentina**. — Jurisprudencia Argentina de Jofré y Anastasi. t. 47, pág. 398; t. 62, pág. 60; t. 42, pág. 393 y 992; t. 43, pág. 12; t. 74, pág. 583; t. 76, pág. 180.
Brasil. — D. L. Nº 389 de 25 abr. 1938, art. 6. "La concesión de la naturalización es un acto gracioso y podrá ser rehusado aún cuando se hayan satisfecho todos los requisitos de la Ley".
Colombia. — L. Nº 22 bis de 1936, art. 2. "La naturalización es un acto soberano y discrecional de la autoridad pública".
Cuba. — Memorándum de la Consultoría del Ministerio de Estado relativo a los puntos de vista del Gobierno Cubano sobre la Resolución XV del Comité Consultivo de Emergencia para la Defensa Política. "La naturalización la considera el Estado cubano como un honor que puede conferir o no al solicitante extranjero, es decir, que no basta que cumpla los requisitos mínimos exigidos por la ley, sino que el Estado se conserva la potestad de cerciorarse de sí el solicitante es deseable por todo concepto como ciudadano".
Ecuador. — Ley de 26 de noviembre de 1940, art. 13. "La naturalización es un acto soberano y discrecional". Decreto Nº 111, de 29 de enero de 1941, art. 66. "La naturalización es un acto soberano y discrecional del Estado ecuatoriano, el que podrá concederla a los extranjeros que cumplieren los requisitos que establecen la Constitución, la Ley de Extranjería y este Reglamento".
Guatemala. — Ley de Extranjería de 25 de enero de 1936, art. 60... "es potestativo de la Secretaría de Relaciones Exteriores dar o no curso a las solicitudes de extranjeros sobre que se les conceda la naturalización guatemalteca".
México — Ley de 19 de enero de 1934, art. 19. "Recibido el expediente por la Secretaría de Relaciones, si a juicio de ella es conveniente, se expedirá al interesado la Carta de Naturalización".
República Dominicana. — Ley Nº 1227 de 4 de diciembre de 1929, art. 5, parag. 3º. "Aunque hayan sido llenados todos los requisitos y cumplidas todas las condiciones exigidas por esta ley, el Poder Ejecutivo será libre de negar la naturalización, cuando lo estime conveniente..."

(21) Constitución, art. 15: "Las personas deberán solicitar Carta de Naturaleza al Presidente de la República, quien po-

---

— 429 —

En Panamá, el constituyente ha fijado la índole de las consideraciones por las que debe guiarse el Poder Ejecutivo para llegar a una decisión, aunque es tan amplia su formulación, que en realidad, de hecho se concede una discrecionalidad total a la autoridad competente (21). En algún país, como Chile, sin suprimir esta discrecionalidad, se impone a las autoridades el deber de fundar el decreto que rechace la solicitud (22) y en otros, como Costa Rica, Perú y Venezuela, en cambio, se establece que las autoridades al denegar la naturalización, no tendrán la obligación de motivar el decreto o resolución correspondiente (23).

En estos tres últimos casos es mayor aún el carácter discrecional del acto del otorgamiento de la nacionalidad. En efecto, el decreto o la resolución que deniega una naturalización podría teóricamente ser objeto de recursos en caso de que en los motivos invocados para rehusarla se hubiera incurrido en error en la apreciación de circunstancias de hecho o en ilegalidad en las consideraciones jurídicas. Pero cuando las autoridades están facultadas para no consignar los motivos en que se fundan, las razones de oportunidad y las de legalidad no pueden apreciarse ni distinguirse y todo recurso es imposible.

---

drá negarla por razones de salubridad, moralidad o seguridad públicas". Ver también Ley Nº 8 de 11 de febrero de 1941, art. 1.

(22) Decreto Ley Nº 747 de 15 de diciembre de 1925, art. 7. (Texto refundido por Decreto Nº 3690 de 16 de julio de 1941, que será el utilizado en las citas). "El decreto que deniegue la carta de naturalización será siempre fundado y firmado por el Presidente de la República".
En el art. 3 se califica la naturalización como una gracia.

(23) Costa Rica. — Ley Nº 207 de 26 de agosto de 1944, art. 23. "El otorgamiento de la nacionalidad costarricense es potestativo del Estado, por medio del Poder Ejecutivo, y éste no estará obligado a consignar en sus resoluciones los motivos en que se funde para denegarla".
Perú. — L. Nº 9148 de 14 de junio de 1940, art. 2. "El Gobierno podrá negarse, sin expresión de causa, a conceder la nacionalización que se le pida, cuando a su juicio lo exija así el interés público".
Venezuela. — L. de 29 may. 1940, art. 15. "El Ejecutivo Federal con vista de la solicitud y recaudos acompañados, si lo juzgare conveniente y mediante un Decreto expedirá la carta de naturaleza". Art. 20. "El Ejecutivo Federal no está obligado a motivar las resoluciones en que niegue la naturalización".

Esta concepción que niega la existencia de un derecho a la naturalización cuando se ha llenado todos los requisitos legales (24), es de una gran importancia para la prevención de abusos de nacionalidad, pues en algunos países americanos no fué necesario adoptar una medida especial prohibiendo o restringiendo la naturalización de extranjeros peligrosos o suprimiendo las liberalidades otorgadas por los sistemas constitucionales o legales respectivos, sino que las autoridades, en ejercicio de dicha facultad discrecional pudieron denegar la nacionalidad a los peticionarios, cuya naturalización no se consideraba conveniente desde el punto de vista de la defensa política. En otros países, como en Brasil (25) y en México (26), las medidas especiales de emergencia se adoptaron tomando como fundamento esta facultad discrecional permanente.

1. Régimen general de naturalización.

Aún cuando la naturalización no constituya en la inmensa mayoría de las Repúblicas Americanas un derecho subjetivo, es necesario de todas maneras, para impetrar el favor de las autoridades y para que éstas puedan acordar el honor de la nacionalidad, poseer determinadas condiciones, minuciosamente fijadas por la Constitución, las leyes o los decretos de los diversos países. Entre los requisitos generalmente exigidos se cuentan: la residencia, durante cierto lapso, en el territorio de la República respectiva; la lealtad, desde el punto de vista político, al Estado de naturalización; la prestación de un juramento o protesta de adhesión al país y de renuncia al vínculo de nacionalidad anterior; el conocimiento del idioma nacional; la posesión de ciertos medios de subsistencia, así como otras numerosas condiciones de muy variada índole. Se estudiarán en este capítulo las disposiciones relativas a cada uno de los requisitos indicados, tratando separadamente las

---

(24) La opción, en cambio, siempre que sean cumplidos los requisitos establecidos por las disposiciones pertinentes, deberá ser aceptada por el Estado al cual quiere incorporarse el optante. Cf. Lessing. "La Nacionalidad. Sus diversos sistemas en los 21 Países Americanos". Buenos Aires, 1941. pág. 5.

(25) Brasil. Véase pág. 479 infra.

exigencias recomendadas por el Comité en su Resolución XV, y las otras que, aunque de menor importancia, presentan cierto interés desde el punto de vista de la defensa política.

En la Resolución XV se recomiendan los tres requisitos siguientes como condiciones que deben reclamarse a todo peticionario de una nacionalidad americana:

a) residencia contínua, de cinco años por lo menos, inmediatamente anteriores a la solicitud de naturalización;

b) comprobación, mediante testigos fidedignos, de la lealtad del postulante;

c) formulación, en el acto de obtener la naturalización, de una declaración jurada de renuncia a la fidelidad hacia cualquier otro Estado y juramento de lealtad a la República respectiva (26).

a. Residencia.

Tal como se ha visto en páginas anteriores, los Estados por lo general, otorgan la nacionalidad como un honor y una gracia, que se dispensa de preferencia a aquellos extranjeros que se han incorporado al núcleo social, que han demostrado cierto arraigo y afincamiento en el país y que experimentan y comparten los sentimientos y anhelos de progreso y felicidad de la patria donde habitan, despertados por la vida en común. Se explica, por lo tanto, que se estime como de gran importancia la condición de residencia en el país por un determinado número de años, ya que únicamente de ese modo dispone una persona de la oportunidad de asimilar las costumbres y el modo de vida del pueblo donde aspira a naturalizarse, de imbuirse de las ideas dominantes en el medio social, conocer a fondo e interesarse en la normalidad de su vida política y social, y participar de la prosperidad de su desarrollo económico. Por otra parte, las autoridades y los habitantes del Estado de naturalización recién al cabo de cierto término se encuentran en condiciones de apreciar a fondo las cualidades del solicitante y la seriedad y sinceridad de sus propósitos en cuanto a la adquisición de la nueva nacio-

(26) México. Acuerdo de 11 dic. 1941, que suspende el otorgamiento de cartas de naturalización a los nacionales de Alemania, Italia y Japón, Considerando 3º.

(27) Resolución XV — A 1) a), Primer Informe Anual, págs. 122-123.

nalidad. Por ello es que la residencia en el país cuya nacionalidad se desea adquirir constituye un requisito reclamado de modo general por todas las Repúblicas Americanas para poder aspirar al privilegio de la naturalización.

Es preciso señalar, sin embargo, que en épocas pretéritas, algunas Repúblicas Americanas, deseosas de fomentar la venida de inmigrantes y de asimilarlos de inmediato a una escasa población autóctona, autorizaban la naturalización del extranjero, sin previa residencia ni comparecencia siquiera en el país. Ese régimen de excesiva liberalidad fué suprimido más tarde, subsistiendo únicamente hasta hace poco, en Haití. En dicho país, el extranjero podía naturalizarse en el exterior presentándose en un Consulado haitiano y solicitando la respectiva carta (28).

Fué en los albores de la presente emergencia que desapareció este último vestigio de naturalización "in absentia", aboliéndose en 1940 el régimen de naturalización por intermedio de los Consulados y, exigiéndose en 1942, a todos los que se habían naturalizado en esa forma, la presentación personal en Haití, so pena de perder su nacionalidad (29).

Por lo tanto, en el momento actual todas las Repúblicas Americanas reclaman, como requisito general, la residencia del peticionario en el país para estar en condiciones de obtener la naturalización, variándose únicamente en cuanto a la extensión del plazo de duración de la misma.

1) Plazo de residencia.

En su Resolución XV, el Comité recomendó el término de cinco años como plazo mínimo de residencia, teniendo en cuenta que "en este período del conflicto mundial, cinco años de residencia contínua parece ser un requisito mínimo de buena fe a exigirse a cualquier extranjero que justifique su emigración a América" (30), a fin de que pueda lograr una adhesión firme y seria a los principios e instituciones democráticos y tenga el tiempo necesario para hacer suyo el concepto de

_____

(28) D. L. de 29 nov. 1937, D. L. de 29 may. 1939 y D. L. de 22 jul. 1939.
(29) D. de 9 ene. 1940 y D. Nº 108 de 4 feb. 1942.
(30) Resolución XV. Primer Informe Anual, pág. 116.

vida de algún pueblo americano. Cinco años son suficientes para comprobar la lealtad de una persona, en tanto que un período más extendido sería, sin duda, de una severidad excesiva.

Además de ser ese plazo sumamente apropiado para los fines indicados, hubo un motivo circunstancial que llevó también al Comité a proponerlo y es que en la época en que se aprobó la recomendación (31) cinco años de residencia contínua constituía un requisito que era aconsejable exigir a cualquier extranjero que hubiera emigrado a América, como medida de protección, en vista de que muchos agentes enemigos entraron en el Hemisferio en los tres o cuatro años anteriores a esa fecha, buscando la pronta adquisición de una nacionalidad americana para librarse de sospechas (32).

Es muy común que el plazo de residencia exigido para la naturalización figure en el texto de las Constituciones de las Repúblicas Americanas. Así, la Constitución de El Salvador (33), establece un término de residencia de 6 años. Cinco años son requeridos por las Constituciones de Cuba, Paraguay, Uruguay (34) y Panamá (35), como plazo exigible, en general, a los extranjeros, lo cual coincide con la recomendación del Comité. Cuatro años establece la Constitución de Honduras (36); la de Bolivia exige tres años (37); la Argentina y el Perú exigen dos (38); en Costa Rica (39) y en Ecuador (40), es suficiente un año de residencia en el país para poder aspirar a la naturalización.

(31) 10 de noviembre de 1942.
(32) Resolución XV, Exposición de Motivos. Primer Informe Anual, pág. 116.
(33) Art. 9. inc. 3º.
(34) **Cuba.** — Art. 13, inciso a).
Paraguay. — Art. 42.
Uruguay. — Art. 66, inc. b).
(35) Art. 14, inciso 1º.
(36) Art. 11, inc. 2º.
(37) Art. 40.
(38) **Argentina.** — Art. 20.
Perú. — Art. 5.
(39) Art. 6 inc. 3º. Sin embargo, la ley habría extendido ese plazo a cinco años, según se desprende de la exposición de motivos del proyecto que dió lugar a la ley Nº 207 de 26 de agosto de 1944.
(40) Art. 12, inciso 2º.
El Decreto Nº 111 de 29 de enero de 1941, modificado por

Es evidente que la resolución del Comité no pretendió que los países cuyas Constituciones establecieran un plazo más limitado, se modificaran para ajustarse a aquella, teniendo en cuenta la reserva constitucional implícita en todas sus recomendaciones y expresada en el Memorándum anexo a la Resolución XVII, donde se dice: "Se recomienda a las Repúblicas Americanas que tomen amplias medidas regulatorias... que no estén en pugna con sus respectivas normas constitucionales" (41).

En resumen, pues, once países exigen un plazo de residencia, por disposición constitucional. En cuanto a los diez restantes, dicho término es fijado por preceptos legales o reglamentarios. El más extenso es el requerido por la legislación del Brasil (42), que pide diez años de residencia como régimen común y general para quienes no se encuentren en las circunstancias de excepción previstas en las leyes. El plazo de cinco años está en vigor en Colombia, Chile, Estados Unidos, México y Guatemala (43). En Nicaragua (44) se

el Nº 1778 de 13 de noviembre de 1942, (arts. 69, 70, 72), ha reglamentado, sin embargo, la adquisición de nacionalidad de tal modo, que se suple la exigüidad del plazo requerido por las disposiciones constitucionales, por cuanto después de 2 años de residencia, el extranjero debe manifestar el deseo de naturalizarse.

Si se accede al mismo, se le expide un Título de Aceptación que constituye una mera expectativa. Transcurrido un nuevo año, a partir de la expedición del Título, el interesado puede solicitar su carta definitiva. Durante el período de tramitación, que alcanza a tres años, se exige la permanencia ininterrumpida en el país del que aspira a la naturalización (arts. 74 y 75). El propósito evidente de este régimen legal es extender el reducido plazo de residencia constitucional, por cuanto en la reforma introducida por el citado decreto 1778 de 13 nov. 1942, (art. 5), para los que han residido diez años en el país, se suprime el procedimiento del título de aceptación previo a la obtención de la carta.

(41) Primer Informe Anual, pág. 246.
(42) **Brasil.** — D. L. Nº 389 de 25 abr. 1938, art. 10, inc. II.
(43) **Colombia.** — Ley 22 bis 1936, art. 4.
Chile. — L. Nº 747 de 15 dic. 1925, art. 2.
Estados Unidos. — Ley de Nacionalidad de 1940, Sec. 307 (a) (1). Se exige además que continúe la residencia desde que se presenta la solicitud hasta que se concede la nacionalidad. Sec. 307 (a) (2) 54 Stat. 1142; 8 U. S. C. 707.
México. — L. de 19 ene. 1934, arts. 8, inc. a), 9 y 12.
Guatemala. — Ley de Extranjería, de 25 ene. 1936, re-

exigen cuatro años y en la República Dominicana (45) se reclaman tres, como regla general. En Haití y en Venezuela (46) existe un plazo de dos años.

El Comité ha reiterado en los Memorándums especiales enviados a algunos países, los motivos por los que recomendó en su Resolución XV el plazo de cinco años como residencia exigible para la adquisición de la naturalización, y, en los casos en que el precepto en vigor sobre el término de residencia no es una cláusula constitucional, sino que está incorporado a una norma legal ordinaria, recalcó que se encontraría considerablemente facilitada su posible reforma cuando las autoridades estimaran oportuno o conveniente proceder a la misma (47).

En resumen, existen diez países americanos que exigen un plazo de residencia de cinco años; dos países reclaman un plazo superior a los cinco años y nueve un plazo inferior.

2) Casos especiales de reducción o supresión del plazo de residencia.

No se tendría una noción exacta de la situación existente en las Repúblicas Americanas con respecto al plazo de residencia exigido, si no se conocieran, por lo menos en líneas generales, las excepciones y casos especiales existentes en muchos países sobre esta materia (48), por los cuales los

---

formada por D. Nº 2153, de 7 de oct. 1938, art. 64, inc. 1º.
(44) **Nicaragua.** — L. de 18 feb. 1861, art. 1, inc. 2º.
(45) L. Nº 1227 de 4 dic. 1929, art. 1, inc. a). El extranjero a quien el Gobierno hubiese concedido fijar en la República su domicilio, podrá adquirir la nacionalidad dominicana, tres años después de haber fijado su domicilio en él. Según el mismo artículo puede también adquirir la naturalización: b) toda persona extranjera que justifique una residencia no interrumpida de diez años por lo menos.
(46) **Haití.** — Ley de 22 de agosto de 1907, art. 5.
        Venezuela. — Ley de 29 de mayo de 1940, art. 4.
(47) Véase segundo Informe Anual, pág. 132.
(48) En el Capítulo 2, Regímenes especiales de naturalización, se estudiarán situaciones de excepción semejantes a las tratadas aquí, con la diferencia de que en ellas se modifican o suprimen todos los requisitos reclamados para la naturalización y no solamente el de la residencia. Ver pág. 461, infra.
(48) Primer Informe Anual, pág. 122.

diversos Estados quieren facilitar la adquisición de nacionalidad de determinadas categorías de personas por razón de su parentesco o su afinidad con los nacionales o por la prestación de ciertos servicios especiales.

El Comité recomendó que el plazo de residencia de cinco años podría ser disminuído para ciertas "categorías limitadas de personas, a las que se estime conveniente facilitar la naturalización, siempre que no sean nacionales de Estados miembros del Pacto Tripartito o de Estados a ellos subordinados, como ser: extranjeros casados con nacionales de la República respectiva; extranjeros que sean naturales de alguna República Americana; niños extranjeros adoptados por nacionales de la República respectiva; niños extranjeros cuando uno de los padres es nacional; personas del servicio militar; y las que hayan perdido su nacionalidad por casamiento o por pérdida de nacionalidad por parte de sus padres, y no por opción, elección o acto voluntario" (49).

El Comité señaló la conveniencia de disminuir el plazo de cinco años recomendado, solamente en los casos indicados, y por las diversas circunstancias mencionadas, que se pueden agrupar del siguiente modo: vínculo de parentesco con algún natural del país; pertenencia a alguna otra República Americana; prestación de servicio militar; readquisición en caso de pérdida de la nacionalidad por casamiento o por acto de los padres.

Algo diferentes son las razones por las que, en las Repúblicas Americanas, se reduce el plazo de residencia ya que se basan en el vínculo de parentesco del que aspira a naturalizarse, con algún nacional; en la pertenencia a alguna otra República con la cual existan especiales vínculos de orden histórico o racial o en la prestación de servicios especiales al país de naturalización. Se analizará a continuación, cada una de estas hipótesis.

a. Vínculo de parentesco.

La legislación existente en las Repúblicas Americanas y las Constituciones de algunas de ellas admiten reducciones en el plazo de residencia, por razón del vínculo de parentesco.

(49) Primer Informe Anual, pág. 122.

Por ejemplo, las legislaciones de Argentina, Haití, México y República Dominicana (50), disminuyen la residencia exigida en caso de extranjeros casados con mujer nacional del respectivo país. La legislación de Colombia establece idéntico beneficio para la mujer extranjera casada con colombiano (51) y en Brasil, Estados Unidos y Panamá la reducción del término de residencia por el matrimonio con un nacional favorece a los dos sexos (52).

En el Uruguay, la Constitución disminuye el plazo de residencia para los casados a tres años, sin distinguir según el matrimonio se haya celebrado o no con una nacional, siendo la razón de este precepto diferente a la de los casos anteriores, pues se considera que una persona casada está más firmemente establecida y arraigada en el país, es más responsable y merece mayor confianza (53).

En Brasil, Panamá y México, es causa también de disminución del plazo de residencia, tener hijos que sean nacionales del país respectivo (54).

En el Brasil, pueden también las autoridades exigir un plazo de residencia menor, en el caso de hijos de brasileños o de hijos de extranjero naturalizado, nacidos fuera del Brasil

---

(50) **Argentina**. — Ley 346 de 8 oct. 1869, art. 2º, ap. 2º, inc. 7º.
Haití. — Ley de 22 de agosto de 1907, art. 6 (a un año).
México. — Ley de 19 de enero de 1934, art. 21, parágrafo IV, y art. 25 (a dos años).
República Dominicana. — Ley Nº 1227 de 4 de diciembre de 1929, art. 1º, inc. c. párrafo (a dos años).

(51) Ley 22 bis de 1936, art. 4 (a dos años).

(52) **Brasil**. — Decreto Ley Nº 389 de 25 de abril de 1938, art. 11, inc. II. (La reducción queda al arbitrio de las autoridades).
Estados Unidos. — Ley de Nacionalidad de 1940, sec. 310 y 311. 54 Stat. 1144-1145; 8 U.S.C. 710, 711.
Panamá. — Constitución, art. 14, inc. 1º (a dos años).

(53) Constitución, art. 66, incisos a) y b). (Se exige también la radicación del cónyuge en el país).

(54) **Brasil**. — D. L. Nº 389 de 25 abr. 1938, art. 11, inc. I. (La reducción queda al arbitrio de las autoridades).
México. — L. de 19 ene. 1934, art. 21, par. II y 23. (a dos años).
Panamá. — Const. Art. 14, inc. 1º (a tres años).

antes de la naturalización del padre (55).

b. Por pertenencia a determinado país.

En cuanto a la disminución del plazo por ser oriundo de determinados países, con los que existen especiales vínculos de afinidad, la Constitución de El Salvador establece, para los españoles e hispano-americanos por nacimiento, una disminución a la mitad, es decir, a tres años, del plazo de residencia (56), y la Constitución de Honduras (57), acuerda una reducción del término, también a la mitad, es decir, a dos años, en favor de los españoles y latino-americanos, sin requerir como en el caso precedente, que la anterior nacionalidad se posea por el nacimiento. La ley de Nicaragua establece una reducción del plazo a la mitad, esto es, a dos años, en favor de los hispano-americanos nativos (58).

c. Servicios especiales.

Existen, además, otros factores que determinan la reducción en el plazo de residencia. Es una disposición común la que favorece a quienes hayan prestado servicios o puedan prestar servicios importantes de índole económica, intelectual, cívica o militar, posean talentos relevantes o puedan recomendarse por su capacidad científica, artística o profesional (59). Otra disposición muy corriente es la que favorece a los que funden o establezcan industrias en el país, hayan contribuído al desarrollo agrícola o sean propietarios de bienes importantes (60).

(55) D. L. Nº 389 de 25 abr. 1938, art. 11, incisos III y IV.
(56) Art. 9, inc. 2º.
(57) Art. 11, inc. 1º.
(58) L. de 18 feb. 1861, art. 1, inc. 2º.
(59) **Argentina.** — Const. art. 20. L. Nº 346 de 8 oct. 1869, art. 2, ap. 2º.
Brasil. — D. L. Nº 389 de 25 abr. 1938, art. 11, incs. 6 y 7. (En estos dos países no se fija el plazo de residencia aminorado, sino que se faculta a las autoridades para reducirlo).
Estados Unidos. — Ley de Nacionalidad de 1940, Secs. 324 y 325. 54 Stat. 1149, 1150; 8 U.C.S. 724, 725. Ley de 27 mar. 1942, sec. 701, 702; 56 Stat. 182-183; 8 U.S.C. 1001, 1002. También Ley 7 dic. 1942 (56 Stat. 1041; 8 U.S.C. 723 a) redujo el plazo para los miembros de fuerzas armadas.
Haití — L. de 22 ago. 1907, art. 6. (un año).
(60) **Brasil.** — D. L. Nº 389 de 25 abr. 1938, art. 11, inc. 5º.
Guatemala. — Ley de Extranjería de 25 ene. 1936, refor-

En todas las hipótesis analizadas con anterioridad, existe una mera disminución o acortamiento en el plazo de residencia requerido. Es preciso señalar también algún caso en que se ha ido más lejos, llegándose realmente a suprimir el requisito del plazo de residencia y siendo suficiente, para poder adquirir la naturalización, la presencia personal en el país.

En México, los extranjeros que hayan establecido en el territorio una industria, empresa o negocio que sea de utilidad o implique beneficio social; los hijos de padre extranjero y madre mexicana, nacidos en el extranjero que residan en México al cumplir su mayor edad; los colonos que se establezcan en el país; y los indo-latinos y los españoles de orígen que establezcan su residencia en la República, pueden adquirir la nacionalidad mexicana si manifiestan tal voluntad, sin que se les exija plazo alguno de residencia (61).

3) Carácter de la residencia.

El último punto que queda por analizar con respecto al requisito de residencia, es el que tiene relación con el carácter de la misma.

El Comité ha recomendado que se reclame una residencia contínua e inmediatamente anterior a la gestión de la na-

---

mada por D. N° 2153 de 7 oct. 1938, art. 64, incs. 2° y 3°.
(En estos dos países la reducción queda al arbitrio de las autoridades, pero en Guatemala el extranjero debe tener por lo menos dos años de residencia).
Haití. — L. de 22 ago. 1907, art. 6. (A un año).
República Dominicana. — L. N° 1227 de 4 dic. 1929, art. 1, incs. c y d. (A cinco años).
México. — L. de 19 de enero de 1934, art. 21, I, III, V y VII, y arts. 22, 24, 26 y 28.
Deben los beneficiarios de esta "naturalización privilegiada" hacer las protestas y renuncias exigidas de ordinario y el otorgamiento de la naturalización tiene también para estos casos carácter potestativo (art. 29).
En **Brasil** D. L. N° 389 de 25 de abril de 1938, art. 11, inc. 8° y en **Estados Unidos** (Ley de Nacionalidad de 1940, Sec. 312) 54 Stat. 1145; 8 U.S.C. 712. V. además, pág. 465 infra. existen también disposiciones que hacen desaparecer, en ciertos casos muy especiales, el requisito de un plazo de residencia en el país. En Brasil para los empleados de legaciones o consulados y en Estados Unidos para los casados con nacionales que residan fuera del país por razón de ciertos cargos oficiales o privados.

turalización.   Tal exigencia está plenamente justificada, ya que permitir que pueda naturalizarse una persona que se ha limitado a constituir su residencia en el país, para abandonarlo luego, sería desconocer el fundamento mismo del requisito estudiado.

Pero, hay además, una razón especial por la que es sumamente conveniente exigir la continuidad en la residencia y es que la experiencia del período bélico demostró que quienes no intentan retirar su fidelidad al país de origen, acostumbran hacer viajes de ida y vuelta al mismo para renovar y conservar sus vínculos de nacionalidad. Tal como expresaba el Comité: "los agentes del Eje más peligrosos han adoptado un sistema, sin duda bajo órdenes, de regresar a sus países nativos para trasmitir información y recibir adoctrinamiento oficial o instrucción adicional. En general, la experiencia indica que la mayoría de los individuos que en años recientes han regresado a Alemania o Italia son, o bien definitivamente adherentes, o por lo menos simpatizantes con la ideología totalitaria" (62). Sin embargo, la expresión "contínua" utilizada por el Comité no debe interpretarse en el sentido de proscribir una ausencia del país por un período razonable, y por una causa justificada emergente de negocios normales o asuntos profesionales. Convencido de que, a pesar de estas consideraciones, debe establecerse una limitación, el Comité sugirió "que cualquier ausencia contínua por un período de seis meses de duración, debe ser considerada presuntivamente como quebrantando la continuidad de la residencia; y una ausencia de un año de duración debería, salvo por excepcionales razones, establecidas de modo incontestable, ser considerada como una infracción concluyente" (62).

La Constitución o las leyes de numerosos países americanos exigen expresamente este requisito de continuidad de la residencia. Así ocurre en la Argentina, Bolivia, Brasil, Colombia, Cuba, Chile, Ecuador, Estados Unidos, Guatemala, México, Panamá, República Dominicana y Venezuela (63).

---

(62)   Primer Informe Anual, págs. 116 y 117.
(63)   **Argentina**. — Const. art. 20.
    Bolivia. — D. Sup. de 1 dic. 1938, art. 3.
    Brasil. — D. L. Nº 389, de 25 abr. 1938, art. 10, inc. 2º.
    Colombia. — Ley 22 bis 1936, art. 4.

La Constitución del Uruguay exige la residencia habitual en la República (64). Las Constituciones de Honduras, Paraguay y Perú (65), exigen que los años de residencia sean consecutivos.

En algunos países existen normas expresas que señalan criterios para resolver cuando la residencia ha tenido carácter contínuo o se ha interrumpido por el alejamiento del país, pero ofrecen tantos matices diferenciales entre sí que escapan a todo intento de sistematización. En Bolivia, Ecuador y Venezuela se ha fijado un plazo de ausencia permitida, implicando ello que toda ausencia superior al mismo, interrumpe la residencia (66). En Colombia y en México, si bien se fija, como en el caso anterior, un plazo rígido que interrumpe la continuidad de la residencia, se faculta a las autoridades para ampliarlo, señalándose en el primero de los países una limitación de la prórroga permisible (67).

Cuba. — Const. art. 13, inc. a).
Chile. — D. L. Nº 747 de 15 dic. 1925, art. 2.
Ecuador. — D. Nº 111 de 29 ene. 1941, art. 69.
Estados Unidos. — Ley de Nacionalidad, de 1940, sec. 307 (a) (1) y (2) 54 Stat. 1142; 8 U.S.C. 707.
Guatemala. — Ley de Extranjería de 25 ene. 1936, reformada por D. Nº 2153 de 7 oct. 1938, art. 64, inc. 1º.
México. — L. de 19 ene. 1934, arts. 8 inc. a), 9 y 12.
Panamá. — L. Nº 8 de 11 feb. 1941, art. 4.
República Dominicana. — L. Nº 1227 de 4 dic. 1929, art. 1, inc. b).
Venezuela. — L. de 29 may. 1940, art. 4.
(64) Art. 66, inc. a).
Honduras. — Art. 11, inc. 2º.
Paraguay. — Art. 42.
Perú. — Art. 5.
(66) Venezuela. — Ley de 29 de mayo de 1940, art. 4º par. único. (La separación transitoria del país que no exceda en conjunto de seis meses).
Bolivia. — Decreto Supremo de 1º de diciembre de 1938, art. 3º (Viajes justificados al exterior de menos de tres meses no alteran la continuidad de la residencia; pero se computan para determinar el período de tres años exigidos).
Ecuador. — Decreto Nº 111 de 29 de enero de 1941, art. 76. Por razones especiales y justificadas podrá el extranjero suspender su permanencia y salir al exterior por un tiempo no mayor de seis meses.
(67) Colombia. — Ley 22 bis de 1936, art. 4º (La ausencia de Colombia no interrumpe la residencia exigida siempre que no exceda de tres meses y podrá extenderse hasta 10 meses con la autorización del Ministerio de Relaciones Exte-

En los Estados Unidos se establece que la ausencia superior a seis meses e inferior a un año crea una presunción de quebrantamiento de la continuidad de la residencia, que solamente podrá ser destruída por la demostración satisfactoria de que había una causa razonable para tal ausencia. El alejamiento de un año o más, interrumpe la continuidad de la residencia, salvo que se compruebe que obedece al desempeño de un cargo oficial de Gobierno o de alguna institución reconocida por éste y que se han llenado ciertos requisitos previos (68).

En el Brasil se fija un lapso que determina la interrupción del término, que es naturalmente prolongado, dada la extensión del plazo de residencia exigido por la ley, pero además, se acuerda cierta latitud a las autoridades para decidir sobre el punto (69). Y finalmente, en Chile se acuerda una discrecionalidad casi absoluta a las autoridades para resolver sobre si la residencia ha sido contínua o interrumpida (70).

Un sistema semejante existe en el Uruguay, a base de la fórmula constitucional, que deliberadamente sustituyó la palabra "contínua" por "habitual". Se ha desarrollado una jurisprudencia, basada en la latitud de apreciación de la Corte Electoral, que es el organismo competente en lo referente al otorgamiento de cartas de naturalización, por la cual se permiten las interrupciones razonables de la residencia, sin que esto afecte el valor de la misma (71).

---

riores).

México. — Ley de 19 de enero de 1934, art. 10. (La ausencia del país no interrumpe la residencia, siempre que no exceda de seis meses durante el período de tres años, o que si es mayor, sea con permiso de la Secretaría de Relaciones).

(68) Ley de Nacionalidad de 1940, sec. 307 (b). 54 Stat. 1143; 8 U.S.C. 707 (b).

(69) Decreto Ley Nº 389 de 25 de abril de 1938, art. 10, par. 2º. (No interrumpe la residencia contínua en el territorio nacional la ausencia por un plazo no superior a dos años, consecutivos o no, a juicio del Gobierno).

(70) Decreto Ley Nº 747 de 15 de diciembre de 1925, art. 2. (Corresponderá al Ministro del Interior calificar, atendidas las circunstancias, si viajes accidentales al extranjero han interrumpido o no la residencia continuada).

(71) Circular 1915 de 17 de agosto de 1942. V. también A. Brena. Normas jurídicas en materias relacionadas con el Derecho Electoral, Montevideo 1937, T. I., pág. 365. Véase por ejemplo, la siguiente Resolución de la Corte Electoral de 9

En Bolivia y Ecuador (66) además, se ha dispuesto expresamente que el término de ausencia no se computa a los efectos de determinar el plazo de residencia.

Por último, el Comité recomendó que el plazo de residencia fuera inmediatamente anterior al pedido de naturalización, lo que es expresamente exigido por las legislaciones de Argentina, Brasil, Estados Unidos y Guatemala (72).

b. Lealtad política.

Es natural y comprensible que antes de conferir el privilegio de la nacionalidad, el Estado que lo otorga quiera estar seguro de que el favorecido por la misma no habrá de ser un factor de perturbación en su vida social y política.

Para ello no es suficiente que se reclame la residencia en el país durante un término, por largo que sea, ya que ésta hace solamente presumir, pero no garantiza la efectiva adhesión del extranjero a las instituciones y modo de vida del pueblo en que habita. Es menester que se demuestre de un modo sustancial, mediante pruebas a cargo del interesado, o investigaciones oficiales del Estado, que el extranjero que solicita su incorporación al núcleo social, no habrá de ser un elemento nocivo desde el punto de vista político.

Si las consideraciones que fundamentan esta exigencia

de agosto de 1935: "Un extranjero que como el peticionario, tiene tan largo arraigo en el país y ha estado viviendo en él durante tantos años, puede hacer un viaje de placer a Europa o donde fuere, dentro de los tres o cinco años de residencia que la Constitución y las leyes le exigen, sin perjudicar su derecho de residencia habitual, porque el hecho de la ausencia por ese viaje, no implica deshabitualidad, siendo a lo más, un accidente dentro de ésta". Brena op. cit. pág. 367. Ver también pág. 458 y sigts.

(72) **Argentina.** — Decreto Reglamentario de 19 de diciembre de 1931, art. 3. La jurisprudencia ha exigido que la residencia sea actual, es decir, exista en el momento en que se pide la naturalización. (Jurisprudencia Argentina, 1943 - III, pág. 361, t. 21, pág. 45, t. 44, pág. 67, t. 64, pág. 428 y Fallos de Corte Suprema, t. 22, pág. 154 y t. 110 pág. 275).
Brasil. — Decreto Ley Nº 389 de 25 de abril de 1938, art. 10, inc. 2º.
Estados Unidos. — Ley de Nacionalidad de 1940. Sec. 307 (a) (1) 54 Stat. 1142; 8 U.S.C. 707 (a) (1).
Guatemala. — Ley de Extranjería de 25 de enero de 1936, reformada por Decreto Nº 2153 de 7 de octubre de 1938, art. 64.

son valederas en épocas normales, con mucha más razón ella se justifica en un período de emergencia, cuando adquieren capital importancia las tendencias y orientaciones políticas de quienes aspiran a naturalizarse. Por tales motivos es que el Comité recomendó en su Resolución XV que se exigiera a todo peticionario de una carta de nacionalidad, la prueba de haber observado buena conducta "durante el plazo de residencia exigido, que establezca su intención, de buena fe, de ser un residente leal y permanente, respetar las leyes de la República y renunciar totalmente a su fidelidad a cualquier otro Estado" (73).

Este requisito especial, tal como fué recomendado por el Comité, no ha sido textualmente incorporado a la legislación de emergencia de los países americanos, pero diversos Estados del Continente, desde tiempo atrás, han puesto en vigor variadas fórmulas que anticipan, de un modo u otro, esta segunda y fundamental exigencia, ya sea reclamando como condición de la naturalización, la no profesión de determinadas doctrinas, la no adhesión a ideas contrarias al orden establecido, o que propugnen su derrocamiento por la violencia, ya exigiendo, de modo positivo y no negativo, la profesión de ideas democráticas, o la adhesión al sistema de gobierno vigente en el país de naturalización (74).

Entre el primer tipo de fórmulas o sea aquellas de carácter negativo, que reclaman como requisito no profesar ciertas doctrinas que se consideran indeseables por sus fines, pueden señalarse las vigentes en Argentina, Brasil, Venezuela, Ecuador, Chile, Estados Unidos, Guatemala, Uruguay y Paraguay. Las que rigen en los cuatro primeros países tienen gran parecido entre sí.

En la Argentina, es condición para poder adquirir la ciudadanía "no profesar doctrinas o estar afiliados a sectas que

(73) Primer Informe Anual, Resolución XV, págs. 122-3.
(74) Tales fórmulas tienen cierto parentesco y similitud con las condiciones que autorizan la admisión al país. Por tal motivo es que algunas Repúblicas han seguido la técnica legislativa de remitir, en las leyes de naturalización, al tratar de las condiciones para la misma, a las causales de expulsión o de rechazo establecidas por las leyes de Inmigración o Extranjería. (Véase notas 77, 78, 79 y 81).

combatan la forma de gobierno de la República" (75). En Brasil, "no profesar ideologías contrarias a las instituciones políticas y sociales vigentes en el país" (76); en Venezuela no estar afiliado "a doctrinas contrarias a las instituciones políticas y a la paz social de la Nación", o profesar o propagar ideas contrarias a la forma de Gobierno de la República, a la Constitución, y al ordenamiento jurídico social (77); y en Ecuador no pueden naturalizarse "quienes por cualquier medio, hubieren propagado o propagaren y se propusieren propagar, doctrinas o teorías contrarias al sistema constitucional ecuatoriano" (78).

En Chile, se prohibe la naturalización de los que "de cualquier modo propagan doctrinas incompatibles con la unidad o individualidad de la Nación" (79).

En los Estados Unidos es impedimento para la naturalización aconsejar, propugnar o enseñar o ser miembro de una sociedad que se opone a todo gobierno organizado, o escribir o distribuir tal propaganda, fórmula que se ha aplicado en ciertos casos contra los anarquistas (80).

En Guatemala, siempre dentro del mismo tipo de fórmulas de carácter negativo, que tienen en vista determinadas ideologías, la legislación en vigor, procediendo más abiertamente, llama por su nombre a las doctrinas condenadas, y así prohibe la naturalización de "los que hagan propaganda disociadora y los que profesen ideas comunistas o anarquistas" (81).

---

(75) Decreto Reglamentario de 19 de dic. de 1931, art. 10, inc. f).
(76) Decreto Ley Nº 389 de 25 de abril de 1938, art. 10, inc. 7.
(77) Ley de 29 de mayo de 1940, art. 3º incs. 5º y 6º; Ley de 31 de julio de 1937 (de Extranjeros), art. 32, inc. 2º; y Ley de 22 de julio de 1936, (de Inmigración y Colonización), art. 5º inc. 7. (La ley de naturalización dispone que no se podrán naturalizar los inadmisibles, según la Ley de Extranjeros y esta última preceptúa que no serán admisibles los que así califica la Ley de Inmigración y Colonización).
(78) Decreto Nº 111 de 29 de enero de 1941, art. 68, inc. 3º y art. 13, inc. e).
(79) Ley Nº 3446 de 12 de diciembre de 1918, art. 2º y D. L. Nº 747 de 15 de diciembre de 1925, art. 3º inc. 5º.
(80) Ley de Nacionalidad de 1940, sec. 305 (a) y (c). 54 Stat. 1141; 8 U.S.C. 705 (a) y (c).
(81) Ley de Extranjería de 25 de enero de 1936, modificada por Decreto Nº 2153 de 7 de octubre de 1938, art. 65 y art. 10 b) 5.

Un segundo grupo de prohibiciones de carácter también negativo es el que rige en aquellos países donde se introduce el elemento violencia o alteración revolucionaria para determinar la ilegalidad de las doctrinas y la consecuencia de que la adhesión a las mismas constituye obstáculo para la naturalización. Tal cosa sucede en Chile, donde se prohibe la naturalización de los extranjeros que "practican o enseñan la alteración del orden social o político por medio de la violencia o provocan manifestaciones contrarias al orden establecido" (82), y en una forma más amplia de "los que practiquen o difundan doctrinas que puedan producir la alteración revolucionaria del régimen social o político, o que puedan afectar a la integridad nacional" (83). En Venezuela se prohibe también la naturalización del "extranjero que pertenezca a sociedades de fines opuestos al orden político o civil, o que propague el comunismo, la destrucción violenta de los Gobiernos constituídos o el asesinato a los funcionarios públicos nacionales o extranjeros" (84).

En los Estados Unidos, mientras era impedimento para la naturalización aconsejar, propugnar o enseñar ideologías de oposición a todo gobierno organizado, es también obstáculo, no solamente aconsejar, propugnar o enseñar el derrocamiento por la fuerza o la violencia del Gobierno de los Estados Unidos, sino también creer en doctrinas que se propongan tal fin. El elemento violencia, que se introduce en esta fórmula, es suficiente para transformar en impedimento la sola creencia o participación intelectual en tales ideologías, así como la afiliación a organizaciones que sustentan tal opinión. También constituye impedimento para la naturalización escribir, publicar o distribuir materiales de propaganda que preconicen doctrinas de violencia. Entre ellas se incluye, además del derrocamiento por la fuerza del Gobierno o de todo sistema jurí-

<hr>

(82) Ley Nº 3446 de 12 de diciembre de 1918, art. 2º y decreto ley Nº 747, de 15 de diciembre de 1925, art. 3º inc. 5º.

(83) Decreto Ley Nº 747 de 15 de diciembre de 1925, art. 3º inc. 4º. En aplicación de este precepto, por decreto de 28 de mayo de 1943 se denegó la carta de nacionalización a un súbdito alemán que había difundido "doctrinas contrarias al régimen democrático existente en Chile".

(84) Ley de 29 de mayo de 1940, art. 3º inc. 6º y Ley de 31 de julio de 1937, art. 32, inc. 6º.

dico, el asesinato de funcionarios públicos nacionales o extranjeros y el sabotaje (85).

También en el Uruguay, según un precepto constitucional, es obstáculo para la naturalización "formar parte de organizaciones sociales o políticas que por medio de la violencia, tiendan a destruir las bases fundamentales de la nacionalidad". El mismo artículo de la Carta Fundamental establece que se consideran bases fundamentales de la nacionalidad las contenidas en la Sección I (De la Nación y su Soberanía) y en la Sección II (Derechos, deberes y garantías) de la Constitución. La cláusula constitucional ha sido aclarada legislativamente y aunque esa interpretación tiene valor sólo a los efectos de la propia ley que la contiene, su conocimiento ofrece interés para apreciar el alcance que se ha atribuido a la expresión "bases fundamentales de la nacionalidad". Se entiende "por organizacionesc sociales o políticas que por medio de la violencia tiendan a destruir las bases de la nacionalidad, a todos los núcleos, sociedades, comités o partidos, nacionales o extranjeros, que preconicen medios efectivos de violencia, contra el régimen constitucional democrático republicano" (87).

Otra fórmula, también de carácter negativo, pero completamente distinta de las anteriores, es la que rige en el Paraguay. Ha sido dictada durante la presente emergencia, y tiene en cuenta, por lo tanto, de modo expreso y directo, los problemas de agresión política que se quisieron afrontar con la resolución del Comité. En este país, por decreto dictado en febrero de 1942, se pusieron en vigor la mayor parte de las disposiciones aconsejadas en el Memorándum anexo a la Resolución XVII de la Reunión de Río de Janeiro y entre ellas la prohibición de conceder la naturalización "a los que

---

(85) Ley de Nacionalidad de 1940, sec. 305 (b) (c) y (d). 54 Stat. 1141; 8 U.S.C. 705 (b) (c) y (d). Las disposiciones de esta sección "son aplicables a todo peticionario que en cualquier época, dentro de un período de los 10 años inmediatamente anteriores a la solicitud, se encuentre o se haya encontrado comprendido en cualquiera de las cláusulas enumeradas, aunque en la época del pedido no esté incluído en tales categorías".
(86) Constitución, arts. 66 y 70.
(87) Ley Nº 9604 de 13 de octubre de 1936, art. 6º.

en alguna forma continúen prestando obediencia o sigan considerándose como nacionales de los Estados miembros del Pacto Tripartito o de los Estados a ellos subordinados" (88).

En algunos países americanos no pareció suficiente la exigencia negativa de que se ha hablado y es así como en Cuba, Estados Unidos y Uruguay, se requiere la demostración positiva de profesar determinadas doctrinas o ideologías políticas que evidencien la ausencia de peligrosidad desde este punto de vista. En los Estados Unidos se exige que el que aspira a la naturalización haya sido durante el período de residencia legal, y sea en el momento de la naturalización "una persona de buen carácter moral, vinculada a los principios de la Constitución de los Estados Unidos, y bien dispuesta al orden y a la felicidad de los Estados Unidos" (89).

En este país, muy recientemente, se ha modificado la Ley de Nacionalidad agregando una nueva incapacidad para obtener la naturalización. Está vedado el acceso a la misma de toda persona "que desde el 7 de diciembre de 1941, haya servido en las fuerzas armadas de cualquier país que estuviera en guerra con los Estados Unidos, o de todo aquel que sea, o en cualquier momento, haya sido miembro del Partido Nazi, del Partido Fascista, de la Gestapo, de la Schutz Staffel, o de la Sturm Abteilung, o de cualquiera otra organización o partido auxiliar o que apoye al nacismo o fascismo, o de cualquier individuo clasificado como criminal de guerra por la Comisión Aliada de Crímenes de Guerra" (90).

Eu Cuba, "por causa de la guerra se exigen, por lo menos, dos cartas de personas de solvencia moral que garanticen los ideales democráticos de los solicitantes" (91).

En Uruguay la Constitución exige como condición para la naturalización "la buena conducta" (92). La Corte Electoral, organismo encargado de todo lo referente a la naturalización, con potestades reglamentarias en la materia, ha

(88) Decreto Ley Nº 11061 de 16 de febrero de 1942, art. 15.
(89) Ley de Nacionalidad de 1940, Sec. 307, (a) (3). 54 Stat. 1142; 8 U.S.C. 707 (a) (3).
(90) Ley de Nacionalidad, sec. 306 A, enmendada.
(91) Memorándum de la Consultoría del Ministerio de Estado relativo a los puntos de vista del Gobierno Cubano sobre la Resolución XV del Comité Consultivo de Emergencia.
(92) Art. 66, incisos A) y B).

dictado dos circulares que reglamentan la exigencia de la Carta Fundamental y teniendo en cuenta los antecedentes constitucionales ha determinado que por buena conducta debe entenderse la profesión de ideas democráticas del peticionario, cuya prueba debe suministrarse "en cualquier caso en que a los Miembros de la Corte les parezca conveniente" (93).

Los países que se han indicado en los párrafos precedentes son aquellos que cuentan con fórmulas especiales que determinan las condiciones de acceso a la nacionalidad, por razones ideológicas.

En los demás, las autoridades han recurrido a otros medios para apreciar el extremo analizado.

En algunos de ellos este requisito es tenido en cuenta de modo primordial por las autoridades, aun a falta de normas expresas, y forma parte de las consideraciones más decisivas que determinan la concesión o denegación de la nacionalidad, en ejercicio de las facultades discrecionales existentes en la materia (94).

En algunos otros países se exige, como en el Uruguay, ese mismo requisito de buena conducta, que es reclamado expresamente por la Constitución de El Salvador y las leyes de Costa Rica, Ecuador, Guatemala, Honduras y México (95), y

(93) Corte Electoral; circulares 2016 de 12 de diciembre de 1942, y 2032 de 30 de enero de 1943.
(94) En el Perú, por ejemplo, no se concede la naturalización, cuando se considera que ella se pide para ampararse en la misma, a fin de realizar actividades ilícitas, violar determinadas disposiciones legales o aprovecharse indebidamente de la nacionalidad peruana. Memorándum cit. Se usa para ello la facultad discrecional a que ya se ha hecho referencia.
Por eso se exige, por Decreto Supremo de 21 de junio de 1940 (reglamento de nacionalización), art. 1, inc. c) que en todo pedido se exprese los motivos por los cuales se solicita la naturalización, y según el art. 5, se examina a todo peticionario sobre tales motivos.
(95) **El Salvador**. — Constitución, art. 9º inc. 3º.
Costa Rica. — Ley Nº 25 de 13 de mayo de 1889, art. 8º inc. 3º.
Ecuador. —Decreto Ley Nº 111, de 29 de enero de 1941, art. 68, inc. 6º.
Guatemala. — Ley de Extranjería de 25 de enero de 1936, reformada por Decreto Nº 2153 de 7 de octubre de 1938, art. 64.
Honduras. — Ley Nº 31 de 4 de febrero de 1926, art. 10.
México. — Ley de 19 de enero de 1934, art. 12, inc. II.

de un modo implícito por las de Bolivia, Colombia y República Dominicana (96).

Aunque el Comité no posee informaciones sobre este aspecto no sería imposible que haya servido este requisito de buena conducta, interpretado de un modo amplio, como en el caso del Uruguay, de base para tomar en cuenta las tendencias ideológicas de todo peticionario antes de concederle la naturalización.

c. Juramento.

El tercero de los requisitos recomendados por el Comité es el de la prestación por el peticionario, "en el acto de obtener la naturalización, de una declaración jurada ante la oficina respectiva del Gobierno en la que declare su intención de buena fe, de ser un residente leal y permanente, respetar las leyes de la República y renunciar y abjurar totalmente a su fidelidad a cualquier Estado o soberano, del que ha sido súbdito o nacional, y declarando, asimismo, que será fiel a la República Americana, defendiéndola y apoyándola contra todos sus enemigos. El declarante manifestará, además, que todas sus declaraciones y juramentos han sido prestados sin reserva alguna" (97).

La exigencia de tales declaraciones y renuncias se justifica por el concepto que existe acerca de la naturalización en la mayor parte de los países americanos, donde se considera que la adquisición de una nueva nacionalidad por acto voluntario, implica o debe aparejar el rompimiento de todo vínculo anterior y el sincero propósito de cumplir de buena fe los deberes de nacional. Por lo tanto, puede decirse respecto de casi todos los países americanos que "en el momento en que un extranjero se transforma en naturalizado, su lealtad al país

---

(96) **Bolivia**. — Decreto Supremo de 1º de diciembre de 1938, art. 2º.
Colombia. — Ley 22 bis de 1936, art. 6º inc. d) y e).
República Dominicana. — Ley Nº 1227, de 4 de diciembre de 1929, art. 5º párrafo 1º (a).
(97) Resolución XV, A 1) a) (3), Primer Informe Anual del Comité, pág. 123.

nativo se rompe para siempre. Experimenta un nuevo nacimiento político" (98).

Las razones de la recomendación formulada por el Comité
de que se hagan las manifestaciones mencionadas bajo juramento, se explica en la exposición de motivos de la Resolución, con los siguientes términos: "El propósito primordial de
esta disposición es el de exigir una declaración positiva y seria, de absoluta buena fe y fidelidad, sin reserva
alguna. Además, el requerimiento de un juramento formal
proporciona una sólida base legal para la cancelación de la
naturalización en los casos en que, posteriormente, una conducta desleal indique que el juramento fué prestado fraudulentamente o con una reserva mental y secreta de fidelidad" (99).

Este requisito, tal como ha sido recomendado por el Comité, comprensivo a la vez de la renuncia a la nacionalidad anterior y de la promesa o juramento positivo de adhesión al
país y a las leyes está en vigor en Brasil, Colombia, Costa
Rica, Cuba, Ecuador, El Salvador, Estados Unidos, Honduras, México y Panamá (100).

---

(98) Cass, citado por Hall, op. cit. pág. 235.
(99) Primer Informe Anual, pág. 117-8.
(100) **Brasil**. — D. L. Nº 389 de 25 de abril de 1938, art. 19,
      parágrafo 1º "El naturalizado prestará juramento solemne
      de bien cumplir sus deberes de ciudadano brasileño y re-
      nunciar para todos los efectos a la nacionalidad anterior".
      Colombia. — Ley 22 bis de 1936, art. 14. El peticionario
      "jurará o protestará solemnemente si su religión no le permi-
      te jurar: 1) que en su calidad de colombiano por adopción,
      sostendrá, obedecerá y cumplirá la Constitución y leyes de
      la República; 2) que renuncia absoluta y perpetuamente a
      todos los vínculos que le ligan al país de origen o a cual-
      quier otro de que hasta aquel día haya sido dependiente;
      y 3) que asimismo renuncia para siempre a todos los de-
      rechos y privilegios que de tales vínculos o dependencias
      pudiera derivarse".
      Costa Rica. — Ley Nº 25 de 13 de mayo de 1889, art. 10.
      Establece la renuncia a la nacionalidad anterior. El Decre-
      to Nº 1 del 18 de febrero de 1931 agrega el segundo elemen-
      to, en el artículo 4º, parte final: "El solicitante deberá afir-
      mar bajo juramento que su propósito al obtener la carta
      de naturalización no es conseguir entradas en otros países
      en calidad de costarricense, ni valerse de ella para propa-
      gandas contrarias al orden público, de carácter religioso,
      político o social". La ley Nº 207 de 26 de agosto de 1944, en
      su art. 10, establece que la renuncia de la nacionalidad an-

La Constitución o las leyes de otras Repúblicas Americanas han establecido este mismo requisito de un modo par-

---

terior se hará bajo juramento.

Cuba. — Código Civil, art. 25, "los interesados renuncian
su nacionalidad anterior y que juran cumplir la Constitución de la República, las leyes que rigen actualmente en
esta Isla y las que rigieren en lo sucesivo".

Ecuador. — Decreto N⁰ 111 de 29 de enero de 1941, art.
14, establece "juramento de renuncia de cualquier otro
vínculo político y de la declaración expresa de sometimiento y fidelidad a la Constitución y a las leyes de la República".

Estados Unidos. — Ley de Nacionalidad de 1940, sec.
335, (a) y (b) 54 Stat. 1157; U. S. C. 735 (a) (b) y (c).
El solicitante debe declarar bajo juramento ante la Corte
que renuncia plena y absolutamente y abjura de toda lealtad y fidelidad hacia cualquier Estado extranjero o soberano: que apoyará y defenderá la Constitución y las leyes
de los Estados Unidos de América contra todos sus enemigos extranjeros o internos y que mantendrá una verdadera
fe y adhesión a Estados Unidos. En caso de poseer algún
título hereditario extranjero debe renunciar al mismo, bajo
juramento. Sec. 335, (c).

El Salvador. — Ley de 29 de setiembre de 1886, art. 12,
establece que "toda naturalización implica la renuncia de
toda sumisión, obediencia y fidelidad a todo gobierno extranjero y especialmente a aquél de quien el naturalizado haya
sido súbdito, a toda protección extraña a las leyes y autoridades de El Salvador, y a todo derecho que los tratados o la
ley internacional concedan a los extranjeros; y además la
protesta de adhesión, obediencia y sumisión, a las leyes y autoridades de la República". Véase también el art. 11.

Honduras. — Ley N⁰ 31 de 4 de febrero de 1926, art. 13,
dispone que el extranjero deberá declarar que renuncia a
toda sumisión, obediencia y fidelidad a otro gobierno y especialmente al del país del que ha sido nacional, que renuncia efectivamente a toda protección extraña a las leyes y autoridades de Honduras y a todos los derechos acordados por
los tratados y la ley internacional a los extranjeros, y hará
además una declaración de adhesión y de sumisión a las
leyes y a las autoridades.

México. — Ley de 19 de enero de 1934, artículos 17 y 18,
establece la renuncia expresa ante los jueces de los derechos
inherentes a la nacionalidad de origen, los títulos de nobleza
que se tuvieran, a toda protección extranjera y a los derechos que los tratados y la ley internacional conceden a los
extranjeros, y la protesta de adhesión, obediencia y sumisión a las leyes y autoridades de la República.

Panamá. — Ley N⁰ 8 de 11 de febrero de 1941, art. 14. El
naturalizado deberá prestar "juramento sobre lo siguiente:
a) Que en su calidad de panameño naturalizado obedecerá
cumplirá y sostendrá la Constitución y las Leyes de la
República; b) Que renuncia absolutamente los vínculos ci-

cial, exigiendo únicamente la renuncia a toda fidelidad al Estado de anterior nacionalidad, pero sin reclamar el juramento positivo de adhesión al país de naturalización. Tal renuncia es preceptuada en términos muy parecidos en las Constituciones de Chile, Nicaragua y Perú, y en las leyes de Bolivia, y Guatemala (101). En cambio, en Argentina, en República

<hr/>

viles y políticos que lo ligan al país de su nacimiento o a cualquier otro del cual se considere ciudadano o súbdito; c) Que renuncia igualmente todos los derechos y privilegios que de tales vínculos o dependencias pudiera derivar". Además, según la Constitución (art. 15) se podrá negar la naturalización "a aquellos individuos pertenecientes a Estados cuyas constituciones o leyes permitan que se conserve la nacionalidad de origen aunque se adquiera la de otro Estado".

(101) **Nicaragua**. — Art. 16, inc. 1º.

Chile. — Art. 5, inc. 3º. Según el Decreto Nº 747 de 15 de diciembre de 1925, art. 2º, esta renuncia debe constar en instrumento otorgado ante notario público y comprende la nacionalidad de origen o cualquier otra adquirida. Además, el decreto Nº 4395 de 10 de octubre de 1936, corrigió un defecto que se había presentado en la práctica. Generalmente, los extranjeros que solicitaban carta de nacionalización chilena renunciaban a su nacionalidad de origen, antes de que el Gobierno adoptara resolución alguna acerca de su petición, y con ese motivo se presentaban casos en que se denegaba la solicitud y el peticionario quedaba entonces sin ninguna nacionalidad. Por el decreto citado se dispuso que "los interesados en obtener carta de nacionalización chilena no deberán efectuar la renuncia de su nacionalidad de origen hasta que el Ministerio del Interior no haya estudiado los antecedentes correspondientes y haya dispuesto, como último trámite del expediente respectivo, que se acompañe la escritura pública de rigor".

Perú. — Art. 5º. En este precepto se dispone que no perderán su nacionalidad de origen, los naturalizados nacidos en territorio español, pero esta excepción no está en vigor. (A. Ulloa, Derecho Internacional Público, Lima 1938, Tomo I, número 353, d) pág. 262).

Bolivia. — Decreto Supremo de 1º de diciembre de 1938, art. 6º.

Guatemala. — Decreto Nº 2391 de 11 de junio de 1940, art. 1º. El artículo 2º de este Decreto establece que " los naturalizados guatemaltecos que aun no hubieren renunciado expresamente la nacionalidad de origen, están en la obligación de hacerlo, ante la Secretaría de Relaciones Exteriores, en el término de dos meses, contado desde la fecha en que entre en vigor la presente ley. Si así no lo hicieren, la Secretaría de Relaciones Exteriores procederá a cancelar el acuerdo de naturalización".

En cuanto a los naturalizados que se encontraren fuera del país, se les acuerda el mismo plazo contado de la fecha de reingreso al territorio guatemalteco.

Dominicana y en Venezuela sucede a la inversa, ya que se exige solamente juramento en los dos primeros casos y promesa en el tercero, de respetar la Constitución, las instituciones y las leyes del país, pero no la renuncia al vínculo de nacionalidad anterior (102).

No existe juramento de ninguna índole ni exigencia de renuncia a la nacionalidad anterior en el Uruguay, lo que se explica por el concepto especial de naturalización existente en este país, en donde la misma no implica la adquisición de la nacionalidad de la República, ni apareja, por lo tanto, la pérdida de la nacionalidad de origen (103).

Como íntimamente vinculada con esta exigencia del juramento, es preciso señalar una innovación que se ha implantado en Cuba, durante la presente emergencia con el fin de otorgar al acto de la adquisición de la nacionalidad, mayor significación y relieve. Se ha dispuesto que la entrega del documento que acredite la obtención de la nacionalidad se haga en acto público de una manera formal y solemne y que en dicho acto el nuevo ciudadano ratifique el juramento prestado de cumplir la Constitución y las leyes de la República y defender al país cuya nacionalidad adopta (104). En Brasil

---

(102) **Argentina**. — Decreto Reglamentario de 19 de diciembre de 1931, art. 13. La jurisprudencia sin embargo ha entendido que "el juramento prestado de acuerdo con el art. 13, decreto reglamentario de la ley 346, es absoluto y excluyente de acatamiento a toda otra soberanía". Fallo de la Corte Suprema de la Nación, Jurisprudencia Argentina, t. 63, pág. 21. **República Dominicana**. — "La ley prescribe el juramento de fidelidad a la República". Informe presentado por el Funcionario de Enlace de la República Dominicana en las sesiones de consulta.
Venezuela — Decreto de 29 de mayo de 1940, arts. 10 y 12.

(103) En el Uruguay, según el art. 66 de la Constitución votada en 1934, "la adquisición de la ciudadanía legal no importa renuncia a la nacionalidad de origen".
Este precepto fué suprimido del texto constitucional en 1942, aunque subsiste una disposición legal, el art. 1º de la Ley Nº 8196, de 2 de febrero de 1928, que dice lo mismo: "La adopción de la ciudadanía legal uruguaya no importa renuncia de la nacionalidad de origen".

(104) Decreto Presidencial Nº 1029 de 3 de abril de 1943, art. 2º. Es interesante conocer los considerandos de este Decreto. Debe recordarse también a este respecto, la frase de Hitler en "Mi Lucha" acerca de la importancia del elemento formal en la adopción de nacionalidad. Allí dice en tono crítico que

también se hace entrega de la carta en audiencia pública (105).

También vinculado a esta exigencia del juramento existe otro requisito formal que tiene gran importancia, en opinión del Comité, y es la comparecencia o asistencia personal del interesado en el acto del otorgamiento de la nacionalidad. Tal requisito ha sido recogido expresamente en muchos regímenes americanos (106), y existe en otros de un modo implícito.

Hay algunos países, sin embargo, que autorizan la gestión y obtención de la carta por medio de un poder especial o especialísimo y son: El Salvador, Honduras, México, Uruguay y Venezuela (107).

Es preciso puntualizar que entre estos países hay uno, Venezuela, en donde, pese a la facultad de realizar la gestión por medio de procurador, el juramento o promesa requiere la presencia personal del interesado (108), mientras que en otro,

---

"El procedimiento para adquirir la nacionalidad no se diferencia gran cosa del que se sigue para ingresar como socio de un club automovilista, por ejemplo".

El decreto cubano evidentemente ha querido rodear el acto de naturalización de solemnidad a fin de destacar la importancia de la concesión que hace el Estado, lo que está en consonancia con la tendencia de que se habla en la parte general de esta sección.

(105) Decreto Ley N: 389 de 25 de abril de 1938, art. 19, parág. 1º.

(106) **Argentina** — Decreto Reglamentario de 19 de diciembre de 1931, art. 11.
Bolivia. — Decreto Supremo de 1º de diciembre de 1938, art. 1º.
Brasil. — Decreto Supremo de 1º de diciembre de 1938, art. 19, inc. 1º.
Colombia. — Ley Nº 22 bis de 1936, art. 14.
Costa Rica. — Ley Nº 207 de 26 de agosto de 1944, art. 10
Ecuador. — Decreto Nº 111 de 29 de enero de 1941, art. 74, par. 2º.
Cuba — Decreto Nº 1029, de 3 de abril de 1943, arts. 2º y 3º.
Panamá. — Ley Nº 8 de 11 de febrero de 1941, art. 15.
Perú. — Decreto Supremo de 21 de junio de 1940, art. 5º.

(107) **El Salvador.** — Ley de 29 de setiembre de 1886, art. 16.
Honduras. — Ley de 4 de febrero de 1926, art. 13.
México. — Ley de 19 de enero de 1934, art. 45.
Uruguay. — Ley Nº 8196 de 2 de febrero de 1928, art. 20.
Venezuela. — Ley de 29 de mayo de 1940, art. 17.

(108) **Venezuela.** — Ley de 29 de mayo de 1940, art. 17. "La manifestación y la solicitud expresadas en los artículos 9 y 12 serán presentadas personalmente por el interesado; pero las diligencias posteriores podrán efectuarse por medio de apoderado constituído por poder especial".

México, se autoriza la formulación por escrito y en el poder de las renuncias y protestas exigidas por Ley (109).

En el Uruguay, como ya se ha visto, no existe juramento y en El Salvador y Honduras, el problema de cómo y en qué oportunidad se presta juramento cuando se tramita la naturalización por procurador con poder especial, no aparece resuelto por la ley.

d. Otros requisitos

Existen otros requisitos exigidos generalmente por las Repúblicas Americanas como condición de la naturalización, que son de cierta importancia desde el punto de vista de la defensa política. Uno de ellos es el requisito idiomático, esto es, la exigencia de que el peticionario de nacionalidad hable el idioma del país donde aspira a naturalizarse. El cumplimiento de esta condición denota el grado de asimilación en el medio social y permite inducir si la radicación en el país ha sido suficiente como para justificar la incorporación a la comunidad nacional. Es evidente que quien no puede hablar el idioma del país donde aspira a naturalizarse estará por lo general muy alejado del mismo y se sentirá todavía demasiado ligado a su país de origen, como para que su naturalización no pueda resultar peligrosa.

Por tales motivos se explica que varias Repúblicas Americanas exijan como requisito para naturalizarse el conocimiento del idioma nacional. Así ocurre en la Argentina, Brasil, Colombia, Cuba, Estados Unidos, Ecuador, México, Perú y Venezuela (110).

(109) **México.** — Ley de 19 de enero de 1934, art. 45. "Sólo con poder especial que contenga las renuncias y protestas que debe hacer el mismo interesado personalmente en los términos de los artículos 17 y 18, podrá ser éste representado en los procedimientos de naturalización".

(110) **Argentina.** — Decreto reglamentario de 19 de diciembre de 1931, art. 10, inc. e).
Brasil. — Decreto Ley Nº 389 de 25 de abril de 1938, art. 10, inc. III.
Colombia. — Ley 22 bis, de 1936, art. 6 inc. f).
Cuba. — Constitución, art. 13, inc. a).
Estados Unidos. — Ley de Nacionalidad de 1940, sec. 304. 54 Stat. 1140; 8 U.S.C. 704.
Ecuador. — Decreto Nº 111 de 29 de enero de 1941, art.

En algún país como en Ecuador (110), se exige además el conocimiento de la Constitución de la República, de la organización del Estado, de la historia y geografía nacional. En los Estados Unidos se interroga al aspirante sobre su comprensión y acatamiento de los principios fundamentales de la Constitución nacional (111).

También es muy común la exigencia, que puede tener interés del punto de vista de este estudio, de poseer medios económicos suficientes para vivir, ya sea teniendo alguna profesión, ciencia, arte o industria, o poseyendo capital en giro o propiedad raíz. Es de toda evidencia la razón de ser de esta precaución, destinada a evitar la naturalización de individuos ociosos, que en vez de contribuir a la prosperidad del país, sean elementos inútiles, tal vez necesitados de la asistencia pública y hasta peligrosos, por encontrarse más expuestos a la corrupción con fines subversivos.

Esta exigencia de poseer una industria o profesión, o una propiedad, es reclamada en forma alternativa por las Constituciones de Ecuador, Paraguay y Uruguay (112). La de El Salvador exige únicamente en forma genérica "profesión, oficio, u otro medio honesto de vivir", en lo que coincide con las fórmulas existentes en las leyes de Argentina, Bolivia, Colombia, Costa Rica, Chile, Guatemala, México, Perú y Venezuela (113) y Brasil reclama el ejercicio de profesión o la posesión

---

68, inc. 7º.

México. — Ley de 19 de enero de 1934, art. 12, inc. IV.

Perú. — Ley Nº 9148 de 14 de junio de 1940, art. 2.

Venezuela. — Ley de 29 de mayo de 1940, art. 4.

(111) Ley de Nacionalidad de 1940, Sec. 327, (b). 54 Stat. 1151; 8 U.S.C. 727 (6).

(112) **Ecuador.** — Art. 12.

Paraguay. — Art. 42.

Uruguay. — Art. 66, reglamentado por la Circular Nº 1915 de la Corte Electoral, de 17 de agosto de 1942.

(113) **El Salvador.** — Art. 9, inc. 3º.

Argentina. — Decreto reglamentario de 19 de diciembre de 1931, art. 10, ap. c), "Medios propios de subsistencia".

Bolivia. — Decreto supremo de 1º de diciembre de 1938, art. 2º, inciso j). "Trabajar en alguna ocupación o industria lícita".

Colombia. — Ley 22 bis de 1936, art. 6º, inc. d). "Género de industria o de ocupación útil de que subsistir".

Costa Rica. — Ley Nº 25 de 13 de mayo de 1889, art. 8, ap. 2º. "Profesión, oficio o rentas de que vivir".

Chile. — Decreto ley Nº 747 de 15 de diciembre de 1925.

de bienes suficientes para mantenerse a sí mismo y a su familia (114).

2. Regímenes especiales de naturalización

Tal como ya se ha dicho en la Introducción de esta Sección, uno de los objetivos principales del Comité al recomendar normas mínimas sobre adquisición de nacionalidad, fué que las mismas se adoptaran de modo uniforme en todas las Repúblicas y se aplicaran en general y sin excepciones en cada una de ellas, a fin de evitar las fisuras o resquicios que permitieran los abusos de nacionalidad por la naturalización de extranjeros peligrosos. "A menos que las normas mínimas de emergencia se apliquen en todos los casos sin excepción, dichas normas fracasarán en su objetivo de negar la nacionalidad a extranjeros peligrosos o potencialmente peligrosos" (115).

Si bien, como se desprende del estudio realizado en las páginas anteriores, el sistema de adquisición de nacionalidad en las Repúblicas Americanas, coincide por lo general, y en sus grandes líneas, con los requisitos recomendados por el Comité, es preciso señalar que en casi todos los países existen regímenes de excepción en virtud de los cuales se acuerdan ciertas facilidades para adquirir la nacionalidad.

Ya se han analizado algunas situaciones especiales en las cuales se hacen menos onerosas las exigencias para la naturalización, mediante la reducción e incluso en

---

art. 3º, inc. 2º. "Estar capacitado para ganarse la vida".
Guatemala. — Ley de Extranjería de 25 de enero de 1936, reformada por decreto Nº 2153 de 7 de octubre de 1938, art. 64. Tener "rentas, profesión, arte, oficio u otra manera decorosa de vivir".
México. — Ley de 19 de enero de 1934, art. 12-III. "Profesión, industria, ocupación o rentas de que vivir".
Perú. — Ley Nº 9148 de 14 de junio de 1940, art. 2, "que ejerzan algún oficio, industria o profesión".
Venezuela. — Ley de 29 de mayo de 1940, art. 3 inc. 1º. Constituye obstáculo a la naturalización carecer "de medios lícitos de subsistencia".
(114) **Brasil.** — Decreto ley Nº 389 de 25 de abril de 1938, art. 10, inc. IV.
(115) Res. XV. Exposición de Motivos. Primer Informe Anual, pág. 116.

ciertos casos, la supresión del plazo de residencia comúnmente exigido, pero en este numeral se indicarán aquellos otros casos en los que la liberalidad es mayor, ya que la disminución o supresión comprende todos o casi todos los requisitos establecidos para la naturalización y no únicamente el de la residencia.

Como ocurría en los casos que acaban de recordarse, los factores más importantes que, por lo general, determinan las alteraciones en el régimen normal de adquisición de nacionalidad, son la afinidad racial o política con otras naciones que hace que un Estado facilite la naturalización de los súbditos de otro con el que lo unen especiales vínculos, y la prestación de servicios particulares por el que aspira a la naturalización en beneficio del Estado cuya nacionalidad pretende. Se estudiarán ordenadamente ambos casos.

a. Factores de afinidad racial o política con otras naciones

Las Repúblicas Centro Americanas tienen, por disposición constitucional en cuatro de ellas y legal en la quinta, un régimen particular que ha encontrado fundamento en la antigua unidad política de esas Repúblicas.

En cada uno de los indicados países, los naturales de las demás Repúblicas de Centro América, que manifiesten personalmente ante la autoridad competente, el deseo de ser nacionales del Estado donde se encuentran, pueden, sin más, obtener la nacionalidad. En Nicaragua, Guatemala y Honduras se convierten en naturales y en El Salvador son naturalizados. En Costa Rica se les considera nacionalizados, término que la ley de ese país parece distinguir del de naturalizados (116).

Un régimen parecido, aunque de un alcance más vasto, existe en Colombia para los hispano-americanos y brasileños

(116) **Nicaragua**. — Constitución, art. 15, inc. 3. Ley de 18 de febrero de 1861, art. 1 inc. 1º (1 año de residencia).
El Salvador. — Art. 9º, inc. 1º (buena conducta).
Guatemala. — Art. 6º.
Honduras. — Art. 10 (1 año de residencia).
Costa Rica. — Decreto de 6 de julio de 1888, art. 3º; Ley de 29 de junio de 1909 y Decreto Nº 1 de 18 de febrero de 1931, art. 10. (Renuncia de anterior nacionalidad).

por nacimiento que, con autorización del Gobierno Colombiano pueden adquirir, sin satisfacer casi ninguna otra exigencia, la nacionalidad colombiana con carácter de naturalizados (117). Se les exige, sin embargo, prestar el juramento de estilo (118). Este régimen no ofreció mayores peligros en la emergencia, por cuanto se limitó a los nacionales por nacimiento de otros países del Continente. En cambio la Constitución de Venezuela, tiene un alcance más amplio, ya que dispone que los nacidos o que nazcan en España o en las Repúblicas Iberoamericanas, siempre que hayan fijado su residencia en el país y manifiesten su voluntad de ser venezolanos, adquieren la nacionalidad sin que se les exija plazo alguno de permanencia. Esta disposición, beneficia, en efecto, a súbditos de un país extra - continental, y según la propia Constitución, tal naturalización privilegiada puede obtenerse en el extranjero, ante un representante diplomático o consular de la República. Sin embargo, el Gobierno de Venezuela ha encontrado el medio de contrarrestar los abusos de naturalización que pudieran derivar de este precepto mediante la aplicación de otra disposición constitucional, que establece que los efectos de esta naturalización no surgirán mientras no se verifique la publicación de la manifestación de voluntad del interesado por orden del Poder Ejecutivo en "La Gaceta Oficial" de los Estados Unidos de Venezuela. Según la ley, el Poder Ejecutivo ordenará la publicación "al encontrar que todas las actuaciones son conformes a las previsiones y requisitos exigidos". Postergando tal publicación en los casos de solicitud de individuos que se consideren peligrosos se ha evitado la fácil naturalización de personas sospechosas o desleales, que pretendieran ampararse en este precepto constitucional. Además, se les exige prestar juramento de respetar la Constitución y las leyes y deben presentar un comprobante de buena conducta (119).

b. Servicios especiales prestados al país

Otra causa de naturalizaciones privilegiadas en las cuales

(117) **Colombia.** — Constitución, art. 7⁰, parágrafo 2⁰, inc. b).
(118) Ley 22 bis de 1936, art. 9.
(119) **Venezuela.** — Constitución, arts. 29 y 30. Ley de 29 de mayo de 1940, arts. 10 y 11.

se prescinde de los requisitos estudiados o se suprimen o disminuyen algunos de ellos, es la que tiene que ver con la prestación de servicios especiales al país de naturalización. Se comprenden bajo este título los casos en que la prestación de servicios especiales, de carácter económico o industrial, militar, intelectual o de cualquier otra índole acuerda mayores facilidades al que ha iniciado una gestión de naturalización, pero no se abarcan las naturalizaciones "por rescriptio princeps", es decir, las concesiones espontáneas de nacionalidad que hace un Estado, generalmente por medio del Poder Legislativo, en beneficio de determinadas personas a título de distinción honorífica y en premio o agradecimiento de especialísimos servicios o méritos singulares (120). Estos casos no serán examinados en el presente estudio ya que por su propia naturaleza no plantean problemas desde el punto de vista de la defensa política.

Entre las situaciones que se relacionan con este estudio, ofrece interés por las facilidades que apareja y por estar contenida en la propia Constitución, la que determina la carta fundamental de Panamá (121), en donde se dispone que los inmigrantes que se establezcan en el país y se dediquen a tareas de agricultura y otras industrias similares y manifiesten su deseo de adquirir la nacionalidad panameña, pueden naturalizarse sin necesidad de cumplir ningún otro requisito. Sin embargo, la información que obra en poder del Comité indica que este precepto tan liberal no se aplicó durante la emergencia.

El régimen legal de varios países, como Brasil, Colombia,

---

(120) Véanse, como ejemplo, Constituciones de:
    Chile. — Art. 5, inc. 4º.
    Ecuador. — Art. 12, inc. 3º.
    El Salvador. — Art. 9, inc. 4º.
    Honduras. — Art. 11, inc. 3º.
    Paraguay. — Art. 43, (ciudadanía honoraria).
    República Dominicana. — Ley Nº 158 de 6 de octubre de 1939.
    Uruguay. — Art. 66, inc. c).
(121) Constitución, art. 14, inc. 2º. Véase también, inciso 3º y Ley Nº 8 de 11 de febrero de 1941, art. 11.

Guatemala, República Dominicana y Venezuela (122), establece facilidades para naturalizarse sin llenar todos los requisitos pre-indicados en beneficio de los que hayan prestado al país servicios de carácter económico (establecimientos industriales, trabajos agrícolas, etc.), intelectual o militar.

Entre estos regímenes que acuerdan facilidades para la naturalización en virtud de servicios especiales, merece mención expresa el sistema establecido en los Estados Unidos por la segunda Ley de Poderes de Guerra, de 27 de marzo de 1942, enmendando la Ley de Nacionalidad. Por estas disposiciones, tal como quedan por la ley de 22 de diciembre de 1944, se eliminan diversos requisitos sustantivos y se aligeran los trámites de las naturalizaciones de los extranjeros que sirvieron en las fuerzas armadas de los Estados Unidos durante la segunda guerra mundial.

Esta excepción es fácilmente justificable. El hecho de que tales extranjeros hayan arriesgado sus vidas, luchando por Estados Unidos, contra las fuerzas del Eje, es la prueba más concluyente de su lealtad y fidelidad.

A los favorecidos por esta ley se les acuerda ciertas exenciones especiales respecto a los requisitos generales de naturalización. De ellas, la más importante es que no se requiere período alguno de residencia dentro de los Estados Unidos, ni se exige el conocimiento del idioma nacional. Pueden naturalizarse con arreglo a esta ley, aún los extranjeros pertenecientes a razas de naturalización prohibida e incluso los nacionales de países enemigos. Deben todos comprobar, sin embargo, ade-

---

(122) **Brasil.** — Decreto ley Nº 1202 de 8 de abril de 1939, art. 40, parag. 3º (servicios públicos).
Colombia. — Ley 22 bis de 1936, art. 8 (servicios intelectuales y económicos). Se acuerda latitud a la autoridades para disminuir los requisitos, pero subsiste la obligación de prestar juramento.
Guatemala. — Ley de Extranjería de 25 de enero de 1936, modificada por Decreto Nº 2153 de 7 de octubre de 1938, art. 64.
República Dominicana. — Ley Nº 1083 de 1º de abril de 1936 (servicios económicos); Ley Nº 64 de 3 de febrero de 1939 (servicios militares). (No se exige plazo alguno de residencia).
Venezuela. — Ley de 29 de mayo de 1940, art. 6º (servicios económicos, incs. 1º, 4º, 6º y 8º). (Intelectuales, incs. 3º y 9º).

más de su servicio militar o naval, su buen carácter moral, su acatamiento a los principios de la Constitución y su buena disposición hacia el orden y la felicidad de los Estados Unidos.

Uno de los preceptos más interesantes de esta ley es el que dispone acerca de la naturalización de quienes se encuentren en el extranjero. Abandonando prácticas seguidas en los Estados Unidos desde más de un siglo, la ley autoriza a determinados funcionarios administrativos para recorrer territorios extranjeros, celebrar en ellos los procedimientos de naturalización y otorgar las cartas de nacionalidad estado-unidense (123).

c. Casos de naturalización tácita

Un régimen especial de adquisición de nacionalidad con características propias, que no encuadra exactamente en la clasificación anterior, ni en la definición de naturalización que se ha propuesto en páginas precedentes, es el que existió a fines del siglo pasado en algunos países americanos y subsistió en el Brasil hasta julio de 1934, llamado de "naturalización tácita" porque la nacionalidad no era conferida ante una solicitud expresa de un interesado, sino que se obtenía por quienes se encontraban en determinadas condiciones, en caso de no hacer una manifestación contraria de voluntad.

El régimen brasileño, que aún cuando no esté ya en vigor tiene todavía importantes proyecciones actuales, considera naturalizados: a) a los extranjeros que se encontraban en el Brasil el 15 de noviembre de 1889 y que no manifestaron antes del 24 de agosto de 1891 la intención de conservar su nacionalidad de origen, y b) a los extranjeros que antes de julio de 1934 hubieran sido propietarios de inmuebles en el Brasil casados con brasileños o con hijos brasileños, residentes en el país y que no manifestaron la intención de conservar su nacionalidad de origen (124).

(123) Ley de Poderes de Guerra de 27 marz. 1942 (56 Stat. 182-183); Ley de 22 dic. 1944 (58 Stat. 886); 8 U. S. C. 1001-1005. Se establece además que la naturalización así acordada puede ser revocada en caso de despido deshonroso del ejército.
(124) Constitución de 1891, art. 69, incisos 4º y 5º; de 1934, art.

Quienes se encuentran en las condiciones señaladas deben procurarse un título declaratorio de nacionalidad brasileña, que compruebe tal calidad y en cuya expedición "serán observadas, en lo que fuere aplicable, las disposiciones sobre naturalización" (125).

En 1942 se sistematizaron los requisitos que debe comprobar el solicitante de un título declaratorio de nacionalidad. Todos ellos deben demostrar "que no profesan ideologías contrarias a las instituciones vigentes", los comprendidos en el art. 69, inc. 4º de la Constitución de 1891, que han residido ininterrumpidamente en el Brasil desde 1891 y los del inciso 5º, desde 1934 (126).

Se han tomado, como puede verse, con toda oportunidad, garantías suficientes para evitar que esta forma especial de naturalización tácita llegue a ser una fuente de posibles abusos de nacionalidad (127). Sin embargo, es preciso señalar que según la opinión de los tratadistas y de la jurisprudencia (128), el título de nacionalidad no tiene eficacia constitutiva, sino que vale solamente como reconocimiento de una situación jurídica pre-existente. De manera entonces que la no obtención e incluso la denegación de ese título por las autoridades administrativas, no obsta a que el extranjero pueda invocar y de-

---

106 c); Constitución actual, art. 115 c).
Decreto ley Nº 389 de 25 de abril de 1938, art. 1, inc. e). Puede llamar la atención que todavía hoy tenga interés la hipótesis indicada en la letra a), dada la edad que debieran alcanzar los extranjeros eventualmente comprendidos en la misma, pero es que la jurisprudencia ha resuelto que los menores de edad en 1891 se encuentran también amparados por esa disposición. Pontes de Miranda, op. cit. pág. 126-7, Espínola y Espínola (filho), Tratado de Direito Civil Brasileiro, Río de Janeiro, 1940, tomo V, pág. 397 y sigts.
(125) Decreto ley Nº 389 de 25 de abril de 1938, art. 25, inc. 1º. Además, se expiden títulos declaratorios conforme al decreto 6948 de 14 de mayo de 1908, a los que "antes del 12 de diciembre de 1907 obtuvieron nombramiento o designación para cargo público federal o estadoal o título de elector federal".
(126) Portaría Nº 6002 de 21 de agosto de 1942, del Ministerio de Justicia y Negocios Interiores.
(127) Además, el régimen de cancelación de naturalizaciones, de que se tratará más adelante, se aplica también a esta forma de naturalización, según la ley Nº 38, de 4 de abril de 1935, art. 37. Esto es reproducido por el decreto ley Nº 431 de 18 de mayo de 1938, art. 16.

mostrar ante los jueces su calidad de naturalizado, evidenciando que se encuentra comprendido en las condiciones establecidas por la Constitución de 1891.

En Haití existe también un régimen de naturalización tácita, que, a juzgar por las informaciones que se poseen, continúa en vigor. Favorece al extranjero que haya aceptado una función civil o militar, y la hubiera conservado durante cinco años, quien adquiere, por tal hecho, la calidad de haitiano, a menos que no demuestre por acto expreso que quiere conservar su nacionalidad (129).

En Guatemala existe, según la Constitución, una naturalización tácita por aceptar funciones públicas que requieran la calidad de ciudadanos (130). Se ha provisto expresamente por ley el modo de probar, en el momento actual, las naturalizaciones tácitas obtenidas a base de esa disposición o de legislaciones dictadas en una época anterior, así como sobre la eficacia de tal prueba. Se distinguen a tal fin, las cartas de naturaleza concesorias y declaratorias. Las primeras comprueban la naturalización expresa y surten efecto "ex-nunc"; las segundas, que contienen la declaración de que los interesados se han naturalizado en virtud de la ley, por haber ejercitado ciertos actos (naturalización tácita), se retrotraen en sus efectos a la fecha en que se consumó el acto legal que produjo el cambio de nacionalidad (131).

3. Régimen de naturalización de los nacionales de Estados enemigos y en especial de las Potencias del Eje o de Estados subordinados.

Teniendo en cuenta que los súbditos de las potencias del Eje y Estados subordinados son quienes incurren o pueden incurrir, con mayor frecuencia, en abusos de nacionalidad, el Comité recomendó la adopción de medidas específicas para controlar la adquisición de nacionalidad por los mismos, aconsejando el establecimiento de exigencias adicionales a las nor-

---

(128) Espínola y Espínola (filho), op. cit. págs. 397, 402 y sigts. 415 y sigts.
(129) Ley de 22 de agosto de 1907, art. 7º.
(130) Constitución, art. 10.
(131) Ley de Extranjería de 25 de enero de 1936, arts. 62 y 63.

mas generales aplicables a todos los que aspiran a la naturalización, y que consisten en una investigación completa y cuidadosa, por medio de una dependencia oficial, sobre la verdadera lealtad o fidelidad del interesado, y, en el rechazo o postergación de la solicitud hasta después que termine la guerra, en caso de que la mencionada investigación revelara la menor duda acerca de la verdadera lealtad y fidelidad del postulante.

Se indican, en la Resolución XV, por vía de ejemplo, una serie de actos que, a juicio del Comité, constituyen motivos de duda (132) ; pero como se dice en la Exposición de Motivos "estas bases no deben considerarse como taxativas; no se pretende excluir cualquiera otra conducta que pueda dar lugar a duda en opinión de las autoridades competentes. Los indicios de peligrosidad latente son demasiado complejos para prestarse a una completa exposición o enumeración" (133).

En suma, pues, el Comité recomendó que se limitara la concesión de nacionalidad a los súbditos del Eje, únicamente a aquellos casos debidamente investigados en que se pudiera estar seguro de la verdadera lealtad del peticionario.

El presente numeral demostrará que la casi totalidad de las Repúblicas Americanas adoptaron medidas de emergencia o pusieron en vigor disposiciones especiales ya contenidas en

(132) "Será motivo de duda si se estima que el solicitante está comprometido, ha promovido o ha tenido alguna participación en las siguientes actividades, entre otras:
a) Diseminación de propaganda totalitaria;
b) Ser o haber sido miembro o director de organizaciones que actúen en interés de los Estados miembros del Pacto Tripartito o de Estados a ellos subordinados, o tener o haber tenido alguna participación en las mismas;
c) Actuar o haber actuado directa o indirectamente y de cualquier manera al servicio o en interés de Estados Miembros del Pacto Tripartito o de Estados a ellos subordinados;
d) Haber estado comprometido o existir la posibilidad de que se comprometa en actividades que pongan en peligro la seguridad de cualquier República Americana o la defensa común del Hemisferio, tales como espionaje, sabotaje, fomento u organizacion de insurrecciones o rebeliones en cualquier República Americana o de invasiones contra alguna de ellas;
e) Habérsele negado la naturalización por cualquier República Americana, siempre que medie, una consulta entre las Repúblicas respectivas. Primer Informe Anual, págs. 123-4.
(133) Primer Informe Anual, pág. 118.

sus leyes a fin de afrontar con éxito el peligro de la adquisición de nacionalidad por súbditos del Eje desleales.

Pueden distinguirse dos tipos de solución a este problema. Un primer grupo de países, Argentina, Bolivia, Costa Rica, El Salvador, Guatemala, Haití, Honduras, México, Nicaragua y Panamá, estableció una prohibición rigurosa y absoluta de naturalización para todos los súbditos del Eje, sin excepciones de ninguna índole.

Un segundo grupo de países, Brasil, Colombia, Cuba, Chile, Ecuador, Estados Unidos, Paraguay, Perú y Uruguay, adoptó en principio la misma prohibición, pero admitió, al mismo tiempo, excepciones que permitían a ciertos súbditos del Eje, que se encontraran en condiciones especiales o que evidenciaran su completa lealtad, obtener su carta de naturalización.

A primera vista parecería que la solución rigurosa sería preferible, por cuanto no sólo da satisfacción a la recomendación del Comité, sino que, incluso, supera la norma mínima preconizada por éste. No es así, sin embargo. El régimen de prohibición con excepciones determinables caso por caso es indudablemente preferible al de la prohibición absoluta y rigurosa sin excepciones, por cuanto la experiencia de la segunda guerra mundial, con su enorme cantidad de perseguidos y refugiados, ha demostrado que puede ser inconveniente una política drástica que prohiba la naturalización de todas las personas oriundas de países enemigos.

En otra época, pudo parecer comprensible que durante una guerra se prohibiera la naturalización de los extranjeros enemigos, pero no en ésta, en que muchos nacionales de países enemigos favorecieron o compartieron la causa de las Naciones Unidas y Asociadas. De ahí que la primitiva reacción de excluir del acceso a la nacionalidad a todos los nacionales enemigos, sin discriminar, ni investigar su posición intrínseca, llevaría a resultados injustos.

Como lo ha indicado el Comité en la exposición de motivos de su Resolución XV: "Algunas de las Repúblicas han suspendido la naturalización de los nacionales del Eje durante el período de guerra. Aunque pueden existir condiciones locales que justifiquen una medida de esa severidad, transformarla en regla general resultaría, en la práctica, demasiado duro para muchos refugiados de buena fe, que son completamente leales a las naciones en las que han encontrado refugio y se hallan total y permanentemente separados de los regímenes del Eje, de los cuales se han alejado" (134).

a. Países que establecen una prohibición rigurosa

Entre los países que han establecido la prohibición total y absoluta de naturalizar a los súbditos del Eje, se puede hacer una sub-clasificación. Un primer grupo sería el de aquellos en donde la prohibición rigurosa de naturalización para los nacionales del Eje resulta de la aplicación de una prohibición de alcance más vasto. Tal cosa sucede en Argentina, Haití y Nicaragua.

En Argentina y en Haití fueron suspendidas todas las naturalizaciones, sin excepción alguna, quedando naturalmente comprendidas en dicha suspensión las solicitudes de los nacionales del Eje (135). Una suspensión semejante se puso en vigor en Chile en julio de 1941, para todas las solicitudes de naturalización presentadas con posterioridad a esa fecha, salvo las de extranjeros casados con chileno o que tuvieran hijos chilenos (136). Esta suspensión fué derogada casi un año después (137).

En Nicaragua, la prohibición no tiene un alcance tan vasto como en los casos anteriores, pues comprende a todos los extranjeros que no sean americanos. En este país, por orden del Presidente de la República, se ha suspendido la naturalización de todos los extranjeros no americanos (138).

Un segundo grupo de países es aquel en que la prohibición rigurosa es resultado de la aplicación de las leyes básicas

---

(134) Primer Informe Anual, pág. 118.

(135) **Argentina.** — Decreto Nº 6605 de 27 de agosto de 1943, art. 1. (La suspensión rige "mientras dure la existencia del actual conflicto armado internacional").

   Haití. — Informe de la visita de consulta (Según los funcionarios esta suspensión es por diez años).

(136) Decreto Nº 3521 de 7 de julio de 1941 y Decreto Nº 4377 de 26 de agosto de 1941.

(137) Decreto Nº 2712 de 15 de mayo de 1942.

(138) Orden del Presidente de la República de 1º de octubre de 1943.

de nacionalidad, dictadas en períodos de normalidad y en épocas muy anteriores, a veces, a la emergencia. Esas leyes al regular las condiciones de acceso a la nacionalidad, establecen la prohibición rigurosa de naturalización de los súbditos de países en guerra con el Estado que dicta la ley, lo que refleja el concepto clásico de que ya se ha hablado.

Disposiciones de esta índole se encuentran en Costa Rica, El Salvador, Honduras y Guatemala (139). En estas cuatro Repúblicas se dispone que no se concederá la naturalización a los súbditos de países con los cuales existe un estado de guerra. Este precepto fué aplicado en los Estados mencionados, por cuanto todos ellos declararon la guerra a las potencias del Eje (140).

Finalmente, un tercer grupo de países que ha suprimido también de un modo total la naturalización de súbditos del Eje, no lo ha hecho en aplicación de leyes de épocas de normalidad, anteriores a la emergencia, sino en virtud de medidas especiales adoptadas durante la misma. Ello ocurre en Bolivia, México y Panamá (141).

_____

(139) **El Salvador.** — Ley de 29 de setiembre de 1886, art. 13.
Costa Rica. — Ley Nº 25 de 13 de mayo de 1889, art. 9.
Guatemala. — Ley de Extranjería de 25 de enero de 1936, modificada por decreto 2153 de 7 de octubre de 1938, art. 65. Según esta ley (arts. 65 y 10 a), los japoneses no pueden naturalizarse, aún en época de paz.
Honduras. — Ley Nº 31 de 4 de febrero de 1926, art. 14.
(140) Decreto de 8 dic. 1941.
(141) **Bolivia.** — Decreto de 30 de enero de 1942, art. 1º. Sin embargo por Decreto Supremo de 10 enero 1945 se declaró que los súbditos italianos pueden solicitar la naturalización.
México. — Acuerdo de 11 de diciembre de 1941 y Acuerdo de 2 de enero de 1942, que extiende la misma prohibición a los de nacionalidad búlgara, húngara y rumana. Posteriormente por Decreto de 13 enero de 1944 se autorizó la expedición de cartas de naturalización a las personas de nacionalidad u origen italiano.
Panamá. — El Gobierno después de declarada la guerra, "se ha abstenido de expedir cartas de naturaleza a ninguna persona oriunda de algunos de los países del Eje ni a ninguno que sea oriundo de los países ocupados por éste". Nota del Funcionario de Contacto y Enlace de 9 de febrero de 1943, en la que se informa de las medidas adoptadas por el Gobierno para prevenir el abuso de la nacionalidad. En Panamá, además, los japoneses no pueden naturalizarse, por consideraciones raciales.
Constitución, arts. 14 y 23.

En México, con el objeto de impedir simulaciones y naturalizaciones intermedias fraudulentas se extendió la prohibición de naturalización para los súbditos del Eje a toda persona que el 1º de enero de 1939 hubiera tenido alguna de las nacionalidades del Eje (142), "presumiéndose que desde la iniciación de los actos de agresión de Alemania era insincero o sospechoso cualquier cambio de nacionalidad". En este país "no se olvidó que los quinta-columnistas más dañosos para la defensa de Holanda, Bélgica y Francia, fueron alemanes que se refugiaron en esos países, diciéndose perseguidos del régimen nazi y abandonando su nacionalidad de origen" (143).

b. Países que autorizan excepcionalmente la naturalización de súbditos del Eje.

En este conjunto de países pueden distinguirse dos grupos distintos: un primer grupo en donde las excepciones a la prohibición han sido fijadas de antemano y de modo general por el legislador, en categorías rígidas de personas; y un segundo grupo, en donde las excepciones se determinan individualmente, caso por caso, por las autoridades encargadas de conceder la naturalización y a base de una investigación o demostración tendiente a determinar la verdadera lealtad del postulante.

Este segundo régimen es el que coincide exactamente con las recomendaciones del Comité.

Dentro del primer grupo puede indicarse el régimen en vigor en Perú, Cuba y Colombia.

En Perú, como en Nicaragua, se han suspendido todas las naturalizaciones de extranjeros no americanos, pero se es-

---

(142) Acuerdo de 2 de enero de 1942, art. 2 (Naturalización intermedia es la maniobra de algunos agentes, nacionales del Eje, que, para burlar las disposiciones que impiden su acceso a la nacionalidad, adquieren previamente la de algún otro país neutral o amigo). Sin embargo, por Decreto de 13 de enero de 1944 se dejó sin efecto la prohibición respecto a los residentes en México de nacionalidad u origen italiano.

(143) Informe al Comité Consultivo de Emergencia para la Defensa Política acerca de las medidas tomadas por la República Mexicana con objeto de prevenir el abuso de la naturalización, por el Asesor de la Delegación de la Secretaría de Relaciones Exteriores, Dr. Ernesto Enríquez Jr.

tablecen excepciones para los "que reunan las siguientes condiciones, y siempre sujeta la concesión al juicio del Gobierno: a) tratándose de solteros, diez años de residencia ininterrumpida en el Perú; y b) tratándose de casados, con peruanas de nacimiento o viudos de ellas, y que tengan hijos nacidos en el Perú, cinco años de residencia ininterrumpida en el país" (144). Para estos casos no se requieren investigaciones especiales, de manera que existe la posibilidad de que intenten naturalizarse algunos nacionales del Eje, antiguos residentes en el Perú, que guarden todavía fidelidad a los Estados totalitarios o sean sometidos a presión o extorsión por parte de estos gobiernos. Sin embargo, el carácter potestativo del acto de otorgamiento de nacionalidad, reiterado en este decreto, permite, sin duda, precaver ese peligro.

En Cuba, se suspendieron por una disposición general las naturalizaciones de los oriundos del Eje, incluso las que se encontraban en trámite, y en aquellas en las que faltaba solamente la expedición, no se entregaron las cartas sino por resolución especial del Ministerio de Estado (145). Posteriormente, para evitar la burla de esta prohibición, por medio del cambio de nacionalidad de origen, se exige en todos los casos la justificación fehaciente de dicha nacionalidad (146).

Con estas disposiciones se creó un régimen de prohibición absoluta, dotado de medidas complementarias destinadas a evitar el fraude o burla de las prohibiciones, mediante la llamada naturalización intermedia, sistema semejante en este doble aspecto al implantado en México. Pero, posteriormente, se dispuso como excepción general, que el Ministerio de Estado podria admitir el trámite de solicitudes de cartas de ciudadanía de los residentes en Cuba de origen italiano, que poseyeran una residencia de diez años, por lo menos (147). Al mismo tiempo se dispuso que se practicaran investigaciones para conocer las actividades de estos peticionarios en los últimos diez años y su vinculación a Cuba, por sus negocios o por la índole de sus actividades y ocupaciones (148).

_____

(144) **Perú.** — Decreto de 8 de noviembre de 1943, art. único.
(145) Decreto Nº 2349 de 21 de agosto de 1942, arts. 1, 3 y 4.
(146) Decreto de 15 de enero de 1943.
(147) Decreto Nº 1468 de 21 de abril de 1943, arts. V y VI.
(148) También por decreto Nº 1903, de 28 de junio de 1943, se fa-

En Colombia, que es el último país incluído en este grupo, no se aceptan solicitudes de naturalización de ciudadanos alemanes, japoneses e italianos. Se exceptúan los individuos de nacionalidad alemana e italiana que por su raza o sus principios políticos hayan sido objeto de persecución por parte de los gobiernos de Alemania e Italia, siempre que lo prueben satisfactoriamente y que cumplan los requisitos de la ley 22 bis de 1936. Nada se dice de los ciudadanos o súbditos de los países satélites. En cuanto a los de los territorios ocupados se dispone que además de las condiciones comunes, los individuos de origen de la Ciudad Libre de Danzig, Austria, Checoeslovaquia, Francia, Bélgica, Holanda, Noruega, Grecia, Polonia y Yugoeslavia deberán probar haber salido con anterioridad, o a raíz de la invasión o anexión de dichos países por Alemania o Italia y que están provistos de pasaportes expedidos por los gobiernos legítimos de dichas naciones, esto es, que no provengan de las autoridades alemanas, italianas o de ocupación, o que por las disposiciones de los países ocupantes han perdido su nacionalidad de origen, o han sido objeto de persecuciones por su raza, religión u opiniones políticas (149). Esta acertada previsión tiende a evitar la naturalización de falsos refugiados políticos, que son en realidad agentes enemigos.

En cuanto al conjunto de países que se ajustan a la recomendación del Comité autorizando la naturalización de los súbditos del Eje, solamente a base de una investigación o demostración de lealtad que se realiza caso por caso, está integrado por Estados Unidos, Chile, Ecuador, Paraguay, Brasil y Uruguay.

Se puede señalar, en primer lugar, el ejemplo de los Es-

---

cultó al Ministerio de Estado para que tramitara todas las solicitudes de certificados de nacionalidad de los extranjeros que hayan prestado servicios por un año o más en el Ejército Libertador y hayan permanecido en él hasta la terminación de la Guerra de la Independencia. (Constitución, art. 12, inc. d).

(149) Memorándum anexo a la nota dirigida al Comité por el Ministerio de Relaciones Exteriores de Colombia, el 31 de marzo de 1943. Son exceptuadas de la prohibición las italianas, alemanas o japonesas casadas con colombianos por nacimiento.

tados Unidos. El régimen en vigor es el establecido por la Ley de Nacionalidad de 1940. Se deduce de esta ley que los extranjeros súbditos de algún Estado en guerra con los Estados Unidos, no pueden ni siquiera solicitar su naturalización, salvo que "el Presidente de los Estados Unidos, procediendo discrecionalmente, y a base de investigaciones e informes del Departamento de Justicia que establezcan plenamente la lealtad de un extranjero enemigo, lo exceptúe de la clasificación de tal y pueda éste, entonces, tener el privilegio de solicitar su naturalización" (150). Posteriormente se estableció que todas esas personas que el Procurador General y las autoridades competentes del Ministerio de Justicia califiquen como leales a los Estados Unidos, quedan exceptuadas de la definición de extranjero enemigo (151). De manera que solamente se autoriza la naturalización de nacionales de países enemigos luego de una concienzuda investigación sobre su lealtad a cargo del Departamento de Justicia. De este modo no se ha interrumpido ni paralizado el curso de las naturalizaciones de extranjeros enemigos, sino que se concede la nacionalidad en los casos en que la lealtad de los mismos se puede establecer plenamente y de un modo incontrovertible. Además, existe otra excepción general para aquellos extranjeros enemigos cuyas declaraciones o solicitudes se encontraban en trámite (152).

Este régimen comprende a los nacionales de Alemania, Italia, Japón, Rumania, Hungría y Bulgaria. Los japoneses no pueden naturalizarse, ni siquiera en tiempo de paz (153).

En la mayor parte de los demás países comprendidos en

---

(150) Ley de Nacionalidad de 1940, sec. 326 (d). 54 Stat. 1150: 8 U.S.C. 726 (d).

(151) Ex. Ord. Nº 9372, aug. 27 1943, 8 F. R. 11887.

(152) En estos casos la audiencia se celebra a los 90 días, por lo menos, de notificado el Comisario de Inmigración y Colonización, y puede postergarse a su pedido, tanto como lo requiera. De este modo se dispone de tiempo para hacer investigaciones. (Sec. 326 (a) y (b). Existe además la excepción ya señalada para los que sirven en las fuerzas armadas (Ley 27 de marzo de 1942).
Según el informe del Attorney General al Congreso de los Estados Unidos, de 4 de abril de 1944, se naturalizaron en el año fiscal de 1943, 52.274 extranjeros enemigos.

(153) Ley de Nac. de 1940, Sec. 303. 54 Stat. 440; 8 U. S. C. 703.

este sub-grupo los textos en vigor no aclaran si la determinación de cuando existe o no un caso de excepción en el cual un peticionario pueda hacerse acreedor a la naturalización, habrá de realizarse a base de una investigación oficial o de pruebas que presente el interesado.

En Chile, una vez restablecido el curso de las naturalizaciones, se dispuso, en principio, que los extranjeros oriundos del Eje no pueden naturalizarse, pero se hace una excepción si se prueba que el extranjero no ha desarrollado actividades que se estiman perjudiciales para el Estado. Las cartas se deben acordar por decreto fundado en que se deje constancia de las causas por las cuales el recurrente no solicitó con anterioridad la gracia de la nacionalización en Chile. Asimismo, "deberá establecerse en forma fehaciente que el interesado no ha desarrollado actividad alguna que contraríe los propósitos que se han tenido en cuenta para resolver la suspensión de relaciones diplomáticas y consulares" (154). Una disposición semejante rige la naturalización de los nacionales de los Estados satélites (155).

Una disposición semejante a la anterior, aunque menos estricta es la establecida en Ecuador (156), donde se ha decidido que en los casos de naturalización individual o colectiva, el Gobierno no la concederá a los súbditos de Alemania, Italia y Japón, "que intervengan en actividades subversivas o que sustenten ideas o sistemas contrarios al orden democrático de la República".

En Paraguay existe una fórmula genérica que puede conducir a resultados semejantes de aquellos a que llevan las normas vigentes en los países precedentemente citados, ya que se dispone que se denegará la ciudadanía a los que "en alguna forma continúen prestando obediencia o sigan considerándose como nacionales de los Estados miembros del Pacto Tripartito o de los Estados a ellos subordinados" (157).

En el Brasil, las excepciones a la prohibición de naturali-

---

(154) Decreto Nº 577, de 6 de febrero de 1943.
(155) Decreto Nº 2695, de 28 de mayo de 1943.
(156) Decreto Nº 111, de 29 de enero de 1941, modificado por Decreto Nº 1788, de 13 de noviembre de 1942, art. 83.
(157) Decreto Ley Nº 11061, de 16 de febrero de 1942, art. 15, 2º párrafo.

zación son determinadas, discrecionalmente, y caso por caso, por el Presidente de la República. Poco después de declarada la guerra, se ordenó la suspensión del trámite de los nuevos pedidos de naturalización de súbditos del Eje, siguiéndose las tramitaciones solamente en los casos especialísimos en que razones poderosas determinaran al Presidente de la República a autorizarlo así (158).

Esta medida se fundó en el carácter discrecional que tiene la concesión de nacionalidad en el Derecho brasileño y en que, como expresa el Ministro de Justicia y Negocios Interiores (159), "la naturalización es un acto gracioso que el Gobierno sólo debe conceder a aquellos que, no meramente satisfagan las condiciones especiales definidas por la ley, sino más especialmente a los que demuestren serio interés en la adquisición de la nueva nacionalidad y que, de ningún modo, puedan convertirse en elementos nocivos a la seguridad, al orden y la prosperidad del país que los recibe. No se puede confiar en la declaración de renuncia a la nacionalidad originaria para la adquisición de nacionalidad brasileña hecha por extranjeros cuyas patrias están en guerra con el Brasil. Cuando no oculta propósitos inconfesables, ha de resultar de intereses materiales transitorios y no de la voluntad sincera de asumir los deberes de ciudadano brasileño".

En cuanto a las solicitudes en trámite, se dispuso, como regla, diferirlas, concediéndose la naturalización en casos excepcionales una vez verificados rigurosamente los antecedentes del naturalizado, su prolongada residencia y los elementos de su radicación en el medio nacional (159).

Durante la mayor parte del período de emergencia rigió también en el Uruguay un sistema de autorización excepcional, y caso por caso, para la naturalización de súbditos del Eje, similar al de los países anteriormente citados.

La ley básica de este país en materia de nacionalidad establece que "cuando se produjese ruptura de relaciones diplomáticas entre la República y otro Estado, la ley determinará

---

(158) Aviso-circular n. G. S. 1.514 de 24 de agosto de 1942.
(159) G. S. 602. Exposición de Motivos al Presidente de la República de 9 de abril de 1943. Ministerio de Justicia.

la situación de los ciudadanos legales que sean nacionales de dicho Estado". (160).

A falta del pronunciamiento legal a que se refiere la norma transcripta, la Corte Electoral dictó una disposición en la que se resolvió provisoriamente el problema tratado en esta sección, en el sentido de "que los peticionarios de ciudadanía legal nacidos en los países con los cuales el Uruguay ha interrumpido sus relaciones diplomáticas, deben probar que profesan ideas democráticas y que, por consiguiente, no comparten las de regímenes totalitarios". (161).

Con posterioridad a esa medida, la Corte Electoral se dirigió al Poder Legislativo, transcribiendo el citado artículo de la ley de cartas de ciudadanía y haciendo notar que, "dictada la ley por la que se declara a nuestro país, en estado de guerra con las Naciones del Eje, corresponde, de acuerdo con la citada disposición legal, que el Poder Legislativo determine la situación de los ciudadanos nativos de Alemania y Japón". En el mismo mensaje se indica cuál es la medida vigente en la actualidad en la materia, hasta que se produzca la referida decisión legislativa: "Entretanto, esta Corporación ha dispuesto la suspensión de toda gestión referente a solicitudes de ciudadanía legal... formulada por nativos de los países con los cuales el Uruguay está, actualmente, en estado de guerra" (162).

En este país, sin embargo, no se procede de acuerdo a las normas del Derecho Internacional, al determinar la nacionalidad de los extranjeros peticionantes de cartas de ciudadanía en función de los principios y reglas vigentes en el propio sistema constitucional uruguayo, aún cuando no esté en juego la nacionalidad de ese país.

Si, por ejemplo, se presenta un individuo hijo de padres italianos, nacido en Berlín, las autoridades uruguayas, a pesar de que tanto Alemania como Italia consideraron siempre a dicho individuo como italiano, le aplican la regla del "jus soli"

---

(160) Ley Nº 8196 de 2 de febrero de 1928, art. 2º.
(161) Circular de la Corte Electoral, Nº 2016 de 12 de diciembre de 1942. En esta circular se dispone que a los efectos de probar las ideas democráticas de los peticionarios, "podrá admitirse la declaración de dos personas de indudable tendencia democrática, o la certificación de dos ciudadanos notoriamente demócratas, cuyas firmas deberán ser autenticadas, en este último caso, por Escribano Público".

establecida en su Constitución y lo declaran alemán. Esto, evidentemente, significa desconocer o no admitir en el territorio la eficacia de las leyes de nacionalidad de los demás Estados, lo que va contra una regla establecida de Derecho Internacional, por la cual todos los Estados, como correlato de su facultad de determinar por sus leyes quiénes son sus nacionales, tienen el deber de admitir la eficacia extra-territorial de la legislación de nacionalidad de los demás países, salvo el caso especial y raras veces visto, de que esa legislación extranjera viole los acuerdos, la costumbre internacional o los principios de derecho en la materia.

Las disposiciones correspondientes de los demás países americanos se refieren a "Nacionales" o "súbditos del Eje", determinándose en ellos dicho concepto conforme a las reglas del derecho internacional. Esto último es más conveniente para los fines concretos que se desea resolver con tales disposiciones, ya que, por ejemplo, de acuerdo a la tesis uruguaya, no serían tratados como alemanes todos aquellos que, aunque de filiación germana y de fuerte vinculación con Alemania, hayan nacido, aunque fuera por accidente, en otro país europeo o americano (163).

B. Adquisición de nacionalidad por el matrimonio

Como se ha señalado ya en la parte general de esta sección existe en algunas Repúblicas Americanas un régimen especial de adquisición de nacionalidad que resulta del matrimonio, sin necesidad de que el adquirente llene las condiciones y requisitos de naturalización. La Constitución o las leyes de numerosas Repúblicas Americanas hacen variar la nacionalidad

---

(162) Mensaje de la Corte Electoral de 1º de marzo de 1945. La resolución pertinente data del 27 de febrero de 1945. En acuerdo de 6 de marzo de 1945 se resolvió que solo se considerará alemanes "a las personas nacidas dentro del territorio de Alemania, según el Tratado de Versailles. Por consiguiente, aquella restricción no alcanza a los nacidos en Austria o cualquier otro territorio incorporado posteriormente a Alemania".

(163) Ver sobre esto, con más detalle, el estudio del autor de la presente sección, "Reglas para la determinación de la nacionalidad del extranjero", por Eduardo Jiménez de Aréchaga (hijo), La Justicia Uruguaya, tomo XIII, págs. 65 y sigts.

de la mujer por su matrimonio con un nacional, o por fijar además su residencia en el territorio, o si media una manifestación expresa o tácita de su voluntad (164). Esta situación parece muy alejada de los problemas de defensa política del Estado. Sin embargo, durante la emergencia, en algunas Repúblicas Americanas, se plantearon dificultades debido a este régimen, lo que hizo necesario adoptar medidas especiales para evitar los posibles abusos de nacionalidad que pudieran cometerse por este procedimiento en apariencia tan poco sospechoso (165). Así ha ocurrido en México, Perú, Costa Rica y especialmente en Cuba. En este último país, sobre todo, la situación es la que ofrece mayores posibilidades para eventuales abusos de nacionalidad porque el efecto del matrimonio tiene carácter bilateral, en el sentido de que tanto la mujer casada con cubano adquiere la nacionalidad del país, como el extranjero casado con cubana se convierte en naturalizado.

En México y en Perú, se quisieron resolver y aclarar todos los casos de doble nacionaildad, y entre ellos los que origina este régimen de naturalización por el matrimonio, que podían ser enojosos en vista de las circunstancias de la guerra.

En México únicamente los nacidos en el territorio nacional de padres mexicanos pueden comprobar su nacionalidad

---

(164) **Bolivia.** — Const. art. 41.
    Costa Rica. — Const. art. 6, inc. 2º.
    Cuba. — Const. art. 13, inc. b).
    El Salvador. — Const. art. 9, inc. 6º.
    Guatemala. — D. Ley de Extranjería de 25 ene. 1936, reformada por D. Nº 2153, de 7 oct. 1938, art. 5.
    México. — Const. art. 30, inc. B, parágrafo II.
    Nicaragua. — Const. art. 16, inc. 2º.
    Perú. — Const. art. 6.
    Venezuela. — Const. art. 29, inc. 4º.
    Véase **Ecuador:** D. Nº 111 de 29 ene. 1941, art. 77, modificado por D. Nº 17.8 de 13 nov. 1942, art. 6.
(165) Esto no constituyó una novedad. En Francia, durante la primera guerra mundial, se temió que a base de disposiciones semejantes, "mujeres de nacionalidad enemiga fueran incitadas a servirse del matrimonio para penetrar en Francia y dedicarse al espionaje. Se dictó entonces una ley de circunstancias" (Ley de 18 de marzo de 1917, vigente mientras duraran las hostilidades). Niboyet "Traité de Droit International Privé Français", París, 1938, T. I, Nº 225, pág. 257.

con su sola acta de nacimiento en virtud de que, en los demás casos, es necesario un acto de opción o la comprobación de ciertos hechos para la determinación del derecho a la nacionalidad mexicana y, entonces, es preciso acreditar ante la Secretaría de Relaciones Exteriores tales hechos o hacer las opciones, con objeto de obtener el "certificado de nacionalidad".

Esta exigencia comprende, entre otros, a la mujer extranjera casada con mexicano. Siempre que se expide un certificado de nacionalidad mexicana, cuando hay la más remota posibilidad de doble nacionalidad, la Secretaría de Relaciones exige la renuncia expresa y formal de cualquier derecho que al interesado pudiera corresponderle por su nacimiento en un territorio extranjero o por su parentesco con personas de nacionalidad extranjera (166).

Finalmente, por una medida especial de guerra (167) se suspendió la expedición de certificados de nacionalidad mexicana a las personas oriundas de algún país enemigo y a los parientes por consanguinidad o afinidad de nacionales enemigos. En tal virtud, las esposas de mexicanos pero originarias de algún país en guerra con México, y las mujeres mexicanas casadas con enemigos, "aún siendo legalmente mexicanas, quedaron sin poder comprobar su nacionalidad, privadas de pasaportes, inmovilizadas y sujetas a las leyes de emergencia" (167).

En el Perú, también para disminuir las dificultades producidas por la doble nacionalidad, se dispuso (168) que la Sección de Nacionalización lleve un registro de mujeres peruanas por matrimonio y estableció que para poder inscribirse en el mismo, las interesadas deberán comprobar el hecho del matrimonio y la nacionalidad peruana del esposo, disponiéndose asimismo que las que no estén inscriptas en tal registro no podrán hacer uso de su nacionalidad peruana.

Como se ve, en ambos países, el régimen de prueba de la nacionalidad fué utilizado y reformado para adoptar medidas de fondo dirigidas a prevenir posibles abusos de nacionalidad.

---

(166) Informe citado, presentado por el Asesor de la Delegación de la Secretaría de Relaciones, Dr. Ernesto Enríquez Jr.
(167) Decreto de 25 de julio de 1942, arts. 3º y 5º.
(168) Decreto Supremo de 31 de julio de 1940, arts. 1º, 2º y 8º.

En Cuba (169) se suspendió el régimen de naturalización del extranjero que contraiga matrimonio con cubana y la extranjera que lo contraiga con cubano. El decreto que entre otras medidas, suspendió en Cuba la naturalización establecida por la Constitución en beneficio de ambos sexos por el solo matrimonio se funda en que "el estado de guerra en que se encuentra actualmente la República aconseja la adopción de medidas restrictivas en cuanto a la naturalización de extranjeros y a la expedición de cartas de ciudadanía por razones fundamentales de vigilancia y defensa de los altos intereses del Estado".

Sin embargo, más tarde se revocó esta suspensión en beneficio de los extranjeros no enemigos y de los residentes en Cuba de origen italiano que tuvieran cinco años de residencia en el país, con fecha anterior a la declaratoria de guerra y hubieran celebrado matrimonio con cubana o cubano con fecha anterior en tres años, por lo menos, a la propia declaratoria de guerra (170).

En Costa Rica también se adoptaron nuevas medidas respecto a esta forma de adquisición de la nacionalidad, destinadas a hacer más clara la situación de las naturalizadas por el matrimonio. Según la legislación anterior, esta naturalización se operaba por el solo hecho del matrimonio, sin necesidad de que se cumpliera ningún requisito adicional. Esto, como es natural, provocaba cierta incertidumbre acerca de quienes eran nacionales y sobre todo, atribuía la nacionalidad costarricense de un modo automático, sin tener en cuenta la voluntad de la interesada, ni su verdadera intención.

Para obviar ambos inconvenientes, se dispuso por una reforma a la ley de naturalización, que el matrimonio por sí mismo no atribuía "ipso jure" la nacionalidad, sino que era necesario además que la mujer extranjera que se casa con costarricense, declare, al expresar su consentimiento matrimonial, cuál nacionalidad habrá de mantener, si la propia

---

(169) Decreto Nº 2349 de 21 de agosto de 1942, art. 2º.
(170) Decreto Nº 1468 de 21 de abril de 1943, arts. 1º y 2º. En estos casos, según el art. 4, se practican "investigaciones para conocer la naturaleza de las actividades de los peticionarios en territorio nacional en los últimos diez años".

o la de su marido. Esa declaración se anota en el Registro Cívico y en el del Estado Civil (171).

Se requiere, pues, una manifestación expresa de voluntad, o de aceptación de la nacionalidad costarricence y se lleva un registro de todas las naturalizaciones producidas por el matrimonio.

C. Adquisición de la nacionalidad por opción.

Con posterioridad a la aprobación y envío a los Gobiernos de la Resolución XV, en el curso de las visitas de consulta, el Comité comprobó la existencia de algunos problemas especiales, propios a determinados países, que no estaban previstos en la Resolución. Uno de ellos llevó al convencimiento de que la reglamentación del régimen de naturalización que se había propuesto, no era bastante para resolver todos los problemas que pudiera plantear el acceso a la nacionalidad de personas desleales. Existe, como se ha expresado ya, un régimen de opción de nacionalidad en muchas Repúblicas Americanas, en favor de las personas que posean una doble nacionalidad por razón del lugar de su nacimiento o la nacionalidad de alguno de sus padres. En algunas de dichas Repúblicas, luego de declarada la guerra, numerosos nacionales de países totalitarios nacidos en el territorio nacional que hasta ese momento no habían demostrado ningún interés en optar por la nacionalidad americana respectiva, a pesar de que durante varios años tuvieron oportunidad de hacer uso de tal privilegio de opción, utilizaron repentinamente dicha facultad, adoptando la nacionalidad americana, con el evidente propósito de eludir ciertos contralores especiales impuestos a los extranjeros. Las dificultades se agravan porque quienes hacen uso de tal privilegio adquieren la calidad mucho más estable de naturales y no de naturalizados.

Este derecho de opción es acordado por las Constituciones de Brasil, Costa Rica, Ecuador, Honduras, Guatemala, Nicaragua, República Dominicana y Venezuela, y las leyes de Argentina, Haití y México, a los hijos de algún padre natural del

---

(171) Ley Nº 207 de 26 de agosto de 1944, modificatoria de la Ley Nº 25 de 13 de mayo de 1889, art. 6º.

país nacidos en el extranjero, cuando lleguen a la mayoría de edad (172). Las Constituciones de Costa Rica, Chile, y El Salvador y las leyes de Haití y México acuerdan, con algunas variantes, este mismo derecho de opción a los hijos de padre o madre extranjeros nacidos en el territorio de la República, al llegar a la mayoridad (173).

Además, han sido suscriptos por algunos países americanos ciertos tratados internacionales que establecen convencionalmente esta misma facultad.

En algunos de estos casos, se fijan ciertos requisitos para su ejercicio, principalmente el plazo de un año, después de alcanzada la mayoría de edad, dentro del cual debe realizarse la opción (174), la buena conducta del interesado (175) o la

---

(172) **Brasil.** — Const. art. 115, letra b.
   Costa Rica. — Const. art. 5, inc. 2º.
   Ecuador. Const. art. 11.
   Guatemala. — Const. art. 5, inc. 2º, y **Ley de Extranjería** de 25 de ene. 1936, art. 69, "in fine" y art. 5, reformado por D. Nº 2153 de 7 oct. 1938, tercer párrafo.
   Honduras. — Const. art. 7, inc. 2º.
   Nicaragua. — Const. art. 15, inc. 2º.
   República Dominicana. — Const. art. 8, inc. 3º.
   Venezuela. — Const. art. 29, inc. 1º. (Se consideran naturalizados).
   Argentina. — L. Nº 346, de 8 de oct. 1869, art. 1, inc. 2º.
   Haití. — L. de 22 de ago. 1907, art. 12.
   México — L. de 19 ene. 1934, arts. 3, 21 - III y 24.
(173) **Costa Rica.** — Const. art. 5, inc. 3º.
   Chile. — Const. art. 5, inc. 1º.
   El Salvador. — Const. art. 9, inc. 5º.
   Haití. — L. 30 ago. 1907, arts. 4 y 16.
   México. — L. de 19 ene. 1934, arts. 2 y 3 (transitorios).
(174) **Brasil.** — Decreto Ley Nº 389 de 25 de abril de 1938, art. 1, inc. b.
   Chile. — Decreto Ley Nº 747 de 15 de diciembre de 1925, art. 10.
   Ecuador. — Decreto Nº 111, de 29 de enero de 1941, art. 78.
   El Salvador. — Constitución, art. 9, inc. 5º.
   Guatemala. — Ley de Extranjería de 25 de enero de 1936, art. 4.
   Haití. — Ley de 22 de agosto de 1907, arts. 12 y 4.
   México. — Ley de 19 de enero de 1934, arts. 21 1 III y 24 y art. 2. (Transitorio).
(175) **El Salvador.** — Constitución, art. 9, inc. 5º.

prestación de un juramento de fidelidad al país y de renuncia a la nacionalidad anterior (176).

En Costa Rica, en donde no se había impuesto ninguna de estas exigencias, los funcionarios nacionales participantes en la visita de consulta informaron al Comité que se habían producido graves abusos del privilegio de opción (177), en vista de lo cual el Secretario de Relaciones Exteriores había propuesto, poco antes de realizarse la visita, una reforma legislativa, a fin de aclarar las disposiciones constitucionales, limitando el derecho de opción al período de un año a partir de la mayoría de edad, y para los adultos que no hubieran hecho uso de ese privilegio, a un año a partir de la fecha de la enmienda (178).

A base de este proyecto se dictó en 1944 una ley de reformas a la antigua ley de nacionalidad que entre otras cosas, fija el plazo de un año a contar de la mayoridad, para el ejercicio de la opción y prohibe la opción de nacionalidad a los

---

(176) **México.** — Ley de 19 de enero de 1934, art. 3, (transitorio).

(177) Ha dicho el Ministro de Relaciones Exteriores de este país: "En la guerra actual, precisamente, se han presentado numerosos casos de opción de la nacionalidad por parte de hijos de alemanes e italianos que, no obstante haber transcurrido decenas de años desde que llegaron a la mayoridad permanecieron fieles a su bandera y que únicamente por cubrirse contra las medidas de contralor y seguridad dictadas por el Estado acudieron a manifestar su opción". Exposición de Motivos del Proyecto de Ley que reforma y adiciona la Ley de Extranjería y Naturalización de 3 de agosto de 1944.

(178) Con posteridad a la celebración de la visita, en el Memorándum sobre problemas de defensa política enviado a Costa Rica, el Comité expresó lo siguiente con respecto a esta proposición: "Tal como observó oportunamente la delegación que realizó la visita de consulta, una limitación de esta índole parece muy acertada. Este Comité se permite sugerir, además, la posibilidad de una enmienda que, de acuerdo con el procedimiento actual, disponga que el interesado pierde su derecho de opción cuando incurra en algún acto que evidencie que mantiene su fidelidad hacia el país de origen de sus padres. Se sugiere, asimismo, que cuando se permita al interesado optar por la nacionalidad costarricense, se le obligue a renunciar bajo juramento, a cualquier otra nacionalidad a que pueda tener derecho, en razón del lugar de su nacimiento o de la nacionalidad de uno de sus padres, y a declarar afirmativamente su fidelidad a la República de Costa Rica".

ciudadanos o súbditos de naciones con las que Costa Rica se halle en estado de guerra, es decir, que aquéllos no pueden hacer la manifestación o acto que les atribuye la calidad de costarricenses y siguen siendo extranjeros enemigos. Además, a diferencia de lo que enseña la doctrina, se dió carácter revocable a la opción, al disponer que las normas vigentes para la revocación de naturalizaciones "regirán en cuanto a las opciones de nacionalidad" (179).

A propósito de esto último es interesante señalar una disposición semejante que se puso en vigor en Guatemala en 1940. En 1938 se acordó la opción de nacionalidad para los hijos de extranjeros nacidos en Guatemala y que no tuvieran la calidad de guatemaltecos en virtud de tratados celebrados (180). En 1940 se estableció que "los naturalizados guatemaltecos, y aquellos que hayan adquirido la nacionalidad guatemalteca por los otros medios que establecen las leyes, deberán abstenerse de ejecutar actos o hacer manifestaciones que impliquen vinculación política con el país de origen" so pena de perder su nacionalidad (181).

Las medidas que se adoptaron en México para prevenir los posibles abusos del privilegio de opción son de la misma índole que las tomadas con respecto a la adquisición de la nacionalidad por el matrimonio, es decir, se reglamentó la concesión de los documentos probatorios de nacionalidad y de ese modo indirecto se mantuvo en la categoría de extranjeros enemigos a muchos elementos indeseables que pretendían ampararse bajo la nacionalidad mexicana.

El régimen existente en este país acordaba a determinadas categorías de personas el derecho de optar por la nacionalidad de sus padres y estipulaba que en el caso de que la elección no se realizase dentro de un plazo, tendrían la calidad de mexicanos (182). Muchas personas comprendidas en las categorías fi-

---

(179) L. Nº 25 de 13 de mayo de 1889, modificada por L. Nº 207 de 26 de ago. 1944, arts. 1 y 9.
(180) Ley de Extranjería de 25 ene. 1936, modificada por D. 2153 de 7 oct. 1938, art. 5.
(181) D. Nº 2391 de 11 de jun. de 1940, art. 3º.
(182) Esas personas son las:
a) "nacidas en el territorio nacional, hijos de padres extranjeros que cumplieron su mayor edad antes del 1º de mayo de 1917";

jadas por la ley no habían hecho uso de la opción acordada, siendo por lo tanto, mexicanos naturales. A pesar de ello, sin embargo, nunca se preocuparon de acreditar su calidad de tales, sino cuando se empezaron a adoptar medidas de emergencia contra los extranjeros enemigos. Como se expresa en el considerando 3º del Decreto de 25 de julio de 1942 "ciertas personas no han solicitado su certificado de nacionalidad, sino cuando trataron de evitar las medidas de prevención y vigilancia decretadas en contra de los enemigos de México, y anteriormente nunca recordaron su calidad de mexicanos, ni hicieron gestiones para obtener los correspondientes certificados". En vista de ello, se suspendió la entrega de certificados de nacionalidad a los comprendidos en tales casos de opción que fueran de origen alemán, búlgaro, húngaro, italiano, japonés y rumano y consanguíneos y afines de los mismos (183).

En Nicaragua (184) se estableció un régimen de opción tácita de sumo interés. Para los efectos de la aplicación de las leyes de contralor de fondos sobre extranjeros enemigos y, según informaron los funcionarios competentes, más tarde de un modo general, para la aplicación de contralores personales sobre los mismos, se consideran como nacionales de países que se encuentran en guerra con Nicaragua "los nacidos en Nicaragua que en virtud de los principios generales del Derecho Internacional o de los tratados vigentes antes del estado de guerra, deben reputarse como nacionales de los indicados paí-

---

b)"nacidas en territorio nacional, hijos de padres extranjeros y que cumplieron su mayor edad después del 5 de enero de 1934";

c) nacidas en territorio nacional hijos de padres italianos que pudieron hacer uso de la opción acordada por el art. 1º de la Convención sobre Nacionalidad de 20 de agosto de 1888. celebrada con Italia. D. de 25 jul. 1942, art. 3, incisos f) g) y h).

(183) Decreto de 25 de julio de 1942, art. 3º. Posteriormente, por decreto de 6 de mayo de 1943 se facultó a la Secretaria de Relaciones a expedir certificados, a los que tuvieran parientes de origen enemigo, cuando éstos se hubieren naturalizado en México o cuando "el interesado no haya efectuado actos contrarios a la seguridad nacional o que sus actividades no representen ningún peligro para el país". (Art. 1, incs. a) y b).

(184) Decreto Ejecutivo Nº 77, de 17 de febrero de 1942, art. 2º, inc. d).

ses, siempre que despúes de haber llegado a la mayoría de edad, de conformidad con la ley nicaragüense, no hubieren manifestado de cualquier manera, tácita o expresamente, su deseo de recuperar la nacionalidad que les corresponde por nacimiento, de acuerdo con las leyes de Nicaragua". Se consideran por ese precepto como actos de manifestación tácita de la voluntad de ser nicaragüense, la aceptación de cargos públicos del Gobierno de Nicaragua, la inscripción en los registros electorales de la República, haber prestado servicio militar, como nicaragüense, en el ejército de la República, ya sea en tiempo de paz o de guerra, y cualesquiera otros que de manera indubitable demuestren, a juicio del Gobierno de Nicaragua, el deseo de recuperar la nacionalidad de origen" (185).

La medida típicamente de emergencia consiste en disponer que: "carecerán de valor estos actos si se hubiesen efectuado con posterioridad al estado de guerra entre Nicaragua y los países respectivos". En ese mismo decreto (186) se crea una Comisión Gubernativa presidida por el Ministro de Gobernación e integrada con los Sub Secretarios de Relaciones Exteriores y de Hacienda, para que decida las cuestiones de nacionalidad, breve y sumariamente (187), y entre ellas, el alcance de estas formas de opción expresa o tácita.

---

(185) Esta ley significó un radical apartamiento del régimen establecido por los tratados de nacionalidad celebrados con Alemania en 1896 y con Italia en 1917 que atribuían la calidad de alemanes o italianos a los hijos de personas de esta nacionalidad, nacidos en Nicaragua.
Si bien se establece una interpretación por vía legal "ex post facto" de ciertos actos como constitutivos de una opción tácita por la nacionalidad nicaraguense, es preciso señalar que esos tratados convenían ya formas de opción tácita o presunta de la nacionalidad. Ver su texto en "La Nacionalidad en las Repúblicas Americanas", trabajo del Centro de Estudios de Derecho Internacional Público del Instituto Argentino de Derecho Internacional, bajo la dirección de Isidoro Ruiz Moreno - Buenos Aires, 1936, págs. 87 y sigtes.
(186) Art. 47.
(187) Según el art. 48 la Comisión, antes de emitir su fallo, concederá a los interesados un término prudencial que no pasará de 8 días para presentar sus pruebas. El fallo será definitivo. Según informes de los funcionarios competentes, esa Comisión estudió 60 casos de doble nacionalidad.

CAPITULO   II

PERDIDA DE NACIONALIDAD

La adopción de medidas a fin de hacer más severas las disposiciones y procedimientos existentes para la adquisición de la nacionalidad, con el objeto de evitar que un extranjero fiel a un Estado del Eje pueda obtener una nacionalidad americana, no era bastante para prevenir los abusos de nacionalidad. Y ello sobre todo porque las Repúblicas Americanas demoraron en comprender la gravedad del peligro que las amenazaba y en tomar medidas a fin de contrarrestarlo. Cuando se celebró la Tercera Reunión de Consulta de Ministros de Relaciones Exteriores ya se habían naturalizado en los distintos países del Continente numerosos agentes enemigos y muchos nacionales americanos habían sido ganados a la causa totalitaria por una tenaz e insidiosa propaganda. Comprobado esto, sólo había un medio de combatir esa amenaza y era privar de su manto de nacionalidad americana a todos aquellos que demostraran ser realmente leales para con los Estados del Eje y no para con las Repúblicas Americanas a que oficialmente pertenecían.

Esta medida era indispensable, a pesar de las sanciones que castigan muchos de los actos demostrativos de deslealtad. Estas sanciones no proporcionan, en efecto, una protección suficiente, ya que operan punitivamente, después del hecho, sin asegurar el contralor preventivo que puede lograrse despojando de su nacionalidad a las personas desleales, a fin de que sean aplicables contra las mismas los máximos contralores que rigen con respecto a los extranjeros, especialmente los de Estados enemigos. Además, la deslealtad de una persona puede quedar ampliamente demostrada, aún cuando no haya cometido ningún acto abiertamente hostil a la seguridad del Estado. De esta manera, el contralor preventivo necesario para salvaguardar a cada país del posible quinta-columnista o saboteador, revestido del manto de nacional, no está dentro del alcance de la ley penal. Por tales motivos fué que el Comité recomendó en su Resolución XV medidas para privar de su nacionalidad a los nacionales desleales, tanto naturalizados como naturales, aconsejando para los primeros la cancelación de las respectivas cartas y para ambas categorías, la adopción y desarrollo del principio de la pérdida de nacionalidad por acto voluntario del interesado, equivalente a una renuncia tácita.

Con respecto a la primera forma de privación de la nacionalidad, en la Resolución XV se recomienda la cancelación de la naturalización cuando ha habido fraude o reserva mental en la adquisición de la misma o cuando surjan motivos supervinientes que evidencien, por la conducta del naturalizado, que su fidelidad ha vuelto al Estado de su antigua nacionalidad o que es leal a algún Estado miembro del pacto Tripartito. De manera que se preconiza la cancelación de la naturalización, ya sea que un vicio originario de deslealtad haya afectado al procedimiento por el cual se adquirió la nacionalidad, ya sea que la deslealtad se haya desarrollado más tarde. A fin de facilitar la aplicación de esta última recomendación se indican ciertos tipos de conducta pro-Eje, que, según demostró la experiencia, constituyen indicios serios de lealtad o fidelidad a los Estados del Eje y por este motivo se propusieron como fundamentos suficientes para la cancelación de las naturalizaciones (188).

Entre ellos se incluye la diseminación contínua de propaganda subversiva y la participación en actividades de espiona-

---

(188) Resolución XV, Primer Informe Anual, pág. 124.
"En la aplicación de las normas precedentes se considerarán las siguientes actividades, entre otras, motivo suficiente para justificar la cancelación de la naturalización:
1) Diseminar continuadamente propaganda totalitaria;
2) Actuar como miembro o participar en cualquier organización de la cual se sabe que está contraloreada o que actúa en interés de un Estado miembro del Pacto Tripartito o de un Estado a él subordinado;
3) Prestar servicios a las fuerzas armadas de un Estado miembro del Pacto Tripartito o de un Estado a él subordinado;
4) Rehusar prestar servicios a las fuerzas armadas de la República Americana en la cual han adquirido la nacionalidad;
5) Tomar parte en actividades de espionaje, sabotaje, fomento u organización de insurrecciones o rebeliones en cualquier República Americana o de invasiones a la misma".

je, sabotaje, fomento u organización de insurrecciones en cualquier República Americana. En esta última causal se extiende la protección a todas las Repúblicas del Continente; en vista del alcance continental de la agresión política totalitaria, se consagra la idea de que cada país debe prevenir por igual tanto los actos que perjudican sus propios esfuerzos defensivos como los que atentan contra la seguridad de cualquier otra República del Hemisferio. Según estas recomendaciones, toda vez que el naturalizado en alguna República Americana realizare alguno de los actos indicados o cualquier otro de una índole semejante, ya que la enumeración no tiene carácter taxativo, debe ser privado de su nacionalidad mediante la cancelación de la respectiva carta.

En segundo término, el Comité recomendó que se considere que todo nacional de una República Americana, ya sea natural o naturalizado, que se compromete en ciertos actos que se indican en la Resolución, renuncia y abandona con ello su nacionalidad americana. En tales actos se comprenden el prestar juramento o afirmación de fidelidad a un Estado extranjero, y otros que implican fidelidad y lealtad para con un Estado del Eje, como servir en sus fuerzas armadas, aceptar empleos, votar en sus elecciones, formar parte de sus organizaciones y, en general, "tomar parte en cualquier otra actividad que establezca la fidelidad hacia un Estado miembro del Pacto Tripartito o a un Estado a él subordinado, tal como espionaje, sabotaje, sedición o conspiración en interés de dicho Estado" (189).

La Constitución o las leyes de ciertas Repúblicas Americanas solamente autorizan la pérdida de nacionalidad de sus naturales por la adquisición voluntaria de otra nacionalidad, o por la afirmación voluntaria de fidelidad hacia otro Estado mediante la naturalización u otra declaración formal y pública, o por una renuncia expresa o tácita a la nacionalidad. En otras Repúblicas Americanas, en cambio, como se verá en el estudio subsiguiente, las causales de pérdida han sido ampliadas para incluir cualquier conducta que constituya de hecho una transferencia tácita de lealtad, que haga procedente, en el mismo grado que la manifestación expresa de voluntad,

_____

(189) Primer Informe Anual, pág. 125. Resolución XV, B 2) f.

la privación de nacionalidad. Así, son causales determinantes de esta última en varios países, la prestación de servicios en las fuerzas armadas de otros Estados, o la aceptación de empleos u otros cargos incompatibles con la fidelidad y lealtad debidas.

Debe señalarse, sin embargo, que la técnica seguida en estos países para decretar la pérdida de nacionalidad es diferente a la adoptada en algunos de los primeramente indicados, ya que no se subordina dicha pérdida a la efectiva adquisición de otra nacionalidad, ni se exige que exista una intención específica del interesado de hacer abandono de esta última. Por el contrario, el solo hecho tipificado en la ley, como la prestación de servicios a un Estado extranjero, es bastante para aparejar, por sí mismo, la pérdida de nacionalidad, sin necesidad de que se descubra en él la voluntad de perder la nacionalidad o de renunciar a la misma, o una afirmación de lealtad para con otro Estado, y sin que sea menester que de tales actos resulte la adquisición de otra nacionalidad.

Convencido de que en los países en donde este régimen se encuentra en vigor, no sería tan difícil incorporar las causales aconsejadas, o interpretar las ya existentes conforme a los criterios propuestos en la recomendación, el Comité se preocupó especialmente de aquellos otros países, limitados por sus preceptos constitucionales, en donde solamente puede perderse la nacionalidad en forma subordinada a la adquisición voluntaria de una nacionalidad extranjera o mediante una renuncia expresa o tácita.

El procedimiento seguido por el Comité fué señalar que las causales que a su juicio debían prevalecer, constituían en verdad, manifestaciones tácitas pero evidentes de fidelidad a otro Estado o a un Estado del Eje y de renuncia a la nacionalidad americana y aconsejar a las Repúblicas que ampliaran y puntualizaran su concepto sobre la pérdida de nacionalidd por naturalización voluntaria ulterior, o por renuncia. Tales causales se llamaron entonces, motivos determinantes de la pérdida de nacionalidad **"por acto voluntario"** del interesado, que deben considerarse como el equivalente a una renuncia voluntaria de fidelidad al Estado de su nacionalidad y como una elección de otra fidelidad. Tal como declaró el Comité en la Ex posición de Motivos de la Resolución XV, "la adaptación del principio de la pérdida de la nacionalidad por acto voluntario a los actuales abusos de nacionalidad es el principal y, en algunas Repúblicas, el único medio por el cual se puede quitar la nacionalidad a ciudadanos naturales desleales" (190).

Aunque en la Resolución XV y por las razones antedichas, destinadas a facilitar la adaptación de las recomendaciones por todos los Estados, se llamó a estas causales de pérdida de nacionalidad "por acto voluntario", en un estudio acerca de las medidas adoptadas por las Repúblicas Americanas y el sistema en vigor en las mismas sobre pérdida de nacionalidad, no se considera correcto mantener esa terminología. Ella podría inducir a creer, con error, que si además de la realización del acto descripto por la ley como por ejemplo la prestación de servicios al enemigo o el servicio militar en el extranjero, no concurre la voluntad del interesado de perder su nacionalidad, no se le priva de la misma (191). En realidad, y como ya se ha visto, no es así; en todos los actos por los que, según la Constitución o la ley, el natural pierde su nacionalidad, no se requiere que además de tener la voluntad de cometer el acto en sí, tenga la voluntad de perder su nacionalidad. Lo único que se pide por las Constituciones o las leyes en vigor en muchos países americanos, es que la persona haya tenido la voluntad de realizar el acto en sí y no la voluntad o intención de perder su nacionalidad, de renunciar a la misma, de adquirir otra o de hacer una manifestación de lealtad a otro Estado. Las causales existentes en estas Repúblicas son "ex-lege" y no voluntarias. El Estado liga ciertos actos (prestación de servicios al enemigo, aceptación de comisiones de un Gobierno extranjero) a cierta consecuencia (pérdida de nacionalidad) y dados objetivamente los actos se verifica la consecuencia.

Como se desprende de lo anterior, la división del presen-

---

(190) Primer Informe Anual, pág. 119.
(191) Tampoco sería posible calificarlas como causales de pérdida por acto voluntario refiriéndose a que debe existir la voluntad de realizar el acto (la prestación de servicios al enemigo, etc.). La distinción no tendría sentido, entonces, porque los actos que llevan a la cancelación de la naturalización son también voluntarios.

te Capítulo se apartará en algo de la contenida en la Resolución XV. Se tratará, en la primera parte, A, el régimen de pérdida de nacionalidad por naturalizados mediante la cancelación de sus cartas, y en la segunda B, las causales de pérdida de la nacionalidad por naturales, aunque corresponde hacer notar que todos los motivos que provocan la pérdida de nacionalidad para los últimos, "a fortiori" aparejan el mismo efecto para los naturalizados.

A. Pérdida de la Nacionalidad por Naturalizados.

El estudio que se realizará en las páginas siguientes demostrará que, en consonancia con el concepto de que la naturalización constituye una gracia o un honor acordado por especialísimas consideraciones, se ha generalizado la práctica de concebirlo como una gracia o un honor eminentemente revocable, cuando sus titulares evidencian que son indignos del mismo, por no guardar lealtad al Estado al cual se han incorporado voluntariamente. En todos los Estados americanos se han adoptado medidas para la privación de la nacionalidad obtenida por naturalización, con fines preventivos o de seguridad, ya sea a base de normas especiales dictadas durante la actual emergencia, ya mediante la aplicación estricta e intensa de reglas pre-existentes.

En el campo doctrinario ha sido criticada esta conducta, afirmándose que se crean con ella numerosos casos de "apátridas". Es evidente, sin embargo, que la modalidad de agresión política que desarrollaron los nazis y sus imitadores y satélites, el uso que se hace en la misma del privilegio de la nacionalidad, las naturalizaciones fraudulentas y fingidas, la pretensión de los totalitarios de mantener bajo órdenes a los nacidos en sus territorios, aún cuando se hayan naturalizado en tierra extraña, hacían indispensable la adopción de medidas a fin de privar de su "status" privilegiado y de excepción del punto de vista de la vigilancia, a los naturalizados desleales. Durante la época de emergencia, y con fines puramente policiales como la detención, el traslado, el registro, se les consideró como extranjeros o como extranjeros enemigos y una vez vuelta la normalidad podrá resolverse de modo permanente el problema de tales "apátridas" (192).

Las cartas de naturalización pueden ser canceladas, ya sea, porque ha habido defectos formales o vicios substantivos en el momento de su adquisición, ya porque la conducta superviniente del naturalizado lo ha hecho acreedor a esa medida.

Existen diferencias jurídicas considerables entre ambas situaciones

En el primer caso, o sea cuando han existido vicios originarios, corresponde la anulación de la carta, debiéndose considerar que la naturalización nunca ha existido y por lo tanto, que el extranjero no dejó de ser tal ni perdió su nacionalidad anterior. Una consecuencia rigurosamente lógica es que cuando se ha decretado la nulidad de la carta, el naturalizado readquiere su nacionalidad de origen.

En el segundo caso, en cambio, se procede a la revocación de la carta, con efecto "ex-nunc" esto es, a partir del momento en que se decreta, resultando por lo tanto que el naturalizado fué nacional durante cierto lapso. Un corolario de este régimen es que aquel cuya carta ha sido revocada no readquiere su nacionalidad anterior, sino que se convierte en apátrida, salvo que el procedimiento de naturalización no exija ni implique la renuncia a la nacionalidad primitiva.

La aceptación estricta de esta distinción, por lo menos en el aspecto terminológico se encuentra en la ley de Venezuela, que dispone "será nula toda nacionalización obtenida en fraude de la ley" y establece en un artículo siguiente la caducidad de la carta cuando el naturalizado hiciere voluntariamente uso de su nacionalidad primitiva (193).

Sin embargo, al proceder al estudio del régimen en vigor en los diversos países americanos se podrá comprobar que esta neta distinción doctrinaria no es recogida en todo su rigor

_____

(192) Esta tendencia de las Repúblicas Americanas no constituye una innovación. Ya en la primera guerra mundial numerosos países europeos debieron dictar leyes de emergencia que establecían la cancelación de las cartas de naturalización otorgadas a súbditos enemigos, por motivos políticos.
Repertoire de Droit International de Lapradelle y Niboyet, t. V., París, 1929 vº Déchéance de la Nationalité, pág. 342 y sigts. Nos. 25 a 38.
(193) Ley de 29 de mayo de 1940, arts. 21 y 22.

en el terreno legislativo y reglamentario, sobre todo en lo que se refiere al efecto retroactivo, "ex-tunc", que es propio de la anulación de las cartas (194).

En México, por ejemplo, que como se verá más adelante es un país en el cual el régimen de cancelación de cartas de naturalización está basado en el fraude y la nulidad consiguiente, se ha dispuesto que "la declaratoria de nulidad que en cada caso se dicte fijará el momento a partir del cual producirá sus efectos, si por excepción hubiere de producirlos en fecha anterior a la de la referida declaratoria; pero en todo caso se dejarán a salvo las situaciones jurídicas creadas durante la vigencia de la carta a favor de los terceros de buena fe" (195).

1. Cancelación por ilegalidad o fraude en la naturalización

Bajo este rubro quedan comprendidos todos los vicios que se presentan anteriormente o en forma concomitante con la expedición de cartas de naturalización, vicios que pueden tener carácter objetivo o subjetivo.

a. Vicios de carácter objetivo.

Estos defectos provienen de la falta de cumplimiento por parte del peticionario, de los requisitos legales de residencia, buena conducta, prestación del juramento, conocimiento del idioma, posesión de medios de vida u otros, así como de la infracción de las formas procesales con que deben acreditarse tales extremos o realizarse los actos o ceremonias respectivos. En algunos países, de un modo general se establece la

---

(194) Con respecto a vicios originarios, se habla de nulidad en el Salvador, Honduras, México y Venezuela; cancelación en Argentina y Chile; revocación en Ecuador y Estados Unidos; revisión en Colombia y "décheance" en Haití. Con respecto a conducta subsiguiente se habla de cancelación en Argentina, Bolivia, Chile, Guatemala, Honduras Nicaragua, Perú; revocación en Brasil, Ecuador y República Dominicana; anulación en Cuba y Paraguay; suspensión en Colombia y Uruguay; caducidad en Venezuela. Se habla de revocación del acto de otorgamiento y nulidad de la carta en Costa Rica. En Brasil la ley distingue nulidad y revocación sin indicar cuando procede cada una.

(195) Reglamento de 20 de agosto de 1940, art. 2.

nulidad de la carta obtenida en violación de la ley de naturalización respectiva, es decir, por falta de cumplimiento de algunos de los requisitos sustantivos o formales que la misma prevé (196). La inexistencia de tales requisitos y la obtención, pese a ello, de la naturalización, obedece por lo común a la falsedad de las pruebas testimoniales o documentales que se hayan presentado. Por tal motivo, en otros países americanos se prevé la nulidad de la carta cuando se ha expedido en virtud de documentos que adolezcan de falsedad o de testigos que falten a la verdad (197).

En Estados Unidos "las Cortes han sostenido que debe observarse el más estricto acatamiento de los requisitos de las leyes de naturalización y han decretado la revocación de la naturalización por razones tan formales como la falta de presentación de un certificado de llegada a los Estados Unidos junto con la petición de naturalización, o como el hecho de haber prestado el juramento de lealtad en el despacho del juez en lugar de hacerlo ante la sala del tribunal. En algunos casos de naturalizados desleales, ha sido posible obtener la revocación de la naturalización sobre una de esas bases formales" (198). En México, en cambio, las autoridades deberán "abstenerse de hacer la declaratoria de nulidad cuando las disposiciones infringidas sean de carácter puramente formal o procesal, si está plenamente demostrado que el intere-

---

(196) **Chile.** — Decreto Ley Nº 747 de 15 de diciembre de 1925, art. 8.
México. — Ley de 19 de enero de 1934, arts. 47 y 48.
Estados Unidos. — Ley de Nacionalidad de 1940, Sección 338 (a) 54 Stat. 1158 - 1159, 8 U.S.C. 738.
Uruguay. — Ley Nº 7690 de 9 de enero de 1924, art. 125, inc. 9º.

(197) **Colombia.** — Ley 22 bis de 1936, art. 22, inc. a (documentos falsos); inc. b, (testigos que falten a la verdad), y art. 26, la revisión sólo puede hacerse durante diez años después del otorgamiento.
Argentina. — Decr. Regl. de 19 de diciembre de 1931, art. 14 y Decreto Nº 6605 de 27 de agosto de 1943, art. 2, inc. h.
Costa Rica. — Decreto Ejecutivo Nº 1 de 18 de febrero de 1931, art. 8.

(198) Informe del Funcionario de Enlace del Gobierno de los Estados Unidos de América al Comité Consultivo de Emergencia para la Defensa Política, en respuesta a la Resolución XV "Prevención del Abuso de la Nacionalidad".

sado reúne todos los requisitos sustanciales exigidos para la naturalización" (199).

Un ejemplo de aplicación estricta del criterio pre-indicado de que debe considerarse nula y cancelarse, en consecuencia la carta de naturalización cuando no se ha dado cumplimiento a una condición exigida por la ley para obtenerla, es el que se presentó en Haití durante la presente emergencia, a pesar de que en este país falta una disposición expresa, semejante a la de Chile, México o Estados Unidos, que prevea la nulidad de las cartas por violación de la ley. Las leyes de naturalización de dicho país, según se ha dicho ya, autorizaban la obtención de la nacionalidad "in absentia", en caso de comprometerse el extranjero a aportar ciertos capitales a la vida económica del país. Por un decreto adoptado en 1942, se priva de la nacionalidad a todas las personas que hayan adquirido la naturalización en Haití bajo condición de invertir capitales en dicha República para el desarrollo económico del país y que, en la fecha de expedirse el decreto, no hubieran satisfecho dicho requisito. En los considerandos del mismo se expresa que el hecho de que tales naturalizados no hayan llenado esa condición única y fundamental, apareja según las reglas generales del derecho y como consecuencia lógica, la pérdida de la nacionalidad haitiana (200).

En ciertos países como Colombia y Costa Rica, se incluye dentro de este régimen de pérdida por ilegalidad, el descubrimiento posterior de ciertos antecedentes o condenas que hacían incapaz al solicitante para obtener la carta (201).

b. Vicios de carácter subjetivo.

Tal como ya se ha dicho, es posible que los vicios que aparejan la nulidad de las cartas, tengan carácter subjetivo. Es este el caso del fraude o reserva mental en la adquisición de nacionalidad y especialmente al prestar el juramento de fidelidad y lealtad que se exige por la mayoría de los Estados.

---

(199) Reglamento de 20 de agosto de 1940, art. 3.
(200) Decreto Nº 178 de 5 de agosto de 1942, art. 1.
(201) Colombia. — Ley 22 bis de 1936, art. 22, inc. c.
Costa Rica. — Decreto Ejecutivo Nº 1 de 18 de febrero de 1931, art. 8 y Ley Nº 207 de 26 de agosto de 1944, art. 9º.

Aunque implícitamente puede considerarse vigente en numerosos Estados americanos la regla de que es nula toda carta obtenida mediante el fraude, en virtud de la aplicación de principios generales de derecho relativos a la validez de los actos jurídicos, la nulidad o la posibilidad de revocación de la nacionalidad adquirida en esa forma ha sido establecida de modo expreso en las legislaciones de Costa Rica, Ecuador, El Salvador, Estados Unidos, Honduras, México y Venezuela (202).

Además, en Venezuela, se extiende el alcance del fraude y se considera como fraudulento y viciado de nulidad, todo cambio de nacionalidad verificado con el fin de sustraerse circunstancial o temporalmente a determinados efectos de una legislación (202).

En tres de los países que integran la nómina precedente, el régimen de cancelación de cartas de naturalización está exclusivamente fundado en el concepto del fraude. Estos países son: Estados Unidos, México y El Salvador.

El sistema de Estados Unidos presenta caracteres muy interesantes. La ley de Nacionalidad de 1940 establece, como lo hacían las disposiciones anteriores, la revocación de la naturalización en caso de que la misma hubiera sido procurada mediante el fraude (203).

"Este término "fraude", ha recibido una considerable interpretación judicial, y puede ser definido como el engaño a la Corte, al naturalizarse, sobre algún elemento de material importancia que exista en la época de la naturalización".

Se pueden señalar "diversos tipos de fraude, propios del proceso de naturalización y que se relacionan con el ánimo o

---

(202) **Costa Rica.** — Ley Nº 25 de 13 de mayo de 1889, art. 9 y Ley Nº 207 de 26 de agosto de 1944, art. 9.
Ecuador. — Decreto Nº 111 de 29 de enero de 1941, art. 84,
El Salvador. — Ley de 29 de setiembre de 1886, art. 14.
Estados Unidos. — Ley de Nacionalidad de 1940. Sección 338 (a). 54 Stat. 1158-1159, 8 U.S.C. 738.
Honduras. — Ley Nº 31 de 4 de febrero de 1926, art. 15.
México. — Reglamento de 20 de agosto de 1940, art. 4, y decreto de 25 de julio de 1942.
Venezuela. — Ley de 29 de mayo de 1940, art. 21.
(203) Ley de Nacionalidad de 1940, Sec. 338 (a) y (c) 54 Stat. 1158-1159; 8 U.S.C. 738.

intención del peticionario en la época de su naturalización, respecto a las obligaciones fundamentales que apareja la nacionalidad. Los más frecuentes son:

1. Reserva mental de lealtad a un país extranjero, en el momento de la naturalización.

2. Reserva mental al prometer guardar verdadera fe y lealtad a los Estados Unidos, en la época de la naturalización.

3. Reserva mental al profesar acatamiento a los principios de la Constitución de los Estados Unidos, en la época de la naturalización.

4. Reserva mental en cuanto a la voluntad de prestar servicios militares en apoyo y defensa de los Estados Unidos, en la época de la naturalización." (204)

5. Reserva mental al expresar la intención de residir permanentemente en los Estados Unidos, en la época de la naturalización (205).

De manera que lo que se tiene en cuenta, para apreciar la existencia del fraude es en todos los casos, la intención o el ánimo de la persona en el momento en que se naturalizó y prestó su juramento de lealtad. Se deduce de lo expresado que, de acuerdo a la ley y los precedentes judiciales "la conducta desleal posterior a la naturalización, no constituye, en sí misma, una base suficiente para revocar la naturalización. La conducta desleal subsiguiente es presentada a la Corte como un medio de prueba que tiende a evidenciar que el naturalizado engañó a la Corte **en la época de su naturalización** con respecto a su lealtad a los Estados Unidos o a su creencia en el sistema americano de gobierno" (206).

Las Cortes judiciales han sido de muy amplio criterio al poner en práctica el sistema indicado. "En los casos en que la prueba de deslealtad es concluyente, y particularmente cuando la conducta desleal se ha producido en época de guerra, las Cortes tienden a dar a esa prueba un peso conside-

---

(204) Informe citado del Funcionario de Enlace.
(205) Ley de Nacionalidad de 1940, sec. 338 (c) 54 Stat. 1158-1159; 8 U.S.C. 738 (c) (presunción de fraude).
(206) Ibid.

rable al determinar la existencia del fraude en la época de la naturalización" (207).

Tampoco han limitado los Tribunales la investigación de la conducta de los naturalizados a un período de tiempo determinado. Por el contrario, "no ha sido extraño para las Cortes revisar la conducta del naturalizado por un período de 10 años posteriores a su naturalización; ha habido casos en que ese período se ha extendido a 35 años" (208).

A pesar de esta amplitud de criterio de los jueces, el sistema existente en los Estados Unidos no es perfecto desde el punto de vista práctico, ya que "esta interpretación de la ley no siempre hace posible la revocación en todos los casos de conducta desleal de parte del ciudadano naturalizado. Es a veces difícil obtener prueba suficiente de deslealtad para que la Corte se decida a hacer la inferencia de que hubo fraude en la época de la naturalización, lo que es esencial para la cancelación de la carta" (209).

---

(207) Ibid.
En un fallo de la Corte de Apelaciones del 9º Circuito, dictado durante la primera guerra mundial, Schurmann v. United States, 264, Fed. 917, se dijo: "Bajo las circunstancias del caso, el único modo de determinar lo que era la fidelidad y lealtad de Schurmann en diciembre de 1904, es examinar su actitud en los años 1916 y 17, cuando bajo las condiciones existentes todos eran particularmente impulsados a dar expresión a sus verdaderos sentimientos y a confesar su lealtad a una u otra de las naciones beligerantes. Antes de 1916, su vida no parece haber tenido ningún acontecimiento especial que indicara sentimientos patrióticos. Pero fué en los tiempos cruciales de 1917 cuando el demandado dejó de cumplir la obligación fundamental de su juramento de verdadera fe y lealtad de 1904".

(208) Informe del Funcionario de Enlace. En un fallo reciente se sostuvo "que si se comprueba subsiguientemente que el que ha prestado juramento traiciona su lealtad, fidelidad o fe, puede presumirse muy bien que no renunció absoluta y plenamente a su primera fidelidad, y esta presunción es tanto más fuerte cuanto más largo sea el período transcurrido desde el juramento". United States v. Schlotfeldt. Corte de Apelaciones del Séptimo Circuito, 20 de junio de 1943. Ver también United States v. Kuhn 49 F. Supp 407.

(209) Informe del Funcionario de Enlace. Apéndice B. Además, hay otro motivo que pudo dificultar la aplicación de este régimen durante la emergencia. El Departamento de Justicia de los Estados Unidos inició procedimientos de revocación de naturalizaciones contra los dirigentes y funcionarios del Bund

Precisamente en vista de estas dificultades, se presentaron en los Estados Unidos ciertos proyectos de ley que establecen directamente la revocación de la naturalización por la conducta subsiguiente desleal. Se propuso y consideró en el Congreso de 1942 un proyecto de ley que establecía la revocación de la naturalización de quienes, por sus actos, expresiones, escritos y conducta subsiguiente a la naturalización evidenciaran su lealtad política a un gobierno o sistema extranjero. Pero este proyecto no fué aprobado.

Teniendo en cuenta que la prueba de deslealtad o conducta subversiva actual sólo es eficaz en caso que pueda retrotraerse a la fecha de la naturalización a fin de demostrar que el naturalizado tenía una reserva mental cuando prestó

Germano-Americano. La prueba del fraude en estos casos consistía fundamentalmente en la demostración del carácter subversivo y pro-nazi del Bund y de que el individuo estaba afiliado al mismo. Esta prueba tuvo éxito en varios casos en los que impulsó a los jueces a revocar la naturalización de tales personas. Sin embargo, es de temer que un fallo de la Suprema Corte de Justicia de 21 de junio de 1943, lleve a muchos jueces a no aceptar la prueba del carácter subversivo y pro-nazi del Bund como bastante para decretar la revocación de las naturalizaciones de sus jefes y funcionarios. En efecto, en el caso Schneiderman v. United States, la Corte Suprema sostuvo que la prueba de la afiliación a una organización subversiva que se propusiera derrocar al Gobierno por la fuerza o la violencia, no era por sí sola bastante para justificar la revocación de la naturalización, si no se acompañaba de alguna prueba que recayera sobre el carácter de la persona en sí misma. Dijo la Corte al no aceptar la prueba presentada por el Gobierno: "Fuera de su afiliación a la Liga y al Partido, en los antecedentes no figura ningún acto o declaración del peticionario que indique en lo más mínimo que quería y propugnaba el empleo de la fuerza y de la violencia, en vez de la persuasión pacífica, como un medio de alcanzar fines políticos'.'

Según dice el Report del Attorney General de los Estados Unidos, de 4 de abril de 1944, "de acuerdo a la decisión de la Corte Suprema de los Estados Unidos en Scheiderman v. United States, 320 U.S. 118, fallado el 21 de junio de 1943, el Gobierno tiene una pesada carga probatoria a fin de establecer la falta de adhesión a los principios de la Constitución. Esa decisión no aceptó como suficiente la prueba presentada en un juicio contra un activo miembro del Partido Comunista y de su organización predecesora, el Partido Obrero. Sus efectos respecto a la revocación de naturalizaciones de los nazis y fascistas todavía deben ser determinados por la Corte".

juramento a los Estados Unidos y que es evidente que es muy difícil tratar de probar, por medio de una conducta objetiva subsiguiente, el estado mental subjetivo de un individuo en un momento preciso y fijo del pasado, el Comité recomendó en el memorándum especial sobre problemas de defensa política enviado a los Estados Unidos, la adopción de leyes que establezcan la revocación de la naturalización por conducta subsiguiente, y que admitan que esta conducta, cuando sea desleal, pueda ser bastante en sí misma para justificar la revocación, en vez de ser usada exclusivamente, como ocurre ahora, únicamente como medio de prueba tendiente a demostrar la reserva mental o el fraude en la época de la adquisición. El Comité tenía en cuenta, además, al hacer esta recomendación, que en muchos casos es factible que los naturalizados hayan adquirido la nacionalidad con entera lealtad y que después, por la presión o la extorsión a que puedan ser sometidos, transfieran su lealtad hacia otro Estado. En tal hipótesis, de acuerdo al sistema de los Estados Unidos, la revocación de la naturalización no sería posible.

La situación vigente en Estados Unidos, que se ha señalado, tiene cierta similitud con la que existe en México, aunque se justifica aquí más su razón de ser, por cuanto la Constitución limita las facultades legales para establecer la revocación de la naturalización por conducta subsiguiente, al indicar taxativamente los motivos por los que ella tendrá lugar (210).

Es por tal razón que las disposiciones legales ordinarias deben recurrir al concepto del fraude y a una interpretación amplia del mismo para poder decretar la pérdida de la nacionalidad, cuando la conducta subsiguiente del naturalizado evidencie su deslealtad. En 1940 se adoptó un reglamento en donde se expresa que la voluntad de renuncia a toda sumisión, obediencia y fidelidad a cualquier gobierno extranjero, así co-

---

(210) Constitución, art. 37 A fracciones III y IV que establecen la pérdida de la naturalización:
III Por residir, siendo mexicano por naturalización, durante cinco años contínuos en el país de su origen, y
IV Por hacerse pasar en cualquier instrumento público, siendo mexicano por naturalización, como extranjero o para obtener y usar un pasaporte extranjero.

mo la voluntad de adhesión, obediencia y sumisión a las leyes y autoridades de la República que debe protestar el solicitante de una carta de naturalización, debe ser una voluntad real, constante y efectiva (211).

En ese mismo precepto se establece que la simulación, reserva mental o quebrantamiento de dicha voluntad, así como cualquier otro vicio invalidante de la misma, hacen ineficaz la voluntad y, en consecuencia, anulan la naturalización concedida. Lo importante es que los vicios de la voluntad son revelados, no sólo por hechos anteriores, sino también por hechos **posteriores** a su declaración. El procedimiento seguido se diferencia del de Estados Unidos en el sentido de que no ha sido la jurisprudencia de las Cortes sino un decreto reglamentario del Poder Ejecutivo el que tipifica ciertos actos del naturalizado posteriores a la adquisición de nacionalidad, como demostrativos, "juris et de jure" de que en el momento en que se adquirió la nacionalidad la voluntad expresada no era real, constante ni efectiva, y hubo por lo tanto, simulación, reserva mental o quebrantamiento de la misma. De manera que so capa del concepto del fraude en el momento de la adquisición de la nacionalidad, se introduce en realidad el criterio de pérdida de la naturalización por conducta desleal posterior a la misma. Esto resulta concluyentemente de la enumeración que se hace en el mismo precepto sobre los hechos reveladores de los vicios de voluntad, y que son: la ejecución de actos contrarios a la seguridad interna y externa del Estado; la realización, en provecho de país extraño, de actos incompatibles con la calidad de mexicano y contrarios a los intereses de México; el mantenimiento de relaciones de cualquier índole, que a juicio de la Secretaría de Relaciones, impliquen sumisión a un Estado extranjero, con autoridades, agrupaciones o instituciones de carácter político o público que no sean mexicanas, salvo que se trate de empresas industriales o mercantiles, y el naturalizado se dedique en México a actividades semejantes; el ingreso en asociaciones de cualquier índole que directa o indirectamente estén vinculadas a Estados extranjeros o depen-

(211) Reglamento de 20 de agosto de 1940, art. 4. Se pueden iniciar los procedimientos solamente dentro de los 7 años siguientes a la expedición de la carta (art. 1).

dan de ellos, salvo las sociedades mercantiles y las que tengan un carácter estrictamente civil, deportivo o cultural, sin lazos de ninguna especie con agentes extranjeros.

Quiere decir que en México, y en mayor grado que en los Estados Unidos, en realidad, aunque formalmente la pérdida se decrete por nulidad de la carta, a causa del fraude existente en la adquisición, en el fondo se tiene en cuenta para cancelar la nacionalidad, la conducta posterior a la naturalización, más que los vicios originarios de la voluntad del naturalizado. Sin pretender introducir en esta materia la idea o la terminología contractual, puede decirse, para aclarar el sistema mexicano, que en él se confunde, quizás deliberadamente, y por las razones constitucionales señaladas, lo que en derecho civil se llama la resolución por incumplimiento con la nulidad por vicio del consentimiento.

Sin embargo, las más recientes disposiciones dictadas en este país para hacer frente a los graves peligros de abuso de nacionalidad en que pudieran incurrir agentes y simpatizantes del Eje, se inclinan, claramente y de un modo que parece ser definitivo, a dejar de lado esa apariencia formal de que la cancelación se ha de fundar siempre en el fraude existente en el momento de la adquisición, para tomar en cuenta, de manera franca y abierta, la conducta del naturalizado con posterioridad a la obtención de su calidad de tal.

Es esta una demostración concluyente de la insuficiencia del régimen de revocación de naturalizaciones basado de un modo riguroso y exclusivo en los vicios de obtención de esta última, que se hace más patente cuando es necesario afrontar situaciones de orden excepcional.

En efecto, como una medida de guerra basada en la suspensión de garantías individuales, por decreto de 1942 (212), se autorizó la nulificación de las cartas de nacionalidad otorgadas "a alemanes, búlgaros, húngaros, italianos, japoneses y

---

(212) Decreto de 25 de julio de 1942, art. 1º. Se establece además que las nulificaciones se harán por simple acuerdo del Poder Ejecutivo y sin necesidad de observar los trámites ordinarios del procedimiento de nulidad (art. 2º).
Sin embargo, por decreto de 13 de enero de 1944 se dejó sin efecto esa disposición respecto a los residentes en México de nacionalidad u origen italiano.

rumanos cuando (se) estime: que se ha obtenido con dolo; que el beneficiario ha faltado a su protesta de adhesión, obediencia y sumisión a las leyes y autoridades de la República, o que las actividades del naturalizado, aún siendo lícitas, representan un peligro para la seguridad nacional".

Si bien las dos primeras causales mencionadas en ese precepto recurren a la misma base técnica del fraude o reserva mental para establecer la revocación de las naturalizaciones, la tercera de ellas, o sea el ejercicio de actividades peligrosas a la seguridad nacional, no se ha vinculado directamente a la existencia de vicios originarios en la adquisición de la naturalización, sino que toma exclusivamente en cuenta la conducta subsiguiente del naturalizado.

Que esta no constituye una desviación excepcional y transitoria del sistema básico, sino un apartamiento definitivo, resulta del decreto aprobado en este país (213), por el cual, modificando la regla precedentemente transcripta, se amplía su esfera de aplicación, y sobre todo, se roncede mayor desarrollo a la causal de revisión por conducta subsiguiente. Según esta nueva disposición, se procederá a nulificar "las cartas de naturalización, otorgadas a cualquier persona, sea cual fuere su nacionalidad de origen cuando ... (se repiten las dos primeras causales de la norma anterior) ... o que las actividades del naturalizado, cualesquiera que éstas sean, representen un peligro para la seguridad nacional, o alteren la tranquilidad social, a juicio del Ejecutivo de la Unión".

El Salvador se encuentra en una situación parecida a la de México, en el sentido de que por precepto constitucional (214), se indica la única causal de pérdida de nacionalidad para naturales y naturalizados, que es la naturalización voluntaria en país extranjero. Por eso, la base para decretar la revocación de las cartas a los naturalizados es también el fraude en la obtención de las mismas (215). Durante la visita de consulta a esta República, se hizo mención de la posibilidad de utilizar la disposición que anula toda naturalización obtenida fraudulentamente y en violación de la ley para des-

---

(213) D. de 25 ene. 1945, art. único.
(214) Art. 11.
(215) Ley de 29 de setiembre de 1886, art. 14 "in fine".

pojar de la nacionalidad a aquellos nacionales del Eje, que mediante actos que indican su lealtad hacia sus países de origen demuestren que renunciaron falsamente a su vínculo de anterior nacionalidad. Los funcionarios nacionales informaron a la delegación que el Consejo de Ministros posee facultades suficientes para despojar de su nacionalidad a aquellos naturalizados que realicen actos en contra del Estado y en favor del enemigo, y que se había privado de su nacionalidad a individuos desleales procedentes de países del Eje, basándose en la circunstancia de que la carta respectiva había sido obtenida mediante el fraude.

2. Revocación de la naturalización por conducta subsiguiente

El régimen constitucional o la legislación de todos los países americanos con excepción de México, Estados Unidos y El Salvador, establece, expresamente, la revocación de las cartas de los naturalizados por actos posteriores a su naturalización. Ello no significa que no se tenga en cuenta la conducta subsiguiente en México, Estados Unidos y El Salvador, sino que, como se ha visto en los dos últimos países la misma constituye un medio de prueba, tendiente a demostrar el fraude en el momento de la adquisición de la nacionalidad, y en el primero se fijan por decreto determinados actos posteriores como evidencia de la ausencia de una voluntad efectiva y leal de adquirir la nacionalidad.

a. Régimen de revocación de naturalización.
Causales determinantes.

Las causales que determinan la revocación de las naturalizaciones en los diversos países americanos son muy variadas, debiendo distinguirse aquellos casos en que se prevé esta medida a consecuencia de un acto delictuoso del naturalizado, o por lo menos perjudicial para los intereses del país, de aquellas otras situaciones en que se pierde la nacionalidad adquirida sin cometer ningún acto ilícito, de resultas simplemente de haber ejercitado un derecho, cual es la naturalización voluntaria en otro país o la radicación permanente en el extranjero.

Son evidentemente las causales pertenecientes a la primera

categoría las que mayor interés ofrecen desde el punto de vista del presente estudio. Ellas a su vez, pueden clasificarse en genéricas o específicas, según se formulen en la ley o decreto correspondiente los motivos determinantes de la revocación de la naturalización en términos imprecisos y generales, acordando de ese modo amplia latitud a los organismos encargados de ejecutar la medida, o se detallen precisa y cuidadosamente los tipos de actividad o las formas de conducta que darán lugar a la revocación de la carta de naturalización.

1) Causales genéricas.

Un señalado ejemplo de la primer clase de procedimiento legislativo lo proporciona el decreto adoptado por la República Argentina (216) en agosto de 1943 . Hasta la sanción de esta fórmula legal, en Argentina, la jurisprudencia seguía el mismo procedimiento de considerar fraudulento o viciado por reserva mental el juramento de todo naturalizado que evidenciara posteriormente su deslealtad, sistema que rige, según se ha visto, en otros países americanos (217).

Con el decreto mencionado se adoptó otra técnica para la cancelación de la nacionalidad adquirida, incorporando numerosos preceptos que tienen en cuenta la ideología política del naturalizado y su conducta subsiguiente en el país de adopción, como motivos determinantes, en sí y por sí, de la cancelación de la carta. Dichos motivos han sido expresados en términos muy amplios y generales, acordando de tal modo facultades bien latas a los jueces para decretar las revocaciones, como por ejemplo, el registro de "antecedentes ideológicos o doctrinarios contrarios a las instituciones políticas de la República o a su forma de Gobierno", la realización de "actos que afectan la soberanía, integridad o defensa de la Nación", o que lesionen el

---

(216) Decreto Nº 6605 de 27 de agosto de 1943.
(217) Véase en tal sentido, el caso Rosemberg, en que la Suprema Corte de Justicia adoptó ese criterio. Jurisprudencia Argentina, t. 47 pág. 398. Véase también, la misma publicación t. 48, p. 431; t. 40, pág. 376; t. 67, pág. 413.
El régimen legal anterior al decreto citado en el texto, es el fijado por el decreto reglamentario de 19 de diciembre de 1931, art. 14 y sigts.

"crédito de la Nación o del Gobierno", y de manera aún más general, para no dejar de cubrir posibilidad alguna, "el quebrantamiento en cualquier forma de la fidelidad jurada a la Nación argentina" (218).

El Comité se ha interesado especialmente por la aplicación de estas fórmulas jurídicas, tan apropiadas para combatir los abusos de nacionalidad por naturalizados (219) y señaló en el Memorándum especial sobre problemas de defensa política enviado a la República Argentina, las posibilidades de aplicar todas las causales recomendadas en la Resolución XV a base de las amplias disposiciones del decreto estudiado (220).

---

(218) Decreto Nº 6605 de 27 de agosto de 1943, art. 2, incisos e), d) y f).

(219) Sin embargo los casos que figuran en los repertorios de jurisprudencia nada tienen que ver con la defensa política contra el Eje. Véase p. ej. Jurisprudencia Argentina, tomo 1944 II, págs. 261 y 182.

(220) El Comité expresaba en el Memorándum citado:
"Se podrán cancelar así las cartas de ciudadanía de todos aquellos que, como expresa el Decreto argentino, demuestren **antecedentes ideológicos o doctrinarios contrarios a las instituciones políticas de la República o a su forma de gobierno**, por actos tales como "la diseminación de propaganda, en interés del Eje", o "la actuación como miembro o participante en cualquier organización controlada por un Estado del Eje o subordinado a éste, o que actúe en su interés"; **de quienes realicen actos que afecten la soberanía, integridad o defensa de la nación argentina**, como por ejemplo, "tomen parte en actividades de espionaje, sabotaje, fomento u organización de rebeliones en favor del Eje en cualquier República Americana"; **de quienes omitan la obligación de enrolarse**, "rehusando prestar servicios a las fuerzas armadas"; **de quienes ejerzan derechos políticos en país extranjero**, "votando en las elecciones de un Estado miembro del Pacto Tripartito o de un Estado a él subordinado"; de quienes **acepten empleos, comisiones u honores otorgados por gobiernos extranjeros, como por ejemplo**, "admitiendo cualquier puesto o empleo o recibiendo remuneración del gobierno de un Estado miembro del Pacto Tripartito o de un Estado a él subordinado" o, finalmente, **de aquellos que cometan actos que importen ejercer la nacionalidad de origen**, como, por ejemplo, "prestar servicios a las fuerzas armadas de un Estado miembro del Pacto Tripartito o de un Estado a él subordinado" o "prestar juramento, o afirmación de fidelidad a un Estado extranjero" o, en general, "manifestar con su conducta y la de las personas que frecuenta, que su fidelidad ha vuelto al Estado de su antigua nacionalidad o que su lealtad es para con algún Estado miembro del Pacto Tripartito o algún Estado a él subordinado".

Una disposición muy amplia es la que rige en el Brasil por precepto constitucional. En este país la Constitución dispone que se revocará la carta del naturalizado que ejerza "actividad política o social nociva al interés nacional" (221). La fórmula vigente en Colombia es casi tan amplia como la anterior, por cuanto se dispone que el Gobierno podrá decretar la suspensión de la naturalización de los "nacionales colombianos por adopción fundamente comprometidos en actividades contrarias al orden público y a la seguridad nacional" (222).

Un estrecho parentesco con la regla anterior, aunque de alcance más extendido, tiene la vigente en Cuba, en donde el Ministro de Estado está facultado para resolver "en cada caso, lo pertinente para lograr la anulación de los documentos de ciudadanía expedidos, cuando se pruebe en el interesado la realización de actos contrarios a la propia seguridad nacional y a la de cualquiera de los países aliados de Cuba" (223). Otra República en la cual se acuerda latitud a las autoridades para decretar la pérdida de la nacionalidad adquirida, por razones políticas es Paraguay, en donde el órgano encargado de las anulaciones puede hacerlo cuando los naturalizados "cometan actos perjudiciales a la seguridad o a la independencia del Estado paraguayo" (224).

En Bolivia se ha puesto en vigor una disposición, también genérica, según la cual es motivo determinante de la cancelación, efectuar "actividades y delitos perjudiciales para el orden público o la organización democrática del país" (225). En el Uruguay, según la opinión de los funcionarios competentes que participaron en la visita de consulta, la Corte Electoral está facultada para decretar la suspensión de los efectos de las cartas de naturalización, por mala conducta política del naturalizado, entendiendo por tal, su deslealtad democrática. Según las disposiciones constitucionales en vigor, en efecto, la falta superviniente de cualquiera de las condiciones necesarias para

---

(221) Constitución, art. 116, inc. c). Decreto Ley Nº 389 de 25 de abril de 1938, art. 2º inc. 2º y art. 24 y Decreto Ley 431 de 18 de mayo de 1938, art. 1º.
(222) Decreto Nº 181 de 29 de enero de 1942.
(223) Decreto Nº 1468 de 21 de abril de 1943, art. IX.
(224) Decreto Ley Nº 11061 de 16 de febrero de 1942, art. 15.
(225) Decreto Supremo de 30 de enero de 1942, art. 1.

la naturalización será causal de suspensión de la ciudadanía legal (226) y la "buena conducta", interpretada como lealtad democrática, según se ha visto ya en el Capítulo sobre Adquisición de Nacionalidad, configura una condición indispensable para el acceso a la ciudadanía (227).

En la República Dominicana se establece la revocación de la nacionalidad por no observar "buena conducta, acatando y cumpliendo la Constitución y las leyes, o cometer actos contrarios u hostiles al Gobierno de la República o a gobiernos extranjeros" (228).

Quedan por señalar dos países en donde, al menos desde el punto de vista de su expresión literal, se encuentran las fórmulas más amplias y generales para la pérdida de nacionalidad por naturalizados. Estos son Panamá y Chile. En Panamá existe un régimen de sumo interés puesto que somete al peticionario de una carta de naturalización a un período de prueba de un año. Se distingue en este país la carta de naturalización provisoria de la definitiva y el interesado sólo puede lograr esta última al cabo de un año de haberle sido conferida la primera. La Constitución panameña faculta al Presidente de la República a denegar la carta definitiva, lo que en el fondo equivale a una verdadera revocación, cuando hubiere surgido o llegado a su conocimiento algún motivo suficiente (229) para ello.

Una fórmula muy amplia es la que figura en la legislación chilena. Allí se establece que se cancelará la nacionalidad por "haber acaecido ocurrencias que hagan indigno al poseedor de la carta de nacionalización de tal gracia" (230). Sin embargo, esta fórmula tan general, tal vez a causa de la misma amplitud de sus términos, no establecería por sí misma, a juzgar por las

---

(226) Constitución, arts. 66 y 70 inc. 8º.
(227) Véase pág. 451 supra.
(228) Ley Nº 1083 de 1º de abril de 1936, art. 10.
(229) Constitución, art. 16. En aplicación de este precepto se denegó la carta definitiva a personas sindicadas como adictos a los países en guerra con Panamá y enemigos de las instituciones democráticas. Resolución Nº 105 de 31 de marzo de 1942.
Esta medida constituye una verdadera revocación por cuanto el poseedor de una carta provisoria tiene todos los derechos del naturalizado con excepción solamente de los de carácter cívico, Ley Nº 8 de 11 de febrero de 1941, art. 8.
(230) Decreto ley Nº 747 de 15 de diciembre de 1925, art. 8.

informaciones que obran en poder del Comité, un sistema de revocación de naturalizaciones propiamente dicho, sino que requeriría ser completada por otras disposiciones que prevean las ocurrencias que hacen indigno al naturalizado. Así se desprende, en efecto , de una nota enviada al Comité por el Ministerio de Relaciones Exteriores de Chile (231) en donde se dice: "la legislación vigente en Chile prescribe, acerca de la pérdida de la nacionalidad, que el Decreto que cancela la "carta de nacionalización", deberá ser fundado en haber sido concedido en infracción a lo dispuesto en el art. 3º de la ley o en haber sido condenado por alguno de los delitos contemplados en la ley Nº 6026, de 11 de febrero de 1937, (Seguridad del Estado)". De la citada comunicación se deduciría, pues, que las únicas "ocurrencias que hacen indigno al poseedor de la carta" son los delitos que prevé y castiga la citada ley (232).

2) Causales específicas.

Para estudiar las causales específicas de revocación de la naturalización en las diversas Repúblicas Americanas, nada parece más indicado que seguir la ordenación propuesta por el Comité en su Resolución XV, al señalar ciertos tipos de conducta como motivos determinantes de tal medida.

(a) La primera de las formas de conducta recomendadas por el Comité se refiere a la diseminación de propaganda totalitaria.

Aunque no tengan en cuenta, en todos los casos, la clase de propaganda encarada por el Comité, varias Repúblicas del Continente han establecido que la propaganda política contraria al orden o la seguridad pública constituye causal de revocación de las cartas de naturalización.

En Costa Rica se revoca la naturalización si se comprueba que el naturalizado se ha valido de su calidad de tal para "propagandas contrarias al orden público, de carácter religioso, político, social en el interior o exterior del país" (233). En Ecuador se dispone asimismo la pérdida de la nacionalidad por revo-

(231) Nota de 12 de abril de 1943.
(232) Ley Nº 6026 de 11 de febrero de 1937. art. 16.
(233) **Costa Rica.** — Decreto Ejecutivo Nº 1, de 18 de febrero de 1931, arts. 4 y 8, y Ley Nº 207 de 26 de agosto de 1944, art. 9.

cación del que "realiza propaganda de ideas disociadoras contrarias al orden público" (234). En Guatemala también se considera causal de cancelación "la propaganda o difusión sistemática de ideas o normas de acción de partidos políticos extranjeros que estén en desacuerdo con los principios constitucionales en que descansan las instituciones del país" (235).

En la República Dominicana se revoca la carta, cuando el naturalizado "se entregue a propagandas o hechos contrarios u hostiles al Gobierno de la República o a Gobiernos extranjeros" (236).

En Nicaragua, a diferencia de los ejemplos anteriores, se tiene en cuenta específicamente la clase de propaganda que tuvo en vista el Comité o sea la subversiva totalitaria. Así, se ha dispuesto la pérdida de nacionalidad para los extranjeros naturalizados que propugnen doctrinas prohibidas por la ley que son: "la doctrina comunista, los sistemas nazista y fascista y cualquiera otro que tienda al implantamiento de dictaduras o que lleven por objeto suprimir, cambiar o debilitar la forma republicana y democrática de la República" (237).

La disposición vigente en Nicaragua, se funda en lo que dispone la Constitución de este país al decir de un modo general que: "los extranjeros nacionalizados en Nicaragua pierden la nacionalidad nicaragüense cuando adopten y propaguen doctrinas políticas o raciales que lleven implícita la renunciación a la Patria, a la soberanía de la República o que tiendan a destruir la forma democrática de Gobierno" (238).

Finalmente, en el Perú, se cancelan las cartas de naturalización de los "que se dediquen a actividades subversivas o de propaganda de sistemas contrarios a la democracia" (239).

(b) Otra de las causales de revocación de naturalizaciones preconizada por el Comité es la afiliación a organizaciones de carácter subversivo. Dicho motivo guarda correspondencia

---

(234) Decreto Nº 111, de 29 de enero de 1941, art. 84, inc. 1º.
(235) Decreto 2391 de 11 de junio de 1940, arts. 3º y 4º.
(236) Ley Nº 1083 de 1º de abril de 1936, art. 10.
(237) Decreto Legislativo Nº 119, de 25 de junio de 1941, arts. 1º y 4º.
(238) Constitución, art. 19.
(239) Ley Nº 9810 de 22 de marzo de 1943, art. 1.

substancial con ciertas normas vigentes en algunos países americanos, como Guatemala y Uruguay.

En Guatemala constituye motivo determinante de la cancelación de naturalizaciones, la participación o "afiliación a partidos políticos extranjeros" (240).

Esa misma afiliación a grupos u organizaciones de determinada ideología está prevista por la Constitución del Uruguay, en donde se establece la suspensión de la ciudadanía para los que formen "parte de organizaciones sociales o políticas, que por medio de la violencia, tiendan a destruir las bases fundamentales de la nacionalidad" (241).

(c) Otra causal recomendada por el Comité como motivo determinante de revocación de la naturalización consiste en "rehusar prestar servicios a las fuerzas armadas de la República Americana en la cual se ha adquirido la nacionalidad". Este motivo ha sido recogido por Argentina, en donde es causal de cancelación de la carta "la omisión de la obligación de enrolarse en debido tiempo" (242).

(d) La última causal recomendada por el Comité consiste en "tomar parte en acitvidades de espionaje, sabotaje o fomento u organización de insurrecciones o rebeliones en cualquier República Americana o de invasiones a la misma". Una fórmula semejante en su alcance, aunque más sintética se encuentra consagrada por la legislación peruana, en donde se establece la cancelación de la naturalización de quienes "se dediquen a actividades subversivas" (243).

En lo que tiene referencia con el sabotaje debe hacerse mención expresa de la ley boliviana que prevé la cancelación

---

(240) Decreto Nº 2391 de 11 de junio de 1940, arts. 3º y 4º.
(241) Constitución, art. 70, inc. 7º. Para el alcance de esta fórmula, véase p. 450 supra. Esta casual ha sido ya tratada como impedimento para la naturalización, pero se encuentra específicamente prevista en el texto constitucional como motivo de suspensión. En la Constitución del Uruguay hay una doble remisión, del precepto referente a condiciones de adquisición al relativo a causales de suspensión y viceversa, por cuya virtud los motivos de suspensión de la ciudadanía son también obstáculo para la naturalización y la falta superviniente de las condiciones de adquisición, constituye causal de suspensión de la carta.
(242) Decreto Nº 6605 de 27 de agosto de 1943, art. 2º, inc. g.
(243) Ley Nº 9810 de 22 de marzo de 1943, art. 1º.

de la naturalización de quienes "efectuasen actividades y delitos perjudiciales para la producción industrial y minera" (244).

(e) Las causales que se han analizado hasta el momento constituyen disposiciones que establecen la cancelación de la naturalización por actos que son más bien de deslealtad hacia el país de adopción que manifestaciones positivas de fidelidad a un país extranjero. Pero existen además causales específicas que establecen la cancelación de las naturalizaciones por expresiones y actos positivos de lealtad hacia otro país, especialmente, aunque no de modo exclusivo, hacia el de anterior nacionalidad.

Estas reglas pueden implantarse de un modo general, sin especificar los actos que constituyen a juicio de las autoridades la afirmación de lealtad a otro país, o cabe también el procedimiento de señalar determinados actos como demostrativos del uso de la nacionalidad anterior o de la lealtad hacia otro país. Ejemplos de la primer especie se encuentran en las leyes de Argentina, Cuba, Guatemala, Perú y Venezuela.

En la Argentina es causal de cancelación de la nacionalidad la "comisión de actos que importen ejercer la nacionalidad de origen o la doble nacionalidad" (245). En Cuba, según la Constitución, pierden la ciudadanía cubana "los naturalizados que aceptaren una doble ciudadanía" (246).

En Perú y Venezuela, constituye causal de la revocación de la naturalización "hacer voluntariamente uso de la nacionalidad primitiva" o "hacer uso de la nacionalidad anterior" (247).

En Guatemala, quienes posean cartas de naturalización "deberán abstenerse de ejecutar actos o hacer manifestaciones que impliquen vinculación política con el país de origen" so pena de la cancelación de la carta (248).

Son en cambio, ejemplos de la segunda especie, o sea de fórmulas legales en donde se han seleccionado determinados actos como evidencia del uso de otra nacionalidad o de la lealtad hacia otro Estado, el aceptar "empleos, comisiones u honores

---

(244) Decreto Supremo de 30 de enero de 1942, art. 1º.
(245) Decreto Nº 6605 de 27 de agosto de 1943, art. 2º inc. a).
(246) Constitución, art. 15 inc. d).
(247) **Perú**. — Ley Nº 9148 de 14 de junio de 1940, art. 7º.
 Venezuela. — Ley de 29 de mayo de 1940, art. 22.
(248) Decreto Nº 2391 de 11 de junio de 1940, arts. 3º y 4º.

otorgados por gobiernos extranjeros" o ejercer "derechos políticos en país extranjero" (249), disposiciones ambas en vigor en la Argentina; o usar pasaporte extranjero, como se establece en Guatemala (250), y México, o finalmente "hacerse pasar, en cualquier instrumento público, como extranjero" (251). En estas causales vigentes en México, como la disposición respectiva está contenida en la propia Constitución, no se necesita recurrir a la base técnica del fraude en la adquisición para decretar la cancelación de la carta.

Finalmente, en Ecuador "entrar al servicio de nación enemiga" entraña para el naturalizado la revocación de su carta (252).

(f) Otras causales específicas que acarrean la cancelación de la naturalización son todos aquellos casos en que los Códigos Penales o leyes penales especiales establecen como una consecuencia adicional de la pena que subsigue a determinados delitos, la pérdida de la naturalización del responsable de los mismos.

Es esta regla muy común, vigente en las leyes penales de diversos países americanos (253) y que aporta un incontable número de causales específicas de pérdida de nacionalidad, ya que siempre los actos que dan lugar a esa medida, como se trata de delitos, han sido minuciosa y previamente descriptos por la ley.

Aunque estas disposiciones suelen ser tan severas que incluso en algún país, como el Uruguay, el simple proceso por cualquier delito del que pueda resultar pena de penitenciaría es ya causal de suspensión de la ciudadanía, (254) no se prestará atención especial a estas causales porque las mismas no

(249) Decreto Nº 6605 de 27 de agosto de 1943, art. 2, incisos b) y c).
(250) Decreto Nº 2391 de 11 de junio de 1940, art. 4.
(251) Constitución, art. 37, A fracción IV.
(252) Decreto Nº 111 de 29 de enero de 1941, art. 85, inc. a).
(253) **Argentina.** — Decreto Nº 536 de 15 de enero de 1945, art. 42.
Chile. — Ley Nº 6026 de 11 febrero, de 1937, art. 16.
Bolivia. — Decreto Ley de 27 de marzo de 1938, art. 8º y Decreto Supremo de 30 de enero de 1942, art. 4º.
Ecuador. — Decreto Nº 111 de 29 de enero de 1941, art. 85, inc. b).
Rep. Dominicana. — Ley Nº 1083 de 1º de abril de 1936, art. 10.
Uruguay. — Constitución, art. 70, inc. 5º y Ley de 19 de noviembre de 1942, art. 6º, inc. L.
(254) Constitución art. 70, inc. 3º.

pertenecen realmente al campo de la prevención de los abusos
de la nacionalidad sino al terreno específicamente represivo (255).

Existen, en efecto, grandes diferencias de procedimiento
y de fondo entre el sistema preconizado por el Comité y la Reunión de Río para prevenir los abusos de nacionalidad y el régimen de pérdida de la nacionalidad como penalidad adicional.
En estos casos se decreta la cancelación de la carta de naturalización como efecto secundario de una sentencia penal, de manera que para obtener aquel resultado, es preciso seguir contra
el naturalizado un proceso judicial en forma, de acuerdo a las
reglas especiales que establecen las leyes.

Las recomendaciones del Comité, en cambio, preconizan la
pérdida de la nacionalidad, una vez comprobado cualquier acto que revele lealtad o fidelidad hacia el Eje, de tal manera
que esta consecuencia tendría el carácter de una medida autónoma, y sería el objeto único y exclusivo de un procedimiento especial.

Otra diferencia importante derivada de la anterior, radica en que los tipos de conducta delictiva que determinan de
modo accesorio la pérdida de la naturalización, deberán ser
apreciados por las autoridades judiciales, conforme al principio
de estricta interpretación y apreciación de pruebas que rige en
el campo del Derecho Penal, en donde está excluída radicalmente
la analogía. Las normas recomendadas por el Comité, en cambio ,se señalan, por vía de ejemplo, como tipos de conducta que
pueden revelar fidelidad hacia el Eje y, tal como se dice expresamente en la exposición de motivos de la Resolución, no tienen carácter taxativo.

(g) Hay también causales específicas de revocación de
naturalizaciones que tampoco interesan a este estudio, aunque
por motivos diferentes a los indicados más arriba. Son aquellos
casos en que se revoca la naturalización sin que el naturalizado haya cometido ningún acto ilícito o simplemente perjudi-

(255) Requiere, sin embargo una mención especial el régimen de Bolivia, ya que en él se ha tipificado como delito, que apareja como consecuencia accesoria la pérdida de la naturalización,
"toda actividad extremista" y en ella se comprende a los "elementos totalitarios y sus colaboradores". Decreto Ley de 27 de
marzo de 1938 y Decreto Supremo de 30 de enero de 1942,
art. 4º.

cial para el Estado, sino simplemente cuando ha hecho uso de un derecho indiscutible, como, por ejemplo, naturalizarse nuevamente en otro país o alejarse definitivamente de su Estado de adopción.

En algunas Repúblicas Americanas la naturalización en país extranjero es causal de pérdida de la nacionalidad adquirida, pero no de la originaria (256) y según la respectiva constitución, en otras apareja únicamente la pérdida de los derechos políticos o sea de la ciudadanía (257).

En algunos países constituye causal de pérdida de la naturalización residir durante cierto lapso fuera del mismo con la intención de dar carácter definitivo a tal residencia. Dicho término es muy variable y oscila entre dos (258) y cinco años

---

(256) **Argentina.** — Decreto Nº 6605 de 27 de agosto de 1943, tesis del art. 2º, incisos a) y b).
Ecuador. — Decreto Nº 111 de 29 de enero de 1941, art. 84, inc. 4º y Constitución, art. 14, inc. 2º. En Ecuador la naturalización en país extranjero determina la pérdida de los derechos de ciudadanía, pero a causa de esto para el naturalizado no se pierden únicamente los derechos cívicos, sino también la nacionalidad adquirida, en virtud de que el decreto 111 dispone que la naturalización será revocable por la declaratoria de pérdida de ciudadanía.
Venezuela. — Ley de 29 de mayo de 1940, art. 22. V. Herrera Mendoza L. ¿Puede el venezolano cambiar de nacionalidad? Caracas 1945.
(257) **Uruguay.** — Constitución, art. 71.
Bolivia. — Constitución, art. 45, inc. 1º.
Guatemala. — Constitución, art. 11, parágrafo 3º, inc. 1º. (Ver nota 319).
Rca. Dominicana. — Constitución, art. 11, inc. 5º.
Paraguay. — Constitución, art. 41, inc. 4º (V. nota 314).
(258) **Argentina.** — Decreto Nº 6605, de 27 de agosto de 1943, art. 2º, inc. i. (la ausencia de dos años crea presunción simple de no regresar).
Bolivia. — Decreto Supremo de 1º de diciembre de 1938, art. 9.
Brasil. — Decreto Nº 389 de 25 de abril de 1938, art. 27 (cuando la residencia es en el país de origen).
Costa Rica. — Ley Nº 25 de 13 de mayo de 1889, modificada por la ley Nº 207 de 26 de agosto de 1944, art. 4º, inc. 5º.
El Salvador. — Ley de 29 de setiembre de 1886, art. 10.
Estados Unidos. — Ley de Nacionalidad de 1940, Sec. 404 a; 54 Stat. 1170; 8 U.S.C. 804.
Guatemala. — Ley de Extranjería de 25 de enero de 1936, art. 70.
Paraguay. — Constitución, art. 42.
Perú. — Decreto de 15 de mayo de 1943, art. 1º.

(259), mientras que en algunos países se fija un plazo intermedio de tres o cuatro años (260).

En Estados Unidos, además, la adquisición de una residencia permanente en el extranjero, cualquiera sea la duración de la misma, dentro de los cinco años siguientes a la naturalización, se considera evidencia "prima facie", de falta de intención de ser residente permanente y a falta de prueba contraria, será cancelada esa naturalización (261), a base de la existencia de fraude en que se incurre al declarar en la petición de naturalización que se abriga la intención de residir permanentemente en los Estados Unidos (262).

b. Esfera de aplicación del régimen de revocación de naturalizaciones.

Para conocer en su verdadero alcance el régimen de revocación de cartas de naturalización que se ha esquematizado en páginas anteriores, es imprescindible hacer una breve referencia a la esfera de aplicación del mismo, analizada desde tres puntos de vista: el de las personas a quienes se aplica; el de los Estados en favor de los cuales se adopta la medida y el del tiempo durante el cual se pone en práctica la misma.

(1) Desde el punto de vista personal, es preciso señalar que salvo ciertos casos, que se indicarán a continuación, el régimen que se ha estudiado es objeto de una aplicación general, a todos los naturalizados y sin excepciones. Existen, sin embargo, algunas salvedades, ya que en ciertos países el régimen de revocación de naturalizaciones tiene una aplicación limita-

---

(259) **Brasil.** — Decreto Ley Nº 389 de 25 de abril de 1938, art. 27 (cuando la residencia es en cualquier país).
Estados Unidos — Ley de Nacionalidad de 1940 — Sección 404 (c) (cuando la residencia es en cualquier país).
México. — Constitución, art. 37, A III.
Nicaragua. — Ley de 3 de octubre de 1894, art. 31.
(260) **Cuba.** —Constitución art. 15 inc. c). (Salvo que exprese cada tres años, ante la autoridad consular su voluntad de conservar la nacionalidad cubana).
Estados Unidos. — Ley de Nacionalidad de 1940, Sec. 404 (6) (Cuando la residencia es en el país de origen).
(261) **Estados Unidos.** — Ley de Nacionalidad de 1940, Sec. 338 (c) 54 Stat. 1158 - 1159; 8 U.S.C. 738 (c).
(262) Tal declaración es exigida por la ley de Nacionalidad de 1940, Sec. 331 (15) (54 Stat. 1153 - 1154; 8 U.S.C. 731 (15) y Sec. 332 (a) (18) (54 Stat. 1154 - 1156; 8 U.S.C. 732 (a) (18)).

da a determinados núcleos de personas. Ello ocurre por motivos diferentes en Paraguay, Bolivia, Perú y República Dominicana.

En los tres primeros Estados, las autoridades deben tener en cuenta, antes de decretar la cancelación de la nacionalidad adquirida, el origen o procedencia del naturalizado.

En Paraguay, la posibilidad de la revocación de las cartas existe únicamente para los naturalizados oriundos de países no americanos (263) y en Bolivia y Perú se limita la aplicación del régimen de cancelaciones a los naturalizados oriundos del Eje (264).

En cuanto a la República Dominicana, se establece la pérdida de nacionalidad solamente para los casos especiales de naturalización de colonos a que se refiere la ley que contiene la causal analizada (265).

Un régimen de aplicación también especial, pero que presenta marcadas diferencias con el procedimiento seguido en todos los casos anteriormente señalados, es el que se puso en vigor en Nicaragua en 1943.

En este país, además de las disposiciones constitucionales y legales específicas, que ya se han indicado, se dispuso "dejar en suspenso las cartas que recientemente se hayan expedido a los nacionales de países no americanos", desde una fecha a fijarse de acuerdo a las circunstancias (266).

Por un decreto posterior (267), se fijó como tal fecha el 3 de setiembre de 1939. Este decreto suprime radicalmente los efectos de las cartas de nacionalidad expedidas a los oriundos del Eje desde esa fecha, y considera que son extranjeros enemigos y están sometidos a las disposiciones aplicables a los mismos "los naturales o naturalizados de los países de Alemania, Italia y Japón, que hubieren obtenido carta de naturali-

(263) Decreto Ley Nº 11061 de 16 de febrero de 1942, art. 15.
(264) **Bolivia** — Decreto Supremo de 30 de enero de 1942, art. 1º.
   Perú — Ley Nº 9810 de 22 de marzo de 1943, art. 1º. En este país, sin embargo, la causal de pérdida por uso de la nacionalidad anterior, establecida por la Ley Nº 9148 de 14 de junio de 1940 art. 17, es de aplicación general.
(265) Ley Nº 1083 de 1º de abril de 1936, arts. 10, 11 y 1.
(266) **Nicaragua.** — Orden del Presidente de la República de 1º de octubre de 1943.
(267) Decreto ejecutivo Nº 7 de 11 de febrero de 1942, art. 2, inc. e).

zación en Nicaragua, con posterioridad al 3 de setiembre de 1939, aunque no hubiere sido cancelada la carta respectiva".

Se trata como puede verse, de un régimen distinto a los anteriores, en el sentido de que la cancelación de cartas se hace en masa, colectivamente y no en forma individual, a base de una norma pre-existente con arreglo a la cual se juzgue caso por caso.

No debe confundirse este drástico sistema con el régimen aconsejado por el Comité durante las visitas de consulta y en los Memorándums especiales a algunos países, a fin de revocar en forma conjunta las cartas de naturalización de muchos extranjeros enemigos desleales que habían adquirido deliberadamente una nacionalidad americana. En tales casos, el Comité propuso la revisión de antecedentes de los oriundos del Eje naturalizados en los últimos diez años con el objeto de revocar las cartas de todos aquellos que hubieran evidenciado por cualquier medio, una deslealtad a su nacionalidad americana (268). El Comité recomendó que no se esperara a que surgieran actividades subversivas por parte de naturalizados ex-súbditos enemigos para recién entonces revocarles sus cartas, sino que se procediera de oficio y sistemáticamente, a una revisión cuidadosa de su conducta pasada y antecedentes (269).

Una medida concorde con esta recomendación se adoptó en Argentina y en Perú. En Perú se dispuso que para el objeto de revocar las cartas de naturalización de los súbditos de Alemania, Italia y Japón que se dediquen a actividades subversivas, "el Ministerio de Gobierno y Policía remitirá al de Relaciones Exteriores, la nómina de los extranjeros nacionalizados, originarios de los países mencionados, y que tengan antecedentes de propagandistas o de participantes en actos subversivos de tendencias nazi-fascistas" (270).

En Argentina se dispuso en 1943 que las autoridades po-

_____

(268) Segundo Informe Anual, pág. 71.
(269) Esta misma medida se adoptó en Francia durante la primera guerra mundial por una ley de 7 de abril de 1915, que establecía la revisión de todas las naturalizaciones de antiguos súbditos de los países enemigos, posteriores a 1913. V. Niboyet, op. cit. Tomo I, pág. 458, Nº 393.
(270) Ley Nº 9810 de 22 de marzo de 1943, art. 1º.

liciales realizaran un atento examen de los antecedentes documentales de los ciudadanos naturalizados y en el caso de comprobar la existencia de alguno de los hechos que determinan la cancelación, los pusieran en conocimiento del funcionario encargado de iniciar los procedimientos pertinentes (271). Posteriormente, por un decreto expedido a mediados del año 1945 se limitó ese régimen de revisión a los naturalizados de origen alemán o japonés (272).

(2) En cuanto a los Estados protegidos por las medidas sobre revocación de las naturalizaciones, debe recordarse que, tal como se señala en la parte general de esta sección, el Comité recomendó que se extendiera la protección a todas las Repúblicas del Continente, previniendo igualmente los actos que atentaran contra la seguridad de otros Estados.

De acuerdo a esta recomendación debía revocarse la naturalización de todos los que incurrieran en actos de agresión política contra cualquier República del Hemisferio y donde quiera que el hecho tuviere lugar.

En Costa Rica, la reforma legislativa a la ley de naturalización, promulgada a mediados de 1944, está en consonancia con el último aspecto de esta recomendación, ya que establece que se revocará la naturalización de quienes realicen propagandas contrarias al orden público "en el interior o exterior del país" (273). Esta última frase se agregó en la reforma citada y significa que sea cual fuere el lugar en que se cometa el acto de deslealtad, de todos modos se verifica la pérdida de la naturalización costarricense.

Es otro, sin embargo, el aspecto más substantivo y nove-

(271) Decreto Nº 6605 de 27 de agosto de 1943, art. 6º.
(272) Decreto Nº 11417 de 23 de mayo de 1945, art. 16 "Los Ministerios del Interior y Relaciones Exteriores y Culto procederán al estudio de los antecedentes de todas las personas de origen alemán o japonés que se hayan naturalizado en la República y que se consideren sospechosas de haber ejercido o de ejercer actividades contrarias a las Naciones Unidas o a la seguridad del Continente. Si del exámen realizado resultare "prima facie" culpabilidad para alguno de los sospechosos, se enviarán los actuados al fiscal federal pertinente a fin de que la justicia federal anule su carta de ciudadanía y tome las otras medidas que considere oportunas".
(273) Reforma introducida por Ley Nº 207 de 26 de agosto de 1944 al art. 9º de la ley de 1889.

doso de la recomendación del Comité, y éste fué recogido en casi toda su amplitud por la legislación de Cuba, donde se decreta "la anulación de los documentos de ciudadanía expedidos, cuando se pruebe en el interesado la realización de actos contrarios a la propia seguridad nacional y a la de cualquiera de los países aliados de Cuba" (274).

El régimen en vigor en Cuba es particularmente digno de mención por cuanto se sancionan igualmente con la anulación de la nacionalidad no sólo los actos contrarios a la propia seguridad nacional sino también los que atentan contra la de cualquiera de los países aliados a Cuba.

Esta misma tendencia, que constituye el reconocimiento, en un campo limitado, de una idea general, cuya aplicación y significado se expone en otra parte del presente estudio, fué anticipada también por la legislación pertinente de la República Dominicana, que revoca las cartas de naturalización de quienes incurran en propagandas o actos contrarios u hostiles al Gobierno Nacional o a Gobiernos extranjeros (275).

(3) En cuanto al aspecto temporal, es decir, el plazo de duración que se asigna a las normas jurídicas que prevén el régimen de revocación de naturalizaciones es posible encontrar grandes diferencias. Hay países que atribuyen un carácter tal de permanencia y estabilidad al régimen que lo consignan en el propio texto constitucional, como Brasil, Panamá y Uruguay (276). En otros se encuentra establecido en leyes dictadas en épocas de normalidad, que aspiran a perdurar más allá de la emergencia, como en Costa Rica, Chile, Ecuador, Venezuela, Guatemala y la República Dominicana (277), mientras que en los restantes constituyen disposiciones de emergencia,

---

(274) Decreto Nº 1468, de 21 de abril de 1943, art. IX.
(275) Ley Nº 1083 de 1º de abril de 1936, arts. 10 y 11.
(276) Brasil. — art. 116, inc. c.
Uruguay. — arts 70 y 71.
Panamá. — art. 14.
(277) Costa Rica. — Ley Nº 207 de 26 de agosto de 1944.
Chile. — Decreto Ley Nº 747 de 15 de diciembre de 1925.
Ecuador. — Decreto Nº 111 de 29 de enero de 1941.
Venezuela. — Ley de 29 de mayo de 1940.
Guatemala. — Decreto Nº 2391 de 11 de junio de 1940.
República Dominicana. — Ley Nº 1083 de 1º de abril de 1936 (según esta ley las cartas solamente pueden ser revocadas dentro de los cinco años siguientes a su otorgamiento).

de carácter transitorio, conclusión que resulta o de un precepto expreso (278) o de los considerandos de la medida y del contexto de la misma (279). En la Argentina, en tanto que las reglas sobre adquisición expresan claramente que regirían "mientras dure la existencia del actual conflicto armado internacional", nada se dice sobre este aspecto, en las disposiciones referentes a cancelación de cartas.

3. Consecuencias de la renovación o anulación de la carta

Uno de los temas doctrinarios de mayor interés que se plantean al estudiar el régimen de cancelación de las cartas de naturalización, sea por vicios originarios en su adquisición o por conducta subsiguiente desleal, es el relativo a la situación jurídica en que queda la persona cuya carta ha sido anulada o revocada y cuáles son las medidas de que se hace pasible. Se ha señalado ya cuál sería, desde el punto de vista teórico, la solución doctrinaria de este problema. El naturalizado cuya carta ha sido anulada reasumiría la nacionalidad que tenía al naturalizarse, ya que se presume que su naturalización y las renuncias consiguientes o implícitas nunca han tenido lugar. En cambio, aquel cuya carta ha sido revocada, si bien se convierte en extranjero a los ojos de la ley, no es posible atribuirle la nacionalidad primitiva, desde que renunció a ella, ni es justo tampoco conferir a una persona una nacionalidad que no le asigna la propia ley del país respectivo. De manera, entonces, que se convierte en extranjero, pero "apátrida", salvo que la ley del país donde se naturalizó no exija la renuncia a la nacionalidad anterior o que la ley del país de su nacionalidad primitiva autorice la retención de ésta a pesar de la adquisición de una nueva.

Son contados los países americanos que cuentan con dis-

---

(278) **Colombia.** — Decreto Nº 181 de 29 de enero de 1942, art. 1º: "mientras dure la actual situación de emergencia internacional".

(279) **Bolivia.** — Decreto Supremo de 30 de enero de 1942.
Cuba. — Decreto Nº 1468 de 21 de abril de 1943.
Nicaragua. — Decreto Nº 119 de 25 de junio de 1941. Decreto Nº 77 de 17 de febrero de 1942.
Paraguay. — D. L. Nº 11061 de 16 de febrero de 1942.
Perú. — Ley Nº 9810 de 22 de marzo de 1943.

posiciones expresas en sus leyes que resuelvan este problema. Perú es uno de ellos, ya que una de sus leyes dispone que "la persona cuya nacionalización haya sido cancelada será considerada, para todos los efectos legales, con la nacionalización que perdió al adquirir la peruana" (280).

En Colombia también se dispone expresamente acerca de este punto, aunque aparentemente en un sentido distinto al anterior, ya que se establece que los naturalizados cuya carta se ha suspendido quedan "sometidos a todas las disposiciones vigentes para los extranjeros" (281). La ley de Guatemala contiene un pronunciamiento semejante al decir que "son extranjeros los guatemaltecos que hayan perdido su nacionalidad" (282). Aunque ninguna de las dos disposiciones sea concluyente, parecería que ambas se inclinan por la solución de que la revocación de la naturalización deja al naturalizado en calidad de "apátrida".

No se conocen más disposiciones legales que traten este punto, pero se puede citar un documento fidedigno de los Estados Unidos que indica cuál es la doctrina seguida por este país, coincidente como se verá, con la solución legal peruana: "el efecto del decreto de revocación de la naturalización es, en los casos usuales, restablecer la nacionalidad enemiga" (283). Como el documento transcripto se refiere a la revocación de las naturalizaciones de súbditos enemigos a los efectos de su internación, se infiere que en Estados Unidos se considera que aquel cuya carta se ha revocado, recupera su nacionalidad primitiva. Tal solución no contradice los dictados de la doctrina, si se recuerda que en este país la base técnica de las revocaciones es el fraude.

Hay otros países que, en lugar de definir la situación jurídica del ex-naturalizado, reglamentan derechamente las medidas que es posible adoptar en su contra. Nicaragua y

---

(280) Decreto Supremo de 21 de junio de 1940, Reglamento de Nacionalización art. 14 y Ley Nº 9810 de 22 de marzo de 1943, art. 3.
(281) D. Nº 181 de 29 de enero de 1942, art. 2º.
(282) Ley de Extranjería de 25 de enero de 1936, art. 1º, letra c).
(283) Informe del Procurador General al Senado y la Cámara de Representantes de los Estados Unidos de América, 4 de abril de 1944.

Guatemala, por ejemplo, disponen que quienes han perdido su carta de naturalización, podrán ser "extrañados del país" (284), esto es, serán objeto de "expulsión" (285).

Esto conduce a otro problema, que es el de determinar qué puede hacerse contra el naturalizado cuya carta se ha cancelado. Es opinión pacífica que se le puede expulsar. Precisamente Niboyet criticaba la medida de la cancelación de la naturalización, observando que es inoperante, puesto que su fin es poder expulsar del país al ex-naturalizado y tal expulsión no puede llevarse a cabo desde que ningún país, ni siquiera el de anterior nacionalidad, aceptaría a tal persona, reconociéndola como su nacional (286).

Sin embargo, como se ha visto ya en la sección anterior del presente estudio, los países americanos en la actual emergencia han puesto en práctica el procedimiento mucho más efectivo de la internación de los nacionales peligrosos del Eje, o de extranjeros peligrosos en general, su detención hasta tanto se pueda llevar a cabo la expulsión misma, con lo que cobra gran valor la medida de la cancelación de la naturalización, como un paso previo e indispensable para poder proceder a la internación. Esta última medida se ha aplicado en muchos países americanos contra los naturalizados desleales cuyas cartas se han cancelado, y en Estados Unidos, por ejemplo, el programa de revocación de la naturalización de los ciudadanos desleales tiene especialmente por objeto facultar a las autoridades para la detención de dichas personas. Es que el propósito fundamental, aunque no el único, de la revocación de la naturalización es, efectivamente permitir la internación de las personas desleales.

B. Pérdida de la Nacionalidad por Naturales y Naturalizados

En la presente sección se estudia el régimen de pérdida de nacionalidad en vigor en las Repúblicas Americanas con respecto a los naturales. Debe señalarse, sin embargo, que

(284) **Nicaragua**. — Decreto Ley Nº 119 de 25 de junio de 1941, art. 4º.
(285) **Guatemala**. — Decreto Nº 2391 de 11 de junio de 1940. art. 3.
(286) Niboyet, op. cit. T. I. pág. 415, Nº 354.

tal como lo indica el título de la misma, y como se dijo ya en la parte general, todas las causales que determinan la pérdida de nacionalidad por naturales, producen el mismo efecto para los naturalizados. El régimen jurídico de los países americanos no obstante se ha estructurado teniendo en vista de modo predominante a los primeros; el hecho de que también se aplique a los que han adquirido la nacionalidad por naturalización no es sino la consecuencia natural de un principio lógico: si dicho régimen es lo suficientemente eficaz, si sus causales son lo bastante serias como para destruir el vínculo de nacionalidad originaria, con mayor razón lo serán para romper el vínculo adquirido voluntariamente con posterioridad al nacimiento (287).

Al analizar la pérdida de nacionalidad por cancelación de las cartas de naturalización se vió que la tendencia general, especialmente acentuada durante la emergencia, había sido considerar la nacionalidad adquirida como un honor eminentemente revocable. En cambio, tanto para establecer, como para aplicar la medida de la pérdida de nacionalidad a los naturales, los distintos Estados del Continente, incluso durante el período de actual emergencia, se han mostrado más bien cautelosos y conservadores, prefiriendo garantizar la estabilidad de los lazos que ligan a una persona con su respectivo país por razón de su nacimiento, y combatir por otros medios los abusos de nacionalidad de los naturales. Las causales de privación son mucho más serias y graves y esa posición restrictiva se refleja, a la vez que constituye una consecuencia del hecho de que las disposiciones que rigen la pérdida de nacionalidad por naturales figuren por lo general en los respectivos textos constitucionales. Esto hace imprescindible resumir sintéticamente las disposiciones básicas que rigen la materia en las Constituciones de los diversos países americanos, ya que el sistema en vigor en los mismos depende estrechamente de las normas y facultades constitucionales.

Pueden señalarse siete posiciones distintas en que es susceptible de clasificarse el régimen constitucional de las

---

(287) Hecta esta aclaración, no habrá inconveniente para que en el resto de la sección se haga referencia principal, si no exclusiva, a los naturales.

Repúblicas Americanas, en esta materia.

Un primer tipo, es el de aquel país donde se dispone expresamente que los naturales no pierden nunca su nacionalidad. Tal es el caso del Uruguay, cuya Constitución establece que "la nacionalidad no se pierde ni aún por naturalizarse en otro país" (288).

Un segundo tipo es el de aquellas Repúblicas, en donde si bien no figura expresamente tal prohibición en el texto constitucional, ella resulta inequívocamente del sistema en vigor, ya que se distingue en el mismo la nacionalidad de la ciudadanía, y se prevén minuciosamente las causales de pérdida de esta última, pasando en silencio lo referente a la pérdida de la nacionalidad. Ello ocurre en las Constituciones de Ecuador y República Dominicana (287). Un tercer tipo, es el de aquellos países cuya Constitución adopta una técnica semejante pero donde el legislador ordinario se ha sentido facultado para establecer ciertas causales de pérdida de nacionalidad. Tal es el caso de Guatemala y Paraguay (290).

Un cuarto caso es el de los países en donde la Constitución no se refiere para nada a la pérdida de nacionalidad ni a la de ciudadanía, pero la interpretación dominante es que no cabe la pérdida de la nacionalidad. Tal es la posición de Argentina y Venezuela (291).

---

(288) **Art. 71.**

(289) **Ecuador.** — Constitución Arts. 9, 10, 12, 14 y 15 (Véase, sin embargo, nota 321 infra).
R **Dominicana** — Arts. 8, 9, y 11. Esto ha sido vigorizado por una ley Nº 29 de 4 de julio de 1942 que prevé sanciones para el dominicano que alegue o aduzca una nacionalidad extranjera.

(290) **Guatemala.** — Constitución, arts. 5º, 7º y 11 y Ley de Extranjeria de 25 de enero de 1936, arts. 3º y 6º (ver nota 319 infra).
Paraguay — Constitución art. 41 y Ley Nº 559 de 14 de noviembre de 1923, art. 1º. (ver nota 314 infra).

(291) **Argentina.** — La nacionalidad argentina tiene carácter indeleble y perpetuo; no se pierde ni siquiera por naturalización en el extranjero, ni por renuncia expresa. Alcorta op. cit. t. I. págs. 332 y 334. Fallos en Jurisprudencia Argentina t. 3 pág. 444 y t. 66 pág. 437. Contra Zeballos, La Nationalité, París - 1914 t. IV - V p. 1065, y sgts. (Véase, sin embargo, nota 321 infra).
Venezuela. — Informe de la visita de consulta. "En lo que dice relación con el problema de la pérdida de nacionali-

Es radicalmente opuesto a este último, el quinto tipo, o sea, el de los países en cuya Constitución nada se dice sobre este tema, pero donde se ha entendido ese silencio en el sentido de que el legislador puede dictar disposiciones legales sobre pérdida de nacionalidad. Esto sucede en Estados Unidos y Haití (292). En Estados Unidos, por ejemplo, "no hay disposición constitucional expresa que autorice la pérdida de nacionalidad, aunque las facultades propias del Congreso para dictar legislación que establezca la pérdida de nacionalidad por varias circunstancias, han llegado a ser reconocidas durante el siglo pasado" (292).

Un sexto ejemplo, es el de los países cuya Constitución faculta expresamente al legislador para establecer la pérdida de nacionalidad y las causales de la misma, como sucede en Costa Rica (294).

Y, finalmente, existe un último grupo de países cuyas Constituciones establecen expresamente la pérdida de nacionalidad por naturales indicando las causales que la originan. Esto ocurre en Bolivia, Brasil, Colombia, Cuba, Chile, El Salvador, Honduras, México, Nicaragua, Panamá y Perú (295).

El sistema seguido por Costa Rica, desde el punto de vista de la defensa política es el más apropiado, ya que de ese modo el legislador está facultado para fijar las formas de conducta que originan la pérdida, tomando en consideración las necesidades originadas por dicha defensa. En cambio, en los casos en que el propio constituyente determina las causales, el legislador se encuentra luego impedido de ampliarlas y, aunque al-

---

dad, consideraron los funcionarios venezolanos que la ausencia de todo precepto constitucional acerca de la pérdida de nacionalidad por naturales, hacía imposible que la ley ordinaria pudiera establecer que los venezolanos por nacimiento pudieran ser desposeídos de su calidad de tales".
La antigua ley de Extranjería de 13 de junio de 1928, art. 7 admitía una causal de pérdida que no fué mantenida en leyes posteriores. S. Lorenzo Herrera Mendoza. ¿Puede el venezolano cambiar de nacionalidad? - Caracas 1945.
(292) **Estados Unidos** — Ley de Nacionalidad de 1940, secciones 401 a 410. 54 Stat. 1168 - 1171; 8 U.S.C. 801 a 810.
Haití — L. de 22 de Ago. de 1907 art. 17.
(293) Informe citado del Funcionario de Enlace de EE.UU.
(294) Constitución art. 7. "La calidad de costarricense se pierde y recobra por las causas y medios que determina la ley".

gunas de las fórmulas constitucionales pueden ser adecuadas para combatir la agresión política y los abusos de nacionalidad por naturales, esto no es lo común.

Conocidas las facultades constitucionales acordadas en los distintos países americanos, es posible entrar a estudiar el régimen en vigor en los mismos. Este puede clasificarse en distintos sistemas:

1. Régimen de pérdida de nacionalidad por naturales, "exlege". El modo en que funciona este sistema se ha descripto ya detalladamente en la parte general de la sección sobre Pérdida de Nacionalidad (296). Se prevén ciertos actos, que por lo general, implican manifestaciones de deslealtad, o de lealtad hacia otro Estado y se dispone que producido alguno de ellos se verificará la pérdida de la nacionalidad, sin necesidad de que se haya adquirido, por dicho acto, una nacionalidad extranjera, o de que haya existido la intención de renunciar a la nacionalidad de origen.

Es este el régimen más importante y el que mayor interés ofrece, desde el punto de vista que interesa al presente estudio.

2. Régimen de pérdida de nacionalidad por naturales basado en la adquisición de otra nacionalidad. En este sistema se pierde la nacionalidad a consecuencia de la adquisición de una nacionalidad extranjera, por naturalización, por matrimonio con una persona extranjera, o por algún otro medio, como la opción, por ejemplo. Este es el sistema más generalizado, ya que casi todos los países del Hemisferio reconocen la pérdida de nacionalidad de sus naturales por lo menos por la

<hr>

(295) **Bolivia**. — Art. 42.
    Brasil. — Art. 116.
    Colombia. — Art. 8º.
    Cuba. — Art. 15.
    Chile. — Art. 6º.
    El Salvador. — Art. 11.
    Honduras. — Art. 12.
    México. — Art. 37 A.
    Nicaragua. — Art. 18.
    Panamá. — Art. 20.
    Perú. — Art. 7.
(296) Véase págs. 494 y 495 supra.

naturalización ulterior, aunque muy poco interés, ofrezca desde el punto de vista del presente estudio.

3. Régimen de expatriación. Este régimen especial se caracteriza, no por sus causales determinante, que pertenecen a alguno de los dos grupos anteriores, sino porque éstas no son suficientes en sí mismas para determinar la privación de la nacionalidad, ya que se requiere una condición más, que es el alejamiento del país, para que la pérdida se haga efectiva. Como puede suponerse, esta condición hace a este sistema inoperante para combatir los abusos de nacionalidad.

4. El último tipo es el de pérdida de nacionalidad por naturales como penalidad accesaria, a título de sanción adicional por la comisión de delitos de una excepcional gravedad.

Las consideraciones que se formularon a propósito del sistema de pérdida de la naturalización como penalidad adicional son plenamente aplicables a este sistema (297).

Las formas de pérdida de nacionalidad que se han indicado en primero y último término han sido objeto de severas críticas doctrinarias, las mismas que se formulaban al régimen de cancelación de naturalizaciones, siendo la principal de ellas que su aplicación tiene por resultado seguro que haya individuos carentes de nacionalidad o "apátridas". Los autores de esa crítica realzan al mismo tiempo los otros dos sistemas señalados; el segundo de ellos porque subordina la pérdida de la nacionalidad a la adqusición de una nueva, evitando así la "apatridia" (298) y el tercero porque proporciona a quien ha perdido su nacionalidad la oportunidad de adquirir otra, ya que requiere su radicación en el extranjero.

No existe, sin embargo, una regla de Derecho Internacional que proscriba aquellos modos de pérdida de nacionalidad. "Los principios según los cuales: todo Estado estaría obligado a impedir en la medida de lo posible, el "heilmatlosat" de sus antiguos naturales;... ningún Estado debería declarar

---

(297) Véase pág. 519 supra.
(298) El Instituto de Derecho Internacional en su Sesión de Estocolmo (1928) formuló un voto que dice: "Ningún individuo puede perder su nacionalidad sin adquirir una nacionalidad extranjera". American Journal of International Law 1928, p. 850.

la pérdida de nacionalidad de sus propios nacionales por haber descuidado sus obligaciones para con él;... todos esos principios son postulados de política jurídica, que pueden recibir su consagración en tratados internacionales, pero no son normas positivas de derecho internacional general, que limiten el contenido del orden jurídico interno" (299).

Se trata siempre en estos casos de hechos tan graves y que afectan de manera tan fundamental la conservación misma del Estado, que se explica que éste quiera despojar de su calidad de nacional a quien ha incurrido en los mismos y no se concebiría que se pretendiera imponerle, contra su voluntad, el deber de extender su protección hacia quienes han demostrado ser capaces de actos semejantes.

1. Régimen de pérdida de nacionalidad "ex - lege"

Este régimen es el que está en vigor en varios países americanos, a saber: Bolivia, Brasil, Costa Rica, Cuba, Chile, Honduras, México, Panamá y Perú.

Aunque este sistema sea el más efectivo para la lucha contra los abusos de nacionalidad por naturales, como las causales que determinan la pérdida figuran, con la sola excepción de Costa Rica, en los textos constitucionales respectivos, adolecen por lo general, de un exceso de rigidez. Son fórmulas en su mayoría adoptadas en épocas anteriores a la emergencia, sin previsión de las necesidades de dicho período y que solamente comprendan hipótesis muy especiales y determinadas. Sin embargo, ha habido una tendencia generalizada a interpretarlas con toda la amplitud posible, de modo que en algunos casos, puedan ofrecer una salvaguardia apropiada.

Las reglas en vigor pueden ordenarse, en función de este

---

(299) Kelsen, Théorie Génerale du Droit International Public, Recueil des Cours de l'Académie de Droit International, 1932 IV, t. 42, pág. 247.
"El Derecho de Gentes reconoce que el Estado puede ligar la pérdida: a) a ciertas incompatibilidades (aceptación de cargos públicos, civiles o militares en el extranjero, de condecoraciones, comisiones remuneradas, etc.); b) a la realización de ciertos delitos (traición, subversión de las instituciones políticas y sociales, etc.)". Pontes de Miranda, op. cit. p. 179.

criterio, según su mayor o menor amplitud y eficacia en la lucha contra los abusos de nacionalidad por naturales.

El precepto más amplio, es el que decreta la pérdida de nacionalidad por manifestar adhesión al régimen jurídico de los países enemigos. Tal norma está en vigor en Costa Rica desde 1942, cuando se agregó un inciso a la antigua ley de nacionalidad de 1889, disponiendo que perderán su nacionalidad "los costarricenses que en forma algunas manifestaren adhesión al régimen político de los países con los cuales Costa Rica está en guerra" (300).

Posteriormente se adoptaron otras medidas destinadas a facilitar la aplicación de esta regla, principalmente, desde el punto de vista procesal, disponiéndose además que "el hecho de que una persona haya sido incluída en las Listas Proclamadas de los países aliados, es un indicio que se tomará en cuenta" (301).

La norma citada se ha aplicado en varios casos de costarricenses naturales o naturalizados que evidenciaron su adhesión al régimen político de Alemania, Italia o Japón (302).

Otra regla que aunque no tan amplia, ha podido ser de utilidad no sólo por su aplicación, sino también por su eficacia preventiva e intimidatoria, es la que prevé la pérdida de nacionalidad, tanto por naturales como por naturalizados "por la prestación de servicios, en tiempo de guerra, a enemigos del país o de sus aliados". Tal precepto figura en las Constituciones de Honduras, Panamá y Chile, (303) y en los tres casos estuvo en plena aplicación, por cuanto todas las Repúblicas citadas decretaron la guerra al Eje.

Otra fórmula apropiada es la que consta en la Constitución del Brasil (304), donde se ha configurado como causal de

---

(300) Ley Nº 79, de 9 de julio de 1942, art. 1º.
(301) Decreto Nº 2 de 8 de julio de 1944; Decreto Nº 4, de 23 de setiembre de 1944 ,art. 1º.
(302) Resolución Nº 6, de 23 de setiembre de 1944.
(303) **Honduras**. — Art. 12, inc. 3º.
Panamá. — Art. 2), inc. b. (Se considera como renuncia tácita de la nacionalidad, pero esto no significa que no sea verdadera causal "ex-lege", ya que la Constitución establece una presunción absoluta e irrefragable de que existe voluntad de renunciar a la nacionalidad).
Chile. — Art. 6º, inc. 3º.

pérdida de la nacionalidad "aceptar comisión o empleo remunerado de otro gobierno", sin permiso del Presidente de la República. Autorizadas opiniones doctrinarias han interpretado este artículo en el sentido de que es bastante que se acepte una comisión rentada de una sociedad que responda a un gobierno extranjero, para que proceda la pérdida de nacionalidad. Dice un autor al señalar el alcance que debe darse a este precepto: "Entiéndase gobierno extranjero, de hecho o de derecho, o sociedad extranjera de la que sea el gobierno extranjero el orientador político inmediato, o cualquier institución por la cual el gobierno extranjero pueda ejercer influencia moral directa sobre el nacional del Brasil" (305). Esto incluye, en los Estados totalitarios, la mayor parte de las organizaciones y entidades, principalmente las de fin político, ya que todas o casi todas han pasado a constituir instrumentos de acción gubernamental u organismos para-etáticos de propaganda. De manera que la fórmula brasileña, interpretada de ese modo amplio, es sumamente adecuada.

En Costa Rica, es además causal de pérdida de nacionalidad aceptar cargos públicos de un gobierno extranjero sin autorización del nacional (306). Igualmente en Cuba y en Perú se pierde la nacionalidad por aceptar empleos de otro Estado que lleven anexo el ejercicio de autoridad o jurisdicción (307). Estos preceptos no son susceptibles de la interpretación extensiva que se ha dado a la disposición brasileña ya que según su letra se requiere que el natural haya sido designado oficialmente por un Estado extranjero, en calidad de funcionario público, y no basta para configurar la causal la atribución de un simple empleo retribuído o una comisión remunerada, como la de agente de propaganda o de espionaje, por ejemplo. Esta úl-

---

(304) Art. 116, inc. b. Ver también Decreto Ley Nº 389, de 25 de abril de 1938. Art. 2º, inc. b) y Ley Nº 1317 de 2 de junio de 1939.

(305) Pontes de Miranda, op. cit. pág. 187.

(306) Ley Nº 25 de 13 de mayo de 1889, art. 4º, inc. 2º. También "aceptar títulos o condecoraciones, salvo que se tratare de títulos literarios, científicos o humanitarios".

(307) **Cuba.** — Const. art. 15, inc. b) (Sin permiso del Senado, el desempeño de funciones, que lleven aparejada autoridad o jurisdicción propia).
Perú. — Const. art. 7, inc. 1º.

tima interpretación, en cambio, es perfectamente legítima ante la fórmula brasileña.

Existen otras causales menos apropiadas para la lucha contra los abusos de nacionalidad, como "entrar al servicio de las armas de un gobierno extranjero sin permiso del Congreso (308), "prestar servicio militar en ejército extranjero, en tiempo de guerra civil o internacional sin permiso del gobierno o tomar armas o prestar servicios en ejército enemigo en tiempo de guerra" (309) y "aceptar o usar títulos nobiliarios que impliquen sumisión a un Estado extranjero" (310), que es la única causal "ex lege" de pérdida de nacionalidad por naturales aceptada por el sistema constitucional mexicano.

A fin de obviar la limitación constitucional a la pérdida de nacionalidad por naturales, llenando prácticamente sus mismos fines, en México se ha seguido el procedimiento ya señalado al tratar de la adquisición de nacionalidad por opción o por matrimonio, que se funda en las exigencias relativas a la prueba de la nacionalidad.

La Secretaría de R. Exteriores ha dispuesto que todos los naturales del país que no sean nacidos en México, y de padres mexicanos, han menester un certificado de nacionalidad para poder probar su calidad de mexicanos. Tal exigencia comprende a los nacidos en el extranjero, de padres mexicanos, a la mujer extranjera casada con un mexicano natural o posteriormente naturalizado, y a los hijos de padres extranjeros, nacidos en

(308) **Perú.** — Const., art. 7º, inc. 1º.
Cuba. — Const. art. 15 inc. b. "Sin permiso del Senado, entrar al servicio militar de otra nación. El Senado confirmó, "a posteriori" la autorización requerida, en Res. de 20 mar. 1945 disponiendo que los cubanos que sirvieron durante la segunda guerra mundial en la fuerzas armadas de cualquier país que luchó contra el Eje, no perderán la nacionalidad.
Costa Rica. — Ley Nº 25 de 13 de mayo de 1889, art. 4, inc. 3º. En este país, sin embargo, por Decreto Legislativo Nº 33 de 7 de julio 1943, se declara no aplicable durante todo el término de la actual guerra ese precepto en el caso de los costarricenses que se hayan alistado o se alisten en cualquiera de los ejércitos de las naciones en guerra contra las potencias del Eje.
(309) **Bolivia.** — Const. art. 42.
(310) **México.** — Constitución, art. 37 A fracción II.

territorio nacional. Como se ha dicho ya, toda vez que se expedía este certificado, y cuando existía la menor posibilidad de doble nacionalidad, se exigía la renuncia de cualquier derecho que al interesado pudiera corresponder por su nacimiento en el extranjero o su parentesco con extranjeros. Posteriormente, y por una medida de emergencia (311), se suspendió la expedición de certificados de nacionalidad mexicana a las personas oriundas de un país enemigo y a los parientes por consaguinidad o afinidad de nacionales enemigos. Con arreglo a esa medida, las mujeres mexicanas casadas con enemigos, las esposas de mexicanos originarias de algún país en guerra con México, los nacidos de padres mexicanos en los Estados del Eje y los hijos de padres de nacionalidad enemiga nacidos en México "aún siendo legalmente mexicanos, quedaron sin poder comprobar su nacionalidad, privados de pasaportes, inmovilizados y sujetos a las leyes de emergencia". Se dispuso además, y esta es ya una medida específica de pérdida de nacionalidad, que "la Secretaría de Relaciones Exteriores cancelará los certificados de nacionalidad **ya expedidos,** a los nacionales, súbditos, nativos o descendientes de alemanes, búlgaros, húngaros, italianos, japoneses y rumanos cuando exista causa fundada, a juicio de la Secretaría, de que la persona de que se trata ha cometido actos contrarios a la seguridad nacional" (312).

Se trata de medidas provisorias que colocan, a fines puramente prácticos, a naturales del país como extranjeros, pero que no alcanzan a constituir una verdadera pérdida de la nacionalidad en el sentido propio del término, ni tienen carácter definitivo por cuanto se ha dispuesto que al restablecerse las

---

(311) Decreto de 25 de julio de 1942, art. 3º.
Posteriormente por D. de 6 de mayo de 1943, se facultó a la Secretaría de Relaciones Exteriores para expedir certificados de nacionalidad mexicana en los casos a que se refieren ciertos incisos del D. de 25 de julio de 1942, cuando se trate de mexicanos que, por razón de su parentesco con alguna persona de origen alemán, búlgaro, húngaro, italiano, japonés o rumano, hayan quedado incapacitados de obtener certificado de su nacionalidad mexicana. (Véase nota 183, p. 489 Por Decreto de 13 de enero de 1944 se dejó sin efecto la suspensión de entrega de certificados para los residentes en México de nacionalidad u origen italiano.

(312) Decreto de 25 de julio de 1942, art. 4º.

garantías constitucionales, se tendrán expeditos los recursos para la revisión y reconsideración de los casos (313).

2. Pérdida de nacionalidad por naturales basada en la adquisición de otra nacionalidad

El principal motivo de pérdida comprendido bajo este título es la adquisición voluntaria de una nacionalidad extranjera. También puede incluirse el matrimonio con una persona extranjera, siempre que las disposiciones respectivas establezcan que la pérdida por esta causa solamente se verificará cuando por el mismo acto se adquiera la nacionalidad del cónyuge. De otro modo, esta causal pertenecería al grupo anterior.

A primera vista parecería muy menguado el interés que puede ofrecer este régimen para el presente estudio. Sin embargo, como se apreciará en las páginas inmediatas, la adquisición de otra nacionalidad como motivo de pérdida ha sido utilizada en una República Americana para prevenir los que probablemente pudieron llegar a constituir los más graves abusos de nacionalidad americana por parte de naturales. Por lo tanto es conveniente indicar en forma sumaria los países que han incorporado esta causal.

La adquisición voluntaria de otra nacionalidad o, en forma más precisa, la naturalización en el extranjero, es la única causal de pérdida de nacionalidad por naturales en Paraguay, El Salvador (314), Colombia y Nicaragua (315). Es una causal más en los regímenes constitucionales o legales de México

---

(313) Decreto de 25 de julio de 1942, art. 1º transitorio.
(314) **El Salvador.** — Const. art. 11 (naturalización voluntaria en el extranjero).
Paraguay. — Ley 559 de 14 de noviembre de 1923. Se infiere de esta ley que el paraguayo naturalizado en otro Estado que no resida en la República o que residiendo en ella, no se inscriba en el registro cívico permanente y militar, se considera extranjero (naturalización en el extranjero).
(315) **Colombia.** — Const. art. 8º (naturalización en el extranjero.
Nicaragua. — Const. art. 18, inc. 1º (nacionalización voluntaria en el extranjero, salvo en América Central).
Ver además, sobre estos países, Nº 3 de la presente sección, pág. 543.

(316), Brasil, Costa Rica, Cuba, Chile, Honduras; Panamá,
Perú (317), Estados Unidos, Haití (318) y Guatemala (319).

Según se ha visto ya en la sección anterior, en Venezuela
(320), Argentina y Ecuador (321) la naturalización en el ex-

---

(316) **México.** — Const. art. 37 A inc. I (adquisición de nacionalidad extranjera). Se exige que la adquisición tenga carácter voluntario, lo que ha sido reglamentado por la Ley de
19 de enero de 1934, art. 3º, inc. I, que establece que no se
considera voluntaria la naturalización cuando se opera en
virtud de la ley, por simple residencia o cuando es condición
para adquirir trabajo o conservar el adquirido, a juicio de la
Secretaría de Relaciones Exteriores.
Además, por Decreto de 22 de octubre de 1942, se concedió
permiso a los mexicanos radicados en países americanos que
luchan contra el Eje, para prestar servicios civiles o militares a los Gobiernos de dichos países, sin perder su calidad
de mexicanos, siempre que dichos servicios estén encamina-
dos a la defensa de las Naciones Unidas contra el Eje.

(317) **Brasil.** — Constitución, art. 116 a) (naturalización voluntaria).
Decreto-ley Nº 389, de 25 de abril de 1938, art. 2º, inc. a).
Costa Rica. — Ley Nº 25 de 13 de mayo de 1889, art. 4º,
inc. 1º (naturalización en extranjero).
Cuba. — Constitución art. 15, inc. a) (adquisición de ciudadanía extranjera).
Chile. — Constitución art. 6º, inc. 1º (nacionalización en
país extranjero).
Honduras. — Constitución art. 12, inc. 1º (naturalización
voluntaria en extranjero).
Panamá. — Constitución, Art. 20, inc. a) (adquisición voluntaria de nacionalidad extranjera).
Perú. — Constitución, art. 7º, inc. 2º (adquisición de nacionalidad extranjera). Se exceptúa al que se naturaliza en
España, pero tal excepción no está en vigor (Véase pág. 456.
nota 101.

(318) **Estados Unidos.** — Ley de Nacionalidad de 1940 Sec. 401
(a) (naturalización en extranjero). 54 Stat. 1168 - 1169;
8 U.S.C. 801 (a).
Haití. — Ley de 22 de agosto de 1907, art. 17, inc. 1º (naturalización en extranjero).
Ver además sobre estos países, Nº 3 de la presente sección,
pág. 543.

(319) **Guatemala.** — Ley de Extranjería de 25 de enero de 1936,
art. 3º (naturalización en extranjero).
Ver además sobre este país, Nº 3 de la presente sección.
pág., 543.

(320) Ver nota 256 pág. 520 supra.

(321) Ver nota 256 pág. 520, supra.
Sin embargo el régimen de convenciones internacionales de
estos dos países atenúa en algo el hecho de que no reconozcan en el natural, que se ha naturalizado en otro país la ca-

tranjero es causal de pérdida de la nacionalidad adquirida, pero no de la originaria y en Bolivia, República Dominicana y Uruguay (322) apareja únicamente la pérdida de los derechos políticos o de ciudadanía.

En aplicación de esta causal de pérdida de nacionalidad, tan alejada, aparentemente, de los problemas de defensa política, se adoptó una importante medida de emergencia para prevenir los abusos de nacionalidad por naturales, en el Perú.

En este país, se dispuso que los peruanos de nacimiento, hijos de padres oriundos de países que reconocen el "jus-sanguinis" o la doble nacionalidad, que se ausentaron de la República durante su minoría para establecerse en la patria de sus padres o recibir en ella educación, o cumplir con las prescripciones de las leyes de orden militar u otras análogas, quedarían sujetos a las disposiciones vigentes sobre inmigración y extranjería, mientras no fueran rehabilitados en forma legal (323). Esta medida se fundó en que la conducta de esas personas les confiere automáticamente la nacionalidad extranjera, según la ley de estos países, con lo cual pierden la peruana conforme al art. 7 inc. 2º de la Constitución (pérdida de la nacionalidad por adquisición de otra). Como expresara un funcionario de este país "esta medida está destinada a contrarres-

___

lidad de extranjero.

Del tratado celebrado por Argentina, con Suecia y Noruega, firmado en Viena en 1885 se infiere que el argentino que se ha naturalizado sueco o noruego y regresa a la Argentina, sin intención de residir permanentemente en ella, es considerado como sueco o noruego.

Ambos países han ratificado además, junto con Brasil, Colombia, Costa Rica, Chile, Estados Unidos, Ecuador, Argentina, El Salvador, Honduras, Nicaragua y Panamá, la 3ra. Convención de la Conferencia Internacional Americana de Río de Janeiro, de 1906. Se deduce de la misma que el natural, naturalizado en otro de los países ratificantes, que vuelve a su país de origen, con intención de regresar al de naturalización, debe ser considerado como nacional de este último país. En suma, pues, se puede perder la nacionalidad originaria por naturalización en el extranjero.

(322) Ver nota 257, pág. 520 supra. En Uruguay el ciudadano legal pierde tal calidad por su naturalización ulterior, pero el ciudadano natural no pierde la nacionalidad por naturalizarse en otro país sino que solamente se suspenden sus derechos políticos o de ciudadanía.

(323) Resolución Suprema de 31 de julio de 1940.

tar especialmente una maniobra de los súbditos japoneses que, aunque nacidos en el Perú, eran enviados a los 12 o 14 años de edad al Japón, para que se adentraran en el espíritu nacional nipón, sirvieran en su ejército y completaran su formación japonesa; y, cumplidos esos fines y alegando haber nacido en el Perú, trataban de regresar o de utilizar su nacionalidad de nacimiento para fines de espionaje o de actividades quintacolumnistas" (324). Más tarde se fijó el procedimiento por el cual las personas comprendidas en esa resolución, puedan readquirir la nacionalidad peruana, que es presentar una solicitud al Ministerio de Relaciones, el que reúne las informaciones y elementos que juzgue necesarios para establecer las razones que motivaron la pérdida de la nacionalidad y los móviles que llevan al interesado a pedir su rehabilitación (325).

En los Estados Unidos, para resolver un problema similar al del Perú, una disposición especial de la ley de nacionalidad establece una presunción simple de que se han realizado hechos que determinan la pérdida de nacionalidad, en el caso de un nacional de los Estados Unidos, que haya nacido en los Estados Unidos o fuera de éstos, pero de padre allí nacido, y que resida por más de seis meses en el país donde dicho nacional o alguno de sus padres sería o hubiera podido ser también nacional con arreglo a las leyes de este último.

Se crea una presunción simple de que se ha perdido la nacionalidad por haber adquirido la otra, a causa de prestar servicios en las fuerzas armadas o en algún cargo oficial. Esa presunción puede ser destruída por prueba contraria satisfactoria, de acuerdo a la reglamentación que han prescripto en forma conjunta los Departamentos de Estado y de Justicia (326).

Según la explicación brindada por los funcionarios de Estados Unidos esta disposición está diriga principalmente a los nacionales que son también o pueden ser japoneses y visitan

---

(324) Memorándum citado del Jefe de la Sección Congresos y Organismos Internacionales del Ministerio de Relaciones Exteriores y Culto del Perú.
(325) Decreto de 23 de enero de 1942.
(326) Ley de Nacionalidad de 1940, sección 402. 54 Stat. 1169; 8 U. S. C. 802.

Japón para recibir educación o prestar servicios militares o civiles.

3. Régimen de Expatriación

El primer problema que plantea este capítulo es el relativo al significado de la palabra "expatriación" y al uso que en castellano se debe hacer de la misma.

Este vocablo "expatriation" tiene curso común en los Estados Unidos, donde se aplica a toda pérdida de nacionalidad por naturales o naturalizados (salvo el caso de cancelación) con excepción del régimen de pérdida de nacionalidad como pena accesoria ("forfeiture"). La acepción precisa de esta palabra en español no es la misma que se le da en inglés (327), ya que se habla en el primer idioma, de expatriación voluntaria cuando una persona deja su país para radicarse de un modo permanente o definitivo en el extranjero y de no voluntaria cuando una persona es obligada a dejar su país, principalmente a título de pena. En este último sentido la palabra es sinónima de destierro u ostracismo (328).

No obstante, en ciertos casos la palabra "expatriación" es usada en materia de nacionalidad. Un ejemplo lo proporciona la legislación de El Salvador, que utiliza el vocablo en el sentido de "derecho del salvadoreño de abandonar el país y solicitar la naturalización en un país extranjero" (329).

Tal parece ser la acepción estricta que corresponde a esta palabra, en relación con la materia de nacionalidad. De acuerdo con la significación original y etimológica del término es comprensible que se le haya extendido para referirse a la pérdida de la nacionalidad por la naturalización en otro Estado, cuando por regla general, ésta sólo puede verificarse una vez que el nacional ha abandonado definitivamente su país de origen y se ha

---

(327) Según el Diccionario de la Academia Española es "la acción o efecto de expatriarse o ser expatriado" y "expatriarse" es "abandonar uno su patria por su propia voluntad o por cualquier otra causa".

(328) Tal es el significado que le atribuye el Cód. Pen. del Perú, por ejemplo, que la ubica en el elenco de las penas (art. 10) y castiga ciertos delitos contra la seguridad del Estado con "expatriación no menor de 10 años" (art. 289).

(329) Ley de 29 de setiembre de 1886, arts. 6º y 7º.

radicado en suelo extranjero. Pero en Estados Unidos se ha generalizado de tal modo el uso del vocablo, que se aplica a casos en que un nacional pierde su nacionalidad por motivos diferentes de la naturalización en el extranjero.

Sin embargo, también se justifica la acepción que se le ha dado en los Estados Unidos si se tiene en cuenta que la pérdida de nacionalidad por naturales, salvo cuando se verifica por vía accesoria a una pena, únicamente se hace efectiva en dicho país cuando el nacional ha dejado el territorio. De manera que parece correcto, aunando el significado etimológico y el uso actual, retener la palabra "expatriación" usada en un sentido lato, para referirse a la pérdida de nacionalidad pero solamente, cuando, como ocurre en los Estados Unidos y en algunos otros Estados del Continente, se exige como requisito adicional para la misma el abandona del país de origen.

El régimen de pérdida de nacionalidad por expatriación, o de pérdida subordinada al alejamiento del país se encuentra en vigor en Colombia, Estados Unidos (330), Haití, Guatemala y Nicaragua. Las causales que determinan la pérdida son del tipo de las analizadas en los numerales 1 y 2 del presente capítulo. En Estados Unidos, Haití, y Guatemala existen causales de ambos géneros. En Colombia, El Salvador y Nicaragua solamente de la segunda clase (por adquisición de otra nacionalidad). Es de interés conocer los motivos invocados para justificar esa exigencia adicional del alejamiento del país a fin de que se verifique la pérdida de la nacionalidad.

La principal razón aducida es que los Gobiernos que han implantado este régimen no quieren que sus nacionales eludan las obligaciones que les corresponden como tales, mientras están dentro del territorio nacional.

Sin embargo, a esta consideración debe observarse que no es exacto, que un individuo escape, en realidad, a ningún deber u obligación importante por la privación de su calidad de na-

---

(330) En Estados Unidos, sin embargo, se acaba de introducir por ley de 1 de julio de 1944 (58 Stat. 677; 8 U. S. C. 801) una disposición admitiendo la pérdida de nacionalidad dentro del país, mediante "una renuncia escrita formal... siempre que Estados Unidos se encuentre en estado de guerra y el Procurador General estime que tal renuncia no es contraria a los intereses de la defensa nacional".

cional dentro del territorio, desde que la nacionalidad parece ser un estado legal privi'egiado, y es dudoso que imponga deberes u obligaciones legales que no graven igualmente a los residentes extranjeros. Más bien puede decirse, que la persona que ha perdido su nacionalidad asume cargas legales adicionales, en vista del hecho de que los extranjeros en general, y los extranjeros enemigos en particular, están sujetos a mayores restricciones que los nacionales. Naturalmente, la nacionalidad impone, en realidad, ciertos deberes y obligaciones morales, tales como la lealtad y fidelidad al país, pero es dudoso que pueda obtenerse alguna ventaja impidiendo la pérdida de nacionalidad de una persona cuya conducta indique claramente que su lealtad es para otro país. Por el contrario, parecería más apropiado que se colocara al individuo en cuestión en el "status" legal que ya ha adoptado espiritualmente, sometiéndolo a las inhabilitaciones propias de la condición de extranjero. Podrían, además, establecerse con toda facilidad salvaguardias adecuadas contra cualquier posible evasión de deberes u obligaciones para con el Estado, por medio de las disposiciones legislativas y los procedimientos administrativos pertinentes.

Se ha afirmado también, en favor del régimen de expatriación, que de adoptar otra política se facilitaría la creación de "apátridas". En realidad, esta consideración no parece fundada, ya que el hecho de que la persona que pierde su nacionalidad deba encontrarse en el extranjero no garantiza que efectivamente adquiera otra nacionalidad. Las únicas formas de pérdida de nacionalidad que impiden con absoluta certidumbre los casos de "heilmatlosat" son las que se han analizado en el numeral precedente.

Otra consideración que se ha invocado para dar un fundamento a este régimen es que aceptar que la pérdida de nacionalidad se verifique en el propio territorio equivaldría a permitir que un individuo adoptara la nacionalidad de un país extranjero mientras se encuentra en el territorio nacional.

A esta argumentación puede oponerse idéntica objeción que a la anterior. Los hechos que determinan la pérdida de nacionalidad, salvo la naturalización en el extranjero, rara vez dan lugar a la adquisición de otra nacionalidad. Y esta última, por lo general, tiene lugar, únicamente cuando la persona ha abandonado su país de origen y reside en el territorio del Estado cuya nacionalidad desea adquirir.

Existe una última explicación de este régimen, que sólo es valedera cuando la causal determinante de la expatriación es la naturalización en el extranjero. Y es que con la exigencia de que el que adquiere otra nacionalidad resida fuera del territorio de su país de origen se ha querido impedir el abuso de personas que pretendiendo ponerse bajo la protección de gobiernos extranjeros, frente a su propio país, se naturalizan en otro pero continúan viviendo en su país de origen, como si fueran nacionales, y obteniendo todas las ventajas de tales y tan sólo alegan o esperan poder alegar los privilegios de extranjeros, cuando les conviene sustraerse a la jurisdicción nacional. Como ha dicho la Corte Suprema de los Estados Unidos, "su único propósito es usar su naturalización como un escudo contra la imposición de deberes en un país, mientras que con su ausencia evitan sus deberes en otro" (331).

Sin embargo, esta no es razón suficiente para establecer el requisito adicional de la expatriación, por cuanto la posibilidad de tales abusos, se subsana de un modo más justo, sin atentar contra el derecho de adquirir una nueva nacionalidad y de conservarla incluso cuando se regresa temporariamente al país de origen, mediante leyes o acuerdos internacionales que estipulen que el naturalizado en un Estado pierde su naturalización por regresar, con ánimo de permanecer, al país de anterior nacionalidad (332).

---

(331) Citado en "Codification of the Nationality Laws of the United States" op. cit. parte I, pág. 51.

(332) Es de señalar que todas las Repúblicas que han adoptado el régimen de expatriación, salvo Guatemala, ratificaron la 3ª Convención de Río de Janeiro que establece el sistema indicado en el texto.
Además Estados Unidos ha celebrado tratados bilaterales que contienen un p incipio semejante con gran número de Estados Americanos (Brasil, 1908; Costa Rica, 1911; El Salvador, 1908; Haití, 1902; Honduras, 1908; Nicaragua, 1908; Perú, 1907; Uruguay, 1908; aunque este último está en implicancia con el actual régimen constitucional), y cuenta en su Ley de Nacionalidad con una fórmula legal que establece la misma regla. Ley de 1940. Sec. 404 (a) y (b) 54 Stat. 1170; 8 U. S. C. 804 (a) y (b).

a. Régmen de expatriación por causales de pérdida "ex-lege"

Causales de este tipo rigen en Estados Unidos, Haití y Guatemala. La más amplia es la que está en vigor en Haití, donde se establece que se pierde la calidad de nacional "por servicios de cualquier índole prestados a los enemigos de la República o por transacciones hechas con ellos" (333). Es también motivo de pérdida en este país, "al abandono de la patria en momento de peligro inminente" (334). Dado que Haití declaró la guerra a las potencias del Eje (335) ambas fórmulas han sido aplicadas.

En Estados Unidos constituye causal de expatriación, "votar en una elección política de un estado extranjero o participar en una elección o plebiscito a fin de determinar la soberanía sobre territorio extranjero" (336), lo que coincide con una de las causales de pérdida de nacionalidad por acto voluntario recomendadas por el Comité (337).

En los tres países mencionados constituye causal de pérdida aceptar un cargo, de un gobierno extranjero. En Estados Unidos se pierde la nacionalidad por "aceptar o desempeñar los deberes de cualquier función, puesto o empleo bajo el gobierno de un estado extranjero o de una subdivisión política del mismo, para el cual sólo son elegibles los nacionales de tal Estado (338). En Haití, el mismo efecto se produce por "la aceptación no autorizada de funciones públicas o de pensiones conferidas por un gobierno extranjero" (339), y en Guatemala por aceptar "sin licencia del gobierno" un cargo que tuviese anexa jurisdicción (340). Esta causal coincide en parte con una recomendación del Comité (341).

En Estados Unidos y Guatemala es también causal de pér-

---

(333) Ley de 22 de agosto de 1907, art. 17, inc. 4º.
(334) Ley de 22 de agosto de 1907, art. 17, inc. 2º.
(335) D. Ejecutivo de 8 dic. 1941.
(336) Ley de Nacionalidad de 1940, Sec. 401 e). 54 Stat. 1169; 8 U. S. C. 801 (c). Esta causal tiene en cuenta, por ejemplo, el caso de ciertos nacionales Americanos que votaron en el plebiscito del Sarre de 1935.
(337) Res. XV B 2) d) Primer Informe Anual, pág. 125.
(338) Ley de Nacionalidad de 1940, Sec. 401 d).
(339) Ley de 22 de agosto de 1907, art. 17, inc. 3.
(340) Ley de Extranjería de 25 de enero de 1936, art. 6º.
(341) Res. XV B 2) e) Primer Informe Anual, pág. 125.

dida prestar servicios en las fuerzas armadas de un Estado extranjero (342), pero en el primero de estos países se aplica esa norma únicamente cuando por ese hecho se tiene o adquiere la nacionalidad extranjera. Así concebida la causal, pertenece en realidad al grupo que se estudia a continuación.

En Estados Unidos se pierde asimismo la nacionalidad por expatriación, por "prestar juramento o hacer una afirmación o declaración de fidelidad a un Estado extranjero" (343) o por presentar una renuncia formal a la nacionalidad (344).

b. Régimen de expatriación por la adquisición voluntaria de otra nacionalidad

Además de la causal vigente en los Estados Unidos que se ha indicado en párrafos anteriores, la naturalización en el extranjero constituye causal de pérdida de la nacionalidad en todos los países que han adoptado el régimen de expatriación, o sea Colombia, Estados Unidos, Guatemala, Haití y Nicaragua (345).

c. El alejamiento del país

La prohibición de la pérdida de nacionalidad dentro del país, que es el rasgo característico de este sistema, agrega en realidad, un requisito más para que dicha pérdida tenga lugar, que es la emigración del nacional.

Esta exigencia es preceptuada por lo común en términos expresos.

En Estados Unidos "ningún nacional puede expatriarse o ser expatriado mientras se encuentre dentro del territorio de los Estados Unidos o de alguna de sus posesiones no continentales, sino que la expatriación resultará de la realización dentro de los Estados Unidos o de los territorios no continentales, de

(342) **Estados Unidos.** — Ley de Nacionalidad de 1940, Sec. 401 (c). 54 Stat. 1169; 8 U. S. C. 801 (c).
Guatemala. — Ley de Extranjería de 25 de enero de 1936 art. 6º. Véase Res. XV B 2 b).
(343) Ley de Nacionalidad de 1940, Sec. 401 (b). Véase Res. XV B 2 a).
(344) Ley de Nacionalidad de 1940, Sec. 401 (f). 54 Stat. 1169; 8 U. S. C. 801 (f).
(345) V. pág. 539 540, supra y notas 315, 318 y 319.

cualquiera de los actos, o del cumplimiento, en el mismo territorio, de cualquiera de las condiciones especificadas en esta sección, siempre y cuando el nacional después de ello adopte su residencia en el extranjero" (346).

En cuanto a Haití la ley dispone que "ningún haitiano o haitiana puede perder su nacionalidad en Haití" (347).

En Colombia la Constitución establece que "la calidad de nacional colombiano se pierde por adquirir carta de naturalización en país extranjero, fijando domicilio en el Exterior (348).

Esta exigencia, fijada de modo expreso en las tres Repúblicas prenombradas, resulta, en cambio, de un modo indirecto de las disposiciones constitucionales y legales que rigen en Guatemala y Nicaragua.

En Guatemala la ley dispone que "el guatemalteco naturalizado en otro país, al regresar a Guatemala, recobra "ipsofacto" la nacionalidad guatemalteca por la residencia en el territorio de la República" (349) y en Nicaragua la Constitución establece que el que perdiere la nacionalidad "recobrará su calidad de nicaragüense si en cualquier tiempo volviese a Nicaragua" (350). Estas disposiciones implican que no puede perderse la nacionalidad por naturalización en otro país mientras se está dentro del territorio nacional, aunque van más lejos que las de EE. UU. y Haití por cuando deciden, del mismo modo que Colombia, que el que regresa al país no será considerado extranjero. A diferencia de ello, el que ha perdido su nacionalidad en Estados Unidos o en Haití, por expatriación, al volver no recobra la calidad de nacional sino que sigue siendo extranjero.

Se ha observado ya, en líneas anteriores, la limitada eficacia de este régimen, del punto de vista de la defensa política. En vista de las severas restricciones a las oportunidades y facilidades de viaje fuera del país, durante la emergencia

---

(346) Ley de Nacionalidad, de 1940, Sec. 403. 54 Stat. 1169-1170; 8 U.S.C. 803.
(347) Ley de 22 de agosto de 1907, art. 21.
(348) Constitución, art. 8.
(349) Ley de Extranjería de 25 de enero de 1936, art. 3º. A los que pierden su nacionalidad por otras causales se les aplica el mismo precepto, art. 6.
(350) Constitución, art. 18, inc. 1º.

en realidad este requisito hizo poco útil la norma legal sobre privación de nacionalidad en una época en que la estricta aplicación de la misma hubiera sido sumamente aconsejable. Para obviar esta dificultad, se presentaron al Congreso de Estados Unidos, en el año 1942, dos iniciativas legislativas estableciendo un sistema de elección y pérdida de la nacionalidad dentro de los Estados Unidos, pero los mismos fueron aprobados recién en julio de 1944. En los Memorándums especiales sobre problemas de defensa política, el Comité insistió sobre este aspecto del problema, estudiando en forma análoga a lo que se hace en páginas anteriores, las razones de la medida que impide la pérdida de nacionalidad mientras el nacional se encuentra dentro del territorio.

4. Pérdida de la nacionalidad como penalidad accesoria.

La legislación de Estados Unidos y de Haití establece la sanción accesoria de la pérdida de nacionalidad para naturales o naturalizados como consecuencia de la comisión de ciertos delitos de particular gravedad.

En Haití se pierde la nacionalidad, "por la condenación contradictoria y definitiva a penas perpetuas a la vez aflictivas e infamantes" (351).

En Estados Unidos se pierde la nacionalidad como penalidad accesoria a dos delitos, que son "deserción de las fuerzas militares o navales en época de guerra" y "comisión de un acto de traición contra los Estados Unidos" (352).

Como puede advertirse, esta forma de pérdida de nacionalidad se reserva para delitos de excepcional importancia, que demuestren de modo incontestable la falta de lealtad y no es, por lo tanto una medida apta para extenderse a nuevos casos. Como se expresa en el Informe del Funcionario de Enlace de los Estados Unidos, tantas veces citado, es la política de su Gobierno "favorecer la privación de la nacionalidad sólo en los casos más graves de quebrantamiento de las obligaciones fundamentales de la nacionalidad; los actos de-

---

(351) Ley de 22 de agosto de 1907, art. 17, inc. 5).
(352) Ley de Nacionalidad de 1940, Sec. 401 (g) y (h). 54 Stat. 1169-1170; 8 U. S. C. 801 (g) y (h).

lictuosos menos graves contra la nación, incluyendo algunos
tan serios como la correspondencia indebida con gobiernos extranjeros, el sabotaje, o la sedición, han sido considerados,
hasta el momento, como adecuadamente castigados por la ley
penal".

Una clara expresión de esta política está contenida en un
mensaje del Presidente de los Estados Unidos, de fecha 6 de
julio de 1942, en el cual vetaba una ley aprobada por el Congreso (Resolución Nº 6355) que había establecido la pérdida
de nacionalidad ("forfeiture") como una pena adicional por
la comisión de fraude en relación con los contratos de guerra
del gobierno. El mensaje del Presidente afirma:

"Esta penalidad drástica ha sido confinada, según las le-
"yes en vigor, a los delitos de traición y deserción de las fuer-
"zas armadas en época de guerra. De acuerdo a esta ley, si
"es promulgada, la nacionalidad puede perderse de resultas de
"un delito de menor cuantía. La naturaleza extrema de esta
"sanción no sólo constituye un mal precedente, sino que hace
"violencia a nuestro concepto democrático de un castigo razo-
"nable y proporcionado al delito. Aparte de los rasgos inde-
"seables de esta disposición, parecería haber preceptos ade-
"cuados en el Código Penal para reprimir el daño substancial
"que se desea remediar".

CAPITULO III

PROCEDIMIENTO PARA LA ADQUISICION Y PERDIDA DE NACIONALIDAD

Ni por el interés mismo que puedan ofrecer las disposiciones ni por el material que obra en los archivos del Comité se justifica un estudio detallado de los procedimientos que rigen la adquisición y pérdida de la nacionalidad en las Repúblicas Americanas. Es conveniente, sin embargo, hacer una somera revista de las disposiciones respectivas, principalmente en atención a que las recomendaciones de la Resolución XV hacen referencias incidentales al aspecto procesal de este problema, tanto al tratar de los requisitos de adquisición como al referirse a la pérdida de la nacionalidad. Por consiguiente, se considerarán por separado y de un modo extremadamente sintético las disposiciones básicas en vigor respecto a los procedimientos de adquisición y de pérdida.

A. Procedimiento para la adquisición de la nacionalidad.

Distintos problemas procesales pueden analizarse a propósito de la adquisición de nacionalidad siendo los más importantes de entre ellos el relativo a la competencia, para otorgar la naturalización, a la prueba que debe presentarse y a los trámites posteriores al otorgamiento de la nacionalidad.

a. Competencia.

En cuanto al órgano que concede las cartas de naturalización existen cuatro diferentes sistemas: el puramente administrativo, el judicial, el sistema mixto, administrativo y judicial y el sistema en el cual la competencia para el otorgamiento de la carta de nacionalidad se asigna a un organismo especial, que no pertenece ni al Poder Ejecutivo ni al Judicial.

En el primer sistema figura la inmensa mayoría de los países americanos. En 14 de ellos la naturalización es concedida por el Poder Ejecutivo, con intervención de algún Ministerio, que es por lo general el de Relaciones Exteriores, pero que puede ser también el de Interior o Gobernación, el de Inmigración, el de Justicia.

Tal es el sistema de Bolivia, Colombia, Costa Rica, Cuba, Chile, Ecuador, El Salvador, Honduras, Guatemala, Nicaragua, Haití, Perú, República Dominicana y Venezuela (353).

El régimen judicial, sin perjuicio de la existencia de dependencias administrativas encargadas de coordinar y centralizar toda la información y problemas relativos a naturalizaciones, se ha establecido en Argentina, Estados Unidos y

---

(353) **Bolivia.** — D. Supr. de 1 dic. 1938, art. 1. (Poder Ejecutivo. Ministerio de Inmigración, previo informe de la Dirección General de Extranjería).

Colombia. — Const. art. 115, inc. 17 (Presidente de la República). L. Nº 22 bis 1936, art. 13. (Ministerio de Relaciones Exteriores previo informe de la Comisión Asesora del Ministerio de Relaciones Exteriores).

Costa Rica. — Const., art. 102, inc. 18 (Poder Ejecutivo) y D. Ej. Nº 1 de 18 febr. 1931, art. 1. (Secretaría de Relaciones Exteriores).

Cuba. — D. Nº 2349 de 21 de ago. 1942, arts. 1 y 4. (Poder Ejecutivo. Ministerio de Estado).

Chile. — D. Nº 747 de 15 dic. 1925, art. 1. (Presidente de la República. Ministerio del Interior).

Ecuador. — Const., art. 80, inc. 10. (Poder Ejecutivo). D. Nº 111 de 29 de ene. 1941, art. 69. (Ministerio de Relaciones Exteriores).

El Salvador. — Const., art. 9 (Poder Ejecutivo en el ramo de Gobernación).

Guatemala. — Ley de Extranjería de 25 ene. 1936, art. 60. (Poder Ejecutivo. Secretaría de Relaciones Exteriores).

Honduras. — Const., art. 121, inc. 23. (Presidente de la República). L. Nº 31 de 4 feb. 1926, art. 11. (Ministerio de Relaciones Exteriores).

Haití. — L. de 22 ago. 1907, arts. 8 y 25. (Presidente de la República y Secretaría de Estado de Relaciones Exteriores y de Justicia).

Nicaragua. — Const. art. 219, inc. 11. (Presidente de la República). Ord. de 1 oct. 1943 (Ministerio de Gobernación).

Perú. — L. Nº 9148 de 14 jun. 1940, art. 1. (Poder Ejecutivo. Ministerio de Relaciones Exteriores).

República Dominicana. — L. Nº 1227 de 4 dic. 1929, art. 5. (Poder Ejecutivo. Secretaría del Interior y Policía).

Venezuela. — Const. art. 100, inc. 32. (Presidente de la República). L. de 29 may. 1940, art. 14. (Ministerio de Relaciones Interiores).

Paraguay (354). En estos tres países son las Cortes de Justicia las que expiden las cartas de naturalización.

Sin embargo en Estados Unidos, sin perjuicio de las facultades de las Cortes Judiciales en esta materia, se ha dado cada vez mayor ingerencia en los procedimientos de naturalización a autoridades y organismos de carácter administrativo. "Desde la primera ley en materia de naturalización dictada el 26 de marzo de 1790, aquélla ha tenido técnicamente la forma de un proceso judicial, aunque desde 1906 ha sido de hecho un procedimiento ampliamente administrativo. Las Cortes Judiciales nunca han tenido los medios de hacer las encuestas concernientes a la admisibilidad o a las cualidades de los peticionarios de naturalización. Desde 1906 esta importante función ha sido desarrollada por funcionarios de naturalización. El Servicio de Inmigración y Naturalización del Ministerio de Trabajo investiga los hechos y ayuda a la Corte a determinar la ley aplicable en los casos de naturalización que se presenten" (355).

El sistema mixto está en vigor en Brasil, México y Panamá. En estos tres países aunque la autoridad que expide la carta es el Presidente de la República, con intervención del Ministro respectivo, que es el de Justicia en el primer caso y el de Relaciones Exteriores en los últimos, la prueba de los requisitos exigidos por las leyes se presenta y tramita ante los jueces (356).

---

(354) **Argentina.** — L. Nº 346 de 8 oct. 1869, art. 2, inc. 1, 5 y 6.
Estados Unidos. — Ley de Nacionalidad de 1940, Sec. 301. 54 Stat. 1140; 8 U. S. C. 701. Existen excepciones muy limitadas, establecidas por la Ley de Poderes de Guerra de 27 mar. 1942, de que se trata en pág. 465 supra.
Paraguay. — Const., art. 42.
(355) "Codification of the Nationality Laws of the United States" op. cit. parte I. pág. 19. El servicio mencionado depende del Departamento de Justicia desde el año 1940.
(356) **Brasil.** — D. L. Nº 389 de 25 abr. 1938 arts. 12, 15 y 17. En el Brasil el juez recibe la prueba, juzga por sentencia la justificación y envía el proceso con toda la documentación al Gobierno del Estado, a fin de que éste, después de opinar por su Secretaría de Seguridad u órganos correspondientes, lo remita al Ministerio de Justicia y Negocios Interiores, quien examina y despacha. La naturalización se concede por decreto del Presidente de la República.
México. — Const., art. 30 B) inc. 1º. L. de 19 ene. 1934 art. 9 y sigts. En México compete a la justicia recibir las

Finalmente, en el Uruguay, la expedición de la carta de ciudadanía corresponde a un organismo especial, la Corte Electoral (357), que según la Constitución de la República no depende de ningún poder, sino que se comunica directamente con ellos.

b. Prueba.

Con respecto a la prueba, el Comité ha sometido una recomendación especial en el sentido de que para la comprobación de la buena conducta, se exija la presentación de testigos de reconocida idoneidad (358). Esta prueba testimonial, es requerida por la legislación de varios países americanos, estableciéndose además, por lo general, para corroborar las deposiciones testimoniales, la exigencia de informes de dependencias oficiales que tienen funciones de investigación, principalmente las de carácter policial.

Argentina, Bolivia, Brasil, Costa Rica, Colombia, Cuba, Estados Unidos, Guatemala y Uruguay, son los países que han reclamado expresamente en sus leyes declaraciones testimoniales para probar la conducta (359).

---

pruebas, controlar su producción y analizarlas consignando sus observaciones, pero es la Secretaría de Relaciones Exteriores la que apreciará las mismas y otorgará la naturalización.

Panamá. — Const., art. 109, inc. 12. (Presidente de la República). L. Nº 8 de 11 feb. 1941, art. 4. (La prueba se presentará ante un juez de circuito, quien "podrá rechazar los testimonios que a su juicio no sean idóneos y certificará sobre la honorabilidad de los declarantes").

(357) L. Nº 8196 de 2 feb. 1928, art. 19. Ver Const., art. 275.

(358) Resolución XV, A a) (2). Primer Informe Anual, pág. 122.

(359) **Argentina.** — D. de 19 dic. 1931, art. 11.
Bolivia. — D. Supr. de 1 dic. 1938, art. 2, inc. j).
Brasil. — D. Nº 389 de 25 abril 1938, art. 14.
Colombia. — L. Nº 22 bis 1936, art. 6, inc. d).
Costa Rica. — D. Ej. Nº 1, de 18 feb. 1931, art. 4.
Cuba. — Memorándum de la Consultoría del Ministerio de Estado, relativo a los puntos de vista del gobierno cubano, sobre la Resolución XV del Comité Consultivo de Emergencia, de 24 de marzo de 1943.
Estados Unidos. — Ley de Nacionalidad de 1940, sec. 309 (a). 54 Stat. 1143; 8 U.S.C. 709 (a).
Guatemala. — Ley de Extranjería de 25 ene. 1936 ,art. 65.
Uruguay. — L. Nº 8196 de 2 feb. 1928, art. 8 y Circs. Nos. 1110 de 12 set. 1934, 1119 de 19 nov. 1934, 1177 de 26 jul. 1935, 2016 de 12 dic. 1942 y 2032 de 30 ene. 1943.

En algunos de estos países se exigen condiciones especiales para los testigos: en cuatro de ellos, Brasil, Colombia, Estados Unidos y Uruguay se reclama que se trate de nacionales del país, y en los dos primeros y en Costa Rica que sean personas idóneas (360). En Colombia se exige, además, que se trate de ciudadanos honestos en concepto del funcionario encargado de recibir sus declaraciones; en Bolivia, que sean propietarios y formulen declaración jurada y en Argentina las normas en vigor reclaman que se trate de "mayores de edad, que sepan leer y escribir, con residencia en la jurisdicción del juzgado y que no se hayan ausentado del país durante dos años anteriores a su declaración" (361). En el Uruguay, además de otras condiciones, de menor importancia, se exige que sean mayores de 25 años (362).

Por lo general, bastan dos testigos para hacer fe, salvo en los casos de Costa Rica que exige cuatro, Colombia que exige cinco y Estados Unidos que reclama dos por cada lugar de residencia del peticionario (363).

En todos los países mencionados se establecen investigaciones o comprobaciones complementarias de la prueba realizada por medio de testigos. Así está dispuesto expresamente en Argentina, Bolivia, Brasil, Costa Rica, Cuba, Guatemala y Uruguay (364).

---

(360) **Brasil.** — D. L. Nº 389 de 25 abr. 1938, art. 12.
Estados Unidos. — Ley de Nacionalidad de 1940, sec. 309, (a). 54 Stat. 1143; 8 U. S. C. 709.
Colombia. — L. 22 bis 1936, art. 6 inc. d) (naturales).
Uruguay. — L. Nº 8196 de 2 febr. 1928, art. 8 (inscriptos en Registro Cívico).
Costa Rica. — D. Ej. Nº 1 de 18 febr. 1931, art. 4.
(361) **Colombia.** — Ley 22 bis 1936, art. 6 inc. d.
Bolivia. — D. Supr. de 1 dic. 1938, art. 2, inc. j).
Argentina. — D. Regl. 19 dic. 1931, art. 11. Además, la policía debe informar sobre la conducta y domicilio de los testigos presentados. Art. 4.
(362) L. Nº 8196 de 2 febr. 1928, art. 8 y circ. 1119 de 19 nov. 1934.
(363) **Colombia.** — L. 22 bis 1936, art. 6, inc. d).
Costa Rica. — D. Ej. Nº 1 de 18 febr. 1931, art. 4.
Estados Unidos. — Ley de Nacionalidad de 1940, sec. 309 (a) y (b). 54 Stat. 1143; 8 U.S.C. 709 (a) y (b).
(364) **Argentina.** — D. Regl. de 19 dic. 1931, art. 4. (Investigación a cargo de la policía de los lugares en que el solicitante ha estado domiciliado).
Bolivia. — D. Supr. de 20 may. 1937, art. 20. (Informes

En Colombia las autoridades que reciben la prueba están expresamente facultadas para cuidar, en caso de que se haya omitido algo, que se complete la información (365). En Estados Unidos, según la Ley de Nacionalidad, el Estado federal tiene derecho a aparecer ante cualquier Corte en cualquier procedimiento de naturalización y producir prueba oponiéndose al otorgamiento de la solicitud (366). Además, en todos los casos se llevan a cabo investigaciones y exámenes del solicitante, en audiencias preliminares, por el personal del Servicio de Inmigración y Naturalización, acerca de su residencia, buen carácter moral, comprensión y acatamiento de los principios de la Constitución. Esta autoridad administrativa somete recomendaciones a las Cortes de Naturalización respecto a la admisibilidad del aspirante (367). La confianza que los jueces depositan en los funcionarios administrativos es evidenciada por el hecho de que en el noventa y nueve por ciento de los casos, aprueban las conclusiones de los mismos (368).

---

del Ministerio de Inmigración sobre los antecedentes del solicitante).

Brasil. — D. L. Nº 389, de 25 abr. 1938, art. 12, parág. único. (Certificados de buenos antecedentes de orden político y social, relativo a los lugares donde vivió el extranjero en los últimos diez años, expedidos por los servicios competentes).

Costa Rica. — D. Ej. Nº 1 de 18 febr. 1931, art. 3. (La Secretaría de Seguridad Pública investiga género de vida y actividades del interesado). La L. Nº 207 de 26 ago. 1944, estableció que estos informes podían tener carácter confidencial, art. 10.

Guatemala. — Ley de Extranjería de 25 ene. 1936. Debe rendir informe la Dirección de Policía.

Cuba. — Memorándum de la Consultoría, relativo a los puntos de vista del Gobierno Cubano sobre la Resolución XV del Comité Consultivo de Emergencia. (Se "cuenta con la cooperación de organismos especializados que someten informes confidenciales sobre la conducta de cada solicitante").

Uruguay. — L. Nº 8196 de 2 febr. 1928, arts. 18 y 19. (La Corte Electoral podrá ordenar diligencias para mejor proveer).

(365) L. Nº 22 bis 1936, art. 12.
(366) Ley de Nacionalidad de 1940, sec. 334, (d). 54 Stat. 1157; 8 U. S. C. 734 (d).
(367) Ley de Nacionalidad de 1940, sec. 327, (b). 54 Stat. 1150; 8 U. S. C. 727 (b) y 333 (a) y (b). 54 Stat. 1156; 8 U. S. C. 733 (a) y (b).
(368) "Codification of the Nationality Laws of the United States" op. cit. parte I, pág. 38.

En cuanto a los países que no establecen la prueba testimonial, prescriben, por lo general, investigaciones de oficio, llevadas a cabo por organismos especiales, que tienen, como regla, carácter policial. Se encuentran en este caso Chile, Ecuador, México, Perú, República Dominicana y Venezuela (369).

En tres de los países citados, Perú, Uruguay y Venezuela, las investigaciones no tienen carácter preceptivo, sino que se llevan a cabo si así lo exigen las autoridades competentes por considerar insuficientes las pruebas presentadas por los peticionarios. Sin embargo durante la guerra se usó sistemáticamente de esta facultad, y en el Uruguay se le ha dado carácter preceptivo por reglamentación especial de la Corte Electoral (370).

En algunos países, a causa de la brevedad del plazo de residencia se ha exigido, además, la información sobre la con

---

(369) **Chile.** — D. Nº 747 de 15 dic. de 1925, art. 4, inc. k), y art. 5. (Exige informaciones de la policía de los diferentes puntos de la República en que haya vivido durante su permanencia en Chile).
Ecuador. — D. Nº 111 de 29 ene. 1941, arts. 69 y 70. (Informe de la Dirección de Inmigración sobre las actividades del extranjero, sus antecedentes, conducta, modos de vida y costumbres, y, en general, cuantos datos estime utilizables para formar un conocimiento cabal sobre el mismo).
México. — Informe citado presentado por el Asesor de la Delegación, Dr. Ernesto Enríquez Jr. ("La comprobación de la conducta y de las actividades del solicitante se efectúa con informes de las autoridades municipales de los sitios de residencia, de las policíacas y de la Secretaría de Gobernación").
Perú. — D. Supr. de 21 jun. 1940, arts. 3 y 4. (Se pedirá informes a la Sección de Extranjería, a las Municipalidades, y a personas e instituciones o entidades públicas de todo género con relación a las actividades y condiciones personales del solicitante).
República Dominicana. — L. Nº 1227 de 4 dic. 1929, art. 5, parágrafo 1º inc. a). (Exige sendos certificados de vida y costumbres expedidos por el Gobernador y el Procurador Fiscal de la Provincia en donde viva el interesado).
Venezuela. — L. de 29 de may. 1940, arts. 13 y 14. (Se podrá "requerir de las autoridades subalternas cualquier información que se conceptúe necesaria").
(370) Res. de la Corte de 23 jul. 1935. A. Brena, op. cit. T. I. pág. 347. "Las Oficinas Electorales requerirán de las Jefaturas de Policía el suministro de informes a los efectos de lo dispuesto en los artículos 66 y 70 de la Constitución".
Instrucciones para la tramitación de Cartas de Ciudadanía, de 12 mar. 1937, art. 66, A. Brena, op. cit. T. I. p. 541.

ducta y actividades desarrolladas por el solicitante en otro país, ya sea en el de su nacionalidad o de su procedencia (371).

En cuanto a la prueba de residencia, aunque por lo común se somete al mismo régimen que la de la buena conducta (372), en otros casos se completa con elementos documentales que consisten frecuentemente en certificados de inmigración o de llegada al país y pasaportes (373), debiéndose señalar el caso especial del Uruguay, donde por disposición constitucional se establece que "la prueba de la residencia deberá fundarse indispensablemente en instrumento público o privado de fecha comprobada" (374).

En cuanto al modo de recibir la prueba existen ciertas disposiciones de interés en la legislación de algunas Repúblicas Americanas, aunque sobre esta materia no se cuenta en los archivos del Comité con datos completos por tratarse de una cuestión procesal, que no figura muchas veces en las leyes y decretos básicos sobre adquisición de la nacionalidad.

En Costa Rica, por ejemplo, se establece que actuará en la audiencia de prueba el Ministerio Público, y el Gobernador de Distrito, participando en el interrogatorio de los testigos y haciendo las preguntas que se juzguen pertinentes para establecer la verdad de las declaraciones, debiendo expresar el Gobernador su opinión acerca del juicio que le hayan merecido las mismas (375).

Como es natural, dado que se desarrolla ante los jueces,

---

(371) **Bolivia.** — D. Supr. de 1 dic. 1938, art. 2, inc. d) y art. 4.
Chile. — D. L. Nº 747 de 15 dic. 1925, art. 4, inc. j).
(372) Así ocurre, por ejemplo, en Colombia, Costa Rica, Chile, Cuba y Guatemala. En Panamá se exige prueba de cinco testigos, además de la cédula de identidad, pudiendo además practicarse investigaciones. L. Nº 8 de 11 feb. 1941, arts. 4 y 5.
(373) **Argentina.** — D. Regl. de 19 dic. 1931, art. 3.
Bolivia. — D. Supr. de 1 dic. 1938, art. 3.
Brasil. — D. L. Nº 389 de 25 abr. 1938, art. 12, parág. 1º.
Ecuador. — D. Nº 111 de 29 ene. 1941, art. 69.
Estados Unidos. — Ley de Nacionalidad de 1940, sec. 329 54 Stat. 1152; 8 U.S.C. 729.
México. — L. de 19 ene. 1934, art. 8, a).
Panamá. — L. Nº 8 de 11 feb. 1941, art. 4.
(374) Const. art. 66, parte final.
(375) D. Ej. Nº 1 de 18 feb. 1931, arts. 4 y 5 y L. Nº 207 de 26 ago. de 1944, art. 10, parág. 3º. Esta última ley faculta al Ministerio Público para formular preguntas a los testigos.

tiene un carácter marcadamente contradictorio el procedimiento de recepción de la prueba seguido en México y en Brasil, en donde se ha puesto la carga respectiva fundamentalmente en el interesado y se desarrollan los procedimientos en forma controvertida con el Ministerio Público o con algún funcionario administrativo especial o con cualquier particular (376).

En México se establece que el interesado deberá probar ante el juez su buena conducta y demás extremos, y que el Ministerio Público y un funcionario especial de la Secretaría de Relaciones intervendrán en los procedimientos, pudiendo ofrecer pruebas el primero de ellos. En el Brasil el Ministerio Público puede siempre repreguntar, y cualquier ciudadano particular presentar impugnación fundada al otorgamiento de la naturalización. En ambos países existe el régimen de publicidad de la solicitud a fin de promover objeciones y obtener datos de los particulares, cosa que también ocurre en Costa Rica, según la Ley de 1944 (377).

En el Uruguay la prueba se desarrolla, según las disposiciones legales, en forma contradictoria, con delegados de los partidos políticos, destacándose así el carácter primordialmente cívico que se atribuye en este país al concepto de ciudadanía (378).

En el Perú, el procedimiento pese a ser administrativo está detallado por la ley. El interesado debe comparecer ante el Director de Secretaría del Ministerio de Relaciones Exteriores para ser examinado por los requisitos señalados en la ley y los motivos que le inducen a solicitar la naturalización. Verificada la audiencia pasa el expediente a informe de la Asesoría Jurídica del Ministerio y el pedido se acordará o denegará en Resolución Suprema previa vista fiscal (379).

En los Estados Unidos, según se ha visto, las autoridades administrativas actúan en las audiencias preliminares y someten recomendaciones a la Corte (380) y el Gobierno de los Es-

(376) Brasil. — D. L. Nº 389, de 25 abr. 1938, arts. 13, 14, 15 y 16.
      México. — L. de 19 ene. 1934 arts. 12, 13, 14, 15 y 16.
(377) L. Nº 207 de 26 ag. 1944, art. 22.
(378) L. Nº 8196 de 2 febr. 1928, arts. 14, 16 y 18.
(379) Decreto Supremo de 21 de junio de 1940, arts. 5º, 6º y 7º.
(380) Ley de Nacionalidad de 1940, sec. 333 (a) y (b). 54 Stat. 1156,
      8 U.S.C. 733 (a) y (b).

tados Unidos tiene el derecho de aparecer ante la Corte como opositor en cualquier procedimiento de naturalización (381).

c. Trámites posteriores al otorgamiento de la carta

Una vez obtenida la carta, según las legislaciones, algunos países exigen la publicación de la misma (382); en otros se dispone, conforme a lo acordado en la VII Conferencia Panamericana de Montevideo de 1933, la comunicación por vía diplomática al Estado de origen del naturalizado del hecho de su naturalización (383); mientras que los más establecen un registro de naturalizados donde debe inscribirse la carta (384).

---

(381) Ley de Nacionalidad de 1940, sec. 334 (d). 54 Stat. 1157; 8 U.S.C. 734 (d).

(382) **Brasil.** — Decreto Ley Nº 389, de 25 de abril de 1938, art. 19.
Colombia. — Ley 22 bis de 1936, art. 21 (en el Diario Oficial).
Costa Rica. — Decreto Ejecutivo Nº 1 de 18 de febrero de 1931, art. 6º. (La Gaceta).
Haití. — Ley de 22 de agosto de 1907, art. 8 (En el Monitor).
Venezuela. — Constitución, art. 30 (La Gaceta Oficial) Ley de 29 de mayo de 1940, art. 18. La Constitución establece que la carta no surtirá efecto sino a partir de su publicación.

(383) **Brasil.** — Decreto Nº 2572 de 18 de abril de 1938, art. 2º.
Colombia. — Ley Nº 22 bis de 1936, art. 21.
Ecuador. — Decreto Nº 111, de 21 de enero de 1941, art. 83.
Perú. — Ley 9148 de 14 de junio de 1940, art. 5º.

(384 **Argentina.** — Decreto Nº 7058, de 2 de abril de 1945, arts. 16 y 18 establecen registro de naturalizados cuya nacionalidad de origen sea de país enemigo. El art. 17 dispone que los departamentos del Interior y Justicia e Instrucción Pública establecerán el régimen a que estarían sometidos. El Decreto Nº 7527 de 6 abril de 1945 excluye de tal registro a "los nacionales de los países enemigos que se hubieran naturalizado argentinos con anterioridad al 1º de enero de 1938" art. 29 c). La Resolución s/n de 10 de julio de 1945 establece que las personas nacidas en países enemigos que carezcan en la actualidad de nacionalidad ("Heilmatlos") deberán probar esta condición por declaración de la justicia argentina.
Bolivia. — Decreto Supremo de 20 de mayo de 1937, art. 20 (Reg. de naturalizados).
Brasil. — Decreto-Ley Nº 380 de 25 de abril de 1938, art. 28 (Reg. de naturalizados).
Colombia. — Ley Nº 22 bis de 1936, arts. 15 y 16 (Reg. de Naturalización).
Costa Rica. — Decreto Ejecutivo Nº 1 de 18 de febrero de 1931, art. 6º. (Se inscribe la naturalización en el Registro Cívico General).
Chile. — Decreto Ley Nº 747 de 15 de diciembre de 1925,

B. Procedimiento para la pérdida de nacionalidad

En la exposición de Motivos de su Resolución XV el Comité manifestó que no formulaba recomendaciones de procedimiento con respecto a la pérdida de nacionalidad por naturales, ni en relación con la cancelación de naturalizaciones. Y agregaba "se emplean procedimientos ejecutivos, administrativos y judiciales diferentes en las distintas Repúblicas, para efectuar la cancelación de la naturalización o para declarar o reconocer la pérdida de nacionalidad por acto voluntario. Cada República seguirá sus procedimientos normales, aún en relación con el sistema especial de emergencia recomendado" (375).

A pesar de la abstención del Comité de toda recomendación en materia procesal, se deduce sin embargo del espíritu de la resolución misma, al preconizarse la pérdida de nacionalidad una vez comprobado cualquier acto que revele lealtad o fidelidad hacia el Eje, que dicha pérdida es considerada como una medida de seguridad preventiva y no una pena, que habrá de ser por lo tanto el objeto único y exclusivo de un procedimiento específico y autónomo, que aún contando con las garantías indispensables, necesariamente tendrá que ser expeditivo, para lograr el propósito de seguridad que se persigue. Con tal motivo es que "la necesidad de la adopción de un procedimiento especial, y rápido para la pérdida de nacionalidad, provisto de las garantías imprescindibles, ha sido tratado en diversos memorándums especiales" (386). En cambio,

---

art. 9 (Registro de nacionalizados).

Estados Unidos. — Ley de Nacionalidad de 1940, sec. 337 54 Stat. 1158; 8 U.S.C. 737.

Guatemala. — Ley de Extranjería de 25 de enero de 1936, reformada por Decreto Nº 2153 de 7 de octubre de 1938, art. 64 (Registro Civil).

Honduras. — Ley Nº 31 de 4 de febrero de 1926, art. 11 (Reg. de Extranjeros).

Panamá. — Ley Nº 8 de 11 de febrero de 1941, arts. 15, 17 y 18. (Reg. Estado Civil y Reg. Naturalizados).

Perú. — Ley Nº 9148 de 14 de junio de 1940, art. 8º (Reg. de Nacionalizados).

Uruguay. — Ley Nº 8196 de 2 de febrero de 1928, art. 21 (Reg. Electoral).

Venezuela. — Ley de 29 de mayo de 1940, art. 15 (Registro de Naturalizados).

(385) Primer Informe Anual, pág. 120.

(386) Segundo Informe Anual, pág. 70.

cuando la cancelación o pérdida de la nacionalidad es aplicada como penalidad accesoria, no se sigue un procedimiento especial, sino que aquella medida se impone por los propios jueces penales, en el juicio criminal y de acuerdo a las reglas del procedimiento criminal.

Las disposiciones en vigor en esta materia en las Repúblicas Americanas se refieren por lo general al procedimiento existente para la nulidad o revocación de las cartas de naturalización, siendo muy contados los preceptos que se preocupan de reglamentar el aspecto formal de la pérdida de nacionalidad por naturales. La explicación es que en estos casos, a diferencia de los anteriores, se trata por lo general de una pérdida que se produce "ipso jure", una vez comprobada, de un modo incontestable la causal respectiva, sin seguir un procedimiento especial que se proponga como fin propio la privación de la nacionalidad (387).

(387) Por ejemplo, la Ley de Nacionalidad de Estados Unidos, dice: "La pérdida de nacionalidad (a diferencia de la revocación de la naturalización) de acuerdo a esta ley resultará solamente de la realización de los actos o del cumplimiento de las condiciones especificadas" (Sec. 408). 54 Stat. 1171; 8 U.S.C. 808. Cuando un funcionario diplomático o consular en el extranjero cree que alguien ha incurrido en las condiciones señaladas por la ley, comunica al Departamento de Estado y si éste está de acuerdo, se comunica la resolución al interesado. Este último puede intentar una acción declaratoria de nacionalidad. (Sec. 501 y 503 - 54 Stat. 1171 - 1172, 8 U.S.C. 901 y 903).
De todos modos es conveniente señalar las pocas disposiciones que al respecto se conocen. Una de ellas es la exigencia que establece la Constitución de Cuba (art. 15 d) de sentencia firme dictada en juicio contradictorio ante tribunal de justicia para que pueda producirse la pérdida de nacionalidad por naturales, con arreglo a ciertas causales.
Otra de mayor interés, es un decreto de Costa Rica, que fija el procedimiento para la pérdida de nacionalidad por naturales por manifestar adhesión al régimen de los Estados enemigos. Se declara la pérdida por la Secretaría de Relaciones Exteriores, previa información que levantará u ordenará levantar la Secretaría de Seguridad Pública, a base de informes confidenciales o de otra naturaleza que lleguen a su poder, o por denuncias de particulares o de autoridades, obteniendo toda clase de pruebas sobre la nacionalidad anterior de la persona y sobre la de sus padres. Decreto Nº 4 de 23 de setiembre de 1944.

a. Procedimiento para la cancelación de la naturalización

El régimen existente en esta materia puede calificarse en distintos tipos, en función del órgano ante el cual se ventilan los procedimientos de cancelación.

(1) En algunos países americanos se ha preferido confiar a las Cortes de Justica ese cometido, por estimar que constituye una de sus funciones típicas. Tal cosa ocurre en Argentina, Cuba, Estados Unidos, Panamá y Paraguay (388).

A pesar de que dos países tan importantes como Argentina y Estados Unidos han adoptado el mismo principio de competencia, asignando esta tarea a sus órganos judiciales, manteniendo así un estrecho paralelismo con la regla seguida en materia de otorgamiento de cartas de nacionalidad, no debe creerse que exista una similitud esencial en el régimen procesal de ambas Repúblicas.

En Argentina, aunque se sigue un verdadero procedimiento judicial, este tiene un carácter extremadamente sumario. Es un juicio verbal y actuado, de sólo dos audiencias, con un brevísimo intervalo de cinco días entre la primera, de descargo, y la segunda, de prueba. Quince días después se dicta sentencia, que no puede ser objeto de más recurso que el de apelación, que se falla a su vez sin otro trámite, dentro de cinco días. A esto se agrega que no se admiten recusaciones ni excepciones dilatorias o cuestiones de previo y especial pronunciamiento, y que el juez goza de la facultad de apreciar la prueba de acuerdo al sistema del libre convencimiento, "sin sujeción a regla alguna y expresando, solamente, su convicción sincera sobre la verdad de los hechos" (389).

En cambio en los Estados Unidos, el naturalizado tiene

---

(388) **Argentina.** — Decreto Nº 6605, de 27 de agosto de 1943 art. 3.
Cuba. — Constitución, art. 15, incs. c) y d).
Estados Unidos. — Ley de Nacionalidad de 1940, sec. 338 (a). 54 Stat. 1158 - 1159, 8 U.S.C. 438 (a).
Panamá. — Informe de la Visita de Consulta. La Suprema Corte de Justicia revoca las cartas definitivas. La denegación de las provisorias compete al Poder Ejecutivo (Constitución, art. 15).
Paraguay. — Decreto Ley Nº 11061, de 16 de febrero de 1942, art. 15.
(389) Decreto Nº 6605 de 27 de agosto de 1943, art. 4.

derecho a todos los beneficios de las disposiciones de las reglas federales de procedimiento civil, en lo que se refiere a pedimentos, investigaciones previas al juicio, etc. El naturalizado tiene sesenta días a partir de su notificación personal o por edictos para contestar la demanda de revocación (390), y su abogado puede hacer preguntas a los testigos del gobierno y ofrecer por su parte testigos. La audiencia de prueba puede durar de unos días a varias semanas, según las circunstancias, y cuando cada parte ha completado la presentación de su prueba, el juez suele someter el caso a asesoramiento antes de llegar a una decisión. Esto puede demorar de un día a tres meses. La parte derrotada puede apelar de la decisión (391).

"Del punto de vista práctico, a causa de los procedimientos que supone la revocación de la naturalización es virtualmente imposible obtener la cancelación de las cartas de un gran número de personas en corto tiempo. A fin de hacer el uso más eficaz posible de esta medida, por consiguiente, ha parecido conveniente proceder solamente en los casos más graves cuando existe una amenaza sustancial a la seguridad pública" (392).

(2) En otros países americanos el procedimiento de cancelación de las cartas de naturalización está en manos de órganos administrativos y no judiciales; se desenvuelve en la vía ejecutiva. Las legislaciones de Bolivia, Brasil, Costa Rica, Chile, Ecuador, Haití, Guatemala, México, Nicaragua y Perú establecen, en términos expresos, la competencia de las autoridades administrativas para proceder a la cancelación de las cartas de naturalización (393).

---

(390) Ley de Nacionalidad de 1940 ,sec. 338 (b). 54 Stat. 1159, 8 U.S.C. 738 (b).
(391) Informe del Funcionario de Enlace, etc., op. cit. Apéndice B.
(392) Ibid.
(393) **Bolivia.** — Decreto Supremo de 30 de enero de 1942, art. 1.
Brasil. — Decreto Ley Nº 389 de 25 de abril de 1938, art. 2º parág. 2º. Resuelve el Presidente de la República el proceso seguido en el Ministerio de Justicia y Negocios Interiores Según la ley citada (art. 24), el naturalizado dispone de un plazo de diez días como mínimo (V. Const. art. 116 c).
Costa Rica. — Decreto Ejecutivo Nº 1 de 18 de febrero de 1931, art. 8º.
Chile. — Decreto Ley Nº 747 de 15 de diciembre de 1925,

En Bolivia, México y Perú se adoptaron medidas de emergencia en cuanto al procedimiento de cancelación, implantando un régimen especial, más abreviado, para los naturales u oriundos de las potencias totalitarias.

En Bolivia para la cancelación de las cartas de estos naturalizados se sigue un procedimiento sumario, tramitado por las autoridades policiales ante el Ministerio de Inmigración (394).

En Perú se estableció un régimen procesal especial para estos naturalizados, que sin embargo parece no guardar diferencias sustanciales con el procedimiento normal. Se les acuerda un plazo de treinta días para exponer sus descargos y presentar sus pruebas y previo dictámen de la Asesoría Jurídica del Ministerio de Relaciones Exteriores y del Fiscal, se expide la resolución declarando si hay lugar o no a la cancelación de la carta (395).

En México, en cambio, se implantó una variante sustancial en esta materia. Las reglas jurídicas de tiempos normales conceden grandes garantías de procedimiento a los naturalizados. La Secretaría de Relaciones Exteriores debe dictar un acuerdo fundado, que exprese los datos que obren en su poder y ese acuerdo se notifica personalmente o por edicto al titular de la carta, quien tiene quince días para oponerse, pudiendo presentar escrito acompañando su prueba documental y ofreciendo testimonios, debiendo ser los declarantes mexicanos por nacimiento. Se recibe y aprecia la prueba de acuerdo a lo dispuesto por el Código Federal de Procedimientos Civi-

---

art. 8º. Acuerdo Consejo de Ministros y resuelve el Presidente de la República.

Ecuador. — Decreto Nº 111 de 29 de enero de 1941, art. 36. El Ministerio de Relaciones Exteriores "apreciará las pruebas que se presentaren y oirá al interesado; y si juzga del caso revocará la naturalización". Art. 87.

Haití. — Decreto 178 de agosto de 1942.

Guatemala. — Ley de Extranjería de 25 de ene. de 1936, art. 70.

México. — Reglamento de 20 de agosto de 1940, art. 1º.

Perú. — Decreto Supremo de 21 de junio de 1940, arts. 9, 10, 11 y 12 (Reglamento de Nacionalización).

Nicaragua. — Decreto Nº 77, de 17 de febrero de 1942, art. 47.

(394) Decreto Supremo de 30 de enero de 1942, art. 1º.

(395) Ley Nº 9810 de 22 de marzo de 1943, art. 2º.

les, en lo aplicable, pudiendo el Gobierno hacer a los testigos las preguntas que estime oportunas. Vencido el término de prueba, que es de quince días, se falla dentro de ocho (396).

Sin embargo, este procedimiento resultó demasiado lento para la cancelación de las cartas de los naturalizados desleales oriundos del Eje. Como se dice en un considerando del Decreto mexicano de 25 de julio de 1942 "la legislación ordinaria establece procedimientos para la cancelación de cartas de naturalización dolosamente adquiridas o mal usadas, pero sus disposiciones no son adecuadas al apremio de los presentes momentos de emergencia, en los cuales es necesario evitar o reprimir rápidamente cualquier acto que pueda constituir un peligro para nuestra seguridad".

A base de estas consideraciones se decidió que la nulidad de las cartas de naturalización expedidas a los antiguos súbditos de Alemania, Italia, Japón, Rumania, Hungría y Bulgaria "será declarada sin sujetarse a las disposiciones del reglamento de los artículos 47 y 48 de la Ley de Nacionalidad y Naturalización vigente, y por un acuerdo del Presidente de la República" (397).

(3) Un sistema mixto, con ligazón de la instancia administrativa y la judicial se ha adoptado en Venezuela para declarar la nulidad o caducidad de las cartas de naturalización. El procedimiento sumario de primera instancia se tramita ante el Ministerio de Relaciones Interiores y se acuerda un recurso de apelación dentro de los diez días, ante la Corte Federal y de Casación (398).

En cambio, un procedimiento que puede llamarse contencioso-administrativo de carácter sustantivo es el que rige para tiempos de normalidad en Colombia. La revisión de las cartas se hace ante el Consejo de Estado, organismo que ejerce la jurisdicción de lo contencioso-administrativo, mediante un juicio breve con citación personal o por edictos del interesado. A diferencia de lo que ocurre en México, en donde si no se presenta el emplazado se considera caducada de pleno dere-

---

(396) Reglamento de 20 de agosto de 1940, arts. 5, 6, 7, 8 y 9.
(397) D. de 25 jul. 1942, art. 2. Como se ha indicado ya, el régimen se aplicó a todos los naturalizados cualquiera fuere la nacionalidad de origen por D. de 25 ene. 1945.
(398) L. de 19 may. 1940, arts. 21 y 22.

cho la carta, al que no comparece en Colombia se le nombra curador "ad-litem" (399).

Este régimen de normalidad ha sido reemplazado durante la emergencia por un sistema en donde el procedimiento de concelación es puramente administrativo y no se ventila ante un órgano jurisdiccional especial. En efecto, la suspensión de las cartas de naturalización de los colombianos por adopción desleales, medida que se puso en vigor en 1942 por toda la duración de la guerra, se decreta por resolución ejecutiva del gobierno, por intermedio del Ministerio de Relaciones Exteriores, que procede previo concepto de la Comisión Asesora de dicho Ministerio (400).

(4) Finalmente es preciso señalar el sistema del Uruguay, donde la suspensión de la ciudadanía es decretada por el mismo organismo especial competente para la adquisición de cartas: la Corte Electoral (401). A tal efecto se debe iniciar juicio de revisión de la carta, durante el cual, por un término de diez días, se admiten las observaciones de los partidos políticos (402), y de cualquier ciudadano. Dentro de veinte días debe fallar la Corte, siendo inapelable su resolución (403).

(5) Un último punto, que tiene importancia en esta materia, es a quien corresponde la iniciativa para los procedimientos de cancelación de naturalizaciones.

Lo corriente, sobre todo cuando el procedimiento se ventila ante las autoridades administrativas es que éstas puedan iniciar de oficio los procedimientos. Esto ha sido expresamente resuelto por la legislación de Brasil, Ecuador, México, Perú y Uruguay (404), y resulta implícito en los términos de las

---

(399) Ley 22 bis 1936, arts. 23, 24 y 25.
(400) D. Nº 181 de 29 ene. 1942, art. 1, parágrafo.
(401) Ley Nº 7690 de 9 de enero de 1924, arts. 133 y 138.
(402) Esta es otra demostración del carácter exclusivamente político o electoral que se asigna a la ciudadanía legal.
(403) Ley Nº 7690 de 9 de enero de 1924, arts. 133, 138 y 134.
(404) **Brasil.** — Decreto Ley Nº 389, de 25 de abril de 1938, art. 2º, inc. 2º, parágrafo 2º.
Ecuador. — Decreto Nº 111 de 29 de enero de 1941 ,art. 86 (los funcionarios públicos, especialmente los representantes en el exterior, los de policía e inmigración están obligados a denunciar al Ministerio de Relaciones Exteriores los hechos que determinan la revocación).
México. — Reglamento de 2 de agosto de 1940, art. 5º.
Perú. — Decreto Supremo de 21 de junio de 1940, art. 9º

leyes de otros países, como Guatemala, Nicaragua, Chile, Costa Rica, Bolivia (393) y Venezuela (398).

En otros países, principalmente los que han escogido el procedimiento judicial, la iniciativa pertenece privativamente al Ministerio Público o Fiscal. Así sucede en Argentina, Colombia, Estados Unidos y Panamá (405).

En algunos países, como Brasil, Perú y Uruguay, se acuerda además de la iniciativa de oficio ya señalada, la posibilidad de que los procedimientos se pongan en marcha a petición de un particular ("actio popularis") (406).

En el Uruguay, hasta 1939, la iniciativa de los juicios de exclusión y revisión pertenecía de modo casi privativo a los particulares, estando muy limitadas las facultades de la Corte Electoral para iniciar de oficio juicios de exclusión del Registro Cívico (407).

En la fecha citada (408) se modificó este régimen facultando expresamente a la Corte para iniciar de oficio "juicios de exclusión a los ciudadanos legales inscriptos", que hayan incurrido en alguna causal de suspensión de la ciudadanía.

(Reglamento de Nacionalización).
Uruguay. — Ley Nº 9831 de 23 de mayo de 1939, art. 13.
(405) Argentina. — D. Nº 6605 de 27 ag. 1943, art. 3. Puede ser excitado por "denuncia fundada que se le presente".
Colombia. — Ley 22 bis 1936, art. 23. Para los casos de revisión actúa el Fiscal "autorizado por el Gobierno". En la suspensión se procede de oficio.
Estados Unidos. — Ley de Nacionalidad de 1940, sec. 338 (a). 54 Stat. 1158-1159, 8 U.S.C. 738 (a).
Panamá. — Procurador General de la Nación (Informe de la Visita de Consulta).
(406) Brasil. — Decreto Ley Nº 389 de 25 de abril de 1938, art. 2º, inc. 2º y art. 24, parágrafo.
Perú. — Decreto Supremo de 21 de junio de 1940, art. 9º (Reglamento de Nacionalización).
Uruguay. — Ley Nº 7690 de 9 de enero de 1924, arts. 133 y 129 (Ciudadano inscripto).
(407) Ley Nº 7690 de 9 de enero de 1924, art. 143. Esto se debe a la causa apuntada más arriba. (Ver nota 402).
(408) Ley Nº 9831 de 23 de mayo de 1939, art. 13. La Corte Electoral carece sin embargo de un cuerpo de investigadores. Por lo tanto, para poder poner en práctica esa disposición, por circular 1915 de 17 de agosto de 1942, la Corte Electoral dispuso que las autoridades policiales y la Comisión Investigadora de Actividades Antinacionales deben comunicarle todas las infracciones cometidas por cualquier ciudadano legal a fin de que ella pueda iniciar un juicio de revisión.

C. ENTRADA Y SALIDA DE PERSONAS, TRANSITO CLANDESTINO Y EXPULSION DE EXTRANJEROS

CAPITULO I

ENTRADA Y SALIDA DE PERSONAS

I. GENERALIDADES.

1. La política migratoria americana anterior a la emergencia

Las grandes líneas de la política nacional e internacional de las Repúblicas Americanas con respecto al problema migratorio, se han señalado ya en la introducción general sobre contralor de extranjeros. Esquematizando lo que en ella se dice pueden señalarse diversos períodos en la total evolución de esa política.

Al régimen prohibitivo, que se inició con el descubrimiento y conquista de las nuevas tierras por las potencias europeas, sucedió con la independencia una etapa de libertad y de fomento migratorio que duró mucho tiempo, hasta que la necesidad de regular legislativamente dicho fenómeno se hizo sentir a fines del siglo XIX y, entonces, sin perjuicio de una política de fomento y colonización que la mayoría de las Repúblicas mantuvieron, se fijaron las primeras restricciones basadas en razones principalmente demográficas y de defensa social.

A estas restricciones siguieron después de la guerra 1914-1918, otras de orden económico, fundadas en la necesidad de defender a los trabajadores nacionales de las nuevas inmigraciones que fatalmente se renovarían luego de terminado el conflicto, y también, en el temor de que ellas tuvieran el carácter de verdadero aluvión. En previsión de estos posibles efectos se tomaron diversas medidas, entre las que corresponde mencionar el régimen de cuotas antes referido.

Finalmente siguió a las anteriores etapas, la legislación contra los indeseables desde el punto de vista político, con la finalidad de defender las instituciones políticas y sociales amenazadas por las ideologías extremistas.

2. Los movimientos migratorios y la defensa política

La agresión política de los Estados del Eje caracterizada por una constante penetración en todos los campos de la actividad económica, política y social de los estados americanos, atacando sus estructuras, pretendiendo poner a su servicio las instituciones y los hombres que las administran, dirigiendo las manifestaciones populares, utilizando, en suma, todos los medios y tácticas a su alcance para sus propósitos de conquista, dió lugar a una intensificación de las restricciones y contralores establecidos, con el propósito de asegurar la integridad de las instituciones políticas de los pueblos del continente.

Para cumplir con aquellos objetivos los Estados del Eje organizaron sus servicios de agentes, que deberían actuar en los diversos países que interesaban a sus fines. Estos agentes fueron reclutados entre los antiguos residentes, los inmigrantes o turistas enviados especialmente con anterioridad a la iniciación del conflicto, y los individuos que, con posterioridad, lograron introducirse en los países americanos.

Los desplazamientos de esos agentes tuvieron una finalidad de carácter eminentemente político y militar como vanguardia de la invasión de las potencias del Eje.

El procedimiento de infitración nazi-fascista exigió, como es obvio, la adaptación o modificación de los regímenes inmigratorios de los países americanos con el fin de prevenir y reprimir la entrada y la salida de agentes y simpatizantes del Eje.

Junto a ellos llegaron también a tierra americana, bajo la presión nazi, numerosos contingentes de nacionales de esos mismos países o de los sometidos, verdaderos demócratas, que huían de la persecución ideológica o racial, buscando refugio y nueva vida en las Repúblicas de este hemisferio.

Para regular y contralorear estas clases de emigración de tan opuesta naturaleza, los Estados han debido actuar individual y colectivamente en una acción coordinada internacional durante la emergencia.

3. La política migratoria americana en la emergencia.

a. Bases constitucionales y legales.

Siguiendo el ejemplo de la Constitución francesa de 1791, la mayoría de las Repúblicas Americanas establecieron en sus cartas políticas el principio de libre entrada, permanencia, tránsito y salida de personas (1). No obstante, esas mismas Cons-

---

(1) Aluden directamente a él:
V. gr. **Bolivia:** Const. art. 6º. "**Toda persona tiene los siguientes derechos fundamentales** conforme a las leyes que reglamentan su ejercicio: a) de **inmigrar, permanecer, transitar y salir del territorio nacional**".
Brasil: La Constitución de 1946 ha dispuesto en su art. 143: En tiempo de paz, cualquier persona **podrá** con sus bienes **entrar en el territorio nacional, permanecer en él o salir de él**, respetados los preceptos de la ley".
Cuba: Const. art. 30. "**Toda persona podrá entrar y permanecer en el territorio nacional, salir de él, trasladarse de un lugar a otro y** mudar la residencia sin necesidad de carta de seguridad, pasaporte u otro requisito semejante, salvo lo que se disponga en las leyes sobre inmigración y las atribuciones de la autoridad en caso de responsabilidad criminal".
El Salvador: Const. art. 26. "**Toda persona tiene derecho a entrar en la República, permanecer en su territorio y transitar por él**, sin más limitaciones que las que establezcan las leyes".
Guatemala: Const. art. 19. "**Toda persona es libre para entrar, permanecer en el territorio de la República y salir de** él, salvo los casos que la ley determine". La nueva constitución de 1945, en texto análogo ha reconocido el mismo principio. Dice el art. 25: "**Toda persona tiene libertad de entrar, permanecer en el territorio de la República y salir de él**, salvo las limitaciones que la ley establezca".
Honduras: Const. art. 67. "**Toda persona podrá entrar en el territorio de la República, salir de él, viajar dentro de** sus límites y mudar de residencia, de conformidad con las leyes".
México: Const. art. 11. "**Todo hombre tiene derecho para entrar a la República, salir de ella, viajar por su territorio** y mudar de residencia, sin necesidad de carta de seguridad, pasaporte, salvoconducto u otros requisitos semejantes. El ejercicio de este derecho queda subordinado a las facultades de la autoridad judicial en los casos de responsabilidad criminal o civil, y a las de la autoridad administrativa, por lo que toca a las limitaciones que impongan las leyes sobre emigración, inmigración y salubridad general de la República, o sobre extranjeros perniciosos residentes en el país".
Perú: Const. art. 67. "**Es libre el derecho de entrar, transitar y salir del territorio de la República**, con las limitacio-

tituciones, han fijado las necesarias excepciones a ese principio, dando las bases para que la ley ordinaria las desarrolle
(2), o han preferido dejar librado directamente a ésta o a

---

nes que establezcan las leyes penales, sanitarias o de extranjería".
Uruguay: Const. art. 36, inc. primero. "Es libre la entrada
de toda persona en el territorio de la República, su permanencia en él y su salida con sus bienes, observando las leyes
y salvo perjuicio de tercero".
Otras constituciones regulan genéricamente el principio de
libre tránsito y salida que implica desde luego el de entrada.
V. gr.
Chile: Const. art. 10. "La Constitución asegura a todos los
habitantes de la República: ... 15º La libertad de permanecer en cualquier punto de la República, trasladarse de uno a
otro o salir de su territorio, a condición de que se guarden
los reglamentos de policía y salvo siempre el perjuicio de
tercero;...".
Nicaragua: Const. art. 120. "Toda persona podrá circular libremente por el territorio nacional y elegir en él su residencia y domicilio sin que pueda ser compelida a mudarlo, a no
ser en virtud de sentencia ejecutoriada. Se reconoce el derecho de emigrar y de inmigrar con las limitaciones que establezca la ley". La L. de 3 oct. 1894, art. 5º, desarrolla el
principio constitucional. Dice esta disposición: "Los extranjeros podrán entrar, residir y establecerse libremente en el
territorio de Nicaragua. Se consideran como exilados, transeúntes y emigrados y tendrán los derechos y deberes que
esta ley establezca".
Panamá: Const. art. 40. "Toda persona podrá transitar libremente por el territorio de la República y cambiar su residencia, sin más limitaciones que las que impongan las leyes
o reglamentos de carácter general sobre tránsito, arraigo
judicial, salubridad e inmigración".
Rca. Dominicana: Art. 6º. "Se consagran como inherentes a
la personalidad humana: ... 10. La libertad de tránsito, salvo las restricciones que resultaren de la ejecución de las penas impuestas judicialmente, o de las leyes de inmigración y
de sanidad".
Finalmente el principio de libre entrada está implícito. V.
gr.
Argentina: Const. art. 25. "El gobierno federal fomentará
la inmigración europea; y no podrá restringir, limitar ni gra-
var con impuesto alguno la entrada en el territorio argentino de los extranjeros que traigan por objeto labrar la tierra, mejorar las industrias e introducir y enseñar las ciencias
y las artes".

(2) V. gr. Argentina: Const. art. 25. V. texto en la nota anterior.
Panamá: Const. art. 23º. "La inmigración de extranjeros
será reglamentada por la ley, de acuerdo con esta constitución y con los tratados públicos. El Estado velará porque
inmigren elementos sanos, trabajadores, adaptables a las con-

los reglamentos su determinación (3). En otras Constituciones nada se ha dicho al respecto de modo y manera que queda también a cargo del legislador el problema (4). Y, finalmente, en dos recientes cartas políticas se deja amplia discrecionalidad al Poder Ejecutivo para prohibir la entrada de extranjeros (5).

---

dicones de la vida nacional y capaces de contribuir al mejoramiento étnico, económico y demográfico del país. Son de inmigración prohibida: la raza negra cuyo idioma originario no sea el castellano, la raza amarilla y las razas originarias de la India, el Asia Menor y el Norte de Africa".
Uruguay: Art. 36, inc. segundo. " La inmigración deberá ser reglamentada por la ley, pero en ningún caso el inmigrante adolecerá de defectos físicos, mentales, o morales que puedan perjudicar a la sociedad".
(3) V. gr. **Bolivia:** Const. art. 6, núm. a).
Cuba: Const. art. 30.
Chile: Const. art. 10, núm. 15.
El Salvador: Const. art. 15. "Las leyes establecerán los casos y la forma en que pueda negarse al extranjero la entrada al territorio nacional o su permanencia en éste". V. asimismo, art. 26.
Honduras: Const. art. 67.
México: Const. art. 11.
Paraguay: Const. art. 9º. "El Gobierno fomentará la inmigración americana y europea y reglamentará la entrada de los extranjeros al país".
Perú: Const. art. 67.
Rep Dominicana: Const. art. 6º, núm. 10.
Los textos de los artículos constitucionales citados pueden verse en la nota 1.
(4) V. gr. Colombia, Costa Rica, Ecuador y Haití.
Estados Unidos: Const. art. 1º, Sec. 9ª. "No podrá el Congreso, antes del año 1808, prohibir la inmigración o importación de personas cuya admisión considere conveniente cualquiera de los Estados existentes ahora; pero podrá imponer sobre esta inmigración un tributo o derecho que no pase de 10 dólares por persona". Se incluye la constitución estadounidense en este grupo porque prácticamente el constituyente ha dejado fuera de tratamiento la cuestión migratoria. La disposición transcripta perseguía dos objetivos básicos en la época de su aprobación: impedir por un lado, el contralor federal de admisión de extranjeros durante treinta años, y por otro el trato de esclavos. Como puede verse la norma tiene más que nada un interés histórico.
(5) V. gr. **Rpca. Dominicana:** Const. art. 48. "El Presidente de la República es el Jefe de la Administración Pública y el Jefe Supremo de todas las fuerzas armadas de la República. Corresponde al Presidente de la República: ... 20. **Prohibir, cuando lo estime conveniente, la entrada de extranjeros en el territorio nacional** y expulsarlos cuando lo juzgue con-

Debe además destacarse que el ajuste de los contralores
se ha visto facilitado, en especial en los países en estado de
guerra con el Eje, por las facultades constitucionales que se
otorgan en tales casos al Poder Ejecutivo para introducir limitaciones o restricciones a los derechos y garantías individuales (6) y que comprenden la entrada y salida de personas.

Pero, en todos los casos, en ejercicio de un derecho internacionalmente reconocido, los Estados soberanamente han regulado la entrada, permanencia y salida de personas.

Y esa regulación legal contiene hoy tantas excepciones
al principio en lo que respecta a la inmigración que, unido a
las causas ocasionales de la guerra — dificultad de desplazamiento por falta de medios de movilidad, etc., — prácticamente han determinado una verdadera paralización del movimiento migratorio.

b.   Política nacional

La política de los Estados americanos en materia de regulación de la inmigración se ha manifestado en un doble sentido: a) inmigratorio propiamente dicho, especialmente demográfico, estableciendo restricciones por motivos raciales, de
defensa de las bases étnicas y sociales de su población y b)
policial de la inmigración predeterminando, a veces con una
marcada casuística, las causales de inadmisión, fortaleciendo
los contralores de entrada y salida, y haciendo más rigurosa
la fiscalización de modo de impedir el desplazamiento a los
indeseables o extranjeros peligrosos para la seguridad de cada una y de todas las repúblicas americanas. Interesa positi-
vamente señalar estos dos sentidos diferentes de la legislación
inmigratoria, comúnmente no discriminados por el legislador
y poco o nada profundizados por la doctrina, porque una cosa

veniente al interés público".
    Venezuela: Const. art. 100. Son atribuciones del Presidente
    de los Estados Unidos de Venezuela: ... 22. Prohibir cuan-
    do lo estime conveniente, la entrada de extranjeros en el
    territorio nacional o expulsarlos en los casos permitidos por
    el Derecho internacional o previstos por esta Constitución y
    las leyes de la República".
(6) V., Introducción General, p. 82 y ss. supra.

es legislar sobre inmigración y otra sobre entrada, permanencia y salida de extranjeros. La primera abarcando un sentido fundamentalmente demográfico, se inspira en un interés económico, social, étnico; la segunda mira el aspecto de orden público, de policía propiamente dicho, al régimen a que deben ajustarse los extranjeros que entren al territorio de un país o salgan de él (7).

El examen en detalle de este último aspecto de la regulación inmigratoria llevada a cabo por los países americanos, por aplicación de los viejos textos legales y administrativos aún vigentes, o de nuevos dictados especialmente en la emergencia, todo ello con una finalidad de defensa política, es lo que constituye el objeto del presente estudio.

Por lo tanto en lo que se refiere al aspecto propiamente inmigratorio, cabe aquí solamente el análisis somero de los grandes rasgos de esa política, haciendo algunas referencias concretas de aquellos países donde la situación presenta caracteres más agudos en virtud del alto grado de la penetración totalitaria, o del elevado número o especial distribución de los emigrantes de los estados del Eje. Merece, por ejemplo, señalarse la preocupación de algunos Estados americanos por conservar las características raciales comunes a su población y lograr, asimismo, la asimilación y nacionalización del inmigrante. Estas finalidades que revisten, es obvio, un interés permanente han tenido su importancia en la emergencia al aplicarse a los nacionales de los Estados del Eje.

En general la prohibición o limitación a la entrada de individuos de raza amarilla (8) que es norma bastante común en las Repúblicas de este hemisferio las ha liberado de enormes contingentes de japoneses, únicos individuos de aquella raza que cuentan en la agresión política y que, de no existir dichas restricciones, habrían arribado a sus territorios. Debe señalarse por su importancia, las graves consecuencias que el hecho habría revestido para Brasil, Estados Unidos y Perú

---

(7) V. Seguí González, L. y Rovira, Alejandro, Inmigración, III, en "El Día", de Montevideo, de 18|III|40.

(8) V., Infra, Causales de inadmisión por razón de raza.

por la importante cantidad de japoneses que residen en estos países (9).

El régimen de cuotas o de tablas diferenciales aplicado por algunos Estados americanos (10) y que fijan o dan las bases para establecer el número de inmigrantes de cada nacionalidad que pueden entrar al país, en base al contingente inmigratorio ingresado en determinado período, o de acuerdo al censo del año que la ley indica, ha impedido el ingreso de grandes cantidades de personas que podían haber entrado de acuerdo a los regímenes anteriormente en vigor. De este modo, el régimen de cuotas o tablas diferenciales ha venido a favorecer la asimilación, porque ha privado a los inmigrados del influjo de los nuevos inmigrantes de la misma raza o nacionalidad. Pero la asimilación es un factor importante en materia inmigratoria, que ha merecido especial atención de parte de los gobiernos de los países americanos que cuentan con grandes núcleos de población extranjera y cuya adaptación al medio han debido procurar a los efectos de evitar el riesgo de tener verdaderas masas alógenas prontas a obedecer al Estado de origen con el consiguiente peligro para la seguridad interior y exterior de dichos países y del continente (11).

c. Política internacional

El fenómeno migratorio es de índole fundamentalmente internacional. Y así, lo han entendido los Estados que, sin

---

(9) Brasil limita la entrada de los japoneses mediante el régimen de cuotas impuesto por la Constitución de 1934, mantenido por la de 1937, y que permitió reducir de 21.930 en 1934 a 9.611 inmigrantes de esa nacionalidad en 1935. En Estados Unidos, la entrada de estos inmigrantes está prohibida por la L. de 26 de mayo 1924 que excluye a todos los que no son admisibles a la ciudadanía (art. 13, c) (43 Stat. 161; 8 U. S. C. 213 c) y los japoneses están comprendidos en la interdicción por disposición de la L. de 14 oct. 1940, art. 303 (54 Stat. 1140; 8 U.S.C. 703).

(10) Estados Unidos (L. de 19 may. 1921; 42 Stat. 540; y de 26 may. 1924; 43 Stat. 153); Brasil (Const. 1934, 1937, arts. 121, 6º y 151, respectivamente y D. L. Nº 406 de 4 may. 1938 cap. III); México (L. 24 de ago. 1936, art. 7º); Perú (D. de 26 jun. 1936, arts. 1º y 2º).

(11) V. para un estudio detenido del problema, Introducción General a Contralor de Extranjeros, supra.

perjuicio de sus derechos soberanos para regular el problema en sus dos fases, emigración e inmigración, desde un punto de vista de estricto alcance nacional, han comprendido la necesidad de encararlo también internacionalmente, dando lugar a la realización de tratados suscriptos directamente por los países o convenidos en conferencias internacionales. Antes de la guerra, las razones que movieron a los Estados a la realización de tales acuerdos, fueron de orden demográfico, económico, social ,etc. Iniciado el conflicto el creciente interés de la defensa política contra la agresión del Eje determinó que los Estados y los organismos internacionales se concretaran a resolver los problemas que los desplazamientos intercontinentales y continentales de nacionales o simpatizantes de aquél podían crear con grave peligro para la seguridad continental. Es por ello que prima en esta etapa la faz policial de la migración (12).

Esta política defensiva de las actividades subversivas contra las Repúblicas Americanas en el aspecto que se estudia, tuvo su primera expresión en la II Reunión de Consulta, en la cual se recomendó la adopción de medidas precautorias para la expedición de pasaportes.

Pero es la III Reunión de Consulta, con su preocupación por el problema de las actividades subversivas en forma integral, la que señala conjuntamente con la labor individual de los Gobiernos, una etapa fundamental en el contralor policial de los movimientos migratorios para prevenir y, en su caso, facilitar la represión de aquellas actividades, al punto de individualizarse perfectamente de este modo un nuevo período en la política inmigratoria de los Estados Americanos, según se ha señalado anteriormente. Es precisamente en el Memorándum anexo a la Resolución XVII, aprobado en aquella Reunión, que se recomendó el ejercicio de una estricta vigilancia, reglamentando y contraloreando la entrada y salida de personas que sirvieran o pudieran servir los intereses de los Estados del Pacto Tripartito.

---

(12)   Constituye un antecedente de preguerra en esta materia el acuerdo internacional suscrito en Montevideo por los Ministros de Hacienda de Argentina, Bolivia, Brasil, Paraguay y Uruguay, el 3 de febrero de 1939.

El Comité, por su parte, formuló, su propia resolución sobre el régimen de entrada y salida de extranjeros, que contiene las normas mínimas que a su juicio debían dictar los Estados Americanos, para tener alejados del Hemisferio Occidental a los individuos peligrosos, evitar que los que se encontrasen dentro del Hemisferio Occidental se trasladaran de un país a otro e impedir que saliesen del continente aquellos cuya participación a favor de los Estados del Eje, comprometía la seguridad de cualquiera y todas las Repúblicas Americanas (13).

Para el cumplimiento de tales fines, recomendó concretamente la adopción de requisitos generales para la regulación de la entrada y salida de personas; entre ellos, entrada o salida por puertos habilitados y con los documentos en regla; normas para la expedición de documentos de viaje, en las que se discriminan las formas de conducta o motivos que aconsejan la denegación de autorización de entrada o salida, excluyéndose expresamente de la prohibición a los refugiados "bona fide"; medidas y procedimientos administrativos para la concesión o denegación de solicitudes de entrada o salida que se refieren especialmente a la centralización de la concesión de visas en una repartición de Gobierno; y la consulta previa y el intercambio de informaciones entre las autoridades, agentes diplomáticos y consulares de cada República Americana en caso de desplazamientos de nacionales de países extracontinentales en las Repúblicas Americanas, o entre éstas y un estado no perteneciente al Hemisferio y, finalmente, sugestiones para la prevención del tránsito clandestino a través de fronteras.

Hasta qué punto estas recomendaciones han sido seguidas por las Repúblicas Americanas, por aplicación de textos legales o administrativos expedidos en época de normalidad, o nuevos, especialmente dictados al efecto, se podrá formar opinión el lector en el curso del presente estudio (14).

Deben recordarse aquí, también, las recomendaciones adoptadas en la Reunión Regional, relativa a la Entrada y

---

(13) Res. VIII, "Entrada y Salida de Personas y Tránsito Clandestino a través de las Fronteras Nacionales", (V. 1er. Informe Anual citado, p. 129).
(14) Un anticipo de la aplicación de las Recomendaciones, se ha dado por el Comité, en su 2º Informe Anual, Montevideo, 1944, ps. 71 y ss.

Salida de Personas y Tránsito Clandestino a través de las Fronteras, celebrada en Rivera (Uruguay) en setiembre de 1942, convocada por el Comité a raíz de los problemas que la entrada de Brasil en la guerra al lado de las Naciones Unidas, podía crear a este país y a los limítrofes, en vista de los grandes núcleos de población oriunda de los Estados del Eje residentes en aquél, recomendaciones cuyo análisis en detalle se realizará más adelante en función de los asuntos por ellas comprendidos.

Por último, corresponde destacar los esfuerzos de la Conferencia Interamericana sobre Problemas de la Guerra y la Paz en la defensa de las inmigraciones presentes o de postguerra de ideología nazi-fascista, al recomendar que los Gobiernos de las Repúblicas Americanas adopten, entre otras, "medidas para evitar la admisión en este Hemisferio, ahora y después que cesen las hostilidades de agentes de Estados del Eje o de sus satélites", sugiriendo al mismo tiempo al Comité la preparación y sometimiento a dichos Gobiernos de recomendaciones específicas que aseguren el cumplimiento de la precedente y demás recomendaciones de la resolución (15).

En sentido concordante se pronunció la misma Conferencia, en cuanto al problema concreto de la inmigración de post guerra, resolviendo recomendar a los Gobiernos de las Repúblicas Americanas "que adopten medidas para impedir, de acuerdo con sus disposiciones locales y bajo garantía de derecho, la radicación de sus respectivos territorios de individuos o grupos de individuos capaces de constituir un peligro para la independencia, la integridad o las instituciones de dichas Repúblicas".

Entre los fundamentos de la resolución se invocaba la inconveniencia de esa radicación en cuanto se tratase de extranjeros "que reciban o cumplan instrucciones y órdenes de gobiernos, organizaciones o partidos del exterior, destinados a preparar guerras, conflictos o perturbaciones de cualquier índole, en perjuicio de Estados continentales y en beneficio de Estados extracontinentales, o se propongan tales fines en

---

(15) Resolución VII, "Eliminación de centros de influencia subversiva y prevención contra la admisión de deportados y propagandistas peligrosos", numerales, 2 b) y 4.

nombre de doctrinas contrarias a los ideales y principios de libertad de los pueblos del Hemisferio" (16).

En abril de 1946, el Comité, en ejecución de las disposiciones de la Resolución VII de Chapultepec antes citada, aprobó su propia recomendación sobre el problema de la expulsión y no admisión de personas peligrosas (17). Con relación a este último aspecto resolvió recomendar a los Gobiernos de las Repúblicas Americanas que adopten y pongan en vigor las medidas legislativas y administrativas indispensables para excluir del continente a esas personas. Como criterio determinante a tenerse en cuenta para la discriminación de los individuos comprendidos por la resolución, el Comité sugirió a los gobiernos, que a los efectos de la recomendación califiquen como personas peligrosas para la seguridad del Continente a los extranjeros o naturalizados que, en alguna época, dentro del Hemisferio Occidental o fuera de él: "a) Hubieren participado en actividades de espionaje, sabotaje u otras semejantes contra cualquier país americano, o que en una u otra forma hayan sido servidores responsables de los gobiernos del Eje en la realización de tales actividades; o b) Hubieren participado como dirigentes en el adiestramiento, organización, administración, dirección o funcionamiento: 1) del Partido Nazi o de cualquiera de sus filiales o de cualquier grupo militante, político-económico, político-educacional o de otra índole, dedicado a servir los intereses del Eje o de cualquiera de sus aliados o satélites; o 2) de cualquier empresa que bajo apariencia comercial y, simultáneamente con sus finalidades específicas, haya sido en realidad un ente dedicado a fomentar los planes de penetración político-económicos del Eje; o 3) de cualquier organismo, colegios o entidades dedicados a la difusión sistemática de propaganda tendiente a fomentar los objetivos militares, políticos, político-económicos o doctrinarios de cualquiera de los Estados del Eje; o c) Hubieren militado en cualquiera de los organismos enumerados en el inciso b) o secundado conscientemente sus actividades y desig-

_____

(16) Resolución XLII, "Inmigración de Postguerra", apartado 1º.
(17) Resolución XXVI "Sobre expulsión y no admisión de personas peligrosas".

nios" (18). La inadmisión comprende, —siempre que las personas a quienes alcance la medida no sean nacionales del mismo país que debe apiicarla—, tanto a los que hayan sido expusados como a los no admitidos por otra República y asimismo a los que simplemente hubieren incurrido en cualquiera de las actividades referidas, excepto en este último caso que la entrada fuera en tránsito indispensable, en viaje ininterrumpido, con destino a un punto situado fuera del Hemisferio Occidental (19). Complementariamente la resolución tiene en cuenta otros aspectos tales como problemas de nacionalidad (20), intercambio de informaciones sobre las medidas recomendadas de las que los Gobiernos Americanos hicieron aplicación (21).

Finalmente una resolución reciente del Comité ha aconsejado a las Repúblicas Americanas la supresión de los requisitos generales, normas y medidas administrativas de emergencia dictadas a raíz del estado de guerra para fiscalizar la entrada y salida de personas, tales como las recomendadas por la Resolución VIII del Comité antes tratada, excepto aquellas dictadas o actualizadas de conformidad con la Resolución XXVI del organismo a que se ha hecho referencia en el precedente parágrafo, y todas aquellas otras medidas necesarias a la seguridad del Estado y del Continente (22). Vale decir que por esta nueva resolución se va, justamente, a la derogación parcial, ya en una situación de postguerra, de las medidas que constituyen el objeto de este trabajo aplicado como se sabe a la época de emergencia a que ha debido someterse el Hemisferio Occidental para defenderse de la agresión nazi-fascista internacional.

II. RESTRICCIONES A LA ADMISION

1. Generalidades. Clasificación de las causales de inadmisión

Se ha señalado precedentemente que el principio de libre

<hr>

(18) Res. cit. A, 2º.
(19) Res. cit. A., 5º.
(20) Res. cit. A., 7º y 8º.
(21) Res. cit. A., 6º, 9º y B.
(22) Resolución XXVIII, sobre "Modificación al Régimen de Entrada y Salida de Personas", 1º.

entrada de personas adoptado por la mayoría de las Repúblicas Americanas, reconoce excepciones, fundadas en el derecho que tiene el Estado de rechazar a todas aquellas que se estiman indeseables.

Las causales de inadmisión previstas por la legislación americana, obedecen a razones de diversa índole, económicas, políticas, sanitarias, demográficas, raciales, etc., que las leyes de los países enumeran, y tienden a asegurar la defensa del Estado desde esos diversos puntos de vista.

Tanto en las disposiciones legales y administrativas comunes, de tiempo de paz, como en las especialmente dictadas por las Repúblicas Americanas con ocasión de la emergencia, existen determinadas normas que impiden la admisión de extranjeros que, por su ideología, o por su conducta política anterior en otros países, o por la pertenencia a partidos u organizaciones que actúen en pro de ideologías o formas de acción anti-democráticas, o por su condición de nacional de los Estados del Eje, o de países por él ocupados, o por su raza, pueden constituir un peligro para la seguridad de las Repúblicas, o resultar perturbadoras de su conformación étnica.

Estas causales de inadmisión no se aplican, sin embargo, a los naturales del país, que habiéndose alejado del mismo regresan a él sin haber adquirido una nacionalidad de un Estado extranjero. Aunque por disposición constitucional o legal tengan su nacionalidad de origen en suspenso por el simple hecho de la ausencia, mantienen siempre su condición de naturales del país y, por ende, a su regreso no pueden ser inadmitidos. Igual criterio se aplica a los naturalizados o ciudadanos legales que no han renunciado a ese "status" (23).

En general, las leyes americanas carecen de una sistematización científica de las diversas causales de inadmisión. Ello se debe, en parte, en materia de inadmisión por razones de ideología, a que las normas legislativas se han ido sucediendo como medidas de prevención de las diversas corrientes de opi-

---

(23) Constituye una excepción el caso de la legislación uruguaya, que dispone: "No se admitirá la entrada al país, de los extranjeros, **aunque posean carta de ciudadanía legal**, que se hallen en uno de los siguientes casos:..., etc." (L. Nº 9604, de 13 oct. 1936, art. 1º). (Véanse las causales de inadmisión establecidas por esta ley, en nota 28) .

nión y acción político-sociales que han caracterizado determinadas épocas, v.gr., anarco-sindicalista (principios del siglo actual), comunistas (1917, en adelante), fascistas, nazistas y
comunistas (1933, en adelante). Esas disposiciones abarcan, en
suma, todas las actividades subversivas de carácter totalitario,
sin que el legislador haya emprendido la tarea de formularlas
posteriormente en una adecuada ordenación. Otras veces, esa
falta de sistematización es fruto de una deficiente técnica legislativa, que se manifiesta también en la redacción de las
fórmulas, ora demasiado amplias que permiten una gran latitud en la interpretación, ora excesivamente casuísticas, poniendo de manifiesto el afán del legislador de tener presente
todas las formas políticas extremistas de las que, a su juicio,
debe prevenirse el país.

Respecto de las razas, el problema se desplaza del texto
de la ley a la ejecución administrativa de la misma. No hay ya
las dificultades de la sistematización, pero se presentan, sí, las
propias de la discriminación de lo que ha de entenderse por
tales en cada caso, problema que, en definitiva, viene a quedar de cargo de las autoridades competentes que han de apreciar las prohibiciones o restricciones establecidas por las normas vigentes en cada país.

En punto a nacionalidades, las dificultades resultan ob-
viadas porque se está, al respecto, a lo que se desprende de
los documentos que presenta el interesado, previendo las leyes,
por otra parte, las soluciones pertinentes para los casos en que
existan conflictos por variación de fronteras, en casos de apátridas, etc.

El examen de las distintas causales de inadmisión (24)
previstas en las leyes americanas, vinculadas con la defensa
política, permite distinguir tres grandes grupos en función, a
saber: de la ideología o conducta política o social, la raza o la
nacionalidad, de las personas que pretenden ingresar al país.

2. Examen en particular de las causales de inadmisión

a. Por razón de ideología o conducta social o política

Las Repúblicas Americanas se han prevenido de toda ideo-

---

(24) Las causales de inadmisión y de expulsión son, en general,
comunes. (V. Expulsión de extranjeros, p. 172 y ss.)

logía o conducta adversa al régimen económico-social o al sistema político en ellas imperante. Han distinguido así la ideología, profesión de una doctrina, de la conducta, acción basada en la ejecución de aquélla, buscando de ese modo, con un amplio sentido de previsión cubrir todas las situaciones que hacen aplicables a una persona, las causales de rechazo.

Estas causales, por lo demás, se han instituído de modo expreso por el legislador —y en algunos casos excepcionales por el constituyente— previéndose situaciones específicas o se han utilizado, en cambio, fórmulas generales que dan una gran latitud de acción al órgano competente encargado de aplicarlas.

Las causales de inadmisión de este grupo pueden clasificarse en seis categorías cuyo examen particular se efectúa a continuación.

1) Doctrinas extremistas, revolucionarias o disolventes

El establecimiento de las causales de inadmisión a que se refieren a estas doctrinas, tiene un proceso histórico conocido; ellas constituyeron y constituyen el arma legal utilizada, primero contra la acción anarco-sindicalista que tuvo su época, en Europa, en la primera década del presente siglo, y que los países americanos procuraron prevenir y conjurar a su vez, con una severa legislación represiva y con las llamadas "leyes de residencia" y de policía de entrada de extranjeros, que han previsto el rechazo de los anarquistas, terroristas, nihilistas, disociadores, etc. Luego, con el advenimiento del comunismo, los Estados ampliaron su legislación comprendiendo entre las personas no admisibles a las que profesasen, propagasen la doctrina o fueren miembros del partido comunista.

Estas prescripciones legales, tuvieron su fundamento en la necesidad experimentada en general por los Estados de prevenirse contra estas doctrinas que, por su contenido ideológico, fines perseguidos y formas de acción, se estimaron como una amenaza para las instituciones.

Ambas doctrinas, anarquista por un lado, comunista por otro, estaban imbuídas del empleo de la violencia como método, para el logro de sus fines. Pero, mientras la primera se

De ahí que la ideología o conducta que tienda a suprimir radicalmente este derecho, se estime peligrosa para el sistema y, por ende, determine al Estado a prevenirse, no admitiendo a la persona que sustente o practique dicha ideología.

2) Doctrinas contrarias al sistema democrático representativo de Gobierno

El sistema democrático representativo de Gobierno constituye la base fundamental de la estructura política de las Repúblicas Americanas, y plantea la necesidad de su protección contra las doctrinas que persiguen su sustitución por medios violentos. Por consiguiente, la circunstancia de ser adversario o enemigo del régimen democrático representativo de Gobierno, y actuar en su contra por medio de la violencia, o integrar o formar parte de organizaciones tales como núcleos, sociedades, comités o partidos políticos extranjeros, que preconizan la realización de los mismos actos, o individualmente, aconsejar, enseñar, publicar o profesar esas ideas, o incitar a la comisión de tales actos, ha determinado el establecimiento por parte de las Repúblicas Americanas, de causales de rechazo que fijan de antemano la prohibición de entrada a sus territorios de aquellos individuos a quienes les comprendan una u otra de tales formas de conducta antidemocrática. Las fórmulas legislativas son al respecto diversas. No obstante, pueden señalarse dos tipos: aquellas que mencionan expresamente la forma democrático-republicana de Gobierno (28) o las que simplemente se refieren al orden po-

que enseñen o practiquen la destrucción de la propiedad".
Nicaragua: L. de 5 may. 1930, art. 4º, letra e) "que sustenten, propaguen doctrinas peligrosas... o que por sus antecedentes o motivos étnicos, fueren conocidamente peligrosos para el orden social existente"; h) "que enseñen, proclamen o prediquen la destrucción de la propiedad privada".
Paraguay: D. L. Nº 10193, de 29 mar. 1937, art. 17 g) "las personas que prediquen la transformación de la sociedad por medios violentos...".
Perú: D. Supr. de 15 may. 1937, art. 8º, letra g) "los que profesen doctrinas contrarias o pertenezcan a partidos, o sectas, que propugnan la destrucción del orden político y social organizado...".
(28) V. por ejemplo:
Uruguay: la L. Nº 9604 de 13 oct. 1936, impide la entrada de

lítico, a las instituciones, al Gobierno organizado, al sistema constitucional, a la forma de gobierno, etc., giros todos ellos que implícitamente presuponen la defensa del régimen republicano-democrático estatuído en las constituciones políticas de las Repúblicas Americanas (29). (30).

Las fórmulas precedentes, mencionan siempre el uso de la violencia, lo cual les resta, como es natural, la eficiencia que podrían deparar en materia de defensa política, ya que es notorio que los nazis no utilizan sistemáticamente tal procedimiento sino que, por el contrario, hacen uso de métodos solapados, de tácticas encubiertas.

---

los extranjeros que no posean un certificado en el que se haga "constar expresamente la desvinculación de los portadores con toda especie de organismos sociales o políticos que por medio de la violencia tiendan a destruir las bases de la nacionalidad". (Art. 1º letra C).

El art. 6º de la ley determina que ha de entenderse por tales organismos "a todos los núcleos, sociedades, comités o partidos nacionales o extranjeros, que preconicen medios efectivos de violencia contra el régimen institucional democrático-republicano". Esta fórmula es la más precisa de las legislaciones americanas en la materia. La ley uruguaya impide aún la entrada de condenados por delitos conexos con delitos políticos, cuando los móviles que les determinaron a delinquir o los medios utilizados impliquen, a juicio de la autoridad competente, un carácter de especial peligrosidad, tomándose en cuenta, al efecto, lo dispuesto en el artículo 70, inc. 7º, de la Constitución. (L. Nº 9604 de 13 oct. 1936, art. 1º, letra A) núm. 2º).

(29) Es menester reunir en una sola categoría los giros expresados para de esta manera obtener una mayor sistematización de las causales de inadmisión, además de existir fundada razón técnica para ello, según resulta de la afirmación que se hace en el texto.

(30) **Argentina**: D. de 17 oct. 1936, art. 1º "El contralor de los pasajeros, ejercido por la Dirección de Inmigración, se efectuará en forma general y rigurosa previniendo la entrada de toda persona ... que constituya ... o conspire contra la estabilidad de las instituciones creadas por la Constitución nacional".

Bolivia: D. Supr. de 28 ene. 1937, art. 13, letra g) "los agitadores o incitadores para perturbar con actos de coacción, de violencia o de fuerza, ... o para atacar ... las instituciones".

Brasil: D. L. Nº 406, de 4 may. 1938, art. 1º, prohibe la entrada de extranjeros de uno y otro sexo, de "conducta manifiestamente nociva ... a la estructura de las instituciones".

Chile: L. Nº 3446, de 12 dic. 1918, art. 2º "Se prohibe entrar al país a los extranjeros que practican o enseñan la altera-

3) Doctrina o conducta que ataque o comprometa la seguridad interior o exterior del Estado

Constituye esta causal de inadmisión una fórmula amplia que contemplan las legislaciones cuando, sin perjuicio de la discriminación de ideologías político - sociales premencionadas, aluden a una protección expresa contra todo ataque por la violencia o no a la seguridad nacional (31), inte-

ción del orden ... político por medio de la violencia. Tampoco se permitirá el avecindamiento ... de los que provocan manifestaciones contrarias al orden establecido ..."; ... de 25 ene. 1937, art. 21. "Tampoco visarán los cónsules pasaportes de ... los que propaguen o enseñen la alteración del orden político por medios violentos o ilegales ..."; L. Nº 6026, de 11 feb. 1937, arts. 15 y 1º núm. 4º, ver texto en nota 27.

Ecuador: D. Nº 111, de 29 ene. 1941, art. 13, letra e) "A quienes por cualquier medio, hubieren propagado o propagaren y se propusieren propagar, doctrinas o teorías contrarias al sistema constitucional ecuatoriano".

EE. UU.: L. 16 de oct. 1918, (40 Stat. 1012-1013) con las modificaciones introducidas por la L. 5 de jun. 1920, (41 Stat. 1008) establece que "serán excluídas de la admisión en los Estados Unidos, los extranjeros siguientes: ... (c) ... que aconsejan, abogan o predican, o que son miembros o afiliados a cualquier organización, asociación, sociedad o grupo, que ... aconseja, aboga o predica: (1) el derrocamiento por la fuerza o violencia del Gobierno de los Estados Unidos ..." (sec. 1.a). V., asimismo, L. 5 de feb. 1917 (39 Stat. 875) sec. 3ª (v., además ,nota 31, categoría a), cit.

El Salvador: D. Leg. Nº 86, de 14 jun. 1933, art. 25, núm. 8º. "A los que aconsejan, profesan, enseñan, escriben, publican o incitan a escribir o publicar o hacer imprimir, publicar, distribuir o exhibir o posean con tales fines, material manuscrito o impreso, en que se aconseje profese o enseñe ...b) doctrinas contrarias al régimen constitucional de la República...".

Perú: D. Supr. de 15 may. 1937, art. 8º, letra g). Ver texto en nota 20.

Venezuela: L. de 31 jul. 1937, art. 32, núm. 6º. "Al extranjero que pertenezca a sociedades de fines opuestos al orden político o civil o que propague ... la destrucción violenta de los Gobiernos constituídos o el asesinato de los funcionarios públicos nacionales o extranjeros".

(31) **Argentina:** L. Nº 4144, de 23 nov. 1902, arts. 3º y 2º. Autoriza al Poder Ejecutivo a impedir la entrada al territorio de la República, de todo extranjero cuya conducta comprometa la seguridad nacional.

Bolivia: L. de 18 enero 1911, arts. 3º y 2º. Establecen exactamente lo mismo que los arts. 3º y 2º de la ley argentina precedentemente citada.

Brasil: D. L. Nº 406 de 4 de mayo 1938, art. 1º VIII. No se

gridad del territorio, independencia o unidad del Estado (32), o a sus autoridades o gobiernos constituídos (33), o que afec-

permite la entrada de extranjeros de uno u otro sexo "de conducta manifiestamente nociva ... a la seguridad nacional". **Estados Unidos:** Reglamentos de 19 nov. 1941, con las modificaciones introducidas el 14 de enero de 1942 emitidos por disposición de la Proclama Presidencial Nº 2523, de 14 nov. 1941, dictada ésta última de acuerdo con la L. de 22 may. 1918 (40 Stat. 559), modificada por L. de 21 jun. 1941 (55 Stat. 252) (22 U.S.C. 223) y la L. de 2 mar. 1921 (41 Stat. 1217) (22 U.S.C. 227) par. 58.47. "Clases de extranjeros cuya entrada se estima perjudicial para el interés público. La entrada de un extranjero comprendido en una de las siguientes categorías será estimada perjudicial a los intereses de los Estados Unidos para los propósitos de estos reglamentos: (a) El extranjero que pertenezca a una de las clases especificadas en la ley de 16 de octubre de 1918 (40 Stat. 1012 con sus modificaciones;... (f) El extranjero comprometido en la organización o dirección de cualquier rebelión, insurrección, o sublevación contra los Estados Unidos; ... (j) El extranjero que no se encuentre en una o más de las precedentes clases pero en cuyo caso circunstancias de un carácter similar se estime que existen y que convertiría la admisión del extranjero en perjudicial a los intereses de Estados Unidos, que la ley de 21 de junio 1941 tuvo el propósito de salvaguardar". Estas disposiciones fueron reproducidas en el Reglamento de 9 jul. 1945, Sec. 58.53 (10 FR 8997).

(32) **Chile:** Ley Nº 3446, de 18 dic. 1918, art. 2º. "... Tampoco se permitirá el avecindamiento de los que de cualquier modo propagan doctrinas incompatibles con la unidad o individualidad de la Nación...".
Panamá: Ley Nº 54, de 24 dic., 1938, art. 15, inc. f) "los que por medio de la prensa, de la tribuna o en cualquier otra forma pública hayan lanzado expresiones tendientes a menospreciar el buen nombre de la República de Panamá en lo que respecta a la integridad territorial, a la soberanía nacional..."

(33) **Argentina:** L. Nº 7029, de 28 jun. 1910, art. 1º inc. b) "personas que profesan o preconizan el ataque por cualquier medio de fuerza o violencia contra los funcionarios públicos o los gobiernos en general...".
Bolivia: D. Supr. de 23 ene. 1937, art. 13, letra f) "Los incitadores habituales a subvertir el orden social por medio de delitos contra... las autoridades". Reproduce idéntica causal del Convenio Sudamericano de Policía de 29 de feb. de 1920.
Colombia: L. Nº 48, de 3 nov. 1920, art. 7º d) "A los que aconsejen enseñen o proclamen el desconocimiento de las autoridades de la República o de sus leyes, o el derrocamiento por la fuerza o la violencia de su Gobierno...".
El Salvador: Decreto Ley Nº 86, de 14 jun. 1933, art. 25, núm. 8) "A los que aconsejan, profesan, enseñan, escriben, publican o incitan a escribir o publicar o hacer imprimir, publicar, distribuir o exhibir o posean con tales fines material ma-

te o pueda afectar las medidas de defensa nacional (34) o sim-

nuscrito o impreso en que se aconseje,, profese o enseñe,...
c) el derrocamiento por la fuerza o por la violencia, del Gobierno de El Salvador, o de su régimen constitucional...".
Estados Unidos: L. de 16 oct. 1918,(40 Stat. 1012-1013) con
las modificacione introducidas por la de 5 jun. 1920 (41 Stat.
1008) sec. 1ª c) (8 U.S.C. 137 c), "Los extranjeros que profesan, aconsejan, abogan o predican o que son miembros o
afiliados a cualquier organización, asociación, sociedad o grupo que profesa, aconseja, aboga o predica: (1) el derrocamiento por la fuerza o violencia del Gobierno de los Estados Unidos..., o (2) la obligación, necesidad o legitimidad del asalto
o matanza ilegales de cualquier funcionario o funcionarios
(ya se trate de personas específicas o de funcionarios en general) del Gobierno de los Estados Unidos, o de cualquier otro
gobierno organizado, a causa de su carácter oficial..." Ver,
asimismo, L. 5 feb. 1917 (39 Stat. 875) Sec. 3ª.
Honduras: D. Nº 134, de 29 mar. 1934, art. 3º d) "Que aconsejen, enseñen o proclamen el derrocamiento de las autoridades de Honduras o de sus leyes, o el derrocamiento del
Gobierno por medio de la fuerza o la violencia...".
México: L. de 24 ago. 1936, art. 72, VI, e) "...sostener o
fomentar doctrinas disolventes contra los gobiernos, o la de
la supresión personal de los funcionarios públicos".
Nicaragua: L. de 5 may. 1930, art. 4º, g) "Que aconsejen,
enseñen o proclamen el desconocimiento de las autoridades
de Nicaragua o de sus leyes y el derrocamiento del Gobierno
por medio de la fuerza o la violencia".
Rca. Dominicana: L. Nº 95, de 14 abr. 1939, art. 10, inc. a)
Nº 1 ..."o personas que promuevan doctrinas o actividades
para el subvertimiento del Gobierno Dominicano...".
Venezuela: L. de 31 jul. 1937, art. 32, núm. 6º. "El extranjero que pertenezca a sociedades opuestas al orden político
o civil, o que propague..., la destrucción violenta de los Gobiernos constituídos o el asesinato de los funcionarios públicos nacionales o extranjeros".

(34)   En esta categoría corresponde incluir en forma especial la
legislación estadounidense. Las normas dictadas en ejecución de la ley de 22 de mayo de 1918, (40 Stat. 559) con las
enmiendas de la de 21 de jun., 1941, (55 Stat. 252) (22 U.S.C.
223-226) —que declara, entre otras disposiciones, ilegal la
entrada de extranjeros que no se realice de acuerdo a las
reglas, reglamentos y órdenes que expida el Presidente, y la
sanciona con pena de multa y prisión— habilitaron a las
autoridades competentes para protegerse de la entrada de
agentes nazis y fascistas. Esas normas constituídas fundamentalmente por los Reglamentos de 19 nov. de 1941, con las
enmiendas de 14 ene. 1942, tienen principalmente en cuenta
la protección de la defensa nacional del país y de la de los
demás del continente americano y prevén las diversas formas
que puede revestir el ataque a esa defensa. Estas normas
son verdaderamente excepcionales en mérito a que a diferencia de otros países en Estados Unidos de América se protege

plemente al orden público (35).

de modo especial la defensa de los demás. V., al respecto los textos: Reglamentos citados, par. 58.47. "Clases de extranjeros cuya entrada se estima perjudicial para el interés público. La entrada de un extranjero comprendido en una de las siguientes categorías será estimada perjudicial a los intereses de los Estados Unidos para los propósitos de estos reglamentos:... (b) El extranjero que sea miembro, o afiliado, o pueda actuar en los Estados Unidos en conexión con o en nombre de una organización política formada para llevar a cabo las políticas de cualquier gobierno extranjero opuestas a las medidas adoptadas por el Gobierno de los Estados Unidos en el interés público o en el interés de la defensa nacional o en el interés de la común defensa de los países del hemisferio occidental; (c) El extranjero que posea, o busque procurarse, sin autorización, información secreta concerniente a planos, proyectos, equipo, o establecimientos para la defensa nacional de los Estados Unidos; (d) El extranjero comprometido en actividades destinadas a obstruir, impedir, retardar, diferir, contrarrestar la eficacia de las medidas adoptadas por el Gobierno de los Estados Unidos para la defensa de los Estados Unidos o para la defensa de cualquier otro país; (e) El extranjero comprometido en actividades destinadas a obstruir, impedir, retardar, diferir o contrarrestar la eficacia de cualesquiera planes hechos o pasos dados por cualquier país del hemisferio occidental en el interés de la defensa común de los países de ese hemisferio;... (g) El extranjero comprometido en un complot o plan para destruir materiales o fuentes de estos, vitales para la defensa de los Estados Unidos;... (j) El extranjero que no se encuentre en una o más de las precedentes clases pero en cuyo caso circunstancias de un carácter similar pueda fundarse que existen y que convertirían la admisión del extranjero en perjudicial a los intereses de Estados Unidos que la ley de 21 jun. 1941 tuvo el propósito de salvaguardar. Estas disposiciones han sido mantenidas por el Reglamento de 9 jul. 1945 (22 CFR 58.53) (10 FR 8997), con pequeñas modificaciones no substanciales.

(35) **Argentina**: L. Nº 4144, de 23 nov. 1902, arts. 3º y 2º, autoriza al Poder Ejecutivo a impedir la entrada al territorio de la República de todo extranjero cuya conducta perturbe el orden público.

Bolivia: L. 18 ene. 1911, arts. 3º y 2º contienen disposiciones concordantes con las precedentes de la ley argentina.

Brasil: D. L. Nº 406, de 4 may. 1938, art. 1º, núm. VIII, "de conducta manifiestamente nociva al orden público...".

Costa Rica: L. Nº 28 de 28 nov. 1936, art. 1º, inc. 4º "Si por su conducta o antecedentes fuere peligroso para la tranquilidad pública".

Chile: L. Nº 3446, de 12 dic. 1918, art. 2º "... y los que se dedican a tráficos ilícitos que pugnan con las buenas costumbres o el orden público".

Estados Unidos: Reglamentos de 19 nov. 1941, con las en-

4) Expulsión de otros países por alguna o algunas de las precedentes causales

La expulsión de otros países por alguna o algunas de las causales precedentemente estudiadas es una prescripción no muy común en las legislaciones americanas pero que, para las que la tienen establecida (36), puede dar buen resultado, en mé-

miendas introducidas el 14 de ene. 1942, p. 58.47. "Clases de extranjeros cuya entrada se estima perjudicial para el interés público. La entrada de un extranjero comprendido en una de las siguientes categorías será estimada perjudicial a los intereses de los Estados Unidos para los propósitos de estos reglamentos... (h) El extranjero cuya admisión pondría en peligro la seguridad pública, según se disponga en cualquier orden expedida en cumplimiento de la ley del Congreso aprobada el 20 de junio de 1941 (55 Stat. 252) (22 U.S.C. 228) (V. texto de esta última ley en nota 93). Esta disposición no ha sido modificada por el Reglamento de 9 jul. 1945 (22 CFR 58.53 (h)) (10 FR 8997).

El Salvador: D. Leg. Nº 86, de 14 jun. 1933, art. 25, núm. 9º "...los que por su conducta o antecedentes fueren peligrosos... para el orden público".

Nicaragua: L. de 5 may. 1930, art. 4º letra c) "Que sustenten, propaguen doctrinas peligrosas para ... el orden público.

Rpca. Dominicana: L. Nº 95, de 14 abr. 1939, art. 10, inc. a) Nº 1 " ... personas que promueven ... actividades ... contra ... el orden".

Venezuela: L. de 31 jul. 1937, art. 32, núm. 6º. Ver texto en nota 33.

(36) V., entre otros países:

Bolivia: D. 24 nov. 1939, art. 15, "Con el propósito de seleccionar los elementos que, en calidad de turistas, vienen de Europa, los consulados de la República autorizarán su ingreso al país, previo cumplimiento de las siguientes condiciones: ... c) Certificado expedido por la Policía del distrito, acreditando no haber sido expulsado de país alguno...".

Chile: D. de 25 ene. 1937, art. 21, inc. 2º "... Tampoco visarán dichos Cónsules (los chilenos) los pasaportes de ... expulsados de Chile o de otros países por la autoridad competente..."

Ecuador: L. de 26 nov. 1940, art. 5º, para los "expulsados de otros países por causas contempladas en esta ley y en los reglamentos respectivos".

Guatemala: D. Ej. Nº 1781, de 25 ene. 1936, art. 10 "Los expulsados de otros países por hacer propaganda disociadora..."

Panamá: L. Nº 13, de 1926. No admite la entrada a los expulsados de otro país cualquiera que sea su raza, condición, estado social, profesión o empleo, a no ser que la expulsión haya sido por motivos políticos.

Paraguay: D. L. Nº 10.193, de 29 mar. 1937, art. 17, inc. g)

rito a que su aplicación se complementa con un intercambio policial de informaciones (37) existente en general entre los países americanos, indispensable para que la causal pueda entrar en juego en el mecanismo de la prevención de indeseables, desde el punto de vista de la defensa política.

La Resolución VIII del Comité, contempla situación semejante a la presente, pero referida no a expulsados, sino a inadmitidos, en cuanto aconseja que no se permitirá la entrada al país al "que no hubiere sido admitido en otra República Americana por cualquiera de los motivos señalados en los apartados a) y b) de la presente sección, excepto después de consultarse con dicha República". Las secciones a) y b), mencionan la prohibición de entrada de nacionales del Eje o de países a él sometidos, o natural, ciudadano o súbdito de cualquier Estado, inclusive de alguna República americana, en los casos de comprenderle las formas de conducta que se enumeran y que se estiman peligrosas para la seguridad de cada una y todas las Repúblicas Americanas (38).

La Conferencia Interamericana sobre Problemas de la Guerra y de la Paz aprobó una resolución que evidentemente consagra la causal de la inadmisión que se estudia en este apartado, con una finalidad específica de defensa política como en la precedente resolución del Comité. En efecto, dicha resolución aconsejó a los Gobiernos de las Repúblicas Americanas con el fin de evitar "que elementos inspirados por el Eje o sus satélites obtengan o recobren posiciones ventajosas desde las cuales puedan perturbar o amenazar la seguridad o el bienestar de cualquiera República", la adopción de medidas que impidan que una persona deportada "por razones de segu-

---

"...los expulsados de otro país como anarquistas o comunistas de cualquier clase o denominación..."

Uruguay: L. Nº 9604, de 13 oct. 1936, art. 1º, letra B) "Los expulsados de cualquier país en virtud de leyes de seguridad o en virtud de decreto administrativo autorizado por la ley de la nación, (con excepción de aquellos cuya expulsión respondiere a motivos políticos), y cuando a juicio de la autoridad judicial competente el expulsado ofrezca, en la República, un carácter especial de peligrosidad".

(37) Véase, infra, Sección D, I, Intercambio internacional de informaciones.

(38) Ver Resolución VIII del Comité, parágrafos B 1 a, B 1 b, B 1 d, y B 1 e en Primer Informe Anual cit. págs. 135 y 136.

ridad continental" vuelva a residir en cualquier país del hemisferio, siempre que "su residencia en el mismo fuere perjudicial" para aquellos intereses (39).

5) Declaración de indeseable

La declaración de indeseable, causal genérica cuando
queda a la apreciación discrecional del Gobierno, quien
sin expresar o dar razones, determina la persona comprendida
por ella, y, por lo tanto, quien está inhabilitado para entrar
al territorio del respectivo Estado, puede ser de suma utilidad en las Repúblicas que la poseen, y que no han tipificado
otros casos de inadmisión aparentes para la defensa política (40).

En algún otro país se restringe la latitud de apreciación
del Gobierno en la aplicación de la causal, fijando los extremos en que ella puede operarse o exigiendo un motivo fundado para su invocación (41).

6) No acreditar buena conducta

Un extremo que ha de llenar toda persona que desea entrar a un Estado americano, es probar que tiene buena conducta o, lo que es lo mismo, que no ha tenido antecedentes pe-

---

(39) Resolución VII, "Eliminación de centros de influencia subversiva y prevención contra la admisión de deportados y propagandistas peligrosos", cit., 2º, a). El Comité ha dictado
una resolución concordante con la presente, la XXVI, a que
se ha hecho ya referencia anteriormente (Res. cit., A, 5º).

(40) **México:** L. de 24 ago. 1936, art. 74. "aun cuando se llenen
todos los anteriores requisitos la Secretaría de Gobernación puede ordenar que se impida la internación de determinados extranjeros indeseables".
Venezuela: L. de 31 jul. 1937, art. 32. "Se prohibe la entrada al territorio de Venezuela:... 11) En general al extranjero a quien el Presidente de la República considere
inadmisible".

(41) **Guatemala:** D. Ej. Nº 1781, 25 ene. 1936, art. 9º. "Los extranjeros pueden entrar, residir y establecerse libremente en
cualquier punto del territorio guatemalteco. No obstante, el
Poder Ejecutivo podrá negar el ingreso al país de los extranjeros que por razón de raza, de seguridad interior, de salubridad pública o por cualquier otro motivo fundado, considere indeseables como elementos desmoralizadores o incon-
penientes para el mantenimiento del orden público".

nales por delito común en determinado lapso que las leyes de la materia fijan de antemano. Por ende, quien no acredite esa buena conducta, le comprende la inadmisión.

Esta causal de inadmisión, clásica en la legislación de todos los países (42), carece de importancia a los efectos de

---

(42) Se exige acreditar buena coñducta o, como se expresa en la legislación de algunas Repúblicas, presentar certificados negativos de antecedentes penales, entre otras, en las siguientes: **Argentina:** D. de 31 dic. 1923, art. 10, letra j. "Carecer de un certificado judicial o policial que acredite que no ha estado bajo la acción de la justicia por delitos comunes o contra el orden social, durante los últimos cinco años. Este certificado debe ser expedido por las autoridades judiciales o policiales de la nación a que pertenezca el extranjero, visado por un cónsul argentino acreditado en la misma". V., en el mismo sentido, D. de 19 ene. 1934, art. 1 y 10. El certificado de buena conducta se exige, por lo demás, cualquiera sea la categoría de admisión a que pertenezca el pasajero. **Bolivia:** D. Supr. de 28 ene. 1937, art. 9º, letra d) "Certificado de buena conducta expedido por la policía del lugar de su último domicilio con fecha reciente y haciendo constar que no ha sido procesado o condenado por delitos comunes durante los últimos cinco años". Interesa señalar que como en la Argentina, este certificado se exige a todo extranjero, cualquiera sea la categoría de admisión. **Brasil:** D. Nº 3010, de 20 ago. 1938, art. 30. "Los permanentes deberán comparecer, en persona, por ante la autoridad consular, presentando: ... 2º, atestados: a) negativo de antecedentes penales en los últimos cinco años, expedido por autoridad policial competente". Igual requisito deben llenar los temporarios que sean turistas y visitantes en general, científicos, profesores, hombres de letras y conferencistas (D. Nº 3010, cit. art. 31, par. 1º, 2º, a)), o representantes de firmas comerciales extranjeras y los que vinieran en viaje de negocios (D Nº 3.010, cit. art. 31, parágrafo 3º 2º, a)). **Colombia:** D. Nº 1790, de 20 oct. 1941, lo exige para las visas ordinarias (permanentes). Establece el art. 2´, letra a) "certificado de conducta, que comprenderá un período hasta de diez años contínuos, expedido por autoridad de Policía competente, en que conste que el solicitante no tiene ni ha tenido cuentas pendientes con la justicia. Este certificado no puede ser anterior a treinta días de la fecha en que se solicita la visa". D. Nº 55, de 22 ene. 1940, art. 2º, inc. b), exige el mismo requisito a los turistas y el D. Nº 324, de 15 feb. 1943, art. 3º b) a los extranjeros en tránsito. **Costa Rica:** D. Nº 4, de 26 abr. 1942, art. 21. Dispone esta norma que los Cónsules exigirán a todas las personas "documentos que a su juicio acrediten buena conducta". Por el art. 29 inc. b) de la misma disposición se establece la misma exigencia para los turistas. **Ecuador:** L. de 26 nov. 1940, art. 4º, inc. 1º. Se exige cer-

la defensa política en aquellos que poseen las causales de inadmisión anteriormente mencionadas; pero, en caso contrario, puede ser útil si se la interpreta en un sentido amplio, comprensivo no sólo de la no comisión de delitos comunes, sino, también, de actividades subversivas contra el régimen institucional de las Repúblicas Americanas.

No está demás decir que la procedencia del certificado de buena conducta, es fundamental a los efectos de su exacta valoración, como medio de prueba. Servirá a los fines de la defensa política, cuando haya sido expedido por autoridades de Estados de solvencia democrática. Cuando la persona procediera de los países del Eje, el certificado de buena conducta que poseyera, carecería, es indudable, de valor por sí mismo, sin otros medios de información complementarios, porque es notorio, sobre todo antes de la guerra, que los agentes agresores venían provistos de inmejorable documentación para conseguir la admisión en las Repúblicas de este Continente.

b. Por razón de raza.

Se ha destacado antes la importancia que reviste el factor raza, especialmente en lo que se refiere a la emigración japonesa a las Repúblicas Americanas, así como el interés que ofrece desde el punto de vista de la defensa política.

Del examen de la legislación migratoria americana resulta que se ha legislado en forma variada para excluir a determinadas razas de la admisión, recurriendo en primer término a la alusión lisa y llana de las que se entienden comprendidas

---

tificado sin distinción a todos los extranjeros.
Nicaragua: L. de 5 mayo 1930, art. 10; D. de 29 dic. 1930, art. 15, inc. b). Constituye una exigencia para todo extranjero que arribe al país.
Panamá: D. Nº 202, de 3 ago. 1942, art. 5º, f), a los inmigrantes.
Paraguay: D. L. Nº 10193, de 29 mar. 1937, art. 1º, núm. 4º (inmigrantes); id. id., art. 48, f) e i) (pasajeros de la 2ª y 3ª clases).
Perú: D. S. de 15 may. 1937, art. 11, núm. 5º) (inmigrantes)
Rpca. Dominicana: L. Nº 95, de 14 abr. 1939, art. 1º (cualquiera sea la categoría de admisión).
Uruguay: D. de 23 nov. 1937, art. 4º, núm. 2º (inmigrantes)
Venezuela: L. de 31 jul. 1937, art. 7º (a todo extranjero).

en el rechazo o, en segundo lugar, por procedimientos indirectos, como por ejemplo el régimen de cuotas o la prohibición de ingreso a personas de profesiones que, se conocen de antemano, son ejercidas en general por los individuos de razas cuya entrada se desea impedir.

1) Inadmisión discrecional por razones raciales

En algunos países, la ley da poderes discrecionales a la administración para limitar o suspender la entrada de individuos de determinadas razas u orígenes (43).

2) Exclusión expresa de determinadas razas

Por razones demográficas, fundamentalmente, la necesidad de conservar conformación racial que caracteriza o predomina en cada República, o para defender a los trabajadores nacionales de la competencia extranjera, algunos países han excluído expresamente a los individuos de raza amarilla (44), aludiendo al-

---

(43) **Brasil**: D. L. Nº 406, de 4 may. 1938, art. 2º. "El Gobierno Federal se reserva el derecho de limitar o suspender, por motivos económicos o sociales, la entrada de individuos de determinadas razas u orígenes, oído el Consejo de Inmigración y Colonización".
Costa Rica: D. Ej. Nº 4, de 26 abr. 1942, art. 41. "No serán admitidos en el país, y por consiguiente deben ser rechazados por las autoridades de los puertos, aeropuertos y fronteras de la República, los extranjeros que vengan en calidad de inmigrantes o transeúntes, que se hallaren en las condiciones siguientes:... g) Los extranjeros que sin estar comprendidos en los incisos anteriores sean personas inconvenientes, nocivas o peligrosas al orden o progreso de la República o a la conservación de la raza, ya sea por ... o por las características raciales que predominen en ellas y sean de notoria desafinidad con la población nacional".
Guatemala: D. Ej. Nº 1781, de 25 ene. 1936, art. 9º. V. nota 41.

(44) **Guatemala**: D. Ej. Nº 1781, de 25 ene. 1936, art. 10, núm. 1.
Nicaragua: L. 5 de may. 1930, art. 5º (excluye sólo a la China).
Panamá: Const., art. 23.
Uruguay: L. Nº 2096, de 18 jun. 1890, art. 27 (excluye la inmigración "asiática").
Venezuela: L. de 22 jul. 1936, art. 5º inc. 1º (excluye a los que no sean de raza blanca).

gunos, directamente a los chinos (45), medidas que alcanzan en general a los inmigrantes, vale decir, que los que no tienen esta calidad son admitidos.

La inmigración de razas asiáticas es también prohibida en los Estados Unidos por disposiciones de la ley de inmigración. Por ejemplo la ley establece que no son admisibles como inmigrantes — con algunas excepciones — todas aquellas personas a quienes no les sea posible obtener la ciudadanía (46). La ley de naturalización (47), por su parte, excluye diversos casos de personas para la opción de ciudadanía. Entre las disposiciones pertinentes existe una que limita a determinadas razas la posibilidad de adquisición del "status" de ciudadano estadounidense. Y estas razas son, por ejemplo, la blanca, las razas indígenas del Hemisferio Occidental, los chinos —éstos fueron excluídos en 1943 (48)—. Como los japoneses no figuran en la nómina precedente, se desprende que no pueden ser ciudadanos y en consecuencia no pueden entrar a los Estados Unidos como inmigrantes.

Otras razas asiáticas tienen, también, interdicta la entrada en el referido país con excepciones tales como funcionarios, ministros religiosos, extranjeros que ingresan con carácter temporario, etc., las de las personas naturales de la "barred zone" (49).

En cuanto a la inmigración de raza semita, provocada por la política nazi o filo-nazi seguida por otros Estados de Europa ella, indudablemente, no podía afectar la seguridad americana. Algunos países tomaron medidas para evitarla, no obstante, pero más que por razones raciales o políticas,

---

(45) Ecuador: D. de 8 ene. 1940, art. 78.
El Salvador: D. Leg. Nº 86, de 14 jun. 1933, art. 25 Nº 14.
Estados Unidos: L. de 6 may. 1882 (22 Stat. L. 58), enmendada por la de 5 jul. 1884 (23 Stat. L. 115). Por reciente L. de 17 dic. 1943 (57 Stat. 600), ha sido levantada la prohibición, medida tomada como reconocimiento del esfuerzo chino en la actual contienda con el Eje.
Honduras: D. Nº 134, de 20 mar. 1934, art. 14.
Panamá: L. Nº 54, de 24 dic. 1938, art. 15.
(46) L. 26 may. 1924 (43 Stat. 153), Sec. 13 (c) (8 U.S.C. 213 (c)).
(47) L. 14 oct. 1940 (54 Stat. 1140), Sec. 303, enmendada por la L. de 17 dic. 1943, sec. 3 (57 Stat. 600) (8 U.S.C. 703).
(48) V. nota 45.
(49) L. de 5 feb. 1917 (39 Stat. 875), Sec. 3ª.

por razones económicas, con el fin de prevenir el ingreso de comerciantes, que es la actividad a la que notoriamente más se dedican (50). Para impedir esa entrada de semitas los gobiernos americanos procedieron, en general, por simples medidas administrativas, especialmente disponiendo que los Cónsules no autorizaran el viaje de estas personas.

3) Limitaciones numéricas

Estas restricciones no interesan propiamente a la defensa política, excepto en cuanto importan una sensible disminución de entrada de extranjeros a los países que las establecen y, en consecuencia, favorecen la asimilación de los antiguos residentes, privándolos de la influencia de nuevos inmigrantes.

El establecimiento del régimen de cuotas para autorizar el ingreso de personas al territorio, a que se ha hecho referencia anteriormente, ha permitido lograr en los países que lo han adoptado un fuerte descenso de la inmigración de raza amarilla, especialmente japoneses, aunque la discriminación se hace en base a la nacionalidad. Así, por ejemplo, Brasil, que sigue un sistema de cuotas semejante para la entrada de personas a su territorio, ha fijado para cada nacionalidad un contingente anual máximo de 2 %, en relación al número total de inmigrantes de cada nacionalidad radicados en el país en los últimos cincuenta años (51), lo que le ha permitido reducir sensiblemente las cifras de inmigrantes japoneses, como oportunamente se ha señalado (52).

c. Por razón de nacionalidad.

Las Repúblicas Americanas han tomado, bajo la presión de la emergencia, las medidas legales o administrativas pertinen-

---

(50) **Bolivia:** Res. Supro. de 14 mar. 1938; D. Supr. de 30 abr. 1940; D. Supr. de 6 may. 1940; y D. Supr. de 17 de abr. 1942. Se refieren todas estas normas a inmigración semita.
(51) Const. art. 151; D. L. Nº 406, de 4 may. 1938, art. 14; D. Nº 3010, de ago. 1938, art. 3º.
(52) Véase, supra, nota 9.

tes para excluir la admisión en sus respectivos territorios de los nacionales del Eje o de países por él ocupados, permitiéndola solamente, con sujeción al cumplimiento de determinados requisitos en el caso de tratarse de refugiados "bona fide".

1) Admisión de nacionales del Eje refugiados "bona fide"

La admisión de nacionales del Eje refugiados "bona fide", constituye una medida que se imponía por razones no sólo de humanidad, sino porque los principios democráticos por cuyo predominio luchan las naciones unidas, exigían no excluir de los territorios de sus respectivos países a aquellas personas que, aunque de nacionalidad enemiga, o que la hubieran perdido por cancelación decretada por los Gobiernos de sus Estados, fueran de probada ideología democrática.

La admisión de refugiados "bona fide" fué aconsejada por el Comité en su Resolución VIII al recomendar se impidiera la entrada a un país de este hemisferio de aquellos nacionales del Eje o de países a él sometidos, excepto cuando se "establezca claramente que se trata de un refugiado "bona fide" que huye de la persecución política, racial o religiosa, de cualquiera de dichos Estados" (53).

Tal criterio era aconsejado, como lo indica la exposición de motivos que acompaña a la Resolución, con el fin de favorecer "el mantenimiento de las prácticas más liberales que permitan las condiciones locales para la concesión de refugio seguro a víctimas de agresión y opresión" (54).

Se señalaban, además, los puntos básicos a tenerse en cuenta para acceder al refugio: investigación cuidadosa para cerciorarse de que el extranjero es realmente un refugiado y no un espía disfrazado; y fiscalización previa al ingreso para determinar si existe peligro de presión de los parientes del refugiado que viven en los países del Eje o a él sometidos.

Estas normas mínimas eran realmente necesarias en la situación de emergencia creada con la extensión del conflicto bélico a tierra americana. Ya, con anterioridad a él, se había señalado las dificultades de falta de normas para regu-

(53) Res. cit., parágrafo B, 1, a. Primer Informe Anual, cit. 135.
(54) V. 1er. Informe Anual, cit. p. 131.

lar el ingreso de refugiados, a quienes se debía aplicar las disposiciones comunes de inmigración vigentes (55). Los gobiernos americanos comprendieron la necesidad de tomar en cuenta y resolver el problema de los refugiados y, en general, procuraron solucionarle, sea por vía de nuevas normas o por actualización de las antiguas, mediante adecuadas instrucciones a los funcionarios competentes radicados en cada país, o fuera de fronteras.

Las Repúblicas Americanas han considerado la situación tanto de los nacionales del Eje, como de los países ocupados por éste, según se expondrá más adelante, inadmitiéndolos, o admitiéndolos previo cumplimiento de determinados requisitos.

La admisión de los nacionales del Eje no ha sido objeto de una reglamentación especial en los países americanos. Los pocos Estados que han previsto la situación, acuerdan en general la entrada previo permiso especial del gobierno, y luego de minuciosas investigaciones sobre los antecedentes del peticionario, de lo cual resulta que la autorización de ingreso viene a quedar circunscripta a los nacionales mencionados "bona fide", aunque no sea ésta, propiamente, la denominación que al respecto dan esas mismas legislaciones a los extranjeros en cuestión (56).

El criterio que preside la admisión de nacionales del Eje

---

(55) Fields, H. "The refugee in the United States", Oxford, N. York, 1938, págs. 3 y 194.

(56) Brasil: A los "bona fide" (Información suministrada por el Gobierno).
Guatemala: D. Ej. Nº 2655, de 23 dic. 1941, art. 1º. "De conformidad con la ley que restringe determinadas garantías constitucionales a los nacionales de los países en guerra con la República, se prohibe a las personas indicadas:... g) entrar o salir del país. .. sin obtener un permiso especial de las oficinas superiores de la Policía en la capital o en las respectivas cabeceras departamentales"...
Paraguay: D. L. Nº 11.061, de 16 feb. 1942, art. 1º. "Los ciudadanos y súbditos del Reich Alemán, el Reino de Italia y el Imperio del Japón ... b) no podrán entrar al país, ni abandonar el territorio nacional, sin permiso especial del Gobierno".
Venezuela: Ha admitido a los que revisten la calidad de refugiados "bona fide" (Información proporcionada por el Gobierno).

en los Estados Unidos se halla basado en dos puntos fundamentales: es necesario para que se haga lugar a ella que no exista información en su contra y que sea establecido afirmativamente, además, que su ingreso será benéfico para el país (57).

2) Admisión de nacionales de países ocupados por el Eje

Pocos estados americanos han regulado la entrada de los nacionales de los países ocupados por el Eje con motivo de la actual emergencia. No obstante algunas Repúblicas lo han hecho y, admiten la entrada a su territorio, de un súbdito de un país bajo el dominio del Eje, cualquiera sea la calidad de ingreso, siempre que le sea concedido un permiso para ello (58).

Otros, han restringido la inmigración de los súbditos de países ocupados, autorizándola únicamente en los casos en que no sea perjudicial para la seguridad nacional (59).

3) Exclusión de nacionales del Eje

Los gobiernos Americanos que rompieron relaciones diplomáticas o declararon la guerra al Eje, prohibieron la entrada a sus respectivos territorios a los nacionales de aquél, por norma especial dictada al efecto (60), o por aplicación de

(57) Información suministrada por el Gobierno.
(58) **Bolivia:** Circ. de 12 feb. 1943, d) "Tratándose de extranjeros pertenecientes a los países del Eje y de los que se hallen bajo su dominio, cualquiera que fuere la calidad de ingreso que se solicite, es indispensable obtener los permisos respectivos concedidos por este Despacho, que serán tramitados por los Consulados, previo minucioso examen de la documentación y antecedentes de los interesados".
(59) **Panamá:** D. Nº 110, de 22 dic. 1941, art. 2º. "Restríngese la inmigración al territorio nacional, de los individuos procedentes de los países ocupados por Alemania, Italia y Japón, a los casos especiales que, a juicio del Poder Ejecutivo, la inmigración de esas personas no sea perjudicial para la seguridad nacional".
(60) **Bolivia:** D. de 31 may. 1944, art. único. "Cáncelanse con carácter general y hasta nueva orden, todas las autorizaciones de ingreso al país y de salida al exterior en favor de los elementos pertenecientes a las potencias del Eje". Con anterioridad a esta norma se había prohibido la entrada de turistas del Eje, por Circ. Nº 39, de 15 may. 1942.
Brasil: Información proporcionada por el Gobierno.

leyes promulgadas con anterioridad o con ocasión de la emergencia para nacionales de países en guerra o enemigos (61),

Cuba: D. Nº 1072, de 15 abr. 1942, art. 1º. "No podrán entrar a Cuba y no se le concederán visas por nuestros funcionarios del Servicio Exterior a los individuos nativos o ciudadanos de los países declarados enemigos..."
Ecuador: Instrucciones a los Cónsules, extendiéndose inclusive la prohibición a los ciudadanos españoles (Informes producidos por el Gobierno).
Guatemala: Medidas tomadas para el contralor y vigilancia
de personas. Estas medidas incluyen, asimismo, la prohibición de conceder "tarjetas de turismo" a los nacionales de
países enemigos.
Haití, México y Nicaragua: Informes suministrados por los
Gobiernos de estas Repúblicas.
Panamá: D. Nº 110, de 22 dic. 1941, art. 1º. "Prohíbese la
inmigración de las personas oriundas de los países que se
encuentran en estado de guerra con la República de Panamá
y de las naciones aliadas a las mismas".

(61) **El Salvador:** D. Leg. Nº 86, de 14 jun. 1933, art. 25. "Se
prohibe la entrada al país... 10) A los nacionales de un país
que se encuentre en guerra con la República".
Estados Unidos: Reglamentos de 19 nov., 1941 con las modificaciones introducidas el 14 ene. 1942, par. 58.47. "Clases de
extranjeros cuya entrada se estima perjudicial al interés público. La entrada de un extranjero comprendida en una de
las siguientes categorías será estimada perjudicial a los intereses de los Estados Unidos para los propósitos de estos
reglamentos:... i) El extranjero enemigo de los Estados Unidos según sea definido o previsto por cualquier proclama del
Presidente expedida después del 1º de diciembre de 1941, o
el extranjero que si fuera admitido en los Estados Unidos,
sería un extranjero enemigo de acuerdo con tal proclama. Se
dispone que tal extranjero puede ser exceptuado de esta disposición a juicio del Secretario de Estado o a recomendación
de la Junta de Apelaciones formulada después de la consideración del caso por el Comité Interdepartametal y el Comité de Revisión;" (Por vía del ejemplo puede citarse entre
las proclamas de extranjeros enemigos la Nº 2525 dictada
con fecha 7 de dic. 1941 para los nativos ciudadanos extranjeros naturalizados o súbditos del Imperio del Japón; la id. Nº
2526, de 8 dic. 1941, para los de Alemania. La disposición citada
del Reglamento ha sido modificada por el Reglamento de
9 jul. 1945 (10 FR 8997) par. 58.53 (i), estableciéndose más excepciones a la interdicción de ingreso de extranjeros enemigos.
Los reglamentos cits. par. 58.48, prevén, también la posibilidad
de excluir a los extranjeros que dejan parientes cercanos en
algunos países "cuyo gobierno se opone a las medidas del gobierno de los Estados Unidos relativas a las guerras que se
están sosteniendo actualmente en el hemisferio oriental", por
entender que puede comprenderle una o más de las causales
cits. en el parág. 58.47. Esta previsión reviste un especial interés pues es notorio que tales extranjeros pueden ser selec-

o de normas de carácter general (62). En la mayoría de los países la exclusión se ha operado por medio de las instrucciones pasadas a los Cónsules con orden de no expedir visaciones a nacionales del Eje.

4) Exclusión de nacionales de países ocupados por el Eje

Respecto de nacionales de países ocupados por el Eje, algunas Repúblicas Americanas han impedido, por disposición expresa, su ingreso (63).

---

cionados de antemano con tal parentesco de modo de asegurar una permanente fidelidad con la causa por la cual bregarán una vez llegados al país ante el temor de represalias con sus familiares. La disposición del parág. 58.47 precitado ha sido modificado por el Reglamento de 9 jul. 1945 (10 FR 8997), Sec. 58.54 que prevé el caso de quien tiene parientes en un país o territorio bajo el contralor directo o indirecto de un país "cuyo gobierno, en concepto del Secretario de Estado haya adoptado medidas o políticas contrarias a las medidas o políticas adoptadas por el Gobierno de los Estados Unidos en el interés de la seguridad nacional e internacional" y respecto de cuyos individuos se establece la interdicción de ingreso, estimándoles comprendidos en las clases de extranjeros cuya entrada es prohibida por ser perjudicial al interés público. La nueva disposición pone a tono la reglamentación con la época de cese de hostilidades; es prácticamente una medida de postguerra.

Guatemala: D. Ej. Nº 1781, de 25 ene. 1936, art. 10. "Se prohibe la entrada al país de todos los extranjeros siguientes: ... c) Los indeseables temporalmente; ... 2) Los nacionales de un país que se encuentre en estado de guerra con la República y los excluídos temporalmente por leyes de emergencia".

(62) Costa Rica: No se otorga permiso de entrada a los súbditos del Eje por aplicación del D. Ej. Nº 4, de 26 abr. 1942. Informe proporcionado por el Gobierno.

(63) Cuba: D. Nº 1072, de 15 abr. 1942, art. 1º. "No podrán entrar a Cuba y no se le concederán visas por nuestros funcionarios del Servicio Exterior a los individuos nativos o ciudadanos... de todos aquellos países o territorios ocupados por las naciones enemigas", cuya nómina obra en el art. 20 del mismo decreto. Por Ds. Nos. 202, de 9 ene. 1945 y 1510, de 1945, se excluyeron de la misma, y entre otros efectos, para los migratorios, a diversos países antes ocupados o controlados por el enemigo, por lo que los nativos o ciudadanos de los mismos pasan a quedar sujetos al régimen común.

III. REQUISITOS Y PROCEDIMIENTOS PARA LA ADMISION.   (Generalidades. Régimen Común)

1. Generalidades. Categorías para la admisión. Requisitos que interesan a la defensa política.

Los requisitos y procedimientos que regulan la entrada de personas, interesan para la época de emergencia tanto como las propias causales de inadmisión. Es obvio que de nada servirían éstas sin aquéllos. Así lo entendió el Comité en su Resolución VIII recomendando a los gobiernos, no sólo el establecimiento de restricciones a la admisión de personas en base a su conocida o presunta ideología o conducta favorable a los intereses del Pacto Tripartito, sino también la determinación de requisitos generales y procedimientos administrativos que condicionarían la autorización de ingreso a los territorios de las Repúblicas Americanas. En cuanto a los primeros, ha recomendado que la entrada se realice en principio, por un punto oficial; que la persona posea el documento pertinente que lo habilite para entrar; que éste haya sido debidamente visado por la autoridad diplomática o consular de la República a la cual desea dirigirse; que la persona se someta a la revisación de todos los documentos y efectos que lleve consigo, cuando fuere requerida para ello. Respecto de los procedimientos administrativos, éstos consisten fundamentalmente en la centralización de la facultad de visación en un organismo central del gobierno, respecto de nacionales de países extracontinentales, sustrayéndola de consiguiente, a la competencia natural de los agentes diplomáticos y consulares, pero cometiendo a éstos el suministro de informes y elementos de prueba referentes a quien desee dirigirse a una República Americana y el intercambio de informaciones con igual fin con los funcionarios de las otras Repúblicas (64).

Las Repúblicas Americanas por aplicación de las disposiciones ya en vigor, o de las dictadas en oportunidad del conflicto, han concordado en general, con las normas mínimas precedentemente señaladas.

---

(64) V. Resolución VIII, Secciones A y C; 1er. Informe Anual cit. p. 134 y 137-38.

Los requisitos y procedimientos que aquí se analizarán se refieren fundamentalmente a extranjeros, sin perjuicio de hacer la expresa mención cuando de nacionales se trate.

Las categorías de admisión varían con los países (65), y

---

(65) Las leyes y normas reglamentarias de las Repúblicas Americanas clasifican las diversas categorías. Se contraen a este objeto las que se mencionan a continuación:

Argentina: L. Nº 817, de oct. 1876, art. 12 (inmigrante); D. Nº 8972, de 28 jul. 1938, arts. 1º, 4º y 5º (otras categorías).

Bolivia: D. Supr. de 28 ene. 1937, art. 2º. "Los extranjeros podrán ingresar al territorio nacional: a) para radicarse definitivamente, cuando han de fijar en cualquier punto de la República su domicilio y principal establecimiento, sin ánimo de volver a su país natal; b) en tránsito, cuando se dirigen a otro país vecino, atravesando el territorio nacional; c) con objeto determinado, formando parte de misiones científicas, compañías teatrales, clubs deportivos, núcleos de estudiantes, etc.; y d) como turistas, para recorrer el país por distracción.

Brasil: D. L. Nº 406, de 4 may. 1938. Art. 10. "Los extranjeros que desearen entrar al territorio nacional serán clasificados en dos categorías conforme pretendan venir en carácter permanente o temporario". Idem. D. Nº 3010, de 20 ago. 1938, art. 23.

Colombia: D. Nº 1.790, de 20 oct. 1941, art. 2º. "para los efectos de su admisión los extranjeros serán clasificados en una de las siguientes categorías: 1) Agentes Diplomáticos y Consulares y demás extranjeros portadores de pasaportes diplomáticos, de acuerdo con las instrucciones que sobre el particular imparta el Ministerio de Relaciones Exteriores; 2) Extranjeros portadores de pasaportes especiales de sus gobiernos; 3) Turistas; 4) Extranjeros portadores de pasaportes ordinarios de sus gobiernos; 5) Extranjeros portadores de pasaportes de emergencia; y 6) Vecinos de las regiones fronterizas, portadores de permisos o salvoconductos especiales".

Costa Rica: D. Ej. Nº 4 de 26 abril 1942, arts. 1º, 27, 33 y 46 (surge implícitamente de estas disposiciones).

Chile: D. Nº 3437, de 22 ago. 1937 (parcialmente al discriminar el plazo de permanencia en cada categoría).

Ecuador: D. Nº 111, de 29 ene. 1941, art. 3º. "Los extranjeros son: residentes o transeúntes". D. Nº 112, de 1º febr. 1941, art. 40. "La visa concedida a los pasaportes será de las siguientes clases: diplomática, oficial, de cortesía, de turista, de retorno, de transeúnte y de inmigrantes".

Estados Unidos: L. 26 may. 1924. (43 Stat. 154) Sec. 3ª modificada por la L. de 6 jul. 1932 (47 Stat. 607) y L. de 1º jul. 1940 (54 Stat. 711) (8 U.S.C. 203), que establece qué debe entenderse por inmigrantes y no inmigrantes.

Guatemala: D. Ej. Nº 1781, de 25 ene. 1936, art. 8º. (clasifica los extranjeros en domiciliados (Nº 1); transeúntes entre los que menciona los en tránsito y los que vienen a reen función de ellas se regulan los requisitos y procedimientos para la entrada en las diversas Repúblicas americanas.

No obstante la distinción básica, que el examen de la legislación relativa a admisión de extranjeros pone de manifiesto, es la que se hace entre las personas autorizadas a entrar con carácter permanente, y las que solamente lo son en

<hr/>

sidir al país en forma temporaria (N° 2); e inmigrantes (N° 3). Ac. Ej. de 13 nov. 1936 (turistas).

Honduras: D. N° 134, 20 mar. 1934, arts. 2° y 3°. (inmigrantes); y 4° (turistas).

México: L. de 24 ago. 1936, art. 60. "Los extranjeros podrán internarse legalmente en el país, con cualquiera de las siguientes calidades: turistas, transmigrantes, visitante local, visitante, inmigrante, o inmigrado".

Nicaragua: D. de 29 dic. 1930, arts. 3° (inmigrantes); 4° (no inmigrantes: personas contratadas por las autoridades, técnicos, representantes de universidades, bibliotecas y otros centros científicos, agentes de compañías, artistas teatrales); 5° (turistas); 6° (transeúntes).

Panamá D. 202, de 3 ago. 1942, art. 2°. (V., asimismo L. de 24 dic. 1938, art. 2° (inmigrante).

Paraguay: D. L. N° 10, 193, de 29 mar. 1937, arts. 1°, 6° y 12.

Perú: D. Supr. de 15 may. 1937, arts. 1°, 4° y 30.

República Dominicana: L. N° 95, de 14 abril 1939, art. 3° inc. 1° "Los extranjeros que deseen ser admitidos en el territorio dominicano serán considerados como inmigrantes o como no inmigrantes" Los no inmigrantes son: 1° visitantes en viaje de negocio, estudio, recreo, o curiosidad; 2° pasajeros en tránsito; 3° empleados de empresas marítimas o aéreas; y 4° jornaleros temporeros y sus familias (art. cit. inc. 2°). A los no inmigrantes se les concede admisión temporal (art. cit. inc. 3° parte final. V., asimismo, Regl. N° 279, de 12 may. 1939, sec. 8ª letra a).

Uruguay: Ley N° 2096 de 19 de jun. 1890, art. 6°; D .de 23 nov. 1937, arts. 1°, 2°, 16, 17, 18 y 22; D. de 25 de oct. 1938; Ds. de 14 feb., 12 junio, 1° de ago. (dos) de 1940.

Venezuela: L. de 22 de jul. 1936, art. 4° "Se reputan inmigrantes a los efectos de esta ley, a aquellos extranjeros de antecedentes limpios y buena conducta, que con oficio fijo, como agricultores, criadores, artesanos, industriales, mecánicos, etc., que tengan o nó con qué subvenir a sus necesidades y llegasen a Venezuela o quisieran trasladarse a ella, con el propósito de arraigarse en el país, fundar una familia e incorporarse a la masa de la población venezolana". L. de 31 jul. 1937, art. 3°. "Los extranjeros que se encuentran en el territorio de los Estados Unidos de Venezuela, son domiciliados o transeúntes" (V. asimismo, D. de 7 may. 1942, art. 1°). D. de 7 may. 1942, art. 4° "Los extranjeros transeúntes se dividirán en turistas, viajeros de tránsito, visitantes locales o fronterizos y simples transeúntes".

forma temporaria. De ahí que algunos países, como por ejemplo Brasil (66), resuman en dos las categorías de admisión, esto es permanentes y temporarios.

Esta clasificación resulta la más práctica de las que pueden adoptarse en la materia. Se atiende en ella a un elemento diferencial de una u otra categoría, de carácter inconfundible, como lo es la voluntad de domiciliarse en el país, de residir en él, en una forma permanente que no quiere decir sin embargo definitiva (67). Algunas legislaciones (68) le dan este sentido, adelantándose a determinar un lapso mínimo de estada, que califica por sí solo a quien piensa hacer uso de él, como comprendido en la categoría de admisión permanente.

Esta clasificación no es adoptada por todas las legislaciones, utilizándose en cambio, a inmigrantes y no inmigrantes, clasificación que crea dificultades por cuanto no hay uniformidad de concepto en cuanto a que se debe entender por "inmigrante".

---

(66) **Brasil:** D. L. Nº 406, de 4 de may. 1938, art. 10; (Ver texto en nota 65). D. Nº 3010, de 20 de ago. 1938, art. 23.

(67) Cf. Seguí González. L. y Rovira, Alejandro, "Contribución al Estudio del Derecho Migratorio Uruguayo", Montevideo 1939, p. 57, nota 2.

(68) **Brasil:** D. L. Nº 406, de 4 may. 1938, art. 11. "Serán considerados como venidos en carácter permanente los que tengan la intención de permanecer en el territorio nacional por un plazo superior a seis (6) meses" (V., asimismo, D. 20 ago. 1938, art. 24).
Honduras: D. Nº 134, de 20 mar. 1934, art. 2º (V. texto en nota 69).
Nicaragua: D. 29 dic. 1930, art. 3º "Denomínase "inmigrante" para los fines de la Ley y del presente Reglamento, a todo individuo que venga al país con alguno de los objetos siguientes:... b) a trabajar en empresas nacionales o extranjeras, agrícolas, industriales o comerciales, establecidas en el país, en labores que requieran una permanencia continua de seis meses".
La Conferencia de Estadísticos de las Migraciones, entre las resoluciones adoptadas, acordó que el desplazamiento que alcance o sobrepase a un año, determinará que la migración se califique en durable, y cuando sea menor de ese lapso, de temporaria.
Interesa destacar que la Conferencia excluye los viajes de turismo de los desplazamientos internacionales de personas que interesan a la estadística o las migraciones, así como también el movimiento fronterizo; e incluye finalmente en los movimientos temporarios las migraciones estacionarias

Algunas legislaciones (69) —las menos— entienden este vocablo en un sentido lato, vale decir, que debe considerarse inmigrante a toda persona que se desplaza de un país a otro con carácter permanente, con el ánimo de fijar domicilio en el nuevo país.

Otras, lo conciben en un sentido estricto, comprendiendo la definición genérica, pero limitando el uso del vocablo a una determinada clase de personas: v.gr., aquellos que tienen el propósito de constituirse en colonos en el país de destino, al cual los une un contrato de trabajo, o que obtienen el pago anticipado de pasaje por el gobierno del país de inmigración o empresa dedicada al transporte y ubicación de inmigrantes, o que poseen pasaje de segunda o tercera clases; en una palabra, el rasgo saliente es la condición humilde, de hombre de trabajo, que pretende iniciar una nueva vida en el país que lo acoge, por lo que queda excluído para esta concepción el desplazamiento de gente solvente, que se traslada simplemente con el fin de nuevo afincamiento, determinado por otros motivos.

En virtud de esta diferente acepción del vocablo "inmi-

(V., resoluciones en Revue I. du Travail V. XXVII, 1933, Nº 1, Janv. Juin. p. 23).

(69)   Véase, por ejemplo:
Estados Unidos: L. 26 may. 1924. (43 Stat. 154) sec. 3, modificada por la L. de 6 jul. 1932 (47 Stat 607) y la L. de 1º jul. 1940 (54 Stat. 711) (8 U.S.C. 203).
Honduras: D. Nº 134, de 20 mar. 1934. Art. 2º "Se reputará inmigrante a todo extranjero que arribe a la República con el propósito expreso de establecerse en ella, por cualquiera causa o cualesquiera fines lícitos o cuya permanencia en el país, de conformidad con esta ley, exceda sin interrupción de seis meses a partir de la fecha de su ingreso".
México: L. de 24 ago. 1936, art. 65. "Inmigrante es el extranjero que entra al país con el propósito de radicarse en él, pudiendo ejercer actividades remuneradas o lucrativas. Los inmigrantes se aceptarán hasta por cinco años; siempre que anualmente demuestren que subsisten las condiciones y requisitos con que fueron admitidos".
Nicaragua: D. de 29 dic. 1930, art. 3º. "Denomínase "inmigrante" para los fines de la Ley y del presente Reglamento, a todo individuo extranjero que venga al país con alguno de los objetos siguientes: a) a radicarse en Nicaragua".
República Dominicana: L. Nº 95 de 14 abr. 1939, art. 3º, inc. 3º. "Los extranjeros admitidos como inmigrantes pueden residir indefinidamente en la República..."

grante", se hace necesario, en consecuencia, para los fines de una sistematización de la legislación americana, la adopción de una expresión genérica como la de "permanente" que agrupa todos los desplazamientos, sea de los inmigrantes considerados en un sentido amplio o estricto.

De ahí que, resumiendo, sea conveniente distinguir las categorías de admisión en permanentes por un lado, y temporarios por el otro.

En cuanto a estos últimos, ella comprende a los turistas, pasajeros en tránsito, o de retorno, o con objeto determinado, tales como representantes de casas comerciales extranjeras, hombres de ciencia o letras que se dirigen a un país a dar cursos o conferencias, artistas, deportistas, etc.

Existen también, en las legislaciones, otras categorías de personas admitidas a un país a quienes se da un tratamiento especial, tales como diplomáticos y agentes consulares, tripulantes, a las cuales se hará referencia oportunamente.

En general, se exige a estos últimos un mínimun de requisitos. Tratándose de personas procedentes del Eje o de países ocupados por éste, o de cualquier modo vinculados a sus intereses, revisten gran importancia para la defensa política los contralores que respecto de ellas existan o se establezcan.

La circunstancia de comprender al extranjero una u otra categoría de admisión, determina la visación respectiva, según se examinará más adelante.

En cuanto a los requisitos que a continuación se tratan, se ha seguido, para su respectiva selección, el criterio adoptado para las restricciones a la admisión, esto es, reducir la enumeración y examen a los que, por lo general, sirven en todos los países como verdaderos contralores de defensa política. De consiguiente, quedan fuera del estudio los requisitos propiamente inmigratorios o de policía inmigratoria, que no se relacionan con esa especial finalidad.

2. Examen en particular de los requisitos y procedimientos para la admisión.

Es menester analizar en la presente sección, en primer

término, un régimen común que comprende a nacionales y extranjeros en general y en segundo lugar, los regímenes de excepción aplicables a nacionales y extranjeros residentes en las repúblicas americanas y que viajan a los Estados vecinos para las relaciones de vecindad o turismo; a los nacionales del Eje y de países ocupados; diplomáticos; y finalmente, a los tripulantes.

Estas tres últimas categorías revisten, es obvio, una notoria importancia para la defensa política, por lo que merecen un tratamiento separado.

El régimen común comprende, como la misma expresión lo indica, el estudio de todas las normas legislativas y administrativas de las Repúblicas Americanas dictadas con ocasión de la actual emergencia, o ya en vigor al inicio de ésta, que tienen que ver con la admisión de personas de las categorías básicas oportunamente señaladas (70).

Los requisitos exigidos en el régimen común aplicable a extranjeros y nacionales, pueden agruparse como sigue: a) permiso de libre desembarco o entrada; b) pasaporte o documento sustitutivo; c) visación; d) entrada por puntos habilitados; y e) exhibición y entrega, en su caso, de los documentos de entrada, a los funcionarios competentes.

Se formulará a continuación el análisis particular de cada uno de ellos, guardando el orden que imponen las etapas que cumple cada persona que desea entrar al territorio de una nación americana.

a. Permiso de entrada o de libre desembarco

1) Naturaleza del permiso. Diferencias con la visación

Previo análisis de los objetivos que se han tenido en vista con el otorgamiento del permiso de entrada o de libre desembarco resulta imprescindible suministrar algunas aclaraciones referentes a la naturaleza del mismo y sus diferencias con la visación.

El permiso de entrada o de libre desembarco no debe confundirse con la visación o visa propiamente dicha, según co-

---

(70)   V. en cuanto se refiere a la legislación especialmente, nota 65.

múnmente se llama. Algunas legislaciones, es cierto, al referirse al permiso de entrada, lo denominan permiso de visa (71) y otras, aluden directamente a un pedido de visación, con lo cual, en realidad, se solicita, implícitamente, una autorización de entrada (72), pero es indudable que permiso y visación son actos diferentes.

El permiso de libre desembarco o de entrada, es un documento que se acuerda por las autoridades competentes de los servicios de inmigración, previo cumplimiento de determinadas formalidades y requisitos, y que autoriza el ingreso al territorio de un país. En Estados Unidos los reglamentos de permisos de entrada de extranjeros comprenden con esta denominación en una forma genérica todos los documentos que habilitan para el ingreso al territorio de ese país (73).

La visación que implica el antecedente de la posesión del permiso, para los países que exigen este documento, es un

---

(71) **Colombia:** — D. Nº 1.790, de 20 oct. 1941, art. 29. Parágrafo 1º. "El Ministerio de Relaciones Exteriores, en vista de la solicitud presentada, concederá o negará el permiso de visa y lo comunicará al Cónsul correspondiente".

(72) **Brasil** : — D. Nº 3.010, de 20 agosto 1938, art. 29 "Para obtener el "visto" el interesado o su representante presentará.. el pedido respectivo..." (V., asimismo, D.L. Nº 3175, de 7 abr. 1941, art. 3º parágrafo 1º).
Haití: D.L. de 12 ene. 1945, art. 1º "Todo extranjero deseoso de entrar en Haití, deberá solicitar una visa a este efecto de la Legación o del Consulado de Haití establecido en la ciudad de su residencia". Id. art. 2º "El pedido de visa..." Es menester señalar la excepcionalidad del régimen en vigor en este país. El permiso de entrada no implica una vez concedido, por sí solo, el derecho de permanecer en el país. Para ello, el extranjero debe presentarse en el acto de entrada a las autoridades de inmigración con documento que acredite posesión de recursos cuyo monto varía en función de si viaja solo o lo hace con la familia y otras exigencias más. (D. L. de 12 ene. 1945, art. 18) y luego de entrar, obtener el permiso de residencia (D. L. cit. arts. 21 y ss.).

(73) Reglamentos de 19 nov. 1941, con las enmiendas de 14 de ene. 1941, parágrafo 58.41.. (c) La expresión "permiso para entrar" constituye una visa de inmigración, un permiso de reingreso, una visa de pasaporte, un certificado de tránsito, un certificado de entrada limitada, una tarjeta de identificación para el cruce de fronteras, una visación de lista de tripulación, u otro elemento que pueda ser requerido por disposición de la ley de los Estados Unidos". Esta disposición ha sido mantenida por el Reglamento de 9 jul. 1945, sec. 58. 41 (h) (10 FR 8997).

acto administrativo realizado por el agente consular que certifica haber efectuado el examen de la documentación presentada por el viajero (pasaporte, certificado, etc.) y en consecuencia, que tiene su situación en regla para dirigirse al país de destino o por el que ha de pasar en tránsito.

2) Objetivos perseguidos con la concesión del permiso

Resulta de interés consignar especialmente que el permiso de entrada o de libre desembarco llena, sin perjuicio de las finalidades propiamente migratorias, un objetivo fundamentalmente policial de la inmigración. Como este documento se expide luego de conocer los respectivos antecedentes del interesado, se puede saber de antemano, por las minuciosas investigaciones, los instrumentos presentados y la información proporcionada por los agentes consulares radicados en el país donde se domicilia el impetrante, si se trata de una persona realmente peligrosa para la seguridad de la República que lo recibe.

Puede, en consecuencia, afirmarse, que este documento se ha constituído, por sí solo, y sin perjuicio de los demás medios de contralor a que se hará referencia más adelante, en un importante instrumento de defensa, contra la penetración de agentes del Eje en territorio americano.

3) Personas a quienes comprende

Debe tenerse muy especialmente en cuenta que la concesión de permisos previo es requisito fundamental, en muchos países americanos, para la entrada de extranjeros. En algunos Estados se exige, cualquiera sea la categoría de admisión (74);

(74) **Bolivia:** D. Supr. de 28 ene. 1937, arts. 1º y 7º.
Costa Rica: D. Ej. Nº 4, de 26 abr. 1942, Art. 1º. "Para entrar o salir del país es necesario autorización previa, la que deberá obtenerse de las autoridades encargadas de controlar la migración". V. también, art. 46.
El Salvador: D. Leg. Nº 86, de 14 jun. 1933, art. 1º "Para entrar o salir del país es necesario autorización previa, la que deberá obtenerse de las autoridades encargadas de controlar la migración". art. 12 "... Este permiso consistirá en una razón sellada que las autoridades de migración pondrán al reverso de la Cédula de Vecindad o Tarjeta de Identifica-

en otros, exclusivamente, para las que pretendan residir en forma definitiva (75); y finalmente en el caso de Estados Unidos la exigencia o exención del documento varía según las situaciones que las mismas normas tienen en cuenta (76).

---

ción".

Haití: Información proporcionada por el Gobierno.

Uruguay: A pesar de lo dispuesto por el D. de 23 de nov. 1937, arts. 3º y 4º, de hecho, según información del Gobierno, se exige a todos, sin distinción alguna.

(75) **Argentina:** D. Nº 8972, de 28 jul. 1938, art. 1º. "A los efectos de su entrada al país, los extranjeros, no domiciliados en la República, cualquiera sea la clase y medios en que viajen, deberán solicitar de la Dirección de Inmigración, por intermedio de los funcionarios consulares argentinos pertinentes, un permiso de libre desembarco, corriendo por cuenta de los interesados los gastos que este trámite demande. Los funcionarios consulares no visarán los documentos de extranjeros domiciliados en la República, sino mediante la presentación del correspondiente permiso de desembarco otorgado por la Dirección de Inmigración, salvo los casos expresamente indicados en el presente decreto". El art. 5º, inc. g) del mismo decreto faculta a los cónsules para exceptuar a los turistas del permiso de libre desembarco.

Ecuador: D. Nº 111, de 29 ene. 1941, art. 8º.

Haití: D. L. de 12 ene. 1945, art. 9º.

Panamá: D. Nº 202, de 3 ago. 1942, art. 5º.

Uruguay: D. de 23 nov. de 1937, arts. 3º y 4º y 1º. (Se exige sólo a los pasajeros de 2ª y 3ª clase que viajen por vía marítima, fluvial o terrestre).

(76)..**Estados Unidos:** Proclama Presidencial Nº 2523 de 14 nov. 1941, (3); Reglamentos de 19 nov. 1941, con las enmiendas de 14 ene. 1942, parágr. 58.42. "Permisos de entrada requeridos. Ningún extranjero entrará de aquí en adelante en los E. Unidos ... (b) a menos que él esté en posesión de un permiso de entrada válido no vencido o que esté exceptuado conforme a estos reglamentos de presentar un permiso de entrada". El Reglamento de 9 jul. 1945, exige, además, el pasaporte parágrafo 58.42 (b) (10 FR 8997). Las excepciones están dadas por los mismos reglamentos, parágrafo 58.44, que menciona nueve categorías de inmigrantes que no requieren permiso de entrada y que son, entre otros, menores de edad extranjeros inmigrantes en los casos que prevé, inmigrantes legalmente admitidos en el país con anterioridad, extranjeros miembros de los ejércitos de Estados Unidos, uniformados, o que lleven documentos que los identifiquen como tales, y finalmente, los casos individuales considerados por el Departamento de Justicia como comprendidos en la sección 12, (b) de la ley de inmigración de 1924 (se refiere a extranjeros que admitidos legalmente se hubieran ausentado del país temporalmente) que pueden ser sometidos al Secretario de Estado para la exención de documentos. Los extranjeros no

4) Requisitos y procedimientos para la expedición

Los requisitos que es necesario llenar para la expedición del permiso de entrada o libre desembarco varían con las legislaciones. En general, los más comunes y que interesan a la defensa política, pueden sintetizarse como seguidamente se expresa.

En primer término, el interesado, o quien lo represente, debe presentar una solicitud mencionando los datos que de acuerdo con las normas correspondientes estipulen los formularios (77) o concretamente los fijan de antemano las mismas disposiciones siendo las más corrientes las siguientes:

1º Nombres y apellidos (78).

2º Lugar y fecha de nacimiento (79).

3º Nacionalidad (80).

4º Raza (81).

5º Pasaporte (82).

---

inmigrantes están exceptuado de la obtención del permiso de entrada, por los mismos reglamentos, parágrafo 58.45, los que serán mencionados al estudiarse los regímenes de excepción de vigor en las Repúblicas Americanas para el ingreso de extranjeros. Los parágrafos 58.44 y 58.45 premencionados han sido substituídos por el Reglamento de 9 jul. 1945, por los parágrafos 58.44 a 58.51 (10 FR 8997), que establecen las categorías de inmigrantes o no inmigrantes que requieren simultáneamente o no pasaporte y permiso de entrada, o que no requieren ninguno de estos dos documentos.

(77) **Estados Unidos:** Reglamentos de 19 nov. 1941, con las enmiendas introducidas el 14 ene. 1942, parágrafo 58.56, establece que el fiador o el que promueve el ingreso de un extranjero debe presentar una declaración jurada conteniendo los datos biográficos del extranjero cuyo permiso de entrada se solicita. Los mismos reglamentos parágrafo 58.51, dicen en forma genérica que las solicitudes de permisos de entrada se formularán de acuerdo con las reglas y reglamentos dictados según los requisitos adicionales exigidos por las normas.

(78) **Haití:** D. L. de 12 ene. 1945, art. 2º, letra a).

(79) **Panamá:** D. Nº 202, de 3 ago. 1942, art. 5º, letra a).
Haití: D. L. de 12 ene. 1945, art. 2º, letra b).

(80) **Haití:** D. L. de 12 ene. 1945, art. 2º, letra c (actual), letra d (de origen).
Panamá: D. Nº 202 de 3 ago. 1942, art. 5º, letra b).

(82) **Panamá:** D. Nº 202 de 3 ago. de 1942, art. 5º, letra c).
Panamá: D. Nº 202, de 3 ago. 1942, art. 5º, letra d).

6º Sociedades y organizaciones a que pertenezca o haya pertenecido (83).

7º Fines que se persiguen en el nuevo país (84).

En segundo lugar las legislaciones americanas exigen que se acompañe a la solicitud:

1º Certificado o prueba fehaciente que acredite la ideología político-social del peticionario comprobatoria de que no le comprenden la causal de inadmisión concerniente a este aspecto (85). Esta exigencia no constituye una defensa contra la entrada de agentes del Eje y elementos subversivos favorables al mismo, por cuanto se expide directamente por las au-

---

(83) **Haití:** D. L. de 12 ene. 1945, art. 2º, inc. último.
(84) **Haití:** D. L. de 12 ene. 1945, art. 2º, letra k).
   Panamá: D. Nº 202 de 3 ago. 1942, art. 5º, letra g).
(85) **Brasil:** D. Nº 3.010, de 20 ago. 1938, art. 30. "Los permanentes deberán comparecer en persona por ante la autoridad consular presentando: ... 2º atestados: ... b) de no ser de conducta nociva al orden público, la seguridad nacional o a la estructura de las instituciones, expedido por autoridad policial, o dos personas idóneas, a criterio de la autoridad consular". La misma exigencia es requerida para los temporarios que sean representantes de firmas comerciales extranjeras y a los que vienen en viaje de negocios (D. Nº 3.010, cit. art. 31 parág. 3º, 2º, b), y a los deportistas, artistas y similares (D. cit., art. 31 parág. 4º, 2º, b).
   Ecuador: D. Nº 111, de 29 ene. 1941, art. 11. "Será requisito esencial para la admisión de un inmigrante que el interesado compruebe fehacientemente, que no pertenece a ninguna sociedad o partido político, cuyo programa sea contrario al orden público del Ecuador o a las ideas en que se funda su sistema de gobierno, mantenido por la Constitución y Leyes del Estado".
   El Salvador: D. Ley Nº 86, de 14 jun. 1933, art. 34.
   Nicaragua: L. de 5 may. 1930, art. 10: Los extranjeros están "asimismo obligados a demostrar con documentos autenticados que no están comprendidos en la prohibición del Capítulo II de esta ley". (Se refiere a las causales de inadmisión).
   Uruguay: L. Nº 9604, de 13 oct. 1936, art. 1º. "No se admitirá la entrada al país, de los extranjeros, aunque posean carta de ciudadanía legal que se hallen en uno de los siguientes casos: ... C) Los que no posean un certificado consular expedido por Cónsul de Carrera en el sitio de su residencia habitual. En ese documento se hará constar expresamente la desvinculación de los portadores con toda especie de organismos sociales o políticos que por medio de la violencia tiendan a destruir las bases fundamentales de la nacionalidad..." (V., asimismo, nota 28; D. de 29 dic. 1936, art. 1º, ap. E.

toridades nacionales del país de procedencia, o por agentes del servicio exterior del país de destino, pero, naturalmente, a base de documentación o informes de aquéllos. Tal certificación sirvió para tener alejados de las respectivas Repúblicas Americanas principalmente a anarquistas y comunistas, careciendo de valor, por lo precedentemente expuesto, en la emergencia.

2º Certificado de buena conducta expedido por la policía del lugar del último domicilio con fecha reciente y haciendo constar que no ha sido procesado o condenado por delitos comunes durante determinado término que oscila entre cinco y diez años, estableciéndose inclusive que el certificado no puede ser anterior, en determinado lapso, a la fecha en que solicitó el permiso (86).

3º Constancia de que el solicitante ejerció profesión u oficio lícito durante los últimos años (87).

---

(86) **Argentina:** D. de 31 dic. 1923, art. 10 inc. j). "Carecer de un certificado judicial o policial que acredite que no ha estado bajo la acción de la justicia por delitos comunes o contra el orden social, durante los últimos cinco años. Este certificado debe ser expedido por las autoridades judiciales o policiales de la nación a que pertenezca el extranjero, visado por un cónsul argentino acreditado en la misma" .D 19 ene. 1934, art. 1º "Todo pasajero que viaje a la República en segunda o en tercera clase, siendo mayor de 15 años y menor de 60, deberá traer además de su pasaporte, los tres certificados (de buena conducta, expedido por autoridad judicial o policial extranjera...) ..."
Bolivia: D. Supr. de 28 ene. 1937, art. 9º letra b).
Colombia: D. Nº 1.790, de 20 oct. 1941, art. 27, a) "Certificado de conducta, que comprenderá un período hasta de diez años contínuos expedido por autoridades de Policía competente, en que conste que el solicitante no ha tenido cuentas pendientes con la justicia. Este certificado no puede ser anterior a treinta días de la fecha en que se solicita la visa".
Haití: D. L. de 12 ene. 1945, art. 3º, 2) "Un certificado o atestado de las autoridades judiciales del lugar de su residencia comprobatorio de que durante los diez años precedentes no ha sido condenado por crimen o delito de derecho común".
Nicaragua: L. 5 may. 1930, art. 10; D. 29 dic. 1930, art. 15, letra b).
Panamá: D. Nº 202, de 3 ago. 1942, art. 5º f (datos sobre antecedentes penales).
Uruguay: D. de 23 nov. 1937, art. 4º, Nº 2.
(87) **Bolivia:** D. Supr. de 28 ene. 1937, art. 9º letra e) a todos; excepcionalmente turistas).

Excepcionalmente se exige, además de las certificaciones y constancias de que se acaba de hacer referencia, la exhibición del pasaporte con filiación completa, fotografía e impresiones digitales (88).

La tramitación de estos documentos se hace generalmente mediante solicitud que formula el interesado en su país de origen o procedencia ante el agente diplomático o consular del Estado al que desea trasladarse (89) o ante las autoridades de inmigración, de éste, por medio de representación por mandatario o persona debidamente autorizada (90).

---

(88) **Bolivia:** D. Supr. de 28 ene. 1937, art. 9º b).
(89) **Argentina:** D. Nº 89'.2, de 28 jul. 1938, art. 1º (Ver texto nota 75).
Bolivia: D. Supr. de 28 ene. 1937, arts. 1º y 7º.
Colombia: D. Nº 1.790, de 20 oct. 1941, art. 27. "Los extranjeros que deseen obtener visa ordinaria de entrada a Colombia deben presentar, por conducto de los Consulados de la República, una solicitud en formularios que suministrará el Ministerio de Relaciones Exteriores. Al hacer esta solicitud presentarán al Cónsul los documentos siguientes: ... (se mencionan el certificado de conducta, el de salud y los documentos de estado civil)..."
Costa Rica: D. Ej. Nº 4, de 26 abr. 1942, art. 5º. "Las solicitudes de ingreso, permanencia o reingreso podrán ser recomendadas por el Representante Diplomático o Consular del país de origen del interesado, pero necesariamente la firma del petente deberá ser autenticada por un abogado, presentándose en ..."
Ecuador: D. Nº 111, de 29 ene. 1941, art. 8º "Todo extranjero que venga como inmigrante para poder ingresar al Ecuador, deberá presentar la correspondiente solicitud, sea ante el Director General de Extranjería e Inmigración, sea ante un Agente Consular Ecuatoriano, quien la remitirá inmediatamente a la Dirección General".
El Salvador: D. Leg. Nº 86, de 14 jun. 1933, art. 1º.
Haití: D. L. de 12 ene. 1945, art. 1º (V. texto en nota 72).
Panamá: D. Nº 202, de 3 ago. 1942, art. 5º inc. 1º "Las personas que deseen venir al país en calidad de inmigrantes, deberán solicitar previamente al Ministerio de Relaciones Exteriores, un permiso de entrada por conducto del funcionario consular de Panamá en el lugar de residencia, o por intermedio de un representante legalmente domiciliado en Panamá".
(90) **Bolivia:** D. 17 abr. 1942.
Ecuador: D. Nº 111, de 29 ene. 1941, art. 8º. (V. texto en nota 89).
Estados Unidos: Reglamentos de 19 nov. 1941, con las enmiendas introducidas el 14 ene. 1942, parágrafo 58.56. Según estas normas la gestión puede ser promovida por un

En el primer caso la solicitud es remitida por el agente consular o diplomático al Ministerio del ramo, con toda la documentación, a los efectos de su resolución.

El permiso se otorga luego de una minuciosa investigación de la documentación presentada y de los informes proporcionados por los agentes consulares radicados en el país donde se domicilia el peticionario y de las reparticiones competentes del de destino (91).

Sin perjuicio del procedimiento que se viene de señalar,— que es el más conveniente—, seguido por las autoridades competentes de las Repúblicas Americanas, para la tramitación y expedición del permiso de entrada, interesa dar los rasgos más salientes del que está en vigor en los Estados Unidos. Este se caracteriza en primer lugar por una severa fiscalización previa de las solicitudes de admisión, dando intervención a la autoridad expedidora y a los órganos consultivos, y al propio solicitante por intermedio de sus gestionantes, fiadores, defensores u otros intermediarios, contemplando así sus derechos y los supremos intereses del país contra la admisión de individuos peligrosos para su seguridad.

En principio las normas estadounidenses autorizan a las

"sponsor" (fiador), y a juicio del Secretario de Estado puede un tercero actuar como intermediario, o como defensor. **Panamá:** D. Nº 202, de 3 ago. 1942, art. 5º, inc. 1º (V. nota 89).
Uruguay: D. 23 nov. 1937, arts. 3º y 4º.

(91) **Argentina:** D. Nº 8972, de 28 jul. 1938, art. 3º. "Además de exigirse la documentación prevista por las disposiciones en vigencia, los funcionarios consulares remitirán a la Dirección de Inmigración, en solicitud de libre desembarco, una información sobre las razones por las cuales el viajero se traslada al país, nacionalidad, ocupación u oficio, tiempo que piensa permanecer, medios de vida y demás datos personales del interesado, expresando su opinión sobre el mismo".
Ecuador: D. Nº 111, de 29 ene. 1941, art. 10. "El Director de Inmigración estudiará la solicitud presentada y tendrá la obligación y el derecho de hacer todas las averiguaciones que estime convenientes, para cerciorarse de la verdad de las informaciones suministradas por el inmigrante. Los Cónsules, cuyo informe favorable será necesario para la admisión de un extranjero en el territorio nacional, están obligados a suministrar a la indicada Dirección, todos los datos que ella solicite por intermedio del Ministerio de Relaciones Exteriores".
Uruguay: D. de 23 nov. 1937, art. 5º.

autoridades expedidoras competentes para negar de plano el permiso requerido, dando cuenta al Departamento de Estado, cuando la entrada del extranjero puede ser perjudicial para los intereses de los Estados Unidos (92), o si saben o tienen motivos para creer que su ingreso comprometerá la seguridad pública (93). Los reglamentos prescriben en tales casos, la obligación del funcionario que haya denegado la autorización de informar, y el superior está facultado, si llega a una opinión diferente, vale decir, que la admisión no perjudicará al país, a acceder a la solicitud (94). Además, bajo los reglamentos de 1941, salvo las excepciones de antemano

---

(92) Reglamentos de 19 nov. 1941, con las modificaciones introducidas el 14 ene. 1942, parágrafo 58.46. "Denegación de permiso de entrada. (a) Ningún permiso de entrada será expedido a un extranjero si la autoridad expedidora tiene motivos para creer que la entrada del extranjero sería perjudicial a los intereses de los Estados Unidos...". Esta disposición ha sido mantenida por el Reglamento de 9 jul. 1945, parágrafo 58.52 (10 FR 8997).

(93) L. 20 jun. 1941 (55 Stat. 252) (22 U.S.C. 223), dispone que "cuando un funcionario diplomático o consular americano sepa o tenga razón para creer que un extranjero pretende entrar en los Estados Unidos con el propósito de intervenir en actividades que pondrán en peligro la seguridad pública de los Estados Unidos, deberán rehusar a expedirle a tal extranjero una visa de inmigración, una visa de pasaporte, certificado de tránsito, u otro documento que dé derecho a tal extranjero para presentarse por sí mismo para la admisión en los Estados Unidos" ;pero debiendo en tal caso dar cuenta inmediatamente al Secretario de Estado a los efectos de la ulterior acción que se dignara disponer.

(94) Reglamento de 19 nov. 1941 con las enmiendas introducidas el 14 ene. 1942, parágrafo 58.46 "Denegación de permiso de entrada. (a) (Ver texto en nota 92), (c) La autoridad expedidora de permisos informará de la denegatoria del permiso al jefe de su departamento. Si el permiso es negado por un funcionario del Servicio de Inmigración y Naturalización del Departamento de Justicia fundándose en que tiene razón para creer que la entrada del extranjero sería perjudicial a los intereses de los Estados Unidos, el Fiscal General puede, después de la consulta con el Secretario de Estado, autorizará la expedición del permiso si está satisfecho que la entrada del extranjero no sería perjudicial a los intereses de los Estados Unidos. Si el permiso es denegado por otro funcionario de los Estados Unidos autorizado para expedir documentos que constituyan permisos de entrada de acuerdo con estos reglamentos, el Secretario de Estado, o un funcionario designado por él, puede autorizar la expedición

previstas, la autoridad expedidora carece de competencia para acordar permisos de entrada sin consultar la opinión del Secretario de Estado o recibir instrucciones recomendando su otorgamiento (95).

El procedimiento para evacuar las consultas es objeto de minuciosas reglamentaciones. Tres órganos pueden llegar a intervenir para asesorar al Departamento de Estado en la contestación de la consulta formulada, un comité interdepartamental, un comité de revisión y una junta de apelaciones, integrados los dos primeros con un representante de los Departamentos de Estado, Guerra, Marina, Oficina Federal de Investigaciones y servicio de Inmigración y Naturalización del Departamento de Justicia. Se da además, intervención a los que promueven la gestión, defensores u otros intermediarios (96). Una vez concedidos los permisos pueden de igual modo perder la validez antes de producida la entrada del extranjero si se estima que ésta resultará perjudicial a los intereses del Estado (97).

---

del permiso de entrada si está satisfecho que la entrada del extranjero no será perjudicial a los intereses de Estados Unidos. El informe de la denegatoria de permiso de entrada formulado a otro jefe de departamento que no sea el Secretario de Estado, será comunicado al Secretario de Estado". Esta disposición ha sido mantenida por el Reglamento de 9 jul. 1945, parágrafo 58.52 (b) (10 FR 8997).

(95) Reglamentos de 19 nov. 1941, con las enmiendas introducidas el 14 ene. 1942, parágrafo 58.51. "Procedimiento para la expedición de permisos de entrada... Con las excepciones más abajo especificadas, ningún permiso de entrada será expedido hasta que la autoridad expedidora haya recibido del Secretario de Estado opinión o instrucción recomendando la expedición del permiso". Los mismos reglamentos parágrafo 58.55 establecen las excepciones a la previa consulta. Entre ellas se mencionan: solicitudes de permiso de reingreso o renovación de los mismos; idem, de tarjetas de identificación para quienes han sido admitidos legalmente en los Estados Unidos; idem, para los que son ciudadanos o residentes de México; etc.

(96) Reglamentos de 19 nov. 1941 con enmiendas de 14 de ene. 1942, parágrafo 58.57.

(97) Proclama presidencial Nº 2523 de 14 nov. 1941, (6) "el período de validez de un permiso de entrada..., expedido a un extranjero puede declararse terminado por la autoridad expedidora del mismo o por el Secretario de Estado en cualquier tiempo antes de la entrada... del extranjero, probado que la autoridad expedidora o el Secretario de Estado está

Bajo el régimen de las nuevas reglamentaciones dictadas en 1945 la autoridad expedidora procede al otorgamiento del documento o a su denegación sin necesidad de previa consulta al Departamento de Estado, salvo las excepciones preceptivamente establecidas (98).

5) Organos de expedición o concesión

El otorgamiento de permiso de libre desembarco o entrada, se acuerda en general por los servicios de inmigración del país de destino (99), o excepcionalmente por los agentes consulares radicados en el país de procedencia del interesado (100).

---

convenido que la entrada... del extranjero sería perjudicial a los intereses de los Estados Unidos...".

(98) Reglamentos de 9 jul. 1945 parágrafo 58.60 (10 FR 8997).

(99) **Argentina:** D. Nº 8972, de 28 jul. 1938, arts. 1º. (Ver texto nota 75) y 2º: "La Dirección de Inmigración resolverá sobre el otorgamiento de cada permiso, previo asesoramiento de un Comité Consultivo compuesto por un representante de cada uno de los siguientes Ministerios: Interior, Relaciones Exteriores y Culto y Agricultura".
Bolivia: D. Supr. de 28 ene. 1937, art. 7º. (lo hacen los cónsules, pero requieren previa autorización del Ministerio de Inmigración).
Colombia: D. Nº 1790 de 20 oct. 1941, art. 29, parágrafo 1º. (Ministerio de Relaciones Exteriores).
Ecuador: D. Nº 111, de 29 ene. 1941, Capítulo II (Dirección General de Extranjería y Migración).
Estados Unidos: Proclama presidencial Nº 2523, de 14 nov. 1941, (2).
Haití: D. L. de 12 ene. 1945, art. 6º (Departamento del Interior).
Panamá: D. Nº 202, de 3 ago. 1942, art. 6º. (Ministerio de Relaciones Exteriores).
Uruguay: D. de 23 nov. 1937, art. 4º. (Dirección de Inmigración).

(100) **Colombia:** D. Nº 1790, de 20 oct. 1941, art. 29, parágrafo 2º. "El Ministerio de Relaciones Exteriores queda facultado para delegar en ciertos consulados y para ciertos casos la autorización de conceder o negar las visas a que se refiere el parágrafo 1º del presente artículo (Ver su texto en nota 71), sin previa consulta a dicho Ministerio".
Estados Unidos: Reglamentos de 19 nov. 1941 con las enmiendas introducidas el 14 de enero 1942, parágrafo 58.41, Definiciones (d).

b. Pasaporte o documento sustitutivo.

1) Objetivos perseguidos con la expedición del pasaporte, o documento sustitutivo

Desde lejanos tiempos este documento ha constituído y constituye un instrumento fundamental para la entrada de personas en otros países, e implícitamente, por consecuencia, para la salida (101).

A pesar del deseo de algunos Estados, expresado en conferencias internacionales, de lograr su abolición, los hechos y la práctica internacional han vigorizado su uso. En efecto, la creación de documentos sustitutivos para las personas sin nacionalidad o de nacionalidad dudosa aconsejada en esas oportunidades, por un lado, y por otro, la adopción por parte de los Estados de documentos semejantes para las personas sin representación diplomática o consular, son la más elocuente demostración del mantenimiento del pasaporte como documento básico de carácter internacional (102).

La posesión de estos documentos condiciona tanto la inmigración como la emigración, pero en mayor grado la prime-

(101) Por razones de método y, para evitar la duplicación del material, se trata en esta sección el pasaporte considerado como documento necesario tanto para la entrada como para la salida de personas.

(102) Conferencias de París de 1920, de Ginebra de 1926 y 1927. En estas reuniones internacionales especialmente convocadas para estudiar el problema de los pasaportes, a pesar de las diversas iniciativas propuestas para suprimirlos, no fué posible llegar a ello. Los Estados que se oponían a la abolición del pasaporte, adujéron que éste era un documento administrativo interno y que, por ello, su expedición constituía un acto eminentemente político, que afectaba a la soberanía de cada país. En la última reunión, la oposición a la iniciativa hizo que hubiera que darle traslado a un Comité especial de Expertos, para que se pronunciaran al respecto.
Atendidas las observaciones que se presentaron en aquéllas, se recomendó en 1922 la adopción de un documento sustitutivo, certificado especial de identidad o pasaporte "Nansen", como se le conoce comúnmente, para los refugiados rusos, extendido en 1924 y 1928, a los armenios, asirios, asiriocaldeos y turcos. En 1927, la Conferencia adoptó con carácter general un documento denominado título de identidad y de viaje", para las personas sin nacionalidad o de nacionalidad dudosa. (V. especialmente. E. Reale "Le régime des passeports et la Société des Nations, 2ª Ed. París 1930).

ra que la segunda, al punto que las legislaciones establecen que el pasaporte debidamente visado es condición indispensable para la admisión en las Repúblicas Americanas (103). Por tal motivo este documento constituye una restricción más, aunque de orden formal, al ingreso de extranjeros, y es de tal importancia que su no posesión, o su posesión en forma irregular, determina el rechazo (104), así como da lugar a di-

(103) **Argentina:** D. de 31 dic. 1923, art. 10 i); D. de 19 ene. 1934, art. 1º.
Bolivia: D. Supr. de 28 ene. 1937, art. 9º b).
Brasil: Exige el documento tanto a los extranjeros que desean entrar en carácter permanente (D. Nº 3010, de 20 ago. 1938, art. 30 parágrafo 1º) o temporario, es decir, turistas y visitantes en general (id. art. 31, parágrafo 1º, Nº 1), representantes de firmas comerciales extranjeras o en viaje de negocios(id. art. 31 parágrafo 3º Nº 1) o pasajeros en tránsito (id. art. 31 parágrafo 2º Nº 1) y D. L. Nº 406 de 4 may. 1938, art. 13.
Colombia: D. Nº 1790, de 20 de oct. 1941, art. 1º; los turistas por D. Nº 55 de 22 ene. 1940, art. 2º letra a) y los en tránsito, por D. Nº 324, de 15 de feb. 1943, art| 3º, letra a).
Costa Rica: D. Ej. Nº 4 de 26 abr. 1942, art. 13; para el turista se alude al mismo requisito, especialmente en el citado decreto, art. 28.
Chile: D. de 25 ene. 1937, art. 1º.
Rep. Dominicana: L. Nº 95, de 14 abr. 1939, art. 4º; Regl. de 12 may. 1939, Sec. 3ª.
Ecuador: D. Nº 112, de 1º feb. 1941, art. 39.
Nicaragua: L. de 5 may. 1930, art. 10; D. de 29 dic. de 1930, art. 15 apartado d).
Panamá: L. Nº 54 de 24 dic. 1938, art. 3º; D. Nº 202, de 3 ago. 1942, art. 3º.
Paraguay: D. Nº 10193, de 29 mar. 1937, art. 1º, núm. 1º y art. 48, letras e) e i).
Perú: A inmigrantes por D. Supr. de 15 may. 1937, art. 11; a no inmigrantes, por el mismo decreto, art. 17.
Uruguay: Figura entre los países que no exigen en forma obligatoria este documento. No obstante la falta de una disposición legal expresa en el Uruguay, se ha considerado su no posesión como causa de rechazo (D. de 18 feb. 1915, art. 3º, letra g) reglamentario de la L. Nº 2096 de 19 jun. 1890) y el D. de 16 de set. 1932 ,art. 3º declara que el pasaporte debe exhibirse como documento de identidad pero que su visación no es necesaria. El D. de 23 nov. de 1937; no establece prescripción alguna al respecto.
Venezuela: L. de 31 jul. 1937, art. 6º.
(104) V., entre otras las siguientes disposiciones:
Argentina: D. 31 dic. 1923, art. 10, "Son condiciones que impiden la entrada de pasajeros en la República:... " inc., i) Carecer de pasaporte con fotografía, visado por un Cónsul

versas sanciones, aplicándose además la expulsión (105).

En cuanto a la emigración, aparte de que la posesión de pasaporte es exigencia que ha de cumplirse para autorizar la salida, al punto que debe realizarse en él la respectiva visación (106), implícitamente es también obligatorio por condicionar, como se ha dicho, la entrada en los demás Estados. Es por ello que si bien el Estado que recibe a un extranjero en su territorio, tiene el derecho de admitirlo o no, en base a las causales de rechazo pertinentes, y para ello puede exigir la prueba correspondiente, que acredite la conducta de aquél, el conocimiento que ese Estado posea del régimen a que está sometida la expedición del pasaporte o documento sustitutivo que posee el extranjero, es de gran importancia y puede allanar en mucho su acción.

De lo expuesto surge, es obvio, el interés que el pasaporte o el documento que haga sus veces presenta para la defensa política.

---

argentino en la nación que lo ha expedido, y a la que pertenece el extranjero".

Brasil: D. Nº 3.010, de 20 ago. 1938, art. 111. "No podrán entrar al país los extranjeros que: 1º No fueren portadores de pasaportes válidos, expedidos por autoridades acreditadas ante el Gobierno brasileño".

Costa Rica: D. Ej. Nº 5, de 14 jun. 1941, art. 9º. "El extranjero que ingresare clandestinamente al país, sin los papeles necesarios para su identificación o poseyendo algunos que no estuvieren debidamente legalizados, en cualquier momento en que fuere descubierto, estará en la obligación de abandonar el país inmediatamente. Si no lo hiciere, se le juzgará como extranjero pernicioso, expulsándole del territorio de la República, y si reincidiere se le aplicará una multa de cien a quinientos colones, sin perjuicio de su expulsión y de la pena señalada en el art. 9º del decreto de 18 de jun. de 1894...".

Chile: D. de 25 ene. 1937, art. 1º, inc. 1º. "Nadie podrá entrar al territorio de la República o salir de él, sin estar provisto de su pasaporte válido, otorgado o visado conforme al presente Reglamento, salvo lo que disponen los acuerdos o convenios internacionales vigentes o futuros".

Nicaragua: L. de 5 may. 1930, art. 10, D. de 29 dic. 1930, art. 16.

(105) En cuanto a las sanciones específicas establecidas y a la expulsión, se remite al lector a Sección A. Contralor de extranjeros, cap. sobre Penalidades Generales supra y a esta Sección C, donde se trata Expulsión de Extranjeros respectivamente.

(106) Ver en esta misma Sección C, salida de personas, infra.

2) Personas a quienes se expide

a) Nacionales y naturalizados

En principio, debe consignarse, el pasaporte, documento nacional por excelencia, se otorga a los naturales y a los naturalizados (107). En los Estados Unidos las disposiciones en vigor prevén el otorgamiento de pasaportes a los nacionales sean o no ciudadanos, incluyendo en esta última categoría a los habitantes de algunas posesiones no territoriales de la nación.

---

(107) V. entre otras las disposiciones de los siguientes países:
Brasil: D. Nº 3.345, de 30 nov. 1938, art. 12. "Podrán recibir pasaporte común: a) los ciudadanos brasileños, natos o naturalizados".
Costa Rica: D. Nº 4, de 26 abr. 1942, art. 9º. "Todo costarricense, para salir del país, deberá proveerse de un pasaporte...".
Ecuador: D. Nº 112, de 1º feb. 1941, arts. 1º y 23. El art. 23 dispone: "Las autoridades competentes podrán otorgar pasaportes a los ecuatorianos, ya lo sean por nacimiento o por naturalización...".
Estados Unidos: L. de 30 may. 1866 (14 Stat. 54), RS 4076 y L. 14 jun. 1902 (32 Stat. 386) 22 U.S.C. 212 que dice que ningún pasaporte será concedido o expedido o verificado a ninguna otra persona que a aquellas que deben fidelidad a los Estados Unidos, sean o no ciudadanos. V., asimismo, Orden Ejecutiva Nº 7856, de 31 mar. 1938, expedida de acuerdo con la L. de 3 jul. 1926 (44 Stat. 887) (22 U.S.C. 211 a)). Proclama Presidencial Nº 2523, de 14 nov. 1941, emitida de acuerdo con la L. de 22 may. 1918 (40 Stat. 559) (22 U.S.C. 224) que prescribe que en tiempo de guerra, o de emergencia, y después que el Presidente de la República proclame este estado, será ilegal la salida o entrada de cualquier ciudadano sin pasaporte. La proclama Nº 2523, citada, dispone: "(1)...ningún ciudadano de los Estados Unidos o persona que haya jurado fidelidad a los Estados Unidos partirá o entrará, o tentará partir o entrar a los Estados Unidos,, incluyendo la zona del Canal de Panamá, el "commonwealth" de Filipinas, y todo territorio o aguas, continentales o insulares, bajo la jurisdicción de los Estados Unidos, a menos que exhiba un pasaporte válido expedido por el Secretario de Estado o conforme a su autorización, por (se expresan las varias autoridades con competencia para expedir el documento)..."; Reglamentos de 25 nov. 1941, con las enmiendas de 9 dic. 1941, parágrafo 58.1 y 58.2, pone en ejecución las normas de la precedente proclama. En el parágrafo 58.3 se establecen las excepciones que en síntesis comprende a quienes tengan las calidades legales enunciadas (ciudadanos o per-

b) Extranjeros

Corresponde señalar que el pasaporte para extranjeros o los llamados certificados o títulos de identidad y viaje, licencias o salvoconductos, documentos todos ellos expedidos en sustitución del pasaporte, se otorgan en varias Repúblicas Americanas que han atendido las sugestiones de la ex-Sociedad de las Naciones y de las Conferencias Internacionales, al extranjero que carezca de nacionalidad o de nacionalidad dudosa (108) o que carezcan de representación diplomática o

sona que debe fidelidad al país) viaje entre puntos de los Estados Unidos, etc.

Guatemala: D. Ej. Nº 2039, de 2 nov. 1937, arts. 1º y 2º.

Nicaragua: Información proporcionada por el Gobierno..

Perú: D. Supr. de 10 ene. 1941, art. 2º. "Se podrá expedir pasaporte: a) a los peruanos por nacimiento y por nacionalización".

Rpca. Dominicana: L. Nº 196, de 16 dic. 1939, art. 1º.

Venezuela: D. Nº 200 ,de 13 ago. 1942, art. 11. "El pasaporte común se expedirá: a) a los ciudadanos venezolanos por nacimiento; b) a los ciudadanos venezolanos por naturalización".

(108) **Argentina:** D. 14 nov. 1941, art. 1º. "El Ministerio del Interior, expedirá pasaportes... a los residentes que carezcan de nacionalidad (heimatlos), una vez comprobada esta condición mediante información judicial".

Brasil: D. Nº 3.345, de 20 nov. 1938, art. 26. "Podrán recibir pasaporte para extranjeros... 2º Los individuos sin nacionalidad (heimatlos)".

Ecuador: D. Nº 112, de 1º feb. 1941, art. 24. "Si un extranjero que hubiere ingresado legalmente al país deseare salir y por no tener representación diplomática o consular de la Nación a la cual pertenece, o por ser un apátrida, o por otra razón justa, no pudiera obtener el pasaporte, las autoridades, podrán concederle un certificado especial de su nacionalidad,... que será válido por una sola vez y por el tiempo indispensable para su viaje. La concesión de este certificado, que en ningún caso puede considerarse como pasaporte, se efectuará sólo cuando el interesado pruebe satisfactoriamente su nacionalidad o su condición de apátrida; y por motivos suficientes". Cuando se trata de los funcionarios consulares del exterior sólo pueden conceder tal documento de acuerdo con los requisitos exigidos para visar el pasaporte de un extranjero y previa autorización especial de la Dirección competente (art. cit. parte final).

Perú: D. Supr. de 10 ene. 1941, art. 3º. "A quienes residan en el Perú y no posean documentos para acreditar su nacionalidad, o carezcan de representación diplomática o consular en el país, se les expedirá salvoconductos con validez para un solo viaje, que llevará la anotación "No Peruano"

consular (109).

Algunas normas sobre la misma materia han dado a las autoridades competentes una mayor discrecionalidad para

---

en lugar visible. Estos salvoconductos podrán también expedirse con validez para un solo viaje de ida y regreso al país, sólo en el caso de tratarse de extranjeros con residencia permanente en el Perú".

Uruguay: D. 10 de abr. 1941.

Venezuela: D. Nº 200, de 13 ago. 1942, art. 12. "El Pasaporte de Emergencia, sólo se expedirá: a) a los extranjeros cuyos países no tengan en Venezuela la Representación Diplomática o Consular; o que no puedan obtener su correspondiente pasaporte por otro motivo justificado, a juicio de la Oficina expedidora; b) a los extranjeros sin nacionalidad. Dicho pasaporte tendrá siempre una duración limitada y sólo se otorgará en la República para salir del país. Si el extranjero tuviere más de doce meses de residencia en el territorio nacional, se le podrá extender para un viaje de ida y vuelta, quedando a salvo en todo caso, lo que estipulen los Convenios Internacionales. En el Exterior el Pasaporte de Emergencia será otorgado, previa autorización del Ministerio de Relaciones Interiores, por los Funcionarios Diplomáticos o Consulares, únicamente con el objeto de ingresar a Venezuela".

(109) Argentina: D. Nº 14 nov. 1941, art. 1º. "El Ministerio del Interior, expedirá pasaportes a los extranjeros residentes en la República que sean originarios de países que carezcan de representación diplomática o consular en ella, o no tengan encomendada la protección de sus nacionales al representante de un tercer país".

Bolivia: D. Supr. de 10 ene. 1940, art. único.

Brasil: D. Nº 3.345, de 30 nov. 1938, art. 26. Podrán recibir pasaporte para extranjeros: 1º extranjeros nacionales de países que no tengan, en Brasil, representación diplomática o consular, ni representante de otro país encargado de protegerlos'.

Ecuador: D. Nº 112, de 1º feb. 1941, art. 24. (V. texto en nota 108).

Guatemala: D. Ej. Nº 2039, de 2 nov. 1937, art. 17. "Los pasaportes y documentos relativos a migración que puede extender la Secretaría de Relaciones, se clasificarán así: ... d) Pasaportes o licencias para los extranjeros que, no teniendo representante de su país, acreditado en la República, necesiten salir de Guatemala; o en los casos que el Gobierno estime conveniente. Estos pasaportes o licencias serán válidos para un solo viaje y deberá hacerse constar en ellos la nacionalidad del titular".

Perú: D. Supr. de 10 ene. 1941, art. 3º (V. texto en nota 108).

Uruguay: D. 3 jun. 1932.

Venezuela: D. Nº 200, de 13 ago. 1942, art. 12, a) (V. texto en nota 108).

apreciar la oportunidad de la expedición, permitiéndola cuando, a juicio de las mismas, el extranjero invoque una justa causa, o simplemente entiendan que existe conveniencia en que se otorgue tal documento (110).

Estos documentos tienen normalmente una validez limitada a un viaje y autorizan el regreso siempre que el extranjero tenga residencia permanente en el país, previa visación de la autoridad consular (111).

Excepcionalmente, algún país expide pasaportes a extranjeros por el solo hecho de residir legalmente en él (112).

3) Requisitos para el otorgamiento

a) Nacionales y naturalizados

Para los naturales del país los requisitos comunes para la expedición del pasaporte, son:

1) Acreditar nacionalidad e identidad, mediante los respectivos documentos, entre los que pueden citarse certificado de nacimiento expedido por las autoridades del Registro Civil o fe de bautismo, cédula de identidad o vecindad, o creden-

---

(110) **Ecuador:** D. Nº 112 de 1º feb. 1941, art. 24. (V. nota 108).
Guatemala: D. Ej. Nº 2039, de 2 nov. 1937, art. 17 d). (V. texto en nota 109).
Venezuela: D. Nº 200, de 13 ago. 1942, art. 12, a). (V. texto nota 108).

(111) **Brasil:** D. N. 3.345, de 30 nov. 1938, con las modificaciones del D. Nº 6.483 de 5 nov. 1940, art. 26 parágrafo único: "Salvo la hipótesis del art. 36, parte final, esos pasaportes serán concedidos para un solo viaje, cesando sus efectos en el lugar de destino, de lo cual se deberá dejar constancia". Art. 36: "Los pasaportes para extranjeros no serán visados para viaje de vuelta al Brasil, salvo cuando sus portadores poseyeran autorización de permanencia definitiva en el país".
Ecuador: D. Nº 112, de 1º feb. 1941, art. 24. (V. texto en nota 108).
Guatemala: D. Nº 2039, de 2 nov. 1937, art. 17, d). (V. texto en nota 108).
Perú: D. Supr. de 10 ene. 1941, art. 3º inc. segundo. (V. texto en nota 109).
Venezuela: D. Nº 200, de 13 ago. 1942, art. 12. (V. texto en nota 108).

(112) **Costa Rica:** D. Ej. Nº 4 de 26 abr. 1942, art. 8º "... Si fuere extranjero, la cédula de Residencia o el documento respectivo que acredite su permanencia legal en el país".

cial cívica, libreta de enrolamiento o documento sustitutivo en
que conste la exención de prestación de servicio militar o declaraciones de testigos hábiles (113).

---

(113) Ver, entre otras, las siguientes normas:
Bolivia: D. Supr. de 20 may. 1937, art. 6º.
Brasil: D. Nº 3345 de 30 nov. 1938, art. 13.
Colombia: D. Nº 1053, de 1º jul. 1937, art. 1º inc. f).
Costa Rica: D. Ej. Nº 4 de 26 abr. 1942, art. 8º.
Ecuador: D. Nº 112, de 1º feb. 1941, art. 25, inc. 1º (en caso
de hallarse ausente del país, partida de nacimiento; la prueba testimonial puede utilizarse pero se subordina al criterio
de la autoridad correspondiente).
El Salvador: D. Leg. Nº 86, de 14 jun. 1933, art. 31.
Estados Unidos: Orden Ejecutiva Nº 7856, de 31 mar. 1938,
100. "Una persona nacida en los Estados Unidos en un lugar donde hubieran sido llevados archivos oficiales de naci-
mientos al tiempo de su nacimiento debe someter con su solicitud un certificado de nacimiento, etc.". La misma orden
ejecutiva establece además, que, "40. Cuando el solicitante
pida un pasaporte deberá presentarse con un testigo que sea
ciudadano americano, que haya conocido al solicitante por
un período de dos o más años y tenga un lugar fijo de residencia. El testigo debe declarar en la solicitud que es ciudadano de los Estados Unidos, que conoce al solicitante como
ciudadano de los Estados Unidos, que las manifestaciones
contenidas en la solicitud son verdaderas según su conocimiento y parecer, y que ha conocido al solicitante por un
período determinado de tiempo..." 41. "Si el solicitante o
testigo no es conocido del empleado de la Corte o encargado
de pasaportes y no se presente documentación concluyente
que evidencie la identidad, el solicitante debe presentar como testigo de su solicitud a un ciudadano americano establecido con una profesión u oficio conocidos y que tenga su
oficina o sede de la misma en la jurisdicción de la corte u
oficina de pasaportes (...) Los empleados de las cortes o
de las oficinas de pasaportes deben quedar seguros de la
identidad y "bona fides" de cada solicitante y su testigo".
Para los residentes en las posesiones de los Estados Unidos
que no hayan nacido o no se hayan naturalizado en el país,
pero que le haya jurado fidelidad permanente, sean o no
ciudadanos, rigen requisitos semejantes. (V., Orden Ejecutiva cit. 70-75).
Guatemala: D. Ej. Nº 1735, de 4 jun. 1931, art. 8º; D. Ej.
Nº 2039, 2 de nov. 1937, art. 2º.
Perú: D. Supr. de 10 ene. 1941, art. 7º. "Las solicitudes
de pasaportes se presentarán ante el Departamento de Nacionalización, Extranjería e Inmigración, en un pliego de papel sellado..., debidamente aparejadas con los documentos
que acrediten la identidad y nacionalidad peruana del solicitante".
Uruguay: D. de 30 nov. 1928, art. 4º.
Venezuela: L. de 31 jul. 1937, art. 7º; D. Nº 200, de 13 ago.

2) Acreditar buena conducta, mediante presentación del respectivo certificado, expedido por las autoridades policiales o judiciales competentes (114).

Para los **naturalizados**, se exigen los mismos requisitos, debiendo probarse, además, la condición de naturalizados, mediante la respectiva carta de naturalización o ciudadanía (115).

En otros países, se exige, tanto a naturales como a naturalizados, la exhibición de la credencial cívica, documento que se expide a ambos y que autoriza el ejercicio de los derechos cívicos (116).

Otros, prescriben expresamente que la pérdida de la calidad de naturalizado por comprenderle alguna causal prevista por la ley respectiva o por nulidad o cancelación de la carta, impide el otorgamiento del pasaporte nacional (117).

La exigencia también de certificados de buena conducta, que acredite que el interesado no tiene ideología antidemo-

1942, art. 17. "Para obtener Pasaporte Común es indispensable acreditar la nacionalidad en forma legal así: a) con la presentación de la respectiva Cédula de Identidad; b) con la Boleta de Inscripción Militar; c) cuando a juicio de la Autoridad expedidora, exista motivo justificado que impida la presentación de la Cédula de Identidad, la nacionalidad se comprobará: la de origen, por la partida del estado civil que la demuestre, y en su defecto, por otro medio de prueba; y la adquirida, con el documento auténtico que compruebe su adquisición".

(114) Ver entre otros:
Ecuador: D. Nº 112, de 1º feb. 1941, art. 25, inc. 2º. (en caso de hallarse ausente del país, certificado de buena conducta y antecedentes expedidos por la autoridad policial del lugar de residencia).

(115) Ver entre otros países:
Ecuador: D. Nº 112, de 1º feb. 1941, art. 25, inc. 1º. (en caso de hallarse ausente del país, carta de naturalización definitiva).
Estados Unidos: Orden Ejecutiva Nº 7856, de 31 mar. 1938, 108. "Una persona naturalizada... debe presentar con su solicitud su certificado de naturalización".
Venezuela: L. de 31 jul. 1937, art. 7º; D. Nº 200, de 13 ago. 1942.

(116) **Uruguay**: D. de 30 nov. 1928, art. 4º según interpretación del Ministerio de Relaciones Exteriores de este país.

(117) **Bolivia**: D. Supr. de 20 may. 1937, art. 8º.
México: D. 25 jul. 1942, art. 5º. "A las personas a las cuales se le haya nulificado o cancelado su carta o certificado de nacionalidad mexicana, no se les concederá pasaporte mexicano, o se les cancelará el expedido".

crática o no ha ejercido actividades subversivas (118), puede constituir una garantía muy importante para el Estado que lo recibe, y servir, en consecuencia, a los efectos de la defensa política.

b) Extranjeros

En cuanto a los extranjeros, se les exige el cumplimiento de los siguientes requisitos:

1) Acreditar nacionalidad e identidad, mediante presentación de los documentos tales como pasaporte anterior, certificado de identidad en que conste la nacionalidad, o justificar mediante testigos, o información judicial sobre su calidad de apátrida (119).

2) Acreditar buena conducta, con la certificación pertinente de la autoridad policial o judicial de su residencia (120).

(118) Algunos países le han dado este carácter cuando se ha tratado de naturalizados o ciudadanos legales. v. gr. Uruguay: información proporcionada por las autoridades competentes.

(119) V., entre otras, las siguientes normas:
Argentina: D. 14 nov. 1941, art. 4º: "Para obtener los pasaportes a que se refiere el presente decreto, será requisito indispensable, además de los documentos que comprueben fehacientemente su origen en el caso de las personas a que se refiere el primer párrafo del artículo 1º (ver nota 109), la presentación de la cédula de identidad personal y de un testimonio de buena conducta expedido por la Prefectura General de Policía de la Capital".
Brasil: D. Nº 3345, de 30 nov. 1938, art. 27.
Ecuador: D. Nº 112, de 1º feb. 1941, art. 24 (V., texto en nota 108).
Guatemala: D. Ej. Nº 2039, de 2 nov. 1937, art. 17, ap. d) (V. texto en nota 109).
Perú: D. Supr. de 10 ene. 1941, art. 3º últ. inc. "Las disposiciones sobre pasaportes se aplicarán, en lo posible para los salvoconductos", de lo que se desprende que rigen para ellos las normas sobre pasaportes ya citadas, art. 7º del mismo decreto (V., texto en nota 113).
Venezuela: D. Nº 200, de 13 ago. 1042, art .18. "Para obtener pasaporte de emergencia, el extranjero deberá exhibir una pieza de identidad que establezca: su nombre y apellido; edad; estado civil; lugar de nacimiento y último domicilio, y presentar un comprobante de buena conducta y... Los individuos sin nacionalidad presentarán además, una exposición del caso que les concierne, con indicación, por lo menos, de los documentos que lo comprueben".

(120) V. entre otros:
Argentina: D. de 14 nov. 1941, art. 4º (V. nota 119).

El requisito de buena conducta, con el alcance menciona-do, respecto de los naturalizados, llenaría un importante obje-tivo de defensa política.

Algunos países condicionan la expedición de pasaporte o visa correspondiente a la posesión del respectivo permiso de salida.

La expedición del certificado o pasaporte de turismo (121) que algunas Repúblicas Americanas acuerdan a ex-tranjeros no afecta al problema de la defensa política propia-mente dicha, siempre y cuando, se acuerde tal documento sin perjuicio del pasaporte común (122).

Finalmente, otros países exigen además otros documentos que si bien responden a una finalidad de contralor migrato-rio, llenan, desde el punto de vista de la defensa política, un objetivo primordial cual es la identificación del extranjero, anticipando la fotografía y demás datos necesarios para que las autoridades le conozcan antes de su entrada al país. Tales, v.gr. las **tarjetas o cédulas de identificación, certificados de viaje y fichas individuales,** de las que se expiden ejemplares para el interesado y para las autoridades migratorias y poli-ciales (123).

Brasil: D. Nº 3345, de 30 nov. 1938, art. 27, 1º b).
Venezuela: D. Nº 200, de 13 ago. 1942, art. 18 (V. nota 119).

(121) Por este documento se ha bregado en varias conferencias internacionales, V. gr. VII Conferencia Internacional Ame-ricana, Montevideo, 1933; Conferencia Comercial Panameri-cana de Buenos Aires, 1935.

(122) Argentina: D. Nº 8972, de 28 jul. 1938, art. 7º.
Bolivia: D. Supr. de 24 nov. 1939, aprob. de Regl. Gral. de Turismo, art. 3º. "La condición de turista extranjero se acre-ditará en el país mediante el pasaporte de turismo, que se-rá otorgado por los Consulados de la República, sin perjuicio del pasaporte extranjero que pudiera poseer el interesado..."; Circ. Nº 39, de 15 may. 1942, núms. 3º y 7º.
Ecuador: D. Nº 112, de 1º feb. 1941, art. 58. (autoriza a suprimir el pasaporte, pero no se ha aplicado según informa-ción proporcionada por el gobierno).

(123) Argentina: D. 19 ene. 1934, art. 11. "Todos los pasajeros sin distinción de categoría que viajen por primera vez al país, deberán ser provistos por el funcionario consular en el acto de la visación de la ficha individual respectiva".
Colombia: D. Nº 1790, de 20 oct. 1941, art. 11. "Todo ex-

4) Organos que expiden el pasaporte

Con raras excepciones (124), el pasaporte o documentos sustitutivos, se expiden por el Ministerio de Relaciones Exteriores o sus agentes fuera del país (125), o servicios de inmi-

---

tranjero que solicita visa ordinaria para venir a Colombia está obligado a firmar, por triplicado ante el funcionario consular el certificado de visa que expida dicho funcionario a base de los documentos y declaraciones que presente el el interesado, en formularios que suministrará el Ministerio de Relaciones Exteriores. Parágrafo. Los tres ejemplares del certificado de visa llevarán adherida la fotografía del interesado y las de las personas incluídas en el pasaporte y que lo acompañen; contendrán la filiación morfológica del primero y la constancia de que el interesado ha cumplido los demás requisitos fijados por el presente decreto en su artículo 27. El Cónsul autenticará los tres ejemplares del certificado en cuestión con su firma autógrafa y el sello del Consulado y enviará uno de los ejemplares al Ministerio de Relaciones Exteriores; otro a la Policía Nacional (Sección de Extranjeros) y el tercero lo conservará en su archivo convenientemente legajado".

El Salvador: D. Leg. Nº 86, de 14 jun. 1933, art. 13.
Guatemala: D. Ej. Nº 2039, de 2 nov. 1937, art. 1º.
Perú: D. Supr. de 15 may. 1937, art. 20.
Uruguay: D. de 16 set. 1932, art. 4º. "El agente consular expedirá en todos los casos el "Certificado de viaje" de acuerdo con el modelo preparado por el Ministerio de Relaciones Exteriores, debiendo distribuirse oportunamente entre las oficinas consulares de la República con las instrucciones del caso para su debido cumplimiento..." art. 8º. "El Certificado de viaje deberá expedirse en cuádruple ejemplar destinados a la Dirección de Inmigración, autoridades policiales, y Capitanías de Puertos, los que deberán darse al cuidado del Capitán del buque que conduce a los viajeros, en sobres cerrados, lacrados y sellados, siendo responsable éste de la entrega a las antes dichas autoridades a su arribo al puerto de Montevideo. El cuarto ejemplar se destinará a formar el registro correspondiente en la oficina consular".

Venezuela: D. de 7 may. 1942 art. 11.

(124) Bolivia: Oficinas de Recaudación de Impuestos Internos (D. de 20 may. 1937 art. 6º. (Nacionales y Nacionalizados).

(125) V., entre otros:
Argentina: El Ministerio del Interior a los extranjeros sin representación diplomática o consular, o apátridas, pero legalizándolos el Ministerio de Relaciones Exteriores (D. de 14 nov. 1941, art. 1º).
Ecuador: No los expide, pero los organismos autorizados deben darse cuenta (D. Nº 112, de 1º feb. 1941, art. 20).
El Salvador: D. Leg. Nº 86, de 14 jun. 1933, art. 31.
Estados Unidos: Orden Ejecutiva Nº 7856, de 31 mar. 1938,

gración (126), o policiales (127), o de identificación (128), o militares (129).

c. Visación

1) Naturaleza. Diferencias con el permiso de entrada

En cuanto a la naturaleza de la visación y de las diferencias de ésta con el permiso de entrada, se remite al lector a lo expresado al tratarse este último documento (130).

2) Organos facultados para otorgar la visación

Corresponde en primer término señalar que durante el régimen de libertad de entrada a los países americanos, luego de comprobar que el interesado llenaba todos los requisitos mínimos en aquella época, el cónsul, por sí mismo acordaba la visación.

---

emitida de acuerdo con la L. de 3 jul. 1926 (44 Stat. 877) (22 U.S.C. 211 a), 1: Proclama Presidencial Nº 2523, de 14 nov. 1941, (1) emitida de conformidad con la L. de 22 may. 1918 (40 Stat. 559) (8 U.S.C. 224); Reglamentos de 25 nov. 1941, con las enmiendas introducidas el 9 de dic. 1941, (22 FR parágrafo 58.1 y 58.2.
Perú: D. Supr. de 10 ene. 1941, arts. 1º y 10.
Venezuela: D. Nº 200, de 13 ago. 1942, art. 3º d) (V. nota 128).

(126) V. gr. **Costa Rica:** D. Ej. Nº 4 de 26 abr. 1942, arts. 4 y 10.
Ecuador: Director Gral. de Seguridad, además de los Gobernadores de Provincia (D. Nº 112, de 1º feb. 1941, art. 19).
México: L. de 24 ago. 1936, art. 14 IV.
Perú: D. Supr. de 10 ene. 1941, art. 1º. (Aunque los autoriza el Ministerio de Relaciones Exteriores, lo realiza con el Departamento de Nacionalización, Extranjería e Inmigración).

(127) V. gr. **Brasil:** D. Nº 3345, de 30 nov. 1938, art. 3º c) y 16 nacionales). Id. Id. art. 3º, inc. d) (extranjeros).
Bolivia: D. Supr. de 20 de may. 1937, art. 10. "Los extranjeros residentes en Bolivia obtendrán pasaportes en su respectivo consulado y los procedentes de países sin esta representación la obtendrán en la policía de seguridad de acuerdo al inciso f) del artículo 4º de este decreto".

(128) V. gr. **Chile:** D. de 25 ene. 1937, art. 32.
Venezuela: D. Nº 200, de 13 ago. 1942, art. 3º letras c) y d), excepto en el caso de pasaportes para extranjeros para entrada al país que se expiden por los agentes diplomáticos o consulares del exterior.

(129) Unico caso: **Nicaragua:** Información proporcionada por el Gobierno.

(130) V. (Permiso de Entrada, Supra, III, 2., a., 1).

Más tarde, al iniciarse el período restrictivo, las facultades del cónsul se mantuvieron solamente para el ingreso de temporarios; en cuanto a los permanentes, las autoridades competentes determinarían en qué casos el cónsul se hallaría habilitado para visar.

Cuando la política antisemita nazi cobró características inusitadas, ante la inminencia de la llegada al nuevo continente de numerosos perseguidos por razones raciales, todos o casi todos los países restringieron las facultades de los cónsules, privándoles inclusive de visar la documentación de los temporarios, porque esta era, en principio, la forma más liberal de ingreso.

Cabe consignar que, cuando se inició la guerra y ella afectó al continente americano, casi todos los gobiernos —y los que no lo habían puesto en práctica hasta la fecha, lo dispusieron— mantuvieron ese sistema centralizado que convierte el acto de visación en una mera diligencia administrativa que cumple el cónsul cuándo y cómo se le permita hacerlo. Este funcionario no examina ya por sí la documentación como antes, estampando su visación cuando aquélla cubre las exigencias legales y reglamentarias pertinentes, sino que su misión se reduce a remitir la referida documentación a las autoridades centrales de su país, las cuales, resuelven o no la entrada, facultándolo en caso afirmativo, recién entonces, para visar el pasaporte y demás documentos.

A esta altura preguntará el lector si después de lo expuesto se mantiene o no diferencia alguna con el permiso de entrada o libre desembarco oportunamente estudiado (131), y debe respondérsele afirmativamente. La visación ha quedado reducida a un mero acto material que el cónsul, hace efectivo cuando el gobierno le permite. La autorización que se otorga implica, tácitamente, un permiso de entrada, —aunque no se expida el documento—, para aquellos países que no lo prevén.

La visación y el permiso de entrada siguen siendo, en consecuencia, requisitos diferentes, aunque deba reconocerse que aquélla perdió en esta emergencia el carácter que anteriormente tenía, ganando con ello mucho la defensa política, por-

_____

(131) V. (Permiso de Entrada, Supra, III, 2., a., 1).

que el sistema utilizado viene a dar más seguridades a la admisión de extranjeros a las Repúblicas Americanas.

Un buen número de Estados tienen dispuesta, para todas las categorías de admisión —permanentes o temporarias— la centralización de la facultad de visación, suspendida a los cónsules, en una repartición del Gobierno (132).

---

(132) Ver, entre otros, los siguientes:

Argentina: D. Nº 8972 de 28 jul. 1938, art. 1º, inc. 2º. "Los funcionarios consulares no visarán los documentos de extranjeros no domiciliados en la República, sino mediante la presentación del correspondiente permiso de desembarco otorgado por la Dirección de Inmigración salvo en los casos expresamente indicados en el presente Decreto".

Bolivia: Circ. Nº 39, de 15 may. 1942, art. 2º. "El ingreso de turistas de otros países europeos (se hace referencia a todos los países europeos después de excluir a Italia y Alemania), se efectuará previa autorización especial del Ministerio de Relaciones Exteriores".

Costa Rica: D. Ej. Nº 4, de 26 abr. 1942, art. 22. "Los Cónsules se abstendrán de expedir pasaportes o conceder visaciones sin previa consulta al Departamento de Migración, salvo en aquellos casos en que disposiciones vigentes lo permitieren".

Guatemala: Medidas tomadas por el Gobierno, según informaciones proporcionadas por éste.

Haití: idem, idem, .V., además nota 133).

México: L. 24 ago. 1936, art. 76. "Solamente la Secretaría de Gobernación puede autorizar la entrada de extranjeros con carácter de visitantes, inmigrantes o inmigrados.

Nicaragua: Información proporcionada por el Gobierno.

Panamá: D. Nº 202, de 3 ago. 1942, art. 7º modificado por D. Nº 226, de 8 oct. 1942: "Con excepción de los casos contemplados en el parágrafo último del art. 1º del presente Decreto (se refiere a extranjeros oriundos de países americanos), queda terminantemente prohibido a los funcionarios consulares de Panamá otorgar visas para inmigrantes, ni exonerar de depósitos a ningún extranjero, aun en los casos previstos en el primer parágrafo del mismo artículo, sin la autorización expresa del Ministerio de Relaciones Exteriores. Las visas que se otorguen en contravención al presente artículo no serán válidas, y el funcionario consular que las dé se hará acreedor a una multa B|25.00 a B|100.00, que le será descontada de su sueldo o emolumentos, y a destitución del cargo, en caso de reincidencia".

Rpca. Dominicana: Circ. Nº 33, de 17 dic. 1940.

Uruguay: Información suministrada por las autoridades competentes.

Venezuela: El Ministerio de Relaciones Exteriores resuelve, en cada caso, la concesión de permisos para turistas, visitantes locales o fronterizos y viajeros en tránsitos (D. de 7 may. 1942, art. 19).

En otros sólo alcanza a los permanentes (133). Por último, en algunos países se han mantenido a los cónsules las facultades de visación en casos de temporarios (134), o cuando se trata de nacionales americanos (135).

3) Requisitos para el otorgamiento de la visación

Pueden distinguirse los siguientes requisitos para el otorgamiento de la visación:

1) Presentación de los documentos pertinentes que habilitan para la entrada (136), (pasaporte (137), permiso de en-

---

(133) V. gr. **Bolivia:** Circ. de 12 feb. 1943 .
Colombia: D. Nº 1790, de 20 oct. 1941, arts. 27 y 29. V. texto en notas 89 y 71, respectivamente.
Haití: D. L. 12 ene. 1945, art. 7 la dispuso para los permanentes sustituyendo el régimen anterior más restringido. Dice el artículo mencionado. "Con la opinión favorable del Departamento del Interior, el Departamento de Relaciones Exteriores autorizará al agente diplomático o consular a visar el pasaporte del extranjero...".

(134) **Colombia:** D. Nº 55, de 22 ene. 1940, art. 8º (turistas); D. Nº 324, de 15 feb. 1943, art. 2º (pasajeros en tránsito).
Ecuador: Información proporcionada por el Gobierno.
Venezuela: Id., id.

(135) **Bolivia:** Circ. de 12 feb. 1943.
Ecuador: Información proporcionada por el Gobierno.

(136) **Argentina:** D. de 19 ene. 1934, arts. 1º y 10; D. Nº 8972 de 28 jul. 1938, art. 1º, inc. 2º.
Bolivia: D. Supr. de 28 ene. 1937, art. 9º.
Brasil: D. Nº 3010, de 20 ago. 1938, art. 37.
Colombia: D. Nº 1790 de 20 oct. 1941, art. 27.
Costa Rica: D. Ej. Nº 4, de 26 abr. 1942, art. 22. "Los Cónsules de la República podrán expedir y visar pasaportes no sólo de costarricenses, sino también de extranjeros que se dirijan a Costa Rica, pero para ello, además, de los documentos de identidad, exigirán aquellos otros que a su juicio acrediten la buena conducta del solicitante".
Cuba: D. Nº 2507, de 17 nov. 1938, art. 5º, con la nueva redacción dada por el D. Nº 937, de 5 may. 1939. "Los funcionarios diplomáticos y consulares de la República informarán de todos los casos de extranjeros que estando obligados a prestar el depósito y obtener la autorización de desembarco, de acuerdo con las disposiciones inmigratorias, pretendieran dirigirse a Cuba, y señalarán la profesión u oficio a que dichos extranjeros habitualmente se dediquen, y en estos casos sólo extenderán la diligencia de visa previa la autorización que reciban de las Secretarías de Estado y del Trabajo, oído el parecer de la de Hacienda sin cuyo requisito será nula la tal visa".

trada o de libre desembarco y demás documentos).

2) Investigación o examen previos en forma directa por el agente consular que permita conocer los antecedentes del peticionario y comprobar que no le comprenden las causas de inadmisión (138) o mediante información realizada por intermedio de los agentes consulares de otros países americanos (139). Esta investigación llena idénticos fines que la que se

Chile: D. de 25 ene. 1937, arts. 1º, 20 y 21.

Ecuador: D. Nº 112, de 1º feb. 1941, art. 5.

El Salvador: D. Leg. Nº 86 de 14 jun. 1933, art. 30, D. de 11 de jun. 1927, art. 4º.

Guatemala: D. Ej. Nº 2039, de 2 nov. 1937, art. 9º.

Nicaragua: Ley de 5 may. 1930, art. 10, D. de 29 dic. 1930, art. 15.

Panamá: L. Nº 54, de 24 dic. 1938, art. 3º.

Paraguay: L. Nº 10193, de 29 mar. 1937, art. 1º, numeral 1º y 48, letras c) e i).

Perú: D. Supr. de 15 may. 1937, arts. 11 y 17, respectivamente.

Rep. Dominicana: L. Nº 95 de 14 abr. 1939, art. 4º; Reglamento Nº 279, de 12 may. 1939, Sec. 3ª.

Venezuela: L. de 31 jul. 1937, arts. 6º y 7º.

(137) Uruguay: El D. de 16 set. 1932, declara, en su art. 3º no necesaria la visación del pasaporte. (Ver nota 103).

(138) Chile: D. de 25 ene. 1937, arts. 20 y 21. No podrán visar los cónsules, dice el art. 21, inc. 2º, los pasaportes de los extranjeros que "vivan de actividades no permitidas en Chile o se dediquen al espionaje".

Ecuador: L. 26 nov. 1940, art. 5º, inc. 1º; D. Nº 112, de 1º feb. 1941, art. 45.

El Salvador: D. Leg. Nº 86, de 14 jun. 1933, art. 34. "Los Agentes Diplomáticos o Consulares, antes de visar pasaportes, se cerciorarán de que no concurren en los interesados ninguna de las causales que impedirían su entrada a la República. La comprobación se hará por medio de atestados fehacientes o por testimonio de personas idóneas bien conocidas de dichos Agentes. El interesado deberá además prestar juramento de que sus actividades en El Salvador no tenderán a la violación de ninguna de las disposiciones legales del país". V., asimismo, L. de 11 jun. 1927, art. 5º.

Rca. Dominicana: L. Nº 95, de 14 abr. 1939, art. 4º; circ. Nº 33, de 17 dic. 1940.

Uruguay: El Cónsul debe forzosamente practicarla para expedir el certificado político-social prescripto en la L. Nº 9604, de 13 oct. 1936, art. 1º letra C). (Ver texto de este apartado en la nota 85).

Venezuela: L. de 31 jul. 1937, art. 16. "El funcionario consular venezolano... deberá abstenerse de visar o expedir el pasaporte a todo extranjero que no satisfaga las condiciones de admisión o cuya presencia en Venezuela sea indeseable

hace para el permiso de entrada o de libre desembarco en los países que exigen este requisito.

4) Tipos de visación: permanentes y temporarios

Los tipos de visación responden a las categorías de admisión (140) de modo que, como éstas, pueden agruparse en dos categorías: 1º **permanentes** u **ordinarias** para personas que tienen el ánimo de residir en forma permanente en el país al cual se trasladan; y 2º **temporarias**, que otorgan a los que se dirigen al país con el propósito de permanecer en él transitoriamente. Esta última categoría debe incluir: a los turistas, pasajeros que viajen por razones comerciales, científicas, deportivas, etc., y, finalmente, los pasajeros en tránsito para otra República.

El otorgamiento de las visas permanentes está revestido de las mayores garantías y preservan a cada país americano de la incorporación de elementos peligrosos para su seguridad. En efecto, la autorización de las mismas, se condiciona a la obtención previa de un permiso de entrada (141), posesión de pasaporte (142), prueba de no comprenderle las causas de no admisión (143) o exigencia de buena conducta (144) o estos dos últimos requisitos a la vez.

La concesión de las visas temporarias se regula en función de las sub-categorías a que antes se ha aludido, manteniéndose como requisitos generales en todos los países, el pasaporte de Estado de origen o en el que se ha naturalizado, y,

conforme a esta Ley, dando aviso al Ejecutivo Federal, por órgano del Ministerio de Relaciones Exteriores y por la vía más rápida, de los motivos de la abstención".

(139) **Brasil:** Excepcionalmente. (Información proporcionada por el Gobierno).
Costa Rica: Información proporcionada por el Gobierno.
Haití: Id., Id.
Nicaragua: Id., Id.
Panamá: Id., Id.
(140) Ver, clasificación y comentario, en esta misma Sección y cap. III, 1. surpa.
(141) V., notas 74 y 75.
(142) V., nota 103.
(143) V., nota 85.
(144) V., nota 86.

en algunos, el permiso de entrada (145). En cuanto a los requisitos específicos aplicables a los **turistas**, algunas Repúblicas exigen que el interesado presente certificado de buena conducta (146) o de no haber sido expulsado de país alguno (147) o de no comprenderle las causales de inadmisión, pero estos últimos son los menos, fijándoseles un máximo de residencia que varía de treinta días a un año a veces prorrogable (148) y asegurándose, finalmente, el reingreso por diversos medios, tales como la exigencia de exhibición del pasaje de regreso, etc. (149).

Algunos países asimilan las otras clases de temporarios a los turistas (150), exigiéndoles a veces mayores requisitos (151).

---

(145) V., notas 74, 89 y 103.
(146) **Brasil:** D. Nº 3010, de 20 ago. 1938, art. 31, par. 2º letra a).
Colombia: D. Nº 55, de 22 ene. 1940, art. 2º, letra b).
Costa Rica: D. Ej. Nº 4, de 26 abr. 1942, art. 29, letra b).
Guatemala: Ac. Ej. de 13 nov. 1936, art. 3º.
(147) **Bolivia:** D. Supr. de 24 nov. 1939, art. 15, letra c).
(148) **Argentina:** 3 meses (D. Nº 8972, de 28 jul. 1938, art. 7º).
Bolivia: D. Supr. de 24 nov. 1939, art. 25 (90 días).
Colombia: 60 días (D. Nº 55, de 22 ene. 1940, art. 5º).
Costa Rica: 30 días (D. Ej. Nº 4, de 26 abr. 1942, art. 27).
Chile: 4 meses (D. Nº 3437 de 22 ago. 1937).
Ecuador: 90 días (ley de 2 jun. 1938, art. 3º).
Guatemala: 60 días (Ac. Eje. de 13 nov. 1936, art. 5º).
Haití: 30 días (D. L. de 12 ene. 1945, art. 10).
Honduras: 3 meses (D. Nº 134, de 20 mar. 1934, art. 40).
México: 6 meses (L. de 24 ago. 1936, art. 22).
Paraguay: 6 meses (D. L. Nº 10.193 de 29 mar. 1937, art. 14).
Perú: 60 días (D. Supr. de 15 may. 1937, art. 17, letra c) y D. de 2 nov. 1940). Por Res. de 14 set. 1942 el plazo fué reducido a 30 días contados desde la fecha de la admisión.
Uruguay: 1 año (D. de 23 de nov. 1937, art. 17).
Venezuela: (seis meses) D. de 7 may. 1942, art. 9º.
(149) **Bolivia:** D. Supr. de 24 nov. 1939, art. 15, b).
Venezuela: D. de 7 may. 1942, art. 20. "No se concederán los permisos a que se refieren los artículos 16 (turistas en grupos) y 17 (turistas aislados) del presente Decreto si no se sabe previamente que los turistas, viajeros de tránsito y visitantes locales o fronterizos serán admitidos a bordo del barco en que deben regresar o en territorio del país al cual se dirijan o hayan de volver".
(150) **Costa Rica:** D. Ej. Nº 4, de 26 abr. 1942, art. 29.
(151) **Brasil:** Exige a los artistas y deportistas un certificado que acredite que su conducta no es nociva al orden público, la seguridad nacional o estructura de las instituciones (D. Nº

En cuanto a los pasajeros en tránsito, en especial, se les fija un plazo breve de residencia y los cónsules que expidan las respectivas visaciones, deben asegurarse que el interesado posee la visación para el país a que realmente se dirige, y pasaje para el punto de destino o una declaración de la empresa que acredite la reserva del mismo (152).

5) Importancia del régimen de visas en la presente emergencia; residencias ilegales; necesidad de su regularización

Desde el punto de vista de la defensa política, interesa muy especialmente todo el régimen aplicable a las visas, en particular las de temporarios, por cuanto las facilidades que se han otorgado en tiempos de paz a estos últimos, sobre todo, ha determinado como consecuencia de la política racista nazi y la inminencia del conflicto bélico, la afluencia a los países americanos de una enorme cantidad de personas, entre las que necesariamente se hallan elementos peligrosos para la seguridad de cada una y de todas las Repúblicas Americanas.

Ello ha llevado, aunque muy tarde, a la adopción de medidas drásticas por parte de los Gobiernos, acordando la visación luego de la autorización de la repartición competente del Gobierno (153), o suspendiendo la concesión de visaciones

---

3010, de 20 ago. 1938, art. 31 parágrafo 3º b) además del certificado de buena conducta (Id., id. letra a).

(152) Por vía de ejemplo puede citarse a las normas en vigor en Uruguay: D. 23 nov. 1937, art. 19 (treinta días es la permanencia autorizada, con posibilidad de renovación). D. 25 oct. 1938, art. 2º. "Los Agentes Consulares de la República podrán autorizar el pasaje en tránsito por el territorio nacional — concediendo al efecto una certificación de viaje — de las personas que justifiquen previamente; A) Poder desembarcar en el país donde declara dirigirse; y B) Poseer el pasaje correspondiente en el vapor que deba conducirlo al puerto de destino o, en su defecto, una declaración de la compañía o agencia naviera local en que se haga constar que el mismo ha sido reservado por la agencia correspondiente de Montevideo".

(153) Brasil: D. L. Nº 3.175, de 7 abr. 1945, art. 3º. "El Ministro de Justicia y Negocios Interiores coordinará las providencias necesarias a la ejecución de esta ley del modo que mejor corresponda al bien público... parágrafo 1º. Para ese fin, la autoridad consular, después de entrar en contacto con el

temporarias (154).

Los temporarios han quedado en el país ante la imposibilidad de regresar al de origen o procedencia por razones políticas, lo que ha creado un grave problema interno, que podía afectar la seguridad de la República Americana respectiva y del Continente, que se ha debido conjurar regularizando, aunque sea a veces transitoriamente, la residencia de tales personas (155) y obligándolas a registrarse (156).

---

interesado y concluir que si él reune los requisitos físicos y morales exigidos por la legislación en vigor, tener aptitud para los trabajos a que se propone y condiciones de asimilación al medio brasileño, encaminará el pedido al Ministerio de Relaciones Exteriores, con sus observaciones sobre el extranjero y la declaración que éste presentó los documentos exigidos por el art. 30 del decreto Nº 3.010, de 20 de agosto de 1938. El Ministerio de Justicia y Negocios Interiores, después de examinar el pedido y oir, si juzgara conveniente, a otros órganos del Gobierno, concederá, o no, la autorización para el visto, la cual será comunicada a la autoridad consular por el Ministerio de Relaciones Exteriores". V., asimismo, Portaria Nº 4.807, de 25 abr. 1941, con excepciones especialmente para nacionales de países americanos.
Estados Unidos: En este país siendo la visación una forma de permiso de entrada que no podía ser otorgada por la autoridad expedidora (p. ej. diplomático o cónsul) sin consultar al Departamento de Estado (V. nota 92), hasta 1945. En este año fué dictado un nuevo reglamento que cambió el régimen permitiéndose la visación sin previa consulta excepto en los casos preceptivamente establecido (Reglamento de 9 jul. 1945, parágrafo 58.60 (10 F.R. 8997)).
(154) V. nota 132, en lo aplicable.
(155) **Argentina:** D. Nº 536, de 15 ene. 1945, art. 11. "Se impondrá prisión de tres meses a dos años: ... 2º) Al extranjero que hallándose ya en el país, sin haber llenado los recaudos correspondientes para su ingreso, no procediera dentro de los noventa días de la fecha del presente decreto a denunciar el hecho y la constitución de su actual domicilio ante la autoridad policial del lugar". El plazo fué ampliado en noventa días por reciente decreto (D. Nº 19.332, de 23 ago. 1945, art. 1º).
Brasil: Res. Nº 4941, de 24 jul. 1941, especialmente art. 1º.
Costa Rica: D. Nº 4, de 26 abr. 1942, art. 49. "El Departamento de Migración, con aprobación de la Secretaría de Seguridad Pública, podrá conceder permiso de permanencia temporal o definida a los extranjeros que ingresaren al país legalmente, y que hubieran cumplido con las disposiciones vigentes en esta materia. Los turistas y pasajeros en tránsito y los inmigrantes que no hubiesen declarado su propósito de permanecer definitivamente en el país deberán obte-

d. Entrada por puntos habilitados

Es condición impuesta a todo extranjero, aunque a veces

---

ner residencia por un año, antes de que les sea resuelta la indefinida".

Cuba: D. N° 1019, de 13 abr. 1942, art. 1°. "Que mientras no puedan embarcar hacia el lugar de su destino definitivo, según los hayan anunciado, y hasta tanto duren las actuales circunstancias, se considerarán extranjeros residentes en Cuba a todos los que hubieren entrado en el territorio nacional de tránsito para otros países, como turistas o evadiendo la persecución desatada contra los mismos en los países totalitarios u ocupados por éstos".

Chile: L. N° 6026, de 11 feb. 1937, art. 17: "Los extranjeros que entren al país sin estar provistos de pasaportes debidamente visados, o cuya visación no cumpliere con los requisitos exigidos en cuanto a la forma y términos, o no satisfacieren las condiciones en que la autorización correspondiente fué concedida, serán arrestados por las autoridades policiales y expulsados sin más trámites, previo decreto del Ministerio del Interior. Igual pena sufrirán los extranjeros ya establecidos en el país, que dentro del plazo de seis meses, no presenten a las autoridades su documentación en la forma indicada en el inciso anterior. No obstante, cualquier extranjero que se encuentre en alguno de los casos de este artículo, podrá solicitar permiso al Ministro del Interior para permanecer en el país, y ese permiso le será concedido si se trata de persona que no constituya peligro para el Estado".

D. N° 3486, de 4 jul. 1941, art. 3°: "Deben solicitar autorización de residencia definitiva en el territorio nacional conforme al artículo 8° de la Ley núm. 6.880, los extranjeros que a la fecha de vigencia de dicha ley tenían en el país residencia condicional: a) por encontrarse en las situaciones previstas en el artículo 17 de la Ley núm. 6.026, o b) por haber llegado al país con visación condicional u ordinaria entre esa misma fecha y el 15 de abril de 1941. En consecuencia, quedan eximidos de la obligación de pedir tal autorización: a) los extranjeros que llegaron al país antes de la Ley núm. 6.026, con o sin pasaportes y cumplieron posteriormente con la obligación de presentar a las autoridades su documentación personal conforme al inciso 2° del artículo 17 de la Ley núm. 6.026; b) los extranjeros que han llegado al país con visación definitiva; c) los extranjeros que han obtenido antes de la vigencia de este Reglamento, autorización de permanencia en el país conforme al inciso final del artículo 17 de la Ley núm. 6.026 o al artículo 8° de la Ley núm. 6.880. No se concederá permiso de permanencia definitiva a los extranjeros que se encuentren comprendidos en alguno de los casos contemplados en las letras b), c), d), e) y f) del núm. 3° del Decreto Reglamentario número 1.804, de 10 de abril de 1939".

Ecuador: D. N° 111, de 29 ene. 1941, art. 116: "Dentro de un plazo de noventa días, a contarse desde la vigencia de

sólo para los inmigrantes, la de entrar por puertos aéreos o marítimos o puestos fronterizos terrestres de las Repúblicas Americanas habilitados expresamente para el acceso de extranjeros. Debe señalarse que algunos países han establecido este requisito por razón de la emergencia, que imponía mayorse contralores para defenderse de la infiltración de elementos peligrosos para la seguridad de cada República; pero en muchos países es requisito que se ha impuesto en forma permanente para facilitar la acción policial en la fiscalización de la inmigración.

Este requisito fué recomendado por el Comité en su Resolución VIII, Sec. A, N° 1, según se ha tenido ya oportunidad de señalar, y por la Reunión Regional de Rivera, ya aludida anteriormente, en su Resolución V. Es exigido, también, por un buen número de legislaciones americanas (157) y con él se

este Reglamento, todos los extranjeros residentes en el territorio de la República, que no hubieren obtenido aún permiso de residencia, ni provisional ni definitivo y que estén obligados a hacerlo, procederán a obtener el que corresponda, so pena de una de las sanciones establecidas...".

Panamá: D. N° 202, de 3 ago. 1942, art. 13: "A todo extranjero que se encuentre en el territorio nacional vencido su permiso de tránsito, la prórroga respectiva o el permiso de residencia provisional de que trata el artículo 6° del presente Decreto, se le impondrá una multa de B. 10.00 a B. 50.00 o arresto equivalente, sin perjuicio de que se le expulse del país a menos que obtenga su permiso de residencia definitiva si ésta es procedente".

(156) V. p. ejemplo, Brasil: D. L. N° 3082, de 28 feb. 1941, art. 1°. Cuba: D. N° 1019, de 13 abr. 1942, art. 2°: "Los extranjeros comprendidos en la disposición anterior, estarán obligados a inscribirse como tales en el Registro de Extranjeros, dentro del término de treinta días a contar desde la publicación de este decreto en la Gaceta Oficial e igualmente dentro de dicho término a presentarse en la estación de policía de su domicilio, en la que se harán constar los particulares necesarios para su identificación".

(157) Brasil: D. L. N° 406, de 4 may. 1938, art. 9°; D. N° 3010, de 20 ago. 1938, art. 81.
Colombia: D. N° 1790, de 20 oct. 1941, art. 15.
Costa Rica: D. Ej. N° 4, de 26 abr. 1942, art. 6°. "Solamente podrá efectuarse el tránsito migratorio por los siguientes lugares legalmente autorizados: a) Los puertos marítimos y aéreos habilitados. b) Los lugares fronterizos cruzados por carreteras o caminos internacionales, donde existan autoridades fiscales o de policía". El art. 59 hace la enumeración de

cumple un importante objetivo de contralor mediante la vigilancia que realizan en dichos puntos las autoridades migratorias, policiales, etc. competentes.

---

las localidades autorizadas expresamente en calidad de puntos de entrada permitida.

Ecuador: D. Nº 112, de 1º feb. 1941, art. 107; V., también, L. de 2 jun. 1938, art. 10.

El Salvador: D. Leg. Nº 86 de 14 jun. 1933 art. 8º. "Sólo podrá efectuarse el tránsito migratorio por los sitios y en las horas legalmente autorizadas". art. 9º. "Son lugares autorizados para el tránsito migratorio: a) Los puertos marítimos y aéreos habilitados; b) Los lugares fronterizos cruzados por vías férreas autorizadas para el comercio internacional; c) Los lugares fronterizos cruzados por carreteras o caminos internacionales autorizados por la Secretaría de Fomento para el tráfico. Las horas en que podrá efectuarse el tránsito migratorio serán fijadas por el Reglamento de la presente ley".

Estados Unidos: Reglamentos de 19 nov. 1941, con las enmiendas de 14 ene. 1942, parágrafo 58.42."... Ningún extranjero entrará en adelante en los Estados Unidos (a) excepto por un puerto de entrada designado como tal por el Comisario de Inmigración y Naturalización u otro funcionario autorizado...". Los mismos reglamentos, parágrafo 58.41, (h) definen qué debe entenderse por puertos de entrada y especifican la autoridad que tiene competencia para fijarlos. Los reglamentos de 9 jul. 1945 (10 FR 8997) parágrafo 58.41, reiteran la disposición. La enumeración de los puertos de entrada está dada por 8 CFR parágrafo 110.1.

Guatemala: D. Leg. Nº 792, de 7 may. 1909, art. 8º. "Los inmigrantes que vengan a la República deberán ingresar por los puertos habilitados o por las vías públicas de las poblaciones fronterizas"; D. Ej. Nº 1388 de 19 abr. 1933, art. 30 determina la Secretaría que fijará "los lugares de las fronteras terrestres por donde las personas puedan ingresar al país o salir de él".

Honduras: D. Nº 134, de 20 mar. 1934, Cap. VII.

Haití: D. L. de 12 ene. 1945, art. 10. "La entrada en Haití no podrá hacerse sino por uno de los puertos abiertos al comercio exterior, por uno de los aeródromos oficialmente establecidos, o por una de las ciudades fronterizas donde existan una aduana y una repartición de la guardia de Haití...".

México: L. 24 ago. 1936, art. 49. "El tránsito personal, por puertos y fronteras, sólo puede efectuarse por los lugares designados para ello, dentro de las horas reglamentarias y con la intervención de las autoridades migratorias". Art. 50. "Es facultad exclusiva de la Secretaría de Gobernación fijar los lugares destinados al tránsito personal, por puertos y fronteras, oyendo previamente a las Secretarías de Hacienda y Comunicaciones y Obras Públicas".

Panamá: Información proporcionada por el Gobierno.

Perú: D. Supr. de 15 may. 1937, art. 23 (para inmigrantes).

En consideración a razones de vecindad y, en especial, para los nacionales o naturalizados de los países fronterizos, determinados Estados les eximen de la obligación de entrada por los puntos habilitados (158) o les fijan expresamente puntos especiales, sin perjuicio de los establecidos con carácter general para todas las personas, sin distinción de nacionalidad (159).

Otros Estados dejan librado a los organismos competentes, autorizar la entrada por otros puntos que no sean los habilitados, en consideración a conveniencias de interés público (160).

La entrada por puntos no habilitados, constituye, finalmente, para algunas Repúblicas Americanas, causal de inadmisión o expulsión (161).

e. Exhibición y entrega a los funcionarios competentes de los documentos que autorizan la entrada.

Todo extranjero debe exhibir ante las autoridades migratorias o policiales o las que hagan sus veces, destacadas en los puertos o puntos fronterizos habilitados, para su correspondiente examen y visto, la documentación que las leyes del país exigen para entrar.

Rca. **Dominicana:** Regl. Nº 279, de 12 may. 1939, Sec. 11, a), modificado por D. Nº 1144, de 8 may. 1943.
Uruguay: D. de 25 mar. 1944, art. 1º.
(158) **Colombia:** D. Nº 1790, de 20 oct. 1941, art. 15, "Sólo podrán entrar extranjeros al territorio nacional, o salir de él, por los Puertos de... Parágrafo. Exceptúanse de esta disposición los nacionales brasileños, ecuatorianos, peruanos, panameños y venezolanos por origen".
(159) **Uruguay:** D. de 25 mar. 1944, art. 1º.
(160) **Brasil:** D. Nº 3010 de 20 ago. 1938, art. 81 a).
(161) **Haití:** D. L. de 12 ene. 1945, art. 11. "Todo extranjero que hubiera penetrado por otra vía distinta a las indicadas en el artículo precedente (V., texto en nota 157), aun siendo portador de un pasaporte regularmente visado por un agente diplomático o consular haitiano, será considerado como que entró clandestinamente en el país. Será inmediatamente detenido y puesto a disposición del Tribunal Correccional que lo sentenciará a una pena de un mes a un año de prisión y a una multa que no podrá pasar de quinientos "gourdes"... A la expiación de la pena y una vez paga la multa, el de-

El no cumplimiento de este requisito, por supuesto común a todas las legislaciones (162), autoriza a las autoridades

---

lincuente será inmediatamente reconducido por la Policía, fuera del territorio de la República". (V., asimismo, nota 164).

Rca. Dominicana: L. Nº 95, de 14 abr. 1939, art. 14, inc. a) núms. 4 y 7. Este país autoriza, además, a sancionar con otras penas esta infracción: multa no mayor de $ 500.00; internación en un campamento de detenidos, o trabajos en el mismo, o liberado bajo vigilancia policial.

Uruguay: D. de 25 mar. 1944, art. 4º. "El ingreso al territorio de la República o la salida del mismo por puntos distintos a los fijados por este decreto será causa bastante para resolver la inadmisión, de acuerdo con el artículo 1º inciso D), y artículo 2º de la ley número 9.604, de 13 de octubre de 1936.

(162) **Brasil:** D. L. Nº 406, de 4 may. 1938, art. 25. "Será impedida la entrada del extranjero que no hubiera satisfecho los requisitos de esta ley y de su reglamentación..."; D. Nº 3010, de 20 ago. 1938, art. 87. "Los extranjeros deberán exhibir el pasaporte debidamente visado, y las fichas consulares de calificación, cuando pasaren la frontera o desembarcaran, a las autoridades de Policía, Salud, e Inmigración"; art. 93. "Ningún extranjero podrá desembarcar sin que su pasaporte haya recibido el visto de las autoridades policiales e inmigratorias de servicio a bordo"...

Colombia: L. Nº 48, de 3 nov. 1920, art. 2º. "El extranjero que llegue a Colombia tiene la obligación de presentar a su llegada, si ésta se efectuare por uno de los puertos marítimos o fluviales a los empleados de Aduana o Sanidad el pasaporte que acredite claramente su identidad y manifestará si tiene la intención de permanecer en Colombia y cuál es el oficio a que va a dedicarse. Si llegare por una de las poblaciones fronterizas con alguna nación limítrofe, llenará inmediatamente esas formalidades ante la primera autoridad política de la localidad. De todo ello se levantará un acta en copia y debidamente autenticada se remitirá al Ministerio de Gobierno": D. Nº 1790, de 20 oct. 1941, art. 17. "Las autoridades de Puertos anotarán en el pasaporte de cada extranjero la fecha de embarque o desembarque y el nombre de la nave o el número de vehículo terrestre que los condujo. Tal anotación debe autenticarse con la firma del Capitán de Puerto".

Ecuador: D. Nº 112, de 1º feb. 1941, art. 107; V. también, L. 2 jun. 1938, art. 10.

El Salvador: D. Leg. Nº 86, de 14 jun. 1933, art. 17. "Toda persona que desee entrar al país deberá proporcionar a las autoridades de migración los informes que determinará el reglamento de esta ley..." art. 18 "... Las autoridades de migración... sellarán la Tarjeta Individual de Identificación del inmigrante, lo que constituirá prueba de que éste ingresó al país cumpliendo todos los requisitos legales...".

Estados Unidos: L. de 22 may. 1918 (40 Stat. 559), modificada por la L. de 21 jun. 1941 (55 Stat. 252) (22 U.S.C.

223), dispone que en tiempo de guerra o de emergencia, cuando tales estados sean proclamados por el Presidente, la entrada y salida de extranjeros será ilegal, salvo que ambas se efectúen según las reglas, reglamentos y órdenes que el Poder Ejecutivo prescriba. En uso de esta facultad que le confiere la ley, el Presidente expidió la Proclama Presidencial Nº 2523, de 14 nov. 1941, que establece... (4) "Ninguna persona partirá o entrará, o intentará partir o entrar, a los Estados Unidos sin someter a la inspección si así fuere requerido, todos los documentos, artículos u otras cosas que son removidas de los Estados Unidos o traídas al mismo relacionadas con la partida o entrada de tales personas, que por esta disposición quedan sujetas a inspección oficial conforme a las normas y reglamentos que el Secretario de Estado en los casos de ciudadanos, y el Secretario de Estado con el acuerdo del Fiscal General en los casos de extranjeros, está autorizado a dictar". Además en tiempos normales el Poder Ejecutivo tiene la facultad de dictar reglamentos para la entrada de extranjeros en materia de pasaportes en virtud de la L. de 2 mar. 1921 (41 Stat. 1217) (22 U.S.C. 227). La L. de 28 jun. 1940 (54 Stat. 673) (8 U.S.C. 451), sec. 30, por otra parte ha dispuesto que "... Cualquier extranjero que desee entrar en los Estados Unidos que no presente una visa (excepto en los casos de emergencia definidos por el Secretario de Estado), permiso de reingreso, tarjeta de identificación para el tránsito fronterizo, será excluído de la admisión en los Estados Unidos". Finalmente, debe agregarse, que de conformidad con la Proclama Presidencial Nº 2523, mencionada en esta nota, el Secretario de Estado ha emitido los reglamentos de 19 nov. 1941, sobre entrada de extranjeros, con las enmiendas de 19 ene. 1942 (22 CFR Part. 58) (8 CFR Part. 175) a los que se ha hecho referencia en otras notas. Estos reglamentos han sido sustituídos en parte por los reglamentos de 9 jul. 1945 (10 FR 8997) que también han sido citados.

Guatemala: D. Ej. Nº 1388, de 19 abr. 1933, art. 3º, con las modificaciones introducidas por el D. Ej. Nº 1966, de 21 may. 1937. "Las personas que ingresen a la República y que no presenten a las autoridades, cuando se les requiera, el pasaporte o documento que las habilite para el efecto, debidamente razonado en los puertos, aeropuertos o en los lugares fronterizos fijados por la Secretaría de Hacienda y Crédito Público, podrán ser expulsados del país, y, además, sancionadas por la Secretaría de Relaciones Exteriores, por medio de las autoridades de migración, con una multa de diez a quinientos quetzales, que se graduará según el caso y la responsabilidad del infractor, sin perjuicio de lo que dispongan otras leyes..." D. Ej. Nº 2039, de 2 nov. 1937, art. 8º. "... A su llegada al país, deberán presentar el pasaporte o la tarjeta de turismo a las autoridades del lugar de ingreso".

Haití: D. L. de 12 ene. 1945, art. 15. "Los pasajeros entrega-

y en caso de que esa obligación sea violada, hace acreedor a
su infractor, además de la inadmisión o expulsión (164) a

rán con su pasaporte debidamente visado todos los otros documentos probatorios de su identidad y llenarán un cuestionario preparado por la autoridad competente y que firmarán
conjuntamente con el Agente de Inmigración y el funcionario
de policía..."

México: Información proporcionada por el Gobierno.

Nicaragua: L. de 5 may. 1930, art .10: "Todo extranjero no
comprendido en las prohibiciones del anterior capítulo que
quiera ingresar al territorio de la República, deberá presentar a los Cónsules de Nicaragua y a las autoridades nacionales, los atestados de su identidad personal y buena conducta, estando asimismo obligados a demostrar con documentos autenticados que no están comprendidos en la
prohibición del Capítulo II de esta ley. Estarán asimismo obligados a presentar el pasaporte debidamente visado por el
Cónsul de Nicaragua en su país de origen". Ver asimismo el
D. de 29 dic. 1930, art. 15.

Panamá: D. Nº 202, de 3 ago. 1942, art. 12: "Los Capitanes
de Puerto e Inspectores de Inmigración revisarán cuidadosamente los documentos de identificación de las personas que
lleguen al país procedentes del extranjero, y anotarán en cada pasaporte el lugar y fecha de llegada, como también el
medio de transporte de que se han valido. Los expresados
funcionarios no permitirán el desembarco de las personas
que no hayan llenado los requisitos que se establecen en el
presente Decreto".

Venezuela: L. de 31 jul. 1937, art. 17, dispone que la exhibición de los documentos (pasaporte, art. 6º; certificados,
entre ellos el de buena conducta, art. 7º) se haga ante la
primera autoridad civil de su residencia, dentro de los ocho
días de arribo. V. asimismo, D. 7 may. 1942, art. 12.

(163) **Brasil:** D. L. Nº 406, de 4 may. 1938, art. 25.

Chile: L. Nº 6026, de 11 feb. 1937, art. 17, inc. 1º (V. texto,
en nota 155); D. de 25 ene. 1937, art. 1º.

Estados Unidos: L. de 28 jun. 1940, (54 Stat. 673) (8 U.S.C.
451), sec. 30 (V. texto en nota 162).

Nicaragua: D. de 29 dic. 1930, art. 16: "Las autoridades
nicaragüenses de los puertos terrestres o marítimos no permitirán la entrada al país de los extranjeros no comprendidos en el Capítulo III de este Reglamento y II de la Ley respectiva, si no presentan todos los documentos indicados en
el artículo anterior, o si ellos no están debidamente visados
por los Cónsules de Nicaragua en el país de origen del que
pretendiese ingresar al país. Si no hubiere Cónsules de Nicaragua en dicho país, los documentos podrán ser visados por
un Cónsul de nación amiga".

Panamá: D. Nº 202, de 3 ago. 1942, art. 12 (V., nota 162).

(164) **Colombia:** D. Nº 804, de 15 abr. 1936, art. 1º. "Serán expulsados del país los extranjeros que se encuentren comprendidos en alguno de los siguientes casos: a) Los que hayan en-

sanciones diversas. Respecto de los extranjeros que entran en los Estados americanos con la calidad de "en tránsito" las exigencias son aún mayores (165).

---

trado o entren en el país sin el pasaporte respectivo. b) Los que no tengan ajustados sus pasaportes a las prescripciones legales. c) Los que presenten pasaportes o cédulas de extranjería con señales notorias de haber sido mutilados o adulterados en cualquier forma".

Costa Rica: D. Ej. Nº 4, de 26 abr. 1942, art. 57. "El extranjero que violando esta ley se introdujere en el territorio de la República, será expulsado del país por resolución del Poder Ejecutivo, previo informe del Departamento de Migración en que se hará constar la calidad del extranjero, su ingreso al país con posterioridad a la presente, y la circunstancia de hallarse en alguno de los casos antes enumerados".

El Salvador: D. Leg. Nº 86, de 14 jun. 1933, art. 20, inc. 1º. "El extranjero que ingrese al país con violación de las leyes que norman la migración, pagará una multa de cien a quinientos colones y sufrirá arresto provisional en la Dirección General de Policía mientras se dispone su expulsión. Esta se efectuará previa solicitud de las autoridades de migración y será ordenada por el Ministerio de Gobernación".

Guatemala: D. Ej. Nº 1388, de 19 abr. 1933, art. 3º con las modificaciones del D. Ej. Nº 1966, de 21 may. 1937. V., texto en nota 132.

Haití: D. L. de 12 ene. 1945, art. 36. "Será considerado como viajero clandestino y pasible de las penas fijadas por el art. 11 del presente Decreto-Ley. (V. nota 131), todo individuo que intentara introducirse en Haití sin haber cumplido las formalidades enumeradas en los artículos precedentes...".

Honduras: D. Nº 134, de 20 mar. 1934, art. 29. "El extranjero cuya entrada al país prohibe esta ley y se introduzca en él furtivamente, sufrirá una multa de 50 lempiras y será obligado a emprender su regreso a más tardar dentro de tres días; y si se negare será recluído por mientras la autoridad respectiva prepare un resguardo conveniente para que lo custodie hasta que traspase la frontera en el punto más próximo".

(165) **Estados Unidos:** Reglamentos de 19 nov. 1941, con las enmiendas introducidas el 14 ene. 1942, parágrafo 58.53. "Requisitos adicionales para extranjeros en tránsito. Además de todo otro requisito, el extranjero que desee ser admitido en tránsito a través de los Estados Unidos para un destino en el exterior de acuerdo con el certificado de tránsito debe someter al Inspector de Inmigración o al funcionario que haga sus veces en el puerto de llegada tres ejemplares de su itinerario al puerto de partida, de los cuales uno será inmediatamente remitido al puerto de salida para verificación del viaje y de la partida, y otro al Secretario de Estado. No se permitirá ninguna desviación o retardo en el viaje de tránsito sin el consentimiento del Secretario de Estado y del

Sin perjuicio de la exhibición de los documentos para el visto de las autoridades competentes, algunos países los retienen expidiéndole en su lugar un certificado o documento justificativo o manteniendo documentos auxiliares otorgados en el acto de la visación (certificados de turismo, v.gr. en el caso de los turistas (166), para impedir los movimientos y asegurar su contralor, dado que la persona queda desprovista de toda documentación. A veces se le requiere la presentación ante otras autoridades dentro de determinado lapso, para registrarse o dar cuenta de su residencia. En otras Repúblicas, se retiene la documentación de los temporarios (167).

La retención de documentos, en caso de sospecha o documentación no satisfactoria, es una medida generalmente dispuesta por las leyes americanas (168). En tal caso se expide un recibo que acredite ese retiro.

Fiscal General". Estas disposiciones han sido abrogadas por el Reglamento de 9 jul. 1945 (10 FR. 8997).

(166) **Argentina:** D. Nº 89.2, de 28 jul. 1938, art. 8º (turistas).
Ecuador: No retiene y expide, además, un certificado de libre tránsito por toda la República (D. Nº 112, de 1º feb. 1941, art. 107).
Panamá: D. Nº 202, de 3 ago. 1942, art. 11: "Los Capitanes de Puerto e Inspectores de Inmigración, remitirán a la Sección de Extranjería de la Policía Nacional más cercana los pasaportes de los extranjeros que lleguen a sus respectivas jurisdicciones, y les entregarán, a cambio de dicho documento, un permiso válido para permanecer en Panamá durante treinta días. En dicho permiso deberá anotarse el número del pasaporte y el nombre de la oficina a la cual ha sido remitido".

(167) **Uruguay:** D. de 23 nov. 1937, art. 18, inc. 1º, con las modificaciones introducidas por el D. de 12 jun. 1940. "Los pasajeros de ultramar en tránsito o con pasaje de retorno, viajando en las clases primera o segunda exclusivamente, podrán desembarcar en el país siempre que exhiban su pasaje de retorno o para el puerto de destino. Dicho pasaje será retirado por el Inspector de Desembarco de la Dirección de Inmigración, efectuándose su devolución en el acto de reembarco... "; D. de 25 oct. 1938, art. 3º, aplicable a pasajeros en tránsito, disponía, asimismo la retención y devolución de pasajes en las oportunidades preindicadas.

(168) **Argentina:** D. de 31 dic. 1923, art. 18: "La Dirección General de Inmigración podrá retener los documentos de aquellos pasajeros o inmigrantes, cuya radicación en el país no inspire confianza o se hagan sospechosos, a fin de practicar las averiguaciones pertinentes para resolver en definitiva sobre la admisión o rechazo. Los pasajeros o inmigrantes en es-

IV.   REQUISITOS Y PROCEDIMIENTOS PARA LA ADMISION
(Regímenes Especiales)

En la sección precedente ha sido estudiado el régimen común en vigor en las Repúblicas Americanas en materia de requisitos y procedimientos para la admisión de personas. En el presente el análisis abarcará lo que se ha llamado regímenes especiales. Si aquel régimen reviste una señalada importancia no le van en zaga los especiales. Estos por las franquicias que en general acuerdan, en mérito a la naturaleza del tránsito, el carácter temporario de los desplazamientos, y, fundamentalmente, por la actividad que desarrollan o pueden desarrollar, sus beneficiarios, acusan una trascendente relevancia para la defensa política. En general, como se podrá comprobar en el curso del estudio, dichos regímenes han ofrecido magníficas oportunidades a los elementos nazi-fascistas y sus adictos para desenvolverse en el continente, al facilitarles importantes formas de desplazamiento e infiltración para el planteo y logro de sus objetivos. De ahí, también, la necesidad de restringir tales franquicias, durante la emergencia provocada por el conflicto, y la tarea emprendida con tal fin, según se verá más adelante.

tas condiciones permanecerán a bordo del buque bajo la responsabilidad del capitán, a la espera de la resolución de la Dirección General de Inmigración".

Costa Rica: D. Nº 4, de 26 abr. 1942, art. 31. "Los capitanes de puerto, aeropuerto o subinspectores de Hacienda de los lugares fronterizos, en caso de que lo consideren conveniente y mediante entrega de un recibo, podrán retener el pasaporte y demás documentación del turista, todo lo cual enviarán al Departamento de Migración, para serle devuelto al interesado, una vez resuelto el motivo que originó su detención".

Ecuador: L. 2 jun. 1938, art. 16. "Los pasaportes de los turistas no serán retenidos en ninguna de las dependencias del Estado, salvo los casos excepcionales en que las autoridades competentes en obedecimiento a razones especiales poderosas, tuvieren que proceder en sentido contrario". Art. 17, dispone que en el caso precedente, de retiro de la documentación, las autoridades "estarán obligadas a dar a cada interesado un recibo de depósito" y un salvoconducto especial que, completando con la cédula de turismo lo habilite para **el tránsito interno**", siendo devueltos los pasaportes a la salida del país.

Los regímenes especiales de mayor significación en la legislación americana de inmigración son los que a continuación se examinan.

1. Nacionales de Repúblicas Americanas y extranjeros residentes en ellas.

a. Clases. — Objetivos que se han tenido en vista para su establecimiento.

El régimen común aplicable a los nacionales y extranjeros en general, sufre en América excepciones. Una de ellas, es la que se refiere al tratamiento que dispensan las Repúblicas de este continente a los nacionales de las otras, por acuerdo entre ellas (169), o por simple acto unilateral a título de reciprocidad o sin él; la otra, se refiere a un tratamiento también especial, respecto de los extranjeros —nacionales de un Estado americano distinto al que habitan o extracontinentales— residentes en las Repúblicas Americanas.

Ese tratamiento de excepción otorgado a ambas categorías, puede verse: a) en las relaciones de vecindad o fronterizas; y b) en los viajes de turismo o tránsito generales entre los Estados, y tiene como finalidad facilitar ambas situaciones, que en el caso de países mediterráneos, como Bolivia y Para-

---

(169) El Comité, en conocimiento de la trascendencia de estos regímenes especiales que benefician a las naciones americanas, terminada la conflagración dictó la Resolución XXVII, sobre "Modificaciones al Régimen de Entrada y Salida de Personas", por la que recomienda a los gobiernos del Continente que "procedan lo antes posible al estudio y adopción, en particular mediante acuerdos bilaterales con otros países americanos, de medidas conducentes a reducir al mínimo necesario los requisitos de entrada, permanencia y salida facilitando en todo lo posible lo relativo a los viajes por tierra, aire o mar, de carácter no permanente", de los referidos nacionales (Res. cit. 2.). También, por otra resolución, la XXIX de la misma fecha, sobre "denominación común de los ciudadanos de América a fin de promover la unidad continental", se recomienda a los mismos gobiernos que "a todos los efectos, en lo relativo a entrada, permanencia o salida de personas y extranjeros, designen a los nacionales de los demás países americanos como "panamericanos", en lugar de calificarlos de extranjeros".

guay, revisten una importancia que resulta obvio destacar aquí.

La razón de este tratamiento excepcional, ha de verse por encima de toda exigencia utilitaria, en la amistad recíproca de las naciones que se acuerdan las ventajas, amistad que tiene su base en su común historia y desenvolvimiento.

b. Examen en particular de los regímenes.

1) Para las relaciones de vecindad o fronterizas.

Las Repúblicas Americanas acuerdan en general facilidades especiales al tránsito de las personas residentes en los Estados limítrofes, mediante la concesión de salvoconductos o permisos especiales que expiden, generalmente en forma gratuita las autoridades consulares del país al que se dirige el transeúnte, u otra que al efecto se designe (170).

(170) **Bolivia - Chile:** Pasaje entre ambos países por Arica. (Convenio de 18 set. 1937).
Colombia - Venezuela: D. colombiano Nº 1269, de 3 jun. 1936, para los vivanderos y residentes en zonas fronterizas.
Argentina - Brasil: Entre San Borja (Brasil), y Santo Tomé (Argentina): Res. de la Dirección de Inmigración argentina de 6 jul. 1927.
Colombia - Ecuador: D. colombiano Nº 2441, de 30 set. 1936 para los choferes y ayudantes mecánicos, de nacionalidad ecuatoriana.
Ecuador: Faculta a conceder permisos especiales a los cónsules del país en las ciudades fronterizas con la República (D. Nº 112, de 1º feb. 1941, art. 103).
Estados Unidos: Reglamentos de 19 nov. 1941, con las enmiendas introducidas el 14 ene. 1942, parágrafo 58.45, establece casos de excepción en los cuales no se necesita permiso de entrada, se trata de los que se denominan no inmigrantes. Por vía de ejemplo puede citarse: (j) "Residentes de Canadá y México que entran a los Estados Unidos temporariamente en casos urgentes... que no tienen tiempo de obtener pasaporte, o visa, o tarjeta de identificación para el cruce de fronteras, o certificado de entrada limitado". El mismo reglamento parágrafo 58.55, establece la exigencia del permiso, pero para su expedición no se requiere la consulta al Departamento de Estado. Entre los casos que incluye cabe mencionar los de las solicitudes de tarjetas de identificación para el cruce de fronteras (2) "de quienes han sido previamente admitidos en forma legal en los Estados Unidos para la residencia permanente" y (3) "de quienes no siendo residentes, son ciudadanos y residentes en México, nacidos en el país o en el extranjero de padre mexicano;

Se expiden, generalmente, en base a certificación o comprobación de buena conducta (171), tienen validez por tiempo determinado (172), autorizan a permanecer unos días, cada vez (173), sancionándose el uso indebido de los mismos (174).

Otros países, no expiden ni solicitan los salvoconductos o permisos que se acaban de mencionar, autorizando la entrada solamente con la **carta o cédula de identidad** (175).

---

y ciudadanos canadienses o súbditos británicos domiciliados en el Canadá o Terranova". Estas disposiciones fueron modificadas por el Reglamento de 9 jul. 1945 que eximió a los canadienses y británicos domiciliados en Canadá, del pasaporte y toda otra forma de permiso de entrada cuando el ingreso a los Estados Unidos sea por un término no mayor de 30 días (parágrafo 58.48 (u)), (10 FR 8997).
México: L. 24 ago. 1936, art. 77 "Los visitantes locales deberán proveerse de los documentos de identificación y del permiso de las autoridades migratorias".

(171) **Colombia:** D. Nº 1269, de 3 jun. 1936, art. 6º. "Para stablecer la identidad, profesión, domicilio y buena conducta de las personas que soliciten el permiso, cuando ellas no sean conocidas del funcionario que lo expide, deberán presentar un certificado de la autoridad política del lugar de su residencia y las declaraciones juramentadas de dos testigos conocidos por el funcionario expedidor del permiso"; D. Nº 2441, de 30 set. 1936, art. 4º, establece una fórmula semejante en el caso de los choferes.

(172) **Bolivia - Chile:** Convenio de 18 set. 1937, art. VII (1 año).
Colombia: D. Nº 1269, de 3 jun. 1936, cit. art. 2º (60 días); D. Nº 2441, de 30 set. 1936, art. 2º (90 días).
Ecuador: D. Nº 112, de 1º feb. 1941, art. 103, (parecería que es válido sólo para el viaje para el cual se pide).

(173) **Colombia:** D. Nº 1269 de 3 jun. 1936, art. 2º (2 días); D. Nº 2441 de 30 set. 1937, art. 2º (4 días).
Ecuador: D. Nº 112 de 1º feb. 1941, art. 103; 48 horas en un caso; en otros, 10 días.

(174) **Colombia:** Ds. No. 1269 de 3 jun. 1936, art. 7º y 2441, de 30 set. 1937, art. 5º.

(175) **Brasil:** Para todos los residentes en las zonas fronterizas con este país. (D. L. Nº 2017, de 14 feb. 1940, art. 1º, parágrafo único. "Los residentes de las ciudades o localidades situadas en las zonas de frontera, de acuerdo con la discriminación que fuera adoptada por el Ministro de Estado de las Relaciones Exteriores, solamente será exigida la cartera o cédula de identidad").
Uruguay: A los nacionales brasileños. (D. de 1º ago. 1940, art. 2º. "A los nacionales brasileños residentes en las ciudades o localidades fronterizas con la República, que deseen pasar al territorio nacional para la atención de los intereses o vinculaciones propios de su estado de vecindad, solamente les será exigida la cédula de identidad").

2) En los viajes de turismo o tránsito entre Estados americanos (temporarios).

a) Régimen para nacionales y naturalizados

El tránsito entre países americanos se efectúa, en general, con la simple posesión de alguno de los siguientes documentos: cédula de identidad o libreta de enrolamiento, sin necesidad de visación consular.

Este tratamiento especial es acordado por algunas Repúblicas Americanas a los ciudadanos de todas las demás (176)

---

(176) **Argentina**: Ciudadanos de países americanos que ingresen en calidad de turistas. Estos según el D. de 5 mar. 1943, art. 20, "...deberán estar munidos de pasaporte o la cédula de identidad o la libreta de enrolamiento y de un certificado de turismo por triplicado que otorgará gratuitamente la autoridad consular argentina del punto de partida, a la presentación de cualquiera de dichos documentos, y en caso que ésta lo crea conveniente, un certificado de buena conducta". Por el art. 1º se declara que la visación de los documentos es gratuita. El presente régimen es de franquicias, pero representa mayores requisitos que el en vigor para los países vecinos establecidos ya por normas anteriores. El mismo decreto facilita con iguales requisitos el tránsito de ciudadanos paraguayos del Exterior en tránsito por la Argentina (art. 3º, a).
Brasil: Nacionales de Estados americanos, aunque se agrega al documento de identidad otro requisito, la ficha consular brasileña de calificación. (D. L. Nº 2017, de 14 feb. 1940, art. 1º. "A los nacionales de Estados americanos que tengan residencia en sus respectivos países, les será permitido la entrada en el territorio brasleño, en los casos del art. 25, letras a, b, y c. (se refiere la cita a los temporarios) del Decreto Nº 3010, de 20 de agosto de 1938, mediante la presentación del pasaporte o cartera, o cédula de identidad expedidas por la autoridad competente del país de origen, y de la ficha consular brasileña de calificación e independientemente del pago de cualquier emolumento impuesto o tasa que grave la entrada o salida de pasajeros).
Uruguay: Para ciudadanos de otros países americanos que confieran reciprocidad de tratamiento para los uruguayos. (D. de 23 nov. 1937, art. 18, incs. 2º y 3º, con las modificaciones introducidas por el D. de 12 jun. 1940, "Los ciudadanos... o naturalizados bastará que comprueben su calidad de tales, sea por la libreta de enrolamiento o por la Cédula de identidad. Iguales requisitos se aplicarán a los ciudadanos americanos cuyos países den el mismo trato a los orientales").

o a ciudadanos de determinados países a los cuales las normas respectivas aluden expresamente (177).

---

(177) **Argentina**: para los uruguayos: Res. Nº 9333 de la Dirección de Inmigración de 4 set. 1923, arts. 1º "...los ciudadanos uruguayos de nacimiento que presenten a las autoridades argentinas de inmigración su cédula de identidad expedida por la policía de dicha Nación, tienen derecho a desembarcar en los puertos argentinos sin necesidad de visación consular". Por disposición posterior de la misma Dirección se extendió la franquicia a los ciudadanos uruguayos por naturalización, en las mismas condiciones de los por nacimiento (Res. de 20 set. 1923, art. 2º). Para los chilenos: Convenio con Chile de 18 feb. 1938, art. 1º. Para los paraguayos: Res. del Ministerio de Agricultura de jun. 1926, art. 1º. "Las personas que vengan del Paraguay a la Argentina de tránsito o ejerciendo cualquier género de actividades legítimas deberá llenar los siguientes requisitos: 2) los ciudadanos paraguayos, cédula de identidad con fotografía que acredite su nacionalidad y edad".
Argentina - Bolivia: Convenio de 10 feb. 1941. "Cada una de las Altas Partes contratantes tomará las providencias necesarias para que los nacionales de la otra de cualquier sexo y y edad, que no sean inmigrantes y procedan directamnte del territorio de su país de origen, puedan penetrar en su territorio munidos solamente de su pasaporte válido o de su cédula de identidad otorgada con una anterioridad no mayor de un año. En caso de que la cédula de identidad tenga una antigüedad mayor de un año, tendrá que ser acompañado de un certificado de buena conducta expedido dentro de los seis meses anteriores al viaje..."
Paraguay: D. de 20 jun. 1940, acuerda autorización de entrada a los ciudadanos uruguayos, con la sola exhibición de la cédula de identidad.
Uruguay: D. de 23 nov. 1937, art. 18, inc. 2º con las modificaciones introducidas por el D. de 12 jun. 1940, "...Los ciudadanos **argentinos** o naturalizados bastará que comprueben su calidad de tales sea por la libreta de enrolamiento o por la Cédula de Identidad"; D. 1º ago. 1940, art. 1º. "En lo sucesivo, los nacionales brasileños residentes en su país, podrán visitar el territorio nacional como turistas o en cualquier otro carácter de permanencia transitoria, con su pasaporte o cédula de identidad expedidos por la autoridad competente, y la certificación consular del viaje, que les será extendida en forma gratuita"; D. de 14 feb. 1940, art. 1º. "La Dirección de Inmigración admitirá libremente la entrada al país a los ciudadanos **paraguayos** que exhiban ante las autoridades del Uruguay su cédula de identidad expedida por la policía de dicha Nación, sin necesidad de visación o autorización consular, o cualquier otro requisito"; Convenio Uruguay - Chile, de 31 ago. 1943, aprobado por L. urug. Nº 10594, de 28 dic. 1944, en su art. 1º dicho convenio establece "Los ciudadanos **uruguayos y chilenos** de origen podrán entrar a los territorios de Uruguay y Chile y permanecer en ellos hasta tres meses, sin otro requi-

Otros países eliminan la exigencia del pasaporte a los nacionales de países fronterizos, dejando librado el régimen a las medidas que dicten los Gobiernos (178).

En la legislación estadounidense de tiempos normales no se exigía el pasaporte u otro documento sustitutivo para la entrada con carácter temporario de algunos ciudadanos y domiciliados en ciertos países del Hemisferio Occidental especificados en los reglamentos del Secretario de Estado. Entre esos países y territorios se hallaban comprendidos Canadá, Terranova, México, Cuba, República Dominicana, Haití, Panamá, Antillas inglesas, francesas y holandesas, y Saint-Pierre y Miquelón (179). En cambio desde 1941 se exigieron diversos tipos de permiso de entrada y en las categorías establecidas que pueden clasificarse como de admisión temporaria, se previeron algunas excepciones, respecto de las cuales los funcionarios del servicio exterior podrían actuar en su otorgamiento sin consultar previamente a las autoridades centrales. Se incluyen en tales excepciones p. ej.: las solicitudes de los naturales de países del Hemisferio Occidental o súbditos británicos, nacionales o domiciliados en el mismo Hemisferio, cuan-

---

sito que la exhibición, a las autoridades competentes, de su Carnet de Identidad y de un Certificado-Pase expedido por los Funcionarios Consulares del otro país, en el que conste que el interesado no tiene impedimento para ingresar a su territorio". Art. 2º. "Los ciudadanos extranjeros residentes en los respectivos países, podrán gozar de los beneficios de este convenio siempre que tengan más de cinco años de residencia, que cumplan las exigencias establecidas a los ciudadanos de origen, a las que deberán agregar un certificado otorgado por la autoridad competente en el que conste de que no hay impedimento para su regreso al país de residencia respectivo. Por D. de 7 feb. 1945, a los **argentinos y brasileños**, al entrar a territorio uruguayo, se les retirará la cédula de identidad, otorgándoseles un certificado de permanencia y viaje que les autoriza a desplazarse dentro del país, y que deben conservar y exhibir a las autoridades cuando éstas se lo exigieren. Tal documento les será retirado al abandonar el país, restituyéndoseles entonces la cédula de identidad.

(178) **Colombia**: D. Nº 1790, de 20 oct. 1941, art. 1º párrafo 2º. El D. Nº 55 de 1940, art. 10, acordaba el derecho de entrar por 8 días con visas gratuitas de turismo, pero con pasaporte, a los venezolanos y ecuatorianos.

(179) Orden Ejecutiva Nº 8430 de 5 jun. 1940, 1 (a), que notificada reduciendo las facilidades por la Orden Ejecutiva Nº 8766, de 3 jun. 1941.

do tales personas sean de su conocimiento y la entrada de las mismas no constituyera un perjuicio para los intereses de los Estados Unidos (180).

En algunas Repúblicas Americanas se han establecido además, franquicias especiales para parientes de funcionarios de los países fronterizos, sin necesidad de la misma cédula de identidad, pero con la posesión, en cambio, de un certificado expedido por la repartición competente del Gobierno, visado por el Cónsul del país a que se dirige, o aún sin esa visación (181).

b) Régimen para extranjeros

Existe un sistema realmente original para facilitar el tránsito de los extranjeros que residan en sus territorios, cuyos rasgos esenciales merece consignar, que aplican algunos países americanos, y que se caracteriza por el uso de la **cédula de identidad**, con más una **certificación policial de residencia** por más de dos años (182).

---

(180) **Estados Unidos**: Reglamentos de 19 nov. 1941, con las enmiendas introducidas el 14 ene. 1942, parágrafo 58.55, establece los casos de excepción en los cuales no se necesita la previa opinión consultiva del Departamento de Estado para el otorgamiento de permiso de entrada. Entre esas excepciones se incluye a los (4) "solicitantes de cualquier clase de permiso de entrada que son ciudadanos nativos de los países independientes del Hemisferio Occidental, ciudadanos de Canadá o Terranova, o súbditos británicos nacidos o domiciliados en cualquier territorio del Hemisferio Occidental, cuando los solicitantes sean suficientemente conocidos de la autoridad expedidora como para responder de que tales, no serán perjudiciales a los intereses de Estados Unidos". Estas disposiciones no se encuentran en los nuevos reglamentos de 9 jul. 1945.

(181) **Argentina**: Con los **paraguayos**: Res. del Ministerio de Agricultura de jun. 1926, art. 1º: "Las personas que vengan del Paraguay a la Argentina de tránsito o ejerciendo cualquier género de actividades legítimas, deberán llenar los requisitos siguientes: ...c) los ascendientes y descendientes y los colaterales hasta tercer grado de un funcionario paraguayo que presentan al desembarcar en un puerto argentino el documento a que se refiere el art. 3º de esta Resolución (es un certificado que acredita nacionalidad, domicilio, edad, parentesco) quedan eximidos de visación consular y su cédula de identidad cualquiera sea su edad y nacionalidad". Con los **uruguayos**: Res. de 29 mar. 1926.

(182) **Argentina**: Para los residentes en el Uruguay: (Res. de la Dirección de Inmigración de 4 set. 1923, art. 2º. "Los ex-

Los parientes de funcionarios de países fronterizos tienen acordado franquicias especiales, sin la posesión de la cédula de identidad, según se ha tenido ya oportunidad de señalar, y

tranjeros residentes en Montevideo por término mayor de dos años tendrán el mismo derecho que se acuerda a los ciudadanos uruguayos, siempre que presenten los siguientes documentos: a) cédula de identidad uruguaya; b) certificado de residencia expedido por la Policía de Montevideo que acredite el tiempo de residencia que lleva esa persona en esa jurisdicción". Para los que procedan de Paraguay: "...cédula de identidad con fotografía que acredite su nacionalidad, edad, y tiempo de residencia en esa nación, visado en el Consulado Argentino". Para el tránsito por la Argentina de extranjeros procedentes del exterior se establece, por la misma Resolución, un régimen especial siempre que nunca hayan residido en Paraguay; en caso de haber residido serína exigidos sólo dos requisitos ya mencionados (art. 2º, b) y c).

Argentina - Chile: para los extranjeros residentes en sus territorios (Convenio internacional de 18 feb. 1938, art. 20).

Chile - Uruguay: para los extranjeros residentes de ambos países (Convenio de 31 ago. 1943, art. 2º; V. texto en nota 177, referencia a Uruguay).

Paraguay: D. de 20 jun. 1940, acuerda autorización de entrada con la exhibición de la cédula de identidad y certificado policial que acredite dos años de residencia, a los extranjeros **residentes en el Uruguay.**

Uruguay: D. de 1º ago. 1940, art. 1º. "**Los pasajeros procedentes de la República Argentina,** cualquiera sea la clase en que viajen, **que no tengan ciudadanía natural o legal argentina,** podrán desembarcar en territorio nacional, siempre que justifiquen hallarse comprendidos en algunos de los casos que siguen... B) Los que tengan una residencia no menor de dos años en aquel país. Este extremo se considerará justificado por la posesión de la cédula de identidad argentina expedida dos años antes de la fecha del viaje, o de un certificado extendido por la autoridad competente de dicho país, que así lo establezca. En este último caso, será asimismo exigida la cédula de identidad". El mismo decreto prevé otras franquicias para los extranjeros de la misma procedencia, autorizados por la autoridad consular uruguaya, en posesión del respectivo pasaporte o certificado de viaje (art. 1º, A); para los radicados en el Uruguay (art. 1º, C); para los residentes temporarios en la misma República (art. 1º, D); para los extranjeros que por sus actividades personales realizan viajes frecuentes al Uruguay, y a quienes se les expide un permiso especial (art. 2º); para los empresarios teatrales; etc. por sus representados (art. 3º). Para los **extranjeros procedentes de Paraguay,** establece el D. de 14 feb. 1940, art. 2º "Igual beneficio disfrutarán los extranjeros con más de dos años de residencia en el Paraguay; pero deberán exhibir además de la cédula de identidad, un certificado que acredite su residencia por tiempo fijado y su arraigo en el

que les benefician aunque sean extranjeros porque las normas en vigor no hacen distinción al respecto (183).

c. Apreciaciones generales sobre el régimen de franquicias

Tal el régimen reseñado aplicable a nacionales y naturalizados americanos y extranjeros residentes, que por sus características excepcionales de liberalidad, ha podido constituirse en un peligro para la seguridad americana, especialmente porque las franquicias benefician a los naturalizados y extranjeros —estos últimos con sólo dos años de residencia— que podían mantener su fidelidad a los Estados del Eje de los que fueran oriundos, y que gozarían en consecuencia de amplias facilidades para su desplazamiento en un gran número de países americanos.

Este régimen formado sobre la base del abandono del pasaporte, y su sustitución por otros documentos de diferente naturaleza, como por ejemplo la cédula de identidad, tiene sus antecedentes internacionales. La abolición del pasaporte en América para el tránsito entre los países del continente, fué recomendada por la Conferencia Internacional Americana de Chile de 1923, que aconsejó la sustitución de tal documento por una certificación policial de identidad. Anteriormente a esta fecha, en la Conferencia Sudamericana de Policía de 1920, se recomendó disminuir las exigencias para los pasajeros en tránsito. En la Conferencia Regional de los países del Plata, Montevideo, 1941, finalmente, se aprobó un convenio, pro fomento del turismo, en que se declaraba que "la cédula de identidad servirá de pasaporte para los nacionales de los países contratantes" (184).

En consecuencia, la obra de los Gobiernos ha sido, en la materia, la aplicación de estas resoluciones internacionales.

No obstante hallarse arraigado el sistema de facilidades,

___

país, también otorgado por las autoridades policiales, entendiéndose por arraigo el hecho de que el extranjero sea dueño de bienes en el Paraguay y se halle vinculado al país por lazos de familia". Para los **extranjeros procedentes de Chile,** el convenio Uruguay - Chile de 31 ago. 1943 prevé un régimen especial de franquicias recíprocas (V., art. 2º, en nota 177).

(183) C. supra p. 663, y legislación cit. en la nota 181.
(184) Resolución VI.

el Comité tuvo en cuenta el enorme peligro que aquél significaba en la emergencia, recomendando en su resolución VIII la visación de todo documento de entrada, con lo cual se entendía solucionar las dificultades que los regímenes de excepción creaban al esfuerzo de la defensa política contra la agresión totalitaria (185).

La Reunión Regional de Rivera, procuró dar solución a las mismas dificultades, aconsejando la adopción de un certificado político-social a exigirse además del documento de identidad. Se concedía en no volver al pasaporte, pero, en cambio, se recomendaba una formalidad, la certificación, que representaba una garantía de la integridad política del portador, y de consiguiente para la seguridad del Estado y del Hemisferio.

Otro antecedente interesante es el que proporciona la Conferencia Regional de los Países del Plata, que aprobó un convenio por el que se exige a los extranjeros residentes, que no sean nacionales de los otros Estados contratantes, proveerse de pasaporte para el tránsito entre esas Repúblicas (186). Se trata, en consecuencia, de una tentativa para limitar el uso de la cédula de identidad, dejando este documento, exclusivamente, para los nacionales de las Repúblicas contratantes.

2. Nacionales del Eje o de países ocupados.

Así como algunas Repúblicas Americanas han resuelto, según se ha visto (187), prohibir lisa y llanamente la entrada de nacionales del Eje o de países ocupados, otras la han autorizado, previo el cumplimiento de requisitos especiales.

Respecto de los nacionales del Eje, las leyes exigen un permiso de entrada, especial, del Gobierno, que sólo se otorga después de una minuciosa investigación de los antecedentes del peticionario (188).

---

(185) V., Resolución XXVIII del Comité que aconseja volver, en realidad, a un régimen de franquicias al haber terminado la conflagración, lo que implica el reconocimiento de la importancia de estos regímenes especiales tan arraigados en América para los viajes de nacionales, especialmente y cuya suspensión por la emergencia el mismo organismo había recomendado como se señala en el texto (V., número 2, en nota 169).
(186) Resolución VI, art. 3º.
(187) V. en este mismo cap. supra II, 2., c., 3) y 4).
(188) **Bolivia:** Circ. de 12 feb. 1943.

De igual modo proceden otras Repúblicas con los nacionales de países ocupados por el Eje (189), siempre que su entrada no sea perjudicial a la seguridad nacional (190).

3. Diplomáticos, cónsules, funcionarios extranjeros y personas de espectabilidad

El régimen aplicable a los agentes diplomáticos y consulares, su personal y, en general, a personas de espectabilidad, o en misión de gobiernos extranjeros, resultaba de fundamental importancia para la emergencia.

Es notorio que fueron los diplomáticos destacados en elevado número a las Repúblicas Americanas, quienes, con abuso de las clásicas prerrogativas de la extraterritorialidad, se constituyeron en jefes de los espías y de los agentes de los Estados agresores, aprovechando del "status" diplomático de que se les revistió a fin de liberarlos de cualesquiera restricciones que, de otra manera, les habría comprendido en su calidad común de extranjeros no afectados realmente a tal servicio.

De ahí la trascendencia que reviste el régimen excepcional generalmente en vigencia en los Estados, para su admisión en sus respectivos territorios de tales personas.

Se examinarán a continuación, las franquicias más comunes con especificación de los beneficiarios.

a. Requisitos generales exigidos por las leyes de inmigración

Algunas Repúblicas Americanas eximen de todo requisito de las leyes de inmigración, sin distinción, a los agentes diplomáticos y consulares de Gobiernos extranjeros, miembros de sus familias, o criados a su servicio; y en general, a quienes

---

Guatemala: D. Ej. Nº 2655, de 23 dic. 1941, art. 1º letra g. (V. texto en nota 56).

Paraguay: D. L. Nº 11.061, de 16 feb. 1942, art .1º (V. texto en nota 56).

Venezuela: Ha admitido a los "bona fide" (información del Gobierno).

(189) Bolivia: Circ. de 12 feb. 1943, e).

(190) Panamá: D. Nº 110, de 22 dic. 1945, art. 2º (V. texto en nota 59).

se trasladan en servicio de sus Gobiernos, en cumplimiento de una misión oficial (191). Otros países, extienden la franquicia a los miembros oficiales de Congresos Internacionales (192).

b. Permiso de entrada o de libre desembarco

Los Estados Americanos que tienen establecido este documento para la admisión de personas, eximen, a veces, del mismo, a los funcionarios diplomáticos y consulares extranjeros acreditados en el país, o en tránsito por su territorio, y a las personas que forman parte del Gobierno de un país amigo

---

(191) **Brasil:** D. L. Nº 406, de 4 may. 1938, art. 90, a).
El Salvador: D. Leg. Nº 86 de 14 jun. 1933, art. 23. "Las disposiciones de esta ley no son aplicables a los agentes diplomáticos o consulares extranjeros, ni a los representantes de otros países que vengan a la República en comisión oficial, ni a sus familiares, empleados y servidumbre; ni a aquellas personas exceptuadas de la jurisdicción territorial conforme a las prácticas del Derecho Internacional. Todas las personas antes indicadas, solamente deberán comprobar su identidad, calidad y condición antes de su internación en nuestro territorio.
Paraguay: D. L. Nº 10.193, de 29 mar. 1937, art. 2º. "Quedan exceptuados de los requisitos establecidos en el artículo anterior, debiendo regirse por las disposiciones consignadas en el artículo 51 de este Decreto-ley: a) Los Embajadores, Ministros, Cónsules, Senadores, Diputados o funcionarios oficiales o extranjeros de cierta jerarquía, siempre que justifiquen su investidura, ante el funcionario nacional que corresponda en el momento de llegar al país".
Perú: D. Supr. de 15 may. 1937, art. 17. "Para obtener la visación consular de un pasaporte de un no inmigrante: a) Los Agentes Diplomáticos, los miembros de su familia y los empleados a su servicio que los acompañen; los agentes consulares y los miembros de sus familias y los funcionarios oficiales de Estados extranjeros que desempeñen en el territorio nacional, una misión declarada por su gobierno y autorizada por el Perú o a la legación en su caso, un pasaporte oficial de su gobierno en el que conste el título que ostentan".
República Dominicana: L. Nº 95, de 14 abr. 1939, art. 16.
Uruguay: D. de 23 nov. 1937, art. 16. "Quedan eximidos del cumplimiento de las presentes disposiciones (se refiere a las que regulan la entrada) los extranjeros que lleguen al país, con conocimiento anticipado del Poder Ejecutivo, en misión científica, intelectual, cultural o de estudio, a cuyo efecto se dará conocimiento a la Dirección de Inmigración. Esta disposición se hace extensiva a los Diplomáticos y personal a su servicio.
(192) **Brasil:** D. L. Nº 406, de 4 may. 1938, art. 90, letra a.

(193), facultando a sus agentes del servicio exterior a aplicar igual criterio con las personas cuya situación de espectabilidad haga innecesaria la expedición, sin perjuicio de dejar la debida constancia de ello en la respectiva visación (194).

Otros, en cambio, como por ejemplo Estados Unidos, no eximen del permiso de entrada a los representantes extranjeros. A lo más que llega la legislación pertinente de esta nación es a eximir al funcionario del servicio exterior que intervenga, y exclusivamente para representantes de gobiernos de países del Hemisferio Occidental y Gran Bretaña, de la obligación de requerir la previa opinión del Departamento de Estado antes de otorgar el documento (195). Las restricciones y franquicias precedentes en vigor en Estados Unidos tienen la explicación que se dió en términos generales al principio de esta sección, esto es, que frente a la conocida acción de los servicios diplomáticos convertidos en verdaderos cuarteles de la agresión política, y aún militar, no restaba otro remedio que vigilar muy especialmente el ingreso de sus integrantes, no existiendo inconveniente alguno en facilitarlo cuando de países americanos o aliados se tratase. Pero, las disposiciones estadounidenses han ido aún más lejos en cuanto a requisitos adicionales para la entrada de funcionarios de gobiernos extranjeros, al exigir a éstos, que revelen su verdadera función en la solicitud de permiso de entrada, impidiéndole inclusive toda actividad oficial hasta tanto no sea reconocida su condición (196).

---

(193) **Argentina:** D. Nº 8972, de 28 jul. 1938, art. 4º.
(194) **Argentina:** D. Nº 8972, de 28 jul. 1938, art. 5º, inc. a).
(195) **Estados Unidos:** Reglamentos de 19 nov. 1941, con las enmiendas introducidas el 14 ene. 1942, parágrafo 58.55, establece los casos de excepción en los cuales no se necesita la previa opinión consultiva del Departamento de Estado para el otorgamiento de permiso de entrada, y entre ellas incluye a (14) "los funcionarios de los gobiernos de los países del Hemisferio Occidental y funcionarios del Gobierno Británico, los miembros de sus familias, y sus ayudantes, sirvientes y empleados que los acompañan". Los nuevos reglamentos de 9 jul. 1945 ya no aluden a la previa opinión consultiva en estos casos.
(196) **Estados Unidos:** "Reglamentos de 19 nov. 1941, con las enmiendas introducidas el 14 ene. 1942, parágrafo 58.52. "Requisitos adicionales para funcionarios de gobiernos extranjeros. Además de todo otro requisito, ningún funcionario,

Algunas Repúblicas Americanas se inclinan finalmente, a dejar librado el régimen de permisos para el personal del servicio diplomático extranjero, a las instrucciones que dictare el Ministerio del ramo (197), lo que da una gran libertad de acción, útil indudablemente en la emergencia, para la aplicación de un criterio restrictivo, de mayores garantías para el país en cuestión y para el continente.

c. Certificado de buena conducta

En algunos Estados se exime de la presentación del certificado de buena conducta que, como se sabe, es documento cuya posesión condiciona el otorgamiento de la visación, a los extranjeros que revistan el carácter de legisladores o funcionarios públicos de elevada jerarquía, y a los particulares de alta representación social o cuya presencia en el territorio pueda ser considerada de utilidad pública (198).

d. Pasaporte; visación

Es requisito general en las Repúblicas Americanas la exigencia a los agentes diplomáticos o consulares extranjeros,

---

empleado o agente de un gobierno extranjero que se dirija a los Estados Unidos temporalmente como turista o por asuntos personales o por placer, o dirigiéndose a través de los Estados Unidos para un destino extranjero, debe revelar con relación a su solicitud de permiso de entrada su posición gubernamental oficial, su "status" o su vinculación con el mismo **y no debe ocuparse en los Estados Unidos en ninguna actividad oficial en nombre de su gobierno sin primeramente haber sido reconocido por el Secretario de Estado, y le está prohibido ocuparse en tal actividad en los Estados Unidos a menos y hasta que obtenga el cambio de "status" de visitante al de funcionario en misión oficial.** La omisión de denunciar su posición oficial, "status", o vinculación, al formular la solicitud para el permiso de entrada, o la ocupación en asuntos oficiales en los Estados Unidos antes del cambio de "status", serán penadas como violación de estas reglamentaciones". Los nuevos reglamentos de 9 jul. 1945 han modificado la primitiva disposición precedentemente transcripta, suprimiéndosele la parte subrayada, y aplicándole a los mismos funcionarios el régimen establecido cuando de ingreso permanente se tratase (parág. 58.58) (10 FR 8997).

(197) **Bolivia:** D. Supr. de 28 ene. 1937, art. 22.
(198) **Argentina:** D. de 19 ene. 1934, art. 18.
Brasil: D. Nº 3010, de 20 ago. 1938, art. 32.

miembros de su familia, etc., de este documento y su respectiva visación, requisito que también se extiende en algunos países a los miembros oficiales de conferencias internacionales, y a los funcionarios de Estados extranjeros que desempeñan, en el territorio de la República en que residen, una misión declarada por su Gobierno (199). En cuanto al caso concreto de personas de expresión relevante en su país, la visa diplomática puede acordarse en casos especiales y previa autorización del Ministerio competente (200). Otros Estados usan en caso semejante de misión oficial, lo que llaman visas de cortesía (201).

e . Residencia definitiva de ex diplomáticos, cónsules y funcionarios extranjeros

Constituye un aspecto interesante, generalmente no previsto por la legislación americana sobre la materia, la situación en que quedan, respecto de su residencia futura, aquellas personas que han dejado de representar o actuar como funcionarios de un Gobierno extranjero y que en tales calidades fueran admitidos en el país. Este caso reviste importancia práctica, cuando ese antiguo diplomático o cónsul representaba a un Gobierno de un Estado del Eje o bajo el contralor del Eje, y abandona su cargo por razones personales o políticas, pasándose al frente democrático para integrar un Comité de Liberación o dedicándose, simplemente, en cambio, a la vida privada. Se entiende por alguna legislación, que por

---

(199) **Brasil**: D. Nº 3010, de 20 ago. 1938, art. 32.
   Colombia: D. Nº 1790, de 20 oct. 1941, art. 21. "Los Agentes Diplomáticos de la República en el exterior impartirán visas diplomáticas a los pasaportes diplomáticos expedidos por Gobiernos extranjeros. Parágrafo. Toda visa diplomática será expedida gratuitamente". Art. 22. "Cuando una visa diplomática se conceda en el país mismo donde se ha otorgado el pasaporte del interesado, éste no necesitará presentar ningún otro documento. Cuando el interesado se encuentre en país distinto, la solicitud debe hacerla, por escrito, su representante diplomático".
   Perú: D. Supr. de 15 may. 1937, arts. 17 y 4º (Letras a), b) y c)).
(200) **Brasil**: D. Nº 3010, de 20 ago. 1938, art. 56.
(201) **Colombia**: D. Nº 1790, de 20 oct. 1941, art. 24. "Los Agentes Diplomáticos de la República podrán, cuando lo juzguen conveniente, impartir visas de cortesía a los pasajeros distingui-

el mero hecho de la anterior estada de tales personas, no adquieren derecho de residencia y deben, en consecuencia, llenar los requisitos ordinarios; aunque eximen a veces a quienes tienen una residencia prolongada o cuando el Estado del cual provienen, admite la reciprocidad de tratamiento (202).

4. Tripulantes.

Los tripulantes de barcos extranjeros, pueden llenar, por la especial situación de privilegio en que les pone su trabajo, importantes cometidos de agentes de enlace entre el enemigo y sus secuaces, en este continente, así como actuar directamente en los actos de agresión, tales como el sabotaje y toda otra forma de actividad subversiva, en perjuicio de las Repúblicas Americanas. Es notorio que esta acción de los tripulantes se ha comprobado, precisamente, en los que trabajan para las empresas de buques de países neutrales, que por mantener relaciones con el enemigo, pueden servir de modo ideal

dos que vengan a Colombia en misión oficial, que sean portadores de pasaportes oficiales de sus Gobiernos o por instrucciones del Ministerio de Relaciones Exteriores de Colombia sean acreedores a esa distinción, en razón de su destacada posición política, científica o artística. La visa de cortesía podrá extenderse a las esposas e hijos de extranjeros de dicha categoría. Parágrafo. Las visas de cortesía se otorgarán gratuitamente y para su expedición se seguirán las normas establecidas para las visas diplomáticas por el artículo 22 del presente Decreto (V. texto de este art. en nota 199)".

Ecuador: D. Nº 112, de 1º feb. 1941, art. 56. "Los funcionarios ecuatorianos en el exterior, quedan autorizados a conceder visas de cortesía en los pasaportes de extranjeros de personalidad relevante que puedan ser exceptuados del cumplimiento de los requisitos comunes. Sin embargo, se asegurarán en debida forma de la autenticidad del pasaporte que visan y de la identidad de la persona que lo presenta".

(202) **México:** L. 24 ago. 1936, art. 81. "Los diplomáticos y agentes consulares que radiquen en el país sin estar sujetos a la jurisdicción territorial, así como otros funcionarios que se encuentren en la República, por razones de representación oficial de sus gobiernos, no adquirirán derechos de residencia por mera razón de tiempo. Si al cesar sus representaciones desean seguir radicados en la República, deberán llenar los requisitos ordinarios. Se exceptuarán los casos de arraigo de ex-representantes oficiales que hayan vivido en México no menos de diez años, y aquellos que en razón de reciprocidad para determinados países ameriten procedimiento distinto".

a los objetivos de los Estados del Eje. Reviste, en consecuencia, gran importancia, el sistema de contralores de admisión de esta clase de individuos, que las Repúblicas Americanas tienen en vigor.

a. Requisitos y procedimientos de desembarco

Los requisitos y procedimientos de desembarco pueden sintetizarse en los que a continuación se mencionan.

1º) posesión de documentación que acredite debidamente la identidad, v.gr. libreta oficial de navegación, permiso de entrada, pasaporte u otro documento en uso en el país de origen otorgado por autoridad competente (203), y una ficha individual expedida en duplicado por el mismo Capitán, que contenga las fotografías (204), o simplemente un permiso de éste en el

---

(203) **Argentina:** D. de 7 oct. 1930, art. 2º.
Brasil: D. Nº 3010, de 20 ago. 1938, art. 100 (régimen común). Res. Nº 54, de 8 set. 1939, del Consejo de Inmigración y Colonización, II, c). (por razón de emergencia de la guerra).
Estados Unidos: Proclama Presidencial Nº 2523, de 14 nov. 1941, (5). El permiso de entrada expedido a un marino extranjero empleado en un buque que llegue a un puerto de los Estados Unidos procedente de un puerto extranjero será condicional y lo habilitará a entrar sólo en el caso de razonable necesidad en el que las autoridades de inmigración estén convencidas que tal entrada no sería contraria a los intereses de los Estados Unidos (la disposición agrega además que no sustituye las normas comunes para la entrada de marinos fijadas en la Orden Ejecutiva Nº 8429, de 5 jun. 1940, referente a documentación del marino). No obstante los reglamentos dictados otorgan facilidades en el trámite de expedición del permiso, cuando el marino sea "bona fide" V., a propósito: Reglamentos de 19 nov. 1941, con las enmiendas introducidas el 14 ene. 1942, parágrafo 58.55, establece las excepciones a la solicitud de opinión consultiva al Secretario de Estado para la expedición del permiso de entrada. Entre esas excepciones se incluyen (10) "los marinos extranjeros "bona fide" incluídos en las listas de tripulación sometidas para las visas". Los mismos reglamentos, parágrafo 58.41, (f), definen el vocablo "marino", comprendiendo cualquier extranjero inscripto en el rol y empleado en trabajos a bordo de un buque que llegue a los Estados Unidos desde el exterior. Más aún, en algunos otros casos no se exige ni siquiera permiso de entrada (p. ej., parágrafo 58.45, (w) a(z)). Los nuevos reglamentos de 9 jul. 1945 han introducido modificaciones al régimen vigente bajo los anteriores reglamentos.
Perú: D. S. de 15 may. 1937, art. 17 k.
(204) **Argentina:** D. de 7 oct. 1930, art. 2º.

que conste el nombre de la nave, tiempo de permanencia en tierra del tripulante y fecha de expedición (205).

2º) figurar en el respectivo rol de la tripulación, visado por la autoridad consular del país en el cual desembarca (206).

3º) autorización de desembarco concedida por las autoridades del puerto, que se acuerda o no, discrecionalmente, en atención a la seguridad que les inspire (207), o conforme al

---

(205) Cir. de la Dirección del Litoral, Marina Mercante, de 31 ene. 1942, numeral 10): "Cuando las tripulaciones de dotación de las naves de comercio, extranjeras en general, bajen a tierra, deberán ir provistas de un permiso escrito, otorgado por el Capitán, 1er. Piloto o Contador, en el que se indicará el nombre de la nave, nacionalidad, nombre del tripulante, empleo a bordo, tiempo que permanecerá con permiso en tierra, y fecha. Este documento le servirá a las tripulaciones mercantes extranjeras, para justificar su permanencia en tierra y en caso de no tenerlo, la fuerza pública deberá detenerlos y conducirlos presos por contravenir la Ley de Residencia y Art. 17 de la Ley de Seguridad Interior del Estado".

(206) **México:** L. 24 ago. 1936, art. 100. "Los capitanes de los buques que toquen nuestros puertos a excepción de los nacionales que lo hagan en tráfico de cabotaje, están obligados a presentar a los oficiales de migración, una lista detallada de los pasajeros y otra de los tripulantes, visada esta última por el Cónsul Mexicano del último puerto extranjero que hayan tocado".

(207) **Estados Unidos:** Reglamentos de 19 nov. 1941, con las enmiendas introducidas el 14 ene. 1942, parágrafo 58.54 "Requisitos adicionales para marinos extranjeros. Además de todo otro requisito a ningún marino extranjero no residente empleado en algún buque que llegue a los Estados Unidon procedente del exterior le será concedido permiso para desembarcar, ni se permitirá desembarcar en los Estados Unidos excepto con la aprobación del capitán y a juicio de los funcionarios de inmigración del puerto de llegada que actúan bajo la autoridad del Fiscal General. El período del permiso de desembarco otorgado a un marino no excederá del tiempo que el buque en el cual ha llegado permanezca en un puerto de los Estados Unidos, a menos que el Fiscal General, a su juicio, se halle de acuerdo en el otorgamiento de un período más largo de desembarco". Esta disposición ha sido reiterada por el Reglamento de 9 jul. 1945, parágrafo 58.59 (10 FR 8797).
México: L. 24 ago. 1936, art. 112. "Los tripulantes, extranjeros de los barcos que toquen puertos nacionales, pueden, con anuencia del Jefe del Servicio de Migración, bajar libremente a tierra y permanecer en ella mientras se hallen surtos los buques a cuya tripulación pertenecen. En los casos en que dicho Jefe del Servicio lo estime conveniente, tal permiso se otorgará mediante depósito o fianza a su satisfacción. **Rpca. Dominicana:** Regl. Nº 279, de 12 may. 1939, Sec. 6ª.

cumplimiento de las siguientes condiciones: a) previa entrega por el Capitán de un ejemplar de la ficha individual del tripulante para los países que la exigen (208), o en caso contrario, retención, bajo recibo, de la cédula o credencial de identidad profesional, proveyéndosele, en su lugar, de una provisional (209); b) identificación en el acto del desembarco (210); y c) depósito del valor de pasaje de regreso (211) o fianza o depósito de dinero a satisfacción (212).

Las disposiciones establecen, por otra parte, las sanciones aplicables a los tripulantes y capitanes que no cumplen con los requisitos establecidos para el desembarco (213).

b. Residencia definitiva de los tripulantes.

La condición de tripulante no les exime de cumplir los requisitos vigentes para la entrada regular de personas, si se desea permanecer en el país, según lo establecen las normas

(208) **Argentina:** D. de 7 oct. 1930, art. 5º.
(209) **Brasil:** D. Nº 3010, de 20 ago. 1938, art. 100 (régimen común, sólo retención); Res. Nº 54 de 8 set. 1939 del Consejo de Inmigración y Colonización, IV y VI (régimen de emergencia, retención y expedición de provisorias).
Uruguay: D. de 23 nov., 1937, art. 13, que autoriza sólo la retención, establece que "Los tripulantes de buques, que con la debida autorización, y en carácter transitorio, desembarquen en el Uruguay lo harán bajo la responsabilidad del Capitán y Agencia respectivos, previa retención de documentos por la Dirección de Inmigración, quedando dichas autoridades sujetas a lo determinado en el inciso final del art. 11 y a las sanciones correspondientes".
(210) **Brasil:** Res. Nº 54 de 8 set. 1939 del Consejo de Inmigración y Colonización, V. (régimen de emergencia).
(211) **Brasil:** Res. Nº 54 de 8 set. 1939, del Consejo de Inmigración y Colonización, VII (régimen de emergencia).
(212) **México:** L. de 24 ago. 1936, art. 112 (V. texto en la nota (207)
(213) **Argentina:** D. de 7 oct. 1930, art. 12 (al capitán, cuando el tripulante deserta, y él no ha cumplido sus obligaciones).
El Salvador: D. Leg. Nº 86 de 14 jun. 1933, art. 19. "Los tripulantes extranjeros de naves aéreas, de buques nacionales o extranjeros que toquen puertos salvadoreños, se sujetarán a lo dispuesto en el Reglamento de Marina en cuanto se refiera a su desembarque, internación en el territorio y reembarque..." Establece la misma disposición el contralor del reembarque, el arresto del que quedare en tierra luego del zarpe, y la obligación de reconducción para las empresas.

legales o administrativas en vigor en las Repúblicas Americanas (214).

V. FISCALIZACION DE LA ENTRADA E INADMISION O RECHAZO.

1. LA FISCALIZACION

a. Organos y etapas.

La fiscalización de la entrada de personas, se opera en el aspecto propiamente policial de la inmigración y en el campo que interesa a la defensa política, por la intervención de dos clases de órganos públicos:

a) agentes en el exterior: cónsules y diplomáticos; y

b) agentes internos; autoridades migratorias y policiales propiamente dichas, y a falta de ellas, las que los sustituyen por mandato legal, v. gr. militares, municipales, de Aduana.

Ejercen una fiscalización suplementaria las entidades privadas, empresas de transporte internacional de personas, según se verá más adelante.

En las secciones precedentes se ha tenido oportunidad de apreciar la importante misión que para este aspecto de la fiscalización, cumplen diplomáticos y cónsules, fundamentalmente estos últimos, al intervenir en la expedición y contralor de toda la documentación exigida para la admisión a un Estado americano.

En igual sentido actúan los órganos internos, precisamente en el contralor de los elementos probatorios exigidos por las leyes de cada país, de los que hacen remisión los agentes en el exterior o los propios interesados en la admisión, según también se ha tenido ocasión de indicar.

En la presente sección, se examina ya la fiscalización en

_____

(214) **Argentina**: D. de 7 oct. 1930, art. 11: "Cuando un marinero o tripulante desee desembarcar en la República para establecerse en ella, deberá presentarse a la Dirección General de Inmigración por intermedio del Capitán del buque o del agente del mismo, a fin de que se le conceda esa autorización si se encuentra en condiciones".

su etapa culminante, esto es, en el acto mismo de la admisión o rechazo.

b. La visita de los servicios de inmigración, sanidad y policía de seguridad.

Es justamente en la visita de los servicios del rubro, que tiene lugar la admisión o rechazo del extranjero. Se realiza antes del desembarco de los pasajeros, a bordo del respectivo transporte, o inmediatamente a aquél en un puesto destinado especialmente al efecto, cuando se trata de transporte por vía aérea. Tiene lugar en presencia de las autoridades que ejercen la policía de la inmigración, en sus diversos aspectos, sanitarios, migratorios propiamente dichos, y de seguridad (215).

(215) La visita es universalmente cumplida por todos los países. En América la disponen las leyes y decretos, entre otras, de las siguientes Repúblicas:
Argentina: L. Nº 817, de 19 oct. 1876, arts. 38 y 40; D. de 31 dic. 1923, art. 1º y siguientes; D. de 30 jul. 1926, arts. 84 y 86.
Brasil: D. L. Nº 406, de 4 mayo 1938, art. 20; D. Nº 3010, de 20 ago. 1938, art. 82.
Colombia: L. Nº 48, de 3 nov. 1920, art. 7º. "El médico de Sanidad del Puerto practicará la visita reglamentaria a los individuos que deseen desembarcar y para dar el permiso correspondiente se ceñirán a las disposiciones de la presente Ley. Si entre ellos hubiere alguno que estuviere comprendido dentro de las excepciones que se establecen por el presente artículo, dará aviso inmediatamente al oficial de Aduana y conjuntamente lo pondrá en conocimiento del capitán, negando el permiso para el desembarco".
Haití: D. L. de 12 ene. 1945, art. 14. "Cuando un barco o un avión procedente del extranjero entre en Haití, el Agente del Servicio de Inmigración o todo otro agente delegado por el Departamento del Interior, acompañado del médico de cuarentena, del Oficial de Policía y de los empleados de Aduana, se dirigirán a bordo del barco o al aeropuerto para recibir de los pasajeros que desembarquen, los datos previstos en el artículo siguiente (V. texto en nota 162), antes que puedan ser autorizados para desembarcar o dejar el aeropuerto".
Honduras: D. Nº 134, de 20 mar. 1934, Cap. VII.
México: L. de 24 ago. 1936, art. 52. "El Servicio de Migración tiene carácter de prioridad para verificar la inspección a la entrada o salida de personas en cualquier forma en que lo hagan, aun tratándose de transportes nacionales o extranjeros, marítimos, aéreos o terrestres, en las costas y fronteras, sobre todos los demás servicios federales, con excepción del de sanidad".
Nicaragua: L. de 5 may. 1930, art. 26: "Los Comandantes

2. EL RECHAZO O INADMISION

a. Causas del rechazo; de fondo; formales.

El rechazo se puede producir por dos órdenes de causas: de fondo o formales.

Respecto de las primeras, los funcionarios competentes decidirán la inadmisión si le comprenden al pasajero las causales pertinentes a que se ha hecho referencia con anterioridad (216), aún cuando el interesado posea la documentación pertinente, o si descubren que se halla incluído en dichas causales de inadmisión, en base a informes o investigaciones posteriores a la visación, o en algunos países, también si su entrada puede ser nociva (217).

de Puertos terrestres o marítimos, las autordiades sanitarias encargadas de practicar la visita del buque o del avión, los Jefes Políticos o sus delegados en su caso, tendrán la facultad de calificar sin más pruebas que la simple inspección personal, la inamdisibilidad de un inmigrante por razón de raza, no habiedno ningún recurso contra su resolución. Sin embargo, si ésta admitiera la entrada al país del inmigrante, estará sujeta a la revisión del Ministerio de Relaciones Exteriores".

Paraguay: D. L. Nº 10193, de 29 mar. 1937, arts. 28 y 29.

Perú: D. Supr. de 15 may. 1937, art. 24. "Antes de desembarcar deberá el inmigrante sujetarse en el puerto de arribo al examen de las autoridades de Sanidad, Policía y de Extranjería. No podrán desembarcar los inmigrantes rechazados por alguna de las tres mencionadas autoridades dentro de los límites de sus funciones. La autoridad de Extranjería anotará el rechazo en el rol de pasajeros de la nave y en el pasaporte del rechazado, dando aviso en él a la sección respectiva y al Departamento Comercial del Ministerio de Relaciones Exteriores".

Rpca. Dominicana: L. Nº 95, de 14 abr. 1939, art. 11 b).

Uruguay: D. de 21 nov. 1935, que sustituye del Reglamento de Sanidad Marítima, aprobado por Res. de 21 may. 1902, el capítulo III que trata de la visita sanitaria. El D. de 26 jun. 1941, estableció las facultades de la policía de investigaciones, fijando procedimiento y número de funcionarios, que en el acto de la visita intervienen en el contralor de la inmigración e indeseables.

(216) V. en este cap. supra, II, 2.

(217) **Argentina:** D. Nº 8972 de 28 jul. 1938, art. 14: "Declárase que el permiso de desembarco otorgado por la Dirección de Inmigración o la visación consular, no aseguran al viajero no domiciliado, la entrada al país, si al tiempo de su llegada se comprobase que su situación no se ajusta a las condiciones establecidas por las leyes número 817 y 4144 y sus decretos reglamentarios".

Respecto de las segundas, las de carácter formal, procede el mismo poder de rechazo cuando las autoridades decidan,
al examinar la documentación, que ella no es suficiente o no

Brasil: D. L. Nº 406, de 4 may. 1938, art. 3º.
Colombia: D. Nº 1790, de 20 oct. 1941, art. 12. "Cuando posteriormente a la expedición de una visa, el Gobierno tuviere
de la persona a quien se la hubiera concedido, informes desfavorables, desconocidos antes de otorgarla o que impliquen
que las declaraciones hechas por el interesado al obtenerla
fueron falsas o incompletas, podrá cancelarla e impedir la
entrada del extranjero al territorio nacional...".
Costa Rica: D. Ej. Nº 4, de 26 abr. 1942, art. 43. "Queda
autorizado el Departamento de Migración, con anuencia de la
Secretaría de Seguridad Pública, para rechazar en vista de
los informes que reciba del exterior o de las referencias que
comuniquen las autoridades, a todos aquellos inmigrantes que
considere nocivos para el país. Bastará para ello, la orden
respectiva comunicada por medio de autoridad competente
en el acto de desembarcar, o en forma sumaria si hubiese ya
ingresado al país, cuando tuviere noticias de las actividades
perjudiciales que ejerza en contra del bienestar general".
Ecuador: D. Nº 112, de 1º feb. 1941, art. 109. "Aun cuando
un pasajero venga provisto de documentos en regla, la autoridad de Inmigración, por circunstancias excepcionales, podrá impedir su ingreso a la República".
Estados Unidos: Reglamentos de 19 nov. 1941, con las enmiendas introducidas el 14 ene. 1942, parágrafo 58.50. "Entrada no permitida en casos especiales, (a) Cualquier extranjero, aun igualmente en posesión de un permiso de entrada,
o exceptuado conforme a estas reglamentaciones de obtener
un permiso de entrada, puede ser excluído temporalmente
si al tiempo que se presenta para la admisión en un puerto
de entrada resulta que está o puede estar comprendido en
una de las categorías establecidas en el parágrafo 58.47 (Ver
éstas en notas 31, 34 35, 61).
El funcionario que excluya al extranjero, informará inmediatamente sobre los hechos al jefe de su departamento, quien
comunicará tal informe al Secretario de Estado. Cualquier
extranjero así temporalmente excluído por un funcionario del
Departamento de Justicia no será admitido y será excluído
y deportado a menos que el Fiscal General, después de consultar con el Secretario de Estado, esté satisfecho de que la
admisión del extranjero no sería perjudicial a los intereses
de los Estados Unidos. Cualquier extranjero así temporalmente excluído por otro funcionario no será admitido y será
excluído y deportado a menos que el Secretario de Estado
esté satisfecho de que la admisión del extranjero no sería
perjudicial a los intereses de los Estados Unidos". Esta disposición ha sido reiterada por el Reglamento de 9 Jul., parágrafo 58.57 y la referencia a las clases excluídas lo es al parágrafo 58.53 (10 FR 8997).
Rpca. Dominicana: L. Nº 95, de 14 abr. 1939, art. 4º; Regl.
Nº 279, de 12 may. 1939, Sec. 3ª, letra j).

es la necesaria, o adolece de defectos sustanciales, o fuere falsa (218).

b. Funcionarios competentes.

Los funcionarios del Gobierno, policiales y de inmigración, según los países, son los que acuerdan el rechazo de conformidad con los poderes jurídicos que les confieren las disposiciones vigentes en sus respectivos Estados.

c. Procedimiento.

Decidido el rechazo, se levanta la respectiva acta que firma el inadmitido y el o los funcionarios actuantes y el capitán de la nave, y se procede a su detención a bordo, prohibiéndole su desembarco; se notifica al capitán del buque que debe reconducirlo y satisfacer los respectivos gastos de pasaje y pago de multas, si es culpable del rechazo, exigiéndosele, además, en algunas legislaciones, una garantía del fiel cumplimiento de la obligación de reconducción, o se toman las providencias necesarias para asegurar la reconducción del pasajero que queda a cargo de la compañía o agencia respectiva, llenándose siempre los demás requisitos enunciados (219).

Uruguay: L. Nº 9604, de 13 oct. 1936, art. 1º últ. inc. "En todos los casos las autoridades nacionales podrán impedir, siempre que le comprendiere algunas de las causales enumeradas en los incisos C (Véase texto en nota (64) y... del presente artículo, la entrada de cualquier extranjero, aún cuando fuera portador de certificado consular, debiendo comunicar la no admisión en el día al Consejo de Ministros, quien podrá revocar la medida adoptada. La comunicación al Consejo no suspenderá el rechazo dispuesto por las autoridades. Si se tratare de la no admisión de un ciudadano legal la comunicación se hará dentro de las dos horas al Consejo de Ministros".

(218) **Brasil:** D. L. Nº 406, de 4 may. 1938, art. 25; D. Nº 3010, de 20 ago. 1938, arts. 112, y 113, 8º).
Chile: L. Nº 6026, de 11 feb. 1937, art. 17, inc. 1º (V. texto en nota 125).
El Salvador: D. Leg. Nº 86 de 14 jun. 1933, art. 25. "Se prohibe la entrada al país, a los extranjeros comprendidos en uno o más de los casos siguientes: ...12) A los que pretendan entrar al territorio con documentación falsa...".

(219) V. entre otras, las siguientes disposiciones:
Argentina: D. de 31 dic. 1923, art. 9º (detención, reconducción, multa y garantía).

d. Recursos

No es común en las legislaciones americanas, el otorgamiento de recursos especiales para obtener el levantamiento de la orden de rechazo de un pasajero, una vez dispuesto éste por las autoridades competentes.

No obstante, en Brasil se admite un recurso administrativo de reconsideración, que debe interponerse dentro de las cuarenta y ocho horas de producido el desembarco del pasaje, ante la autoridad jerárquica competente (220).

En el Uruguay, en cambio, se admite un recurso judicial, con amplitud de defensa y posibilidad de presentar pruebas, pero no para todas las causales de inadmisión. Respecto de la más vinculada con la defensa política, la relativa a posesión del certificado político-social, no hay recurso alguno (221), salvo que la medida debe comunicarse al Consejo de Ministros, en un lapso que oscila entre dos horas y el día que se dispuso la inadmisión, pudiendo dicho órgano revocarla discrecionalmente.

En los Estados Unidos se da audiencia al inadmitido por los funcionarios competentes ante una junta de investigaciones especiales, y aún puede recurrir ante una Junta de Apelaciones, pero, la característica sustancial de este régimen que lo diferencia de las demás, consiste en que si el Fiscal General resuelve que el extranjero rechazado está comprendido en las categorías de inadmisión puede — aunque excepcionalmente — no hacerse lugar a aquellos recursos (222).

Brasil: D. Nº 3010, de 20 ago. 1938, art. 121 (prohibición de desembarco, reconducción y garantía).

México: L. de 24 ago. 1936, art. 105. "El extranjero que no reúna los requisitos prevenidos por esta Ley, no podrá desembarcar salvo autorización expresa de la Secretaría de Gobernación".

Uruguay: D. de 29 dic. 1936, arts. 12 y 6; D. de 23 nov. 1937, art. 15 (acta intimación de abandono y rechazo). Este país admite el desembarco condicional, en caso de duda sobre la situación del inmigrante o pasajero (D. de 23 nov. 1937, art. 8º) y prevé la inadmisión aún habiendo entrado el pasajero siempre que se opere dentro de los tres meses del arribo (L. Nº 9604, de 13 oct. 1936, art. 2º inc. 1º).

(220) D. Nº 3.010, de 20 ago. 1938, art. 119.

(221) L. Nº 9604, de 13 oct. 1936, arts. 1º, 5º y 6º.

(222) **Estados Unidos:** Reglamentos de 19 de nov. 1941, con las enmiendas introducidas el 14 ene. 1942, parágrafo 58.50, "'(a)

En Nicaragua, no se otorga recurso de la orden de inadmisión cuando ella se haya producido por razón de raza, de lo que tácitamente parecería desprenderse que para las demás causales, hay recurso (223).

En la Argentina, donde las leyes vigentes en materia de inmigración y residencia no prevén recurso alguno contra la medida de inadmisión, se deduce el recurso de hábeas corpus. Como el artículo 4º de la ley Nº 4144 autoriza al Poder Ejecutivo a detener hasta el momento del desembarco al extranjero a quien no se admite en el país o cuya expulsión se ha ordenado, se ha hecho práctica de interponer el recurso de hábeas corpus para que la autoridad gubernativa competente explique las razones de la detención, lo que permite la discusión de la medida. El resultado de la aplicación de este recurso, ha sido vario; la jurisprudencia no es uniforme, pero indudablemente ha sido útil para impedir injustas inadmisiones (224).

En general, las legislaciones que otorgan recurso, no le acuerdan efecto suspensivo a la resolución de que se agravia el inadmitido (225).

e. Ejecución de las medidas de inadmisión.

Queda a cargo, en general, de las autoridades policiales

(ver texto transcripto en nota 217)... (b) En el caso que un extranjero excluído temporalmente por un funcionario del Departamento de Justicia en base a que está o puede estar comprendido en las categorías establecidas en el parágrafo 58.47 (ver estas en nota 57), ninguna audiencia por una junta de investigaciones especiales será concedida hasta después que el caso sea informado al Fiscal General y tal audiencia será dirigida por el Fiscal General o su representante En algunos casos especiales puede serle denegado al extranjero audiencia ante la junta de investigaciones especiales y apelación ante la Junta de Apelaciones de Inmigración si el Fiscal General determina que está comprendido en una de las categorías establecidas en el parágrafo 58.47 en base a información de naturaleza confidencial que revele que sería perjudicial al interés público". Esta disposición ha sido reiterada por el parágrafo 58.5; del Reglamento de 9 jul. 1945 y la referencia es al parágrafo 58.53 (10 FR 8997).

(223) L. 5 may. 1930, art. 26 (V. texto en nota 215).
(224) V. Spota, Alberto G., "Régimen Jurídico de la Inmigración", en Rev. "La Ley", T. 24, Sec. doc. p. 147.
(225) V. gr. Brasil: D. Nº 3010, de 20 ago. 1938, art. 119.

competentes la ejecución de las medidas de inadmisión, cuando el interesado pudiendo hacerlo no recurriera de la medida o habiendo recurrido, no se haya hecho lugar al recurso.

En este aspecto, le incumben responsabilidades al inadmitido y al capitán del barco o aeronave o empresas y agencias de transporte. La detención, por un lado, y la reconducción a costa de la empresa, por otro, son los rasgos más salientes. Las empresas de transportes, aviones, vapores, ferrocarriles, etc., internacionales, deben asegurarse, en consecuencia, de que la documentación de las personas que se introduzcan al país, esté en condiciones; de lo contrario, si estuvieren en infracción de esas disposiciones legales, corresponderá la reconducción, sin perjuicio del pago de multas y otras sanciones (226).

(226) **Argentina:** D. de 31 dic. 1923, art. 9º

Brasil: D.L. Nº 406, de 4 may. 1938, art. 50; D. Nº 3.010 de 20 ago. 1938, arts. 198 y 199.

Costa Rica: D. Nº 5, de 14 jun. 1941, art. 9º, inc. 2º. "Las compañías de vapores y empresas de aviación están obligadas a aceptar en transportes de su misma línea a todo extranjero que haya desembarcado en el territorio de la República desprovisto de los papeles de inmigración y de la documentación requerida por la ley". V. asimismo, D. Ej. Nº 4 de 26 abr. 1942, art. 38.

Chile: D. de 25 ene. 1937, arts. incs. 3º y 4º: "Las compañías de vapores, no podrán aceptar pasajeros con destino a Chile, que no estén premunidos de sus respectivos pasaportes, y éstos visados debidamente de acuerdo con las prescripciones del presente Reglamento, y si lo hicieren, por negligencia u otra causa, dichos pasajeros no podrán desembarcar en Chile y permanecerán a bordo durante todo el tiempo en que el barco se encuentre en aguas territoriales, a costa de la respectiva compañía, sin que pudiere derivarse responsabilidad alguna para el Estado por tal motivo. Las mismas obligaciones afectarán a las empresas ferroviarias, aeronavegación y a toda otra que se dedique el tráfico internacional".

Ecuador: D. Nº 112, de 1º feb. 1941, art. 108. "La compañía de transporte que trajere al Ecuador un pasajero sin que su pasaporte esté visado por un funcionario ecuatoriano autorizado..., será multada con mil a dos mil sucres por la Dirección General de Inmigración y Extranjería, sin perjuicio de su obligación de regresar al puerto de salida a dicho pasajero".

El Salvador: D. Leg. Nº 86, de 14 jun. 1933, art. 22. "Las compañías de transporte que hagan tráfico entre otros puertos y los nuestros o entre territorios limítrofes a los de El Salvador, están obligadas a cerciorarse de que los interesados a ingresar a la República tengan... (menciona entre otros documentos el pasaporte y visas)... De lo contrario quedarán

Excepcionalmente se establecen también sanciones para los particulares que introduzcan o conduzcan extranjeros com-

sujetas a lo que dispone el inc. 3º del art. 20. Este inciso establece: "La Compañía de transporte que hubiere traído a un extranjero colocado en tales circunstancias, estará en la obligación de transportarlo fuera del territorio nacional por su cuenta, pagando además los gastos que éste hubere ocasonado a las autoridades durante su indebida permanencia en el país".

Guatemala: D. Ej. Nº 2039, de 2 nov. 1937, art. 16, primera parte. "Las Compañías de vapores o de cualquier otra clase que traigan al país extranjeros comprendidos en las prohibiciones o restricciones indicadas en la ley de Extranjería sin la autorización correspondiente, quedarán sujetas a reembarcarlos por su propia cuenta y a satisfacer una multa de cincuenta a trescientos quetzales por cada caso o infracción...

Honduras: D. Nº 134, de 20 mar. 1934, art. 30. "Al Capitán de un buque o nave, que se negare a obedecer una orden de reembarque se le impondrá una multa de cien a quinientas lempiras"

México: L. de 24 ago. 1936, art. 98. "Las empresas de transportes marítimos están obligadas a conducir, por su cuenta, fuera del territorio nacional, a los extranjeros traídos por ellas, que sean rechazados por las autoridades de migración, en virtud de impedimento legal o por acuerdos posteriores de la Secretaría de Gobernación, dejando a salvo sus derechos de repetir contra los interesados"

Nicaragua: L. de 5 may 1930, art. 13; inc. b) "La Compañía nacional o extranjera (que en cualquier forma contribuya a facilitar o proteger la entrada al país de individuos cuya admisión está prohibida) incurrirá en una multa de doscientos a mil córdobas, sin perjuicio de que el Gerente extranjero de la Compañía podrá ser expulsado gubernativamente" Art. 24: "Los Capitanes de buques mercantes y las Empresas de vías aéreas quedan obligados a recibir a los extranjeros que hubieren traído a bordo y cuyo ingreso al país en calidad de inmigrantes está prohibido por la presente ley. La visación consular de los pasaportes no eximirá a los Capitanes de buque de la obligación que les impone este artículo".

Panamá: L. Nº 54, de 24 dic. 1938, art. 28: "El individuo o individuos o compañía de vapores que traigan al país extranjeros que no hayan cumplido con los requisitos que establece esta Ley, o introduzcan al territorio de la República extranjeros de inmigración prohibida, pagarán una multa de 500 balboas en el segundo caso, y en caso de reincidencia, la multa será doble".

Paraguay: D.L. Nº 10193, de 29 mar. 1937, art. 30.

Uruguay: D. de 22 mar. 1944, art. 1º "Las empresas de vapores, ferrocarriles, ómnibus, aviones y otros medios de transporte colectivo internacional, no podrán introducir al territorio de la República, en carácter permanente o temporario, ningún pasajero que no justifique poseer la documentación que exigen las disposiciones nacionales para ingresar al país o una autorización especial del Ministerio del Interior".

prendidos en las prohibiciones legales (227). Se sanciona, asimismo, a los funcionarios públicos intervinientes en el procedimiento (228).

VI. RESTRICCIONES Y CONTRALORES DE SALIDA

1. Generalidades. La defensa política como fundamento de las restricciones de salida en las Repúblicas Americanas.

El contralor de la salida de personas en las Repúblicas Americanas, que en épocas normales interesa únicamente desde el punto de vista propiamente migratorio o de policía de extranjeros, en la emergencia reviste una gran importancia, si dicho contralor se ejerce en forma tal que contemple no sólo los fines de la seguridad de cada República, sino también la de las demás del Continente, de modo de prevenir las actividades subversivas. Esta fundamental finalidad, fué certeramente señalada en la exposición de motivos de la Resolución VIII del Comité, en cuanto dijo que "de acuerdo con las normas propuestas, a ninguna persona le debiera ser permitido abandonar una República Americana, cuando su salida pudiera comprometer la seguridad de otra, o la defensa común del Hemisferio Occidental, o ayudar a cualquiera de los Estados del Eje". Luego de aludir a diversas formas de acción subversiva que el desplazamiento de elementos peligrosos podía favorecer, la misma resolución recomendaba "que los países americanos ejerzan especial cuidado para evitar la salida de sus propios nacionales, cuando exista cualquier probabilidad de que dichos nacionales puedan crear dificultades a otro Gobierno americano,

---

art. 2º "Las empresas que infrinjan lo establecido en el artículo anterior serán sancionadas conforme a las disposiciones vigentes, sin perjuicio de hacerse efectiva la obligación de aquéllas de reconducir a su costa al pasajero".

(227) **Guatemala:** D. Eje. Nº 2039 de 2 nov. 1937, art. 16, parte final... "Los particulares que introduzcan o conduzcan extranjeros de los comprendidos en las prohibiciones o restricciones de la ley mencionada, quedarán sujetos a la multa de diez a trescientos quetzales, que graduará e impondrá la Secretaría de Relaciones; o, a sufrir un día de prisión por cada quetzal no pagado".

entrando en actividades subversivas dentro de su territorio" (229).

Un régimen restrictivo o prohibitivo, en su caso, de la
salida de las personas, puede prevenir lógicamente que elementos adictos al Eje, pretendiendo eludir las dificultades que
les deparan los medios normales de comunicación, intervenidos
en muchos Estados, dejen un país llevando al exterior informaciones de guerra o relacionadas con la defensa nacional. Ese
régimen restrictivo puede impedir, inclusive, el desplazamiento de los elementos de enlace de los agentes nazis, ocupados en
estrechar vínculos con las organizaciones subversivas y de
aquellos individuos que viendo peligrar sus personas y la eficiencia de sus servicios, como consecuencia de la intensificación de los contralores internos de vigilancia, se ven obligados a abandonar el país, buscando otro que mantenga un sistema más benigno que facilite su acción ilícita.

Estas formas de acción demandaban una legislación nueva, o la adaptación de las viejas normas para cumplir peren-
torias exigencias de auto-defensa y de defensa, también, de los
demás Estados.

Resaltaba así la necesidad de la ampliación de la función
de policía migratoria, que debía tener en cuenta no sólo las
clásicas prescripciones de protección del Estado, con un fin rigurosamente interno, de orden público —prohibir la salida de
criminales que no hubieran compurgado sus delitos, de personas en edad de servicio militar, etc.— sino también la de su
seguridad exterior y la de los demás Estados.

Las Repúblicas Americanas han tenido, sin embargo, la
tendencia de mirar más por la policía de entrada de personas
a su territorio, que por la de su salida. El examen de los contralores de entrada en número y severidad, precedentemente
analizados, comparados con los de salida que subseguirán, permitirá comprobar esta afirmación. En el II Informe Anual del

---

(228) **Panamá:** L. Nº 54 de 24 dic., 1938, art. 28. "...Si el responsable de la violación de esta Ley, es un empleado público,
además de estar sujeto a la pena estipulada en el inciso
anterior, sufrirá la pérdida del empleo que estuviere desem-
peñando, y quedará inhabilitado para el ejercicio de cualquier
cargo público, por el término de 5 años, sin perjuicio de la
responsabilidad penal que pudiere caberle, ya como agente
principal o como cooperador.

Comité, se destacaba en parte, dándose las razones de esta peculiar característica, al decirse: "la diferencia en la severidad de los contralores de entrada y salida, depende, principalmente, de que, por regla general, se espera que la República a la cual se dirige el que sale del país, niegue a éste el permiso de entrada cuando se considere que, por cualquier motivo, su ingreso pueda resultar perjudicial para la seguridad nacional o continental" (230) y se juzgaba, con razón, que esta práctica, no tiene en cuenta que el país de donde desea salir una persona, puede estar mejor informado sobre su peligrosidad real o posible para la seguridad continental, que el que lo recibirá.

Sin hacer un juicio valorativo sobre el esfuerzo de los Gobiernos americanos en esta materia de la fiscalización de la salida, es indudable que ellos han comprendido la necesidad de tomar medidas y establecer contralores o aplicar los antiguos con un especial sentido de defensa de las instituciones nacionales y de la seguridad americana. Algunos Estados han visto facilitada su acción, por obra del propio estado de guerra en que se encuentran, con régimen de suspensión de garantías, y por ende, con limitación, inclusive de la de libertad de locomoción, según se ha tenido oportunidad de señalar anteriormente (231).

Los contralores de salida comunes a nacionales y extranjeros, pueden agruparse como siguen: A.—Permiso de salida; B.—Pasaporte o documentos sustitutivos; C.—Permiso de reingreso; D.—Registros; E.—Fiscalización por las autoridades; y F.—Fiscalización por las empresas de transporte.

Como característica general de este régimen de emergencia, debe señalarse aparte del ajuste de los contralores a las nuevas necesidades, la asignación de los cometidos para la realización de los mismos, a cargo de las autoridades policiales o militares. Este cambio, representa una mayor seguridad en la fiscalización del desplazamiento de agentes del Eje, porque, generalmente, dichas autoridades están en contacto con las de otros países, de las cuales se proveen útiles informaciones, que cotejan con las propias, facilitándose así, recíproca-

(229) Ver Informe Anual del Comité, cit. Anexo p. 132-33.
(230) 2º Informe Anual cit. p. 73-74.
(231) V. en este mismo cap. supra I, 3., a.

mente, sus actos en la función de prevención y reprimir todo ataque a la seguridad interna de cada República y del Continente.

2. Examen en particular de los contralores de salida
a. Permiso de salida.

1) Objetivos perseguidos con su expedición

El permiso de salida es un documento con el cual se persiguen objetivos muy variados. En general, llena finalidades propiamente de contralor migratorio, vale decir, habilita a las autoridades del ramo en lo que se refiere a la regulación del movimiento de personas, limitación de emigración en algunos países que sufren graves consecuencias con el trasiego realizado por Estados vecinos de elementos trabajadores, o sirve como instrumento para ejercer la policía de migración, para fiscalizar la salida de los elementos de inmigración prohibida, prohibir el regreso de quienes deben cumplir condenas o medidas de seguridad en salvaguardia del Estado en que residen o de otras Repúblicas Americanas.

En la emergencia, cabe decir, la comisión de actividades subversivas o el conocimiento que se tenga por sus antecedentes, de que una persona pueda ejecutarlas o servir a su ejecución, determinará la no expedición del permiso de salida, o en caso contrario, su otorgamiento, asegurando de tal modo al Estado que vaya a recibirla, de que, en principio, no será peligrosa para su seguridad. Merece especial mención al respecto, la prescripción contenida en un decreto boliviano en cuanto dispone que:

> "no se otorgará ningún permiso de salida del país, sin una previa y minuciosa investigación sobre los antecedentes de la persona que lo solicitare, a fin de resguardar debidamente la seguridad de Bolivia o de cualquier otra República Americana, signataria de los acuerdos celebrados en la Tercera Conferencia Consultiva de Río de Janeiro" (232).

---

(232) D. Nº 321 de 15 dic. 1943, art. 13.

La circunstancia de que para algunos Estados la expedición del permiso de salida es condición para el otorgamiento del pasaporte o de su respectiva visación, en su caso (233) constituye una garantía más para la defensa política.

2) Personas a quienes comprende.

El permiso de salida se exige comúnmente tanto a extranjeros como a nacionales. Algunos Estados, no obstante, eximen de tal obligación a sus nacionales.

a) Nacionales.

El permiso de salida es exigido a sus nacionales por algunas Repúblicas Americanas (234).

---

(233) **Costa Rica:** D. Nº 51, de 20 dic. 1941, art. 4º "Los nacionales de los países enemigos, que deseen abandonar el país, deberán obtener además del pasaporte corriente, un permiso de la Dirección General de Policía, sin el cual no se extenderá pasaporte en ninguna de las Gobernaciones del país...".
El Salvador: Información proporcionada por el Gobierno.
México: No se otorga visación sin presentación del permiso. (Información proporcionada por el Gobierno).

(234) **Bolivia:** D. Supr. de 20 may. 1937, art. 17.
Brasil: D. Nº 3345 de 30 nov. 1938, art. 44 "Todo brasileño, al salir del territorio nacional, deberá someter su pasaporte común al visto policial de salida, si el mismo no hubiere sido utilizado antes de tres meses de la fecha de su concesión. Parágrafo 1º El visto de salida expedido por las reparticiones policiales, será válido por tres meses. Parágrafo 2º En el acto del embarque o desembarque, la Policía Marítima colocará un sello, con la fecha y lugar de entrada o salida, en todos los pasaportes de brasileños o extranjeros".
Costa Rica: D. Ej. Nº 4 de 26 abr. 1942, art. 1º "Para... o salir del país es necesario autorización previa, la que deberá obtenerse de las autoridades encargadas de controlar la migración".
El Salvador: D. Leg. Nº 86, de 14 jun. 1933, art. 1º y 12 (V. textos en nota 74).
Haití, México y Nicaragua: Según informes proporcionados por el Gobierno.
Panamá: L. Nº 304, de 23 ene. 1942, art. 1º: "A partir de la fecha de este decreto, toda persona que deba ausentarse del territorio nacional queda en la obligación de obtener previamente un permiso de salida del país".
Paraguay: Información proporcionada por el Gobierno.
Rca. Dominicana: Por disposición administrativa, según informe de las autoridades competentes.

Para otras, la certificación de salida, es facultativa del interesado (235).

La autorización de salida puede obedecer a razones migratorias, como se ha manifestado anteriormente, y, en especial, para asegurar la asimilación al medio ambiente, como lo ha procurado Brasil. El Gobierno de este país, ha dispuesto que ningún brasileño menor de diez y ocho años, salvo licencia especial del Consejo de Inmigración que tendrá en cuenta el interés nacional o motivos de grave daño a la salud, podrá viajar al extranjero acompañado o no de sus padres o responsables, o permanecer en el exrtanjero, cuando éstos regresen al país, estableciéndose, además, que la autoridad consular brasileña no pondrá el visto en los pasaportes de extranjeros cuyos hijos permanecieren en el exterior sin la aludida licencia (236).

Esta medida se inspira en un nacionalismo cultural, que quiere impedir la educación extranjera de los brasileños; pero constituye, también, una importante medida de defensa política, porque impide que los menores, hijos de padres vinculados a los países del Eje, por razón de nacimiento, o que sean ciudadanos de esos países, den educación fuera de tierra brasileña a sus hijos, o lo que es tanto o más importante, les hagan cumplir servicio militar, en mérito a que por aplicación del principio del "jus sanguinis", esos menores son considerados súbditos de esos países y, por lo tanto, obligados a esa prestación.

Perú, adoptó una medida que, en cierto sentido, es semejante a la precedente, al decretar la cancelación de la ciudadanía, de los nacidos en el país y que no hubieran regresado a él en determinado número de años. Esta medida estaba expresamente dirigida a los hijos de extranjeros que habían sido enviados a los países de que eran oriundos sus padres, para recibir instrucción y cumplir obligaciones emergentes a su condición de hijos de extranjeros (237).

---

(235) V. gr. **Argentina:** D. de 28 ago. 1934, art. 10.

(236) D. L. N: 1545, de 25 ago. 1939, art. 13, con la nueva redacción dada por el D. L. Nº 3034, de 10 feb. 1941 (V. asimismo, Res. del Consejo de Migración y Colonización de 30 mar. 1940).

(237) Res. Supr. de 31 jul. 1940, V. además, Sección B sobre Prevención del Abuso de la Nacionalidad, Supra.

La expedición del permiso de salida, además da fecha cierta al abandono del país que hace la persona y, por consiguiente, puede ser un útil instrumento de prueba para aquellos países que suspenden el ejercicio de la ciudadanía por razón de ausencia prolongada durante determinado número de años del territorio nacional.

b) Extranjeros en general.

A la obtención del permiso de salida, queda condicionada la partida al exterior de todo extranjero, en un buen número de países americanos (238).

(238) **Bolivia:** D. Supr. de 20 may. 1937, art. 15, inc. c); D. de 30 ene. 1942, art. 2º.
Brasil: Ver, nota 260, supra.
Colombia: D. Nº 1790, de 20 oct. 1941, art. 14. Los extranjeros admitidos con visación ordinaria para entrar o salir una o varias veces al país, pueden hacerlo libremente mientras dure la validez de su visa y de acuerdo con los términos de ella en las condiciones siguientes: ... 2º Para salir del país: Presentando la correspondiente tarjeta de salida expedida por autoridad competente a base de los certificados de conducta... Art. 16. Lo sCapitanes de Puerto y Jefes de Resguardo exigirán a los extranjeros... A la salida exigirán la presentación del pasaporte y la autorización de salida a que se refiere el artículo 14 de este mismo Decreto. En el mismo sentido D. Nº 1697, de 16 jul. 1936, arts. 32 y 16, respectivamente.
Costa Rica: D. Ej. Nº 4, de 26 abr. 1942, art. 1º. Ver texto en nota 192. La disposición no distingue, cabe por consiguiente a toda persona, sea nacional o extranjera.
Ecuador: Información proporcionada por el Gobierno.
Estados Unidos: L. 22 may. 1918 (40 Stat. 559) enmendada por la L. de 21 jun. 1941 (55 Stat. 252) (22 U.S.C. 223 (a)) prohibe en tiempo de guerra o de emergencia la salida de todo extranjero excepto que ella se haga de acuerdo con los reglamentos dictados al efecto. De acuerdo con la Proclama Presidencial Nº 2523, de 14 nov. 1941 (2) fueron expedidos en razón de la emergencia los Reglamentos de 19 nov. 1941, con las enmiendas introducidas el 28 nov. 1941, que establecen parágrafo 58.22: "Permisos de salida requeridos. Ningún extranjero partirá de aquí en adelante de los Estados Unidos... a menos que le... haya sido expedido de acuerdo con estos reglamentos un permiso de salida válido o que esté exceptuado de acuerdo con estos reglamentos de la obtención de un permiso de salida".
El Salvador: D. Leg. Nº 86, de 14 jun. 1933, arts. 1º y 12 (v. nota 71)
Haití, México y Nicaragua: Información suministrada por las autoridades.

En el aspecto en estudio merece especial mención la legislación estadounidense. La circunstancia de ser beligerante activo en el conflicto, llevó al gobierno de este país a acentuar los contralores de salida, referidos de modo particular, es obvio, a los extranjeros. Por ello, ha dispuesto el principio general para todos los funcionarios con competencia para expedir permisos de salida a extranjeros, que este documento no se otorgará si la partida fuere perjudicial para los intereses de los Estados Unidos (239). Los reglamentos han llegado inclusive a predeterminar las categorías de extranjeros a quienes de antemano se estima perjudicial su salida y para quienes de consiguiente no habrá autorización para partir. La enumeración de categorías es minuciosa y va dirigida a prevenir todas las formas de conducta que puedan perjudicar los intereses públicos, las defensas nacional y continental americanas, el servicio militar, la acción represiva de la justicia (240). Con todo las normas en vigor dejan la discre-

---

Panamá: L. Nº 304, de 23 ene. 1942, art. 1º (V., nota 234).
Paraguay: Datos proporcionados por las autoridades.
Rca. Dominicana: Por disposición administrativa (Información suministrada por las autoridades).

(239) Estados Unidos: Reglamentos de 19 nov. 1941, con las enmiendas introducidas el 28 nov. 1941, parágrafo 58.24. "Denegatoria de permiso de salida. Ningún permiso de salida, visa de salida, tarjeta de identificación para el cruce de fronteras, permiso de reingreso, ... u otro documento que facilite la partida será expedido a un extranjero si la autoridad expedidora tiene motivo para creer que la partida será perjudicial a los intereses de los Estados Unidos".

(240) Reglamentos de 14 nov. 1941, con las enmiendas de 28 nov. 1941, parágrafo 58.25. Clases de extranjeros no autorizados para partir. "La partida de un extranjero comprendido en una o más de las siguientes categorías será considerada como perjudicial a los intereses de los Estados Unidos, para los propósitos de estas "regulations": (a) El extranjero que, sin autorización de este Gobierno, esté en posesión de información secreta relativa a planes, proyectos, equipos o establecimientos para la defensa nacional de los Estados Unidos; (b) El extranjero que, sin autorización de este Gobierno lleve consigo cualquier mensaje secreto a un gobierno extranjero, o cualquier funcionario o empleado del mismo, en forma directa o indirectamente, relativo a planes, proyectos, equipos o establecimientos para la defensa nacional de los Estados Unidos; (c) El extranjero que parta de los Estados Unidos con el propósito de emprender, o que probablemente emprenda, actividades destinadas ... para destruir, impedir, retardar, diferir, o contrarrestar la eficacia de la defensa

cionalidad para acordar permisos de salida al Secretario de
Estado quien, examinadas las circunstancias, y en cada caso
particular puede resolver favorablemente el otorgamiento de
dichos permisos (241), se introducen numerosas excepciones de
personas que quedan liberadas de la obtención de permiso de
salida en razón de relaciones de vecindad o de pertenecer a
los países del hemisferio, función de las mismas, etc. (242).

de los Estados Unidos o las medidas adoptadas por los Estados Unidos en interés público o para la defensa de cualquier
otro país; (d) El extranjero que parta de los Estados Unidos
con el propósito de emprender, o que probablemente emprenda, actividades que obstruirían, impedirían, retardarían, di-
ferirían, o contrarrestarían la eficacia de los planes hechos
o los pasos dados por cualquier país del Hemisferio Occidental en el interés de la defensa común de los países de ese
hemisferio; (e) El extranjero que parta de los Estados Unidos para cualquier país con el propósito de organizar, o dirigir, en tal país, cualquier rebelión, insurrección, levantamiento por la violencia, o contra los Estados Unidos, o guerra sostenida contra los Estados Unidos, o en la destrucción
de fuentes de abastecimiento o de materiales vitales para
la defensa de los Estados Unidos o la eficacia de las medidas
adoptadas por los Estados Unidos para la defensa de cualquier otro país; (f) El extranjero que es fugitivo de la jus-
cia por cuentas pendientes de un delito reprimible en los Estados Unidos; (g) El extranjero cuya presencia es necesaria
como testigo, o como parte, en cualquier causa criminal pendiente en una Corte federal o que se investiga; (h) El extranjero registrado o enrolado, que está sujeto a registro, o
enrolamiento para el servicio militar en los Estados Unidos
y quienes no hayan obtenido el consentimiento del Secretario de Guerra o de la junta de conscripción para salir de los
Estados Unidos".

(241) Reglamentos de 19 nov. 1941, con las enmiendas de 28 nov.
1941, parágrafo 58.30. "Salidas permitidas en casos especiales. (a) No obstante las disposiciones de estos reglamentos
el Secretario de Estado puede, en cualquier caso particular,
autorizar la expedición de un permiso de salida a cualquier
extranjero o puede autorizar a cualquier extranjero partir
sin permiso si considera tal expediente conviene a los intereses de los Estados Unidos".

(242) Reglamentos de 19 nov. 1941, con las enmiendas introducidas
el 28 nov. 1941, parágrafo 58.23. Establece que extranjeros están exceptuados de obtener permiso de salida. De
la extensa enumeración pueden citarse los siguientes: funcionarios diplomáticos, consulares y otros funcionarios de gobiernos extranjeros reconocidos por los Estados Unidos,
miembros de su familia, sirvientes y empleados de los mismos; ciudadanos canadienses o súbditos británicos domiciliados legalmente en el Canadá o los Estados Unidos en el
caso del tránsito fronterizo; idem para los extranjeros que

c. Nacionales del Eje.

Respecto de los nacionales del Eje, el tratamiento es diferente, o bien se les niega de plano el permiso de salida (243) o se les acuerda en casos muy excepcionales (244) o bien se somete su otorgamiento a las normas que expresamente regulan su expedición (245).

3) Requisitos y procedimientos de expedición

Los requisitos para el otorgamiento del permiso de salida que se suelen exigir o cumplir, varía con las legislaciones. Comúnmente, éstas no hacen distinciones entre nacionales y extranjeros, pudiendo concretarse las exigencias vigentes como sigue:

1.—Posesión de certificado de buena conducta (246) o demostrativo de que no tiene asuntos pendientes con las autoridades policiales o judiciales (247);
2.—Exhibición de cédula de vecindad o tarjeta de identificación (248);

---

poseen tarjetas de identificación del tránsito fronterizo entre ambos países; ídem para los ciudadanos mexicanos domiciliados en ambos países; extranjeros que han entrado con permiso de residencia limitada y abandonan el país dentro del lapso autorizado; extranjeros que exhiben un permiso de reingreso a los Estados Unidos; extranjeros domiciliados o estacionados en el Hemisferio Occidental, los que se hallan legalmente en los Estados Unidos, los que son ciudadanos de los países independientes del mismo Hemisferio, Canadá o Terranova, ciudadanos o súbditos británicos u holandeses, etc., (a) a (p) categorías).

(243) **Bolivia:** D. de 31 may. 1944.
(244) **Brasil:** Información del Gobierno.
(245) **Argentina:** D. Nº 7.058, de 2 abr. 1945, art. 11. "Los extranjeros bajo vigilancia no podrán ausentarse de la República sin permiso especial tramitado ante la Dirección de Migraciones por el Ministerio de Relaciones Exteriores y Culto". Los extranjeros bajo vigilancia son los nacionales de los países enemigos residentes en el país cuyas naciones de origen se hallen en estado de beligerancia con Argentina (V., arts. 1º y 3º del decreto citado).
Costa Rica: D. Ej. Nº 51, de 20 dic. 1941, art. 4º.
Guatemala: D. Ej. Nº 2655, de 23 dic. 1941, art. 1º, letra f).
Paraguay: D. L. Nº 11.061 de 16 feb. 1942, art. 1º, b).
(246) **Ecuador:** Información proporcionada por el Gobierno.
(247) **Estados Unidos:** V. nota 240, categorías f) y g) allí indicadas.
Panamá: L. Nº 304, de 23 ene. 1942, art. 2º.

3.—Investigación policial (249);

4.—Comprobación de que la ausencia no perjudicará gravemente al Estado (250) o que el interesado no actuará en perjuicio de la defensa y seguridad nacional y del Hemisferio (251) o el Estado no necesita de los servicios del peticionario, durante la situación de emergencia (252), o que está exento de servicio militar (253).

En cuanto al procedimiento en concreto para el otorgamiento del permiso interesa señalar como tipo el previsto por la legislación estadounidense. En esta República el peticionario se presenta gestionando el documento y la originalidad consiste en que la propia solicitud, una vez resuelta favorablemente y debidamente endosada por el funcionario expedidor, se convierte en el permiso de salida, a diferencia del régimen en vigor en las otras Repúblicas Americanas en que dicho permiso se obtiene por formulario aparte y a base de los documentos y llenados los requisitos previos, que oportunamente se señalaran (254).

---

(248) **El Salvador:** D. Leg. Nº 86, de 14 jun. 1933, art. 12. "Las autoridades de migración no concederán permiso para entrar o salir del territorio de la República si el interesado no exhibe previamente su Cédula de Vecindad o su Tarjeta Individual de Identificación en su caso..."

(249) **Bolivia:** D. Nº 321 de 13 dic. 1943, art. 13.
Haití y **Nicaragua:** Información proporcionada por el Gobierno.

(250) **Bolivia:** D. de 20 may. 1937, art. 26, inc. b).

(251) **Bolivia:** D. Nº 321 de 13 nov. 1943, art. 13.
Estados Unidos: V., nota 240, categorías a) a e), allí indicadas.
Paraguay: Información suministrada por el Gobierno.

(252) **Panamá:** L. Nº 304, de 23 ene. 1942, art. 2º.

(253) **Estados Unidos:** V., nota 240, categoría h), allí indicada.

(254) **Estados Unidos:** Reglamentos de 19 nov. 1941 con las enmiendas de 28 nov. 1941, parágrafo 58.31. "Solicitudes de permiso de salida. Excepto en los casos en que se establece un procedimiento especial y en los casos en que no se requiere por estas "regulations" permisos de salida, cualquier extranjero que desee salir de los Estados Unidos deberá dirigirse al Secretario de Estado, o al funcionario designado, para un permiso de salida de los Estados Unidos en la forma siguiente: (a) (expresa las solicitudes donde deben presentarse, con treinta días de anticipación a la fecha en que se pretenda partir)....; (e) Si la solicitud de permiso de salida es aprobada el solicitante será notificado, y un ejem-

Otro carácter importante de la misma legislación es la posibilidad de revocación de los permisos de salida que se confieren y que según una apreciación discrecional del Secretario de Estado puede restarles su validez (255).

4) Organos de expedición.

El otorgamiento de los permisos de salida, se efectúa, en general, por las reparticiones de migración (256) y extranjería, o de policía (257), de quien dependen, a veces, aquéllas y

plar de la solicitud debidamente endosada, que quedará convertida en el permiso de salida, será remitida al funcionario competente del control de salida del puerto o lugar por el cual ha declarado el solicitante que tiene la intención de partir...".

(255) **Estados Unidos:** Proclama Presidencial Nº 2523 de 14 nov. 1941, (6) "el período de validez de un permiso de ... salida, expedido a un extranjero, puede declararse terminado por la autoridad expedidora del mismo o por el Secretario de Estado en cualquier tiempo antes de la ... partida del extranjero, probado que la autoridad expedidora o el Secretario de Estado está convencido que la ... salida del extranjero sería perjudicial a los intereses de los Estados Unidos..."; Reglamentos de 19 nov. 1941, con las enmiendas introducidas el 28 nov. 1941, parágrafo 58.31. "Solicitudes de permiso de entrada ... (f) El permiso de partida será revocable en cualquier tiempo antes de la partida del extranjero en aquellos casos en que el permiso haya sido concedido. El Secretario de Estado se reserva el poder de revocar el permiso cualquiera haya sido la autoridad expedidora".

(256) **Argentina:** D. de 28 ago. 1934, art. 10.
Bolivia: D. Supr. de 20 may. 1937; art. 15, inc. c); D. de 30 ene. 1942, art. 2º.
Brasil: D. L. Nº 1545, de 25 ago. 1939, con las modificaciones introducidas por el D. L. Nº 3084 de 10 feb. 1941, art. 13.
Costa Rica: D. Ej. Nº 4, de 26 abr. 1942, arts. 1º y 2º.
Ecuador: Información del Gobierno.
Estados Unidos: Proclama Presidencial Nº 2523, de 14 nov. 1941, (2).
Paraguay: Información del Gobierno.

(257) **Colombia:** D. Ej. Nº 1697, de 16 jul. 1936, art. 32 (V. nota 238).
Costa Rica: D. Ej. Nº 51, de 20 dic. 1941, art. 4º.
El Salvador: D. Leg. Nº 86 de 14 jun. 1933, art. 2º y D. de 27 de jul. 1933, art. 7º inc. 1º.
Guatemala: D. Ej. Nº 2655, de 23 dic. de 1941, art. 1º, inc. g) (Extranjeros enemigos).
Panamá: L. Nº 304, de 23 ene. 1942, art. 2º.
Paraguay: Información del Gobierno.
Rpca. Dominicana: Información del Gobierno.

por excepción, por el Ejército (258).

b. Pasaporte o documento sustitutivo.

El estudio del pasaporte que reviste señalada importancia en los contralores de salida, ha sido ya realizado en forma comprensiva de este aspecto y del de entrada, en el lugar correspondiente de este trabajo al que se remite al lector (259).

Interesa destacar aquí, solamente, que algunos países exigen la visación del pasaporte para la salida del territorio, tanto al nacional como al extranjero (260) convirtiéndose este acto de certificación en aquellos países que no conceden especialmente permiso de salida, en un acto de naturaleza semejante, al que se realiza por las mismas autoridades que intervienen en su expedición: de Relaciones Exteriores (261), migratorias (262), policiales (263), o de identificación o inves-

---

(258) **Nicaragua**: Información del Gobierno.

(259) V. en este mismo cap., supra, III, 2., C.

(260) **Bolivia**: D. Supr. de 20 mayo. 1937, art. 17. "Para cada viaje es obligatoria la visación del pasaporte, por la policía de seguridad del lugar en que residen los interesados, así como la obtención del permiso de salida otorgado por el Ministerio de Inmigración y el pago de timbres de legalización respectiva".
Brasil: D. Nº 3010, de 20 ago. 1938, art. 131, XI (sólo extranjeros); D. Nº 3345, de 30 nov. 1938, art. 44.
Ecuador: D. Nº 112, de 1º de feb. 1941, art. 77, inc. 1º. "Ningún ciudadano nacional o extranjero, podrá salir del país sin la visa de salida otorgada por la Oficina de Inmigración del puerto habilitado de donde abandonare la República".
El Salvador: D. Leg. Nº 86, de 14 jun. 1933, art. 31.
Haití: D. L. de 12 ene. 1945, art. 37. "Todo extranjero que ha permanecido por más de 3 días en Haití no puede dejar el territorio si no ha obtenido una visa de salida del Departamento del Interior. Lo mismo para todo haitiano que desee viajar al extranjero y cuyo pasaporte no haya vencido... Las visas de salida deben ser registradas en la oficina de policía del lugar de partida del interesado...".
México: Información proporcionada por el Gobierno.
Venezuela: D. de 7 may. 1942. "Los extranjeors que abandonen el país deberán hacer visar su pasaporte, previamente por la autoridad Civil correspondiente; y ésta dará inmediatamente aviso de los "vistos" que otorgue al Ministerio de Relaciones Exteriores".

(261) **El Salvador**: D. Leg. Nº 86, de 14 jun. 1933, art. 31.

(262) **Costa Rica**: D. Ej. Nº 4, de 26 abr. 1942, art. 10 (extranjeros).
Ecuador: D. Nº 112, de 1º feb. de 1941, art. 77 (Ver texto en nota 260).

(263) **Bolivia**: D. de 20 may. 1937, art. 17.

tigación (264), o militares (265).

c. Permiso de Reingreso

1) Objetivos perseguidos con su expedición

Con la concesión del permiso de reingreso se persigue una finalidad fundamental: proveer al extranjero definitivamente incorporado a la población de un país, y que por diversos motivos tiene que abandonarlo transitoriamente, de un instrumento que establezca esa circunstancia, lo que evita un nuevo contralor y, especialmente, libera al extranjero del cumplimiento de los requisitos generales de orden puramente migratorio y de policía de inmigración, a que están sujetos quienes ingresan al país por primera vez.

Reviste importancia desde el punto de vista de la defensa política el régimen a que está sometida su concesión, en mérito a que por sucesivas salidas y retornos puede el extranjero servir para la acción y enlace con elementos peligrosos radicados en otros países. El permiso de reingreso es otorgado solamente si el interesado tiene antecedentes que aseguran que se le puede dispensar confianza políticamente.

Algunas Repúblicas, admiten también que aquellos extranjeros que al ausentarse no hubieren pedido el permiso de reingreso, lo soliciten ante las autoridades diplomáticas o consulares, siempre que acrediten fehacientemente su condición de antiguos residentes (266).

Brasil: D. Nº 3345, de 30 nov. 1938, art. 31, inc. c) y D. Nº 3010, de 20 ago. de 1938, art. 131, XI (extranjeros).
Guatemala: D. Ej. Nº 2039, de 2 nov. 1937, art. 14 (extranjeros).
Haití: Las visas las realiza el Departamento del Interior, pero las registra la policía (D. L. de 12 ene. 1945, art. 37, cit. V. texto en nota 260).
(264) **Chile:** D. de 25 ene. 1937, art. 32.
(265) Unico caso: **Nicaragua:** Información proporcionada por el Gobierno.
(266) **Argentina:** D. de 19 ene. 1934, art. 2º.
Cuba: D. Nº 3420, de 16 dic. 1941, art. 2º. "A los extranjeros residentes legalmente en Cuba, nacionales de los países anteriormente determinados (se refiere el decreto a "nacionales de países antidemocráticos en guerra) sólo se les autorizará el regreso a la República, otorgándose el correspondiente visa cuando se demuestre fehacientemente esa resi-

Corresponde, además, señalar que tienen funciones semejantes a las de los permisos de retorno, los documentos sustitutivos del pasaporte, cuando autorizan no sólo la salida, sino también el regreso al país.

Finalmente, resulta obvio destacar que el permiso de reingreso, no se expide a los nacionales quienes, por tener tal calidad, regresan al país con la sola exhibición de su pasaporte.

2) Personas a quienes se expide

Este documento se expide a los extranjeros que salgan

---

dencia legal en el territorio nacional y después de una amplia investigación, en cada caso, sobre el tiempo de residencia y los intereses que tiene en la República".

Ecuador: D. Nº 112, art. 60. "Esta visa (visa de retorno) podrá ser concedida por el Jefe de cualquiera de las Oficinas ecuatorianas en el exterior a los ecuatorianos que regresen al país o a los extranjeros que hubieren obtenido permiso de residencia en el Ecuador". Luego la norma establece los requisitos para el otorgamiento de la visa, declarando expresamente que no podrá concederse a extranjeros cuando mediaren dos años de ausencia del país".

Estados Unidos: L. 26 may. 1924 (43 Stat. 153) (8 U.S.C. 210), Sec. 10 (a). "Cualquier extranjero que desee ausentarse temporalmente de los Estados Unidos, podrá solicitar del Comisario General de Inmigración un permiso para reentrar al país, indicando la duración de la ausencia proyectada, y los motivos de la misma...".

Uruguay: D. de 23 nov. 1937, art. 10. "Los extranjeros que hayan llegado al Uruguay como inmigrantes y que luego de ausentarse regresen al país, podrán desembarcar siempre que prueben haber residido en él en forma fehaciente. Si la ausencia del país fuera superior a tres años, deberán munirse de la documentación y permiso correspondientes. Esta disposición no rige para los que se hallen dentro de lo estatuído en el inciso B) del artículo 2º (se refiere a parientes por afinidad y consanguinidad cuyos grados emanaran de personas ya radicadas en el país) ni para aquellos que prueben poseer bienes en el país". (V., asimismo, nota 267); D. de 15 set. 1945, art. 2º. Todos los extranjeros a que se refiere el art. anterior (se trata de los residentes en el país que se trasladaron a Europa para integrar los ejércitos de las Naciones Unidas), que no tuvieren permiso de retorno, podrán entrar al país probando su residencia anterior y los servicios prestados en el ejército de las Naciones Unidas".

Venezuela: L. de 31 jul. 1937, art. 18. "El extranjero domiciliado en Venezuela, siempre que compruebe debidamente esta circunstancia no está obligado a producir los documentos indicados en el artículo 7 (se refiere a pieza de identidad y certificado de buena conducta)...".

del país por razones de salud, comercio, turismo u otras, sin especificación expresa (267). Se expide, asimismo, en caso de semitas (268), chinos y otras razas de inmigración prohibida

---

(267) **Bolivia:** D. Supr. de 28 ene. 1937, art. 21. "Todo extranjero que habiéndose radicado en Bolivia, hubiera salido o desea reingresar al territorio nacional , presentará ante el Cónsul respectivo el carnet de identidad expedido por autoridades bolivianas y pasaporte de salida, documentos con los cuales se le concederá el permiso del reingreso con cargo de informe inmediato al Ministerio de Inmigración"; D. de 24 nov. 1939, art. 30. "La Dirección de Turismo está facultada para autorizar el reingreso de los extranjeros que, radicados en el país, hubieran salido al exterior como turistas. Dicha autorización se hará constar en el pasaporte respectivo y faltando ella, los consulados podrán, bajo su responsabilidad, autorizar el reingreso en la categoría turismo"; y Res. de 24 abr. 1942.
Brasil: D. L. Nº 406, de 4 may. 1938, art. 43; D. Nº 3010, de 20 ago. 1938, arts. 58 y 59.
Guatemala: D. Ej. Nº 2039, de 2 nov., 1937, art. 17, "Los pasaportes y documentos relativos a migración que puede extender la Secretaría de Relaciones se clasificarán así:.... f) Licencias de reingreso al país, expedidas a extranjeros por un tiempo no mayor de un año, que será prorrogable a otro año más, a juicio de la Secretaría mencionada, a solicitud escrita del interesado".
Haití: D. L. de 12 ene. 1945, art. 38. "Un permiso de retorno al país será expedido por el Departamento del Interior, si lo juzga necesario, a todo viajero que lo solicite, en razón de un desplazamiento momentáneo. Este permiso de reentrada contendrá la filiación y todos los demás datos útiles a la identificación del interesado. Este permiso válido por un año...".
Nicaragua: No expide un documento; es suficiente el pasaporte debidamente visado (D. de 29 dic. 1930, art. 20).
Panamá: L. Nº 54, de 24 dic. 1938, art. 20: "Los extranjeros domiciliados en la República, si salen del país con ánimo de regresar nuevamente, tienen que obtener antes de la salida de la República un permiso de regreso que les expedirá la S. de G. y Justicia con un plazo improrrogable no mayor de 3 años".
Perú: Es suficiente la constancia en el pasaporte (D. Supr. de 26 jun. 1936, art. 4º.)
Rpca. Dominicana: No expide un documento especial; sirve a esos fines el permiso de residencia temporal (Regl. Nº 279, de 12 may. 1939, Sec. 3ª).
Uruguay: Como las normas en vigencia no autorizaban la expedición de un permiso de retorno, una resolución interpretativa de la disposición pertinente faculta a la Dirección de Inmigración, hoy Policía de Inmigración, a expedir el documento (Res. abr. 1938).
(268) **Bolivia:** Res. Supr. de 14 mar. 1938, c) "Los judíos residentes en la República que salgan al exterior llevarán reingreso autorizado por el Ministerio".

o restringida (269), cuando tienen residencia legal en el país, de modo de evitarles que al regreso del exterior, sean rechazados.

En Estados Unidos se ha dispuesto la prohibición de expedir permiso de reingreso a los extranjeros cuando la autoridad competente tenga razones para creer que la salida podrá ser perjudicial para el país (270). Es obvio destacar la importancia de esta norma para la época de emergencia y la protección que dispensa a los intereses de la defensa contra la agresión totalitaria.

---

(269) **Colombia:** D. Nº 397, de 17 feb. 1937, art. 9º. "Los extranjeros de las nacionalidades expresadas en el artículo 1º (se refiere este artículo a búlgaros, chinos, egipcios, estones, griegos, hindúes, latvios, letones, libaneses, lituanos, marroquíes, palestinos, polacos, rumanos, rusos, sirios y turcos) que tengan una residencia en el país de más de cuatro años y estén vinculados a él por familia o por negocios industriales o comerciales y que por razón de los mismos motivos, de salud o de familia necesiten salir de Colombia por un lapso no mayor de dos años, quedan eximidos... siempre que exhiban ante el Cónsul que haya de refrendarles sus pasaportes, el permiso previo del regreso que el interesado debe solicitar del Ministerio de Relaciones Exteriores".
Costa Rica: D .Ej. Nº 4, de 26 abr. 1942, art. 42. A los chinos y otras razas de inmigración prohibida, se le concede un pasaporte especial que de hecho llena las funciones de permiso de reingreso. Este pasaporte es incinerado al regreso del pasajero, a diferencia del pasaporte común que se mantiene en poder del interesado.
Ecuador: D. Nº 112, de 1º feb. 1941, art. 86.
Guatemala: Ac. Ej. de 12 ago. 1932, aprobando Reglamento para la permanencia en el país de los individuos de la raza amarilla o mongólica, arts. 15 y 16, con las modificaciones introducidas por el también Ac. Ej. de 12 jul. 1936.
Nicaragua: L. de 5 may. 1930; art. 7º. "Lo dispuesto en el Art. 5º, no comprende a los individuos ya radicados en el país, con negocios o establecimientos permanentes y de importancia; o que sean casados con mujer nicaragüense; o que tengan hijos procreados de matrimonio legal con mujer nicaragüense. Todas estas personas deben salir del territorio nacional y penetrar en él de nuevo cuando lo crean conveniente".
(270) **Estados Unidos:** Reglamentos de 19 nov. 1941, con las enmiendas introducidas el 28 nov. 1941, parágrafo 58.24 "... ningún permiso de reingreso... le será expedido a un extranjero si la autoridad expedidora tiene motivo para creer que la partida será perjudicial a los intereses de los Estados Unidos".

3) Requisitos para su otorgamiento y plazo de validez

En punto a requisitos no surge de la legislación estudia-
da que se establezcan éstos en forma especial; quienes deseen
proveerse de estos documentos, deben llenar exclusivamente
los requisitos precedentes: permiso de salida, pasaporte y visación de éste, en su caso (271).

Como se ha tenido ya oportunidad de señalar en este estudio (272), las autoridades estadounidenses están, en principio, inhibidas de expedir documentos habilitantes para la entrada, sin la previa consulta al Departamento de Estado. Pero esta prohibición no rige cuando se trata de permisos de
reingreso o de su renovación, en cuyos casos las autoridades
podrán proceder a su expedición o renovación por si mismas (273).

El plazo de validez, varía según los países, oscilando, en
general, entre los seis meses y los tres años (274).

Este plazo reviste importancia por las siguientes razones. En primer lugar, obliga al interesado en regresar al territorio a retornar al mismo dentro del lapso autorizado, so

---

(271) **Brasil:** D. N⁰ 3010, de 20 ago. 1938 ,art. 58, inc. 2⁰.
Estados Unidos: L. 26 may. 1924 (43 Stat. 153) 8 U.S.C.
210) Sec. 10 (a) "... Tal solicitud se formulará bajo juramento, observando la firma y conteniendo las informaciones que
establezcan los reglamentos y estará acompañado de dos fotografías del peticionario".

(272) V. en este mismo cap. supra III, 2., a., 4).

(273) **Estados Unidos:** Reglamentos de 19 nov. 1941, con las enmiendas introducidas el 14 ene. 1942, parágrafo 58.55, establece los casos de excepción en los cuales no se necesita
la previa opinión consultiva del Departamento de Estado para
otorgar permisos de entrada, entre ellos se incluye, a los (1)
"solicitantes de permiso de reingreso o de renovación de
los mismos".

(274) **Brasil:** D. L. N⁰ 406, de 4 may. 1938, art. 43; D. N⁰ 3010,
de 20 ago. 1938, art. 58.
Colombia: D. N⁰ 397, de 17 feb. 1937, art. 9⁰.
Estados Unidos: L. 26 may. 1924 (43 Stat. 153) (8 U.S.C.
210), Sec. 10 (b) y (c).
Guatemala: D. Ej. N⁰ 2039, de 2 nov. 1937, art. 17, f) (V.
nota 267), V. asimismo, Ac. Ej. de 12 ago. 1932, arts. 15
y 16 (V. nota 269).
Haití: D. L. de 12 ene. 1945, art. 38 (V., texto en nota 267).
Nicaragua: D. de 29 dic. 1930 ,art. 20.
Panamá: L. N⁰ 54, de 24 dic. 1938, art. 20 (V. nota 267).
Uruguay: V., notas 266 y 267.

pena, según ya se dijo, de verse sometido nuevamente a las restricciones y requisitos generales a todo inmigrante que entra por primera vez a un país (275). En segundo lugar, debe vincularse este asunto con la pérdida de la nacionalidad. Se ha destacado en otra parte del presente estudio que la ausencia prolongada por determinado número de años determina la privación de aquélla (276).

4) Organos que los expiden

Las mismas autoridades que otorgan los documentos precedentes, expiden el permiso de reingreso o retorno, según las legislaciones. En algunos Estados, la policía (277) o los Ministerios de Relaciones Exteriores (278) o Interior (279).

d. Registros

Constituyen un contralor más de la salida los registros que varias Repúblicas Americanas establecen, ya en general de la emigración o en especial de los documentos que se expidan y habilitan para emigrar.

1) Registros de emigración o salida

Han establecido un buen número de Estado americanos los Registros de emigración o salida (280).

---

(275) Para evitarlo en un caso realmente de excepción, esto es, en el de los residentes extranjeros que se enrolaron en los ejércitos de las Naciones Unidas, el Gobierno uruguayo ha dictado el decreto de fecha 13 set. 1945, que en la parte que interesa a este punto dice: "Art. 1º: Los permisos de retorno expedidos por la Policía de Inmigración, en favor de extranjeros residentes en el país que se trasladaron a Europa para integrar los ejércitos de las Naciones Unidas, serán prorrogados en su vigencia, por un período de un año, a contar desde la fecha de desmovilización de los interesados". El mismo decreto contempla aún la situación de los que carecieron del permiso de retorno (V. nota 266) y de las esposas por matrimonio ulterior a la partida de aquellos".

(276) V., Sec. B., Prevención del Abuso de la Nacionalidad, supra.

(277) **Brasil:** D. L. Nº 406, de 4 may. 1938, art. 43; D. Nº 3010, de 20 ago. 1938, art. 58.

(278) **Colombia:** D. Nº 397, de 17 feb. 1937, art. 9º.
Haití: D. L. de 12 ene. 1945, art. 38 (V. texto en nota 267).

(279) **Panamá:** L. Nº 54, de 24 dic. 1938, art. 20 (V. texto nota 267).

(280) **Argentina:** D. de 28 ago. 1934, art. 2º, D. de 27 jul. 1938, art. 2º.

2) Registro de pasaportes

Algunas Repúblicas han establecido registros de pasaportes, en los cuales deben inscribirse todos los que se expidan por
las respectivas oficinas competentes (281).

e. Fiscalización por las autoridades

Sin perjuicio de la fiscalización que naturalmente se efectúa en oportunidad de la concesión de documentos que habilitan para salir del país, por parte de las autoridades competentes en la expedición de los mismos, debe agregarse aquella
que se produce en el momento de la salida.

Las legislaciones americanas prevén este contralor, cometiendo a las autoridades fronterizas o portuarias, incluyendo aeropuertos, el examen de la documentación y la prohibición de salida de quien no esté en condiciones (282).

Colombia: D. Nº 1790, de 20 oct. 1941, art. 16, últ. inc. "Los
Capitanes de Puerto y Jefes de Resguardo llevarán un re-
gistro de entrada y salida de extranjeros de acuerdo con las
reglamentaciones que, al respecto dicte el Gobierno".
Costa Rica: D. Nº 4, de 26 abr. 1942, art. 3º. "El Depar-
tamento (de Migración se refiere) ...llevará tanto los re-
gistros generales de inmigración y emigración...".
Colombia: D. Nº 1790, de 20 oct. de 1941, art. 16, últ. inc.
Costa Rica: D. Ej. Nº 4, de 26 abr. 1942 art. 3º.
Ecuador: L. de 4 set. 1940, art .14.
El Salvador: D. de 27 jul. 1933, art. 5º.
Guatemala: D. Ej. Nº 2039, de 2 nov. 1937 art. 22.
Nicaragua: Información proporcionada por el Gobierno.
(281) **Bolivia:** D. Supr. de 20 may. 1937, art. 19. "A los efectos
del artículo 1º se llevará en el Ministerio de Inmigración un
Registro de Pasaportes Internacionales, en el que se inscri-
birán todos los pasaportes que expidan y visen la policía de
seguridad y consulados de la República, para cuyo efecto se
dará aviso inmediato por cable o telégrafo, sin perjuicio de
remitir nóminas quincenales por correo con indicación del
nombre edad, estado civil, nacionalidad y profesión de los
interesados".
Costa Rica: Información proporcionada por el Gobierno.
Chile: D. de 25 ene. 1937 art. 33.
Ecuador: D. Nº 112, de 1º feb. 1941, art. 105.
Venezuela: D. Nº 200, de 13 ago. 1942, art. 58 inc. 1º. "En
la Oficina Central de Identificación, se llevará un Registro
General de Pasaportes, donde se centralizarán los datos relativos a todos los Pasaportes expedidos, renovados o visados
tanto en la República como en el exterior".
(282) **Bolivia:** D. Supr. de 30 jul. 1938, art. 1º; D. de 20 may.
1937, art. 2º.

No obstante esta obligación fundamental, dichas autoridades deben dar informe a las reparticiones centrales competentes, del movimiento de salida de pasajeros (283).

Colombia: D. Nº 1697, de 16 jul. 1936, art. 16; D. Nº 1790, de 20 oct. 1941, art. 16 (V., texto en nota 238).

Estados Unidos: Proclama Presidencial Nº 2523, de 14 nov. 1941, (4) (ver texto en nota 162); Reglamentos de 19 nov. 1941 con las enmiendas de 29 nov. 1941, parágrafo 58.29. "Partida no permitida en casos especiales. (a) Cualquier funcionario de contralor de salida u otro funcionario autorizado en cada caso individual puede requerir de cualquier extranjero, o persona que crea sea un extranjero, que parte o intente partir aún cuando tal persona posea un permiso de salida, a someter para la inspección oficial todos los documentos, artículos, o cosas que sean removidas de los Estados Unidos vinculadas con la partida de tales personas. (b) Cualquier funcionario del contralor de salida u otro funcionario autorizado deberá impedir temporalmente la partida de cualquier persona de la clase mencionada en el anterior parágrafo si tal persona rehusa someterse a tal inspección oficial, o si el oficial o funcionario cree que la partida de tal persona sería bajo estos Reglamentos perjudicial a los intereses de los Estados Unidos, o si se le ordena por el Secretario de Estado o el Fiscal General impedir tal partida. En cada uno de tales casos el oficial o funcionario que impida la partida deberá tomar temporalmente posesión de cualquier documento de viaje presentado por el extranjero. Tal procedimiento será inmediatamente informado por el funcionario de contralor de salida al jefe de su departamento con una exposición completa de los hechos. Al individuo a quien temporalmente se le prohibe partir no le será permitido hacerlo y no será comprendido en los beneficios de cualquiera de las excepciones o limitaciones aquí previstas a menos que el Secretario de Estado esté convencido que la partida de tal persona no sería perjudicial a los intereses de los Estados Unidos"; idem, parágrafo 58.31 (e)... Verificada la comparecencia personal del solicitante ante el funcionario del control de salida, indicado en la notificación del solicitante y verificada su identificación por el mismo funcionario, a quien el solicitante entregará la notificación, el funcionario del contralor de salida puede permitir a tal solicitante partir de los Estados Unidos y verificará tal partida. El funcionario del control de salida estampará una anotación o certificación en el permiso concerniente a la partida del extranjero y remitirá tal permiso, junto con la notificación dejada por el extranjero, al Secretario de Estado, D. C. Bajo ninguna circunstancia debería un extranjero a quien el permiso de salida le ha sido concedido permitirle llevar tal permiso fuera de los Estados Unidos o tener en su poder tal permiso mientras esté en los Estados Unidos".

(283) **Colombia:** D. Nº 1697, de 16 jul. 1936, art. 11. "Las autoridades portuarias deben tomar relación completa y detallada de todos los extranjeros que entren al país y salgan de él, y

f. Fiscalización por las empresas de transportes

Las empresas de transporte deben suministrar informes de los pasajeros que hayan adquirido o reservado pasajes para el exterior, con especificación de nacionalidad y de los respectivos documentos que autoricen la salida (284) o, posteriormente, suministrar los datos correspondientes (285).

Dichas empresas no pueden, tampoco, expedir pasajes a las personas que salen del país sin los respectivos documentos que autoricen esa salida, so pena de ser sancionadas por la omisión (286), ni conducir, de igual modo, y bajo sanción, a

---

enviarla a la Sección de Extranjeros de la Policía Nacional, y al Ministerio de Relaciones Exteriores, dentro de los primeros cinco días de cada mes"...

Costa Rica: D. Ej. Nº 4, de 26 abr. 1942, art. 56. "Los capitanes de puerto o aeropuerto y subinspectores de hacienda informarán inmediatamente al Departamento de Migración de la llegada o salida de extranjeros al país, proporcionando los siguientes detalles: Nombres y apellidos, nacionalidad, profesión y oficio, estando, destino o puerto de embarque, autoridad que visó el pasaporte".

Guatemala: D. Ej. Nº 2039, de 2 nov. 1937, art. 24. "Los Comandantes de los puertos marítimos y aéreos y los Delegados de la Secretaría de Relaciones Exteriores en lugares fronterizos, enviarán diariamente por telégrafo, a la Secretaría mencionada y a la Dirección General de Policía, una nómina de las personas que salgan del país, o ingresen a él".

Nicaragua: Información proporcionada por el Gobierno.

(284) **Colombia:** D. Nº 1697, de 16 jul. 1936, art. 58. "Las compañías de transportes marítimos, fluviales, aéreos y terrestres... deben enviar, en Bogotá, a la Sección de Extranjeros de la Policía Nacional, y en las demás poblaciones de la República a las autoridades encargadas del registro y control de los extranjeros, al día siguiente de vendidos o separados los tiquetes para cada nave o vehículo, una relación de los extranjeros que compren o separen pasajes, con anotación de la nacionalidad, lugar a donde se dirigen, número y fecha de la cédula de extranjería y autoridad que la hubiere expedido".

(285) V. gr. con fines de registro de emigración:
Argentina: D. de 28 ago. 1934, arts. 4º y 3º.

(286) **Bolivia:** D. de 20 may. 1937, art. 23. "Las empresas de ferrocarriles y agencias de viajeros y turismo, no podrán vender pasajes, ni verificar trámite posterior alguno, sin constatar previamente en los pasaportes, la autorización de salida al exterior otorgada por el Ministerio de Inmigración. Estas autorizaciones caducan pasada la fecha para la que han sido concedidas. Las mismas empresas para fines de control, comunicarán al Ministerio de Inmigración el nombre de las personas que han viajado haciendo uso de pasaportes diplomáticos".

esas mismas personas (287).

Colombia: D. Nº 1697, de 16 jul. 1936, art. 58. "Las compañías de transporte marítimos, fluviales, aéreos y terrestres
se abstendrán de expedir pasajes a los extranjeros que no
presenten la cédula de extranjería y la atestación de haber
dado aviso de salida de que trata el art. 34 del presente decreto (este art. condiciona la salida a la posesión entre otros
de este documento)... Parágrafo, La omisión en cumplimiento de este artículo será sancionada con multa de veinte pesos por cada infracción".
Costa Rica: D. Nº 51 de 20 dic. 1941, art. 4º. "Los nacionar
les de los países enemigos, que deseen abandonar el país,
deberán obtener además del pasaporte corriente, un permiso
de la Dirección General de Policía, sin el cual... no podrán
las compañías de vapores o aéreas, extender pasaje, esta última restricción regirá aún cuando se tratare de viajar dentro del territorio de la República".
Panamá: L. Nº 304, de 23 ene. 1942, art. 4º: "Queda estrictamente prohibido a las Compañías de Transporte Marítimo,
terrestre o aéreo, vender pasajes o conducir pasajeros que
salgan del país sin que hayan comprobado antes, por medio
del sello que se estampará en el pasaporte respectivo, que
han obtenido previamente el permiso de salida de que trata
el presente decreto, so pena de incurrir en multa no menor
de B. 50.00 ni mayor de B 100.00 por la primera infracción,
y no menor de B. 100.00 ni mayor de B. 200.00 en caso de
reincidencia".

CAPITULO II

TRANSITO CLANDESTINO A TRAVES DE LAS FRONTERAS

I. Medidas para prevenir y reprimir el tránsito clandestino

1. Generalidades. Acción de los Estados. Acción internacional Clasificación de las medidas para prevenirlo y reprimirlo

El tránsito clandestino de personas a través de las fronteras de las Repúblicas Americanas, que pudo revestir señalada importancia en época de paz, como medio de eludir las imposiciones fiscales y los contralores migratorios, creando así a las autoridades competentes los clásicos problemas del contrabando y del tráfico ilícito de personas, ha venido a tener un sentido e interés nuevos, por constituir una vía adecuada para la agresión política y militar del Eje. Ajustados por las autoridades competentes de los diversos países americanos los contralores en vigor para prevenir la entrada de personas e instrumentos aplicables a la acción subversiva, y creados los nuevos, conducentes al mismo fin, fué lógico pensar que se buscaran vías clandestinas para efectuar el tránsito.

Las fronteras, especialmente en países cuya vigilancia resultaba difícil, ora por su enorme extensión, ora por los escasos efectivos policiales o militares disponibles, quedaron expuestas al tránsito ilícito. Por ellas podían entrar y salir espías, introducirse armas y municiones, dinero para financiar la acción subversiva, etc.

Tales razones motivaron la acción gubernamental de cada Estado para prevenir y reprimir tales actos y también la acción internacional para prestarse los Estados mutua cooperación en la emergencia e incitar a la lucha contra esa peligrosa forma de penetración totalitaria.

La primera manifestación de la acción internacional la constituyó la Resolución VIII del Comité. Se señalaba en la exposición de motivos de esa Resolución que los países ameri-canos podían ayudarse mutuamente en dos aspectos muy importantes:

"(1) Coordinando el trabajo de sus patrullas de frontera de manera que se pueda vigilar un área lo más extensa posible; y
"(2) por un amplio intercambio de información policial, de manera que la patrulla de frontera de un país pueda ser notificada inmediatamente de cualquier atentado de tránsito clandestino" (288).

La Resolución VIII, en concreto, recomendó la intensificación de esfuerzos por medio de los servicios policiales y de investigación de cada Estado a los efectos de determinar qué regiones de territorio se prestaban más al tránsito clandestino; fijación de puestos de vigilancia por funcionarios de inmigración o policiales y aumento de servicios de patrullas fronterizas. Aconsejó asimismo el empleo de instrumentos y técnicas modernas y, finalmente, la coordinación de los servicios nacionales de cada Estado con los del Estado vecino.

Otros antecedentes interesantes en la materia lo suministran las Resoluciones V y IX, adoptadas en la Reunión Regional de Rivera. La primera de las Resoluciones mencionadas recomendó el establecimiento de puntos fronterizos para la entrada y salida de personas. La segunda, sobre vigilancia de fronteras, preconizó la fijación de zonas fronterizas de una profundidad de dos kilómetros en las cuales se prohibiría el afincamiento y permanencia de súbditos del Pacto Tripartito y Estados a él subordinados y de otros extranjeros conside-

---

(287) **Panamá:** L. Nº 304, de 23 ene. 1942, art. 4º (V. texto en nota 286).
Estados Unidos: L. 22 may. 1918, (40 Stat. 559) con las enmiendas de la de 21 jun. 1941, (55 Stat. 252) (22 U.S.C. 225) sec. 1, prescribe que es ilegal "(b) Para cualquiera persona transportar o intentar transportar de o a los Estados Unidos a una persona con conocimienti o causa razonable para creer que tal partida o entrada de tal persona está prohibida por esta ley". Sec. 3ª (esta sección fija la pena para la infracción que rige sólo en tiempo de guerra o de emergencia).
Rpca. Dominicana: Información proporcionada por el Gobierno.

rados como peligrosos a los principios democrático-republicanos de Gobierno; y, finalmente, el establecimiento de puestos de vigilancia en los puntos fronterizos, ligados entre sí, a su vez, por medio de patrullas volantes.

El Comité se interesó en su Resolución XII por los convenios de la Reunión Regional de Rivera, solicitando de los gobiernos información sobre las medidas aconsejadas que estuvieran en vigor y las que en lo sucesivo se dictaran y sus observaciones en particular a las resoluciones adoptadas en aquella conferencia.

La acción internacional ha estado a tono, pues, con la importancia que reviste el problema del tránsito clandestino en la emergencia.

En cuanto a la política de los Estados Americanos en esta materia, puede verse concretada en la serie de medidas en vigencia desde antes o dictadas especialmente, que sirven para la prevención de ese tráfico ilícito y que pueden sintetizarse en las siguientes: a. Puntos oficiales de entrada y salida; b. Vigilancia fronteriza; c. Coordinación internacional de los servicios de vigilancia; d. Intercambio internacional de informaciones; e. Contralor interno ulterior.

2. Examen en particular de las medidas

a. Puntos oficiales de entrada y salida

La fijación de estos puntos llena, en principio, un importante objetivo de fiscalización, por cuanto al establecer el tránsito obligatorio por ellos, se facilita el contralor, y se reduce la vigilancia fronteriza fundamentalmente a los efectos de dar con aquellas personas que, clandestinamente, pretendan entrar o salir por puntos no habilitados. La violación de esta prescripción da lugar a sanciones, incluso la expulsión.

Un gran número de países han establecido puntos oficiales para la entrada y salida de personas (289).

b. Vigilancia fronteriza

La vigilancia fronteriza se efectúa mediante patrullas o

---

(288) 1er. Informe Anual del Comité. Apéndice, p. 133.
(289) V. en el cap. II, Entrada por puntos habilitados, supra, III, 2., d.

destacamentos terrestres, marítimos o aéreos, creados o destinados especialmente para cumplir esa vigilancia (290), o por
delegación del mismo cometido, total (291), o subsidiariamen-
te (292), a otras autoridades tales como las policiales, militares o marítimas, vigilancia que se efectúa en los puntos habilitados para la entrada y en las zonas intermedias.

En cuanto a los modos de operación de estas patrullas o
destacamentos se señalan como los más comunes y más de
acuerdo con el tipo de tránsito a fiscalizar:

a. vigilancia propiamente dicha, de los puntos conocidos de antemano como lugares utilizados para la entrada ilegal.

b. examen de los lugares que evidencian el pasaje ilegal
en las zonas próximas a la frontera e investigación
subsiguiente, hasta dar con el paradero de los infractores.

c. inspección de las frutas ferroviarias y viales, con la
colaboración de los civiles a quienes se interroga sobre el tránsito de sospechosos de entrada ilícita (293).

c. **Coordinación internacional de los servicios de vigilancia**

Ha sido preocupación de los Gobiernos coordinar sus esfuerzos en esta materia, disponiendo una estrecha cooperación
en la ejecución de esos servicios (294).

---

(290) **Argentina**: Destacamentos de inmigración (D. Nº 8970, de 27
jul. 1938).
Brasil, Colombia, Dominicana y Panamá: Información suministrada por los Gobiernos.
Estados Unidos de América: "The immigration border patrol", Información del Gobierno.
(291) **Colombia**: Información proporcionada por el Gobierno.
(292) **Argentina, Brasil, Dominicana y Guatemala**: Información suministrada por los Gobiernos.
(293) Procedimiento seguido por la "Immigration Border Patrol",
estadounidense, según información proporcionada por el Gobierno de este país.
(294) **Ecuador**: colaboración entre las Guardias fronterizas de este
país con las de Colombia (Información suministrada por el
Gobierno).
México: Con Estados Unidos (Información suministrada por
el Gobierno).
Panamá: Con los países fronterizos y zona del canal (Información del Gobierno).

d. Intercambio internacional de informaciones

Algunas Repúblicas Americanas han convenido notificarse recíprocamente los desplazamientos de individuos de quienes se sospecha que han huído clandestinamente a través de sus respectivas fronteras (295).

e. Contralor interno ulterior

Las Repúblicas Americanas disponen, generalmente, un contralor interno a los fines de la localización del extranjero ingresado clandestinamente, por medio de diversas medidas, entre las que pueden citarse: la revisación de documentos en cualquier punto del territorio; contralor por las empresas de transporte, hoteles, etc.; presentación de listas de tripulantes y pasajeros por esas mismas empresas; denuncia por particulares, etc.

Estas medidas, como se ve, muy diversas, son materia de estudio en las secciones sobre Contralor de Extranjeros a las que se remite al lector (296).

---

(295) **El Salvador:** Con Honduras y Guatemala (Información del Gobierno). Ver especialmente Intercambio Internacional de Información sobre Extranjeros, Sec. A., supra.
(296) V. Sec. A., Contralor de Extranjeros, supra.

CAPITULO III

EXPULSION DE EXTRANJEROS

I. GENERALIDADES

1. Definición

La expulsión, acto por el cual el Estado intima y, en caso de ser necesario, constriñe a uno o varios individuos ex tranjeros que se encuentran en su territorio a salir de él en un breve plazo (297), es un instituto cuyo origen se remonta a la antigüedad. Los romanos lo poseían, encomendando su aplicación al "praetor peregrinus", que ejercía sus funciones en materia de derecho de gentes (298). Desde aquel entonces, el instituto se ha estructurado y perfeccionado siguiendo la evolución de las instituciones políticas y jurídicas y experimentando, al mismo tiempo, la influencia de la especulación doctrinaria que se ha manifestado, por el especial campo de aplicación de la expulsión, tanto en el derecho interno —constitucional y penal— como en el internacional.

2. Fundamento

El fundamento del derecho de expulsión radica en la pro pia conservación del Estado, en la necesidad de la sociedad política de prevenirse contra todo ataque capaz de provocarle inconvenientes en sus relaciones internas o internacionales.

Es un derecho universalmente reconocido, compatible los principios de libre entrada, permanencia y salida de personas y de igualdad civil de nacionales y extranjeros, tradicionalmente establecidos en las constituciones americanas. Algunas Repúblicas han incorporado el derecho de expulsión a

---

(297) Cf. FAUCHILLE, p. "Traité de Droit International Public", T. 1., p. 1ère, París, 1922, Nº 443.
(298) Cf. GIRAD, "Histoire de l'Organisation judiciaire des Romains'" París, 1901, p. 260.

su estatuto básico (299). La delegación cubana a la Conferencia Interamericana sobre Problemas de la Guerra y de la Paz (México, febrero - marzo 1945), presentó una ponencia de Declaración de Derechos Individuales Americanos, cuyo numeral cuarto reconoce expresamente a toda persona "la libertad de entrar y salir de cualquier punto del territorio siempre que observe las leyes locales y los reglamentos de policía, sin perjuicio de lo que dispongan las leyes de inmigración o **el derecho de expulsión"**.

3. Naturaleza Jurídica

La naturaleza jurídica de la expulsión es controvertida. Mientras algunos autores ven en ella una pena, principal o accesoria (300), otros entienden que la institución participa de la naturaleza de las medidas de policía (301). Los partidarios de

---

(299) Véase infra nota 308.

(300) V., ARCOS FERRAND, L., "Constitucionalidad de las facultades del Consejo de Ministros en materia de deportación de indeseables", en "La Revista de Derecho, Jurisprudencia y Administración"; Montevideo, año XXXV, 1937, p. 58; CARBONE OYARZUN, Carlos F., "Sistema Constitucional Argentino de Derecho Internacional", Bs. Aires, 1928, p. 466; DURA, Francisco, "Naturalización y expulsión de extranjeros", Bs. Aires, 1911, ps. 198 y ss. y 283; FIELD, en el caso Fong Sue Ting, cit. por Clement Bouve, en "Exclusion and expulsion in the United States"; GONZALEZ CALDERON, Juan R., "Derecho Constitucional Argentino", Bs. Aires, 1931, p. 128, Nº 559; HAUS, Principes généraux de droit pénal belge", París, 1824, p. 440; MONZANI, "Il diritto di spellere gli straniere", cit. por Fauchille, op. y t. cits. p. 978; SAGARNA, Carlos P., en "La ley N: 4144 de Residencia", trabajo del Seminario de C. Jurídicas y Sociales, Bs. Aires, 1939, p. 93; SPOTA, Alberto G., "El ingreso de extranjeros al país y el ejercicio del poder de policía", en Diario de Jurisprudencia Argentina, de 23 de enero de 1942.

(301) V., entre otros, BLUNTSCHLI, "Droit International Codifié", trad., París, 1878, parágrafo 383; BOUVE, Clement, op. cit.; CREYDT, Oscar, "El derecho de expulsión", Asunción, 1927, p. 54; DUGUIT, "Droit Constitutionnel", París, 1925, T. V., 87; ESPIL, Felipe A., Jurisprudencia Argentina, 1918, t. II, p. 16; FAUCHILLE, p. y t., cits. p. 948; FURRIOL, Alfredo, "in re", Blás Colomer, Rev. de Der. Jur. y Adción., XXXV, 1937, p. 59; GARRAUD, 'Droit Pénal Français, París 1913-24, t. 1, Nº 209; LASTRES, Francisco, "De la expulsión de extranjeros", en la Revista de Derecho, Jurisprudencia y Administración, Montevideo, año XIX, p. 363; MADISON, cit. por el Juez Field, en el fallo 149 (U.S.) 749; MARTINI, "L'expul-

esta última tesis han señalado que aún en el caso de que la expulsión se aplique como accesoria de una condena, no pierde por ello su carácter de medida de precaución; se expulsa al delincuente que ha cumplido aquélla para prevenir que una nueva infracción se cometa, "no se conduce a un extranjero a la frontera para castigarlo de un delito" (302). "Si el mayor número de individuos expulsados —expresa Darut— está constituído por los condenados, la razón se halla en que ellos son los más peligrosos para el Estado; los procedimientos seguidos han despertado la atención y han puesto en guardia contra los peligros que su presencia en el territorio nacional puede engendrar; pero la medida de expulsión no es de ninguna manera una consecuencia necesaria de la condena que la ha precedido" (303).

En cuanto al propio concepto de medida de policía, la doctrina ha llegado a una distinción. Cuando la expulsión es aplicada por los jueces, como consecuencia de un delito cometido, se le llama medida de seguridad, y se reserva la denominación de medida de policía cuando es de aplicación administrativa, sin presuponer la comisión de una infracción penal. En la primera, la prevención es indirecta; en la segunda, en cambio, es directa (304).

---

sion des étrangers", París, 1909, p. 3; MAYER, Jorge M., "Contralor del Estado sobre la admisión y residencia de los extranjeros" en Boletín Mensual del Seminario de Ciencias Jurídicas y Sociales, Bs. Aires, 1937, T. VI, p. 530; STRUPP, "Droit International public européen et americain, París, 1927, p. 88; WEISS, "Droit International Privé, París, 1905, t. II, p. 86.

(302) BES-DE-BERG, "De l' expulsion des étrangers", p. 6.
(303) Cf. FLORIAN, "Tratatto di Diritto Penale", Milano, 1934, T.
(304) Cf. FLORIAN, "Tratatto di Diritto Penale", Milano, 1934, T. II, Nº 647 y ss.
El Profesor Francisco Cosentini también incluye, en su proyecto de Código Penal Internacional, la expulsión del extranjero, entre las medidas de seguridad (aut. cit., "Code Pénal International", art. 392, París, 1937, p. 66).
La misma opinión profesa el jurista Jean Radulesco quien, en su informe sobre medidas de seguridad producido en la Segunda Conferencia Internacional para la Unificación del Derecho Penal, hace una triple clasificación de tales medidas, en positivas, restrictivas de libertad y otras medidas, incluyendo entre las segundas a la expulsión de los extranjeros (Cf. GUNZ BURG, Niko, "Les transformations récents

Las legislaciones americanas, han seguido las precedentes distinciones que la doctrina ha ido formulando. Mientras algunas incluyen la expulsión entre las penas principales (305) o accesorias (306), aplicables por violación de un determinado bien jurídico, otras la comprenden entre las medidas de seguridad (307), o la consideran medida de policía propiamente dicha. Esta última acepción surge de las normas constitucionales (308), legales o reglamentarias (309) sobre ex-

de Droit Interne et International", París-Bruxelles, 1933, ps. 34-35.
(305) V., entre otras,
Colombia: Código Penal, art. 42. "Son penas accesorias, cuando no se establecen como principales, las siguientes: La prohibición de residir en determinado lugar;... la expulsión del territorio nacional, para los extranjeros".
Venezuela: Cód. Penal art. 9°. "Las penas corporales, que también se denominan restrictivas de la libertad, son las siguientes: ...6ª Expulsión del territorio de la República.
(306) V. entre otras,
Argentina: L. Nº 12331, de 17 dic. 1936, art. 17; D. Nº 536, de 15 ene.194 5, art. 42, núm. 2º.
Bolivia: D. Supr. de 27 mar. 1938, art. 8° "Penas accesorias: a) si el extremista fuese de nacionalidad boliviana, perderá además, sus derechos políticos por diez años; h) si fuese boliviano naturalizado, perderá su ciudadanía, y será expulsado del país después de cumplida su condena; c) si fuese extranjero, se le aplicará la ley de residencia, concluída que sea su prisión".
Colombia: Código Penal, art. 42. (V. texto en nota 305).
Cuba: Cód. de Defensa Social, art. 51. "En cuanto a las personas naturales, las sanciones imponibles son: ...B) Sanciones accesorias:... 8) Expulsión de los extranjeros del territorio nacional".
(307) **Costa Rica**: Código Penal, art. 110. "Las medidas de seguridad son: ...8° Expulsión de extranjeros".
(308) **México**: Const. art. 33. "Son extranjeros los que no posean las calidades determinadas en el art. 30. Tienen derecho a las garantías que otorga el Capítulo I, Título I, de la presente constitución; pero el Poder Ejecutivo de la Unión tendrá la facultad exclusiva de hacer abandonar el territorio nacional, inmediatamente y sin necesidad de juicio previo, a todo extranjero cuya permanencia juzgue inconveniente...".
Nicaragua: Const. art. 23 "Los extranjeros no deben inmiscuirse de ninguna manera en las actividades políticas del país. Por la contravención, sin perjuicio de poder ser expulsados sin juicio previo quedarán sujetos a las mismas responsabilidades que los nicaragüenses".
Paraguay: Const. art. 36. "Los extranjeros gozan dentro del territorio de la República de los derechos civiles del ciudadano, de acuerdo con las leyes reglamentarias de su ejercicio... Si atentaren contra la seguridad de la República o al-

tranjería, residencia o expulsión, vigentes en la mayoría de las Repúblicas Americanas, que otorgan a las autoridades eje-

teráren el orden público el Gobierno podrá disponer su expulsión del país, de conformidad con las leyes reglamentarias...".

Venezuela: Const. art. 32, inc. 6º, parte final, "Podrá en todo tiempo el Ejecutivo Federal, hállense o no suspendidas las garantías constitucionales, impedir la entrada al territorio de la República o expulsarlos de él, por el plazo de seis meses a un año si se tratare de nacionales o por tiempo indefinido si se tratare de extranjeros, a los individuos afiliados a cualquiera de las doctrinas antedichas, cuando considere que su entrada al territorio de la República o su permanencia en él pueda ser peligrosa o perjudicial para el orden público o la tranquilidad social" (La disposición sanciona, así, a los que o reclamen, propaguen o practiquen las doctrinas comunista y anarquista, Const. art. y núm cits.).

(309) V. entre otras,

Argentina: L. Nº 4144, de 22 nov. 1902, art. 2º; D. Nº 536, de 15 ene. 1945, art. 11, núm. 2º.

Bolivia: L. de 18 ene. 1911, art. 2º; D. Supr. de 28 ene. 1937, arts. 16 y 17.

Brasil: D. L. Nº 479, de 8 jun. 1938, arts. 5º y 8º.

Colombia: L. Nº 3, de 11 ene. 1936, art. 6º; D. Nº 804, de 15 abr. 1936, art. 2º. "La declaratoria de expulsión será hecha por el Director General de la Policía Nacional..."; D. Nº 1205, de 25 jun. 1940, art. 8º. "Podrán ser expulsados del territorio del país, mediante resoluciones del Director General de la Policía Nacional y previa consulta con el Ministerio de Gobierno...".

Costa Rica: L. Nº 13, de 19 jun. 1894, art. 3º.

Cuba: Cód. de Defensa Social, art. 64 C) (Ver texto en nota 429; Ac. L. Nº 3, de 5 ene. 1942, art. 15.

Chile: L. Nº 3446, de 12 dic. 1918, arts. 3º y 8º; L. Nº 6026, de 11 feb. 1937, art. 17; L. Nº 7179 ,de 3 jun. 1942.

Ecuador: D. Nº 111, de 29 ene. 1941, art. 92.

El Salvador: L. de 29 set. 1886, art. 46; D. Leg. Nº 86, de 14 jun. 1933, art. 2º.

Guatemala: D. Ej. Nº 1781, de 25 ene. 1936, arts. 75 a 80.

Nicaragua: L. de 5 may. 1930, art. 14.

Panamá: D. Nº 202, de 3 ago. 1942, art. 14.

Perú: L. Nº 4145, de 22 dic. 1920, art. 8º.

República Dominicana: L. Nº 95, de 14 abr. 1939, art. 2º.

Uruguay: L. Nº 8080, de 27 may. 1927, art. 9º "El Presidente de la República ordenará la expulsión... del territorio nacional, de cualquier extranjero o extranjera que se dedique dentro o fuera del país a las actividades definidas y castigadas en el artículo 1º de la presente ley", (la ley reprime el proxenetismo); L. Nº 9604, de 13 oct. 1936, art. 5º; D. de 29 dic. 1936, art. 3º "Las autoridades policiales expulsarán del territorio nacional a todo extranjero, aunque posea carta de ciudadanía,... mediando las siguientes causales..."

Venezuela: L. de 31 jul. 1937, art. 40 y 52. Este último establece: "La inadmisión y expulsión de extranjeros previstas

cutivas o administrativas los poderes jurídicos para expulsar a los extranjeros considerados indeseables.

Resumiendo en el problema de la naturaleza jurídica del instituto, puede concluirse que las legislaciones americanas admiten dos clases de expulsión: a) la que se dispone como consecuencia de la intervención judicial en el caso de la comisión de un delito, aplicada como pena, o medida de seguridad; y b) la que se decreta por la autoridad administrativa o ejecutiva, en concepto de medida de policía, que no implica la comisión de un delito y sí un estado de peligrosidad conocido o presunto, en b s e a los antecedentes que se poseen sobre la conducta presente o anterior del extranjero. El legislador costarricense ha aludido expresamente a esta distinción en cuanto ha dicho: "La imposición de medidas de seguridad (entre las que incluye la expulsión de extranjeros) no impedirá la expulsión administrativa del extranjero en los casos previstos por la ley" (310).

4. Límites del derecho de expulsión

El derecho de expulsión, si bien se basa en el ejercicio de facultades inherentes a la propia soberanía que autorizan a establecer restricciones a la residencia de extranjeros, no es por ello absoluto. El decreto administrativo o la resolución judicial, en su caso, que disponga la expulsión, no puede ser dictado sino contra el extranjero capaz de amenazar o que amenace realmente la seguridad exterior o interior del Estado, o, más genéricamente hablando, en los casos y condiciones prescriptos por el derecho positivo vigente en cada nación. En consecuencia, no puede ser arbitrario ni discrecional el uso que se haga de tal derecho. Así lo sostiene la doctrina más recibida (311), y se desprende, también, de la misma

---

en esta ley, se considerarán como actos administrativos o medidas de simple policía y en nada se oponen a la expulsión que, como pena, trae el Código Penal y que sólo puede imponerse en virtud de sentencia de los Tribunales competentes, conforme a los trámites de la legislación venezolana".
(310) Cód. Penal, art. 109.
(311) Véase, entre otros autores: DESPAGNET DE BOECK, "Cours de Droit International Public", Nº 336, p. 475-478; FAUCHILLE, op. cit. T. I. 1ere. part. p. 473; MARTINI, op. cit.; WEISS, op. cit., p. T. II, p. 68; etc. DUGUIT expresa que, como acto de gobierno, no está facultado el Consejo de Es-

legislación americana, según se comprobará en el curso de este estudio.

5. Semejanzas y diferencias con otros institutos

El instituto de la expulsión acusa semejanzas y diferencias con el destierro, la extradición, el rechazo o inadmisión y la repatriación, que interesa precisar.

La expulsión y el destierro (312) comportan por igual

---

tado para entrar a juzgarlo a los efectos de determinar si es fundado o no , pero puede, a pedido del interesado, anular el decreto por desviación de poder (op. y t. cits., p. 91). Los autores anglo-sajones y sajones en general admiten la discrecionalidad en el acto de expulsión. V., entre ellos, a OPPENHEIM, Internacional Law, T. I. Peace, Nº 323; VON ULMANN, Recueil des arbitrages internationaux, T. II, p. 342.

(312) Sin perjuicio de las semejanzas y diferencias entre los institutos de la expulsión y el destierro tal como se señalan en el texto que permiten distinguir a grandes rasgos, las características fundamentales de los mismos, se estima oportuno dar una breve exposición de lo que es propiamente el **destierro**, entendido en forma amplia, como pena y medida de policía, en el régimen jurídico en vigor en las Repúblicas Americanas.

Origen y fundamento del destierro

De origen remoto, en el sentido amplio aludido que excede en mucho la concepción penal con que comúnmente se le individualiza, es considerado como una verdadera institución por un autor estadounidense, denominándola exilio (1). Se aplica generalmente por motivos políticos, por lo que el derecho positivo se inspira en el fundamento mismo de su primitiva creación, esto es, la separación del individuo de la sociedad política a que pertenece. En los primeros tiempos se tuvo en cuenta a los habitantes de la ciudad; luego alcanzó a los del Estado. El hecho de que a los extranjeros no se les permitiera intervenir en la vida política interna del país, explica que el exilio fuera una institución exclusivamente aplicable a ciudadanos, a nacionales del Estado y no a extranjeros. Hoy comprende también a éstos; pero su alcance en este aspecto es reducido en mérito a que las autoridades ejecutivas y judiciales de las Repúblicas Americanas cuentan con las amplias facultades que les da el instituto de la expulsión, para defender la seguridad política y social del Estado, cuando agentes agresores extranjeros la pongan en peligro.

No obstante, comportando el instituto un abandono del país,

---

(1) CALDWELL, Robert. G., "Exile as an institution", apartado de Political Science Quaterley, Vol. LVIII, Nº 2, june 1943, N. York, 1943.

un alejamiento forzoso del territorio de un país y pueden,
ambos, ser aplicados en el carácter de pena o de simple medi-

---

es obvio señalar el interés que reviste para la defensa política, por cuanto implica un desplazamiento de personas que
pueden ser de ideología o conducta subversivas y, en consecuencia, capaces de afectar la integridad continental.

Formas. Por vía de pena o de medidas tomadas en régimen de Estado de Sitio

Ese abandono del país se opera por dos procedimientos diferentes, de orden judicial, el uno, de carácter ejecutivo, el
otro.

El primero, es resultante de la ejecución de la pena, que
se aplica generalmente por comisión de delitos contra la seguridad del Estado (2), y que significa para el infractor un
alejamiento temporario del territorio nacional que, por excepción, puede ser definitivo (3). Esa sanción es denominada
extrañamiento (4), destierro (5), confinamiento (6) o expatriación (7), según los países. Interesa destacar que cada
legislación, al elegir uno de estos vocablos para designar la
pena de referencia, reserva, a veces, a los restantes, signi-
ficados diferentes (8). En cuanto a la expresión "expatriación", debe señalarse que es utilizada en Estados Unidos de
América para denominar la pérdida de naturalización por
acto voluntario en caso de abandono del país, teniendo así

---

(2)   **Bolivia:** Código Penal, art. 116.
      Costa Rica: Código Penal, art. 354.
      Chile: Código Penal, arts. 118, 121, 122, 124 a 126; L. Nº 6026,
      de 11 feb. 1937, arts. 1 a 3.
      República Dominicana: Código Penal, arts. 87, 89, 110, 115,
      124, 202, 208.
      Perú: Código Penal, arts. 289, 302; L. Nº 8505, de 19 feb.
      1937, arts. 6, 9 y 11.
      Uruguay: Código Penal, arts. 142, 143 y 146.
(3)   **Bolivia:** Código Penal, art. 28.
(4)   **Bolivia:** Código Penal, art. 28.
      Costa Rica: Código Penal, art. 66.
      Chile: Código Penal, art. 34 ("extrañamiento es la expulsión
      del reo del territorio de la República al lugar de su elección").
      Ecuador: Código Penal, art. 45.
(5)   **R. Dominicana:** Código Penal, art. 37.
      Uruguay: Código Penal, arts. 66, 68 y 74.
(6)   **Chile:** Código Penal, art. 33, que lo define como "la expul-
      sión del reo del territorio de la República, con residencia
      forzosa en un lugar determinado".
(7)   **Perú:** Código Penal, art. 10.
(8)   Por ejemplo, con la expresión "destierro" se denomina la
      sanción que consiste en la obligación por parte del condena-
      do, de alejarse de modo perpetuo o temporal del lugar donde
      cometió el delito (Bolivia, C. Penal, art. 69; Chile, C. Penal,
      art. 36). Con el vocablo "confinamiento", en cambio, se ex-
      presa en otros países la obligación impuesta al condenado
      de permanecer distante, a determinado número de kilóme-

da de policía. La expulsión comprende, en general, a extranjeros y tiene alcance permanente; el destierro, en cambio, alcanza a nacionales y extranjeros, y constituye una medida temporaria.

———

un sentido absolutamente diferente del que se menciona en el presente trabajo (9).

El segundo tiene lugar por disposición constitucional, en caso de estado de sitio, de emergencia o de medidas prontas de seguridad, u otra forma excepcional que permita la limitación o restricción momentáneas de las garantías individuales. Bajo tales regímenes, el Poder Ejecutivo está facultado para arrestar o confinar a una persona en determinado lugar del territorio (10), permitiéndose a ésta, en algunos Estados, a abandonar el país, evitándole de este modo verse obligada a sufrir esas medidas limitativas de la libertad individual (11). En otras Repúblicas —son la excepción—, el Gobierno puede disponer expresamente ese alejamiento sin facultad alguna de opción (12). En ambos casos, no obstante, la medida es temporaria; se le mantiene mientras imperen las circunstancias excepcionales que la determinaron.

Sujetos y lapso del alejamiento

Algunos países americanos — en lo que se relaciona con el sujeto—, por prescripción constitucional, prohiben disponer el abandono del territorio al natural del país (13). Constituye, en consecuencia, una excepción importante al régimen general. Pero, con respecto a los naturales, el abandono impuesto no puede ser definitivo, como se ha expresado. La separación de un nacional del territorio de su patria no puede ser perpetua; si así lo fuere, se afectaría a los derechos que, como nacional de un país, tiene de permanecer en él, domiciliarse, poseer su hogar, etc., y se confundiría la medida tomada con la expulsión de extranjeros. Por ello, cuando la Constitución venezolana, por ejemplo (art. 36, inciso último), al aludir a las medidas excepcionales que el Poder Ejecutivo puede tomar, respecto de las personas en caso de guerra internacional o civil, etc., expresa: "podrá ... expulsarse del territorio de la República a los individuos nacionales o extranjeros que sean contrarios al restablecimiento o conservación de la paz", la utilización de la palabra expulsión, res-

———

tros del lugar en que se cometió el delito (Colombia, C. Penal, art. 49).
(9) V., Sec. B. Prevención del abuso de nacionalidad, supra p. 538.
(10) V., Introducción General, pág. 82 y ss.
(11) **Argentina**: Constitución, art. 23.
Bolivia: Constitución, art. 35, numeral 4º.
Uruguay: Constitución, art. 158 ,numeral 18.
(12) **Venezuela**: Constitución, art. 36, último inciso. V., asimismo, L. de 31 jul. 1937, art. 35.
(13) **Cuba**: Constitución, art. 30, inc. tercero.
Panamá: Constitución, art. 31.

La extradición y la expulsión implican también la salida compulsiva de una persona del territorio del Estado en que se refugia o reside, respectivamente. Ambos institutos se diferencian en cuanto la primera implica, necesariamente, la comisión de un delito, y la segunda no. La extradición persigue, con la autorización de las autoridades del Estado en que se halla el delincuente, el traslado del mismo al territorio donde cometió el delito, o donde han tenido lugar sus efectos, con el fin de ser juzgado o cumplir la pena que se le hubiere impuesto. La expulsión es dispuesta por la sola voluntad del Estado que ha autorizado la residencia del extranjero y que cancela ésta por comprenderle las causas que lo inhabilitan para permanecer en el territorio o por haber sido sancionado con el abandono compulsivo del país. Se expulsa a extranjeros, mientras que la extradición se otorga, si bien por algunos países, inclusive a nacionales. El expulsado puede elegir el Estado de destino, mientras el extradido es entregado a las autoridades del Estado requirente. La doctrina señala que de ninguna manera la expulsión debe conducir a la extradición cuando ésta no fuera posible en base a las normas internas o internacionales en vigor en los Estados. Si así sucediera, aquella perjudicaría al individuo objeto de la medida y se desnaturalizaría su verdadero sentido, violándose el tradicional derecho de asilo (313). La constitución cubana ha sido previsora a ese respecto, al disponer que "cuando procediere, conforme a la Constitución y a la ley, la expulsión de un extranjero del territorio nacional, ésta no se verificará si se

---

pecto de los nacionales, no puede tomarse en el sentido que se entiende para los extranjeros; es un abandono compulsivo del territorio nacional, es una expatriación forzosa de carácter temporario pero, de ninguna manera, una expulsión. Lo mismo puede decirse de algunos códigos penales americanos que, para definir el extrañamiento, destierro, confinamiento o expatriación, expresan que consiste en la expulsión del reo del territorio de la República con prohibición de regresar a él durante el tiempo de la condena (14).

(313) Cf. DIENA, "Des réclamations de l'extradé", en Revue générale de droit international public, 1905, p. 543.

---

(14) V., por ejemplo:
Costa Rica: Cód. Penal, art. 66.
Chile: Cód. Penal, arts. 33 y 34, etc.
Uruguay: Cód. Penal, art. 78.

tratare de asilado político, hacia el territorio del Estado que pueda reclamarlo" (314).

El rechazo o inadmisión y la expulsión persiguen un mismo fin: la defensa del Estado de los elementos indeseables extranjeros. Se diferencian en que, mientras el rechazo se opera con los que no han ingresado al territorio, la expulsión se aplica a los que ya se encuentran dentro de él. En consecuencia, muchas de las causales de rechazo o expulsión, son comunes en la mayoría de las legislaciones, aunque no todas deban necesariamente serlo. La distinción entre rechazo y expulsión no resulta, por cierto, claramente, de las leyes americanas sobre la materia, y debe deducirse, en cada caso, por la oportunidad de su aplicación en mérito al criterio diferencial antes enunciado. La ley uruguaya constituye una excepción, en cuanto distingue expresamente el rechazo o inadmisión, de la expulsión. Más aún: da al rechazo un sentido amplio, permitiéndolo, inclusive, dentro de los tres meses de la llegada del pasajero (315). Por tanto, cuando las autoridades uruguayas obligan a un extranjero, dentro de ese lapso, a hacer abandono del país, no expulsan, sino simplemente rechazan; vencido el término referido, caducan los poderes jurídicos de inadmisión, para dar lugar a los de expulsión en los casos que proceda.

La expulsión y la repatriación implican, asimismo, el abandono por parte de un extranjero del territorio en que reside; pero la diferencia esencial entre ambos institutos consiste, en que en el primero la salida es compulsiva y, en el segundo, es voluntaria. La repatriación, por lo general, es a costa del extranjero o de las autoridades diplomáticas o consulares del Estado de que es oriundo. Por excepción, en Brasil, la expulsión se suspende, en caso de infracción al régimen jurídico vigente en ese país para la entrada de extranjeros, cuando no hubiere perjuicio para el orden público, la seguri-

---

(314) Art. 31, último inciso.
(315) L. Nº 9604, de 13 oct. 1936, art. 2º, inc. primero. "La no admisión de extranjeros por las causales enumeradas en el artículo anterior, podrá efectuarse dentro de los tres meses de su entrada al país".

dad nacional o la estructura de las instituciones, sustituyéndose la expulsión por multa y repatriación (316).

6. Denominaciones. Expulsión, Deportación

En el curso de este trabajo se utilizará siempre como denominación uniforme del instituto, la expresión "expulsión" La aclaración tiene su importancia en mérito a que algunos países lo designan con el vocablo "deportación" (317). El caso especial de Estados Unidos de América reviste especial interés, porque en esta nación la deportación importa algo más que el simple abandono compulsivo del territorio, ya que el extranjero es enviado a un país y lugar determinado, que la propia ley fija, previendo una serie de situaciones para que la medida pueda ser cumplida y se logre que el deportado llegue a su país de destino (318). Esta última situación ofrece mayor garantía para la defensa política. No obstante, la previsión expuesta no ha sido totalmente mantenida en aquella República por las mismas normas actualmente en vigor. En efecto, aunque sólo en casos excepcionales, la ley faculta a las autoridades para permitir al deportado la elección del país de destino, siempre y cuando hubiere probado tener buenos antecedentes en los cinco años anteriores a su deportación (319).

7. Límites del presente estudio

El presente estudio se limita al análisis comparativo del

---

(316) Véase D. Nº 3010, de 20 ago. 1938, art. 244, inc. primero. "Antes de la decisión final del proceso de expulsión por motivo de infracción de este reglamento y la ley respectiva, cuando no haya perjuicio para el orden público, la seguridad nacional o la estructura de las instituciones, podrá la autoridad, a pedido del acusado, convertir aquella en multa de un conto de reis y repatriación".

(317) V., especialmente,
Estados Unidos: L. de 5 feb. 1917, (39 Stat. 865), arts. 19 y 20 enmendada por el art. 20 de la L. de 28 jun. 1940 (54 Stat. 672) (8 U.S.C. 155|156); L. de 16 oct. 1918, art. 3º; (40 Stat. 1012|13) (8 U.S.C. 137); L. de 26 may. 1924, art. 14 (43 Stat. 161) (8 U.S.C. 214).
México: L. de 24 ago. 1936, arts. 70, 185, 186 y 187.
R. Dominicana: L. Nº 95, de 14 abr. 1939, art. 13; Regl. Nº 279, de 12 may. 1939, Sec. 13ª.

(318) L. de 5 feb. 1917, art. 20 (V., texto en nota 486).

(319) L. de 28 jun. 1940, art. 20, que enmienda el art. 19 de la L. de 5 feb. 1917, ap. C), (1) (V. texto en nota 487).

régimen de expulsión vigente en las Repúblicas Americanas, desde el punto de vista de la defensa política, exclusivamente. Queda, en consecuencia, excluído, el tratamiento de la expulsión en caso de comisión de delitos comunes, vagancia, mendicidad, proxenetismo y otros casos semejantes y comunes, en general, a la legislación de los países americanos.

8. Valorización del instituto en época de paz y en la emergencia

Para juzgar la importancia del instituto en el aspecto de la defensa política, es necesario examinar su aplicación en época de paz y en la de emergencia.

En época normal, la expulsión actúa como medio defensivo, de policía preventiva general del Estado. En este sentido, llena un objetivo básico de protección interna, y por ello es que se ha estimado legítimo el derecho de cada Estado de consagrarla en sus textos constitucionales o legales. Pero, respecto de los demás Estados, particularmente en el caso de destino del expulsado, — que puede ser cualquiera, pues el expulsado, en principio, con la excepción de la legislación estadounidense, tiene derecho a elegir el país a que desea dirigirse—, se perjudicarán sí, desconociendo las condiciones de peligrosidad de éste, no se encuentran en posición de precaverse contra sus actividades. Es por ello que, con el fin de evitar este grave inconveniente, los gobiernos persiguen la reciprocidad de información sobre los movimientos del expulsado. Un antecedente valioso de este sistema de protección lo proporciona la conclusión suscrita por los delegados a la Conferencia Sudamericana de Policía de Buenos Aires (1920), que asegura ese intercambio de informaciones entre los países signatarios, en caso de expulsión. Resumiendo: en época de paz, la expulsión protege al Estado que toma esta medida; pero el peligro se desplaza para el que recibe al expulsado (320). No obstante, ese peligro no es tan grave tratándose

(320) La doctrina se había referido ya especialmente a este defecto del instituto: "La expulsión —señala un autor— es una medida egoísta: no elimina el peligro del criminal, lo hace recaer, simplemente en otro Estado. Porque la medida de seguridad tiende en general a enmendar la persona del reo,

de expulsión por razones políticas, porque ella alcanza, en tiempos normales exclusivamente, a anarquistas y comunistas, constituyendo, por lo demás, una medida de aplicación poco común.

Distinta situación plantea el instituto durante la emergencia. En la exposición de motivos de la Resolución XX, el Comité destacó los inconvenientes que crea, para una eficaz prevención y represión de las actividades nazifascistas, la expulsión aplicada como en épocas normales, sugiriendo las modificaciones necesarias para subsanarlas, en beneficio de la seguridad individual y colectiva de las naciones americanas.

Dijo el Comité:

"Respecto de la facultad de expulsión de las personas peligrosas, debe señalarse, sin embargo, que la actual emergencia requiere un uso concienzudo de esa facultad, siempre que se prefiera recurrir a ella como alternativa a la detención dentro del país. La expulsión de los agentes o de los nacionales peligrosos del Eje los dejaría en absoluta libertad para comprometer la seguridad del Continente en otras Repúblicas, puesto que, normalmente se reconoce a toda persona expulsada el derecho de escoger el país de destino. Permitir tal elección en la presente emergencia, equivaldría a tolerar el traspaso a una República hermana de los peligros que motivaron esa expulsión, pero que ésta no ha remediado. Como la amenaza por parte de esas personas afecta a todas las Repúblicas Americanas, es evidente que ellas deben combinar el ejercicio de sus facultades de expulsión con acuerdos para proceder a la detención, suprimiendo al expulsado el privilegio de elegir el lugar de destino. Suprimido ese privilegio, la sanción de expulsión vigente en muchos países americanos podría ser el medio normalmente aplicable para dar lugar a la detención ulterior en otras Repúblicas Americanas" (321).

Las medidas sustitutivas que la Resolución XX recomienda, conducen, en definitiva, a la detención del nacional peli-

---

parece normal y socialmente útil, que esa fuera infligida en el Estado territorial, pero en aquel del cual es súbdito el culpable" (Donnedieu de Vabres, F.", Il diritto Penale Italiano; Studio di Diritto Penale Comparato, Roma 1930-VIII, p. 196).
(321) Primer Informe Anual del Comité, Montevideo, 1943, pág. 97.

groso del Eje o de Estados a él subordinados, mediante la adopción, singular o conjuntamente, de los siguientes procedimientos:

"a) la detención dentro de su propio territorio en campos o zonas bien vigiladas, en caso de existir las condiciones necesarias para este fin o que las mismas puedan obtenerse fácilmente;

"b) la expulsión o deportación, mediante los acuerdos necesarios, a otra República Americana, donde deberá efectuarse la detención de tales sujetos, en caso de que este procedimiento sea necesario o conveniente por las condiciones de facilidad existentes en dicha República" (322).

El instituto de la expulsión pierde, en consecuencia, transitoriamente, al aplicársele durante el conflicto bélico, en la forma aconsejada por el Comité, sus clásicas características. No es nada más que un medio que permite la internación definitiva del extranjero peligroso, única medida que reviste garantía absoluta para la seguridad individual y colectiva de las Repúblicas Americanas (323).

Terminada la conflagración mundial, y en ejecución de los nuevos cometidos conferidos por la Resolución VII de Chapultepec, el Comité dictó su propia Resolución, la XXVI, por la que se vuelve a encauzar el régimen jurídico de la expulsión sobre los viejos moldes de antes de la emergencia pero con un progreso evidente respecto del pasado. La medida se tomará ya en un marco de solidaridad y asistencia recíprocas de los gobiernos, con la cooperación del organismo recomendante. La resolución en cuestión sugiere a los gobiernos americanos la adopción y ejecución de las medidas legislativas y administrativas indispensables para excluir del Continente, inadmitiéndolas o expulsándolas, a las personas consideradas como peligrosas. Se consideran tales a los "extranjeros o naturalizados que, en alguna época, dentro del Hemisferio Occidental o fuera de él: "(a) Hubieren participado en actividades de espionaje, sabotaje u otras semejantes contra cualquier país

(322) Resolución XX, parágrafo 3, Primer Informe Anual, cit., pág. 103.
(323) V. Internación, en Contralor de Extranjeros, supra.

americano, o que en una u otra forma hayan sido servidores responsables de los gobiernos del Eje en la realización de tales actividades; o (b) Hubieren participado como dirigentes en el adiestramiento, organización, administración, dirección o funcionamiento: (1) del Partido Nazi o de cualquiera de sus filiales o de cualquier grupo militante, político-económico, político-educacional o de otra índole, dedicado a servir los intereses del Eje o de cualquiera de sus aliados o satélites; o (2) de cualquier empresa que bajo apariencia comercial y simultáneamente con sus finalidades específicas, haya sido en realidad un ente dedicado a fomentar los planes de penetración político-económicos del Eje; o (3) de cualesquier organismo, colegios o entidades dedicados a la difusión sistemática de propaganda tendiente a fomentar los objetivos militares, políticos, político-económicos o doctrinarios de cualquiera de los Estados del Eje; o c) hubieren militado en cualquiera de los organismos enumerados en el inciso b) o secundado conscientemente sus actividades y designios" (324).

Como puede observarse la resolución establece una verdadera graduación de la responsabilidad que da mérito a la medida de inadmisión o expulsión. El interés práctico de esta clasificación consiste en que respecto de la categoría c), y para la expulsión de las personas comprendidas en ella, la resolución introduce excepciones que de probarse sus respectivos extremos les liberan definitivamente de la ejecución de la medida, o simplemente la dilatan. Así por ejemplo, constituyen circunstancias eximentes de la expulsión cuando una persona conceptuada en principio peligrosa por sus actividades, puede probar: a) que actuó contra su propia voluntad, por haber sido coaccionada; o b) que, con anterioridad o a raíz de la agresión al Hemisferio, se desvinculó definitivamente de tales actividades" (325). Son condiciones meramente suspensivas de la aplicación de la medida de expulsión que el cónyuge o el hijo sea nacional de una República Americana y que los vínculos conyugales o filiales se hayan establecido y se mantengan de buena fé (c) o que de ejecutarse inmediatamente la expul-

---

(324) Resolución XXVI sobre "Expulsión y no admisión de personas peligrosas", A, 2º.
(325) Res. cit., A, 3º.

sión se pondría en peligro su vida a causa de su salud precaria (d) (326). En estos dos últimos casos —establece la resolución— se adoptarán las medidas de contralor necesarias para evitar que dichos individuos puedan comprometer la seguridad del Continente, ordenándose sin embargo la expulsión, si desapareciesen las circunstancias que hubieran determinado la no adopción de la medida, y facilitando la salida de los familiares más próximos cuando deba ejecutarse la misma (327). La resolución recomienda además el intercambio de informaciones entre los gobiernos y el curso de las mismas al Comité, proporcionando éste a aquéllos las que al respecto poseyeran (328).

De manera pues que el Instituto de la expulsión ha sido fortalecido después de la prueba experimentada durante y después de la emergencia. Los motivos del retorno a la libertad de expulsión son bien fáciles de explicar. Finalizada la guerra y ejerciendo las potencias aliadas el dominio y ocupación de Alemania no tenía ya objeto el régimen de excepción, recomendado por la Resolución XX del Comité antes mencionado. Más aún las medidas recomendadas facilitan el cumplimiento de la Resolución del Consejo de Control Aliado de 20 de diciembre de 1945, interesado en la repatriación de los alemanes peligrosos, y por lo que se dispuso recabar informes respecto de los que serían objeto de deportación por parte de los gobiernos americanos.

II. SUJETO

1. Personas comprendidas.

El instituto de la expulsión es aplicable exclusivamente a extranjeros. Los nacionales no pueden ser expulsados; se les destierra, medida ésta que en cierto modo constituye un sustitutivo de la expulsión, aunque reviste características diferentes según ya se ha tenido la oportunidad de señalar (329). En cuanto a los extranjeros naturalizados o ciudadanizados,

(326) Res. cit., A, 3º.
(327) Res. cit., A, 3º, último inciso; y 4º.
(328) Res. cit., A, 9º; y B.
(329) V. p. 719 Supra, y especialmente nota 312, donde se realiza un breve estudio del instituto del destierro.

las leyes de algunos países americanos los condenan simultáneamente a las penas de privación de la carta de naturalización y expulsión (330) o, sancionados con la primera, se ordena o faculta la aplicación de la segunda (331) o se les expulsa sin privarles previamente de la calidad de naturalizados o
ciudadanos legales (332).

En principio, pueden ser expulsados los extranjeros, cualesquiera sean su nacionalidad, residencia, calidad que invistan
o relaciones de familia.

---

(330) **Argentina:** D. N° 536, de 15 ene. 1945, art. 42. "La condena
por delitos previstos en los capítulos precedentes lleva inherente las siguientes accesorias: ...2°) Si fuere extranjero o
argentino naturalizado, la expulsión del país luego del cumplimiento de la condena, cuando la pena impuesta fuere mayor de tres años... En todos los casos, si el condenado fuere
argentino naturalizado, perderá además la ciudadanía adquirida".
Bolivia: D. Supr. de 27 mar. 1938, art. 8°, letra b) (V., nota 306).
Guatemala: D. Ej. N° 2391, de 11 jun. 1940, art. 3°. "Los
naturalizados guatemaltecos, y aquellos que hayan adquirido la nacionalidad guatemalteca por los otros medios que
establecen las leyes, deberán abstenerse de ejecutar actos o
hacer manifestaciones que impliquen vinculación política con
el país de origen. La infracción se sancionará con la cancelación de la nacionalidad guatemalteca y la expulsión del
territorio nacional".
(331) **Argentina:** D. N° 536, de 15 ene. 1945, art. 42, núm. 2° "...
Si la pena fuera menor (se refiere a que la condena sea menor de tres años), la expulsión podrá ordenarse atendiendo
a las circunstancias del hecho y a la personalidad del reo".
La pérdida de la naturalización está dispuesta también en
este caso (V., texto en nota 330).
Chile: L. N° 6026, de 11 feb. 1937 ,art. 16. "Los extranjeros
nacionalizados que hayan sido condenados por alguno de los
delitos contemplados en la presente ley, serán privados de
su carta de nacionalización y podrán ser expulsados del territorio nacional".
Perú: L. N° 8505, de 19 feb. 1937, art. 12. "Cuando los responsables por delitos que esta ley castiga, sean extranjeros
nacionalizados, y sin perjuicio de las penas que les correspondan, se les cancelará la carta de naturalización y, cumplida la condena, serán expulsados del territorio nacional".
(332) **Uruguay:** L. N° 9604, de 13 oct. 1936, art. 5°, inc. primero:
"Los extranjeros, aunque posean carta de ciudadanía, comprendidos en la causal establecida por el artículo 70, inc. 7°
de la Constitución, podrán ser expulsados del territorio nacional".

2. Examen de las circunstancias que condicionan o eximen de la expulsión

Interesa precisar las circunstancias que condicionan la expulsión o que, habidas, eximen al extranjero de la medida. Tales circunstancias son: nacionalidad, residencia, calidad investida, relaciones de familia del extranjero en principio comprendido por la expulsión, y la opción de nacionalidad.

a. Nacionalidad

Algunas disposiciones discriminan, en función de la nacionalidad del extranjero, facultando expresamente a las autoridades para ordenar la expulsión de los nacionales del Eje o de países aliados a él o bajo su contralor. Un ejemplo de ello lo proporciona la legislación costarricense en cuanto dispone, respecto de los súbditos de aquellos países con los cuales la nación está en guerra y que ejerciten en cualquier forma actividades peligrosas al interés del Estado, que "serán reconcentrados en los campos de internación que para el efecto se establezcan o expulsados del territorio de la República, a opción del Poder Ejecutivo" (333).

La legislación cubana contiene semejantes previsiones, al facultar especialmente a las autoridades competentes para disponer la expulsión de los ciudadanos, nacionales o súbditos de los países del Eje y de los demás Estados que se consideren peligrosos para la seguridad nacional (334).

En otros casos, la posesión de determinada nacionalidad libera al extranjero de la expulsión. Tal, por ejemplo, la legislación salvadoreña, que exime de la medida a los centroamericanos (335).

b. Residencia

La residencia del extranjero en el país no pesa en la legislación de algunas Repúblicas del Hemisferio, a los efectos de determinar excepciones a la expulsión. Es así que se expulsa al

---

(333) D. Ej. Nº 11, de 11 dic. 1941, art. 2º, inc. 2º.
(334) Ac. L. Nº 3, de 5 ene. 1942, art. 15; D. Nº 1118, de 24 abr. 1942, art. 2º (V., textos en notas 429 y 373, respectivamente).
(335) L. de 29 set. 1886, art. 56.

extranjero, sea éste domiciliado o transeúnte (336). En otras, en cambio, la posesión de residencia permanente o definitiva simplemente (337), o durante un determinado plazo (338), eximen al extranjero de la expulsión. En los Estados Unidos se autoriza la expulsión del extranjero dentro de los cinco años de su entrada al país, siempre que le comprendan las categorías de exclusión previstas por la ley de inmigración, y sin limitación de tiempo para los anarquistas y categorías similares (339). Y dentro del mismo lapso, también, en caso de registro fraudulento (340) o por comisión de actividades subversivas (341). Y, finalmente, en otras Repúblicas, la legislación sobre la materia no prevé que la posesión de residencia regular por un determinado lapso, impida a las autoridades competentes ejercer los poderes jurídicos para ordenar la expulsión del extranjero. Tal, por ejemplo, el caso de la ley ar-

---

(336) **Cuba:** D. L. Nº 52, de 5 mar. 1934, art. 1. "Los extranjeros transeúntes, residentes o domiciliados en Cuba, podrán ser expulsados del territorio de la República en los casos siguientes:..."
Guatemala: D. Ej. Nº 2241, de 24 may. 1939, art. 1º (Ver primera parte en nota 330).
Panamá: L. Nº 54, de 24 dic. 1938, art. 24 (Ver texto en nota 373).

(337) **México:** L. de 24 ago. 1936, art. 186. "La deportación no podrá llevarse a cabo si el extranjero ha adquirido derechos de residencia definitiva".
Perú: L. Nº 4145, de 22 dic. 1920, art. 7º. "No se aplicarán las disposiciones del artículo anterior (V. nota 401) a los extranjeros que estuvieran domiciliados conforme a los incisos 2º y 3º del artículo 46 del Código Civil..." (Las citas del Código Civil deben entenderse referidas a los arts. 19 y 21 del nuevo Código, de 1936).

(338) **Brasil:** D. L. Nº 479, de 8 jun. 1938, art. 3º, a) (25 años de residencia legítima). Este lapso resulta considerablemente alto en relación al que fijaba la antigua legislación sobre la materia. En efecto, el D. Nº 1641 de 7 ene. 1907, art. 3º, preceptuaba que la residencia en el país por más de dos años impedía la expulsión del extranjero.
Costa Rica: L. Nº 13, de 19 jun. 1894, art. 2º, "... no se decretará la expulsión de los extranjeros siguientes:... 3º Del que hubiere residido en el país de modo permanente, durante los últimos diez años..."

(339) L. de 5 feb. 1917 (39 Stat. 865) (8 U.S.C. 155|156), art. 19.

(340) L. de 28 jun. 1940, (54 Stat. 672) (8 U.S.C. 547), art. 36, c, parte final (V. texto en nota 412).

(341) L. de 5 feb. 1917 (39 Stat. 865), art. 19, (b) (4), modificado por L. de 28 jun. 1940, (54 Stat. 672) (8 U.S.C. 155), art. 20, y tít. I de esta última ley.

gentina Nº 4144, de 23 de noviembre de 1902. La jurisprudencia del más alto tribunal de este país ha declarado el derecho absoluto de la nación de disponer la expulsión o deportación de extranjeros, que no se han naturalizado en la República (342), lo que evidentemente presupone que no previéndose limitaciones a ese derecho por la ley, no cabe hacer excepciones a la expulsión en caso de residencia regular por un determinado número de años como lo hacen otras legislaciones. La doctrina ha señalado la inconstitucionalidad de la ley Nº 4144, en cuanto al aspecto en estudio, porque autoriza la expulsión de extranjeros debidamente admitidos como "habitantes" amparados por tener esta calidad con las garantías de libertad y seguridad establecidas en la constitución (343). La omisión de la ley argentina que lleva a situaciones como la presente ha sido puesta de relieve por la doctrina (344) y se ha pretendido salvarla en los proyectos de reforma que se han presentado a la consideración del cuerpo legislativo (345).

c. Calidad investida.

Algunos extranjeros que poseen calidades especiales, tales como la de jefes de misión diplomática o consular, o que desempeñan un cargo oficial en el país, en representación de un gobierno o autoridades extranjeros, están sometidos a un régimen particular con relación a su expulsión.

En lo que respecta a los diplomáticos y cónsules, las legislaciones de las Repúblicas Americanas no los excluyen expresamente de las medidas de expulsión. El problema interesa tanto al derecho interno como al internacional, y es este último el que primeramente se tiene en cuenta. Así, la doctrina admite que dichos agentes puedan ser expulsados pero, previamente, se solicita su retiro y, en caso de que no se ac-

---

(342) V., Fallo de la Corte Suprema de la Nación, en Jurisprudencia Argentina, T. II, 1918, p. 28.
(343) GONZALEZ CALDERON, J. A., op., núm. y p. cits.
(344) SPOTA, Alberto G., "Régimen Jurídico de la Inmigración", en Rev. La Ley, t. 24, 1941 sec. doctr. p. 147.
(345) V. p. ej., CARBONE OYARZUN, op. cit., p. 447 y ss.; CARRILLO, Diego, en "La Ley Nº 4144, de Residencia", trabajo de seminario, cit., p. 55 y ss.; SAGARNA, Carlos P., en la misma obra precedentemente citada, p. 106.

cediera, sin razones justificadas (346), recién entonces se procedería, anticipando el aviso al gobierno que los ha acreditado (347), y sólo en caso de imponerse la medida por graves razones de orden público (348). El problema revestía algún interés en el comienzo de la emergencia, cuando las Repúblicas Americanas mantenían relaciones con los países del Eje, en mérito a la conocida intervención de sus agentes diplomáticos y consulares en las actividades de espionaje y otras de carácter subversivo. Pero, es obvio que la expulsión de uno o más agentes, en aquel entonces, tampoco habría resuelto el problema, dado que él o los que los sustituyeran vendrían con idénticos propósitos.

En cuanto a otros funcionarios extranjeros, interesa mencionar el caso de Colombia, que dispone expresamente la expulsión de aquellos que, siendo miembros efectivos u honorarios de policías extranjeras, oculten su misión "para entrar en el país y servirse de ella para ejercer o pretender ejercer funciones de vigilancia, intimidación o castigo dentro del país sobre cualquier persona" (349). La importancia de esta prescripción legislativa para los efectos de la defensa política es a todas luces evidente, si se recuerda la acción que ha cabido a los policías del Eje en los países extranjeros, donde se han introducido ocultando su verdadera condición, para llevar a cabo las tareas encomendas por los jerarcas nazi-fascistas en cumplimiento de sus planes de agresión y conquista.

d. Relaciones de familia

Varias legislaciones americanas introducen excepciones al régimen de expulsión en ellas vigentes, por consideración a las relaciones de familia que el extranjero tiene en el país.

---

(346) Cf. BASDEVANT, "Le conflit anglo-venezuelen", en Révue générale de droit international public, 1906, p. 539-40; HURST, Cecil, "Les inmunités diplomatiques", en Rec. de Cours de La Haye, 1926, II, t. XII, p. 115.

(347) Cf. DE LA PRADELLE A., et NIBOYET, J. P. en Répertoire de Droit International, París, 1930, t. VII, Vº, expulsión, Nº 72.

(348) Cf. DESPAGNET DE BOECK, op. cit., Nº 235, p. 335-336. En el mismo sentido, FAUCHILLE, op. cit., 1ère. p. T. 1., Nº 449, p. 679.

(349) D. Nº 1205, de 25 jun. 1940, art. 1º, núm. 6º.

Así, en algunas Repúblicas, se exime de la expulsión a aquellos extranjeros que han contraído matrimonio con naturales del país (350), o que tuvieren hijos nacidos en el mismo (351). o que habiendo casado con un nacional y no teniendo descendencia posean, por lo menos, un mínimo de residencia en el país (352).

En Cuba, la Constitución ha introducido una modificación al régimen común vigente entonces en la materia al prescribir que "cuando se trate de extranjeros con familia cubana constituída en Cuba, deberá mediar fallo judicial para la expulsión, conforme a lo que prescriben las leyes de la materia" (353). De manera que en realidad, no se trata de una excepción propiamente dicha sino de una garantía de orden procesal.

En los Estados Unidos, por virtud de las relaciones de familia del deportado, pero en base al perjuicio económico que podría ocasionar a un allegado, sea ciudadano o extranjero que resida legalmente en el país, y en la calidad de esposo, padre, madre o hijo menor del deportado, y con la condición también de la posesión de buenos antecedentes de éste en el período de los últimos cinco años anteriores a la medida, puede suspenderse la misma (354).

---

(350) **Perú:** L. Nº 4145, de 22 dic. 1920, art. 7º. No se aplicarán las disposiciones del artículo anterior (V. nota 401) a los extranjeros... ni a los casados con mujer peruana con quien vivieren normalmente ni a los viudos de mujer peruana".
Uruguay: L. Nº 9604, de 13 oct. 1936, art. 3º, inc. segundo. "...Esta disposición no es aplicable al extranjero ni al ciudadano legal, casado con mujer natural del país...".
(351) **Brasil:** D. L. Nº 479, de 8 jun. 1938, art. 3º, b) (exige la vivencia de los mismos).
Costa Rica: L. Nº 13, de 19 jun. 1894, art. 2º "...no se decretará la expulsión de los extranjeros siguientes: 1º Del que esté casado o haya sido casado con mujer costarricense, si de ese matrimonio hubiere uno o más hijos nacidos en la República...".
Uruguay: L. Nº 9604, de 13 oct. 1936, art. 3º, inc. segundo. "...Esta disposición no es aplicable al extranjero ni al ciudadano legal,... que tenga hijos nacidos en el país".
(352) **Costa Rica:** L. Nº 13, de 19 jun. 1894, art. 2º "...no se decretará la expulsión de los extranjeros siguientes: ...2º Del que esté casado con mujer costarricense y hubiere residido cinco años en la República..."
(353) **Constitución,** art. 19, b), apartado tercero.
(354) L. de 28 jun. 1940, art. 20, que enmienda el art. 19 de la L. de 5 feb. 1917, ap. c) 2). (Ver texto en nota 482) (V., además, nota 341).

En otros países, las relaciones de familia no determinan un régimen más favorable para el expulsado. Tal vez, por vía de ejemplo, la legislación argentina, que no hace para nada alusión a este aspecto. La doctrina lo ha destacado especialmente (355) y el legislador ha procurado subsanar la omisión en una reforma de la ley Nº 4144, de 23 de noviembre de 1902, que sin embargo aún no ha sido llevada a cabo (356).

e. Opción de nacionalidad

La circunstancia de que el extranjero haya hecho uso de la opción de nacionalidad y esté corriendo el plazo para la misma cuando se dispone su expulsión, es tenida en cuenta, por ejemplo, en Costa Rica, liberándole en tal caso de la aplicación de la medida (357).

3. Apreciación de las excepciones de expulsión desde el punto de vista de la defensa política

Las excepciones al régimen general de expulsión vigente en las Repúblicas Americanas, si bien inspiradas por encima de toda otra razón en un sentido humanitario, de respeto de los derechos de los habitantes de una nación, sean nacionales o extranjeros, es de toda evidencia que crea dificultades para resolver los problemas de la defensa del Estado, especialmente en la situación de beligerancia, sobre todo cuando se carece de medidas asegurativas que sustituyan a la expulsión con igual o mayor eficacia como, por ejemplo, la internación o confinamiento del extranjero dentro del país (358). Algu-

---

(355) SAGARNA, Carlos P., op. cit., p. 106. Este autor señala que la expulsión se dicta además "contra nacionales; puesto que su mujer e hijos y máxime si éstos son niños, deberán seguir al expulsado..."; SPOTA, Alberto G., op. cit., ps. 146-7.

(356) CARRILLO, Diego, op. cit., p. 56.

(357) L. Nº 13, de 19 jun. 1894 ,art. 2º "...no se decretará la expulsión de los extranjeros siguientes... 4º Del que estuviere gozando del plazo de opción de ciudadanía a que se refieren los incisos 2º y 3º del artículo 5º de la Constitución, y los artículos 1º (inciso 6º), y 2º de la ley de Ciudadanía, de 20 de Diciembre de 1886).
V., asimismo, y en especial, Prevención del Abuso de la Nacionalidad, supra.

(358) V., en especial, Internación, supra.

nas legislaciones, como la costarricense, han sido previsoras, no admitiendo excepciones a la expulsión cuando el extranjero pertenezca al país con el cual la nación esté en guerra (359). La medida reviste señalada importancia para la defensa política cuando, como en el caso del ejemplo, se admite la expulsión con subsiguiente internación en otro país (360).

III. CAUSALES

El derecho positivo de las Repúblicas Americanas ofrece una gran variedad de causales de expulsión, que pueden sistematizarse en diversas categorías, construídas en base a su vinculación con los problemas de la defensa política, y que pueden agruparse como sigue: 1) Ideología o conducta social o política; 2) Violaciones a las normas sobre entrada y salida, contralor, internación y expulsión de extranjeros; 3) Nacionalidad del Eje o de países ocupados por éste; 4) Expulsión de otros países por alguna o algunas de las causales establecidas; y 5) Expulsión por acto discrecional sin expresión de causal (361).

1. Ideología o conducta social o política

Diversas causales de expulsión pueden señalarse en materia de ideología o conducta social o política.

---

(359) **Costa Rica:** L. Nº 13, de 19 jun. 1894, art. 2º. "Salvo que la República esté en guerra con la Nación a que pertenezcan, no se decretará la expulsión de los extranjeros siguientes: (establece cuatro excepciones oportunamente señaladas)".

(360) Información proporcionada por el Gobierno de Costa Rica.

(361) IRIZARRY y PUENTE, suministra la siguiente clasificación de las causales de expulsión: I. Orden Público; II Seguridad Nacional (A) Causas que ponen en peligro la seguridad (i) participación en asuntos de política interna, (ii) cambios violentos en la estructura del Estado, (iii) doctrinas subversivas; (B) Causas que ponen en peligro las relaciones internacionales (i) violación de la neutralidad, (ii) oposición a la paz, (iii) violación de las condiciones del asilo, (V. autor cit., "Exclusion and expulsion of aliens in Latin America", American Journal of International Law, v. 36, apr. 1942, Nº 2, p. 263 y ss.). Esta clasificación aparte de no comprender la legislación de todas las Repúblicas Americanas, es incompleta, puesto que no tiene en cuenta algunas causales tales, como las referentes a las violaciones de diversas disposicio-

a. Doctrinas extremistas, revolucionarias o disolventes

La causal del rubro es tenida en cuenta por las normas constitucionales y legales de varias Repúblicas Americanas. El origen y fundamento de la expulsión de las personas de ideologías de esta naturaleza, son los mismos que se expusieron en oportunidad de estudiar las causales de inadmisión (362), y comprende a los anarquistas (363), comunistas

---

nes sobre extranjeros, etc. No obstante, es un ensayo de clasificación que presenta señalado interés, en mérito a la adecuada sistematización de las causales.

(362) V., Entrada de personas, supra.

(363) **Argentina:** L. Nº 7029, de 28 jun. 1910, art. 1º. "Sin perjuicio de lo dispuesto en la ley de inmigración, queda prohibida la entrada y admisión en el territorio argentino de las siguientes clases de extranjeros: ...b) Los anarquistas..." art. 4º) (V. texto en nota 367).
Bolivia: D. Supr. de 27 mar. 1938, arts. 3º y 8º letras b) y c).
Colombia: D. Nº 804, de 15 abr. 1936, art. 1º. "Serán expulsados del país los extranjeros que se encuentren comprendidos en alguno o algunos de los siguientes casos:...p) Los que aconsejen, enseñen o proclamen... la práctica de doctrinas subversivas del orden público social, tales como la anarquía..."
El Salvador: Constitución, art. 15, inciso segundo. "Los extranjeros que directa o indirectamente participen en la política interna del país, o propaguen doctrinas anárquicas, antisociales o contrarias a la democracia, perderán el derecho a residir en él".
Estados Unidos: L. de 5 feb. 1917 (39 Stat. 874), art. 19 enmendado por el art. 20 de la de 28 jun. 1940, (54 Stat. 670) (8 U.S.C. 155), (a) "...cualquier extranjero ... que abogue o predique a favor de la anarquía..."; L. de 16 oct. 1918, con las modificaciones introducidas por las de 5 de jun. 1920, y 28 jun. 1940, art. 1º. "Cualquier extranjero quien, en cualquier tiempo, sea o haya sido miembro de cualquiera de las siguientes clases será excluído de ..."; idem, art. 2º "Cualquier extranjero, quien al tiempo de entrar en los Estados Unidos fuera o haya sido posteriormente, miembro de cualquiera de las clases de extranjeros enumeradas en el art. 1º de esta ley, será, conforme a la orden del Fiscal General, detenido y deportado del modo previsto por la Ley de Inmigración de 5 de febrero de 1917. Las disposiciones de este artículo serán aplicables a las clases de extranjeros mencionadas en esta ley, prescindiendo del tiempo de su entrada en los Estados Unidos".
Nicaragua: L. de 5 may. 1930 arts. 14 y 16 y 4º f).
Venezuela: Const. art. 32, inc. 6º, "... Se consideran contrarias a la independencia, a la forma política y a la paz social de la Nación, las doctrinas ... anarquistas; y los que

(364), o en general, a todos aquellos que son de notoria ideología disociadora, que preconiza la destrucción violenta del régimen económico social presente, o el ataque a sus instituciones básicas, v. gr. derecho de propiedad, etc. (365), liber-

---

las proclamen, propaguen o practiquen, serán considerados como traidores a la Patria y castigados conforme a las leyes". Por el mismo art. e inc. parte final (v. texto en nota 308) se impone la expulsión de tales personas.

(364) **Bolivia:** D. Supr. de 27 mar. 1938, arts. 3º y 8º letras b) y c). **Colombia:** D. Nº 804, de 15 abr. 1936, art. 1º. "Serán expulsados del país los extranjeros que se encuentren comprendidos en alguno o algunos de los siguientes casos: ...p) Los que aconsejen, enseñen o proclamen... la práctica de doctrinas subversivas del orden público social, tales como ... el comunismo..."
El Salvador: D. Ej. de 12 ago. 1930, art. 4º. "Se ordena a los funcionarios públicos y se excita a los particulares, que avisen a la Dirección General de Policía, el conocimiento que tengan de extranjeros que hayan entrado o entren al territorio de la República, de manera subrepticia, así como de los que hagan propaganda comunista, para expulsarles del país, de conformidad con el decreto de 23 de setiembre de 1926".
Nicaragua: D. Leg. Nº 119, de 25 jun. 1941, arts. 1º: "Quedan prohibidas en la República: a) La propaganda ... comunista ..." y 4º "Los extranjeros que propaguen doctrinas prohibidas por esta Ley, sin perjuicio de las penas establecidas, deberán ser extrañados del país por el Poder Ejecutivo. Los extranjeros nacionalizados, además de lo dispuesto en el anterior inciso, perderán su calidad de nacionales".
Venezuela: Const. art. 32, inc. 6º. "Se consideran contrarias a la independencia, a la forma política y a la paz social de la Nación, las doctrinas comunistas...: y a los que las proclamen, propaguen o practiquen, serán considerados como traidores a la Patria y castigados conforme a las leyes". Por el mismo art. e inc. parte final (v. texto en nota 308) se impone la expulsión de tales personas.

(365) **Bolivia:** D. Supr. de 27 mar. 1938 ,arts. 3º letra a); y 8º letras b) y c).
Brasil: D. L. Nº 479, de 8 jun. 1938, art. 2º. "Queda además sujeto a expulsión el extranjero: 1. que, de cualquier forma: ...b) atentare contra la seguridad de la propiedad...".
Colombia: D. Nº 804, de 15 abr. 1936, art. 1º. "Serán expulsados del país los extranjeros que se encuentren comprendidos en alguno o algunos de los siguientes casos:...p) Los ... que atenten contra el derecho de propiedad".
Estados Unidos: L. de 5 feb. 1917, art. 19, enmendado por el art. 20 de la ley de 28 jun. 1940, (a) cualquier extranjero a quien, en cualquier tiempo después de su entrada, se le encuentre abogando o predicando en favor de la destrucción ilegal de la propiedad..."; L. de 16 oct. 1918, con las modificaciones introducidas por las de 5 jun. 1920, y 28 jun.

tad de trabajo (366), o genéricamente al orden social establecido (367).

1940, art. 1º. "Cualquier extranjero quien, en cualquier tiempo, sea o haya sido miembro de cualquiera de las siguientes clases será excluído de la admisión en los Estados Unidos: ... (c) Los extranjeros que profesan, aconsejan, abogan o predican, o que son miembros o afiliados a cualquier organización, asociación, sociedad o grupo que profesa, aconseja, aboga o predica:...)3) el daño, perjuicio o destrucción ilegales de la propiedad..."; art. 2º dispone la deportación de esta clase de personas (V. texto en nota 363).
Nicaragua: L. de 5 may. 1930, arts. 14 y 16 y 4º letra h).

(366) Brasil: D. L. Nº 479, de 8 jun. 1938, art. 2º. "Queda además sujeto a expulsión el extranjero: 1. que, de cualquier forma: ...b) atentare contra ... la libertad de trabajo.
Cuba: D. L. Nº 52, de 5 mar. 1934, art. 1º. "Los extranjeros podrán ser expulsados del territorio nacional: ...6º. "Cuando sean condenados por infracción, en cualquier forma y grado, de las leyes que regulen las huelgas o la organización y libre funcionamiento de las organizaciones obreras y patronales". idem, núm. 7º. "Cuando realicen cualquier acto de coacción o amenazas en cualquier forma sobre patronos u obreros para la consecución de sus ideas sociales o proletarias o sobre cualquier otra persona natural o jurídica para coartar el derecho de libertad de trabajo de patronos y obreros".

(367) Argentina: L. Nº 7029, de 28 jun. 1910, art. 1º, inc. b: "... y demás personas que profesan o preconizan el ataque por cualquier medio de fuerza o violencia contra ... las instituciones de la sociedad". Art. 4º: "El Poder Ejecutivo ordenará la inmediata salida del país de todo extranjero que lograse entrar a la República con violación de esta ley o que se halle comprendido por la ley 4144".
Bolivia: D. Supr. de 27 mar. 1938, art. 3º letra a) y art. 8º, letras b) y c).
Brasil: D. L. Nº 479, de 8 jun. 1938, art. 1º. "Es pasible de expulsión el extranjero que de cualquier forma atentare contra... el orden... social ...".
Colombia: D. Nº 804, de 15 abr. 1936, art. 1º. "Serán expulsados del país los extranjeros que se encuentren comprendidos en alguno o algunos de los siguientes casos: ...p) Los que aconsejen, enseñen o proclamen ... la práctica de doctrinas subversivas del orden público social...".
Chile: L. Nº 3346, de 12 dic. 1918, art. 3º. "Cada Intendente en el territorio de su provincia y con autorización expresa del Gobierno podrá expulsar del país a cualquier extranjero comprendido en alguno de los casos de los arts. anteriores..." El art. 2º que establece las prohibiciones de ingreso al país, incluye, justamente, la de los "extranjeros que practican o enseñan la alteración del orden social... por medio de la violencia".
Nicaragua: D. Leg. Nº 119, de 25 jun. 1941, arts. 1º. "Quedan prohibidas en la República: a) La propaganda de doctrinas o sistemas políticos y sociales contrarios... al orden social establecido..." y 4º "Los extranjeros que propaguen doctri-

Finalmente, por excepción, se tiene en cuenta, también, la expulsión de extranjeros de ideología nazi (368) o fascista (369), mientras otras Repúblicas disponen la salida de los extranjeros presumiblemente de tal ideología por su sola condición de nacionales de los países en que practican tales doctrinas como se verá más adelante.

b. Doctrinas contrarias al sistema democrático representativo de gobierno

La defensa del sistema democrático de la propaganda o acción de los extranjeros contrarios al mismo, ha preocupado a constituyentes y legisladores, según se ha tenido ya oportunidad de señalar. Debe distinguirse aquí, simplemente, las ideologías que dan lugar a la expulsión y que son, concreta-

---

nas prohibidas por esta ley, sin perjuicio de las penas establecidas, deberán ser extrañados del país, por el Poder Ejecutivo. Los extranjeros nacionalizados además de lo dispuesto en el anterior inc. perderán su calidad de nacionales".
Perú: L. Nº 8505, de 19 feb. 1937, art. 1º. "Cometen delito contra la tranquilidad política y social de la República: ... 3º Los que fomenten o propaguen por cualquier medio, individualmente o como miembro de asociaciones, instituciones, grupos o partidos políticos, doctrinas o propósitos que tiendan a alterar o modificar violentamente el orden político o social de la República; ... 5º Las personas, instituciones o partidos políticos que reciban subvención o mantengan relaciones con personas, instituciones, partidos políticos o gobiernos extranjeros, con el fin de propagar doctrinas de carácter y tendencia internacional o alterar violentamente el orden político o social de la República; art. 6º. "Sufrirán la pena de confinamiento... de 1 a 5 años, los culpables de los delitos comprendidos en los incisos 1, 2, 3, 4, 5, 7, 8, 9; 11, 14, 15 y 16 del art. 1º..." art. 12 (v. texto en nota 331).
(368) **Nicaragua:** D. Leg. Nº 119, de 25 jun. 1941, arts. 1º. "Quedan prohibidas en la República: a) la propaganda ... nazistas ..." y 4º. "Los extranjeros que propaguen doctrinas prohibidas por esta ley, sin perjuicio de las penas establecidas, deberán ser extrañados del país, por el Poder Ejecutivo. Los extranjeros nacionalizados, además de lo dispuesto en el anterior inciso, perderán su calidad de nacionales".
(369) **Nicaragua:** D. Leg. Nº 119, de 25 jun. 1941, arts. 1º. "Quedan prohibidas en la República :a) La propaganda... fascista..." y 4º "Los extranjeros que propaguen doctrinas prohibidas por esta ley, sin perjuicio de las penas establecidas, deberán ser extrañados del país por el Poder Ejecutivo. Los extranjeros nacionalizados, además de lo dispuesto en el anterior inciso, perderán su calidad de nacionales".

mente, las contrarias a la democracia (370), o al sistema democrático representativo de gobierno, expresamente mencionadas, por un lado (371), o al régimen propiamente republicano al orden político, o a los principios constitucionales del Estado, o al gobierno organizado, por otro (372).

---

(370) **El Salvador:** Const. art. 15, inc. segundo. (V. texto en nota 363).

(371) **Bolivia:** D. de 13 abr. 1942, arts. 1º letra d); 18 inc. 1º y 24.

Cuba: D. L. Nº 52, de 5 mar. 1934, art. 1º ."Los extranjeros... podrán ser expulsados del territorio de la República en los casos siguientes: ... 8. Cuando realicen, en cualquier forma y grado, actos de propaganda para reemplazar la forma republicana y democrática de gobierno por otra distinta...".

Nicaragua: D. Leg. Nº 119, de 25 jun. 1941, art. 1º. "Quedan prohibidas en la República: a) La propaganda de doctrinas o sistemas políticos o sociales contrarios a los principios constitucionales del Estado, a su régimen republicano y democrático y al orden social establecido. Estos son: la doctrina comunista, los sistemas nazistas y fascistas y cualquier otro que tienda al implantamiento de dictaduras o que lleven por objeto suprimir, cambiar o debilitar la forma republicana y democrática de la República, el régimen de independencia de los Poderes Legislativo, Ejecutivo y Judicial y el sufragio como fundamento de organización de los mismos". Idem, art. 4º establece la expulsión de los propagandistas de estas doctrinas. (V. texto en nota 367).

Uruguay: L. Nº 9604, de 13 oct. 1936, art. 5º. "Los extranjeros, aunque posean carta de ciudadanía, comprendidos en la causal establecida por el artículo 70, inc. 7º de la Constitución, podrán ser expulsados del territorio nacional..." La causal constitucional mencionada es desarrollada por el art. 6º de la ley Nº 9604 que dispone: "A los efectos del artículo anterior, se entenderá por organizaciones sociales o políticas que por medio de la violencia tiendan a destruir las bases de la nacionalidad, a todos los núcleos, sociedades, comités, o partidos nacionales o extranjeros, que preconicen medios efectivos de violencia contra el régimen institucional democrático republicano".

(372) **Brasil:** D. L. Nº 479 de 8 jun. 1938, art. 1º. "Es pasible de expulsión el extranjero que de cualquier forma atentare contra... el orden político...".

Chile: L. Nº 3446 de 12 dic. 1918, art. 3º. "Cada Intendente en el territorio de su provincia y con autorización expresa del Gobierno podrá expulsar del país a cualquier extranjero comprendido en alguno de los casos de los artículos anteriores..." El art. 2º, establece, precisamente, entre las categorías de extranjeros cuya admisión se prohibe, la de los que "practican o enseñan la alteración del orden ... político por medio de la violencia".

Estados Unidos: L. de 16 oct. 1918 (39 Stat. 865) con las

c. Doctrina o conducta que ataque o comprometa la seguridad del Estado

La acción contra la seguridad del Estado puede revestir las dos formas clásicas, comunes en las leyes represivas, esto es, interior y exterior, y una tercera, nueva, extensión de esta última, creada para proteger no sólo al Estado, sino a la Comunidad de Naciones Americanas.

1) Seguridad interna y externa del Estado

Respecto a la seguridad interna y externa, las fórmulas legales comunes son de protección expresa contra todo ataque a la seguridad nacional (373), a la personalidad inter-

modificaciones introducidas por las de 5 jun. 1920 (41 Stat. 1008) y 28 jun. 1940, (54 Stat. 672) (8 U.S.C. 137 a)) art. 1º. "Cualquier extranjero que, en cualquier tiempo sea o haya sido miembro de cualquiera de las siguientes clases será excluído de la admisión en los Estados Unidos: (b) Los extranjeros que aconsejan, abogan, o predican, o que son miembros o afiliados a cualquier organización, asociación, sociedad, o grupo que aconseja, aboga o predica la oposición a todo gobierno organizado"; art. 2º. dispone la deportación de estas personas, (v. texto en nota 363).
Perú: L. Nº 8505, de 19 feb. 1937, art. 1º núms. 3º y 5º y arts. 6º (Ver textos en nota 51); y art. 12 (V. texto en nota 331).

(373) **Argentina**: L. Nº 4144, de 23 nov. 1902, art. 2º: "El Poder Ejecutivo podrá ordenar la salida de todo extranjero cuya conducta comprometa la seguridad nacional...".
Bolivia: L. de 18 ene. 1911, art. 2º "El Poder Ejecutivo podrá ordenar la salida de todo extranjero cuya conducta comprometa la seguridad nacional ...".
D. Supr. de 28 ene. 1937, art. 15. "Serán expulsados del país los extranjeros que ingresan al territorio de la República, por los siguientes motivos:... b) los que habiendo ingresado con los requisitos correspondientes, comprometen su conducta posterior, atentando contra la seguridad del Estado...".
Cuba: D. L. Nº 52, de 5 mar. 1934, art. 1º. "Los extranjeros... podrán ser expulsados del territorio de la República en los casos siguientes:... 2. Cuando sean procesados o condenados por Juez o Tribunal competente como autores, cómplices, encubridores o inductores de la comisión en cualquier grado, o de la conspiración para la comisión de cualquiera de los delitos contra la seguridad del Estado, contra la Constitución o el orden público comprendidos en los Títulos 1º, 2º y 3º del Libro Segundo del Código Penal";
D. Nº 1118, de 24 ar. 1942, art. 2º. "Igualmente ,se autoriza al Ministro de Defensa Nacional para disponer en caso de urgencia o de grave peligro, la deportación a su país de ori-

nacional (374), integridad del territorio, independencia o unidad del Estado (375), o a sus instituciones, autoridades o gobierno constituído (376), a la defensa nacional, a las medidas

---

gen de los ciudadanos, nacionales o súbditos de los demás países, que se consideren peligrosos para la seguridad nacional".

Ecuador: L. de 26 nov. 1940, art. 7º.

El Salvador: L. de 29 set. 1886, art. 52, inc. primero. "Cuando un extranjero cometa un delito contra las seguridades exteriores del Estado, o de rebelión, o sedición, o se le descubran trabajos que tiendan a efectuar dichos delitos,... podrá el Gobierno expulsarlos en la forma gubernativa como extranjero pernicioso o someterlo a juicio conforme a las leyes comunes"...

Nicaragua: L. de 3 oct. 1894, art. 15, inc. primero. "Los extranjeros que ...atentasen contra la seguridad exterior del Estado, podrán ser expulsados gubernativamente del territorio de la República o sometidos al juzgamiento criminal correspondiente".

Panamá: L. Nº 54, de 24 dic. 1938, art. 24.

Paraguay: Const. art. 36 (ver texto en nota 308).

Perú: L. Nº 4145, de 22 dic. 1920, art. 6º. "Pueden ser expulsados individualmente del territorio nacional los extranjeros que... por sus actos ilícitos constituyan un manifiesto peligro para la ... seguridad del Estado".

Venezuela: L. de 31 jul. 1937 ,art. 37. "Es considerado extranjero pernicioso y puede ser expulsado: ...b) El que comprometa la seguridad...."

(374) **Brasil:** D. L. Nº 479, de 8 jun. 1938, art. 1º. "Es pasible de expulsión el extranjero que de cualquier forma atentare, con la personalidad internacional del Estado...".

(375) **Chile:** L. Nº 3446, de 12 dic. 1918, art. 3º. "Cada Intendente en el territorio de su provincia y con autorización expresa del Gobierno podrá expulsar del país a cualquier extranjero comprendido en alguno de los casos de los artículos anteriores..." El art. 3º, impide el avecindamiento de los extranjeros "que de cualquier modo propagan doctrinas incompatibles con la unidad o individualidad de la Nación".

(376) **Argentina:** L. Nº 7029, de 28 jun. 1910, art. 1º. "Sin perjuicio de lo dispuesto en la ley de inmigración, queda prohibida la entrada y admisión en el territorio argentino de las siguientes clases de extranjeros: b) ... y demás personas que profesan o preconizan el ataque por cualquier medio de fuerza o violencia contra los funcionarios públicos o los gobiernos en general o contra las instituciones de la sociedad". art. 4º (ver texto en nota 367).

Colombia: D. Nº 804, de 15 abr. 1936, art. 1º. "Serán expulsados del país los extranjeros que se encuentren comprendidos en alguno o algunos de los siguientes casos:... p) Los que aconsejen, enseñen o proclamen el desconocimiento de las autoridades de la República, o de sus leyes, o el derrocamiento de su Gobierno por la fuerza o la violencia...";
D. Nº 1205, de 25 jun. 1940, art. 1º :"Además de las causa-

en concreto que la aseguran o a los funcionarios encargados

les de expulsión de extranjeros contenidas en las leyes y decretos actualmente en vigor, se establecen las siguientes:...
2ª (parte final) (V. texto en nota 376)... 5ª ejecutar, directa o indirectamente, cualquier acto contrario a las instituciones vigentes en Colombia y al respeto que se debe a las autoridades".

Cuba: D. L. Nº 52, de 5 mar. 1934, art. 1º. "Los extranjeros... podrán ser expulsados del territorio de la República en los casos siguientes: ... 8. Cuando realicen en cualquier forma y grado, actos de propaganda para ... impedir el libre funcionamiento y desenvolvimiento de los poderes públicos...".

Estados Unidos: L. de 5 feb. 1917 (39 Stat. 865), con las enmiendas de la de 28 jun. 1940, (54 Stat. 672) (18 U.S.C. 155 (b) (4) y (5) art. 19, (b) "Cualquier extranjero de alguna de las clases especificadas en esta subsección, además de los extranjeros que son deportables de acuerdo con otras disposiciones de la ley, serán, conforme con una orden del Fiscal General, detenidos y deportados: ... (4) Cualquier extranjero quien, en alguna oportunidad dentro de los cinco años siguientes a su entrada, sea castigado por violación de las disposiciones del título I de la Ley de Registro de Extranjeros de 1940. (5) Cualquier extranjero quien, en cualquier tiempo después de su entrada, sea castigado más de una vez por violación de las disposiciones del título I de la Ley de Registro de Extranjeros de 1940". El art. 2º de esta ley que no es otra que la misma L. de 28 jun. 1940 (54 Stat. 672) (18 U. S. C. Sec. 10 (a) (1), establece: "(a) Será ilegal para cualquier persona (1) A sabiendas y voluntariamente abogue, instigue, aconseje, o enseñe el deber, la necesidad, o conveniencia, del derrocamiento de cualquier gobierno en los Estados Unidos por la fuerza o la violencia, o por el asesinato de cualquier funcionario de tal gobierno". El art. 3º establece que "será ilegal para cualquier persona la tentativa o conspiración en la comisión de los actos prohibidos por las disposiciones de este título". L. de 16 oct. 1918 con las modificaciones introducidas por la de 5 jun. 1920 y 28 jun. 1940, art. 1º "Cualquier extranjero quien, en cualquier tiempo sea o haya sido miembro de alguna de las siguientes clases será excluído de la admisión en los Estados Unidos: ... b) (Ver texto en nota 69); (c) Los extranjeros que profesan, aconsejan, abogan o predican, o que son miembros o afiliados a cualquier organización, asociación, sociedad o grupo que profesa, aconseja, aboga o predica: (1) el derrocamiento por la fuerza o violencia del Gobierno de los Estados Unidos..., o (2) la obligación, necesidad o legitimidad del asalto o matanza ilegales de cualquier funcionario o funcionarios (ya se trate de personas específicas o funcionarios en general) del Gobierno de los Estados Unidos, o de cualquier otro gobierno organizado, a causa de su carácter oficial..."; y art. 2º que dispone la deportación de estas mismas personas (ver texto en nota 372).

Guatemala: D. Ej. Nº 1781, de 25 ene. 1936, art. 80. "Lo

de aplicarlas (377). La expulsión comprende también al sos-

serán también los extranjeros que durante su residencia en
el territorio nacional, sean culpables de ataques y de ultra-
jes publicados en la prensa del exterior, contra el Estado, la
Nación o el Jefe del Estado".
México: Cód. Penal, art. 137. "A los extranjeros que cometan el delito de rebelión, se les aplicará de seis a diez años
de prisión y se les expulsará de la República".
Panamá: L. Nº 54 de 24 dic. 1938, art. 24 "Serán deportados
los extranjeros en tránsito o domiciliados en Panamá que
sean responsables... de delitos contra los Poderes Públicos
de la Nación..."
Perú: L. Nº 8505, art. 1º "Cometen delito contra la tranquilidad política y social de la República: ... 2º Los que ver-
balmente, por escrito, o por cualquier otro medio, propaguen
en el interior o exterior de la República, noticias o informaciones falsas o tendenciosas, destinadas a alterar el orden
público o a dañar el prestigio del país, de sus instituciones,
de sus altos funcionarios; ... 15. Los que individualmente
o confabulados, conspiran contra el orden público o para
subvertir, variar o sustituir al Gobierno, o causar intimidación"; art. 6º (v. texto en nota 367); art. 12 (ver texto en
nota 331).
República Dominicana: L. Nº 95, de 14 abr. 1939, art. 13.
"Los siguientes extranjeros serán arrestados y deportados
bajo mandamiento del Secretario de Estado de lo Interior y
Policía o de otro funcionario designado por él para esos
fines: ... 3) Cualquier extranjero que se mezclare o asociare
en actividades tendientes a subvertir el Gobierno Dominicano...".

(377) **Colombia:** D. Nº 804, de 15 abr. 1936, art. 1º. "Serán expulsados del país los extranjeros que se encuentren comprendidos en alguno o algunos de los siguientes casos: ... r) Los
que pretendan por cualquier medio adquirir informaciones
sobre las medidas que tome el Gobierno para la defensa nacional; s) Los que censuren en alguna forma la marcha de
las relaciones internacionales de Colombia, sus movimientos
militares, y en general, las actuaciones del Gobierno en relación con la defensa del territorio; t) Los que sin licencia
o sin el correspondiente salvoconducto sean encontrados en
las regiones declaradas en estado de sitio, en las guarnicio-
nes militares, bases aéreas o navales, o en sitio cuyo acceso
esté prohibido al público por las autoridades militares; u)
Los que en tiempo de guerra sean sorprendidos con aparatos
de fotografía u otros similares en los puertos de la República,
bases aéreas o navales, campos de concentración de tropas,
y en general en sitios militares; v) Los que introdujeren y
comerciaren en armas, gases asfixiantes o lacrimógenos y
explosivos, sin la correspondiente licencia del Gobierno; D.
Nº 1205, de 25 jun. 1940, art. 1º. Además de las causales
de expulsión de extranjeros contenidas en las leyes y decretos actualmente en vigor, se establecen las siguientes:
1ª Levantar o tomar planos o fotografías, pretender levan-
tarlos o tomarlos, de lugares del país que tengan importancia

pechoso de espionaje o sabotaje contra la República (378),

---

para la defensa y seguridad de la nación; tratar de averiguar secretos diplomáticos o militares referentes a la seguridad del Estado; comunicar, publicar, adquirir o tratar de adquirir documentos, dibujos o planos relativos al material, fortificaciones u operaciones militares o cualquier otro asunto que interese a la defensa nacional de Colombia. 2ª Hacer estudios por cuenta de gobiernos o entidades extranjeras, de cuestiones que afecten a la defensa nacional colombiana, rendir a esos gobiernos o entidades informes sobre tales gestiones y, en general, desarrollar cualquier clase de actividades que puedan ser consideradas como tendientes a favorecer la intervención o influencia de gobiernos o entidades extranjeras, en materias relacionadas con la soberanía colombiana, con la defensa colombiana y con los fueros de las autoridades".

Estados Unidos: L. de 5 feb. 1917, con las enmiendas de la de 28 jun. 1940, art. 19 (b) (4) y (5) (Ver texto en nota 376). Los actos reprimidos a que hacen referencia los apartados (4) y (5), precitados como determinantes de deportación, son los previstos en el art. 1º, que integra el título I de la mencionada ley de 28 jun. 1940. Establece dicho artículo: "(a) Considérase ilegal que una persona con el propósito de entorpecer, menoscabar o afectar la lealtad, moral o disciplina de las fuerzas militares o navales de los Estados Unidos: (1) Aconseje, incite o de cualquier manera trate que los componentes de las fuerzas militares o navales de los Estados Unidos se insubordinen, sean desleales, se amotinen o rehusen cumplir con su deber..." art. 3º castiga la tentativa o conspiración para cometer tales actos (ver texto en nota 376).

Uruguay: D. L. Nº 10194, de 16 jul. 1942, art. 16, inc. segundo. "... El reincidente extranjero (se refiere al que viole las prescripciones de esta ley de zonas de seguridad dictada para prevenir actos contrarios a la defensa nacional) podrá, además, ser expulsado del territorio de la República, sin perjuicio de las disposiciones de otras leyes especiales".

Colombia: D. Nº 1205, de 25 jun. 1940, art. 1º. "Además de las causales de expulsión de extranjeros contenidas en las leyes y decretos actualmente en vigor, se establecen las siguientes: ... 19) Ser sospechosos, a juicio del Gobierno, de espionaje, sabotaje o violación del estado de neutralidad en que se encuentre el país".

Estados Unidos: L. de 16 oct. 1918 (40 Stat. 1012 13), con las enmiendas introducidas por las de 5 jun. 1920 (41 Stat. 1008) y 28 jun. 1940 (54 Stat. 672) (8 U.S.C. 137 (c) (4)), art. 1º. "Cualquier extranjero quien, en cualquier tiempo, sea o haya sido miembro de alguna de las siguientes clases será excluído de la admisión en los Estados Unidos: ... (c) Los extranjeros que profesan, aconsejan, abogan, o predican, o que son miembros o afiliados a cualquier organización, asociación, sociedad o grupo que profesa, aconseja aboal que perturbe las relaciones internacionales (379), al que viole las disposiciones sobre asilo político (380), al que intervenga en disenciones o luchas civiles (381), o simplemente, al que afecte la tranquilidad y el orden públicos (382).

---

ga o predica:... (4) el sabotaje". art. 2º que dispone la deportación de estas personas, puede verse el texto en nota 363.

(379) **Bolivia**: D. Supr. de 28 ene. 1937, art. 15. "Serán expulsados los extranjeros que ingresan al territorio de la República por los siguientes motivos: ... c) Los que perturben las relaciones internacionales de Bolivia con cualquier otro país del mundo".

Guatemala: D. Ej. Nº 1781, de 25 ene. 1936, art. 79. "Pueden igualmente ser obligados a abandonar el país, los extranjeros que en el territorio del Estado se hagan culpables de ataques, sea por la prensa o de otra manera, contra un Estado o un Jefe de Estado extranjero o contra las instituciones de otro país, si estas acciones son castigadas por la ley guatemalteca".

Venezuela: L. de 31 jul. 1937, art. 37. "Es considerado extranjero pernicioso y puede ser expulsado: ... d) El que turbe las relaciones internacionales".

(380) **Guatemala**: D. Ej. Nº 1781, de 25 ene. 1936, art. 73. "Si los extranjeros refugiados en Guatemala, abusando del asilo conspirasen contra ésta, o trabajen para modificar o destruir las instituciones o para alterar de cualquier modo la tranquilidad pública y la paz en una nación amiga, podrá el Gobierno disponer su salida del país".

(381) **Ecuador**: L. de 26 nov. 1940, art. 7º. "Los extranjeros que tomaren parte en las disensiones civiles del Estado, en rebelión, sedición, motín o guerra civil, o que favorecieren o impulsaren con hechos, palabras o escritos, alteraciones de orden internacional, con grave peligro para la conservación del Estado, perderán el derecho a las excepciones que por su calidad de extranjeros les conceden las leyes, pudiendo ser expulsados del país, sin que la expulsión obste a la responsabilidad penal, en la misma fomra y medida que la tendrían los nacionales".

El Salvador: L. de 29 set. 1886, art. 46, "Los extranjeros no tomarán parte en las disensiones civiles del país, y los que contravengan esta prohibición podrán ser expulsados gubernativamente del territorio por el Poder Ejecutivo, como extranjeros perniciosos, quedando además sujetos a las leyes de la República, por los delitos que contra ella cometan; y sin perjuicio de que sus derechos y obligaciones durante el estado de guerra se regulen por la ley internacional y por los tratados".

Nicaragua: L. de 3 oct. 1894, art. 15, inc. primero. "Los extranjeros que tomasen participación, ... en las luchas civiles del país... podrán ser expulsados gubernativamente del territorio de la República o sometidos al juzgamiento criminal correspondiente".

2) Seguridad de las Repúblicas Americanas

Con relación a la seguridad internacional, comprendi-

(382) **Argentina**: L. Nº 4144, de 23 nov. 1902, art. 2º: "El Poder Ejecutivo podrá ordenar la salida de todo extranjero cuya conducta... perturbe el orden público" .
Bolivia: L. de 18 ene. 1911, art. 2º. "El Poder Ejecutivo podrá ordenar la salida de todo extranjero cuya conducta perturbe el orden público". D. Supr. de 28 ene. 1937, art. 15. "Serán expulsados del país los extranjeros que ingresan al territorio de la República, por los siguientes motivos:... b) los que habiendo ingresado con los requisitos correspondientes, comprometen su conducta posterior, atentando contra el orden público'
Brasil: D. L. Nº 479, de 8 jun. 1938, art. 1º. "Es pasible de expulsión el extranjero que de cualquier forma atentare contra... la tranquilidad... pública..."; id. art. 2º. "Queda además sujeto a expulsión el extranjero: 1. que, de cualquier forma;... h) fuera considerado elemento pernicioso para el orden público por la policía de otro país".
Costa Rica: L. Nº 13, de 19 jun. 1894, art. 1º. "Puede ser expulsado del país, o no admitido en él, el extranjero que se encuentre en alguno de los casos siguientes: ... 4º Si por su conducta o antecedentes, fuere peligroso para la tranquilidad pública"; L. Nº 28, de 28 nov. 1936, art. 1º, núm. 4º, reitera idéntica disposición.
Cuba: D. L. Nº 52, de 5 mar. 1934, art. 1º, núm. 2º parte final (V. texto en nota 373).
Guatemala: D. Ej. Nº 1781, de 25 ene. 1936, art. 74. "El extranjero no domiciliado, que por su conducta comprometa la tranquilidad pública, ... puede el Gobierno obligarlo a habitar en un lugar determinado y aun a salir del país".
Nicaragua: L. de 3 de oct. 1894, art. 15, inc. primero. "Los extranjeros que tomasen participación en conspiración contra el orden público..., podrán ser expulsados gubernativamente del territorio de la República o sometidos al juzgamiento criminal correspondiente".
Paraguay: Const. art. 36 (ver texto en nota 308).
Perú: L. Nº 4145, de 22 dic. 1920, art. 6º. "Pueden ser expulsados individualmente del territorio nacional los extranjeros que ... por sus actos ilícitos constituyen un manifiesto peligro para la tranquilidad pública..." .
L. Nº 8505, de 19 feb. 1937, art. 1º, núms. 2 y 15 (ver texto nota 376); art. 6º (v. nota 367); y art. 12 (v. nota 331).
República Dominicana: L. Nº 95, de 14 abr. 1939, art. 13. Los siguientes extranjeros serán arrestados y deportados bajo mandamiento del Secretario de Estado de lo Interior y Policía o de otro funcionario designado por él para esos fines: ... 3) Cualquier extranjero que ... se mezclare en otras actividades contrarias al orden y seguridad públicos".
Venezuela: L. de 31 jul. 1937, art. 37. "Es considerado extranjero pernicioso y puede ser expulsado: ... b) El que comprometa ... el orden público".

dos, como se ha dicho, el Estado y la comunidad americana de naciones, o más propiamente las Repúblicas integrantes de la Unión Panamericana, ha de mencionarse la expulsión que se aplica como consecuencia de la infracción penal tipificada en los nuevos delitos que las Repúbicas Americanas han instituído ampliando el ámbito de la legislación punitiva, a los efectos de amparar la seguridad de todas ellas (383). La expulsión es así aplicable a estos casos, en la legislación de Chile y Argentina. En efecto, la ley chilena de delitos contra la seguridad exterior del Estado, otorga al Poder Ejecutivo la facultad de "cancelar o darles carácter provisional a los permisos de residencia de extranjeros en el país" (384), lo que hace posible la aplicación de la medida de que se trata. Y finalmente, un decreto argentino prevé nuevos delitos contra la seguridad exterior del Estado y establece para ellos la pena accesoria de expulsión a ejecutarse después del cumplimiento de la condena, al extranjero o argentino naturalizado, siendo su aplicación preceptiva si la pena principal fuere mayor de tres años y facultativa en base a las circunstancias del hecho y a la personalidad del reo, si fuere menor (385).

3) Medios de acción

En general, las leyes americanas que mencionan las causales de expulsión que integran las categorías precedentes, aluden a la acción violenta (386), mientras otras — y consti-

---

(383) V. Sección D. IV Represión de los actos que atenten contra la seguridad de otros Estados Americanos, infra.
(384) L. Nº 7401, de 31 dic. 1942, art. 8º inc. c).
(385) D. Nº 536, de 15 ene. 1945, art. 42, núm. 2º.
(386) **Argentina**: L. Nº 7029, de 28 jun. 1910, art. 1º inc. b), art. 4º; D. Nº 536, de 15 ene. 1945, arts. 1º y 42, núm. 2º.
Bolivia: D. Supr. de 27 mar. 1938, art. 3º. "Para los efectos del presente Decreto-ley, serán considerados comunistas, anarquistas, bolcheviquistas o extremistas en general: ...a) Los que enseñen el uso de la violencia o el sabotaje para subvertir el orden social existente, preconizando el desconocimiento, la abolición o la destrucción de la propiedad privada, de la familia y de los poderes públicos y la substitución del régimen jurídico con las dictaduras de las masas; y f) Los que por la violencia o la intimidación traten de obligar u obliguen a otras personas a realizar los actos o la propaganda de los hechos anteriormente especificados".

tuyen la excepción — reprimen toda forma de acción, siempre que ella constituya un ataque a los bienes jurídicos que las disposiciones legales tutelan (389). La distinción reviste señalada importancia, porque es notorio que no son propios de nazis o japoneses los métodos violentos, y sí las tácticas solapadas, razón por la cual, con el primer tipo de estatutos, los agentes del Eje quedarían exentos de la medida de expulsión.

d. Intervención en política

Algunas Repúblicas Americanas, por disposición expresa de su Constitución o ley ordinaria, interdictan a los extranjeros de toda intervención en los asuntos políticos del país (388), sancionándose en diversos casos con la expulsión, a quienes infrinjan la prohibición, especialmente cuando dicha intervención alcance a los asuntos políticos internos, propia-

---

Colombia: D. Nº 804, de 15 abr. 1936, art. 1º. "Serán expulsados del país los extranjeros que se encuentren comprendidos en alguno o algunos de los siguientes casos: ... p) Los que aconsejen, enseñen o proclamen el desconocimiento de las autoridades de la República o de sus leyes, o el derrocamiento de su Gobierno por la fuerza o la violencia...".
Chile: L. Nº 3446, de 12 dic. 1918, arts. 3º y 2º.
Estados Unidos: L. de 5 feb. 1917 (39 Stat. 865) enmendada por la L. de 28 jun. 1940 (54 Stat. 671) (8 U.S.C. 155), art. 19; L. 16 oct. 1918 (40 Stat. 1012|13), con modificaciones de la de 5 jun. 1920, (41 Stat. 1008) y 28 jun. 1940, art. 1º, inc. c) núm. (1) y (a); (d) núms. (1) y (2), y art. 2º (54 Stat. 673) (8 U.S.C. 137).
Perú: L. Nº 8505 de 19 feb. 1937, art. 1º, núm. 3 y art. 12.
Uruguay: L. Nº 9604, de 13 oct. 1936, arts. 5º y 6º (V. texto en nota 371). L. Nº 9936, de 18 jun. 1940, art. 5º. (V. texto en nota 399). V. además, para un estudio especial sobre el método violencia, Sección D. I, Propaganda, infra.

(387) V. entre otros:
Brasil: D. L. Nº 479, de 8 jun. 1938, art. 1º. "Es pasible de expulsión el extranjero que de cualquier forma atentare..." art. 2º. Queda sujeto a expulsión el extranjero: 1. que, de cualquier forma: ...".
Estados Unidos: L. de 5 feb. 1917, art. 19 (b) (4) y (5), con las enmiendas de la ley de 28 de jun. de 1940, art. 20; y Tit. I de esta última ley, en la que se dan amplias formas de acción subversiva, que la norma pena (V. fuentes legales en nota 386).

(388) V., en Secció nA. Contralor de Extranjeros, condición política de los mismos supra

mente dichos (389), o que se refieran a la política internacional del Estado (390), o genéricamente, cuando se inmiscuyan en los asuntos políticos del país (391). Independientemente

(389) **Bolivia**: D. Supr. 28 ene. 1937, art. 15. "Serán expulsados los extranjeros que ingresan al territorio de la República, por los siguientes motivos... d) los que falten a la neutralidad que deben observar en asuntos de política interna".
Colombia: D. Nº 804, de 15 abr. 1936, art. 1º. Serán expulsados del país los extranjeros que se encuentren comprendidos en alguno o algunos de los siguientes casos: ... n) Los que intervengan en la política interna del país, afiliándose a sociedades o partidos políticos o en cualquier otra forma."...
Cuba: D. L. Nº 52, de 5 mar. 1934, art. 1º. "Los extranjeros... podrán ser expulsados del territorio de la República en los casos siguientes: ... 8 ... cuando realicen en cualquier otra forma actos que, por su naturaleza política, sólo puedan realizar lícitamente los ciudadanos cubanos".
Ecuador: D. Nº 111, de 29 ene. 1941, art. 40. "Se prohibe a los extranjeros, asociados o individualmente, tratar de asuntos de política interna o externa ecuatoriana, ejercer el derecho de petición en esta materia y mezclarse en las elecciones populares o prepararlas. Según el grado de culpabilidad en estas materias, el Ejecutivo podrá denunciar ante Juez competente al extranjero, que se hubiere hecho culpable, para el enjuiciamiento respectivo, o a su juicio, proceder a la expulsión del mismo".
El Salvador: Const. art. 15 inc. segundo (V. texto en nota 363).
Venezuela: L. de 31 jul. 1937, art. 37. "Es considerado extranjero pernicioso y puede ser expulsado: ... e) En general, el extranjero que infrinja la neutralidad y viole alguna de las prescripciones de los artículos 28 y 29 de esta Ley". Estos artículos establecen, el primero, el 28. "Los extranjeros deben observar estricta neutralidad en los asuntos públicos de Venezuela; y, en consecuencia, se abstendrán: 1º) De formar parte de sociedades políticas; 2º De dirifir, redactar o administrar periódicos políticos y de escribir sobre política del país; 3º De inmiscuirse directa ni indirectamente en las contiendas domésticas de la República; 4º De pronunciar discursos que se relacionen con la política del país". El art. 29, dispone: "Cuando se editen en la República periódicos por extranjeros, sea en idioma castellano o en otra lengua, sus propietarios, editores, directores o redactores deben dar caución ante los Presidentes de Estado, Gobernador del Distrito Federal o Gobernadores de los Territorios Federales, en sus casos, de que no se violará la neutralidad que están obligados a observar conforme al artículos precedente. Quienes contravinieren a esta disposición incurrirán en la sanción establecida en el inciso (e) del artículo 37...".
(390) V., **Ecuador**: D. Nº 111, de 29 ene. 1941, art. 40 (V. texto en nota 389).
(391) **México**: Const. art. 33. "... Los extranjeros no podrán de

de lo expuesto es bastante común en los Estados de este Continente la prohibición para los extranjeros de ser agente, propagandista, dirigente, miembro, recibir subvención o mantener relaciones con partidos políticos, instituciones o gobiernos extranjeros, con el fin de propagar doctrinas de carácter internacional y provocar la afiliación de los habitantes del país, sancionándose la infracción a estas prescripciones con pena de expulsión, que se aplica también por usar símbolos, insignias, uniformes, enseñas, que individualicen a partidos políticos extranjeros del carácter precitado (392).

---

ninguna manera, inmiscuirse en los asuntos políticos del país".

(392) **Colombia:** D. Nº 1205, de 25 jun. 1940, art. 1º. "Además de las causales de expulsión de extranjeros contenidas en las leyes y decretos actualmente en vigor, se establecen las siguientes: ... 3ª Ser agente o propagandista de partidos políticos extranjeros, e intervenir en cuestiones políticas de cualquier naturaleza que ellas sean. Será suficiente causal de expulsión inmediata no sólo la intervención en las luchas de los partidos políticos en Colombia, en cualquier forma, directa o indirecta que ella se verifique, sino también cualquiera actividad que tienda a hacer ambiente en Colombia a organizaciones políticas extranjeras, y a defender sus doctrinas y prácticas, o a provocar la afiliación o apoyo a tales partidos; 4ª Obtener o procurar obtener en el desarrollo de las actividades prohibidas en el numeral anterior la colaboración de ciudadanos colombianos, o incitarlos a formar parte de juntas o asociaciones que tengan por objeto tales actividades; 5ª Sostener o ayudar a sostener estaciones de radiodifusión clandestinas...".

El Salvador: D. Leg. Nº 11, de 12 jun. 1940, art. 1º. "Es absolutamente prohibido dentro del territorio de El Salvador la circulación de propaganda o difusión de ideas o normas de acción de partidos políticos extranjeros". art. 2º "En consecuencia, no pueden funcionar dentro del país, delegaciones de dichos partidos, ni formarse agrupaciones que tiendan a propagar sus programas de acción, organizar desfiles, votaciones y otras reuniones similares". art. 3º. "Queda prohibido hacer colectas o contribuciones destinadas a dichos partidos y usar dentro del país sus uniformes, símbolos o distintivos." art. 4º. "La falta de cumplimiento a las disposiciones de este decreto, será castigado con la expulsión del país, si los infractores fueren extranjeros, y los salvadoreños con las penas establecidas en el Código Penal".

Guatemala: D. Ej. Nº 2241, de 24 may. 1939, art. 1º. "Los extranjeros radicados o que se encuentren temporalmente en el territorio nacional, se abstendrán de ejercer, directa o indirectamente, cualesquiera actividades de carácter político. Les queda prohibido especialmente ... 2º Ejercer actividades individuales de carácter político, ya sea que actúen por

e. Propaganda ilícita

Se sanciona con expulsión la propaganda por la prensa de partidos políticos extranjeros (394), o de oposición al ré-

cuenta propia o como delegados o agentes de partidos o instituciones políticas, aunque tengan su sede principal en el extranjero...; 3º Ostentar o usar en cualquier forma, uniformes, distintivos, insignias, divisas o cualesquiera símbolos de partidos políticos extranjeros..."; art. 5º (v. texto en nota 399; D. Eje. Nº 2391, de 11 jun. 1940, art. 3º (v. texto en nota 331), art. 4º. "Quedan comprendidos entre los actos o manifestaciones a que se refiere el artículo anterior, ... la afiliación a partidos políticos extranjeros...".
Perú: L. Nº 8505, de 19 feb. 1937, art. 1º. "Cometan delito contra la tranquilidad política y social de la República: ... 3º y 5º y 6º (ver textos en nota 367); y art. 12 (V. nota 331).

(393) V. Sección D I, Propaganda, infra.

(394) **Colombia:** D. Nº 1205, de 25 jun. 1940, art. 1º. "Además de las causales de expulsión de extranjeros contenidas en las leyes y decretos actualmente en vigor, se establecen las siguientes: ... 5ª ... hacer por la prensa o de palabra propaganda contraria a la prohibición contenida en el numeral 3º (ver texto en nota 392); distribuir directamente o por medio de agentes, propagandas que queden comprendidas en las prohibiciones del numeral 3º...".
Cuba: D. Nº 168, de 29 ene. 1941, manda formar "expediente de expulsión a todo extranjero que haya sido sancionado judicial o gubernativamente por propaganda totalitaria" (Informe proporcionado por el Gobierno cubano).
Guatemala: D. Ej. Nº 2241, de 24 may. 1939, art. 1º. "Los extranjeros radicados o que se encuentren temporalmente en el territorio nacional, se abstendrán de ejercer, directa o indirectamente, cualesquiera actividades de carácter político. Les queda prohibido especialmente: 2 ... ejercer coacción o influencia directa o indirecta contra sus compatriotas, para que adopten ideas o programas políticos del país de origen, o restringirles en cualquier forma el libre ejercicio de sus derechos civiles;... 5 Mantener, con fines de propaganda política, periódicos, revistas u otras publicaciones o hacerlas circular, aunque hayan sido impresas en el exterior. Esta prohibición comprende también a las películas cinematográficas, y cualesquiera otra forma de propaganda"; idem. art. 5º (V. texto en nota 399); D. Ej. Nº 2391, de 11 jun. 1940, art. 3º. (v. texto en nota 330); art. 4º. "Quedan comprendidos entre los actos o manifestaciones a que se refiere el artículo anterior ... la propaganda o difusión sistemática de ideas o normas de acción de partidos políticos extranjeros que estén en desacuerdo con los principios constitucionales en que descansan las instituciones del país".
Venezuela: L. de 29 jun. 1942, art. 3º. "Se prohibe a los extranjeros: ... 2º Actuar en cualquier forma para ejercer influencia o coacción sobre sus connacionales o sobre cualquiera otra persona, nacional o extranjera, con el propósito

gimen económico o político en vigor (395), o distribuir escritos o impresos en los que se incite, o aconseje la deslealtad, insubordinación u otras formas, a las fuerzas militares o navales (396), o el derrocamiento por la fuerza o la violencia de un gobierno, o el asesinato de un funcionario (397).

---

de obligarla o inducirla a adoptar doctrinas, ideas o disciplinas de partidos políticos extranjeros. 3º Establecer o mantener periódicos, revistas u otras publicaciones con fines de propaganda extranjera de carácter político o de índole económica, cultural o social conexa con fines políticos.

Tampoco podrán hacer circular ni difundir publicaciones de tal índole, cualquiera que sea su procedencia. Se extiende esta prohibición a fotografías, películac cinematográficas y cualquiera otros procedimientos gráficos o fonéticos de divulgación o de propaganda". Art. 12. "La infracción de los incisos 1º, 2º, 3º y 4º de esta ley, se castigará con la pena de expulsión del territorio de la República...".

(395) **Cuba:** D. L. Nº 52, de 5 mar. 1934, art. 1º núm. 8º (V. texto nota 371).

(396) **Estados Unidos:** L. de 5 feb. 1917, enmendado por el art. 20 de la L. de 28 jun. 1940, (b) (4) y (5) (v. textos en nota 376). El acto prohibido que determina la deportación del extranjero que lo ejecute está previsto en la misma ley de 28 jun. 1940, (54 Stat. 670) (18 U.S.C. 9 (a)). tít. I, especialmente art. 1º, que establece: (a) Considérase ilegal que una persona con el propósito de entorpecer, menoscabar o afectar la lealtad, moral o disciplina de las fuerzas militares o navales de los Estados Unidos: ... (2) distribuya escritos o impresos que aconsejen, induzcan, o instiguen a la insubordinación, deslealtad, motín o incumplimiento del deber por parte de algún miembro de las fuerzas militares o navales de los Estados Unidos".

(397) **Estados Unidos:** L. de 5 feb. 1917 art. 19, enmendado por el art. 20 de la L. de 28 jun. 1940(b) (4) f (5) (V. textos en nota 376). Los actos prohibidos a que hacen referencia los apartados (b) (4) y (5) citados y que dan mérito a la deportación del extranjero que los cometa, son los del tít. I de la misma ley de 28 jun. 1940 (54 Stat. 670) (18 U.S.C. 10) y en especial, el art. 2º, que establece (a) "Será ilegal para una persona: ... (2) Cuando con el propósito de derrocar cualquier gobierno en los Estados Unidos, imprima, publique, edite, expida, circule, venda, distribuya, o exhiba públicamente cualquier escrito o impreso en que se abogue, aconseje o enseñe el deber, la necesidad, o conveniencia del derrocamiento de cualquier gobierno en los Estados Unidos por la fuerza o la violencia; L. de 16 oct. 1918 (40 Stat. 1012-13) con las modificaciones introducidas por las de 5 jun. 1920 (41 Stat. 1008) y 28 jun. 1940, (54 Stat. 673) (8 U.S.C. 137), art. 1º. "Cualquier extranjero, quien, en cualquier tiempo sea o haya sido miembro de alguna de las siguientes clases será excluído de la admisión en los Estados Unidos: ... d(Los extranjeros que escriben, publican, o mandan que

f. Organizaciones ilícitas

Está prohibido en varios países americanos la organización de sociedades, asociaciones, clubes, partidos políticos, que difundan o hagan propaganda de ideas, programas, o normas de acción de partidos políticos, entidades, gobiernos, asociaciones, organismos extranjeros; o se constituyan en filiales de los mismos; o reciban subvenciones; o utilicen símbolos, banderas, o insignias que los singularicen, según ya se ha tenido oportunidad de señalar (398). Entre las sanciones que se aplican a sus directores o miembros por infracción a esas prohibiciones, se encuentran la expulsión que es prevista por la legislación de varias Repúblicas (399).

---

se escriban o publiquen, o que a sabiendas difunden, distribuyen, imprimen u ostentan, o a sabiendas mandan difundir, distribuir, imprimir u ostentar, o que, a sabiendas, tienen en su posesión, a los fines de difusión, distribución, publitienen en su posesión, a los fines de difusión, distribución, publicación u ostentación, cualquier material escrito o impreso que aconseja, aboga o predica: La oposición a todo gobierno organizado, o que aconseja, aboga o predica (1) el derrocamiento por la fuerza o violencia del Gobierno de los Estados Unidos..."; o (2) la obligación, necesidad o legitimidad del asalto o asesinato de cualquier funcionario o funcionarios (ya se trate de personas específicas o funcionarios en general) del Gobierno de los Estados Unidos o de cualquier otro gobierno organizado...". El art. 2º de esta ley de 1918, dispone la deportación de estas personas (v. texto en nota 363).

(398) V. Sección D 1, Propaganda y Sec. D 3, Contralor de Asociaciones, infra, respectivamente.

(399) **Bolivia:** D. Supr. de 13 abr. 1942, arts. 14, 15 y 24.
Brasil: D. L. Nº 383, de 18 abr. 1938, arts. 2º y 10.
El Salvador: D. Leg. Nº 11, de 12 jun. 1940, arts. 1º a 4º (V. nota 392).
Guatemala: D. Ej. Nº 2241, de 24 may. 1939, art. 1º. "Los extranjeros radicados o que se encuentren temporalmente en el territorio nacional, se abstendrán de ejercer, directa o indirectamente, cualesquiera actividades de carácter político. Les queda prohibido especialmente: 1. Establecer o mantener asociaciones o agrupaciones de cualquier índole, que se presten a actividades de carácter político, aunque tengan por fin exclusivo la propaganda o difusión entre sus compatriotas, de ideas, programas o normas de acción de partidos políticos del país de origen"; art .5º. "Los infractores del presente decreto serán expulsados del país, si son extranjeros, y sometidos al procedimiento que corresponde si son ciudadanos guatemaltecos".
Perú: L. Nº 8505, de 19 feb. 1937, art .1º. "Cometen delito contra la tranquilidad política y social de la República: ...

La legislación estadounidense sanciona al que ayuda a organizar, o es miembro, o llega a serlo de una sociedad, grupo o reunión de personas que enseñen, aboguen o inciten al derrocamiento o destrucción de un gobierno en los Estados Unidos por fuerza o violencia, previendo además, la expulsión, cuando su autor es extranjero (400).

3º (v. texto nota 367); 4º Los que se asocien bajo doctrinas de carácter y tendencia internacional sea cual fuere la clase y término de la asociación; 5º (V. texto en nota 368); art. 6º (v. texto en nota 368) y art. 12 (v. texto en nota 331). **Uruguay:** L. Nº 9936, de 18 jun. 1940 ,art. 1º. "Se consideran asociaciones ilícitas: 1º Las que difundan ideas contrarias a la forma de gobierno democrático-republicana, adoptada en el primer inciso del artículo 72 de la Constitución. 2º Las de carácter político o social excepción hecha de las de carácter religioso, que en su organización o funcionamiento o directrices o finalidades o provisión de recursos, estén vinculadas a la voluntad de una persona o de un poder extranjero, o de cualquier entidad extraña al país, en vez de estarlo a la de sus asociados. 3º Las constituídas en la República con finalidades de acción política en el exterior, y 4º Las que usen enseñas, uniformes, símbolos o saludos que singularicen a partidos, tendencias o entidades políticas extranjeras". art. 5º "Si la asociación ilícita se propusiese la realización de actos de violencia contra el régimen institucional de la República o contra los Poderes Públicos, sus directores o cualquier otro integrante de la misma que tuviera participación en ello serán sometidos a la justicia criminal, la que, según la forma y garantía legales, les aplicará la pena de dos años de penitenciaría y si fueren extranjeros dispondrá también su expulsión del país salvo que por la gravedad del delito estén comprendidos en las disposiciones de los arts. 132 y 150 y siguientes del Código Penal".
Venezuela: L. de 29 jun. 1942, art. 3º, "Se prohibe a los extranjeros: 1º Establecer o mantener cualesquiera asociaciones o agrupaciones de carácter político o que tengan por fin la propaganda o difusión de ideas, doctrinas o normas de acción de partidos políticos extranjeros... 4º Pertenecer a sociedad o asociaciones que tengan, directa o indirectamente, propósitos políticos o fines sociales o culturales conexos con fines políticos. "Art. 12. (v. texto en nota 394).

(400) **Estados Unidos:** L. de 5 feb. 1917, art. 19, enmendado por el art. 20, de la L. de 28 jun. 1940, (b) (4) y (5) (V. textos en nota 376). Los actos prohibidos a que hacen referencia los apartados mencionados y que dan mérito a la deportación del extranjero que los cometa son los citados en el tt. I de la misma ley de 28 jun. 1940, y en especial, para este caso, los del art. 2º, en cuanto dice: "Será ilegal para una persona: ... (3) organizar o ayudar a organizar alguna sociedad, grupo, o asamblea de personas, quienes enseñen, aboguen, o alienten el derrocamiento de cualquier gobierno en los Estados Unidos por la fuerza o violencia; o ser o llegar a ser

2. Violaciones a las normas sobre entrada y salida, contralor, internación y expulsión.

a. Entrada, permanencia y salida

La expulsión constituye una sanción corriente para la violación de las normas que regulan la admisión y permanencia de extranjeros. El legislador en los países americanos ha tipificado diversas infracciones a esas normas que, sin perjuicio de otras penas que pueden imponerse, se sancionan también, por lo general, luego del cumplimiento de éstas, con la expulsión. Son ejemplos de lo expresado los siguientes casos; entrada fraudulenta o clandestina o sin llenar los requisitos legales vigentes (401), permanencia por un tiempo mayor al

---

miembro o afiliado, de alguna sociedad, grupo, o asamblea de personas con conocimiento de los expresados propósitos". Por el art. 3º se castiga la tentativa o conspiración para la comisión de los mismos actos. (v. texto en nota 376); L. de 16 oct. 1918, con las modificaciones introducidas por las de 5 jun. 1920 y 28 jun. 1940, art. 1º. "Cualquier extranjero quien, en cualquier tiempo sea o haya sido miembro de alguna de las siguientes clases será excluído de la admisión en los Estados Unidos: ... (e) Los extranjeros que son miembros o están afiliados a cualquier organización, asociación, sociedad o agrupación que escribe, difunde, distribuye, imprime, publica u ostenta, o manda escribir, difundir, distribuir, imprimir, publicar, u ostentar, o que tiene en su poder, para fines de su circulación, distribución, publicación, edición u ostentación, cualquier material escrito o impreso de la naturaleza especificada en la subdivisión (d) (v. texto en nota 397). A los fines del presente artículo: (1) la entrega, préstamo o promesa de dinero o de cualquier cosa de valor a utilizarse para aconsejar abogar, o predicar cualquier doctrina de las mencionadas más arriba, constituirá el consejo, abogamiento o prédica de tal doctrina; y (2), la entrega, préstamo, o promesa de dinero o de cualquier cosa de valor a cualquier organización, asociación, sociedad o agrupación del carácter especificado más arriba, constituirá la afiliación a la misma; pero nada de lo contenido en este párrafo será considerado como definición exclusiva de los términos consejo, abogamiento, prédica o afiliación". El art. 2º dispone la, deportación (v. texto en nota 363).

(401) D. Nº 536, de 15 ene. 1945, art. 11: "Se impondrá prisión de tres meses a dos años: ... 2º Al extranjero que hallándose ya en el país, sin haber llenado los recaudos correspondientes para su ingreso, no procediere dentro de los noventa días de la fecha del presente decreto a denunciar el hecho y la constitución de su actual domicilio ante la autoridad policial del lugar.

La denuncia del domicilio comporta la exención de la pena,

otorgado por las autoridades competentes para residir en el

pero ello no será óbice para que la autoridad correspondiente pueda ordenar la expulsión del extranjero cuando ello fuere pertinente".

Bolivia: D. Supr. de 28 ene. 1937, art. 15. "Serán expulsados los extranjeros que ingresen al territorio de la República, por los siguientes motivos: ... a) los que violando los reglamentos sobre admisión, hayan ingresado al país, sin solicitar permiso, contraviniendo a la negativa de ingreso..." D. Supr. Nº 321, de 13 dic. 1943, art. 14. "Todo extranjero que ingrese al país clandestinamente o haciendo uso de documentos irregulares, será expulsado, previo conocimiento del Ministerio de Gobierno".

Brasil: D L. Nº 479, de 8 jun. 1938, art. 2º. "Queda sujeto a expulsión el extranjero: 1. que, de cualquier forma: ... j) hubiera entrado en el territorio nacional con infracción de los preceptos legales"; D. Nº 3010, de 20 ago. 1938, art. 247. "Todo individuo que se presentare para la admisión en el territorio nacional en nombre de otro o de individuo fallecido; que procurara burlar este reglamento bajo nombre supuesto o ficticio; ... usar, poseer, obtener, aceptar, o recibir documento, pasaporte o visto para la entrada en territorio nacional o cumpliendo las formalidades establecidas en este reglamento sabiendo ser el mismo planeado, falsificado, alterado, hecho falsamente o sin el cumplimiento de las formalidades legales, u obtenido por medio de fraude o ilegalmente, será detenido, procesado y sujeto a multa de un conto de reis a diez contos de reis, o a pena de dos a cuatro años de prisión; y además a expulsión, si fuere extranjero". D. L. Nº 3175, de 7 abr. 1941, art. 4º.

Colombia: D. Nº 804, de 15 abr. 1936, art. 1º. "Serán expulsados del país los extranjeros que se encuentren comprendidos en alguno o algunos de los siguientes casos: a) Los que hayan entrado o entren al país sin el pasaporte respectivo"; D. Nº 1697, de 16 jun. 1936, art. 42, parágrafo 1º. Si los pasaportes no reunen los requisitos indispensables para justificar su presencia en Colombia, no se expedirá cédula de extranjería. En este caso se procederá a levantar las diligencias de expulsión de acuerdo con lo establecido por el Decreto 804 de 1936"; V., asimismo, D. Nº 397, de 17 feb. 1937, art. 3º, parágrafos 1º y 2º.

Costa Rica: D. Ej. Nº 1, de 3 set. 1930, art. 8º. "Al extranjero que ingresare al país clandestinamente sin los papeles necesarios para su identificación se le juzgará por violación del decreto número 1 de 22 de ene. 1920 y estará obligado a salir inmediatamente del país. Si no lo hiciere, se le tendrá por el mismo hecho como extranjero pernicioso y será expulsado del territorio nacional..."; L. Nº 8, de 21 abr. 1941, art. 1º. "Sanciónanse las infracciones a la citada ley (se refiere a la Nº 37, de 4 jun. 1940) con las penas que a continuación se expresan: Primero: El extranjero que reincidiere en su ingreso clandestino al país, sin la documentación necesaria para su identificación e ingreso legal al país, incurrirá en una multa de cien a quinientos colones, sin per-

país (402), no probar haber llenado los requisitos legales co-

juicio de su expulsión."; D. Ej. Nº 5, de 14 jun. 1941, art.
9º. "El extranjero que ingresare clandestinamente al país,
sin los papeles necesarios para su identificación o poseyendo
algunos que no estuvieren debidamente legalizados, en cualquier momento en que fuere descubierto, estará en la obligación de abandonar el país inmediatamente. Si no lo hiciere se le juzgará como extranjero pernicioso, expulsándole
del territorio de la República, y si reincidiere se le aplicará
una multa de cien a quinientos colones, sin perjuicio de su
expulsión y de la pena señalada en el artículo 9º del decreto
de 18 jun. de 1894..."; D. Ej. Nº 4, de 26 abr. 1942, art.
39. "Tanto el extranjero que hubiere ingresado al país indebidamente, como el que se encontrare en calidad de turista
o tránsito y cometiere durante su permanencia algún delito
o falta, por los cuales la autoridad competente los hubiere
condenado a pena corporal, deberá sufrirla antes de ponér-
sele a la orden de las autoridades de Migración para los efectos de su deportación". art. 57. "El extranjero que violando
esta ley se introdujere en el territorio de la República, será
expulsado del país, por resolución del Poder Ejecutivo, previo
informe del Departamento de Migración en que se hará constar la calidad del extranjero, su ingreso al país con posterioridad a la presente, y la circunstancia de hallarse en alguno
de los casos antes enumerados".
Cuba: D. L. Nº 52, de 5 mar. 1934, art. 1º. "Los extranjeros ... podrán ser expulsados del territorio de la República
en los casos siguientes: ... 9. Cuando hubieran entrado en
el territorio de la República con infracción de cualquiera de
los preceptos de las Leyes de Inmigración; o estén realizando
actos o trabajos con infracción de lo dispuesto en dichas leyes".
Chile: L. Nº 6026, de 11 feb. 1937, art. 17, inc. primero. "Los
extranjeros que entren al país sin estar provistos de pasaportes debidamente visados, o cuya visación no cumpliere con
los requisitos exigidos en cuanto a la forma y términos, o no
satisfacieren las condiciones en que la autorización correspondiente fué concedida, serán arrestados por las autoridades policiales y expulsados sin más trámites, previo decreto
del Ministerio del Interior; Circ. del Litoral y Marina Mercante de 31 ene. 1922, art. 10. "Cuando las tripulaciones de
dotación de las naves de comercio, extranjeras en general,
bajen a tierra, deberán ir provistas de un permiso escrito,
otorgado por el Capitán, 1er. piloto o Contador, en el que
se indicará el nombre de la nave, nacionalidad, nombre del
tripulante, empleo a bordo, tiempo que permanecerá con permiso en tierra, y fecha. Este documento le servirá a las
tripulaciones mercantes extranjeras, para justificar su permanencia en tierra y en caso de no tenerlo, la fuerza pública deberá detenerlos y conducirlos presos por contravenir
la Ley de Residencia y art. 17 de la Ley de Seguridad Interior del Estado" (se refieren, respectivamente a las leyes Nos.
3246, de 12 dic. 1918, y 6026, de 11 feb. 1937).
El Salvador: D. Ej. de 12 ago. 1930, art. 4º (V. texto en nota

rrespondientes para el ingreso regular cuando así fuera reque-

364); D. Leg. Nº 86, de 14 jun. 1933, art. 20. "El extranjero
que ingrese al país con violación de las leyes que norman la
migración, pagará una multa de cien a quinientos colones
y sufrirá arresto provisional en la Dirección General de Policía mientras se dispone su expulsión. Esta se efectuará
previa solicitud de las autoridades de migración, y será ordenada por el Ministerio de Gobernación..."; D. Ej. de 27
jul. 1933 art. 27 ."Cualquiera falsa declaración del inmigrante o extranjero residente en el país o de quien sale del territorio de la República tendiente a eludir el control migratorio sujetará a la persona a ser tratada como sospechosa y
a que se le apliquen las sanciones del art. 20 de la ley de
Migración y las de este Reglamento a que hubiere lugar".
Estados Unidos: L. de 5 feb. 1917, con las enmiendas de la
de 28 jun. 1940, art. 19. (a) (V. texto en nota 407).
Guatemala: D. Ej. Nº 1781, de 25 ene. 1936, art. 76. "El
Ejecutivo extrañará del territorio dela República a los extranjeros que hubiere ningresado al país contraviniendo las
disposiciones de las leyes vigentes y los reglamentos de salubridad".
Guatemala: D. Ej. Nº 1781, de 25 ene. 1936, art. 76. "El
Ejecutivo extrañará del territorio de la República a los extranjeros que hubieren ingresado al país contraviniendo las
disposiciones de las leyes vigentes y los reglamentos de salubridad".
Honduras: D. Nº 134, de 20 mar. 1934, art. 29. "El extranjero cuya entrada al país prohibe esta Ley y se introduzca
en él furtivamente, sufrirá una multa de 50 lempiras y será
obligado a emprender su regreso a más tardar dentro de tres
días; y si se negare será recluído mientras la autoridad respectiva prepare un resguardo conveniente para que lo custodie hasta que traspase la frontera en el punto más próximo".
México: L. de 24 ago. 1936, art. 185. "El extranjero que entre ilegalmente al país o contravenga las disposiciones que
dicte la Secretaría de Gobernación pagará la multa que se
le imponga y además, será deportado, si la Secretaría de
Gobernación lo determina".
Nicaragua: L. de 5 may. 1930, art. 14. "Los extranjeros cuya entrada al país la prohibe o restringe la presente ley, y
que contrariando la prohibición se introduzcan en él ocultando las condiciones que los hacen inadmisibles, o de otro
modo subrepticio, o por descuido o connivencia de las autoridades encargadas de la vigilancia en la materia, sufrirán
una multa de cien córdobas, y estarán obligados a salir del
país en el menor tiempo posible. El procedimiento será gubernativo y estará a cargo de los Comandantes de Puertos,
Jefes Políticos o Ministros de Relaciones Exteriores, directamente, debiendo en todo caso los Comandantes y Jefes Políticos avisar al Ministerio respectivo y enviar copia de los
antecedentes. A este efecto queda el Ejecutivo facultado para
recluir a los intrusos mientras se verifica la expulsión".
Panamá: D. Nº 53, de 5 set. 1939 ,art. 8º. "El legítimo ad-

rido por los funcionarios (403), ayudar a la entrada clandesti-

quirente de un permiso de regreso que permita a otra persona venir con su nombre al territorio panameño prevalidado de tal documento, perderá su derecho al domicilio en Panamá y la persona que use indebidamente su permiso de vuelta será deportado".

Perú: L. Nº 4145, de 22 dic. 1920, art. 6º. "Pueden ser expulsados individualmente del territorio nacional los extranjeros que hubieren entrado fraudulentamente en violación de esta ley y de las demás sobre exclusión...".

República Dominicana: L. Nº 95, de 14 abr. 1939, art. 13, "Los siguientes extranjeros serán arrestados y deportados bajo mandamiento del Secretario de Estado de lo Interior y Policía o de otro funcionario designado por él para esos fines: 1) Cualquier extranjero que entre a la República después de la publicación de esta ley por medio de falsas o engañosas declaraciones o sin la inspección y admisión de las autoridades de inmigración en uno de los puertos señalados de entrada; 2) Cualquier extranjero que entre en la República después de la publicación de esta ley, que no fuera admisible en el mometo de entrada;...".

Venezuela: L. de 31 jul. 1937, art. 37. "Es considerado extranjero pernicioso y puede ser expulsado: a) El que se haya radicado en el territorio nacional eludiendo, defraudando o infrigiendo en general las leyes y reglamentos sobre admisión" D. 7 may. 1942, art. 39, inc. a) (V. texto en nota 488).

(402) **Brasil:** D. L. Nº 406, de 4 may. 1938, art. 64; D. Nº 3010, de 20 ago. 1938, art. 239; D. L. Nº 1532, de 22 ago. 1939, art. 3º; D. L. Nº 3175, de 7 abr. 1941, art. 4º.

Colombia: D. Nº 804, de 15 abr. 1936, art. 1º. "Serán expulsados del país los extranjeros que se encuentren comprendidos en alguno o algunos de los siguientes casos: ...1) Los que habiendo entrado al país en carácter de tránsito o turismo, permanezcan en él, sin la correspondiente autorización, más tiempo del permitido en la visa consular, m) Los que haciendo uso de permisos fronterizos se internen en el país o permanezcan en él más del tiempo fijado en los mismos permisos"; D. Nº 1697, de 16 jun. 1936, art. 28. "El extranjero que venga al país con carácter transitorio y permanezca en él por más tiempo del que le haya sido fijado por el respectivo Cónsul de Colombia en la refrendación del pasaporte, sin la autorización de que trata el art. 27 de este decreto, será expulsado de acuerdo con el aparte 1) del art. 1º del Decreto 804 de 1936".

Chile: D. Nº 3437, de 22 ago. 1937.

Ecuador: L. de 2 jun. 1938, art. 18. "Los extranjeros que ingresaren al país aprovechando las facilidades, exoneraciones y garantías que esta Ley concede a los turistas para permanecer en el territorio sin permiso de la autoridad competente, mayor tiempo que el determinado en su cédula y para dedicarse a negocios de libre comercio, artes lucrativas, ejercicio profesional, remunerado o a lograrse recursos para subsistir, serán condenados al pago de una multa de

na o ilegal de extranjeros (404), cambiar de ocupación, cuando

1.000 a 2.000 sucres, la cual será recaudada por la Dirección de Ingresos del Ministerio de Hacienda, a solicitud de la Jefatura Central de Inmigración, sin perjuicio de que acto continuo al pago de dicha multa se les notifique el inmediato abandono del país". art. 19. "En caso de que los infractores de que se habla en el artículo anterior, se hallaren imposibilitados por cualquier motivo para cubrir la multa que se les impusiere, la autoridad policial competente los reducirá a prisión por el número de días que fuere necesario para transmitir su expulsión del país de acuerdo con lo que prescriben los arts. pertinentes del cap. IV de la Ley de Extranjería."

Estados Unidos: L. de 26 may. 1924 (43 Stat. 153) (8 U.S.C. 214), art. 14. "Cualquier extranjero respecto de quien se compruebe en cualquier fecha después de su entrada en los Estados Unidos... que haya permanecido en el país por un tiempo mayor que el permitido por esta ley o sus reglamentos, será detenido y deportado en la misma forma que la establecida por los arts. 19 y 20 de la ley de inmigración de 1917..."

Honduras: D. Nº 134, de 20 mar. 1934, art. 15. "... El Ejecutivo podrá conceder permiso temporal de ingreso que no excederá de seis meses a los hermanos y demás parientes dentro del cuarto grado de consanguinidad, de los esposos extranjeros radicados en el país, previa comprobación legal del parentesco; y si esas personas no desocuparen el país en el tiempo fijado se les expulsará".

México: L. de 24 ago. 1936, art. 129. "Los turistas que permanezcan en el país por más tiempo que el autorizado, sufrirán la sanción pecuniaria que dispone esta ley y se les requerirá para que abandonen el país en el plazo que les fije la Dirección General de Población, la que resolverá si además de la multa procede exigirles depósito o fianza de repatriación. En caso de que el infractor se niegue a satisfacer el importe de la multa y los demás requisitos que en su caso se le fijen, podrá conmutársele aquella por el arresto correspondiente y en cuanto la cumpla será deportado".

Panamá: D. Nº 202 de 3 ago. 1942, art. 13. "A todo extranjero que se encuentre en el territorio nacional vencido su permiso de tránsito, la prórroga respectiva o el permiso de residencia provisional de que trata el artículo 6º del presente Decreto, se le impondrá una multa de B. 10.00 a B. 50.00 o arresto equivalente, sin perjuicio de que se le expulse del país, a menos que obtenga su permiso de residencia definitiva, si ésta es procedente".

(403) **Bolivia:** Res. Minist. de 26 mar. 1942, cuya parte dispositiva establece: "Notificar, en un plazo perentorio, a los aludidos inmigrantes, para que se apersonen en las Secciones de Extranjería del Ministerio de Inmigración en La Paz, y de las Policías en el interior de la República, a objeto de definir su situación de extranjeros, sin perjuicio de aplicárseles las sanciones establecidas por Ley, y en casos extremos, proceder a su expulsión del país".

ella fué condición para autorizar la entrada al país (405), ha-

Brasil: D. L. N° 406, de 4 may. 1938, arts. 61, inc. a; y 91; D. N° 3010, de 20 ago. 1933, art. 236, inc. a).

Chile: L. N° 6026, de 11 feb. 1937, art. 17, inc. segundo. "Igual pena (se refiere la ley a la expulsión) sufrirán los extranjeros ya establecidos en el país, que dentro del plazo de seis meses, no presenten a las autoridades su documentación en la forma indicada en el inciso anterior".

Estados Unidos: L. de 5 feb. 1917 (39 Stat. 874) art. 19, con las enmiendas de la de 28 jun. 1940 (54 Stat. 673) (8 U.S.C. 155), (a) "... Se dispone, igualmente, que cualquiera persona que sea arrestada de acuerdo con las disposiciones de este artículo, por el motivo de haber entrado o de habérsele encontrado en los Estados Unidos en contravención a cualquiera otra ley que impone a dicha persona la obligación de probar su derecho a la entrada o permanencia, y que omita establecer la existencia del derecho reivindicado, será deportada al lugar especificado en dicha otra ley..."

República Dominicana: L. N° 95, de 14 abr. 1939, art. 13. "Los siguientes extranjeros serán arrestados y deportados bajo mandamiento del Secretario de Estado de lo Interior y Policía o de otro funcionario designado por él para esos fines: ... 9) Cualquier extranjero que poseyere un permiso de residencia previo a la fecha de entrar en vigor esta ley y que a la expiración de dicho permiso no hiciere una solicitud para obtener un permiso de residencia, según se requiere por esta ley; 10) Cualquier extranjero que hubiere entrado a la República anteriormente a la fecha de estar en vigor esta ley, que no poseyere un permiso de residencia y que dentro de los tres meses después de esta fecha no solicitare un permiso de residencia, según lo requiere esta ley"

(404) Brasil: D. L. N° 406, de 4 may. 1938, art. 61, inc. b); D. N° 3010, de 20 ago. 1933, art. 236, b).

Estados Unidos: L. de 5 feb. 1917 (39 Stat. 874), art. 19, con las enmiendas de la de 28 jun. 1940 (54 Stat. 673) (8 U.S.C. 155), "(b) Cualquier extranjero de alguna de las clases especificadas en esta subsección, además de los extranjeros que son deportables de acuerdo con otras disposiciones de la ley, serán de acuerdo a una orden del Fiscal General, detenidos y deportados: (1) Cualquier extranjero quien, en cualquier tiempo dentro de los cinco años después de la entrada, haya a sabiendas y por provecho de dinero, alentado, inducido, asistido, instigado, o ayudado a cualquier extranjero a entrar o tratar de entrar a los Estados Unidos con violación de la ley. (2) Cualquier extranjero quien, en cualquier tiempo después de la entrada, haya en más de una ocasión, a sabiendas y por provecho, alentado, inducido, asistido, instigado o ayudado a otro extranjero o a extranjeros a entrar o tratar de entrar a los Estados Unidos con violación de la ley"

Nicaragua: L. de 5 may. 1930. art. 13. El particular, nacional o extranjero y la Compañía nacional o extranjera, que en cualquier forma contribuya a facilitar o proteger la entrada al país de los individuos a que se refiere el artículo anterior, incurrirá en las penas siguientes: a) El nacional

llarse incluído el extranjero en la inmigración prohibida (406), entrar por punto no habilitado (407), salir del país sin el permiso correspondiente, tratándose de nacionales del Eje (408).

En caso de entrada fraudulenta o sin la documentación pertinente, algunas Repúblicas Americanas eximen de la ex-

o extranjero sufrirá multa de cien a doscientos córdobas. Caso de no tener bienes en qué hacer efectiva la multa, sufrirá prisión en segundo grado. El extranjero será además expulsado gubernativamente. b) La Compañía nacional o extranjera incurrirá en una multa de doscientos a mil córdobas, sin perjuicio de que el Gerente extranjero de la Compañía podrá ser expulsado gubernativamente. En los casos de reincidencia se aplicará el doble de multa" (V. además, nota 401).

Panamá: D. Nº 53, de 5 set. 1939, art. 8º (V. texto en nota 401).

(405) Brasil: D. Nº 3010, de 20 ago. 1938, arts. 240 y 270.

(406) Colombia: D. Nº 397, de 17 feb. 1937, art. 11. "Los gitanos, sea cual fuere su nacionalidad, no podrán entrar al país. parágrafo. La Dirección General de la Policía Nacional queda facultada para ordenar la inmediata salida del país de los gitanos que infrinjan esta disposición".

Ecuador: L. de 12 oct. 1899, art. 5º (chinos).

Nicaragua: L. de 5 may. 1930, art. 14 (V. nota 401).

Bolivia: D. de 28 ene. 1937, art. 15. "Serán expulsados los extranjeros que ingresan al territorio. de la República, por los siguientes motivos: a) los que violando los reglamentos sobre admisión, hayan ingresado al país, haciéndolo por lugares diferentes a los señalados por tal objeto".

Estados Unidos: L. 5 de feb. 1917 (39 Stat. 874), art. 19, con las enmiendas de la de 28 jun. 1940 (54 Stat. 673) (3 U.S C. 155), art. 19 (a) será detenido y deportado, por orden del Secretario de Trabajo, ... cualquier extranjero que en cualquier momento dentro de los tres años después de su entrada, se haya introducido en los Estados Unidos por mar en cualquier tiempo y lugar que no sean los designados por los funcionarios del servicio de inmigración, o por tierra en cualquier lugar que no sea un punto designado como puerto de entrada para extranjeros por el Comisario General de Inmigración, o en cualquier fecha no indicada por los funcionarios del Servicio de Inmigración y Naturalización, o un extranjero cualquiera que entre sin inspección..."

(408) Paraguay: D. L. Nº 11.061, de 16 feb. 1942, art. 1º. "Los ciudadanos y súbditos del Reich Alemán, el Reino de Italia y el Imperio del Japón ... b) No podrán ... abandonar el territorio nacional, sin permiso especial del Gobierno..."; art. 12. "Las infracciones al presente Decreto Ley, serán consideradas como delitos contra el orden público y la seguridad del Estado, y serán reprimidas con las siguientes penalidades: a) a los arts. 1º con multa de $ 1.000 a $ 5.000 c/1. (mil a cinco pesos moneda nacional de curso legal, el confinamiento o la expulsión del país, según el caso ...".

pulsión al infractor siempre que se halle domiciliado (409), o denuncie domicilio dentro de un determinado plazo (410), o se presente a regularizar su situación solicitando permiso de residencia (411).

b. Contralor

Entre las sanciones que se aplican a los extranjeros por no someterse a las obligaciones que les impone el régimen de fiscalización que sobre sus personas rige en las Repúblicas Americanas, se encuentra la expulsión, que constituye una penalidad bastante común (412). Se dispone esta medida en materia de registro e identificación (413), cambios de resi-

---

(409) **Perú:** L .Nº 4145, de 22 dic. 1920, art. 7º. (V. texto en nota 337).

(410) **Argentina:** D. Nº 536 de 15 de enero de 1945, art. 11, inc. 2º (obliga a la denuncia del hecho dentro de 90 días contados de la fecha del decreto). (V. texto en nota 401). El plazo ha sido prorrogado a noventa días más por D. Nº 19.332, de 23 ago. 1945, art. 1º. Los Ds. 19.332, de 23 ago. 1945 y 1078, de 12 ene. 1946, dieron nuevas prórrogas por términos de 90 días también, cada uno de ellos. La orden del día de la Policía Federal, de 4 mar. de 1945, establece el procedimiento a seguir en el caso de presentación de extranjeros comprendidos en el precedente decreto-ley art. 11, inc. 2º citado. Con anterioridad a la promulgación de la primera disposición, la jurisprudencia había resuelto que no podía decretarse orden de expulsión contra un extranjero por el solo hecho de haber entrado en forma clandestina en mérito a que ni la ley 4144, ni la 7029, han establecido semejante sanción. Fallo de la Corte Suprema de la Nación "in re" Macia y Gassol, en Jurisprudencia Argentina, T. 27, 1928, p. 672, "leading case" sobre la materia. La transcripción íntegra del caso puede verse en "Derecho de asilo" (Caso Macia-Gassol); "Cuadernos Forenses", Nº 24, Buenos Aires. V. asimismo, SPOTA, Alberto G., "Régimen jurídico de la inmigración", La Ley, T. 24, sec. doctr. p. 149.

(411) **Chile:** L. Nº 6026, de 11 feb. 1937, art. 17, inc. 1º (v. texto en nota 401); idem, segundo (v. texto en nota 403); idem, tercero "No obstante, cualquier extranjero que se encuentre en alguno de los casos de este art., podrá solicitar permiso al Ministro del Interior para permanecer en el país, y ese permiso le será concedido si se trata de personas que no constituyan peligro para el Estado".
Panamá: D. Nº 202, de 3 ago. 1942, art. 13 (V. texto en nota 402).

(412) V., además, en Contralor de Extranjeros, Penalidades por incumplimiento de las medidas sobre contralor de extranjeros, supra.

(413) **Bolivia:** D. de 17 jul. 1942, art. 14, "Los infractores al Cen-

c. Internación

En Colombia sancionan con la expulsión a quienes "habiendo sido radicados en un lugar en virtud de tratados públicos y de leyes vigentes, abandonen dicho lugar sin autorización del Gobierno, no pudiendo, en este caso, ser enviados al país que haya solicitado la internación" (419). En la legislación venezolana existe una disposición semejante (420).

d. Violación de la prohibición de reingreso por parte del expulsado

Es norma en las Repúblicas Americanas, sin perjuicio de otras penalidades, la sanción de la violación de la orden o decreto de expulsión con nueva expulsión, a ejecutarse luego de cumplirse aquellas o inmediatamente al comprobarse la infracción por las autoridades correspondientes (421).

---

(418) **Colombia:** D. Nº 1205, de 25 jun. 1940, art. 1º. "Además de las causales de expulsión de extranjeros contenidas en las leyes y decretos actualmente en vigor, se establecen, las siguientes: ... 8ª Introducir, agenciar o comerciar en armas, gases asfixiantes, tóxicos, lacrimógenos o elementos similares, sin autorización del Gobierno".

(419) **Colombia:** D. Nº 804, de 15 abr. 1936, art. 1º, w).

(420) **Venezuela:** L. de 31 jul. 1937, art. 38. "El extranjero asilado, político a quien el Ejecutivo Federal haya designado una población para su residencia o a quien se hubiere prohibido ir a determinados lugares, podrá ser expulsado, si quebranta tales disposiciones".

(421) **Argentina:** L. Nº 7029, de 28 jun. 1910, art. 5º: "Los extranjeros expulsados del territorio de la Nación en virtud de la ley 4144 o de la presente, que retornen al territorio argentino sin previa autorización del Poder Ejecutivo, sufrirán la pena de tres a seis años de confinamiento en el sitio que determine el Poder Ejecutivo, sin perjuicio de ser nuevamente expulsados después de cumplida la condena".
Brasil: D. L. Nº 479, de 8 jun. 1938, art. 7º. "El extranjero expulsado que regresara al territorio nacional antes de revocada la expulsión, quedará, por la simple verificación del hecho, sujeto a pena de dos a cuatro años de prisión celular, cumplida la cual será nuevamente expulsado".
Costa Rica: L. Nº 13, de 19 jun. 1894, art. 9º. "El expulso a quien se encuentre de nuevo en el territorio de la República será condenado por ese simple hecho a un arresto que durará de quince días a seis meses. Al expirar el plazo de la condena, será llevado al puerto que elija el Poder Ejecutivo y embarcado en el primer buque que se de a la mar".
Chile: L. Nº 3446, de 12 dic. 1918, art. 7º. "El extranjero ex-

3. Nacionalidad del Eje o de países ocupados por éste

La circunstancia de poseer nacionalidad de los Estados del Eje o de países ocupados por él ha constituído, por sí sola, causal de expulsión en algunas Repúblicas Americanas, como oportunamente se ha señalado, al hacer referencia a las personas sobre las cuales podía recaer la medida, e indicar al mismo tiempo, las respectivas leyes que han dado los poderes jurídicos necesarios para aplicarla (422).

---

pulsado del territorio nacional, que entrase nuevamente en él, sin autorización del Gobierno, será penado con seis meses de prisión, sin perjuicio de ser nuevamente expulsado, sin más trámite, al término de su condena".

Estados Unidos: L. de 16 oct. 1918, (40 Stat. 1012| 1013) (8 U.S.C. 137) art. 3º. "Cualquier extranjero que después de ser excluído y deportado, o detenido y deportado, de acuerdo con las disposiciones de esta ley, vuelva o entre a los Estados Unidos, o trate de volver o entrar en los Estados Unidos, será considerado culpable de felonía, y al ser convicto de ella, será castigado con prisión por un término no mayor de cinco años; y, terminado dicho período de prisión, será puesto bajo custodia, bajo la responsabilidad del Secretario de Trabajo, y deportado, en la forma establecida por la ley de inmigración del 5 de feb. 1917".

Guatemala: D. Ej. Nº 1781, de 25 ene. 1936, art. 82. "En caso de desobediencia, la fuerza pública procederá a realizar el extrañamiento. Si el expulsado volviere a entrar a territorio guatemalteco, será sometido a los Tribunales de la República y castigado con arreglo a lo que dispone el Código Penal, sin perjuicio de que, al cumplir su condena, sea nuevamente expulsado del territorio de la República, para lo cual el Juez de la causa dará aviso en su oportunidad a la Secretaría de Gobernación y Justicia por el órgano correspondiente".

Uruguay: L. Nº 9604, de 13 oct. 1936, art. 9º. "El quebrantamiento de las disposiciones de la presente ley por la vuelta al país de los extranjeros expulsados o no admitidos, será castigado con prisión de seis a doce meses, la primera vez,, y de doce a veinticuatro la segunda, sin perjuicio de hacerse efectiva la medida de seguridad una vez cumplida la pena".

Venezuela: L. de 31 jul. 1937, art. 51. "El extranjero ... expulsado que entre de nuevo al territorio venezolano, será castigado con prisión de seis meses a un año, en virtud de denuncia hecha ante la Corte Federal y de Cesación por el Procurador General de la Nación. Parágrafo único. El procedimiento se ajustará a los trámites ordinarios del enjuiciamiento criminal. Cumplida que sea la pena, se hará salir al extranjero inmediatamente del territorio venezolano, sin perjuicio de la responsabilidad que pueda corresponder a las autoridades encargadas de la inmediata ejecución |y vigilancia de la expulsión".

(422) V., Entrada, Cap. I, II, 2, c. supra.

En los Estados Unidos los nacionales del Eje son expulsados de conformidad con la ley de expulsión de extranjeros enemigos. Esta ley dictada en 1798, dispone que en caso de guerra, o de invasión a los Estados Unidos, por parte de gobierno extranjero y cuando, dadas estas circunstancias el Presidente de la República lo proclame, todos los nacionales de países enemigos mayores de catorce años de edad, pueden ser detenidos y trasladados como extranjeros enemigos. Para tal caso el Presidente debe disponer los reglamentos que pongan en ejecución esa facultad legal y, en particular, ordenar el traslado de aquellos extranjeros a quienes se les prohiba permanecer en el país y que se rehusasen a cumplir la orden de abandono (423).

4. Expulsión de otros países por alguna o algunas de las causales precedentemente establecidas

Por excepción algunas Repúblicas Americanas disponen que la expulsión decretada en otro Estado determina o puede determinar la expulsión del extranjero cuando le comprendan la misma o mismas causales que dieron mérito a su primitiva expulsión o por el sólo hecho de haber sido expulsado (424). Resulta obvio señalar la importancia que reviste esta causal de expulsión para la defensa de los Estados americanos de la común agresión de los Estados del Eje, siempre que los funcionarios competentes de los diversos países mantengan un completo sistema de intercambio de informaciones que permita una ajustada aplicación de la causal. Concordantemente con lo expuesto la Conferencia Interamericana sobre Problemas de la Guerra y la Paz ha recomendado a los gobiernos la adopción de medidas para impedir la entrada de los expulsados por razones de seguridad continental, como se verá más adelante (425).

---

(423) L. de 6 jul. 1798 (RS. 4067) enmendada el 17 abr. 1918 (40 Stat. 531) (50 U.S.C. 21).
(424) V. por ejemplo:
Brasil: D. L. Nº 479, de 8 jun. 1938, art. 2º. "Queda sujeto a expulsión el extranjero: 1. que, de cualquier forma: ... i) hubiera sido expulsado de otro país".
(425) V.(en este mismo cap., VI Tratados y Resoluciones Internacionales. La doctrina, por otra parte, ha señalado con

5. Expulsión por acto discrecional sin especificación de causal

Ciertas Constituciones o leyes sobre la materia otorgan amplios poderes a las autoridades para disponer, por simple acto administrativo y sin expresión de causa, la expulsión del extranjero cuya permanencia en el país se estima inconveniente (426). Otras leyes, establecen causales genéricas que dejan tal latitud de interpretación a los funcionarios competentes, que en definitiva vienen a hacer de la expulsión un acto tan discrecional como el procedimiento indicado (427).

IV. COMPETENCIA, PROCEDIMIENTO Y RECURSOS

1. Competencia para disponer la expulsión

La expulsión puede ser decretada por el juez, o por el Poder Ejecutivo directamente o por un órgano que le esté jerárquicamente subordinado. En el primer caso, cuando se trata de pena o medida de seguridad, el magistrado, al fallar la causa, resuelve acerca de la expulsión del extranjero (428).

---

acierto la necesidad de una política solidaria de los estados americanos, respecto a la inadmisión y exclusión de extranjeros en general. Tal posición es sostenida en la conclusión IV del estudio de Irizarry y Puente, en estos términos: "Para mantener la solidaridad de los países de este hemisferio, debería adoptarse esta política: La exclusión o la expulsión de uno debería conducir a la exclusión o expulsión de todos". (op. cit. pág. 270). V., asimismo opinión de Donnedieu de Vabres, en nota 320 y Resolución XXVI del Comité, p. 727.

(426) **México:** Const. art. 33. "... el Poder Ejecutivo de la Unión tendrá la facultad exclusiva de hacer abandonar el territorio nacional, inmediatamente y sin necesidad de juicio previo, a todo extranjero cuya permanencia juzgue inconveniente...".
Guatemala: D. Ej. Nº 1781, de 25 ene. 1936, art. 78. "El Poder Ejecutivo tiene la facultad exclusiva de hacer abandonar el territorio nacional a todo extranjero, sin excepción, cualquiera que sea el motivo y sin expresión de causa, cuya permanencia juzgue inconveniente para el país".

(427) V. por Ejemplo:
Colombia: D. Nº 1205, de 25 jun. 1940, art. 1º. "Además de las causales de expulsión de extranjeros contenidas en las leyes y decretos actualmente en vigor, se establecen las siguientes: ... 20) En general, violar el orden jurídico del país y hacerse merecedor de sanción".

(428) V. por ejemplo, **Argentina:** D. Nº 536, de 15 ene. 1945, art. 42: "La condena por delitos previstos en los capítulos precedentes lleva inherentes las siguientes accesorias: ... 2º Si

que la orden de expulsión debe ser materia de una resolución expedida en Consejo de Gobierno o Ministros.

Las leyes de algunos países americanos confieren la facultad de decretar la expulsión de un extranjero a las autoridades policiales (432), o intendentes (433), o autoridades superiores de los servicios de inmigración (434), a veces con consulta previa del Gobierno, o del Ministro del ramo (435). La circunstancia de dar a funcionarios de menor jerarquía la intervención primaria en estos procedimientos, si bien priva al expulsado de la importante garantía que resulta de la actuación directa del Poder Ejecutivo, queda limitada, a veces, por la posibilidad de interposición de recursos que permiten rever la medida, según se podrá comprobar más adelante.

2. Procedimiento para decretar la expulsión

El procedimiento de la expulsión puede ser judicial o administrativo. La determinación del órgano anticipa la naturaleza del procedimiento. Será judicial, cuando la expulsión se aplica, en caso de delito por los jueces como pena principal

---

sejo de Gobierno".

(431) L. Nº 4145, de 22 dic. 1920, art. 8º.

(432) **Colombia:** D. Nº 804, de 15 abr. 1936, art. 5º (Director General de la Policía Nacional); D. Nº 1205, de 25 jun. 1940, art. 8º. "Podrán ser expulsados del territorio del país, mediante resoluciones del Director General de la Policía Nacional y previa consulta verbal con el Ministerio de Gobierno, los extranjeros que, a su juicio, hayan incurrido en alguna de las causales de este decreto y demás disposiciones anteriores vigentes u otras semejantes...".
Uruguay: L. Nº 9604, de 13 oct. 1936, art. 5º inc. segundo "... La intimación de expulsión ... será notificada por la autoridad policial ..." "D. de 29 dic. 1936, art. 3º. "Las autoridades policiales expulsarán del territorio nacional a todo extranjero..." art. 6º. "Los Jefes de Policía de los respectivos Departamentos en que deban aplicarse las disposiciones de la ley que se reglamenta, serán los funcionarios encargados del cumplimiento de la misma .El Jefe de policía de Montevideo podrá delegar esta atribución en el Jefe de la División Investigaciones y los de los Departamentos del litoral e interior en los respectivos Oficiales primeros...".

(433) **Chile:** L. Nº 3446, de 12 dic. 1918, art. 3º (V. texto en nota 448).

(434) **Rpca. Dominicana:** Regl. Nº 279, de 12 may. 1939, Sec. 13ª.

(435) **Colombia:** D. Nº 1205, de 25 jun. 1940, art. 8º. (Ver texto en nota 432).
Chile: L. Nº 3446, de 12 dic. 1938, art. 3º (V. nota 448).

o accesoria o medida de seguridad, luego de un proceso iniciado con una previa instrucción sumarial, seguido de plenario con oportunidad de defensa y realización de diligencias probatorias, y finalmente, fallo. Se siguen, en una palabra, las etapas comunes al proceso penal. Será en cambio administrativo, cuando se realiza ante y por los órganos ejecutivos que cumplen las diligencias necesarias para la aplicación de la expulsión como medida de policía. En cuanto a este último procedimiento deben señalarse dos variantes de importancia, que permiten agrupar las legislaciones en dos categorías, las que mantienen la actividad procesal para la expulsión en la vía exclusivamente administrativa con o sin recursos contra el decreto u orden correspondiente, y las que establecen un sistema mixto, administrativo para resolver la expulsión y judicial para el recurso que se otorga contra esta medida (436).

a. Procedimiento judicial

El examen del procedimiento judicial implicaría estudiar la legislación procesal penal común o especial, vigente en la Repúblicas Americanas, lo que, en verdad, escapa a la índole de este trabajo.

b. Procedimiento administrativo

En cuanto al procedimiento administrativo, éste varía con las legislaciones. No obstante es factible destacar determinadas etapas comunes generalmente seguidas por dichas legislaciones.

1) Instrucción sumarial

En primer lugar existe una verdadera instrucción sumarial que las normas discriminan cuidadosamente. Se procede en principio por los informes que proporcionan las autoridades encargadas del contralor sobre los extranjeros (437),

(436) Cf. IRIZARRY Y PUENTE, op. cit. pp. 267 y ss.
(437) **Colombia:** D N⁰ 804, de 15 abr. 1936, art. 3⁰. "Cuando las autoridades de la Policía de la residencia de un extranjero,

y, asimismo por denuncia de cualquier ciudadano que haga saber a aquéllas que a determinado extranjero le comprenden alguna o algunas de las causales de expulsión previstas por las leyes de la materia, y en consecuencia, incite a las mismas para la iniciación del sumario correspondiente (438). Las

o algún Jefe de Policía Nacional o Departamental tuviere motivos fundados para considerar que aquel debe ser expulsado del país, por hallarse comprendido en alguno o algunos de los casos del artículo 1º del presente Decreto, pasará un informe sobre el asunto al Director GeGneral de la Policía Nacional ,quien, si hallare justificada la información, dará las instrucciones del caso para la iniciación de las diligencias correspondientes"; D. Nº 1205, de 25 jun. 1940, art. 11. "Las autoridades de que habla el artículo anterior (se refiere a las que tienen a su cargo en cada municipio el registro y vigilancia de los extranjeros), cuando tengan sospechas relativas a actividades peligrosas de un extranjero, residente o naturalizado, podrán también investigar su género de vida, ocupación, relaciones comerciales, medios de que deriva su subsistencia y todas las demás circunstancias que estimen necesarias de conocer y rendirán inmediatamente un informe a la Sección de Extranjeros de la Policía Nacional".

El Salvador: D. Leg. Nº 86, de 14 jun. 1933, art. 20, inc. 2º "Para los efectos del inciso anterior (ver texto en nota 98), las oficinas de Policía y las demás autoridades administrativas de la República tienen la obligación de informar a la Oficina Central de Migración los casos que se presenten; comprendiendo en la parte correspondiente el extranjero, filiación, antecedentes y demás datos complementarios, a fin de que la Oficina mencionada pueda investigar debidamente el caso, y solictar la orden de expulsión si fuere procedente".

Repca. Dominicana: Regl. Nº 279, de 12 may. 1939, sec. 13ª inc. primero. "Los Inspectores de Inmigración y los funcionarios que actúen como tales harán una investigación completa acerca de cualquier extranjero, todas las veces que existan informes veraces o hubiere alguna razón para creer que el extranjero se encuentra en la República en violación de la ley de Inmigración. Si de la investigación resultare que el extranjero ameritare ser deportado, el Inspector de Inmigración solicitará del Director General de Inmigración un mandamiento de arresto. La solicitud del mandamiento debe expresar los hechos y mostrar las razones específicas por las cuales el extranjero apareciere sujeto a ser deportado. Si el mandamiento de arresto se expidiere, el Inspector de Inmigración llamará al extranjero para ser oído sobre los cargos expresados en el mandamiento de arresto".

(438) Colombia: D. Nº 304, de 15 abr. 1936, art. 2º parágrafo 1º, actualmente derogado, disponía: "los informes, denuncios o quejas debidamente juramentados, serán base suficiente para que la autoridad ante quien se presente proceda a levantar el correspondiente informativo, debiendo recibir al incul-

normas pertinentes preven en este último caso la sanción para aquel ciudadano que formule una denuncia temeraria contra un extranjero (439). Se instruye de inmediato un sumario o se efectúa una investigación por las autoridades administrativas que la ley o disposiciones vigentes en cada país fijan (440). Se toma declaración indagatoria al inculpado (441), identificándolo y fotografiándolo (442). Se le da tras·

---

pado declaración indagatoria, dentro de las cuarenta y ocho horas siguientes. De estas actuaciones se deberá dar aviso telegráfico inmediatamente al Director General de la Policía Nacional con el fin de que dé las instrucciones del caso".
Ecuador: D. N° 111, de 29 ene. 1941, art. 94. inciso segundo. "Cualquier ciudadano podrá pedir por escrito a la Dirección General de Inmigración que excite al Intendente para la iniciación del juzgamiento contra un extranjero que esté violando la Ley o este Reglamento. El pedido tendrá curso si se concreta la infracción que se imputa".

(439) **Ecuador:** D. N° 111, de 29 ene. 1941, art. 98. "El Ministro de Gobierno impondrá una multa de cien a mil sucres o prisión de 8 días a 3 meses, a quien hubiere presentado una denuncia temeraria contra un extranjero".

(440) **Brasil:** D. L. N° 554, de 12 jul. 1938.
Colombia: D. N° 804, de 15 abr. 1936, art. 2°, parágrafo 1°. (Ver texto en nota 133).
Costa Rica: L. N° 13, de 19 jun. 1894, art. 3°, inciso cuarto: "Cuando se trate de la expulsión del extranjero peligroso para la tranquilidad pública, se instruirá un expediente administrativo, en que con audiencia del interesado, se comprueben las causas que sean alegadas para reputarlo como tal..."
Ecuador: D. N° 111, de 29 ene. 1941, art. 94, inc. 2° (V. nota 438).
Rpca. Dominicana: Regl. N° 279, de 12 may. 1939, sec. 13ª inc. primero. (V. texto en nota 406).

(441) **Brasil:** D. L. N° 554, de 12 jul. 1938, art. 2°. (V. texto en nota 442).
Colombia: D. N° 804, de 15 abr. 1936, art. 2°, parágrafo 1°. (Ver texto en nota 438).
Rpca. Dominicana: Regl. N° 279, de 12 may. 1939, sec. 13ª inc. primero (v. texto en nota 437); idem, inc. segundo "La información relativa al extranjero se anotará en el form. general, al ser oído, a menos que hubiere sido tomada previamente. Si el extranjero admitiere cualquier cargo que le expusiere a la deportación, se hará un memorándum con ese fin que firmará el Inspector y también el extranjero, si fuere posible. Si ninguno de los cargos expresados en el mandamiento fuere admitido por el extranjero, se buscarán pruebas para apoyar los cargos, se llamará de nuevo al extranjero y se le dará una nueva oportunidad para declarar, así como para introducir pruebas en oposición a su deportación. En el caso relativo a la entrada de un extranjero a la Repú-

lado luego para que articule su defensa en un plazo que oscila de dos a cinco días (443), abriéndose a veces la causa a prueba (444). El precedente régimen otorga al inculpado el máximo de garantías compatibles con la naturalzea administrativa del proceso y con la notoria urgencia que caracterizan estos procedimientos. Algunos países, por ejemplo, Bolivia, emplean en cambio un procedimiento sumarísimo, en el cual no se oye pa-

---

blica, el cuidado de las pruebas será puesto a su cargo para demostrar que entró legalmente y para ese fin el extranjero tendrá derecho a una declaración sobre su llegada, según se demuestre en cualquier registro del Negociado de Inmigración".

(442) **Brasil:** D. L. Nº 479, de 8 jun. 1938, art. 8º, parágrafo 1º. "En el proceso de expulsión deben constar la fotografía y la individual dactiloscópica del expulsado"; D. L. Nº 554, de 12 jul. 1938, art. 2º "Después de clasificado, identificado y fotografiado el expulsado, la autoridad instructora le tomará por último las declaraciones. La individual dactiloscópica y la fotografía serán reproducidas, por lo menos, en treinta ejemplares, uno de los cuales será anexado al proceso y los demás remitidos con los autos del interrogatorio, al Ministro de Justicia y Negocios Interiores, para los fines del artículo 5º" (El art. 5º dispone la distribución de esos ejemplares entre las policías de los Estados y demás autoridades, una vez decretada la expulsión).

(443) **Brasil:** D. L. Nº 554, de 12 jul. 1938, art. 3º (5 días). **Costa Rica:** L. Nº 13, de 19 jun. 1894, art. 3º, inc. 4º (v. texto en nota 440). **Ecuador:** D. Nº 111, de 29 ene. 1941, art. 94, inciso tercero "Recibido el oficio que indica el inciso precedente, se mandará citar, por Secretaría, al extranjero para que deduzca su defensa en el término de dos días; inc. cuarto. "La citación se hará en la forma establecida en el Código de Procedimiento Penal para el auto cabeza del proceso". **Venezuela:** L. de 31 jul. 1937, art. 45. "Cuando el expulsado alegue ser venezolano, deberá comprobarlo ante la Corte Federal y de Casación, y dentro de cinco días, más el término de la distancia del lugar donde se encuentre a la Capital de la República. Parágrafo único. En este procedimiento no se concederá término extraordinario de pruebas".

(444) **Costa Rica:** L. Nº 13, de 19 jun. 1894, art. 3º, inc. 4º, parte final "... el interesado podrá promover pruebas que se despacharán, si fueren pertinentes, y si no tomaren para ser evacuadas más de ocho días de término". **Ecuador:** D. Nº 111, de 29 ene. 1941, art. 94, inc. quinto. "Con la contestación o en rebeldía, se recibirá la causa a prueba por diez días, vencido los cuales se declara concluído dicho término y se elevará el proceso al Ministerio de Gobierno para que dicte el Acuerdo que corresponda... Durante el término de prueba se practicarán todas las que fueren con-

ra nada al extranjero a quien se va a expulsar (445). Otros
no legislan acerca de esta etapa de la instrucción o investigación para resolver la expulsión, lo que implica dejarla exclusivamente a criterio de los órganos competentes de la administración (446), pero en estos casos se verá que es común
el otorgamiento de recursos contra la medida.

2) Resolución

En segundo lugar, terminada la faz de instrucción o
investigación, o directamente sin ella para los países que no
la disponen, el órgano competente por sí, o con la aprobación
de uno superior (447), dicta la resolución, decreto u orden de
expulsión. Excepcionalmente, se establece que la medida debe
ser fundada, con especificación de las causales o motivos que
se tuvieron en vista para disponerla (448), publicándose la re-

---

ducentes al esclarecimiento del hecho que se averigüe".
República Dominicana: Regl. 279, sec. 13ª inc. segundo V.
texto en nota 441).
Venezuela: L. de 31 jul. 1937, art. 45 (V. texto en nota 443).
(445) **Bolivia:** D. Sup. de 28 ene. 1937, art. 16. "Todo extranjero
a quien se compruebe mediante un procedimiento sumarísimo que se encuentra comprendido en alguna de las causales
expuestas en el artículo anterior, será expulsado del país en
el término máximo de treinta y seis horas posteriores a la
resolución que dicten en tal sentido, las autoridades competentes, pudiendo adoptarse entre tanto, las medidas de seguridad que sean necesarias contra el mismo".
(446) V. entre otros: **Chile:** L. Nº 3446, de 12 dic. 1918;
Perú: L. Nº 4145, de 22 dic. 1920;
Uruguay: L. Nº 9604, de 13 oct. 1936.
(447) V. p. 773, supra.
(448) **Chile:** L. Nº 3446, de 12 dic. 1918, art. 3º. "Cada Intendente en el territorio de su provincia y con autorización
expresa del Gobierno podrá expulsar del país a cualquier extranjero comprendido en alguno de los casos de los artículos
anteriores (han sido oportunamente citados donde se mencionan las causales de expulsión), mediante un decreto que
expresará los fundamentos de su resolución. En el mismo
decreto se reservarán al interesado las acciones judiciales que
le concede la ley y se ordenará su arraigo, previo, bajo la
vigilancia de la policía".
Perú: L. Nº 4145, de 22 dic. 1920, art. 8º. "La orden de expulsión de los extranjeros debe ser materia de una resolución
expedida en Consejo de Ministros, con espe cificación de sus
motivos. En la orden se concederá al extranjero el plazo de
tres a quince días para abandonar el territorio. Si no lo hiciere, será expulsado por las autoridades de la policía".

solución en el diario oficial del Estado (449).

3) Notificación de la expulsión

En tercer lugar se opera la notificación o comunicación que se hace al extranjero de la medida de expulsión de que va a ser objeto (450). Los requisitos que se exigen a los funcionarios competentes varían con las legislaciones, pero las de algunos Estados se han preocupado de rodear la notificación de los necesarios, para que el acto represente una verdadera garantía para el expulsado (451).

---

(449) Chile: L. Nº 3446, de 12 dic. 1918, art. 4º (V. nota 457).
Venezuela: L. de 31 jul. 1937, art. 40 (V. texto en nota 429).
(450) Brasil: D. L. Nº 479, de 8 jun. 1938, art. 9º.
Costa Rica: L. Nº 13, de 19 jun. 1894, art. 4º .(V. texto en nota 451).
Guatemala: D. Ej. Nº 1781, de 25 ene. 1936, art. 81. "La orden de expulsión será notificada en todo caso a la persona a quien se refiere, dándole por lo menos veinticuatro horas para su cumplimiento .El procedimiento en los casos de expulsión es simplemente administrativo".
Uruguay: L. Nº 9604, de 13 oct. 1936, art. 5º. Se notifica la intimación de expulsión, que es propiamente en la legislación uruguaya la primera etapa en el procedimiento de expulsión, no previéndose de este modo la necesidad de dictar un acto formal disponiendo la misma. La reglamentación ha explicado bien el alcance de la notificación (V. D. de 29 dic. 1936, art. 6º, en nota 451).
Venezuela: L. de 31 jul. 1937, art. 58. "El decreto de expulsión o su revocación se comunicará al extranjero por órgano de la primera autoridad civil del lugar en que se encuentre...
(451) Costa Rica: L. Nº 13, de 19 jun. 1894, art. 4º. "El decreto de expulsión se notificará personalmente al expulso por medio de cualquier autoridad de policía. La que lo haga pondrá razón del acto, con expresión del día y hora en que se practique la diligencia y firmará ésta con un testigo".
Uruguay: L. Nº 9604, de 13 oct. 1936, art. 5º, inc. segundo "... La intimación de expulsión por la causal enunciada en el presente art. (v. nota 371), será notificada por la autoridad policial, con intervención de dos testigos de responsabilidad y mención expresa del recurso de que puede hacer uso". D. de 29 dic. 1936, reglamentario de la precitada ley, dispone art. 6º: "... Detenidos que sean los extranjeros a quienes corresponde... expulsar del país, serán puestos de inmediato a disposición de los precitados funcionarios, quienes harán conocer a aquellos el motivo concreto de su detención y los hechos en que se funda la intimación de abandonar el país, de todo lo cual se les notificará en presencia de dos testigos de responsabilidad, labrándose el acta correspondiente. En esta acta se dejará constancia, además, de la contestación que dé el inti-

4) Medidas aseguativas

En cuarto lugar se pasa al cumplimiento de las medidas aseguativas sobre la persona objeto de expulsión. Algunas legis'aciones disponen su arresto hasta que se hace efectiva la expulsión (452), o le obligan al arraigo o a mantenerse detenida en el domicilio, en ambos casos bajo vigilancia policial o en calidad de arrestada (453), o facultan la aplicación

---

mado acerca de si acepta o no la intimación formulada, y la mención de haberle hecho conocer el recurso ante ... el Consojo de Ministros, que le asiste con arreglo a la ley que se reglamenta..."

(452) **Colombia:** D. N° 804, de 15 abr. 1936, art. 7°. "Cuando el Gobierno resuelva hacer los gastos que haya de ocasionar la expulsión de un extranjero, el Director General de la Policía Nacional podrá ordenar, si lo considera necesario, la detención inmediata del expulsado mientras se cumple la expulsión, pero esta detención no podrá durar más de treinta días".
Cuba: Cód. de Defensa Social, art. 94. "A) La expulsión del extranjero se cumplirá deteniéndolo y conduciéndolo al barco o aeronave que ha de sacarlo del territorio nacional. B) La custodia se mantendrá hasta la partida del barco o aeronave".
Nicaragua: L. de 5 may. 1930, art. 14 (V. texto en nota 401).
República Dominicana: Regl. N° 279 de 12 may. 1939. Sec. 13ª.
Venezuela: L. de 31 jul. 1937, art. 49. "Como medida de segu. ridad y sin perjuicio de lo dispuesto en los artículos 34 y 46 de esta Ley, el Ejecutivo Federal, a los fines de hacer efectiva la salida del país, podrá ordenar que ingresen en una colonia o establecimiento de régimen de trabajo, los extranjeros que hubieren entrado al territorio nacional sin cumplir los requisitos exigidos por esta ley... Igual medida podrá adoptarse contra los extranjeros que oculten su verdadero nombre, disimulen su personalidad o domicilio y contra los que usen o porten documentos de identidad falsos o adulterados o se negaren a exhibir los propios".

(453) **Argentina:** L. N° 4144, de 23 nov. 1902, art. 4°. "El extranjero contra quien se haya decretado la expulsión tendrá tres días para salir del país, pudiendo el Poder Ejecutivo, como medida de seguridad pública, ordenar su detención hasta el momento del embarque".
Chile: L. N° 3446, de 12 dic. 1918, art. 3°. (V. nota 448).
Ecuador: D. N° 111 de 29 ene. 1941, art. 103. "Dictada la expulsión, se procederá por la Autoridad de Policía que indique el Ministerio de Gobierno, a hacer salir del territorio al extranjero dentro del plazo prudencial señalado por el mismo Ministro, plazo que en ningún caso excederá de treinta días, desde la fecha en que el extranjero fuere notificado con la sentencia. Durante este plazo el extranjero quedará sujeto a la vigilancia especial de las autoridades de Policía".
Uruguay: L. N° 9604, de 13 oct. 1936, art. 7°; D. de 29 dic. 1936, art. 9°. "Tanto en el caso en que el notificado acepte la

de una u otra (454). En otros países, se autoriza a disponer medidas asegurativas, sin determinarlas expresamente, mientras se tramita la expulsión (455). Por excepción se les autoriza a veces, en algunos países, a permanecer en libertad bajo fianza mientras se resuelve la expulsión (456).

3. Recursos contra la expulsión

Se ha visto que existen dos procedimientos en materia de expulsión: judicial el uno, administrativo el otro. De uno y otro tipo de expulsión, se otorgan recursos en las legislaciones americanas. En el primer caso, su régimen se regula por los de la legislación procesal penal común y no será tratado aquí por

---

intimación de expulsión como cuando la rechace, continuará bajo vigilancia policial con la obligación de quedar detenido en el domicilio que elija, hasta tanto se ausente del país..."

(454) **Venezuela:** L. de 31 jul. 1937, art. 46. "El extranjero contra quien se haya dictado un Decreto de expulsión, puede ser detenido preventivamente o sometido a la vigilancia de la autoridad, según el caso, mientras espera su partida del lugar donde se encuentra, o durante su traslación por tierra, o durante su permanencia a bordo hasta que el buque haya abandonado por completo las aguas venezolanas, o hasta que compruebe que es venezolano".

(455) V., entre otros:
Bolivia: L. de 18 ene. 1911, art. 4º. "El extranjero contra quien se haya decretado la expulsión tendrá tres días para salir del país, pudiendo el Poder Ejecutivo, como medida de seguridad pública, ordenar su detención hasta el momento de salida del país". D. Sup. de 28 ene. 1937, art. 16. "Todo extranjero a quien se compruebe mediante un procedimiento sumarísimo que se encuentra comprendido en alguna de las causales expuestas en el artículo anterior, será expulsado del país en el término máximo de treinta y seis horas posteriores a la resolución que dicten en tal sentido las autoridades competentes, pudiendo adoptarse entre tanto, las medidas de seguridad que sean necesarias contra el mismo".

(456) Puede citarse por vía de ejemplo, el caso de Estados Unidos: L. de 5 feb. 1917, (39 Stat. 874) (8 U. S. C. 156) art. 20. "... Mientras está pendiente el despacho final de la causa de cualquier extranjero así recibido en custodia (se refiere al extranjero cuyo estado mental o físico requiere asistencia y cuidado personal), se le podrá poner en libertad bajo fianza de no menos de $ 500, con la garantía que apruebe el Fiscal General, con la condición de que a tal extranjero se le hará comparecer cuando sea requerido para una audiencia o audiencias con respecto al cargo por el cual ha sido recibido en custodia, y para su deportación en caso de comprobarse que se encuentra ilegalmente en los Estados Unidos".

las mismas razones expuestas al analizar el procedimiento de la expulsión. En el segundo, excepcionalmente, en algunas Repúblicas Americanas se preven recursos contra la orden o decreto de expulsión, ante órganos judiciales (457), o administrativos (458).

---

(457) **Brasil**: D. L. Nº 479, de 8 jun 1938, art. 8º, parágrafo 2º "El recurso judicial es admitido solamente en los casos del art. 3º (se refiere a los casos en que se alegue veinticinco años de residencia legítima en el país (a), o tener hijos brasileños vivos, oriundos de nupcias legítimas (b), en cuyos casos no habrá expulsión) y del artículo 4º (establece que la alegación documentada de nacionalidad brasileña importa la suspensión de la expulsión)...".

Costa Rica: L. Nº 13, de 19 jun. 1894, art. 5º. "El expulso puede, siempre que lo haga dentro de veinticuatro horas después de notificado el decreto respectivo, reclamar ante la Sala de Casación del Tribunal Supremo de Justicia: 1º, que es ciudadano costarricense, o 2º, que lo protege el artículo 2º de esta ley, por hallarse comprendido en alguna de sus disposiciones. Este recurso se interpone en tiempo, caso de no estar el extranjero en la capital de la República, con sólo presentar el escrito respectivo ante el Alcalde o uno de los Alcaldes del cantón donde el extranjero se encuentre. El Alcalde que recibe este escrito, una vez puesta la razón de recibo correspondiente, lo dirigirá enseguida a la Secretaría del Tribunal Supremo.

Chile: L. Nº 3446, de 12 dic. 1918, art. 4º, inciso primero. "El extranjero, cuya expulsión hubiere sido decretada, podrá reclamar judicialmente por sí o por medio de cualquiera persona ante la Corte Suprema dentro de 5 días, contados desde la publicación en el "Diario Oficial" de dicho decreto".

Uruguay: L. Nº 9604, de 13 oct. 1936, art. 7º, inc. segundo. para los delincuentes del fuero común, etc., "...debiendo reclamar de la expulsión ... ante cualquiera de los Jueces de Instrucción de la Capital o ante el Juez Departamental de los otros Departamentos... El reclamo ... se basará en la inexactitud de los hechos en que se funde la intimación...".

(458) **Brasil**: D. L. Nº 479, de 8 jun. 1938, art. 9º. "El auto de expulsión será comunicado al expulsado, que podrá solicitar reconsideración dentro de los diez días, contados desde aquel en que tuviere conocimiento del mismo". El recurso administrativo es la regla; la excepción, el judicial (V., nota 457).

Uruguay: L. Nº 9604, de 13 oct. 1936, art. 5º, inc. tercero. "Se podrá reclamar de la expulsión ante el Consejo de Ministros ... (se refiere a la causal de expulsión que realmente tiene interés para la defensa política (V. arts. 5º y 6º de esta misma ley, en nota 371). (V. asimismo, D. de 29 dic. 1933, art. 6º, parte final). En este país se ha promovido recurso de inconstitucionalidad de la ley Nº 9604, de 13 oct. 1936, señalándose por el recurrente que el otorgamiento de facultades jurisdiccionales al Consejo de Ministros, órgano ejecutivo, contraviene las normas constitucionales que con-

El procedimiento seguido para la interposición, trámite y resolución de los recursos es, generalmente, el siguiente. En primer lugar, las disposiciones legales o administrativas establecen un plazo dentro del cual debe deducirse (459). Se confiere al extranjero sujeto a expulsión el derecho de defensa mediante presentación de escrito o exposición verbal (460), acordándole en algunos casos la posibilidad de aportar nuevos elementos de prueba y de diligenciarlos (461). A veces se

fieren la función jurisdiccional a los órganos del Poder Judicial (Caso Blás Colomer, resuelto el 7 may. 1937, por la Suprema Corte de Justicia, en contra del recurrente; véase con nota de L. Arcos Ferrand, en Rev. D.J.A., t. y p cits.).

(459) **Brasil:** D. L. Nº 479, de 8 jun. 1938, art. 9º (diez días).
Chile: L. Nº 3446, de 12 dic. 1918, art. 4º, inciso primero (cinco días).
Costa Rica: L. Nº 13, de 19 jun. 1894, art. 5º (veinticuatro horas) en el caso de comprenderles las excepciones de la ley
Uruguay: L. Nº 9604, de 13 oct. 1936, art. 5º (cinco días en caso de residencia en la capital y diez días en campaña, en el régimen que reviste interés para la defensa política); idem. art. 7º (tres días, en caso de causales aplicables a delincuentes de derecho común, etc.); D. de 29 dic. 1936, art. 11. La persona notificada que haya rechazado la intimación pero que en el plazo de tres, cinco o diez días, según se trate de los casos a que se refieren los artículos 5º y 7º de la ley, no entablara el reclamo autorizado, será considerada como renunciando a ese derecho y comprendida entre las que han aceptado la intimación".
Venezuela: L. de 31 jul. 1937, art. 45 (cinco días más el especial según las distancias, cuando la excepción sea la de nacional venezolano).

(460) **Brasil:** D. L. Nº 479, de 8 jun. 1938, art. 9º (implícitamente al deducir la reconsideración).
Costa Rica: L. Nº 13, de 19 jun. 1894, art. 5º (únicamente en los casos de comprenderle las excepciones de la ley).
Chile: L. Nº 3446, de 12 dic. 1918, art. 4º, inciso segundo. "La Corte Suprema, procediendo breve y sumariamente y con audiencia del Fiscal, fallará como Jurado la reclamación dentro del plazo de diez días, contados desde la presentación del reclamo. Durante estos plazos la Corte podrá adoptar las medidas de precaución y vigilancia que crea necesarios respecto del recurrente".
Uruguay: L. Nº 9604, de 13 oct. 1936, art. 5º (no se dice el medio, resulta implícito); id. art. 7º, inc. segundo: ... "El reclamo ... podrá ser deducido por escrito en papel común o por medio de exposición verbal ...".
Venezuela: L. de 31 jul. 1937, art. 45 (implícitamente, pero únicamente cuando alegue ser venezolano).

(461) **Costa Rica:** L. Nº 13, de 19 jun. 1894, art. 6º. "El escrito de recurso, además de su fundamento indicará las pruebas que interesen al recurrente. La Sala de Casación las hará

oye a la autoridad policial que dispuso la expulsión (462), o al fiscal competente del Estado (463). El órgano recurrido puede decretar —excepcionalmente se establece esta prescripción— diligencias para mejor proveer (464). Finalmente dicta resolución en un plazo breve (465), facultándose expresamente, por ejemplo, en el Uruguay, para hacerlo de acuerdo con la "convicción moral que se forme" (466).

De lo expuesto se deduce que en los pocos países en que se otorga recurso contra la orden de expulsión, ésta se tramita en forma breve y sumaria, lo cual, sin embargo, no priva al extranjero de las garantías indispensables para que pueda obtener la revocación del mandamiento, siempre que pruebe que le asiste tal derecho. Las autoridades competentes, por su parte, se aseguran durante la sustanciación del recurso, que

---

evacuar si fueren pertinentes, y con su resultado resolverá. La resolución de la Sala ha de recaer dentro de los ocho días siguientes al recibo del escrito. Si la decisión fuere favorable al recurrente, quedará anulado y sin efecto el decreto de expulsión".

Uruguay: L. Nº 9604, de 13 oct. 1936, art. 5º, incs. cuarto y quinto. "El recurrente acompañará la prueba instrumental que posea, o indicará el archivo, oficina o lugar donde aquella se encuentre; y si ofreciere prueba testimonial designará el nombre y domicilio de los testigos y acompañará el interrogatorio respectivo. El Secretario del Consejo recibirá y diligenciará la prueba...".

(462) Uruguay: L. Nº 9604, de 13 oct. 1936, art. 7º, inc. tercero. (para las causales no directamente vinculadas a la defensa política) "...El Juez dará conocimiento del reclamo a la autoridad policial y oídos en audiencia verbal, dentro del plazo de diez días, el representante de aquella y el reclamante o su abogado, resolverá...".

(463) Chile: L. Nº 3446, de 12 dic. 1918, art. 4º, inc. 2º (V. nota 155).

(464) Uruguay: L. Nº 9604, de 13 oct. 1936, art. 5º, inc. sexto: "... El Consejo podrá ordenar las diligencias para mejor proveer que considere convenientes..." Id., art. 7º, inc. tercero: ... El juez ... resolverá ... pudiendo ordenar previamente diligencias para mejor proveer...".

(465) Costa Rica: L. Nº 13,, de 19 jun. 1894, art. 6º, inc. 2º (para los casos excepcionales en que el recurso tiene entrada: ocho días)
Chile: L. Nº 3446 de 12 dic. 1918, art. 4º, inc. 2º (diez días contados desde la interposición del recurso).
Uruguay: L. Nº 9604, de 13 oct. 1936, art. 5º, inc. séptimo (20 días a contar de la fecha de terminación del dilingenciamiento de la prueba).

(466) Uruguay: L. Nº 9604, de 13 oct. 1936, art. 7º, inc. trecero.

el impetrante no eluda la medida evadiéndose, por lo que en ese intervalo se mantienen las disposiciones asegurativas.

En otros países, la ley establece expresamente que no se confiere recurso alguno contra la orden de expulsión (467). En otros, tampoco, excepto cuando se alegare la calidad de nacional (468) o que no le comprende la medida por hallarse contemplado en las excepciones de la ley (469). En Brasil, la condición de nacional o el régimen de excepciones por tener más de veinticinco años de residencia o hijos nacidos en el país, determina que el recurso sea judicial en lugar de administrativo (470). En Estados Unidos la ley dispone que la decisión adoptada respecto de la orden de expulsión, por el Fiscal General, es terminante (471). Sin embargo el recurso de hábeas corpus deducido en favor de una persona detenida para ser expulsada evita, como se expresa más adelante las expulsiones ilegales (472). Nuevas normas han facultado además al Fiscal General, para disponer la suspensión de la medida, lo que en realidad determina una revisión de antecedentes (473).

---

(467) **Colombia**: D. Nº 1205, de 25 jun. 1940, art. 8º. "... Estas resoluciones no tendrán ningún recurso ante el Ministerio de Gobierno y se cumplirán inmediatamente de notificadas".
Ecuador: D. Nº 111, de 29 ene. 1941, art. 94, inc. quinto (parte) "... Cada acuerdo será inapelable...".
Venezuela: L. de 31 jul. 1937, art. 47, inc. segundo: "Tampoco se admitirá ningún recurso contra el Decreto de expulsión".
(468) **Costa Rica**: L. Nº 13, de 19 jun. 1894, art. 5º inc. 1º (V. texto en nota 457).
Venezuela: L. de 31 jul. 1937, art. 45 (V. texto en nota 443).
(469) **Costa Rica**: L. Nº 13, de 19 jun. 1894, art. 5º inc. 1º (V. texto en nota 457); y art. 2º (se refiere a las excepciones por residencia, matrimonio con costarricense o hijos nacidos en el país, o hallarse gozando del plazo para la opción de la ciudadanía).
(470) D. L. Nº 479, de 8 jun. 1938, art. 8º parágrafo 2º (V. texto en nota 457).
(471) L. de 5 feb. 1917 (39 Stat. 874) (8 U.S.C. 155), art. 19. "... En todos los casos en que se ordene la deportación de una persona cualquiera de los Estados Unidos, de acuerdo con las disposiciones de la presente ley, o de cualquier otra ley o tratado, la decisión del Fiscal General será terminante".
(472) MAYER, op. cit. p. 535.
(473) L. de 5 feb. 1917, art. 19, con las enmiendas de la de 28 jun. 1940, ap. (c) (x .texto en nota 482).

La actividad jurisdiccional se ha movido en otros países por medio de recursos comunes, tales como, por ejemplo, el de "habeas corpus", a falta de un recurso específico contra la expulsión, y, a veces, al pesar de la existencia de éste. En el primer caso llena un vacío fundamental, y permite la defensa de los derechos individuales que resultarían afectados por el cumplimiento de la orden de expulsión, cuando por ser injusta o ilegal se vulnerara, precisamente, uno de esos derechos, la libertad de locomoción. En el segundo, es un recurso coadyuvante, de importancia indudable en los casos de procedimientos totalmente administrativos policiales sin contralor jurisdiccional alguno.

En la Argentina, donde no existe recurso contra la expulsión, se admite por los tribunales la interposición del de habeas corpus por el extranjero "habitante" del país, aunque éste hubiera entrado en forma clandestina, y siempre que no le fueran aplicables las causales establecidas por la ley (474).

(474) En materia de jurisprudencia sobre aplicación de este recurso en caso de expulsión de extranjeros, V., entre los numerosos fallos dictados: el "leading case", mencionado en nota 389; el de Sup Corte Nacional de 6 may. 1932, en el que se declara que los jueces estarían facultados para revisar el procedimiento del poder Ejecutivo y evitar que un extranjero fuese injustamente deportado (Jurisprudencia Argentina, t. 38, p. 6); el de la Cámara Federal de la Capital, de 7 oct. 1935, que establece que el derecho de detener atribuído al P. E. por la ley Nº 4144, puede ser examinado por el Poder Judicial por recurso de "hábeas corpus", únicamente cuando el detenido niega ser extranjero o cuando sostenga que la ley le ha sido indebidamente aplicada (Jur. Arg., t. 3º p. 521); el fallo de la misma Cámara de 21 ago. 1944, que hace lugar al recurso en el caso de expulsión de un extranjero que habiendo ingresado clandestinamente ha residido en el país más de dos años (Rev. La Ley, t. 36, p. 246); y otro fallo de la citada Cámara de 29 ago. 1945 que además de declarar que el régimen de estado de sitio no suspende el recurso en cuestión, señala la procedencia del mismo cuando el P. E. excede los límites fijados por la ley 4144 para la expulsión de habitantes del país, cuando no se les ha dado la oportunidad de defenderse y levantar los cargos que se les formulaban R. La Ley, t. 39 ps. 77' y ss. Otra sentencia de la Corte Suprema de la Nación de 17 de mayo de 1946 ha declarado la procedencia del recurso de "habeas corpus" cuando no existe constancia de que al extranjero acusado de espionaje se le haya dado oportunidad de formular descargos, aún cuando haya sido indagado, pero no en cuanto a su detención a disposición del Poder Ejecutivo durante el estado

Tanto en el sistema de la ley actual como en el de la antigua sobre expulsión de extranjeros se ha previsto en Brasil recurso contra la medida que la dispone. No obstante se ha admitido también la interposición del recurso de "habeas corpus", bajo el antiguo D. Nº 1641, de 7 de enero de 1907 (475), y los modernos D. Leyes N.os 479 y 554, de 8 de junio y 12 de julio de 1938, otorgándose de esta manera mayores garantías al extranjero (476).

En los Estados Unidos por el recurso de "habeas corpus" puede contralorearse los procedimientos de las autoridades administrativas encargadas por ley para inadmitir o expulsar a los extranjeros, pero se ha declarado que tal recurso no puede interferir la acción de esas mismas autoridades. No obstan-

---

de sitio (Rev. la Ley, t. 42, p.p. 734 y s.). Por último, interesa mencionar que al juzgarse un caso de aplicación de la Resolución VII de Chapultepec, sobre expulsión de extranjeros peligrosos, se admitió, en sentencia de la misma Corte del mismo mes y año, el recurso de "hábeas corpus" porque no constaba de las resultancias de autos, que se le hubiera dado conocimiento al expulsado, de los motivos de la medida decretada y la oportunidad de ser oído sobre los hechos en los que habría actuado y que fueron los que determinaron la decisión del Poder Ejecutivo argentino (Rev. La Ley. t. 42, p. p. 783 y ss.). El recurso, con todo, no es siempre eficaz: más aún, se ha indicado que cuando llega la acción reparadora de la justicia el extranjero ya está fuera del país (Cf. Sagarna, op. ct., p. 105, donde cita la opinión del magistrado Guido Lavalle). Tal resultaría haber sucedido con el fallo últimamente citado.

(475) Cf. DE PAULA LACERDA DE ALMEIDA, F. "O Decreto Nº 1641 de 7 de Janeiro de1907 sobre expulsão de extrangeiros do território nacional", Río de Janeiro, 1907, p. 114; fallos citados por TAVARES BASTOS J., en "O Habeas Corpus na República", Río de Janeiro, 1911, ps. 522, 524 y 577; fallos citados por Irizarry y Puente, esperialmente el de Rosa Press, op. cit. p. 260 y ss. en el que se destaca la función tuteladora de los derechos individuales que cabe a la justicia, por medio del recurso de "hábeas corpus".

(476) El Supremo Tribunal Federal en las decisiones adoptadas en varios recursos deducidos por extranjeros ha declarado, por ejemplo, que no constituye prisión ilegal la del extranjero que entró irregularmente al país y va a ser obligado a repatriarse (Recurso Nº 26.917, fallo de 14 dic. 1938, en Revista Forense, vol. 78, (1939), p. 567); y que procede dar entrada al recurso en el caso de prisión preventiva de un extranjero sin perjuicio de que ulteriormente se decrete la expulsión (Reo. Nº 26.189, fallo de 10 ago. 1938, en Rev. cit., vol. 79, (1939), p. 315).

te se hace lugar a la revisión judicial del caso cuando las autoridades han incurrido en error de derecho o la resolución administrativa es injusta (477). Se ha destacado la procedencia del recurso, también, en caso de deliberado exceso de poder y cuando en opinión de las cortes no ha habido el "fair-hearing" que el "due process" exige (478).

V. EJECUCION Y CESACION DE LA MEDIDA

1. Ejecución

El procedimiento de expulsión culmina con la ejecución de la medida. Cuando se trata de expulsión administrativa, ella tiene lugar, luego de ordenada, para los países que no admiten ningún recurso y, posteriormente a la resolución denegatoria, en el caso de otorgarse; en tanto que si se dispone por los jueces, ella se realiza después de cumplida la pena principal (479).

---

(477) Cf. Opinión del Juez Anderson, en el caso Colver v. Skeffington, cit. por GELLHORN, Walter, "Administrative Law", Chicago, 1940, p. p. 548|549.

(478) En cuanto al "fair hearing", esto es, audiencia imparcial ella debe ser examinada en función de la oportunidad dada al extranjero de ser oído y de la prueba presentada a la audiencia (Cf. "Due Process Restrictions on Procedure in Alien Exclusion and Deportation Cases", Notas, en Columbia Law Review, t. 36, p. 1013.) El fundamento de este derecho al "due process" radicaría en que la quinta enmienda de la Constitución estadounidense manda que nadie podrá ser privado de su libertad sin el debido proceso legal.

(479) V. **Argentina:** D. Nº 536, de 15 ene. 1945, art. 42, núm. 2º (V. nota 428).
Costa Rica: Cód. Penal, art. 118, inc. primero. "El Juez que impusiere una pena de prisión superior a tres años a un extranjero, o cuando éste fuere reincidente cualquiera sea la pena, podrá decretar su expulsión del territorio nacional, la cual se llevará a cabo una vez cumplida la pena".
Estados Unidos: L. de 5 feb. 1917 (39 Stat. 874) con las modificaciones de la de 28 jun. 1940, (54 Stat. 670) (8 U.S.C. 155), art. 19 (a). Ni será deportado extranjero alguno, convicto como se ha dicho más arriba, mientras no termine el período de su prisión"; art. 19 (b) "... Ningún extranjero deportable de acuerdo con las disposiciones de los parágrafos (3), (4), (5) de esta subsección (V. textos en notas 417 y 376) será deportado hasta la terminación de su prisión o de la orden de dejarlo en libertad bajo palabra o vigilado"; L. de 4 mar. 1929, (45 Stat. 1551) (8 U.S.C. 180 a), art. 3º

La ejecución puede ser suspendida excepcionalmente según la legislación de algunas Repúblicas Americanas. En Brasil (480), cuando el extranjero formula "alegación documentada de nacionalidad brasileña". En México (481), por el tiempo indispensable, en dos situaciones,, por hallarse el extranjero sometido a juicio, o ser necesaria su permanencia en el país. En los Estados Unidos, finalmente, si la persona sobre quien pesa una orden de deportación, posee buenos antecedentes en los últimos cinco años anteriores a la medida, y no está comprendido en determinada categoría de extranjeros cuya deportación preceptúa la misma ley, puede disponerse la suspensión de aquélla por motivos económicos que afecten a los familiares del deportado. Pero en tal caso el Ejecutivo, por el órgano del Jefe del Departamento de Justicia, el Fiscal General, debe informar al Congreso de la suspensión de la deportación y estar a lo que éste resuelva (482).

"Un extranjero sentenciado a prisión no será deportado de acuerdo con ninguna disposición legal hasta después de terminado el período de prisión. A los efectos de este artículo, la prisión será considerada como terminada después de haberse puesto en libertad al extranjero, fuese o no sujeto a redetención u otra reclusión con respecto al mismo delito". **Venezuela:** L. de 31 jul. 1937, art. 39. "Los extranjeros condenados en juicio penal podrán ser expulsados de la República, después de su liberación, si no han dado pruebas de regeneración mental".

(480) D. L. Nº 479, de 8 jun. 1938, art. 4º.

(481) L. de 24 ago. 1936, art. 187. "Cuando los extranjeros sujetos a deportación se hallen sometidos a un juicio, o sea necesaria su permanencia en el país, la Secretaría de Gobernación podrá suspenderla por el tiempo indispensable".

(482) L. de 28 jun. 1940, (54 Stat. 670) (8U.S.C. 155) art. 20, que enmienda el art. 19 de la L. de 5 feb. 1917. El apartado c) que la primera ley agrega a la segunda, establece: "c) En el caso de cualquier extranjero (que no sea de los que les sea aplicable la sección (d) —quedan así excluídos, por ejemplo, los de la ley de 16 oct. 1918, anarquistas, etc.)— que sea deportable bajo cualquier ley de los Estados Unidos y que haya probado buena conducta durante los cinco años anteriores, el Fiscal General puede:...(2) Suspender la deportación si no es inadmisible por razones raciales o indeseable su nacionalización en los Estados Unidos, y si cree que esa deportación sería económicamente perjudicial a un ciudadano o extranjero que resida legalmente en el país y sea esposo, padre, madre o hijo menor del deportado. Si la deportación se suspende por más de seis meses de conformidad con lo dispuesto en este apartado, todos los hechos y disposicio-

La ejecución comprende tres cuestiones principales que las leyes de la materia tienen preferentemente en cuenta: el alejamiento del expulsado del territorio nacional; la prohibición de nueva entrada; y, finamente, la sanción por violar esta última prescripción.

a. El alejamiento del territorio

Es propiamente el objeto mismo de la expulsión, el alejamiento del territorio del extranjero a quien se le aplica la medida y se cumple dentro de plazos que varían con las legislaciones, desde la forma inmediata hasta un máximo de treinta días (483).

---

nes legales pertinentes relativos al caso, deberán ponerse en conocimiento del Congreso, dentro de los diez días siguientes al comienzo de la próxima sesión ordinaria, dando las causas de tal suspensión. El Secretario del Congreso hará imprimir ese informe como documento público. Si durante esa sesión las dos Cámaras aprueban una resolución concurrente por la que se establece, en sustancia, que el Congreso no aprueba la suspensión de tal deportación, el Fiscal General deberá deportar de inmediato a ese extranjero en la forma como lo dispone la Ley. Si las dos Cámaras aprueban la suspensión de la deportación, el Procurador General deberá cancelar la deportación, terminada la sesión, salvo que se trate de un extranjero a quien legalmente no se le haya permitido residir permanentemente la última vez que entró en los Estados Unidos, a menos que ese extranjero abone al Comisionado de Inmigración y Colonización un derecho de diez y ocho dólares (derecho que deberá ser depositado en la Tesorería de los Estados Unidos). Al cancelarse los trámites en cualquier caso en que se haya abonado el derecho, el Comisionado deberá registrar la admisión del extranjero con residencia permanente a partir de la fecha en que entró la última vez a los Estados Unidos, etc., etc.".

(483) **Argentina**: L. Nº 4144, de 23 nov. 1902, art. 4º (tres días). La justicia de este país ha declarado que la detención, prolongada por falta de transporte, no puede interpretarse como reconocimiento de la facultad ejecutiva para tomar tal medida a los fines de hacer efectiva la expulsión del extranjero, más allá de los términos en que esa medida precautoria se convierta en pena (Corte Sup. Nacional, fallo de 6 abr. 1938, en Rev. La Ley, t. 10, p. 163). Asimismo por sentencia de la Cámara Federal de la capital del expresado país de fecha 12 de Julio de 1946 se ha establecido que no existe necesaria correlación entre el plazo de 3 días para salir del país que fija la ley 4144 en su art. 4º y el momento del embarque, desde que este último dependerá de las comunicaciones, fecha de partida de los barcos con destino al país del

Una vez vencido el plazo, queda por decidir el punto de destino del expulsado, que algunas legislaciones lo dejan a su elección (484), y otras lo fijan en su país de origen u otro

expulsado o del estado de la documentación individual requerida en estos casos, circunstancias que exceden en general el plazo premencionado, tesis ésta que no implica de ninguna manera que la detención pueda prolongarse sin término porque en tal caso se convertiría en una pena sin ley que la autorice (Suplemento Diario La Ley, de 13 ago. 1946, página 2).

Bolivia: L. de 18 ene. 1911, art. 4º (tres días); D. Sup. de 28 ene. 1937, art. 16 (tres días).

Colombia: D. Nº 804, de 15 abr. 1936, art. 5º. "Una vez dictada la resolución de expulsión, el Director General de la Policía Nacional podrá disponer la inmediata salida del expulsado o, si lo estima conveniente, concederle un plazo hasta de treinta días para que abandone el territorio de la República..."

Chile: L. Nº 3446, de 12 dic. 1918, art. 5º. "Transcurrido el plazo de cinco días sin que se interponga recurso judicial en contra de la orden de expulsión o tres días después del fallo denegatorio de la Corte Suprema, el Intendente respectivo ordenará ejecutar lo mandado, fijando un plazo que no podrá ser menor de 24 horas, para conducir al expulsado a la frontera, bajo la inmediata vigilancia de la policía".

Ecuador: D. Nº 111, de 29 ene. 1941, art. 103 (Plazo prudencial, que no puede exceder de treinta días).

Guatemala: D. Ej. Nº 1781, de 25 ene. 1936, art. 81 (24 horas como mínimo). (V. texto en nota 450).

Nicaragua: L. de 5 may. 1930, art. 16 (en el menor tiempo posible)

Perú: L. Nº 4145, de 22 dic. 1920, art. 8º (tres a quince días).

Uruguay: D. 29 dic. 1936, art. 9º (10 días, en el caso de que el expulsado acepte la intimación; o una vez que sea resuelto el recurso.

Venezuela: L. de 31 jul. 1937, art. 40, parágrafo único. "... En este decreto (se refiere al que disponga la expulsión, v. texto en nota 429), se fijará un plazo de tres a treinta días para que el expulsado salga del país". Art. 41. "Cuando se trate de extranjero que tenga establecimiento de comercio o de industria, podrá ampliarse, a juicio del Ejecutivo Federal, el plazo señalado y darse al expulsado las facilidades necesarias para liquidar personalmente, o por medio de mandatarios, el negocio respectivo". Art. 42. "Si el extranjero no sale del territorio en el plazo fijado, se procederá a embarcarlo o conducirlo a la frontera inmediatamente".

(484) **Costa Rica:** L. Nº 13, de 19 jun. 1894, art. 8º. "La expulsión se verificará, sea dando una carta de itinerario para que la observe por sí solo, sea conduciéndolo por medio de la policía al puerto que indique, para que allí se embarque con dirección al puerto de su elección, en el plazo que el Ejecutivo señale".

que las mismas autoridades indican (485). En los Estados
Unidos el Fisal General debe disponer la expulsión a alguno
de los puntos de destino que la ley preceptivamente fija dándose una serie de reglas al respecto (486). No obstante, en caso
de que el extranjero haya demostrado tener buenos antecedentes durante cinco años anteriores a la expulsión, se le podrá permitir la opción (487).

_____

Chile: L. Nº 3446, de 12 dic. 1918, art. 5º (Está implícito al
expresarse que se le llevará a la frontera y nada más).
Venezuela: L. de 31 jul. 1937, art. 42 (v. texto en nota
443); art. 43. "Al expulsado no se le obligará a salir del
país por una vía que lo conduzca a territorio de jurisdicción
del Gobierno que lo persigue".

(485) **Cuba:** Cód. de Defensa Social, art. 64, A) "La expulsión del
extranjero del territorio nacional consistirá en su deportación del territorio de la República y su embarque para el
país de su ciudadanía o para el puerto que disponga el Tribunal"; Ac. L. Nº 3, de 5 ene. 1942, art. 15 (V. texto en
nota 429). D. Nº 1118, de 24 abr. 1942, art. 2º (V. texto en
nota 373).

(486) L. de 5 feb. 1917 (39 Stat. 874) (8 U.S.C. 156), art. 20.
"La deportación de extranjeros prevista por la presente ley,
se hará, a opción del Fiscal General, al país del cual vinie-
ron o al puerto en el cual dichos extranjeros se embarcaron
para los Estados Unidos; o si tal embarco fué para un territorio extranjero contiguo o limítrofe desde los Estados
Unidos y entraron, más tarde, en los Estados Unidos, o si
dichos extranjeros son considerados por el país del cual entraron en los Estados Unidos, como no siendo súbditos o ciudadanos de ese país, y dicho país rehusa permitir su reentrada, entonces la deportación se hará al país del cual dichos extranjeros son súbditos o ciudadanos, o al país en el
cual ellos residían antes de entrar en el país desde el cual
entraron en los Estados Unidos..."

(487) L. 5 feb. 1917 (39 Stat. 874), art. 19 (c) enmendado por la
L. de 28 jun. 1940 (54 Stat. 672) (8 U.S.C. 155), art. 20.
El apartado c) que la primera ley agrega a la segunda, dispone: (c) En el caso de cualquier extranjero (que no sea
de los que le sea aplicable la sección (d) — quedan así excluídos, por ejemplo, los de la L. de 16 oct. 1918, anarquistas, etc.—) que sea deportable bajo cualquier ley de los
Estados Unidos y que haya probado buena conducta durante
los últimos cinco años, el Fiscal General puede: (1) permitir
a tal extranjero partir de los Estados Unidos a cualquier
país de su elección por cuenta del mismo..." Los Regls. de
19 nov. 1941, con las enmiendas introducidas el 28 del mismo
mes y año, establecen parágrafo 58.24, "Denegatoria de permiso de salida. Ninguna... autorización para partida voluntaria en lugar de deportación, u otro documento que facilite
la partida será expedido a un extranjero si la autoridad ex-

No ha escapado a la previsión legislativa la hipótesis de imposibilidad material de ejecución de la sentencia de expulsión por falta de medios de transporte, etc. Por ello, en dichos casos se procede a la internación o confinamiento del extranjero hasta tanto desaparezcan las causales que impiden ejecutar la decisión de las autoridades (488). Este procedi-

---

pedidora tiene razón para creer que la partida será perjudicial a los intereses de los Estados Unidos".

(488) **Brasil:** D. L. Nº 479, de 8 jun. 138, art. 5º. "Mientras no se consumare la expulsión, el Ministro de Justicia y Negocios Interiores podrá ordenar o mantener la detención del expulsado o, según fuere el caso, mandar que continúe preso". D. L. Nº 1532, de 22 ago. 1939, art. 4º. "No siendo posible hacer efectiva la expulsión, el extranjero permanecerá preso a disposición del Ministro de Justicia y Negocios Interiores, y será recluído en una colonia penal agrícola, o empleado en obras públicas" (se refiere la norma a expulsión de extranjeros que han llegado en calidad de temporarios y no abandonan el país vencido el plazo legal de permanencia); D. L. Nº 3175, de 7 abr. 1941 ,art. 6º (contiene idéntica fórmula legal que la anterior y regula la misma situación).
Colombia: D .Nº 827, de 29 abr. 1943, art. 1º. "Si un extranjero ha sido expulsado del país por alguna o algunas de las causales señaladas en los Ds. 804 de 1936 y 1205 de 1940, no puede abandonar, por cualquier causa, voluntaria o involuntariamente, el territorio nacional, dentro del término que le haya sido señalado, podrá ser confinado en una colonia penal, mientras pueda hacerse efectiva su salida del país".
Ecuador: D. Nº 111, de 29 ene. 1941, art. 105. "Si decretada la expulsión, ésta no pudiera llevarse a efecto, sea por carecer el extranjero de papeles de identidad, pasaporte, medios económicos o por cualquier otra causa, el Ministro de Gobierno podrá confinarlo en cualquier lugar del territorio nacional, tendiendo, en lo posible, al establecimiento de colonias agrícolas. La reincidencia en el quebrantamiento del confinamiento en una Colonia Agrícola, será punible con prisión de seis meses a un año; y si en el transcurso de este plazo la expulsión no hubiese sido posible, el extranjero podrá volver a ser confinado".
México: L. de 24 ago. 1936, art. 70 (V. texto en nota 495).
Panamá: D. Nº 202, de 3 ago. 1942, art. 14. "El Ministerio de Relaciones Exteriores queda facultado para suspender temporalmente las órdenes de deportación impartidas por el Poder Ejecutivo, por conducto del Ministerio de Relaciones Exteriores, en los casos en que se haga prácticamente imposible enviar a los deportados a sus respectivos países, siempre que ello no cause grave perjuicio a la seguridad nacional".
Venezuela: D. de 7 may. 1942, art. 39. "El Ministerio de Relaciones Interiores hará ingresar a las colonias o establecimientos de régimen de trabajo que creare el Ejecutivo Federal, a los extranjeros inadmisibles que por cualquier impedi-

miento podrá revestir señalada utilidad en la emergencia. En efecto, se ha destacado anteriormente, entre los defectos del régimen clásico de expulsión, el de que siendo un derecho generalmente reconocido al expulsado, el de elegir país de destino, tal opción no constituye en plena emergencia ninguna ventaja y sí un inconveniente, por desplazar el peligro a otros países. La expulsión al país de origen es igualmente peligrosa porque esta forma de repatriación forzosa podía proporcionar a los Estados del Eje importantes servicios al permitirle ponerse en contacto con sus agentes. La disposición de detenerlo o internarlo en el país, en lugar de expulsarlo, llena así el objetivo perseguido por el Comité en su Resoución XX y evita los mencionados inconvenientes. En lugar de este procedimiento, algunas República Americanas han efectuado la expulsión de nacionales del Eje siguiendo las directivas de la precitada resolución, destinándolos a otro país con el objeto de ser detenidos en él (489).

b. La prohibición de reingreso

La prohibición de reingreso es el corolario lógico de la expulsión. Sin perjuicio de establecerla expresamente, las leyes de los Estados Americanos toman además diversas medidas para evitar su violación, tales como comunicación a las autoridades consulares de los datos personales del sujeto para impedir que aquéllas procedan a proporcionarle la documentación indispensable para el caso de que el extranjero intentara volver al territorio, y ponen, asimismo, en conocimiento de los hechos a las autoridades encargadas del contralor del ingreso en el propio país, para que oportunamente procedan en consecuencia (490.

---

mento no pudiesen ser inmediatamente extrañados del país y que se encuentren en cualquiera de los casos siguientes ... (se indica, en entre otros, ingreso con violación de las normas, ocultación de identidad y domicilio, etc.)".

(489) Bolivia, Colombia, Costa Rica, Guatemala, Haití, Honduras, El Salvador, Nicaragua, Panamá, Perú y República Dominicana, que han expulsado a nacionales del Eje con destino a los Estados Unidos.

(490) **Argentina**: La L. Nº 4144, de 23 nov. 1902, no ha establecido ni la prohibición de reingreso, ni la pena por su violación.

c. Sanción por la violación de la prohibición de reingreso

Las leyes americanas prevén que el extranjero sobre el
que pesa una orden de expulsión, pueda volver al país violando
la prohibición de reingreso que esa misma disposición implica, y por ello establecen penas privativas de libertad para el
infractor, prescribiéndose nueva expulsión luego de cumplida la condena (491). Las normas sobre la materia sancionan
también la ayuda a la entrada ilícita (492), y prescriben, en

---

La jurisprudencia ha resuelto que la expulsión ordenada por
decreto formal del Presidente de la Nación, implica necesariamente la prohibición de regresar al país sin autorización
de la autoridad competente (Fallo de 7 dic. 1936, de la Cám.
Cr. y Corr. de la Capital, en Rev. La Ley, T. 5, p. 503).
Bolivia: Circ. de 10 abr. 137, 1) Los expulsados del país no
podrán retornar bajo ningún concepto. A fin de que los Cónsules del cordón fronterizo, estén informados de las personas
comprendidas en esta expulsión, adjunto a esta Circular, una
nómina de los que se hallan en tal situación hasta la fecha.
Los consulados generales deberán hacerla conocer a las Legaciones de Bolivia, a fin de que estas autoridades no sean
sorprendidas con la visación de pasaportes diplomáticos para
las personas expulsadas.
Colombia: D. Nº 1697, de 16 jul. 1936, art. 49. "Cuando un
extranjero sea expulsado del país, la Sección de Extranjeros
de la Policía Nacional enviará a las autoridades portuarias,
Oficinas de Identificación de la República y Cónsul de Colombia, que estime conveniente, la fotografía, filiación e impresiones digitales del expulsado a fin de impedir su regreso
al territorio nacional"..
Costa Rica: D. Ej. Nº 5, de 14 jun. 1941, art. 21. "Cuando
un extranjero sea expulsado de la República, el Departamento
de Extranjeros distribuirá profusamente su fotografía y filiación entre todas las autoridades del país, y funcionarios consulares en el exterior, impartiendo igualmente informes sobre
aquellos extranjeros que no hubieren sido expulsados del territorio nacional y lo abandonaren voluntariamente, pero que,
por su conducta y antecedentes no sean acreedores a su reingreso".

(491) V., especialmente, nota 421.
(492) **Ecuador:** D. Nº 111, de 29 ene. 1941, art. 106. "Las personas
que se hicieren culpables de introducir extranjeros al país con
violación de uno o más de los preceptos de este Reglamento,
serán multadas en una cantidad de mil a cinco mil sucres.
Si el responsable fuere empleado público ecuatoriano, será
destituído del cargo, a más de pagar la multa señalada. Si
la persona que cometiera la infracción tuviere celebrado con
el Gobierno contrato de colonización o inmigración, sufrirá
el doble de la multa establecida, en su máximo".

algunos países, como por ejemplo Uruguay, que al extranjero expulsado que reingresa violando la prohibición de entrada, se le priva de los beneficios de la suspensión de la condena y de la libertad anticipada (493).

2. Cesación de la medida

Para algunas República Americanas, una vez decretada la expulsión y hecha efectiva, la medida tiene carácter permanente, según surgiría de la propia legislación que sanciona, como se ha visto, el regreso del expulsado, sin expresar para nada la existencia de algún procedimiento especial que habilite, en el caso de haber desaparecido las razones que determinaron la medida, a dejarla sin efecto. Por excepción, algunas normas establecen que la orden de expulsión tiene aquel carácter (494). En otras, en cambio, el legislador se ha preocupado en declarar expresamente que habiendo cesado las causas que la motivaron, ella puede ser revocada (495).

Estados Unidos: L. de 28 jun. 1940, art. 20, que enmienda el art. 19 de la L. de 5 feb. 1917, inc. b, núms. 1 y 2 (V. texto en nota 404).

(493) **Uruguay:** L. Nº 9604, de 13 oct. 1936, art. 10.

(494) V., p. ej. **Bolivia:** Circ. de 10 abr. 1937, ap. L. (V. nota 490).

(495) **Brasil:** D. L. Nº 479, de 8 jun. 1938, art. 6º. "La expulsión podrá ser revocada desde que cesen las causas que la motivaron".

Chile: L. Nº 3446, de 12 dic. 1918, art. 7º (V. texto en nota 421). (Se sanciona la entrada de los expulsados cuando lo hagan "sin autorización del gobierno", por lo que tácitamente parecería admitida la posibilidad de la revocación).

Ecuador: D. Nº 111, de 29 ene. 1941, art. 104. "El Poder Ejecutivo podrá declarar sin efecto una sanción, cuando ello sea posible y si las causas que la motivaron hubieren desaparecido".

México: L. de 24 ago. 1936, art. 70. "Los extranjeros que sean deportados del país por violaciones a esta ley o sus reglamentos, no podrán retornar al mismo, sino con autorización expresa de la Secretaría de Gobernación, y después de que hayan cumplido con las sanciones y condiciones que se le hubieren impuesto. (El mismo argumento citado para Chile es es aplicable, en consecuencia, para México).

Perú: L. Nº 4145, de 22 dic. 1920, art. 9º. "El Poder Ejecutivo podrá declarar sin efecto esas resoluciones de expulsión, si las causas que la motivaron hubieran desaparecido".

Uruguay: L. Nº 9604, de 13 oct. 1936, art. 8º. "El Pres. de de la República siempre que no haya sentencia judicial y la Sup. Corte de Justicia cuando ésta se haya producido, podrá

VI. TRATADOS Y RESOLUCIONES INTERNACIONALES

Se ha dicho a propósito del ámbito de aplicación de la expulsión que ella interesaba no sólo al derecho interno sino también al internacional. Es por ello que ha sido preocupación de los Estados —y los americanos no han escapado a esta tendencia—, regular este último aspecto en sus normas internas y en los tratados bilaterales o multilaterales suscritos.

No obstante el derecho soberano de cada Estado de disponer en sus estatutos la expulsión de los extranjeros que habiten en su territorio, algunas Repúblicas, aunque en forma muy excepcional, han establecido que la expulsión se efectuará en los casos permitidos por el Derecho Internacional, subordinándola, además, a los tratados que al respecto se hubieren suscrito con otras naciones (496).

En cuanto a los tratados bilaterales celebrados por las Repúblicas Americanas, pueden citarse, a vía de ejemplo, algunos de ellos. Se ha convenido así restringir las causas de expulsión, en el sentido de que ésta no podrá tener lugar nada más que por motivos graves y capaces de afectar la tranquilidad pública, que se dispondrá previa comunicación diplomática entre las partes contratantes y luego del transcurso de un prudente lapso para el examen de los antecedentes (497). En otros tratados, después de reconocer el principio igualitario de derechos y garantías individuales entre los naturales del país y los nacionales del Estado contratante, se establece la reserva

---

reconsiderar en cualquier momento la resolución acordada, con excepción de los casos ... expulsión establecidos en ... el art. 5º (Causal recogida en la nota 371).
Venezuela: L. de 31 jul. 1937, art. 44. "El Presidente de la República puede revocar en cualquier tiempo el Decreto de expulsión".

(496) V., por ej. **Venezuela:** Const., art. 100, núm. 22 (V. texto en nota 429; L. de 31 jul. 1937, art. 50. "Si ... la expulsión se hallan previstas en el Tratado de la República con la Nación a que el extranjero pertenezca, se procederá de conformidad con las estipulaciones del Tratado".

(497) V., entre otros, los celebrados por Bolivia, el 9 dic. 1834; por Ecuador, el 6 jun. 1843; por Honduras, el 22 de feb. 1856; por Guatemala, el 6 feb. 1879; por Perú, el 9 mar. 1861; todos ellos con Francia.

del derecho de expulsión en los casos prescriptos por las leyes vigentes en cada país (498).

En materia de tratados y convenciones internacionales multilaterales, ha de mencionarse el Tratado de Derecho Internacional Penal de 1889, de Montevideo, que dispuso que cualquiera de los estados contratantes puede expulsar, con arreglo a sus leyes, a los delincuentes asilados en su territorio, siempre que después de requerir a las autoridades del país dentro del cual se cometió alguno de los delitos que autorizan la extradición, no se ejercitase por éstas acción represiva alguna (art. 5º). El Tratado de Derecho Penal Internacional de 1939, reprodujo en su tit. 6º la prescripción, pero fijándole un plazo de noventa días, pasado el cual el Estado que tiene el delincuente puede proceder en la forma anteriormente indicada (499). Interesa recordar, asimismo, las Conclusiones suscritas en el Convenio Sudamericano de Policía de 1920, que recomienda el intercambio de informaciones telegráficas a enviarse a los Estados signatarios en caso de expulsión y el establecimiento de la obligación para cada país, de recibir a sus nacionales cuando fueran expulsados de los países firmantes (500). La Conferencias Internacionales Americanas también prestaron atención a la materia. En la de La Habana, en 1928, se suscribió una convención en la cual, así como se reconocía el derecho de los Estados de reglamentar la entrada y salida de extranjeros, y la facultad de expulsar por razones de seguridad u orden públicos al extranjero domiciliado, residente o transeúnte y se establecía la obligación de recibir en sus territorios a sus nacionales expulsados de los demás (501). En la

---

(498) V. Nicaragua - Francia, el 11 abr. 1859; Estados Unidos - Siam, el 16 dic. 1920.

(499) La Conferencia Interamericana sobre Coordinación de Medidas Policiales y Judiciales de Buenos Aires (1942), aconsejó en su Resolución IX a las Repúblicas Americanas no signatarias de este Tratado la consideración del mismo, así como ha recomendado su estudio al Comité y a la Federación Interamericana de Abogados, organismos que harían conocer sus conclusiones a aquellos gobiernos.

(500) Conclusiones 1ª y 3ª. Bolivia ha aprobado por L. de 16 oct. 1924 este Convenio y forma parte integrante de su derecho positivo interno sobre expulsión, y Uruguay, por D. de 13 oct. 1920.

(501) Arts. 1º y 6º de la Convención.

Reunión Regional relativa a la Entrada y Salida de Personas y Tránsito Clandestino a través de las Fronteras, Rivera, 1942, se aprobó una resolución recomendando el intercambio de informaciones por los gobiernos participantes, entre otras materias, sobre las personas que hayan sido expulsadas de cualquier República Americana (502).

El Comité, en ejecución de los cometidos conferidos por la Tercera Reunión de Consulta, dictó su Resolución XX, que persigue —ya se ha tenido oportunidad de manifestar (503)— la adaptación de la expulsión, como se le aplica en época de paz, a la situación especial de la emergencia, convirtiéndola fundamentalmente en un medio para hacer efectiva la ulterior internación del nacional del Eje o Estado a él subordinado en otro país, previos los respectivos acuerdos entre el Estado que dispone la expulsión y el que recibe al expulsado. Concordantemente, el Comité ha recomendado en la misma resolución la consulta y colaboración estrecha de las Repúblicas, para la ejecución del plan y la información al Comité de las normas y procedimientos en vigor para la expulsión de nacionales del Eje o Estados a él subordinados (504).

La Conferencia Interamericana sobre Problemas de la Guerra y la Paz, México, 1945, aprobó una resolución por la que se recomienda a los Gobiernos de las Repúblicas de este Continente ,con el fin de precaverse "que elementos inspirados por el Eje o sus satélites obtengan o recobren posiciones ventajosas, desde las cuales pueden perturbar o amenazar la seguridad o bienestar de cualquier República", adopten entre otras medidas, las imprescindibles "para evitar que cualquier persona cuya deportación se haya estimado necesaria por razones de seguridad continental, vuelva a residir en este hemisferio, si su residencia en él fuera perjudicial para la seguridad y bienestar futuros de las Américas". La misma resolución encomienda al Comité la preparación y sometimiento a los gobiernos, de las recomendaciones específicas para asegurar el cumplimiento de la precitada recomendación (505).

(502) Res. II, I, A) 2).
(503) V., I,
(504) Res. cit. parágrafos 7 y 9. Inf. cit., ps. 104 y 105.
(505) Res. VII, 2 a y 4.

Finalmente, el Comité, en ejecución de los cometidos conferidos por la precedentemente citada Conferencia Interamericana dictó su propia resolución a lo que ya se ha hecho referencia, que vuelve al régimen común de época de paz en materia de régimen jurídico de la expulsión, con notorios progresos en cuanto al alcance internacional del instituto (506).

---

(506) V., supra en este capítulo, Valorización del instituto en época de paz y en la emergencia.

INDICE

INDICE

CAPITULO II

CONTENIDO DEL ESTUDIO

CAPITULO III

LA LEGISLACION DEFENSIVA Y LAS CONSTITUCIONES

CAPITULO IV

LA DEFENSA DEL ESTADO Y LAS LEYES DE ORDEN PUBLICO

SECCION A

Contralor de Extranjeros

INTRODUCCION

CAPITULO I

REGISTRO

CAPITULO II

COMPARECENCIA PERIODICA Y CAMBIOS DE RESIDENCIA Y OCUPACION

CAPITULO III

RESTRICCIONES A LOS VIAJES EN EL INTERIOR DEL PAIS Y ZONAS DE RESIDENCIA PROHIBIDA

CAPITULO IV

POSESION Y USO DE ARMAS, EXPLOSIVOS, APARATOS DE RADIO Y OTROS ELEMENTOS DE IMPORTANCIA FUNDAMENTAL Y CONTRALOR DE LA CORRESPONDENCIA

CAPITULO V

ORGANIZACION ADMINISTRATIVA. — EXPEDICION Y USO DE DOCUMENTOS DE IDENTIDAD. — INTERCAMBIO INTERNACIONAL DE INFORMACIONES SOBRE EXTRANJEROS

CAPITULO VI

SANCIONES

CAPITULO VII

INTERNACION

SECCION B

Prevención del Abuso de la Nacionalidad

INTRODUCCION

CAPITULO I

ADQUISICION DE NACIONALIDAD

CAPITULO II

PERDIDA DE LA NACIONALIDAD

CAPITULO III

PROCEDIMIENTO PARA LA ADQUISICION Y PERDIDA DE LA NACIONALIDAD

SECCION C

Entrada y Salida de Personas, Tránsito Clandestino y Expulsión de Extranjeros.

CAPITULO I

ENTRADA Y SALIDA DE PERSONAS

Págs.

CAPITULO II

TRANSITO CLANDESTINO A TRAVES DE LAS FRONTERAS

CAPITULO III

EXPULSION DE EXTRANJEROS

Impreso por
Talleres Gráficos Milton Reyes y Cía. S. A.
Gaboto 1521 — Montevideo
URUGUAY